环境教育（三年级）
72026　举报电话：12358

ISBN 978-7-5331-5304-5
9 787533 153045 >
定价：3.11 元

环境教育

HUANJING JIAOYU

三年级

总主编　赵彦修
主　编　成杰民　王景
副主编　张可柱　王晓

山东科学技术出版社
www.lkj.com.cn

文字起源圖典

中

吉佐棠 著

齊魯書社

農業（一）

文字起源圖典

七

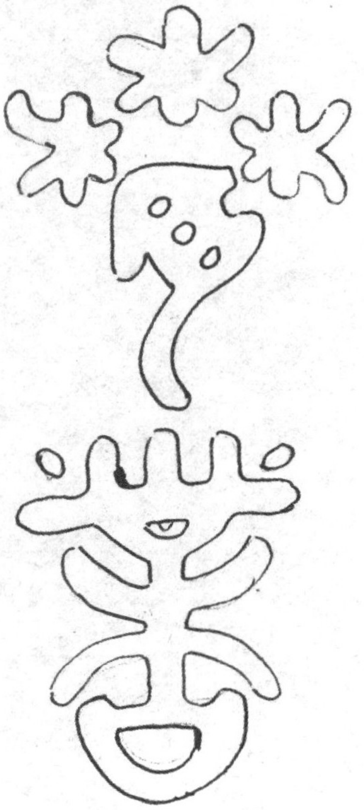

甲里 一
塵崎 二
畷畯 三
淥眦徑 四
溝畛 四
洫 五
淢遂澮 六
阡陌仟佰 七
道 八
川巛路 九
湖筍留草 十
藝疇 十一
籌壽 十一
災菑畬 十二
畎耕耒 十三
禺寓寄 十三
愚耦堣 十四
湡嵎耜台 十四
胎始耤 十五
趄 十五
畊畋細畝 十六
畝甾 十六
稼穡倉 十七
滄蒼 十七
稟囷農 十八
則衡耡物 十九
牟務犂 二〇
物黎黧犁 二〇
耦鉏 二〇
耰椓椎楙 二一
芻雛媰 二二
綯綏褟 二二
秫耕耘耔 二三
舂碓磨磑 二四
敔埴 二四
箕碁朞期 二五
晦畬祺 二五
萁基棋 二六
綦璂 二六
綦康糠穅糞 二七
棄 二八
禾穀 二九
晉毫蒿 三〇
儲貫 三〇
稲稗稌 三〇
抗亢秔 三一
孺儒 三一
穄穈糜 三一
稷秫叟 三二
遷稷周 三三
稠穠 三四
鬍綢淍 三四
彫雕 三四
黍虋秬 三五
芑穄 三五
木土林森 三五

《說文》：「陳也。」（應讀：陳為陣，有從橫成列意）樹穀曰田。象四口。十，阡陌之制也。」按此解許氏據斯篆田字造型而立說。與古文未符。《釋名》：「田，填也。五稼填滿其中也。」此解釋田字之音義，自有其想象。《通典》云：「古有井田，畫九區，如井字形，八家耕之。中為公田，乃公家所借。『圭田』者，以供祭祀；『加田』者，旣賞之，又重賜之也。」按此解與本條列舉之第二字造型甚符。

考《穀梁傳宣十五年》云：「古者三百步為里（此句極為重要，後有詳釋），名曰井田。井田者，九百畝，公田居一。」註：「出除公田八十畝，餘八百二十畝。故井田之灋，八家共一井。八百畝，餘二十畝，家各二畝半，為廬舍。」

復按《孟子滕文公篇》云：「方里而井，井九百畝。其中為公田，八家皆私百畝，同養公田。公事畢，然後敢治私事。」註云：「公田八十畝，餘二十畝，以為廬，井，園，圃，家二畝半也。」

《說明》以上列舉諸田字造型各異，自應以田字為正規。

一

一、井田制度下的農民生活方式：

《孟子》云：「鄉田同井，出入相友，守望相助，疾病相扶」。注：「同鄉之田，共井之家。出入相友，守望相助，疾病相扶持，相營勞也。出入相友耦也」。《周禮．太宰之職》云：「八曰友，以任得民。守望相助，察奸宄也。疾病相扶持，持其羸弱，救其困急，皆所以教民相親睦之道，和睦也。」

關于以上這些生活制度條文，因與文字學考古無關，故不予討論。該所欲解決者，即「方里而井」的「里」字的問題。

怎樣認識「里」字的意義，真里相？很重要。考《周禮．地官．遂人之職》云：「五家為鄰，五鄰為里。」《漢．應劭風俗通義》云：「五家為軌，十軌為里」。題而

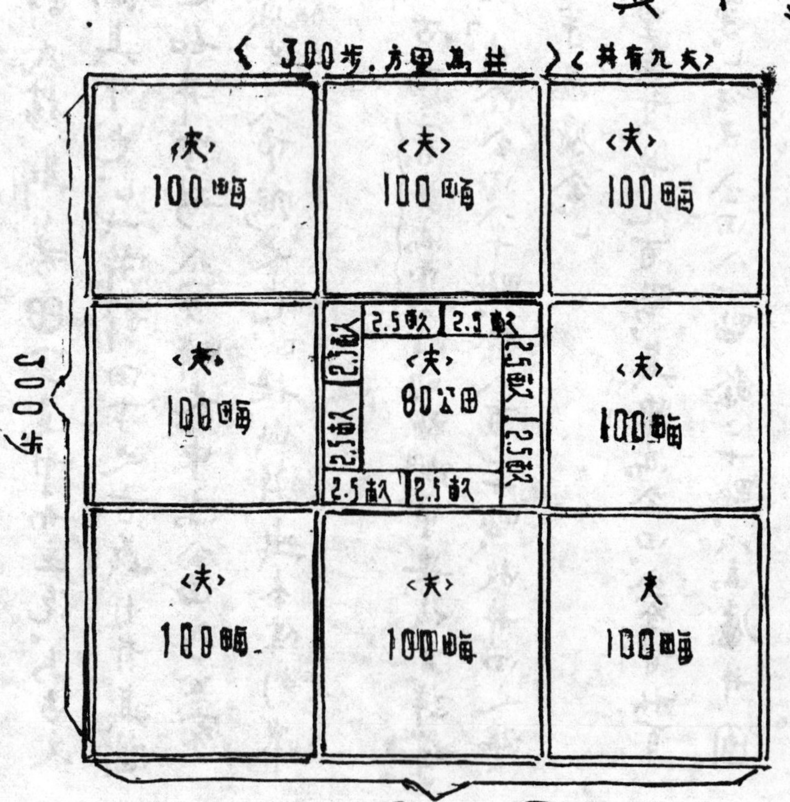

300步（圖壹）

易見，也已將里字解釋為居民行政區劃單位。《洪武正韻》：「路程三百六十步為一里。」又把里定了長度單位解。他們完全沒有找到里字的原始義是起源于土地分配的數量。在這裏讓我們借助于《穀梁傳》即是為考古的敲門磚。在《穀梁》宣十五年》云：「古者三百步為一里。」將其原始之言，語焉而不詳。只能借助于古《司馬灋》之義求證之。考《古今韻會舉要》畮下訓：「古《司馬灋》：「六尺為步，步百為畮。」《宋丁度集韻》訓同。據此可證，上古土地面積以一百個平方步為一畮的計量法則，彰彰明甚。依此數據推求，則可知《穀梁》所云「古三百步為一里」之說，即三百步為邊長的自來的平方積的「面值」而無疑矣。則「方里為井」土地面積，當等于九萬平方步可斷言矣。〈見前圖壹〉列式如次：

畮＝300步×300＝90000平方步。然則一里之地，即一井之田，「一井」之田，即「一里」之地。「里」之與「井」乃同位而異名，此以「方里為井」之語可以證之。

里字造型說明了什麼？里從田，從土，从八。土者，生長禾稼之地。田者土地劃分界限之形也。八者，八家分工合作之義也。特別是古篆田字明晰地顯示出了公田居中，八家之私田分佈外圍之象。文字本身，即似古化石，借不誤矣。今試說明于下：

(300步)² = 90000平方步 = 田 = 井。

90000平方步 ÷ 9 = 10000平方步。

10000平方步 ÷ 100平方步 = 100畝 = 一夫之田。 100畝 × 9 = 900畝 = 田 = 井。

廛

廛 今說文云：「廛，二畝半也。一家之居。从广、里、八、土。」段云：「里者居也，八土猶分土也。亦謂八夫同井也。」筆者補之曰：「广者，居室之形，里者所居之地也。从八，古分字。从土，八分其井分而明之也。八家不居于私，共居公田之內。但云八分其井而不言公田，而公田之意自在其中矣。廛者纏也。纏繞之義也。八家之廬，共居公田周圍，內嚮對向而居，晝則田耕，夜則環繞巡邏，守望相助。後世「環保」之名，當源於斯。今陝西「半坡村遺址」，原始建村形式，與西周井田廛居者，若合符契，可上考古參證。於以見古文字造形、命意、立義之旨，皆有事實，真相可據。

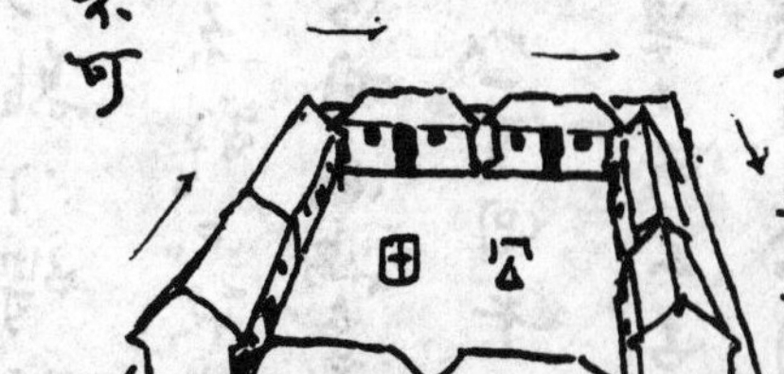

廛

（守望相助）

畸

畸 今說文云：「殘田也。音寄。」今正字通云：「井田為正。零田不可井者為畸。地勢多邪曲，井田取正方。則田必有畸零。劃井者必計零以足其數。」

按畸之為字從田從奇。田者地也。奇者偶之對。一、三、七、九之類。於除灋婁運祘中，偶易盡而奇數難盡。《循緣小談》：古代井田之法，必求正直端方。然而自然環境合乎理想的廣闊平遼極稀。雖有「方里為井」之說，未必盡是「方里為井」之地。故劃井者不能不因地施宜，持計統計。土地變通處理措施。此「畸田」之所由生也。假令有井田一方，本應八家各得百畝。但事實面臨之地，公田百畝之外，只餘六百四十畝，以致每家尚有廿畝不足之數。此則少司徒之責也。必思別開生面，另闢新境，以謀求補足其應有之分配定額。然而此新境之地，或居濉澗之下，或臨谿谷之邊。曲折從橫，句、股、圭、梭，雖精心測繪，難得絕對數值。此始畸字所以从田从奇之義歟？！後世謂一切事物反常現象曰「畸形」，蓋源於斯。

（畸田）

畷 [illegible] 《說文》：「音叕。兩陌間道也。廣六尺」。《禮·郊特牲》：「饗農夫及郵表畷」。疏：「井畔有連綴之所。造此郵舍田畯處焉。」

按：所謂「連綴之所」，即井田阡陌十字交會之路口。這是先秦井田時代國家委派的農業之官辦公室。

（田畯）

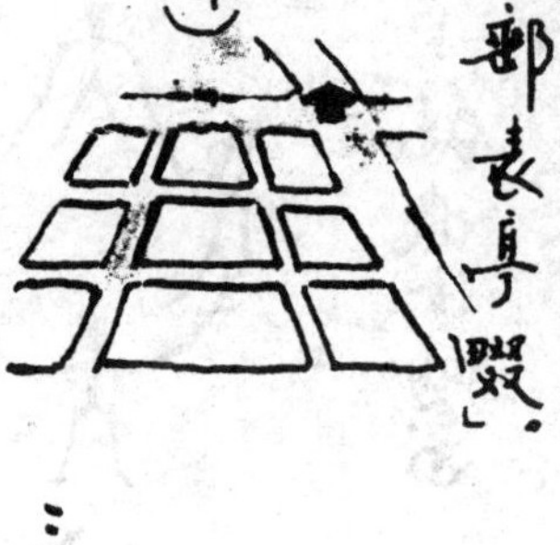

三

畯字從田從□。田者地界之形。□是四人八手牽挚的平面形。故有「連結」義。造字者繪田於左側，用為井田田邊小道縱橫交接的形義符。此漢字人為物化之例。

畯 □卜 畯篆《說文》：「農夫也。」又曰「典田官」。《詩·豳風》：「同我婦子，饁彼南畝，田畯至喜」。傳：「田畯，田大夫也。」箋：「田畯，司嗇，今之「嗇夫」。《周禮·春官》：「籥章歙豳雅，擊土鼓，以樂田畯。」鄭司農云：「古之先教田者。」《禮·郊特牲》注：「司嗇，后稷是也。」

按：后稷是西周王朝的始祖，為帝堯時代農業之官。是東方世界繼上古炎帝神農之後的農業改革運動的先進者。繇于在他的導引下，人民學會了先進的種植、栽培技術，解決了吃飯問題。後人念其功，感其德，崇拜他為「五穀之神」。名之曰「田畯」，後世遂延用為農官的美譽職稱。畯字從田從夋。夋是俊美、俊秀之士。《禮·王制》：「司徒論選士之秀者，而升之學，曰俊士。」後世國家選任的農業管理人員，因名之曰「田畯」。《說文》：「俊，材千人也。」馬融曰：「智過千人曰俊」。《殷墟文字》已有□字。看來，井田之制，非自周始，繇來久矣！

洫 《廣韻》：「田間小溝也。」

名家按：洫之為字，從氵從彖。會、緣字從糸從繪之省，通。按

式也。緣者，繫印鈕之五彩絲繩也（見《爾雅》）。彩繩之結束末端，有流蘇（下垂）〈古文之（緣）〉，象形，義符也。流蘇本身是一個整體纖維束分散為無很多單線組織的結構形態。而「洫」之為物，在整個龐大中利灌溉系統中，當于日取末一級組織結構。其輸液功能等於動物內臟「循環系統」組織的「微管網」。其結構等級和從心臟——大動脈——支動脈——微血管網的逐級分散，其理相同。此遂字之旨也。

〈緣〉

《周禮·地官·遂人》云：「凡治野，夫間有遂。」

按：西周井田劃分，九「夫」為井。夫者一家之長也。古文上大，成年人

之形。周制八尺為丈，男子身高八尺，故成年男子曰「丈夫」。丈夫三十娶妻生子。上有父母，中有兄弟，下有兒女各一，故曰「八口之家」。一家得田百畝。主事者，丈夫也。故「夫」字引申為「百畝之田」的代號。據此可知，所謂「夫間有洫」，即左右兩塊各一百畝的土地中間（交界）有一條田間小溝。這條小水溝中的水，可以隨時隨地被改道

四

甽

甽（入甽中滲入土壤，被植物根部吸收。甽是疑雙鋒犁耕出的壠溝田壠。名之曰「一耦之伐」（見說文本篇𡈼字條下）。所以《冬官匠人職》云：「一耦之伐，廣尺深尺，謂之甽。田首倍之，謂之遂」。故知「伐」的單位容積一立方尺。「遂」的單位等于（乙乙）四立方尺的容積。故「遂」的「流量」可以保證四「夫」之地的同時灌溉之需。看來「遂」的設計格局，當然也是經過數據的。遂和《匠人》：「遂廣二尺深二尺」的紀載是完全符合的。

徑

徑《遂人》云：「夫間有遂，遂上有徑。」《說文》：「徑，步道也。」（人行路）僅容牛馬，不容車軌。按：徑之為字，从彳从巠。彳者行之省，道路之形也。巠者巠之省，有細而直義。故徑字乃直而細之田間小道名。亦會意兼形聲字也。从「遂上有徑」之語審之，可見遂之與徑，是平行並列的南北方向之水道也。

溝

溝《釋名》：「田間之水曰溝。溝，構也。縱橫交構也。」《遂人》云：「溝上有畛。十夫有溝」。此東西方向之水道也。

畛

畛畛，考《詩周頌》：「徂隰徂畛」傳：「畛，埸也。」《說文土部》：「埸，田畔也。」田部「畛，井田間陌也。」此解釋似是而非。殊不足闡發畛字之涵義。

考疇之爲字，古篆作畎。字从田从㽘。辰者「三辰」也，日月星也。《左傳·桓二年》「三辰旂旗」，注：「日照晝，月照夜，星運行于天，昏明遞匝，民得取時節，故三者皆爲辰也」。按「三辰」經天，日出扶桑而入昆侖，月見于昏而殁於晨曦，雖起止有異，而橫貫東西之迹則同。故知十天有溝東西之水通也，溝上有畎，東西通達也。遂字取日月行迹之縱態，以示「畎」之方向。所謂比類合誼，以見指撝，是曰「會意」是矣。《易》云：「在天成象，在地成形」，古人造字或舉上以喻下，或段天明地。要在神而明之，存乎其人。非能舉一反三，觸類旁通之士，固不足與語文字之義焉。至于遂廣二尺，遂上有徑，溝廣四尺，溝上有畎，可通大車（農用牛車），洫上有涂，涂廣八尺，可行乘車（駟爲兵車）……尤足以看到西周初期農田水利灌溉體制與陸上交通系統結構的高度統一性、規範性，是相當卓越的。

洫

𧾷洫 洫 泪木《正韵》：「田間水道也」。（按此解乃通俗義，非古義）

考《周禮·小司徒職》云：「乃經土地而井牧其田野，（測量區劃）「九夫爲井，四井爲邑，四邑爲丘，四丘爲甸，四甸爲縣，四縣爲都……」鄭司農云：「四井為邑，方二里。四邑為丘，方四里。四丘為甸，方八里。旁加一里，方十里，為一成。積百里，九百夫」以九百畝為基數的四進位為役差的土地區劃方案，使是由周王朝的「土地淺大綱」。此即許氏說文的依據。

復考《地官·遂人》之文：「凡經界，夫間有遂，遂上有徑。十夫有溝，溝上有畛。百夫有洫，洫上有涂」。此與《少司徒之職》所言之「夫數」稍異，蓋緣二者所處環境不同。一屬井田制，居王畿之內，故以九夫為土地核計單元。而「遂人」所轄地區，位于郊野，為鄰比制，故以十家之地為核計單元。但二者之水利灌溉體系的結構層次與流量，以及家均田數則同。故溝、洫的灌溉面積雖異，而溝、洫的深廣與分佈的方向特點，則無二致。明乎此意，始可與闡「阡、陌」之義。（見後）茲先論「洫」字之義：

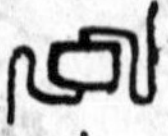之為文，象形字也。口象方。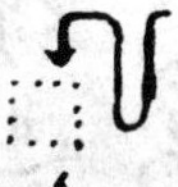象水道入口。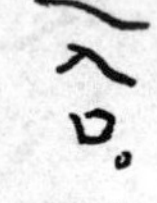象水道出口。水道曲折而蜿蜒，滋養田苗，施惠于萬物。故以「曲與」之合音為名。此形聲兼會意矣。洫從水從血。血是液體之謂，血者生命之基也。造字者把水洫說成是來苗的「輸血管道」其推理入微，是非常驚人的。於以見漢字之價值。

洫 洫之為文，從水從𢦏。𢦏者城之濠、廣淵之境也。水者流動之物，生物賴以活命之資也。故知洫字从水从𢦏，具「溝被九域，音施廣淵」義。此真容觀會意字矣。

渠 渠之為文，从水从巨从木。水者流動之態。巨，古「矩」字，為三角尺。正方形立體形象也。木者疏符也。此木製成品如正方形中空之水渠，尚被今人所習用。圖示如下。

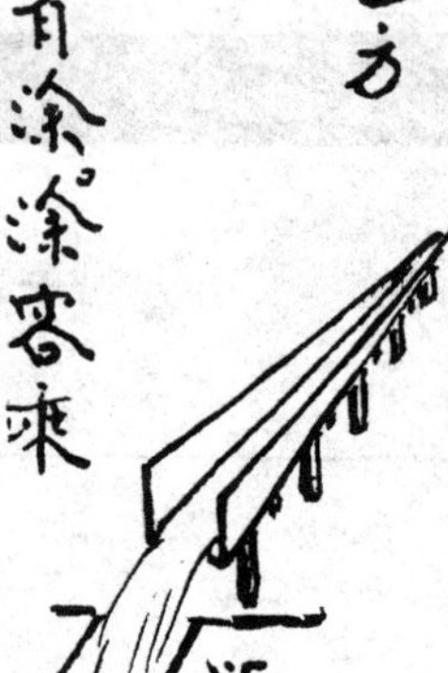

途 途卜 涂土 稱 途 篆 《周禮·地官·遂人》：「百夫有洫。洫上有涂，涂容乘車一軌。洫廣八尺，涂廣亦八尺。」按「洫」之為物，屬于農田灌溉水利系統中的第三級結構，界于兩個百夫之間。呈南北方向。

按：涂之為文，从水从土从余。水者水流之象。土者道路也。余，我也。土在水之旁，我行土上。此涂字亦指事字。

澮 巜 洙 澮 《地官·遂人》：「千夫有澮。澮廣二尋八十六尺」

涘二刃。澮上有道。荅疏申二軌」。按澮者會也。農田灌溉次于「山川」之總動脈也。上承大川，下注百洫。横列東西，故有會集之義。澮之左右各有四十萬畝。除以之百，故等于千「夫」。故千「夫」之間有「澮」。

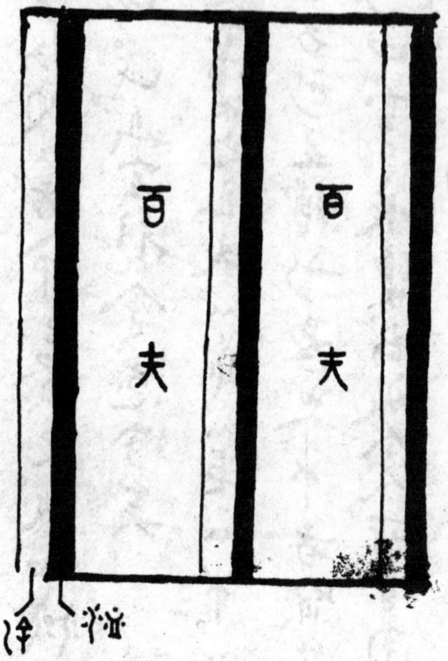

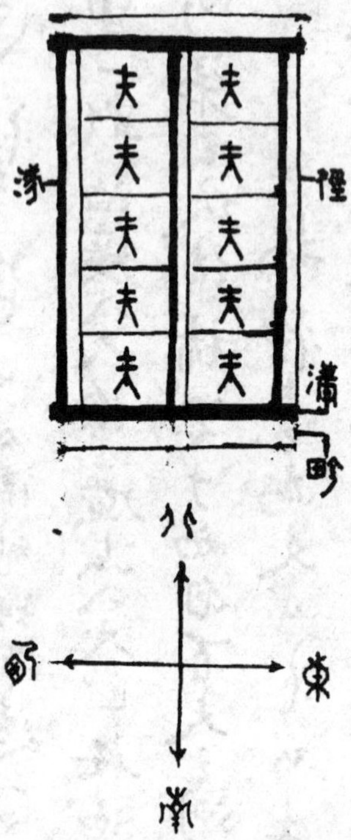

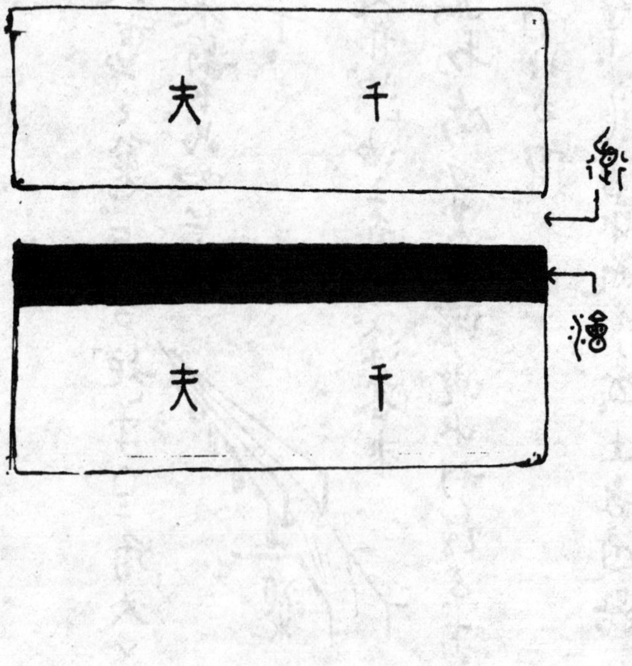

阡陌 阡陌

阡陌二字古本《說文》所無。唯《說文新附》見之。其訓云：「路南北爲阡。東西爲陌。」按《史記·秦本紀》：「開阡陌」，注引《風俗通》云：「南北曰阡，東西曰陌。」與《新附》同。並云：「河東以東西爲阡，南北爲陌。」朱子曰：「二說不同，後說爲是。陌之爲言百也。遂、洫從而徑、涂亦從。則遂間百畝，洫間百夫。而徑、涂之爲百；阡之爲言千也。溝、澮衡而畛、道亦衡。溝間千畝，而澮間千夫。而畛、道爲阡。阡陌之名由此而來。」按此說極確。論列於左：

考《周禮·地官·遂人》：「凡治野，夫間有遂。遂上有徑。十夫有溝。溝上有畛。百夫有洫。洫上有涂。千夫有澮。澮上有道。」〈見前畝〉。此爲供農業需要的水利灌溉系統和爲了農產運輸而築的交通網，都是與當時井田分佈格局而配套的。當然「阡、陌」的取名，不會不和井田中的水道、交通綫的方向特點相呼應。其命名之由來，已見前述。值得推敲的，即「阡、陌」二字，不僅是各自代表一類特定方向的田界道路名稱，同時還涵蓋農業區劃和軍事兵役組織的雙重領導問題。

按：阡、陌二字，皆从阜。阜者，土之高者也。从千、从百者

七

數據也。可以示田夫之名號指標也。故古籍「阡、仟、千、可通」。《杜甫故武衛將軍挽詩》：「新阡絳水遙」，通上仟。《前漢・原涉傳》：「京兆尹曹氏葬茂陵，民謂其道曰京兆仟。」此阡、仟互通之例證。臆其中必有深義存焉。按，

仟阡 《正韻》云：「仟，千人之長也。」《集韻》：「百人之長曰佰。」以「阡、仟、千互通之例律

佰陌 之，則陌、佰、百必有互通之義，可觸類偶及有順理尋義堪稽者矣。考《遂人》無「阡、陌、仟、佰」等字。但有「百夫有洫，千夫有澮」之文。按諸「阡、仟、陌、佰」互通之臨觀之，則《遂人》「百夫有洫」之地，必有佰夫之長，千夫有澮之地，必有千夫之長，可想而知焉。此事雖《遂人》未載，但以《尚書》經文，可以脉得旁證。《牧誓》云：「嗟我友邦冢君……亞旅、師氏、千夫長、百夫長……」此千夫長，即阡夫長，亦即仟夫長。百夫長，即佰夫長。亦即陌夫長可以悟矣。今吾國運昇平，四境若安，人民荷鋤而耕，則有阡夫長焉。若遇土木大興，城郭修建，鳩工庀材，則有仟夫長焉。若從王事出征，執戈禦敵，則有千夫長、百夫長焉。其事則異，其名必殊，其人則一也。此漢字名從識變之例矣。

道 術 從 蹈等《說文》：「所行道也。」許氏不云〈所行道〉但言「所行道」、則道之為物，非人類之專用品可知矣。一切生物，包括動植物類都有利用道路的機會。就像是牛馬。就拿「馬路」《車前》來說，它也習慣於生在車馬來往的大道上。原因是它長期遭受車輪踐蹂，經歷無限年代的蹂躪踐踏，終於在生理上自發出了一種頑強生命力，所以取得了在大道上安家落戶的「特權」。不過它雖有「當道」二字的綽號，事實上卻無法取代了的「世界主人」地位。所以道字者，還要把人擺在十字路口中心。「道」字另一造型是衜。从衜从文从行。其排的領導在十字街上邁步舉向進。實際上，道是一個動詞，即領「道」之導字。古音應讀若「盜」。此漢語發音因時而異之例。

不過本文所探討者乃是只限于《周禮·地官·遂人》的：「千夫有澮，澮上有道」之「道」。此道廣二八一十六尺，可供軌轍八尺兩「乘」兵車的交錯對行。實質上屬于雙軌循環公路。有周而復始的高效交通運載功能，故名曰「周道」。《詩·小雅》：「周道如砥」。砥是「磨石」。為什麼這種道會堅如磨石？這是基于國防的需要。它須保證陰晴

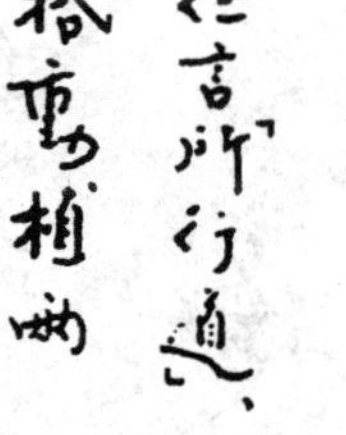

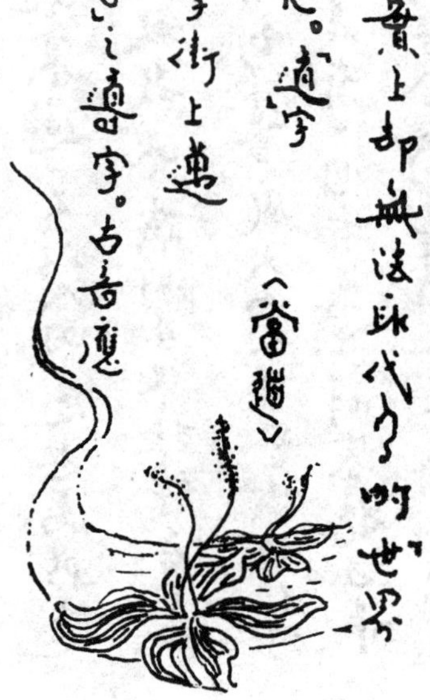

〈當道〉

無阻，不因風雨侵蝕而妨礙通車。這種道，是用木椿擣實的夯土築起的。古文築字的造型，可作良好注腳。

〈築〉

道字的廣義觀：在古漢語中，道字的含義絕不僅限于交通道路。例如：古天文學術語，把太陽一歲周期中的「行天之路」——當然是指的視運動視象——名之曰「黃道」，把月球的公轉軌道名之曰「白道」，把地球的四季圖〈春分、秋分〉綫名之曰「赤道」，把一歲周期中之春溫、夏熱、秋涼、冬寒這一不以人的意志為轉移的時效定律名曰「天道」，把地球上出現的春生、夏長、秋殺、冬藏的生化旋律，名之曰「地道」，把人類男女婚配、蕃殖後代名曰「人道」。古人看到這一龐大而不可思議的不均而同的共有規律，感到難于理解，就意味到必乎是有一個看不見的客觀力量在起嚮導。因而衜字便產生了「道路」和「領導」雙重含義。尤其是老子，竟把「道」提高到先天地而存在的客觀象、證來認識。令人難以想像，實際上，這個「道」和「導」，不過是物質元素同時間、空間相結合的動態表徵。造字者只好畫出一個長髮彭彭的人形在十字街上跳躍前進以喻義，此「無濟之濟」的措施乎？

川　⿰彳巛卜巛卜巛　篆。《說文》：「川，貫穿通流水也。《虞書》曰：『濬〈〈巜，距川。』言深〈〈巜之水，會為川也。」或有質疑于愚曰：「《虞書》以『濬〈〈巜之水會為大川』之義，此與《地官·遂人》之農田灌溉體系之水流方向，疑有未符。子將何以明之？」愚應之曰：「此同易易！夫水利系統之職，功在保苗豐收，固有抗旱排澇雙重任務。旱則引水入田，澇則排水入川。故《虞書》、《周禮》二經之文，本相輔而不悖。吾輩精究古文，要在辨證統一。還則之應用，未宜刻舟求劍，膠柱而鼓瑟也。」或曰：「唯唯，領聞吾子之說。」余曰：「川之為字，《唐韻》以巛為正文，其說深值推許。甲骨巛巛之文可為形證。小篆巛字尤與巛字切近。夫大川之水方重之遇山石阻礙，其流勢不能不有蜿蜒曲折之態，理有然也。《周禮·地官·遂人》云：「萬夫有川，川上有路。」這一記載，可從殷墟⿰彳巛字造型窺見其迹。⿰彳巛即殷墟「川」字。从巛，从彳。巛，水流之象也。彳者，行之省，道路之形也。此即《遂人》「萬夫有川，川上有路」之生動寫照，乃古川字初文。與「巛上有路」之語意，以形示甚符矣。是知西周農田水利灌溉體系，與今彷彿格局，貴遠溯源于夏商制度，時沿襲繼承而來，可斷言矣。古文字與文獻互證，可以得之。善哉《論語》

之言：「殷因于夏禮，所損益可知也。周因于殷禮，所損益可知也」。又云：「周監于二代」。愚觀此而益信。因為世界上的任何一件事物的創造，都不會突兀而起，都不會沒有它的悠久歷史來龍。不知道這點，便找不到傳統文化的潛在脈絡。

路 路《說文》：「道也」。按此訓極精。然非路字造形之旨也。

考路之為文，從二各，左右倒置。《說文》云：「各，異詞也」。異者，不同之義也。已經迫近了路字（各）的蘊意。后農按：各之為文，從口，從夂。倒止之象。古篆上 ，足迹內向之態也。口者，宮室、城郭「平面畫也」。故有入內之意。「此指事字也」。《商周銅器銘文》語義，皆訓各為入、至。如《令簋》：「丙寅，王各于太室」。《宰椃角》：「王各，宰椃從」。《庚嬴卣》：「王客（各）于宮」。諸如此類，皆以「各」訓為「至、入」之例。故知路字左右二各，一正一倒，可以示向往目標之不同也。路上行人，左右異道，東走西奔，南來北往，各有方向。此路字之所以从二各顛倒也。徐鍇云：「道路人各有適也」。堪補「一語破的」之訓，真許氏之功臣，有青出于藍者矣。

閘 閘《集韵》云：「閘，古之閘。」此解似是而實非。何則？考《說文》云：「閘，楣也。楣，門限也。」故知《集韵》之見，施之于居室之閘則可。若云閘閘異文而同義，則形意未能盡合。證諸楣冒昧，試述如次：

考閘之為文，从𣶒，从門。𣶒之為物，水適也。門者出入之户也。依形義察之，其必為川澤陂鄣之設施物樁也。《玉篇》云：「陂，澤鄣也。」《風俗通義》云：「陂者，因下鍾水以繁利萬物也。今陂皆以灌溉。」《禮月令》：「毋竭川澤，毋漉陂池。」「毋漉陂池」四字的含義，予吾人之啟發甚大。从《月令》注：「畜水曰陂」一語，可知陂之為物，即今日之「攔水堤」也。古文名「澤梁」。此言農田水利灌溉之蓄水池、必有可供開閉用以控制水流之活動閘門，以調節「流量」。俗名「水閘」，古名則叫它「閘」。這個閘門，有兩種形式，或為板狀，適于攔水，或為箄狀，適于捕魚。

此為水專用之板閘，即名符其實的閘，是沒有疑問的。若欲取魚，則不可用閘，須設箄而施笱。《詩衛風》：「毋發我笱。」鄭司農云：「堰水而為關空，以笱承

十

笱其空」《爾雅·釋器》云：「嫠婦之笱謂之罶。」孫炎曰：「以薄為魚笱也。」所謂笱，笱从竹从句，枸留之義。

罶：魚入于竹籠，留而不能去也，故文名罶。罶繫于「箄」。

箄：着於梁，箄有柵撩可以瀉水。甲骨文上[illegible]。

箄：[illegible]為象形字矣。此澤陂功用之景觀也。

古代農田灌溉水利體系之水源，仰給于自然

巛：山川。川之為物，上承溯谷，下通江海，穿通乎廣闊田野之間，川者穿也。穿通之義也。所謂「舉事為名，取譬相成」形聲是也。

川澤之利，兼抗「暵」「排潦」之功。時遇天暵，田涸苗萎，則開閘澤湖，引蓄水而入澮，由澮而入洫，由洫而入溝，由溝而入遂，由遂而入畎，則苗得潤而復甦。若遇霪雨不休，山洪暴發，則大啟閘門，導水下流，使田中積水，由畎而遂，由遂入溝，由溝而入洫，由洫而入澮，由澮而達川，而入江河大海，而水患平矣。古

澮：巜文澮上「巜」。所以示水流其中，可順可逆，可往可復，具有雙向流動之能而成抗暵排潦之功也。

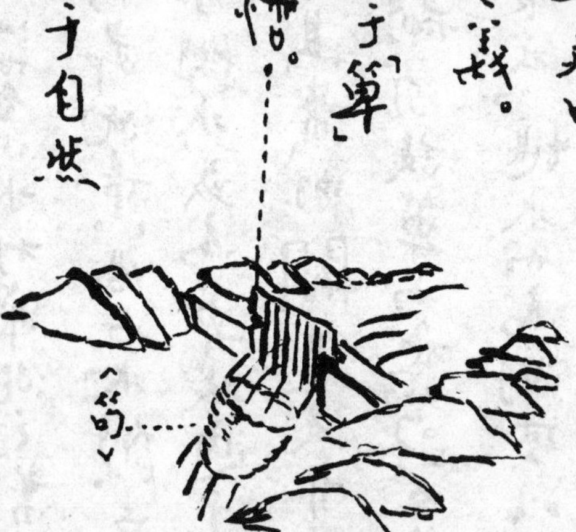

《意示陂澤》

藝 卜 金 籀 篆《說文》：「種也。从坴、丮持種之。」《書．禹貢》：「蒙羽其藝。」傳：「蒙山已可種藝。」《詩．齊風．南山》：「藝麻如之何，衡從其畝。」傳：「藝，樹也。」

按：藝之為義，動辭也，从雙手執苗栽樹之態，象形兼指事字也。《孟子．滕文公篇》云：「后稷教民稼穡，樹藝五穀。」注：「藝，殖也。」故知𡗜字，初義乃特定生物類之培養動辭。蓋農業技術涉及極廣，包括天文之氣象、地質、水利、施肥、選種、飼苗、除害……何莫而非技乎？後延伸為技藝、遊藝、才藝等辭。延伸義行而初義遂晦。

疇 𠷎 卜 金 篆《說文》：「疇，耕治之田也。」考《卜辭》𠷎字從乙，从口。疇字初文也。乙象溝洫，口似方田。然「疇」、「壽」「壽」字之所從出。《文選．左思魏都賦》云：「封田畫疇，菑畬錯列。」古代授人給田，劃井分疇，蓋自先秦。《周禮．地官．司徒．遂人》略明其事。但猶紀載甚詳。如《小司徒之職》云：「乃經土地而牧其田野：九夫為井，四井為邑，四邑為丘，四丘為甸……」《遂人職》云：「凡治野：夫間有遂，遂上有徑。十夫有溝，溝上有畛，百夫有洫，洫上有涂……」這些紀載，與甲骨文𠷎字造形，不謀而合。田疇之劃界，必賴丈量計算。「疇」者「籌」也。《史記．曆書》云：「幽、厲之後，周

十一

室微。官曰執政。史不記時。君不告朔。故疇人子弟分散」。這裡紀載中反映了數學是一切科學之基這一事實。英人丹皮爾在其所著《科學小史》中云：「幾何起源于日常生活的需要。在土地丈量的基本公式和數目裏，就可以看到「幾何」的淵源。但《恩格思在其書上中也提到：「數學是從人類生活需要中產生的。是從丈量土地和測量容積從計算時間和製造器皿產生的。」可惜彼輩只懂得西方科學史，卻不了解東方世界數千年前，不僅有《周髀算經》、《數學九章》出而問世，而且有了人工計祘器的發明了。

一		九
二	十	八
三	二	七
四	三	六
五	四	五
六	五	四
七	六	三
八	七	二
九	八	一

（錄自中華書局出版之百科全書）

（籌）

籌疇《說文》：「籌，算也。」《說文》：「籌，壺矢也。」按《禮記·投壺》篇云：「籌，室中五扶，堂上七扶，庭中九扶。」此籌字另一義。《前漢五行志》云：「籌，所以紀數」。此訓應為本義。自宜以計祘器為本義。幾何數學起源于土地丈量。故「籌」「疇」皆从𠃬。

壽

壽，从老，老人之象，古文老字。从𠃬，年齡推祘之意。所謂「建類一首，同意相授」者也。

災：𡿧、𠁱、〈〈、〈〈、𠁱等，灾、𡿨、灾等，𤆎等，烖等，災等

𢦏、𢦔、𢦔、𢦔、𢦔等，菑、甾

吾友質于余曰：災之為文，蓋怪百出，何其多焉！亦有說乎？余應之曰：此固有因。昨聞童子唱，自語獨行謠，而歎曰：嗚呼！人生之災害亦多矣！有自然之災害，有社會之災害，形形色色，不一而足。造字者苦于未能備舉其境，只好假造形，示意之讀以明之：

𡿧𠁱災之文，江河橫溢，汜濫成災之態，象形義也。

〈〈〈〈之文，波濤洶湧，海嘯怒吼，地震之音也。

灾𡿨灾𤆎，焚燒騰空，廬舍為墟之慘狀也。

災、栽之文，可以彰刀兵水火災害，致全民不聊生也。

𢦏𢦔𢦔𢦔，形秘雕戈，流離殺戮，戰殺聲波震天，戰鼓音滾，硝煙風雨，瀰漫九霄也。後世追仰而感嘆辭，理有然矣！

菑之為文，从艸、从来、从田。艸萊叢生，倉廩蕭瑟，道殣相望，此饑

十二

饉之災矣。生存之道有一，而死亡之道無窮，豈不大可悲歟？！

菑 甾《說文》：「不耕田也。」徐曰：「從艸，从巛，从甾。巛，川壅也。田不耕則艸壅之。」《爾雅·釋地》云：「田一歲曰菑。」注：「今江東呼初耕地反艸為菑。」《詩·小雅》：「于此菑田」疏云：「菑者災也。始菑殺其艸木也。」又《小雅·大田》：「以我覃耜，俶載南畝。」《箋》云：「俶讀為熾，載讀為菑。時至民以其利耜，熾菑所發𤱶之地。」可見古代開墾生荒，必有縱火燎邊之舉。小篆菑从艸从巛从甾，所以示川流壅滯，雜艸叢生之象。甾，古塊字。《說文·土部》云：「凷，墣也（亦即俗稱的生硬土塊）」，讀若甶。甶為黑黝黝之色，以喻腐植質壤土顏色。

畬 畬《說文》：「二歲治田也。」畬之為字從田，從余（甲骨文作余），舍之變文，廬舍之義。農夫之所居也。《小雅·信南山》：「中田有廬。」《周禮·地官·遺人》：「凡國野之道，十里有廬，廬有飲食。」《中田》注云：「中田，田中也。農人作廬焉。」《說文》云：「廬，寄也。秋冬去，春夏居。」繇此可悟畬字从余之意。良以廬之為物，乃農夫寄息之所。墾荒工具，粮飽任務也。非旦夕之功，一蹴可就。蓄洲墾之始，農夫荷耒負鋤，朝出暮歸，鎮日斬荊劈棘，破土碎石，胼手胝足，

（菑）

不可終日。永暇慮及廬舍之事。此勢有必至，埋有當然者焉。延及次歲，艸萊已闢，土壤漸柔。力有裕餘，時傻事後，可以延客建廬，以備棲息。此亦勢有必至，埋有固然者矣。此畬字從余從田之義乎？！

關于畬與「畊齡」之爭論：考《詩周頌》：「如何新畬」傳：「一歲曰菑，二歲曰新田，三歲曰畬。」按《禮坊記》：引《易无妄》：「不菑畬」注：「田一歲曰菑，二歲曰畬，三歲曰新田。」復考《詩話》云：「一歲為菑，始反艸也。二歲為畬，漸和柔也。三歲為新田，謂已成田而尚新也。四歲則曰田。」考二歲曰新，三歲則為田矣。何名曰畬？《正字通》據此，幾力駁「三歲為畬」之誤，謂當從鄭注。

〈畬〉

甽

巜 甽 畎《周禮·冬官匠人》文：「二耜為耦，耜廣五寸，一耦之垡，廣尺，深尺，謂之甽。」《釋文》云：「畎與甽通」。

按：甽之為文，象形兼指事字也。字從田從巛。田是地之象，巛者雙瀧並列之遂，水流瀧中之意也。《匠人傳》云：古者耜一金，兩人併發之，其瀧中曰「甽」。甽土曰「垡」。

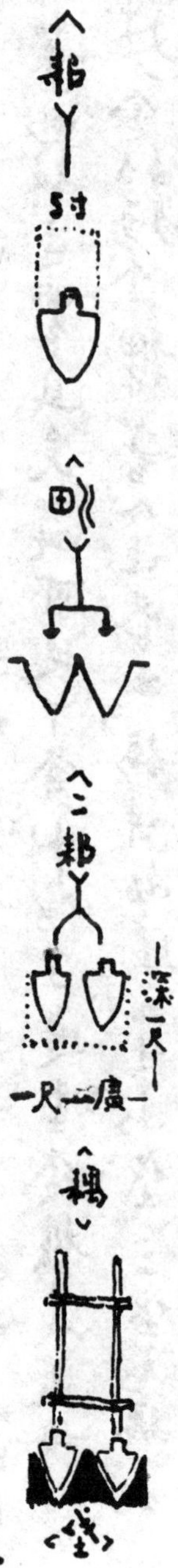

十三A

垡之言發也。畎，畎也，今之耜頭兩金。猶古之耦也。」繇此可證當其時已有「雙鋒犁」的耕之農具矣。此可從下條□字造型發掘其真相。

耦 □ □ 金 □ 金 耦 篆 《說文》云：「耦，耕。耜廣五寸為「伐」。二伐為耦。」《詩·周頌·噫嘻》云：「亦服爾耕，十千為耦。」《箋》云：「耜廣五寸，二耜為耦。一川之間萬夫」。《田百萬畝》□字見于《甲骨彙編》，□字見于《金文編》，耦字見于《說文》。造型不同，時代各異。筆者共辟為耦字。耦之為字，具有農具、配偶二義。造字者集自然科學、社會科學于「耦」字的涵義之內。是可以歷史文獻查證的。

耒 □ 耦字從耒，從禺。古文耒之□、□，斯篆之耒。《說文》：「耒，手耕曲木也。從木，推丰。古者垂作耒耜，以振民也。」《古史考》：「神農作耒」。《易·繫辭》：「揉木為耒」。《周禮·冬官考工記·車人》：「車人為耒，庇長尺有一寸，中直者三尺有三寸，上句者二尺有二寸。」注：「耒謂耕耒。「庇」謂耒下岐。」《按：庇，即□之腳身》。□ □ □三文，據文字造型而意推之，可肆定為「耕」字。耕字《經籍》不見，以義求之，必為「耦」字而無疑矣。漢室龍興，繫定古文，成為後世「五經」範本。三代文獻，燬於秦火。不賴今世出土

遹文、銅銘誰復能識[illegible]字之迹？故余以為[illegible]之為文，左右雙手扶犁之象也。這種特定形制農具的書面顯影，生動地暗示出古代勞動人民男女同耕的事實。人類社會就是奠基于兩性關係的產物。婚姻配耦自然也不會不是共同勞動關係。耦字從耒從禺，便是二人共同駕馭一副農具的說明。此于《六書》名之曰「指事」。這種雙耒駢之的耕犁，上下各有橫木相聯，左右兩耒的底端，各自植裝着金屬犁頭，用繩索牽曳。二人一推一拉。比較單人操作的省力，效果要佳。《魯論》中記載的「長沮桀溺耦而耕」，他們使用的工具就是此物。

耦字義變，屢遷嬗軌迹之溯源與追蹤：我們單純的從上為農具形象之[illegible]字中，只能看到[illegible]的上端兩隻人手在握持耕犁。尚不能判斷出它的社會關係的含義。唯有通過「耦」字，纔能找到線索。

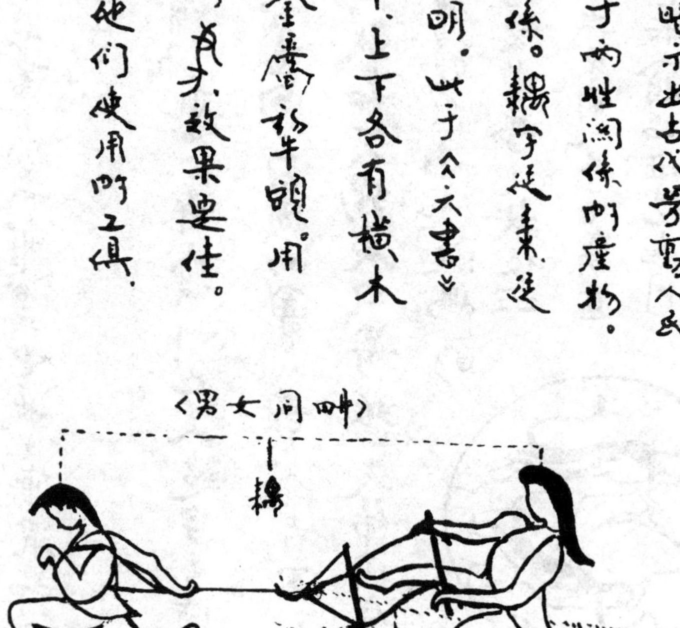

十三B [illegible]、耦二字同是奠基在[illegible]的數理概念的產物。

耦字是來从禺。禺字處于「義符」對說明問題，佔有重要地位。有必要予以介紹。〈本條精論耦字，讀者可與本書連篇第卅二頁隅字解說，相同詳參互證〉

禺。《韻會》禺字訓：「獸名，猴屬。」《正字通》：「禺似獼猴而大，赤目，長尾。」《爾雅·釋獸》：「寓鼠曰嗛。」《六書故》：「寓，即《說文》之禺。」復考《說文·甶部》云：「禺，母猴屬。」惜乎許君之說亦未能盡其義。唯《六書故》「寓，寓即禺」之說，為能得其真義。

寓 寓 寓《說文》：「寓，寄也。」同部寄字訓：「託也。」許氏此訓已失造字之旨。段氏寄注：「寄，不耦也。」堪稱獨得造字之密。蓋寓从禺，而寄从奇。宀者室之象。禺者偶之省。偶，雙數也。奇，單數也。故知一人獨處曰「寄旅」，夫婦同居為寓。東方世界遠自秦漢之際就已經把「寓象」視為「配偶」的形象。古音「偶」「隅」「耦」皆同而義通。故古老哲學文獻把☷卦列為「偶數」的總代表。而《易》中了「直方大，不習無不利」，「六二之動，直以方也」的幾何定義。西方的達尔文把「類人猿」和人類始祖視為同族同派的事物。遠遠遠來看東方的「數化文字」更富有唯物觀點。

寓 象

關于《東方古老哲學周易「爻象」之初探：《周易》的「爻象」實、濟、上既是原始「數化文字」。實東方文化之始基。《周易》哲學以「奇為陽」、以「偶為陰」是俱有最大自然科學基石的。這要提到生物科學知識的先祿來表達。

我們知道在殷墟文字中有牝牡二字，既是用串倒的「丄」和被倒的「匕」來區分（止）動物「性別」符號使用的。如「牡」字或止□或止牡、或止□、或止□。又如牝字或止牝或止□、或止□或止□、或止□、或止□。雖文字隨型多變，但所以止為區分動物「性別」之符號的標志，断不因物種不同而改變。故知《周易爻象》「陽奇、陰偶」之義，實適了乎物類生殖器官之形象會意而來。非機械唯物主義者所能知矣。表示于左以見義之：

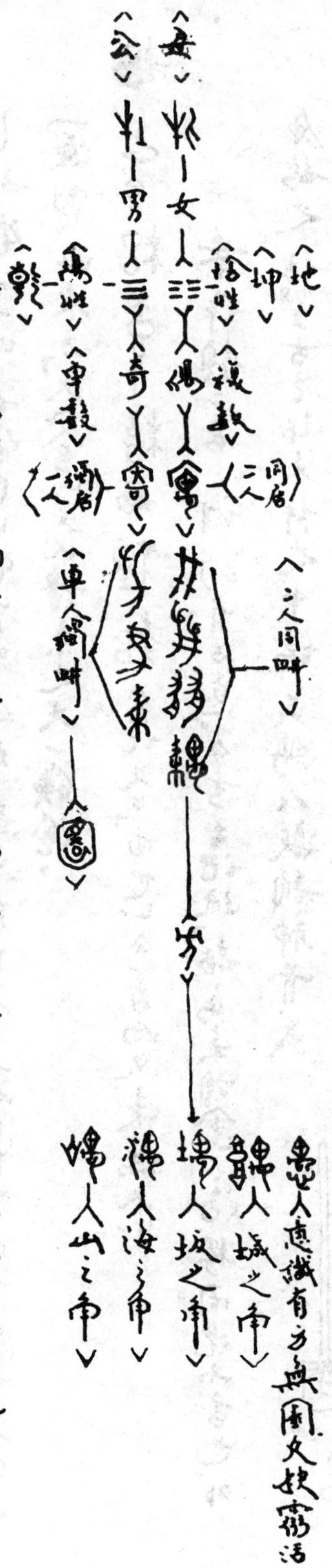

《天》《易經》有「天圓地方」之說。其實基于二的自乘數而來。(2)²=2×2=4。

故以「禺」（偶之首）之字，皆有方角之象。故城之角曰「隅」，坂之角曰「堣」，海之角曰「澫」，山之角曰「嵎」。

特別是有清大文字學家段玉裁對「地」字的解釋云：「坤道成女，玄牝之門，是為天下根。」此《老子語》，徹底透露了「大地是結繩萬物的母體」的這一客觀科學意念。《說文解字》乁部「也」字訓：「女陰也」。「也」字的造型，顯然同甲骨文的「牝」字造形取象是同出一源的。此東方「天人合一」文化體系之又一鐵證。

耜

㠯 金 枱 𣏾 卜 枱 𦓤 梩 耜《說文》云：「臿也」。《玉篇》云：「耒端木」。

案：許慎二君之訓，均有古意。《考工記疏》「耜為耒頭金」之說，據周說而言也。非原始之耜。上古之耜木杆之末端，或縛以獸類胛骨，或縛以蜃殼，或縛以木片。因無定製。尤其是古文枱字，从木，从口，从㠯，表現了將㠯以插，覆土埋種之象。木者柄也。㠯者蜃殼也。口者所以示插坎既成播種已畢，繼之以覆土之意。故造从枱，而示之枱。《說文》許後㠯、鈶、鈶。《卜辭》耜之𣏾、枱。此古地國名。夏后氏姒姓之裔也。姒、梠、枱，聲同而義通。

㠯

枱

台 㠯 台《唐韻》：「與之切，音怡」。《正韻》：「音怡」。《爾雅·釋詁》：「台，我也」。《書·湯誓》：「非台小子，敢行稱亂」。《傳》：「非我小子，敢行此事」。此台字古訓為「我」之義例。

筆者竊謂「台」之為文，雙聲字也。古「胎」字，初文也。字从ㄙ、口。ㄙ者，耜之初文。口者，壤土為凵，散種既果封之以土之態也。壤凵埋種，為毓苗之始。「我」是社會人際關係之始。故延伸為「第一人稱」辭。此漢字時空意化例。

胎 胎《說文》：「孕婦三月也。从肉，台聲。」《廣韻》：「胎，始也。」《增韻》：「凡孕而未生，皆曰胎。」《爾雅．釋詁》：「胎，始也。」註：「胚胎未成，亦物之始也。」

筆者案：胎之為文，从月，从台。亦「台」之孳乳字也。蓋台為植物散種毓苗之始，胎是為人生之始。其義一也。

始 卜 古文 籀 始 篆《說文》：「女之初也。」

案：始之為文，从女，从台。與「胎」字从月，从台同例。「台」ㄙ之孳乳字也。

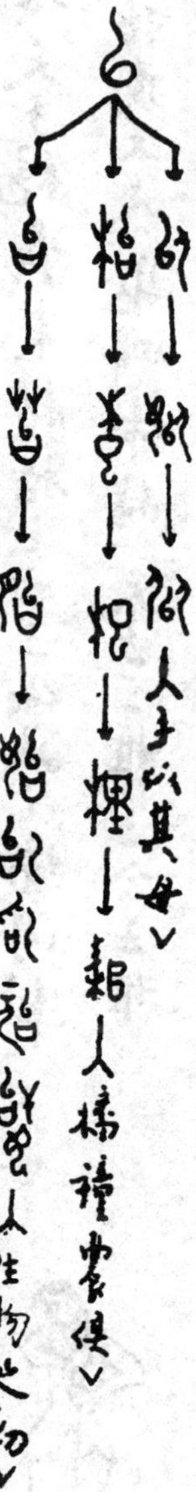

耤 卜 卜 金 耤 篆《說文》：「帝耤千畝也。古者使民如借，故謂之耤。」

十五

耤 耤之为文，象形字也。以农夫持耒力田之姿。

考《礼·月令》云："孟春之月，天子乃以元日，祈谷于上帝。乃择元辰，天子亲载耒耜，措之于三保介之御间。率三公九卿、诸侯大夫，躬耕帝耤。天子三推，三公五推，诸侯九推……"下余的任务，让农夫来完成。贯称上此千亩之耤，属于天子的祭田，同诸侯、士大夫的"圭田"性质相似。所以这块土地收获的粮食、又须储于"神仓"专供宗庙粢盛之需。今东邻日本"天皇"犹有此制，乃我国先秦文化之遗存也。

𧻘 亘毛卜𧻘金𧻘篆《说文》："田易居也"。注引《春秋传十五年》："晋于是乎作𧻘田。"並引《地官·司徒》文："不易之田家百亩。一易之田家二百亩。再易之田家三百亩。"大郑云："一易之田，休一岁后种。地薄，故家二百亩。再易之田，休二岁乃复种。故家三百亩。"復考《地官·遂人职》云："辨其野之土，上田、中地、下地以颁田里（按照土质等级规定分配比量）。上夫一廛（廛舍一居）。田百亩，莱二百亩。"注："莱，谓休不耕者。"《公羊传》何休

注：「司徒僅別田之高下美惡，分爲三等。上田，一歲一墾。中田，二歲一墾。下田，三歲一墾。肥饒不得獨樂，磽确不得獨苦。」

案：此即先秦農業生產輪換耕作方式，名曰「趄田」之濫觴。趄字从亘从走。亘，从二从回。二者，天地也。回，古淵字，旋轉循環之態。表有還走移居之意。上田，中田，下田，所在環境各異。這就決定了農夫每年必須搬家。所以許君說：「田易居也」（換房子）。這樣，就形成了三年一個循環周期。前後相續，既能使土地得到充分利用，又能使農民機會均等，肥瘠均霑。

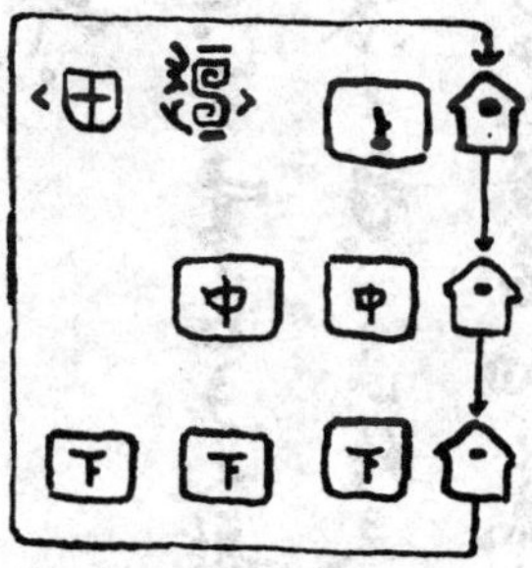

淵

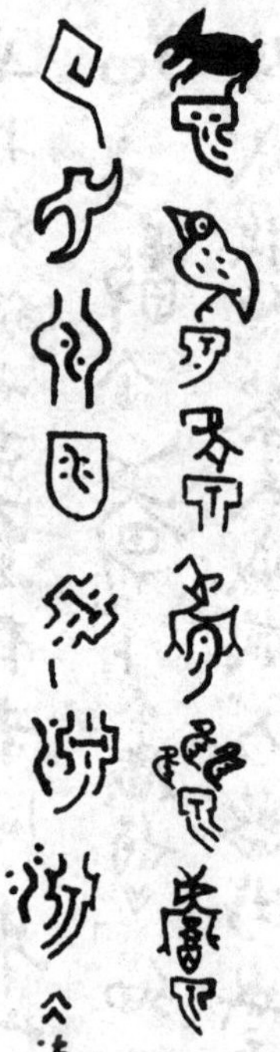

《說文》：「淵，回水也。」同書回字訓「轉也」。《周禮·冬官》云：「故爲淵則句於矩。」注：「大曲則流轉。流轉則其下成淵。」經文載述，與回字造型宛若符契。故知古文回、淵之通。此門串手顱回字，淵。可深識證。

畋

畋 𤰈 卜 𢿨 金 𤰔 《說文》：「平田也。」《尚書·多方》：「今爾尚宅爾宅，畋爾田。」疏：「治田謂之畋。」此訓極確。按金文「畋」上𢿨，从𢼸，从田。𢿨，古「治」字，与《說文》之訓，若合符契。今人以耕田求食謂「畋食」。筆者按：「治田」二字乃動賓結構辭也。治，動辭也，田，名辭也。故知「治田」一辭，乃專指農事而言。与「㽞」字專指狩獵而言實有未同。舉例如下以示殊。

㽞

㽞 𢿨 金 [illegible] 卜 《廣韻》：「㽞，取禽獸也。」《書·五子之歌》：「太康尸位以逸豫，滅厥德，黎民咸貳。乃盤遊無度，畋于有洛之表……」總文錄畋為㽞。不知畋、𢿨二字，从攴，右手舉鞭驅牛之象，乃治田字也。金者㽞之為文，則从犬，从田。犬之為物，狩獵之工具，助人追捕野獸者也。若𢿨之為文，从虎，从畋。虎者「虎」之省。虎猛獸也。慣於殘害生物，乃人畜之公害。故《卜辭》[illegible]。字从虎，从田。豺、兕、貍、鼠、豺、狼、虎、豹……為害農業，殘傷人畜之野物甚多。縱難一一畢舉。造字者只得舉虎以槩其餘。此虎之造型，示意之旨歟?! 固知畋、𢿨乃治田之義。而㽞、𢿨、虎乃佃獵之義。此其間中有異，未宜魯魚亥豕，混淆不分也。謹識于此，示書海內大雅鴻達，以為何如? 尚祈有以教之。復考《左傳·隱五年》云：「春蒐，夏苗，秋獮，冬狩，

「皆于農隙以講事也……」這一系列定時開展的軍事演習活動，顯然具有「寓軍事于保苗除害」的雙重目的。則古籍「畋、獸、趙、獸」之通，非偶然矣，未宜刻舟而求劍也。

稼 𥞕〈說文〉：「禾之秀實為稼，莖節為禾。」此解殊無以窺造字之旨。考〈書．洪範〉：「稼穡作甘」，疏：「鄭云：『種穀曰稼，若嫁女之有所生。』可謂深得造物之情。

案：稼之為字从禾从家。家之為言嫁也。〈禮．婚義〉：「女以男為家。故嫁字从女从家。女子既嫁而後有家。男以女為室」。故男子娶妻而後有室。男有室，女有家。而後可以生子毓女。故曰「室家之好」。好字从子从女，所以示「孤陰不生，獨陽不長」之義也。

禾者五穀之總名。五穀結實，猶人之有子也。植物之有雌雄同株，猶人之有兩性也。雌雄交配而生籽，其理與人類同。〈易．繫〉：「聖人有以見天下之賾」，造書契以代結繩之政。」于以見東方民族文化，有不容厚誣者焉：

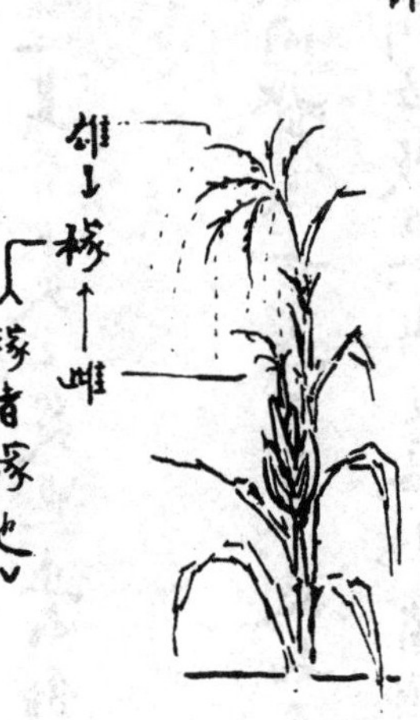

穡 𤯞 卜 𤯞 𤯞 金 𤯞 𤯞 籀 穡 篆〈說文〉：「穀可收曰穡。」〈尚書正義〉：「穡，收穀之名。」此訓極確。考〈卜辭〉穡字作 𤯞。从來，从 𠕒。來者小麥豐稔之象。𠕒

十七

者倉廩之形。示意為穀類既熟之處之室內妥善而窖藏之，所以避雨也。此指事兼象形字也。

嗇字則引申義為儉約、愛惜、慳吝。蓋農夫之稼穡、春耕、夏耘、秋收、冬藏、修渠、經營，不遺餘力，不避炎暑風霜，深感物力維艱、來之匪易，常懷饑寒之心。每思省吃而節用之，精心以護理之。唯恐其有水火之災也、蟲蝕之患也。其延伸義曰愛、曰吝，不亦宜乎？

倉

倉《說文》：「穀藏也。」案：倉之為文，象形字也。倉藏同聲，亦音義字也。故知倉，有青色義。亦有蒼涼義。就其儲藏之物而言之，則五穀也。穀之為物，有機碳水化合物、醣類物質也。燃料也。醣類具自燃功能，故能自發生熱。因而倉廩之建築，必求陰森高廣、通風而涼爽，所以防五穀之氤氳鬱蒸、霉爛致腐也。故知滄字从倉、从仌。凜字从㐭、从仌。同具「低溫儲藏」之義。

倉廩之所藏者，五穀也。五穀者，植物也。故「倉」字有青色義。綠色素是植物共有之色相。草色青，木色亦青。青色之太空，曰「蒼天」，青色之海水曰「滄海」。青色的蘚苔曰「蒼苔」。皆「倉」含青色之義例。又《說文》訓：「滄，寒也。」又《逸周書》：「天地之間有滄熱。」又《列子·湯問》：「日出則滄滄涼涼。」皆「倉」訓為寒之古義。

〈儲糧的建築物〉倉

- 日出則滄滄涼涼〈列子·湯問〉 → 寒涼義
- 寒也。〈許氏說文〉 → 寒涼義
- 天地之間有滄熱〈逸周書〉 → 寒涼義
- 倉：从△，古「集」字。又似屋頂，日象牕窻，口象出口 → 象形
- 蒼天 / 滄海 / 蒼苔 → 青色義

倉

廩 篆。〈說文〉：「穀所振入，宗廟粢盛。倉黃而取之，故謂之㐭。从入，回象屋形。中有戶牖。或从广，从禾。」〈玉篇〉云：「倉廩也。」詩·周頌·豐年：「豐年多黍多稌，亦有高廩，萬億及秭。」〈荀子·富國〉注：「穀藏曰倉，米藏曰廩。」〈楳〉：此說太泥，不足為訓。〈禮·明堂位〉：「米廩，有虞氏之庠也。」注：「庠序亦學也。魯謂之米廩。虞帝上孝。今藏粢盛之委焉。」〈周語〉：「廩于藉東南，鍾而藏之。」

粟㐭之為文，象形字也。其用為藏米之所，固無疑問。大槩廩藏之米時供應：首曰清廟粢盛，次曰國家養老福利供求，三曰在職官員奉祿廩餼，四曰貴族

子弟教育供應。西周王朝「廩人」之職，屬于「地官司徒」：「掌九穀之數，以待國之匪（分）頒、賙賜、稍食。歲之上下，數邦用，以知足否。以詔穀用，以治年之凶豐……」但倉廩之儲積有限，而用之者無窮。故倉廩之米，恆苦不足。故廩人必須嚴格控制，杜絕浪費。此㐭、各聲通，增禾而爲稟。亦形聲兼會字矣！

囷 囷 《說文》云：「廩之圓者。从禾在囗中。」

象此由長席捲束而成。形似螺旋。吾鄉民間用以儲糧工具，立於巳口瓦缸內，名曰囤子。（見圖）

農

辰 《說文》云：「農，畊也。種也。」許君訓農爲「耕、種」，本無可置議。惜乎未及造字之意，疏之矣！

考古文農字造型非一，或从田，或从艸，从林……要而言之，百變不離乎辰。于以見「辰」字與農業之關係至深且久也明矣。蓋以爲辰之爲字古蜃字之初文也。《禮月令》注：「大蛤曰蜃」，考《淮南記論訓》云：「古者摩蜃而耨。」漢時猶上古未遠，可佐之有考證。蜃之為物，初民用之，摩蜃為刀，可以掘土，可以鋤草，可以斂穫，甚而切割食物，其用甚廣。等文則、𠚑等字，其說明例證數則，試條索如次：

則 𠟭 《說文》云：「則，等畫物也。從刀，從貝。……」徐曰：「則，節也。取用有節，刀所以裁制之也。」雖此推證，則之為器，與《淮南》云所載之「摩蜃而耨」無異，文而同物可知矣。蓋上古漁獵為生，人類群體遂處，小獸則獨饗，大獸必割劃而共分之。此意不僅表現於則字造形示意中，而且流露在◇◇字造形中可資印證。

劑 ◇◇ 𠛎 𠛘 《說文》刀部云：「劑，齊也。從刀，從齊聲。」《爾雅·釋言》：「劑，剪，齊也。」疏云：「齊，截也。」考古篆劑作◇◇，此為形字也。由二箇菱形塊狀體合成。所以示平均分配之意。今民間包水餃，混飩，切起劑子必求大小一致。此人類古今之所同。按諸文字形意可得而悟者焉。上古無金屬之具，以貝刀為切割之用，可以見矣。

耡 𦔮 耡 《說文》云：「殷人七十而耡。」《周禮·地官·遂人》云：「以興耡利甿。」疏云：「耡，助也。興起其民，以相佐助。」復考《周禮·地官·里宰》云：「以歲時合耦于耡，以治稼穡，趨其耕耨，行其秩序。」鄭玄云：「耡，里宰治處也。若今街彈之室，於此合耦，使相佐助也。」

十九

譯文：許君所謂「七十而耡」，乃殷商時代實施耕率名（見孟子）。此「耡」字另一義。《地官·里宰》之「合耦于耡」，事實上相當於「街道辦公處」。每當農事方興之際，所有走的勞力都集于此，總使調遣分配。由「里宰」按照具體情況予以統約配備，合理分工。實際上就是勞力組合調配業務。耡字从耒从助，耒者耕具也。助者相互輔助之義。顯而易見，這裡勞力組合方式寓于集體生產制度的產物。

物　从牛勿　《說文》：「物，萬物也。牛為大物。天地之數，起于牽牛」。許氏解字好為玄覽宇宙之說，殊無當于文字之原義。故略而不從。

竊以為勿牛之為文，从勿从牛。勿者耕犁之象，牛者耕田之畜也。勿牛者雜色之土也。故知《卜辭》勿牛實物之變文。于古義應訓為雜色。《周禮·春官·雞人》云：「掌共雞牲辨其物。」傳：「物謂毛色也。」《夏官·校人》云：「凡軍事，物而頒之。」傳：「物即是色。」《楚語》云：「毛以示物色。」復考《地官·卝人》云：「各以時取之，物其地圖而受之。」傳：「物地，占其形色。」《艸人》云：「以物地相其地而為之種。」更考《春秋昭三十二年》：「物土方」，注：「物，相也。」（即相土之色）又《詩·小雅》：「比物四驪」傳：「物，毛物也」。

犁上徵引大量資料論之，或訓"物"為文色，或訓"物"為土色。皆以"物"訓為"色"之義例。尤其是《春官·司常》："雜帛為物"（"犁"）之"犁"字更足以為訓雜色之義。故知《卜辭》"勿牛"字即物牛之"犁"字初文而無疑。後世增米而止黎米，而原有之勿牛遂形變為物。而"雜色"之義未改。《論語》云："犁牛之子騂且角，雖欲勿用，山川其舍諸？"可為"勿牛""物牛"同源考證之資。

勿牛

- 物 — 雜色軍旗
- 犁 — 犁具；雜色牛
- 物 — 文色；土色
- 黎 — 黑而黃夫曰黎民
  - → 黧 — 面色黑暗
    - → 黎米 — 水果皮有斑點

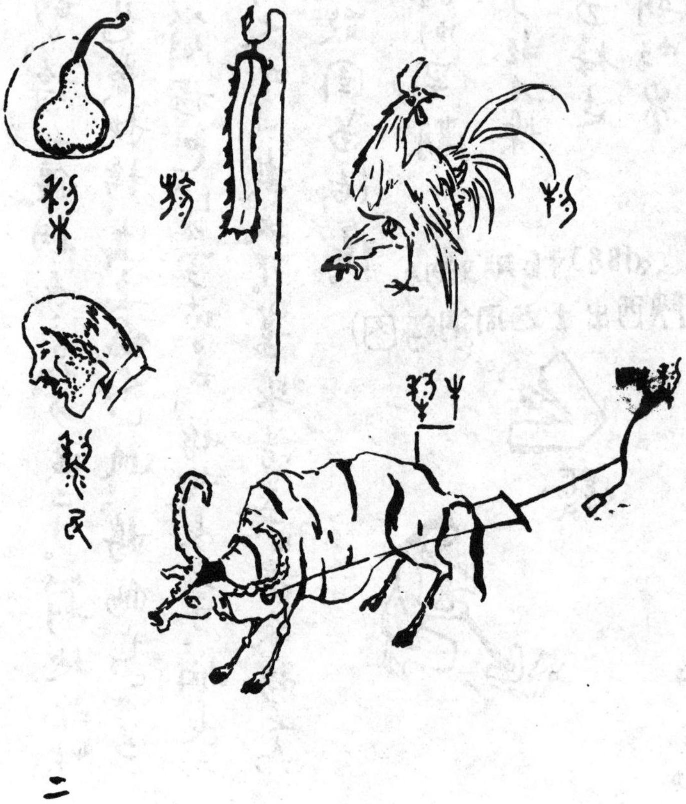

二〇

耨䅶槈鎒《說文》：「耨，器也。」《廣韻》：「耨如鏟，柄長三尺，刃廣二寸，以刺地除草。」

《左傳·僖三十三年》云：「臼季過冀，見冀缺耨，其妻饁之。」疏：「耨，鋤也。」《呂氏春秋》云：「耨柄尺，其長六寸，所以間稼也。」《字詁》云：「耨頭長六寸，柄長六尺，以耘田也。」《易·繫辭》：「耒耨之利，以教天下。蓋取諸益。」看來耨之為器多能工具也，既可鋤草間苗，又能圍苗培根。

秦「鎒」的形製與「鋤」相反。鋤的早期形狀多鶴嘴，是內向的形，屬于拉力操作工具。鎒是外向鏟形，屬于推力操作工具。鎒或是槈，大概就是早期的木槈，也許就是一片薄板吧!?

鉏鉏鐯鋤《說文》：「立耨所也。」段注：「耨者，披去田草也。斫者，斤〈刀〉也。〈今考古學名曰「石斧」。斤以斫木，此則斫田草者也。云「立耨」者，古耨草坐為之，其器曰耨，其柄短。若立為之，則其器曰鉏，其柄長。耨之用淺，鉏之用深，故曰斫。

《1983年6期文物》
（陝西出土西周銅鎒圖）

〈鎒〉

《陝西出土西周鶴嘴鋤》

櫌 𣚍《說文》木部云：「櫌，摩田器也。」《淮南子‧氾論訓》：「……民勞而利薄，後世為之耒耜、櫌、鉏……」注：「櫌，椓塊椎也。三輔謂之儓，所以覆種也。」「椓塊椎」三字，非常重要，值得推敲。謹此專題報告如次：

語的分析：題目是、櫌之為字，屬于主語（名詞）。「椓、塊」是一個動賓結構的附加成分。遺憾的是單純地依靠現代漢語知識，還不能得到櫌字之為何物？只好求諸于《經典》：

《詩‧周南》：「肅肅兔罝，椓之丁丁。」注：「丁丁，椓杙聲也。」丁丁是象聲詞。杙是木樁。椎是木榔頭。「椓」是動力詞。這樣就可以徹底認識到「椓」字的「詞性」。在先秦青銅器銘文中，椓字恒以象形圖案的形態出現，而表現

椓 椓 為騸割牲畜（去勢）的動態。椓，或从豕而上刃。或从支而上致，皆象豬之四蹄被縛遭刑之態。施之于人則上的（劅）見卜辭。皆支除之刑也。古名「宮刑」。所謂「奄人」精之閹藏者。椓示了古代的刑罰殘酷。但是這些只能說明椓字的產生歷史背景。還不足以說明「椓塊椎」之究為何物。尚有待于進一步之探溯：

廿一

椎輲《說文》「可以擊也」。此解僅能說明輲之為物，屬於打擊工具。古無以窺見「椓塊椎」的真相。《爾雅·釋用器》云「椎，椎也」。此解雖非「一語破的」之訓，但是已經提倡到了「耰」的意義，質樸導緣。上古初期的球形木輪大車，名曰「椎輪」。《昭明文選·序》「椎輪為大輅之始」，古文常用「反大輅為椎輪」之諷譏「復古主義」的謬語。正生動地揭示出「椎輪」的樸拙形態。同時也間接暗示出之為「摩田器」——「耰」的形象和「椎輪」是相似的。此所以《淮南·氾論注》有「椓塊椎」之訓，絕不是偶然的。「塊，吉壤也。《博物志》」徐州人謂壚土曰「遂塊」，然則「椓塊椎」即輪狀破土器而無疑矣。

蓋上古農具簡拙，特耒耜以破土，不易達到精耕細耨。敲碎之後，往往撿埋不密，導致成活率降低。後世創造「摩田器」以成碎土密實之功。此農器改進之一大飛躍成就，不可不知也。《集韻》訓「輲為木名，似栗而小」。則「椓土椎」取材于堅實的栗科木材，是基于碎土破塊之需要，可斷言矣。

楙櫟《字彙補》「音頓」。此為架形農具。猶存「耰」的祖遺形態。乃迄今仍在運用之「摩田器」。每當冬盡春回之際，麥田土壤

①

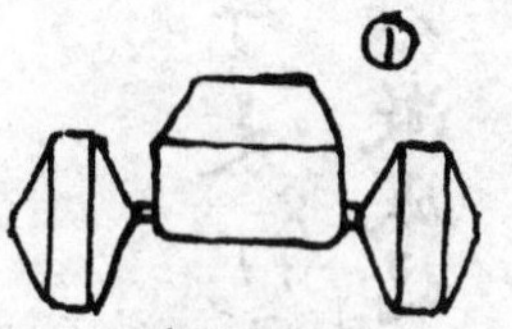

〈椎輪〉

②

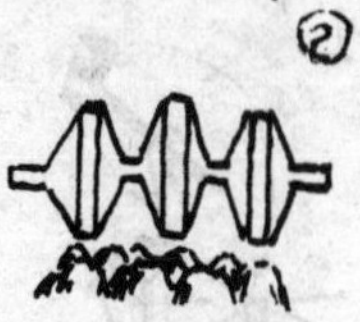

〈椓塊椎〉

③ 〈楙櫟〉

④

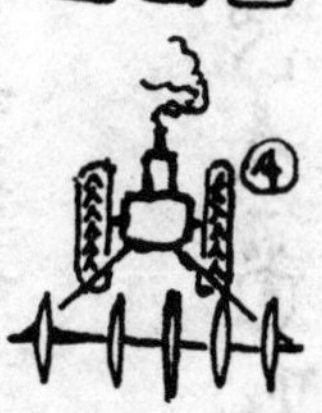

〈現代碎土機〉

安永寧鄉，農民淳力造成小麥根部虛脫，老農對此病態，采用樅子鎮壓麥隴，以求隴土之堅實。《論語·微子篇》：「長沮桀溺耦而耕，孔子使子路問津焉……耰而不輟。」鄭曰：「耰，覆種也。覆種不止，不以津告。」夥此可證「摩田器」之歷史久矣。今農村之石「樅子」，即其物矣。現代「拖拉機」之「破土器」其構造形態與古之「摩田器」如出一轍。此古今之變也。

芻 [古文字] [古文字] [古文字] 卜 [古文字] 金 [古文字] 《說文》：「刈艸也。象包束之形。」注：「謂可飼牛馬者。」

案芻之本文，象形字也。甲骨、鐘鼎，雖形態多變，而脈胳無殊。此 [古文字] 从又之屮，乾艸也，非鮮艸也。農夫飼畜家畜，必采之于秋冬，以備嚴冬。故樵采者曰「芻蕘者」。而飼料曰「芻秣」。則 [古文字] [古文字] [古文字] [古文字] [古文字] 諸字同源可見矣。

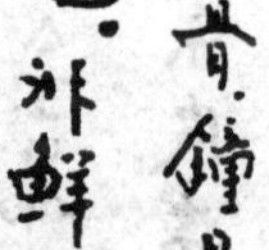

雛 [古文字] 《說文》：「雞子也。」案母雞孵卵，必藏雛于腹下，所以保溫而禦寒也。故童稚曰雛雞。亦 [古文字] 之同根字也。

媰 [古文字] 篆 [古文字] 卜 [古文字] 金 [古文字] 籀《說文》：「婦人妊娠也。」

〈[古文字]〉

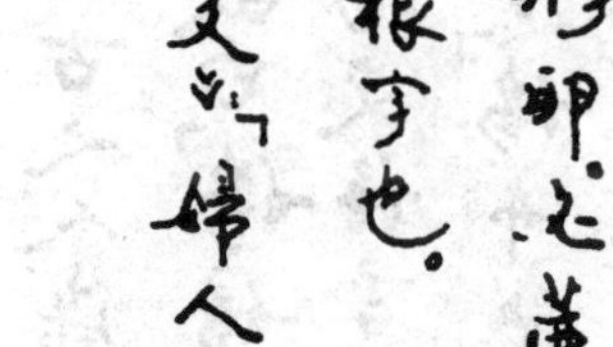

廿二

《逸周書》曰：「壬子⿰女芻婦」。上古之人，席地而臥。婦人生子，則薦草而居，以禦寒，故曰「⿰女芻婦」。今民間仍謂小兒降生曰「落草」，蓋上古歷史語言也。

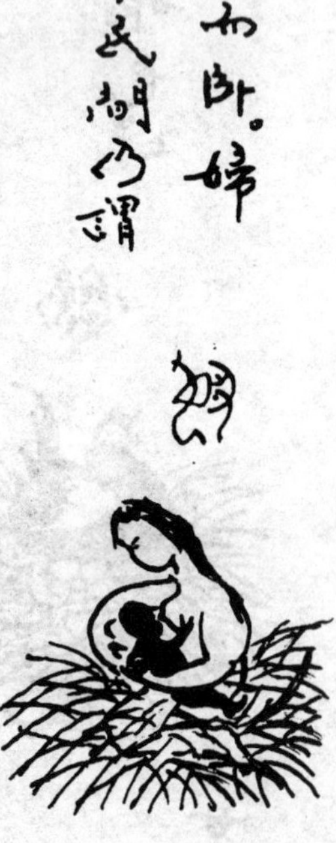

縐 《說文》：「絺之細者曰縐。」《玉篇》：「縐，布也，織也。」案：絺之與布，皆麻織品之細微者也。造字者取其文理之細如芻草，故名之曰縐。亦芻之孳乳字也。

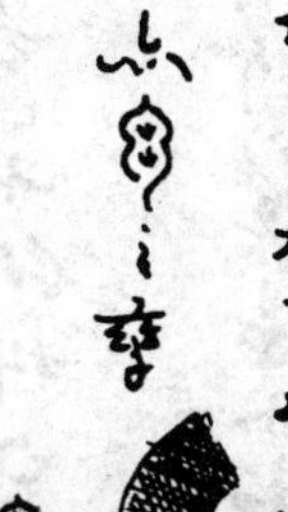

皺 《增韻》：「眉蹙也。」《類篇》：「皵也。」《玉篇》：「面皺也。」
案：皺之為文，從皮，從芻。可以示皮膚文理縱橫，交錯細如草文也。亦芻之轉注字也。

⿰衤芻 《集韻》：「衣不伸也。」案：⿰衤芻从衣，从芻，示衣服褶折文理縱橫似草也。

芻〈乾草〉
→ 皺〈膚紋〉→ ⿰女芻〈產婦〉
→ 蒭〈鮮草〉→ 雛〈子雛〉
→ 縐〈布紋〉→ ⿰衤芻〈衣紋〉

秣

秣 䅗《說文》：「飼馬穀也。」本是餗，今是秣。《詩‧周南‧漢廣》：「之子于歸，言秣其馬。……言秣其駒。」傳：「秣，養也。」案：䅗之爲字，从禾从末。禾者五穀之總名。末字从木。《木部》云：「木上曰末。从木，一在其上。謂木杪也。」《玉篇》云：「末，端也，顛也。」故知䅗之爲文，象形指事字也。即俗名「秫秸」、「救荒」之穎是矣。其則《詩》訓秣爲「養」者，名作動之例也。自應以許訓爲本義。禾之末梢是飼料，俗名「稈艸莖子」。許書訓爲「斷芻」是也。

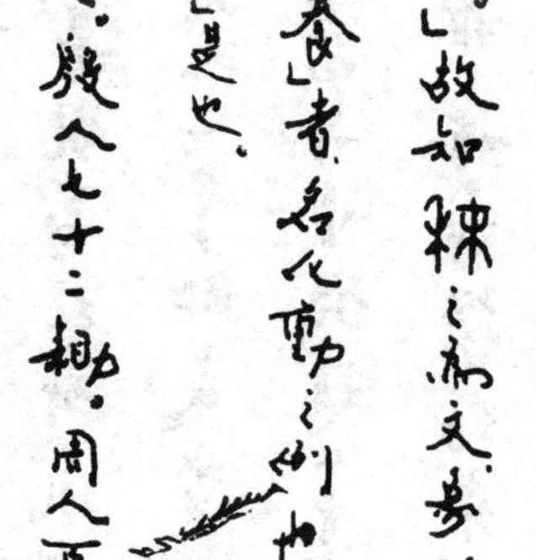

耕

耕 畊《說文》：「古者井田，故畊字从井。」案《孟子》云：「夏后五十而貢，殷人七十而助，周人百畝而徹。」則夏、商二代之農田制度是否「九夫爲井」？尚有考證餘地。況《殷墟文字》中，已有牛字。則現代史家認爲牛耕始于戰國之說，尤覺可疑。《山海經》云：「后稷之孫曰叔均，始作牛耕。」此古史伏案，豈容一筆抹煞？若謂古籍荒唐，後人借古假託，尚何文史之社會價值之足云？若必欲執懷疑一切之論，則非吾所敢知焉！

耘

耘 䢵 耘《說文》：「除苗間穢也。」本是䢵。䢵之爲文，从耒从員。或从芸。耒者耕之省，除艸之器也。員，芸古通，衆多之義。《員部》云：「⿰員云，物數紛⿰員云亂也。」故知⿰員云，芸，紜諸字聲同形類而義通。蓋此多于字而聲勢浩大之情，而訓義爲衆多。⿰員云者物數紛⿰員云之亂也。芸者，離艸紛芸之亂也。紜者治絲而紛紛之多也。咸具繁亂之義。故知䢵

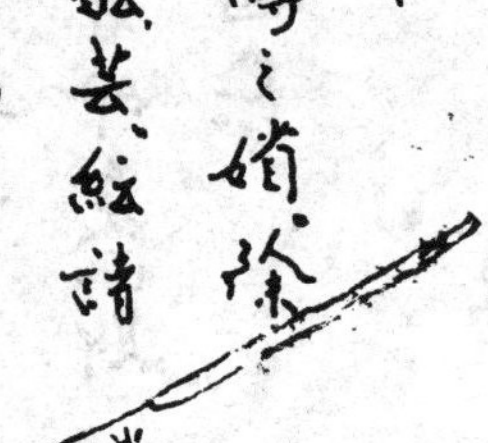

廿三

字從耒從頁之省，所以示「悉芟其亂苗」之義也。夫草之與苗，其勢不能共存。草盛則苗亡，此必然之勢也。故農夫必鋤之以薅。亂草不除，則禾稼不生。蓋亂草爭奪土壤營養之力，大于禾苗。禾賴人類之扶持，則五穀絕而民食危矣。善哉左氏之言云：「為國家者見惡，如農夫之務去草焉，芟夷蘊崇之，絕其本根，勿使能殖，則善者伸矣。」斯言雖微，可以喻大。頛从耒从頁，殞之省。耒，鉏之象。示斬草之首殞落滅迹之意。會意也。

耔 耔 《說文》：「雝禾本。」段注：「雝，俗作壅。」《詩·小雅·甫田》：「或耘或耔。」毛曰：「

芓耔 耘，除草也。耔，雝本也。」《漢書·食貨志》云：「后稷始甽田，以二耜為耦，廣尺深尺，曰甽。長終畮。一畮三甽，一夫三百甽，而播種于甽中。苗生三葉以上，稍耨隴草，因隤其土，以附苗根。故其詩曰：『或耘或芓，黍稷儗儗。』芸，除草也。耔，附根也。言苗少壯，每耨輒附根。比盛暑，隴盡，能耐風與旱。故儗儗而盛也。」筆者以為耔古文或上芓。或从屮上耔。季之變文也。《子部》云：「季，少偁也。」《詩·召南·采蘋》：「誰其尸之？有齊季女。」古人把少女同植物幼苗等量觀。堪从造字形意見之。《玉篇》云：「季，稚也。」古文季上穉。稚，从禾从屖。稚之嫩，可以示幼芽之象也。故知芓、耔二文，皆可以示幼苗之象，會意字也。後世譌耒而上耔，則指事兼會意矣。

〈芓〉

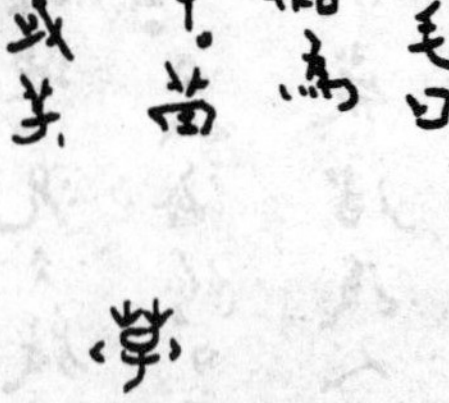

〈耔〉

舂𦥑等[seal glyph]《說文》：「擣粟也。」《古史》：「黃帝臣雍父作舂。」《詩·大雅·生民》：「誕我祀如何？或舂或揄。」《周禮·地官》：「舂人，掌共米物。」

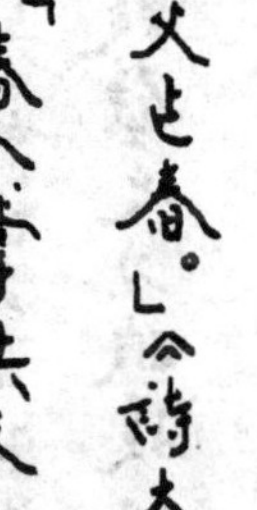

粟：舂之為文，象形字也。上古杵字，下古拱字，左右雙手抱杵之態。臼，石臼也。凵象臼壁，八象臼齒。舂者衝也，衝擊之意也，則形聲字也。

碓[seal glyph]《說文》：「所以舂也。音對。」注：舂，擣粟也。杵臼所以擣米，斷木掘地為之。後世師其意，皆以石為之。不用手而用足，謂之碓。」

《桓譚新論》：「虙羲制杵臼之利。後世加巧，借身踐碓。」考《說文長箋》云：「鳥食如舂碓然。故碓字從隹。」隹，短尾鳥也。古代先進人物，師鳥類啄米之態而製碓，所謂

啄

聖師萬物者也。《甲骨文》啄字造型作。可作碓字參證依據。

磨[glyph]卜[glyph][glyph]等《爾雅·釋器》：「石謂之磨。」按《爾雅》之訓義，動詞解也。《說文》本作䃺：「石磑也。」《正字通》云：「俗謂磑曰磨。以磑合兩石，中琢縱橫齒，能旋

廿四

轉碎物成屑也。」䃺，从石从𣏟从殳。𣏟有披散之意，古文字有飛揚之態。所以示兩石相合，旋轉有於碎之功也。

磑 《韻會》「䃺也。」《正字通》「磑，碎物之器。」《廣韻》引《世本》云：「古者公輸般作磑。」《急就篇》亦同。《史記》：「晉王戎有水磑。（音五對反）」

案：所謂「水磑」，即水力石䃺也。此物

敳 晉書已有記載。磑之為文，从石，从豈。豈古磑之省。《說文·支部》有敳字。其訓曰：「敳，有所治也。」按「磑」之與「敳」，皆「螘」之同根字。螘，古「蟻」字也。《說文·虫部》云：「螘，蚍蜉也。」《爾雅·釋蟲》曰：「蚍蜉，大螘。」齊人呼曰「螘蛘」。《方言》云：「蚍蜉，其場謂

垤 之垤（甲骨文作[seal]，象形）。大而赤色斑駁者名打螘。有翅而飛者名飛螘。」螘之為蟲，成羣結隊，能爭善戰之物也。故螘字从虫从「凱」之省。所以示勝敵之特也。螘有堅強利齒，口能分泌「螘酸」，故能分解土塊，有穿穴毀壁之力，破堤毀岸之能。《韓非子·

後世䃺

原始䃺

水磑

喻老》云：「千丈之堤，以螻蛄之穴潰」。《後漢·陳忠傳》：「臣聞輕者重之端，小者大之源。故堤潰蟻孔，氣洩鍼芒」。《藝文類聚·佛玄口誡》云：「蟻孔潰河，溜穴傾山」。古人在數千年前就已經肯定了蟻類的巨大破壞威力。《玉篇》：「蟻，占壁」。《甲骨文》：「蟻，占蹤」。這些蟻字造型，無一不在生動地寫照了蟻類的穿牆毀壁之功。造字者將石礫的破碎五數功能同蟻類穿土鑿壁等量齊觀。因而造出從石、從音的「𬒈」字，是富有藝術的。亦指事兼會意字也。

蟻〈昆虫名〉→敲〈分解功能〉→𬒈〈石礫〉

箕 𠀠

𠀠 卜 籀 古文 《說文》有「箕」而無「其」。許曰：「簸揚也。」朱駿聲云：「以其簸揚未定，故借為「其」然字。按其之為文，殷形于箕，與「全」、「長」同例。所謂「本無其字，以聲托物者也」。《世本》云：「古者少康占箕帚」。竊以為𠀠之為文，取象于簸糠之器。讀音為雞。雞者家禽也。聞簸糠之聲，則紛紛而至矣。雞雞之音嚩嚩然。字從雞在𠀠旁，正生動地繪出了𠀠字聲威之縣來。此標準的形聲字也。

箕 𠀠 《詩·小雅·巷伯》：「哆兮哆兮，成是南箕」。傳：「南箕，箕星也」。《正義》曰：「箕，四星，二為踵，二為舌」。《大東》云：「維南有箕，不可以簸揚。……維南有箕，載翕其舌」。這裡所提的「箕」和《詩經》所言的「箕」，都當于古天文廿八宿之一的星座，以形似簸箕而得名。泰西天文名之曰「人馬星座」。古人

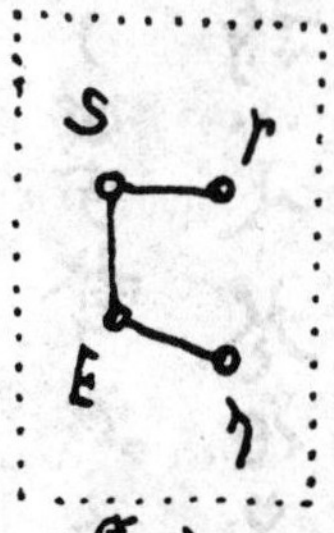

〈箕宿〉

把SE二星看作是箕的腳後跟，故曰「踵」。把γδ二星看作箕舌，故名曰舌。鑒于箕宿在九大行星經天中，起着週期「里程碑」的作用。因而文孳乳出了

㫷、㫷、期、禩、萁、基、稘、綦、璂、綦，兹選一以明之。

朞 㫷《玉篇》：「復也」。按㫷之爲字，從日，從⊠。日者太陽也。此太陽周朞字。《玉篇》所謂「復也」。

有周期終了義。〈說詳拙著《大易篇》〉。

期 㫷 朞《說文》：「會也」。〈惠上㬢、𣊫〉。案，期之爲文，从月、从其。其者週期也。月球繞地而行。

公轉週期廿九日〈恆星月〉與日相會于東方。有夫婦相會之義。故字上㬢，从日。陽之象也。

㬢 𣊫

从⊠、女之形。月之象、陰之時也。故㬢有黑暗義。有定時性，故文从层，从會，而上𣊫。

祺 禩《說文》：「吉也」。《爾雅·釋言》：「祥也」。案，祥之爲文，祭名也。《禮·間傳》：「父母之喪，期而小祥。

又期而大祥」。疏：「大祥二十五月」。〈兩周歲〉。因父母之喪，于乃嘗爲凶禮。今廿五月喪服期滿。

凶禮已畢，吉運方臨，化悲爲樂，可以設羊祭神飲酒食肉，鼓素琴而歌矣。故禩字从示

从示，可以示孝子之心也。後世書札通候，「文祺」、「旅祺」、「戎祺」、「政祺」……祝福语。貴辭此而生。而「祺」字遂延伸為一切「祝君好運光臨」之辭。延伸義行而初義遂晦。已不復能知「聖人以孝治天下」之旨矣。故如稘字亦奠基于歲時周期的植物。而与「箕宿」同

祥 𥛍 —— 娘。〈祥字从羊从示。所以示殺羊祭神也。〉

〈羅而小祥文羅大祥〉

萁 〈說文·艸部〉：「萁，豆莖也。」按：萁之為文，从艸，从其。其者基之省。艸者，植物之枝葉也。艸木無基則不能直立。猶宮殿樓臺之無基之傾也。其訓為豆莖，固其宜矣。〈世說新語·文學〉：曹植七步成章詩云：「煮豆燃豆萁，豆在釜中泣：本是同根生，相煎何太急」。〈漢·楊惲報孫會宗書〉：「田彼南山，蕪穢不治，種一頃豆，落而為萁」。皆萁訓豆莖之義例。

基 〈說文〉：「牆始也」。〈揚子·方言〉：「基，據也。在下，物有所據也」。按基之為文，从其，从土。其者形也，亦聲也。喻殿基之堅。此形聲字也。

稘 〈說文〉：「復其時也」。案：所謂「復其時」，即「去年的今天」。故稘字从禾，禾本科植物，一年艸也。从其者，周期之意也。譬如說：去年豆子六月開花，今年還是六月

淵也。故知㮚、[illegible]、[illegible]同是時間周期字。不過[illegible]字是以觀察日行（視運動）位置為目標。[illegible]字是以觀察月行位置為目標。而㮚字則表示以觀察五穀生態變化特徵為目標，來掌握週期進程的。此其不同之點歟?!

綦 [illegible]金 [illegible]篆 [illegible]《儀禮·士喪禮》：「綦繫于踵。」注：「綦屨繫也。所

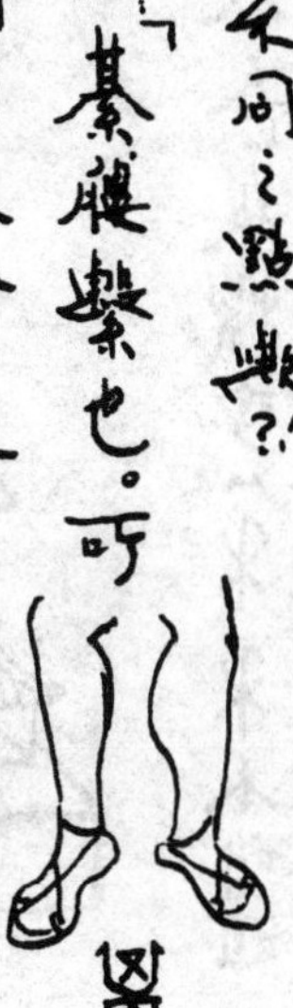

[illegible]

案綦之為文，从𠀠从糸。糸者繫也。所以斜行，交叉于足跗之上，而結于足跟，以防履之脫落也。吾鄉名之曰「鞵碼子」。現代語曰「鞋帶」。因其形象好似𠀠字圖案。故字从𠀠，从糸。象形字也。

璂 [illegible] [illegible]《說文》：「弁飾也。往往冒玉也。」徐曰：「謂綴玉于武冠，若綦子之列布也。」《玉篇》：「璂，飾弁也。」《周禮·夏官·弁師》云：「王之皮弁，會五彩玉璂。」鄭康成曰：「璂讀如綦。綦，結也。皮弁之縫中每貫結五彩玉十二，以為飾。」《詩》曰：「會弁如星」是也。

（璂）

案璂之為字，从玉从𠀠，从糸。玉者彩色之石也。𠀠者，[illegible]之省。糸者係織穿納，集結固定彩玉于弁縫，使之如星羅棋佈也。《詩·衛風·淇奧》：「充耳琇瑩，會弁如星。」箋云：「會謂弁之縫中，飾之以玉，皪皪而處也。」則璂亦[illegible]之轉注字矣。

棊 𣛠卜 棊金 碁金〈說文〉：「博棊」。徐曰：「棊者正方之名。古通謂博奕之子為棊」。棊，箕之為形，方體之物也。棊為之體亦方形之物也。故知箕之與棊為同聲、同質而同體，則棊亦箕之孳乳字。

康 [甲骨] [甲骨] [甲骨]六卜 [金文]金〈爾雅·釋詁〉：「樂也」。按：此非康字初義。然則康字初義云何？愚曰：「救疫也」。或曰：子之論亦有說乎？余應之曰：「救疫之為物，非有意識之物也。只有人類才具有悲喜之情。今以救疫之物而賦予「樂也」之感，豈非狂謬之甚者乎？夫[甲骨]之文，造型從[甲骨]、箕之象也。從六，救疫揚棄穢地之態，此太古農民採藥之形，安在其有「樂」情乎？竊以為：[甲骨]之為字，「[?]」之初文也」。其後變為「樂」者，自有其歷史背景。試申述之：

夫原始之民，以田野為家，與豺（蛛）同處，出入於荆棘之叢。身無衣着保護，急乏醫藥之資。常苦遭蟲蟻傷，瘡疾為患，皮膚血潰，赤熱腫潰，膿液淋漓。比及腫消毒癒，結痂脫屑，形似粟粒脫粮，則「痛」失而「樂」至矣。

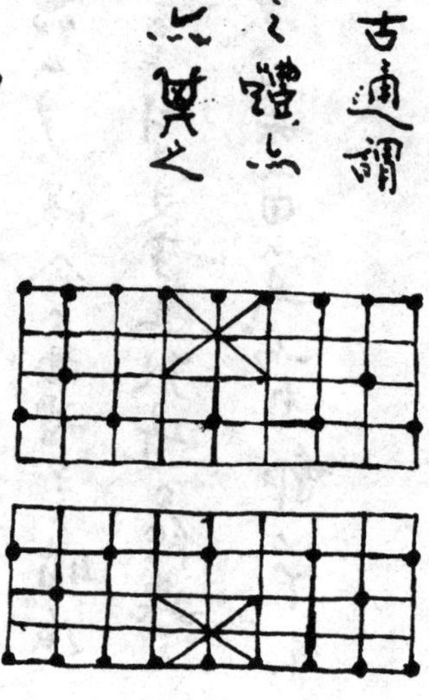

廿七

此「康樂」之義所緣生歟？後世譌未以代庚。而原始之庚，遂成「康樂」之名辭矣。謹示其演進譌變跡如左：

〈庚具〉庚 → 穅〈人揚棄〉庚 — 庚 —〈康樂義〉

庚 → 穅〈人糠粃激昂義有棄財如糠義〉

庚 ← 穅 —〈穀皮義〉

糞、甾、𢍜卜、糞 糞 籀、𡊅 𡐅 篆、粪 㷭《廣韻》《集韻》《古今韻會》同訓「棄也」。案：糞字初義，掃除之意也。《禮．曲禮》云：「為長者糞之禮，必加帚于箕上。」《殷墟》云：「𢍜、甾二字造型特徵，為雙手奉持帚加於箕之形。覈諸經義，不謀而合。自宜定為糞字初文而無疑。《荀子．經國篇》云：「堂上不糞，則郊草不瞻曠芸。」注云：「糞，除也。」《左傳．昭三年》云：「張趯使謂太叔曰：『糞除先人之敝廬。』」《韓愈文》云：「糞除天下山川。」皆「糞」訓「掃除」之義例。甲骨文𢍜字从甾、从廾。深合《曲禮》之旨。後世糞字从米、从華（音般）从廾。稍有異同。自宜信守《卜辭》文字為能得《經典》之真義。故知後世糞字乃形之譌變。自唐以下皆是糞。从米、从田、从共。而自鄧以下不足觀也矣！甚矣哉！治學之不易也。

棄 □□〈卜〉 □□〈金〉 □古文〈楷〉 □〈篆〉〈說文〉：「捐也。」〈爾疋釋詁〉：「忘也。」此皆世俗通義，未足與議文字之學焉。夫□之為文，為象形字也。似雙手捧箕載兜之態。此造字之時自有其歷史背景，可得而稽。非臆說杜撰所能同日而語矣。

秦公〈詩大雅生民〉之：「厥初生民，時維姜嫄。生民如何，克禋克祀，以弗無子。履帝武敏歆，攸介攸止，載生載毓，時維后稷。誕彌厥月，先生如達，不坼不副，無菑無害，以赫厥靈。上帝不寧，不康禋祀，居然生子。誕寘之隘巷，牛羊腓字之。誕寘之平林，會伐平林。誕寘之寒冰，鳥覆翼之。鳥乃去矣，后稷呱矣。……」經過三次拋棄而能徼倖不死的初生嬰兒，又有誰能夠設想到他會成為後來西周王朝始祖呢？正是藉于如此，所以他的母親就給他起了個名字，叫上□。這個棄字造型，正是〈生民〉這篇歷史故事考古化石。

以上列舉的一些例字，設若能夠留心觀察的讀者，使能發覺這些字形，都屬于□的同根字。為了眉目清醒，特表示如後，以見其遞嬗孳乳之軌迹：

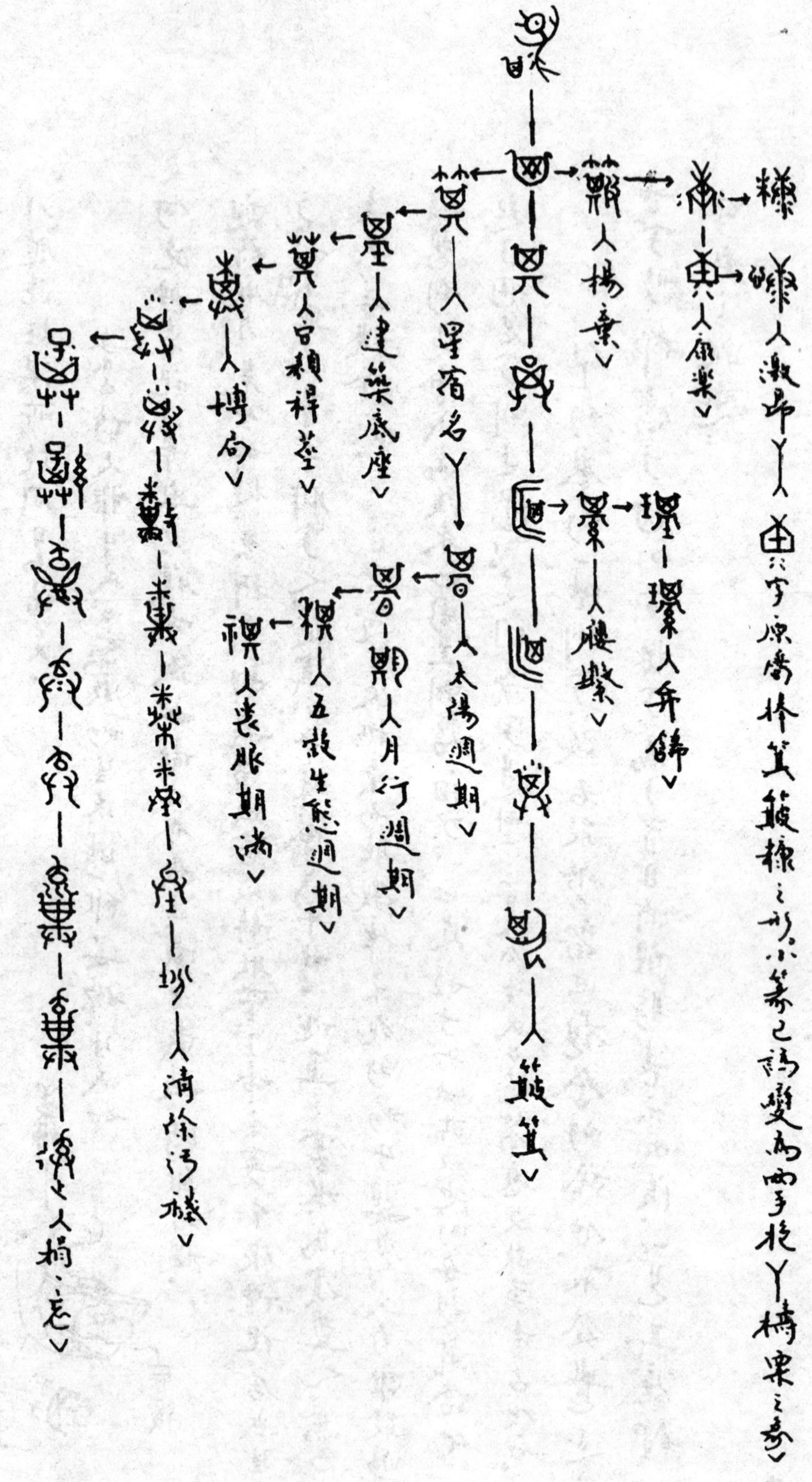
激昂
揚棄
弁飾
腰繫
簸箕
星宿名
太陽週期
建築底座
月行週期
五穀生態週期
博向
喪服期滿
清除污穢
捐棄

禾 [古文字形] [古文字形]卜 [古文字形]金 [古文字形]等《說文》云：「嘉穀也。二月而生，八月而熟，得時之中，故謂之和。禾，木也。木旺《春》而生，从木从𠂹省。𠂹象其穗」。許君以「中和」之義釋禾之命意。以从木、从丿釋禾字造型。尤其是「木王而生」四字，關系到古老的天文之多知識及「五行」學說。非片言可能析微。〈當然不會受到俗秀才的懽迎〉。但也不會因為這些誹謗而損害其科學價值。〈和的表現：在色為黃，在味為甘，在音為宮，在氣為香。〉竊以為禾字取音於和者，中和之味也。《書洪範》云：「稼穡作甘」。甘者脾之味。脾者「倉廩之官，化物出焉」。脾者土也。土為木母。木者肝臟也。肝糖之貯備，來源于消化系統之供應。值得說明的：即甘味與中和的物質屬性問題。此為探索禾字本質的關鍵。所謂「甘」，即「醣類物質」。現代化學術語名之曰「碳水化合物」。在《藥物化學》中把許多含有「維生素」的「配糖體」名之曰「甙」類物。在中醫生理學中，對有機生命體內部諸臟之需用燃料〈包括脂肪、糖類〉名之曰「木」。「木能生火」。這類火為熱能，燃料之來源，多來於五穀澱粉之攝取。被視為活命之基礎物質。也是維護生理平衡保健條件。因而禾、和、諧聲同而義通。故禾是偶然的。《說文》訓為嘉穀，固其宜矣。《附中和示意圖于後》

〈五色〉

青　黄　炎　白

〈五味〉

鹹　酸　甘　苦　辛

〈五聲〉

羽　角　宮　徵　商

〈五臟〉

腎　肝　脾　心　肺

〈五運〉

穀

穀𣫸（說文）：「續也。」五穀之類，稍種籽為傳邦接代之基礎，故訓義為續。

考𣫸之為文，从禾，从青，从殳。禾者，植物之象。青，古殼字，種籽外皮也。殳，古殳字。右手舉梧（俗名連枷）之形。此象形字也。似右手舉梧擊穗脫粒之態。

穀字在古漢語中，被用為褒義詞。（等于真善美）。以其有濟饑維生之功也。故「吉日良辰曰「穀旦」。帝王自謙曰「不穀」。又訓義為「養」。如詩小雅甫田：「以祈甘雨，以介我黍稷，以穀我士女。」皆其義例。余易其訓曰：「穀者，養人之物，一日不可或少者也。从禾从青，从殳，可以示顆粒來之匪易，盤中之餐，皆辛苦也。

嘼畜 〈金〉 〈卜〉畜〈篆〉《說文》：「田畜也。」注引淮南子：「言田之德下，黑土者可畜牧也。」此釋畜字从玄从田之意。按《淮南子》無此語。其亦後世好事之徒假託古人之言，未足為訓也。

筆者竊以為畜嘼二字，形既不同，各有含義。一曰野嘼，嘼其正字也。〈獸之省〉二曰家畜。畜其正字也。野嘼者，猶兔狸鼠之類是也。家畜者，牛羊犬豕之類是也。蓋人類養飼家畜之目的，不外乎二。一曰食肉哺乳。二曰服勞供役。故畜字从玄从田。玄者黑色，豕之象。言豕而犬羊在其中矣。田者黃色，牛之象也。言牛而騾馬在其中矣。此漢字物象色比之識別，不可不知。

蓄〈篆〉《說文》：「積也。」案：蓄之為文，从艸从畜。畜者為牛羊豕也。艸者飼料也。《詩·邶風·谷風》：「我有旨蓄，亦以御冬。」故知蓄之為物，即長夏農家收割之青艸。經秋曝乾而貯藏之，以備嚴冬家畜飼料之需者也。要曰：蓄者需也。需者夙也。夙者早也。有備而後無患之謂也。

備〈篆〉《說文》：「偫也。」王注：「偫，具也。謂蓄積以待用也。」案：偫之為文，从三人。三人者

卌

聚也。倚古文上從[illegible]。从入、倉，廩之象也。其音時之媾。高聳壘積之態。積聚之意也。物質山積，非一人之力所得而致也。故倚字从[illegible]。會意字也。

蕢 [illegible] 《說文》云「艸器」。《論語》云「有荷蕢而過孔氏之門者」。

𦵯：蕢字古文上[illegible]。似人背負艸簍之態。象形字也。此盛艸之器，乃柳條編製而成。今我國廣闊的東北地區農村多有之。土名曰「筐拉」，即此物也。

稻 [illegible] 《說文》云「稌也」。《禮·曲禮》云「凡祭宗廟之禮，稻曰嘉蔬」。

《詩·豳風》云「十月穫稻」。按此豳指建子曆而言，于夏曆應當八月。《史記·夏本紀》云「禹令益予眾庶，稻可種卑濕」。看來，水稻在我國之培育久矣。

秔 稉 糯 《增韻》云「糯，稻之黏者」。《爾雅翼》云「稻米粒如霜，亦名稌。今人以黏者為糯，不黏者為秔」。又有一種曰「秈」。《六書故》云「稻性宜水，亦有同類而陸種者，曰『陸稻』」。

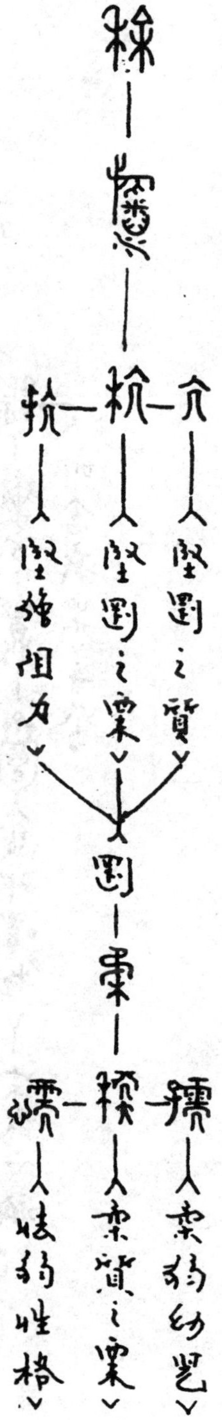

從亢之字悉具堅剛義。亢古文頏字。亦古亢字。〈見《字彙》、《卜辭》、《亢上》〉剛、亢聲同義通，故延伸為頸骨之名。而賦予了堅剛不屈之義。從耎之字悉具柔耎之義。耎者頸之弱。耎、需聲同而義通，故延伸為弱懦之義。此漢字「建類一首，同意相受」之轉注例，不可不知。

穄 𥣰 《說文》：「穄，糜也。」段注：「此謂黍之不黏者也。《黍部》曰：『糜者穄也。』《呂氏春秋》云：『飯之美者，陽山之穄。』高誘云：『關西謂之糜。冀州謂之䵚。』《廣雅》云：『䵚、糜，穄也。』《九穀考》云：『禾屬而黏者曰黍。則禾屬不黏者曰糜。對文異，散文則通稱曰黍。』《禮·內則》云：『飯黍、稷、稻、粱、白黍、黃粱。』鄭注：『黍，黃粱也……』黃，黏者黍也。不黏者糜也。穄也。飯用之。黍者，釀酒及為餌、餈、酏、鬻之屬。不黏者評穄，而黏者得專黍名矣。

《洲于𪎌、𥣰二字之辨埋考證》：案《說文》：「𪎌」、「𥣰」二字互訓。知𪎌、𥣰二文，異體、異名而同物。遺憾的是，許氏精于考物，而略于證義。智者千慮之一疏歟!?夫𪎌之為文，特定植物名稱也。𥣰之為文，從祭，從禾。所以示其為「清廟高神之禮品也」。

「卽祀祭之」之禮，必有太牢大祭、潔粢豐盛」。故《說文·米部》云：「稷〈應是穄。上稷非，下同〉，齍粢也。」《皿部》齍字云：「黍稷器，所以祀者。」同部「盛」字云：「黍稷在器中，以祀者也。」《玉篇》云：「黍稷在器中曰齍。」據此可證，穄之為物，製成食品，用于饗賓晏客、敬老尊長之需，則名曰「粢」；施于清廟郊祭之禮，則名曰「齍」。曰「穄」。蓋同一穀物，因使用目的不同而異名。此先秦時代神權社會之文化遺迹，稱「正名」之學所由生也。其義堪從下列字表窺見之：

穄—粢—齍〈饗醴之物〉字或从穄，或从米，食其精微也。

穧—齍—齍—齍—饋—[illegible]—[illegible]—[illegible]—曾 字或从示之皆，敬之至也。

或从皿、鼎、曾，宗廟禮器之意也。正是基于「神權高于一切」的理論，因而上為敬神祭品的穄，也就幸運地取得了「五穀之長」的「政治封號」。

〈黏性〉

穄—[illegible]—人
穄—↓粢—↓齍—人〈饗客禮物〉—自然名稱。〈倉廩藏粟〉音穄。
穄—齍—饋—↓曾—人〈敬神禮物〉—宗教名稱。〈神倉藏粢〉音祭。
〈不黏性〉

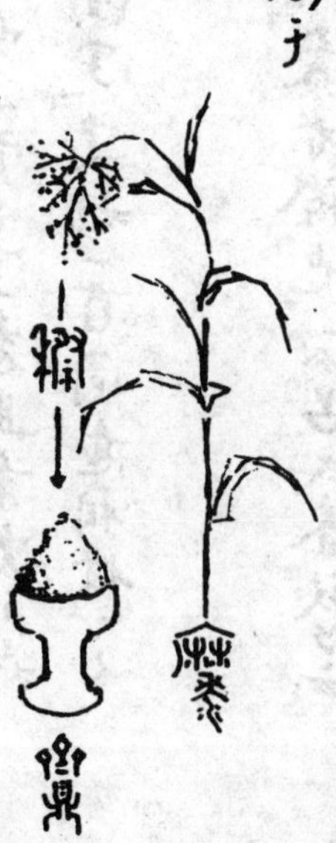

稷糈二字所考辨

案《說文》桂馥注：「五穀之長，說者各異。有主五行者，《周禮·天官·甸師》云：「甸師掌其屬而耕耨王藉，以時入之，以共齍盛。」注引《爾雅》云：「穀者稷（穄）為長。」鄭云：「《爾雅》特以粢（齍）為號。知稷為五穀長者，案《月令》中央土云：「食稷（穄）與牛。」五行土為尊，故知稷為五穀長。」有主氣候者，《白虎通·社稷》云：「土地博，不可遍敬也。五穀眾多，不可一一而祭也。故封土立社，示有土尊。稷（穄）五穀之長，故封稷而祭之也。」班固曰：「稷者得陰陽中和之氣，而用尤多，故為長也。」桂馥云：「主氣候者為長。」王筠曰：「五穀眾多，不可遍祭，故立稷而祭之。」

嵒[illegible]曰：千古以來，學者對「穄為五穀之長」不能從「神權專政」時代來尋找答案，遂致糈稷二字意義混淆。漢初隸定古文，誤之于前；諸家爭鳴，各逞己見，亂之于後。末學後進苦于問津之門也久矣。推原其故，良由不識糈字从米从開之義，因而分歧，遂成千古之謎。甚矣哉識字之難也。

夫糈之為物，初名曰穈（音糜），黍之不黏者也。其色黃，其味甘，其氣香，其質柔。今河北之地盛產之，土人呼之曰「糜子」，即其物也。古代貴族珍品，定為敬神之物，故《呂覽》有「飯之美者，山陽之穄」之讚語。其意可知。

卅二

糜之與穈，固一物而二名，「穄為五穀之長」的胡衍，每來自神權宗教之封賜。亦歷史政治背景的產物。糜字其自然名稱也。不識此義，是得不出圓滿答案的。

然則穄字之義云何？愚曰：穄之為物，亦穀類植物也。《禮·月令》云：「孟春行冬令則首種不入。」鄭注：「首種謂稷。」這裏所說的穄，並非糜或穈。

秫稷

而是稷。《程氏瑤田九穀辨》云：稷，大名也。黏者為秫。北方謂之高粱。以北方諸穀穀種先後考之，高粱最先。《禮·月令》：「孟春行冬令，則首種不入。」鄭云：「首種謂稷。」《管子書》云：「日至七十日，陰凍釋而藝稷。百日不藝稷。日至七十日，今之正月也。今南北皆以正月藝高粱是也。」當然我們不能把「稷」字的探索停留于現有的狀態為滿足，而是要繼續追蹤。

《稷》

畟畟

考稷之為文，从禾从畟，故求稷字之義，則必从畟字始。《詩·周頌》：「畟畟良耜，俶載南畝。播厥百穀，實函斯活。」《傳》：「畟畟猶側側〈還還〉也。」《箋》云：「良，善也。人側側以利善之耜，熾菑是南畝也。」《說文》云：「畟，治稼畟畟進也。」《爾雅》：「畟畟，耜也。」注：「言嚴利。」筆者案：耜之為物，耒端金也。名詞也。畟畟二字位于良部之上，顯而易見，屬于雙聲疊韵的

畟

狀語。其辭性兼具有「象聲」與「形容複合辭性。《玉篇》則字作畟。从畟、从夊。夊者「循道疾行」之意（見《六書故》）。畟字从由、从八、从夊。由者延也、自也」方向之意。八者分也。所以示良耜之利，土壤翻之而左右分散也。夊者从後至也。象人兩脛後有推致之者」（見《說文》「夊」下）。審此，則「畟」之為文，乃形聲兼指事之動義辭矣。西周王業，以農業起家。肇基于后稷，發祥于岐山之陽。所謂「周原膴膴，堇土如飴」。誠有得天獨厚、人傑地靈之感者在。其興也勃焉，非一朝一夕之故。蓋始于后稷。后稷者，帝堯農業之官，繼神農之業而興之，農業革命家也。他發明了先進的農業技術，教民稼穡。樹藝五穀。姬，其姓也；棄，其名也；后稷，其職稱也。故「稷」字又為高粱作物之名，又與農具有關。《六書》所謂「建類一首，同意相授」，轉注之例也。鑒于他解決了人民的吃飯問題，後人思其德、念其功，而尊之為穀神。比及西周定鼎于郟鄏，又把他的名字提高到與天配享的政治境界。而予以高度「神化」了。此「稷」字之義變軌跡。堪從下列字形體現之。稷、畟，皆从畟造型。則畟之良耜，必然是后稷所發明的先進農耕工具，可知矣。

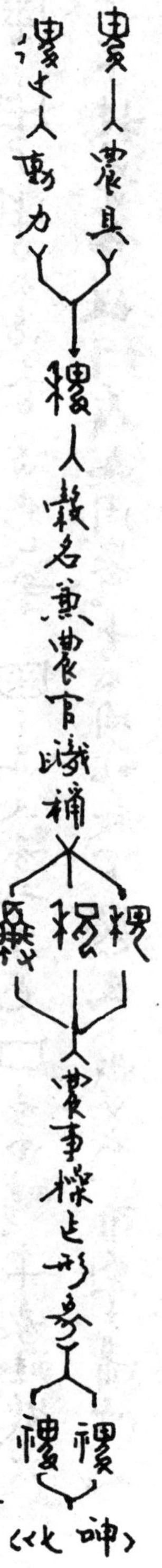

卅三

周 甲 金 籀 篆

〈說文〉：「密也」。案：周之為文，象形字也。口象田疇，十象畦畛，八象禾林密佈，故引義為周密。考〈周禮·秋官·雝氏〉之職云：「雝氏掌溝瀆之禁。凡害于國稼者，春令為阱擭，溝瀆之利于民者，秋令塞阱杜擭。」〈傳〉：「阱謂穿地為塹。其或超逾，則陷焉。」古代把這一嚴密佈防的農作物的保護任務，交給司法治安部門來負責。是以說明當時的法制精神，已經把危害農作物的害鳥害獸同危害、社會的盜賊等量齊觀了。

古文周字造型，就是「雝人」紀載背後景象一幅生動藍圖。尤其是周字造型从周从口。及穫字造型从禾、从蒦。生動地揭示了「國稼」田疇的周匝的「雝人」，不僅在手中高舉「鷹幟」，而且在不停的高聲吶喊示威。

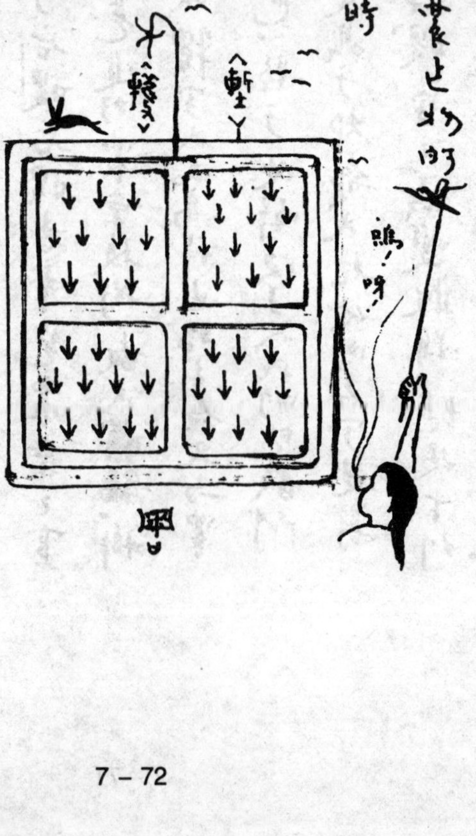

西周王朝始祖后稷為帝堯農官，封國于邰。世以農業起家致富，歷十四代而至姬昌及姬發伐殷而有天下。遂以周字以為一代之大號。

周（禾稼密植）→周（周密維護）→周（政權標志）

稠 稠 《說文》：「多也。」同部穊字訓：「稠也。」《廣韻》：「稠，穊也。」案《說文》、《廣韻》稠、穊轉互訓。穊字从禾从既，既者飲食既飽而卻棄食之態也。故知稠字从禾、从周有密植義。又有穠度飽和義。《增韻》云：「稠，密也。」

穠 穠 穠，噥也。《詩召南》：「何彼穠矣，華棣之華。」傳：「穠猶戎戎也。」《韻會》：「穠，花木盛多貌。」《玉篇》：「穠，花木盛也。」故知穠字亦植物稠密之義也。

鬝 鬝 《說文》：「鬝，髮多也。」案鬝字从髟从周。髟者長髮猋猋之皃，周者稠之省，密集之態也。鬝之从髟从周，與稠字从禾从周同例。亦密集之義，周之同源字也。

綢 綢 綢 《說文》：「繆也。」案綢字从糸从周。糸者纖維之體，周者周圍纏繞之意。《詩唐風》：「綢繆束薪。」《傳》：「綢繆猶纏綿也。」周與稠同義，植物之密植者必比肩並峙而森然挺身立。此草木之盛態共性也。故《小雅都人士》云：「彼君子女，綢直如髮。」《傳》：「密直如髮也。」《疏》：「綢者綢緻

稠

穠

鬝

綢繆束薪

綢直如髮

廿四

之言，致為密也。

凋

凋《說文》：「半傷也。」案：「凋」之為字，稠之將人代米之置換式，稠之變態字也。《

青冬之婧所以示寒來暑往，秋去冬臨，陰進陽退之時也。履霜堅冰，蟄虫潛之

藏。離枝，葉凋零而根莖猶存，以待來春。故訓為「半傷」，理有然也。

彫

彫《說文》：「琢文也。」《韻會》：「刻文也。」《正韻》：「殘也。零落也。」案：彫字从周从彡。周者

雕之婧，彡者文理之象。周有環繞之象，佳者雕之婧，雕有刻劃之功，故訓為「琢

文」。琢玉雕文，雖曰巧奪天功，然而「太璞失其天真」，此「殘損」之義所由生

歟！？

雕

雕《說文》：「鷻也。」《玉篇》：「鷲也。」《埤雅》：「雕似鷹而大，上薄雲漢，鷄翔水上，攫魚而食

之殘忍猛禽也。」《從周之字的義變規》

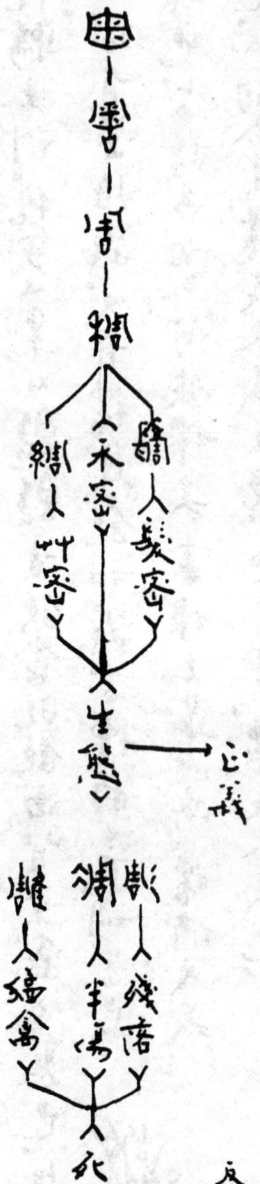

周、彫雙聲，此漢字義以聲變之例。

黍 [甲骨文] 卜 [金文] 篆。《說文》：「禾屬而黏者也。以大暑而種，故謂之黍。」孔子曰：「黍可以為酒。禾入水也。」

案許氏訓黍，從音于暑，以及「禾入于水」之出處，皆甚難考證。唯「禾屬而黏者」則極有根據。如《說文》黏字訓：「相著也。」《集韻》：「䵑，黏著也。」《玉篇》：「黐，黏也。」《篇海》：「䵒，黏也。」《玉篇》：「𪏰，黏也。」《說文》：「黎，履黏也。」以上諸字咸從黍而訓黏，堪為列義例證。唐宋以來，我國運河水堤修建工程，彼時尚無「水門汀」，咸以黄黍米飯和石灰作石料結合劑。其抗浸削水之力可見一般矣。故如許訓「黍為禾屬而黏者」，忠實之訓也。

黍之族類極廣，非吾人所能備舉。糜黍者，黄色之黍也，秬者黑色之黍也。虋者赤苗嘉穀也。芑者白苗嘉穀也。其總為五穀之長也宜哉！

木 [甲骨文] 卜 [金文] 金 [篆] 篆。《說文》：「木，冒也。冒地而生。東方之行。從屮，下象其根。」徐鍇曰：「屮者，木始甲拆也。萬物皆始于微。故木從屮。」

卅五

桒：許氏以「冒」釋木，與卯等下所言：「卯，冒也。二月萬物冒地而出」同意。皆就植物出土之態而立言。蓋，除上卯月冒地而出者绝非僅限于艸木，還應該包括卯生的昆蟲及地下蟄居的冬眠動物。甲骨文中的土字——[古文字]象一棵冒土而出的植物幼苗、幼

土 [古文字]

芽周圍，還堆積着因土壤被裂而形成的顆粒。所以許氏說：「地之吐生物者也。二象地之下，地之中物出形也。」此即許氏「萬物冒地而出」旨趣之所本。至許氏「東方之行」一語，蓋出自「五行」學說。其內蘊豐富多彩，其義玄而遠，其旨廣而博，非筆者所能闡述于萬一。若不敢探本窮源，尚需上索《河》、《洛》，下尋《呂覽》、《月令》、《淮南》，以覽百家。長期以來，黄炎文化受到西方文化衝擊，傳統文化已成斷絃絶響。此所以文字已成不可理解之謎也。

林 林卜 林金 林

籀《說文》：「平土有叢木曰林。」徐曰：「叢木，故从二木。平土，故二木齊。」桒所謂「平土」，對山澤而言也。「平林」一辭，見于《詩大疋生民》古漢語也。此《說文》之所本，亦林字造形之所由來也。

森 森卜 森

籀《說文》：「木多皃。」多者眾也，無限量數辭也。故如三木為森，與三水為淼，三石為磊，三火為焱，同旨。皆以數標勢之例。今醫學化驗單以十十十表示白血球之多量，以十十十十來表示超多量，其旨相同。此漢字以數標勢之例也。今稱以為森林

之爲文，亦皆義存聲中。漢字之與森同聲而義訓爲「多」者枚不勝舉。如：馬之多曰「驫驫」（《小雅·皇皇者華》）。鹿之衆多曰「甡甡」（《大雅·桑柔》）。衆人之言曰「譊譊」（《廣韻》）。組之盛多曰「華華」（班固《東都賦》）。物之多曰「繂繂」（《玉篇》）。木之多曰森（《說文》）。皆聲同而義通。此漢字同音轉注之例。

驫（馬多）　甡（鹿多）　譊（言多）　華（組之盛多）　繂（物多）　森（木多）

樹　尌、尌、卜尌猶樹。篆（《說文》）云：「樹，生植之總名。」徐鍇曰：「樹之言豎也。」

考《卜辭》樹之尌。字從木、從豆、從寸。木者植物之象。豆者豎之省，樹之對。直立之態也。寸者右臂之象，所以示扶持之力也。故知樹訓爲「植物」，本義也。其訓爲「豎立」義者，再生義也。因植物本身具有「背地直立」的生態特點，故又有「豎立」、「栽培」義。如：「樹黨營私」。「百年樹人」。「樹之榛栗、椅桐梓漆」。皆古漢語「名」化「動」之義例。

怎樣理解豎、侸二字從「豆」之義？這要溯從《禮記》談起。《禮·祭統》云：「婦人薦「豆」執「校」。執醴授之，執「鐙」。」《傳》：「校，豆中央直者也。鐙，豆下跗也。」（見《

卅六

「梪」，就是豆柄。「鐙」即豆的底座（豆下跗）。豆是「齎盛」之器。
古代宗廟祭祀大典，國君夫婦二人主祭。婦人負責薦豆。必由執「醴」小臣手承其豆之「鐙」，授予婦人。婦人則自上以手握梪而受之。「梪」之高度，僅容四橫指。今魯南民間識人身材短小曰，「一把攥，着兩頭不冒」。此上古歷史文化語言之遺存也。故「官豎」

豎 侸

小臣的豎，是臤从豆。少才寡德之小人，曰「侸子」。字亦从人从豆。皆取象于執豆之擬態而言。故有短小之義。擬古譜用為人物「貶義語」。特別是長短的「短」字，从矢从豆。矢者直之態，豆者短之象。明乎此，始與言豎、侸二字之初義。然則「尌」字从壴而訓義「直立」，可思過半矣。

樹 澍

澍、尌卜澍《說文》：「時雨澍生萬物」。案：澍、尌、樹三文，皆象形兼指事會意字也。氵者，雨之象；壴者直立之態。所以不暵苗蔫，墜棄萎之機，就得甘澍而昂首直立之態也。故知「澍」字亦豎立義矣。

直 □ 卜 直 《說文》：「正見也。」此訓極確。《博雅》：「正也。」《玉篇》：「不曲也。」

讀過初中數學者，都會記得這箇公式：「連接在兩點之間的最短距離只有一條直線。」在《甲骨卜辭》的 □ 字正是這一幾何定義的具體說明。這箇從瞳孔射出到達視點的一條視綫，即直字的初文。自然是從勞動實踐中獲得的產物。

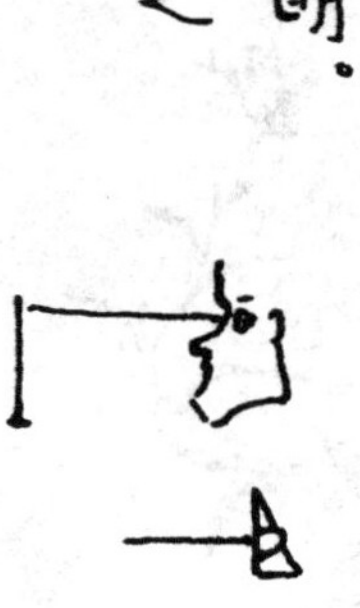

植 □ 卜 □ 金 植 篆 《說文》：「植，戶也。」《爾雅·釋宮》：「植謂之傳，傳謂之突。」《疏》曰：「植，謂戶之維鍵者也。」許氏訓「植」為門柜。義本乎此。但殊非「植」字之初義。試明之如左：考《卜骨》□字造型，從木从ㄓ（土）从手。木者樹苗之本，ㄓ者地也，手，古樹字。《金文》□字正面式，象雙手扶苗之態。古音樹、植聲似而義同。「蓋植」字初文也。其義應為「栽培」。《周禮·地官·大司徒》：「以土會之法，辨五地之物生：一山林，其植物宜皂物。二川澤，其植物宜膏物。三丘陵，其植物宜覈（核）物。四墳衍，其植物宜莢物。五原隰，其植物宜叢物。」《注》：「謂櫟、楊、柳、李、梅、王棘、萑、葦之屬。」

（□）

在這段經文中可以看出古代農林業務對不同環境的地質適應特

卅七

點選擇不同果木的培植方針，當然在地質鑒別方法上，也要依靠對某一特定樣地某一特定果物之凸出表現來決定。正如《說文》相字下云：「地之可觀者，莫可觀于木。故相字从目从木。」然而這只能說明「相土之宜」的相字的造形之旨，卻不能了解植字造型之旨。這有必要予以重複：

植物的植字為啥从木从直？種樹何以叫植樹？這關係到植物本身生理問題。因為植物的唯一生理特點，就是需要保持直立。不能保持直立狀態，就無以維持根與枝的「橫地性」，因而葉的呼吸、光合作用，根的吸收營養功能也要斷絕。莖株就會倒地橫臥而喪失生命。吾人常見盛夏炎暑，暴風驟雨，禾莖摧折，倒臥橫地之後，只要雲散晴空，不出三日，則禾莖曲折蜿蜒上升，而根部周匝，鬚根暴生，深入土層，以成撐危扶傾之功。此無他，植物潛在之「自立本能」使然也。

故知古人造字，皆有科學基石，所謂「虙戲氏之王天下也，天應以鳥獸文章，地應以河圖洛書，于是仰觀法于天，俯察法于地，以通神明之德，以類萬物之情，造書契以代結繩之政……」這些紀載絕非憑空傳說。愚觀此圖而信。故植樹之求正直也。

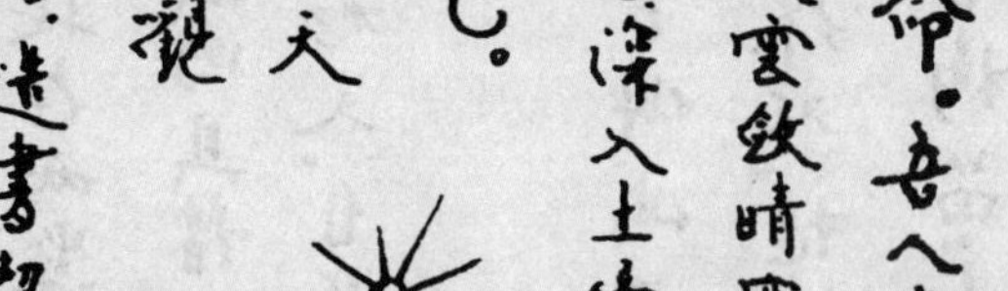

① 〈風雨傾折〉

② 〈晴空自立〉

罝𦊆《玉篇》：「立也」。《集韻》：「樹也」。案𦊆之為文，从网从直。直者，樹之象，网者獵之俱也。尤其《集韻》注音為「樍」，生動地揭示了獵戶設網于兩樹之間景象。《廣韻》訓：「罝，設也。」其解可謂深得𦊆字造型之旨。故知罝與植之同根字。

矗矗《玉篇》：「齊也。草木盛也」。《廣韻》：「直也」。《增韻》：「聳上貌」。《正韻》：「高起也」。《晉左思吳都賦》：「橚矗森萃」、《謝靈運山居賦》：「直陌矗其東西」。《司馬相如上林賦》：「崇山矗矗」。

案矗之為文，從三直重疊。直者，高聳之象，三者眾多之意。其造型與森林同旨。有比肩競立聳峙之態。不過森常用于樹木。而矗字可兼狀山岳樓臺矣。古文多用為「狀語」。亦植之同根字。

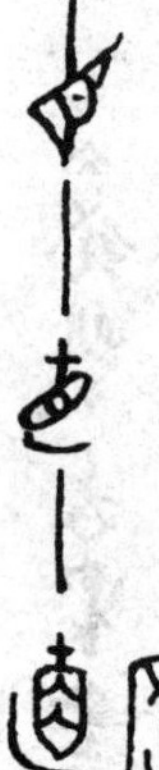

𦊆——倚樹設網

——木本植物

矗——比肩聳立

卅 卅 卜 卅 篆「音私盍切。讀如榜。」《清忠棟讀說文記》云：「今古文春秋二十、三十皆止卅。《音念》卅《音榜》唐《石經》猶然。孔穎達撰《寫念》義》始改《今文》。

《發明》：「名豊衆：《卜辭》卅字三十之合文也。古本經籍用為數辭。今高業簿記仍多用之。譯稱「蘇州碼」。卅字後世形訛為 世、世、世木……雖形態萬變而未離其宗。

世 世 葉

卅 世 義變之探溯：《論語·子路篇》云：「如有王者必世而後仁」。注：「卅年為一世」。名豊衆：「卅年為一世」之定義，肯、導源于古代婚齡制度。男子三十而娶，女子二十而嫁。故男子卅二歲而生子。謂一世。「世」字實卅二之合文。此造字之義也。故六十四歲可以生孫。謂之二世。故百歲可生曾孫。是為「三世」。現代漢語仍謂百年曰「世紀」。一世紀包括「初葉」、「中葉」、「末葉」。「葉」即古文世字。後世用為草木之葉，而初義廢矣。

卅之為文，本屬數辭。世之為文，乃紀代「單元」辭。由于婚齡與曆法數據的統一，因而「卅」之義變為世代的世字。

世字造形，有可能取象于「半枲」。此物乃一年生草本植物。植物之一生，等于人生一世。半枲一生只生三葉。故古篆「世」、「葉」同文。

生 卜 篆 《說文》：「進也。象艸木生出土上。」為農案：生之為文，形聲字也。象艸木初生之形。生之為言升也。上升之義也。植物幼芽，破土而出，日漸增高，故有上升之態。其象也。一者地平線也。此形聲字也。《列子·天瑞篇》云：「亦如人自世至老，皮膚爪髮，隨世隨落。」《詩》云：「世與生同。」列禦寇把人體各類生理組織細胞的生命周期同人的整體生命週期旋律，劃了等號。這一觀點，較之許氏自然要顯得廣義而卓越得多多了！

果 卜 卜 卜 金 籀 果篆 《說文》：「木實也。象果形，在木上。」

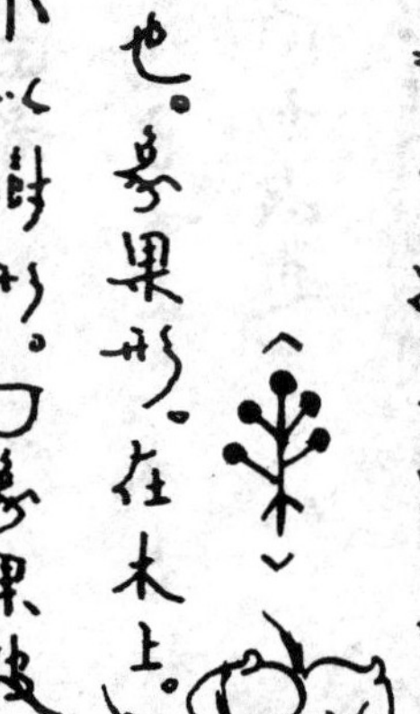
〈果〉

為農案：果之為文，形聲字也。木以樹形。口象果皮。十象構膜，以象種籽。取音于裹。裹，藏之意也。木之有果，猶人之有孩也。故果字是型：从木，从𠧪。與栗字从木，从𠧪同意。木者樹之象。核者木之實。植物賴以蕃衍族類之基也。核之為物，微弱之質也。猶嬰孩之賴襁褓，以維護之。此所以果裹同音，所以示果必有皮也。此聲中之義也。

華 卜 金

廿九

《說文》華、𠌶分居二部。𠂹部云：「𠌶，艸木華也。」音况于切。讀若敷。

華部云：「華，榮也。」注引《爾雅》曰：「木謂之華，艸謂之榮。榮而實者謂之秀。榮而不實者謂之英。」然則𠌶之與華，固有艸木之分。而榮亦有實與不實之異，彰明矣。但𠌶華二文，造型多端，其分難辨，後之學者雖竭盡智慧，莫能釋其因故矣。〈雄蕊為英，雌蕊為榮，似有近之乎？〉

疐〈卜〉疐篆《說文》：「礙不行也。〈欲去而止之也。又頓也，跲也」。吾農案：疐之為字，乃蒂之初文，象形字也。丫者枝葉構密之態。田者土壤之象。止者固定不移之根株也。根从艮从木。艮者止也。木者柢也。故有植跲之意。根深蒂固牢不可拔之義。古疐躓聲同而義通。《左傳·宣十五年》：「及輔氏之役，魏顆見老人結艸以亢杜回。杜回躓而顛〈絆倒〉〈跌仆〉故獲之」。又《詩·豳風》：「狼跋其胡，載疐其尾」。皆叚「疐」為「躓」之例。今延伸義行，而本義遂晦。蓋已不復知其為「蒂」字初文矣。

〈根蒂〉

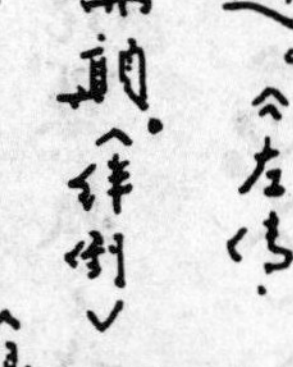

疐〈表木根蒂〉→躓→〈阻碍、跌仆、受牽制〉

〈躓〉

粟 □□□〈卜〉□〈卜〉□〈籀〉□〈金〉㐭粟〈說文〉：「嘉穀實也」。此訓能說已概，實不足以明造字之旨。粟：㐭粟之為文，从西〈㐭〉从米。米者，粟之實。㐭者「庚辛」之位，白虎金獸當令之時也。萬物皆成於秋。故古漢語常用「庚、癸頻呼」為缺糧●、斷●水之呼籲信號。〈春秋·哀十三年〉：「吳王夫差與晉、魯等國會盟。吳大夫申叔儀乞糧于魯大夫〈公孫有山氏〉。答曰：『糧則無矣，麤〈粗〉則有之。若登首山以呼曰「庚癸乎」則諾。』」粟：庚，為西方，主穀。癸，為北方，主水。對于這些「五行、干支」的古老〈天文〉〈地輿〉基礎知識，如果一無可知的話，那麼您對漢字的了解，將會隨時隨地遇到痛苦。考〈爾雅·釋艸〉注：「秫，謂黏粟。與穀相似，米黏。北人用之釀酒。其莖稈似禾而粗大。〈黏高粱〉。

栗 □□□〈卜〉□〈籀〉㐭栗〈說文〉：「栗，木也。下垂故从㐭。□，古文㐭栗，从㐭。」徐鍇說：「木至西方戰栗也。」

〈析義辨形〉：古書粟、㐭二文，原為二字，許氏訓為果實，㮚：下垂之象，而讀若「調」〈調〉者，自宜推㐭為正字〈取象於果〉。而徐鍇「木至西方為栗」之說，自宜以㐭字為正字〈取象於鳥棲夕西歸巢之義〉。此同中之異，最需明辨詳審，未容會惠孜孜也。至若

《卜辭》[glyph]則針芒過體之態，純象形字矣。

其栗之為字，從西從木。西方秋金之氣，履霜堅冰，萬物肅殺，在音為商，在志為悲，在情為悲懼（見《內經》）。《論語》：「夏后氏以松，殷人以柏，周人以栗，曰使民戰栗」。蓋取象於栗之為果遍體針棘。死亡之徒，慄慄恐懼，狀毛髮豎立之態。此漢字物象人化之例。蓋取意於外界寒冷氣候之感受對人體之生理反應及內在悲怖心情之外在表現之統一，與物定果木形象之擬態。此漢字象相之大觀也。

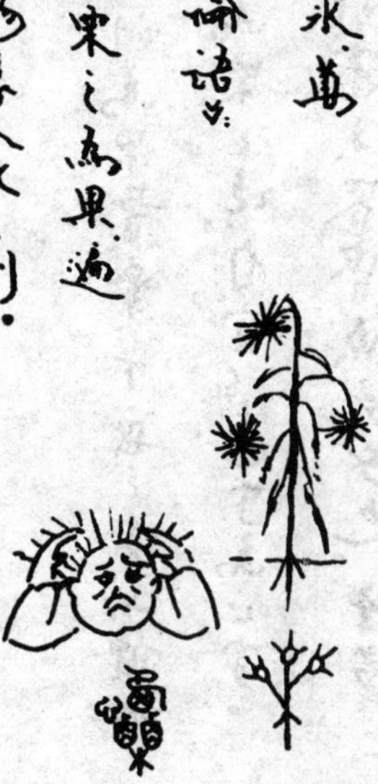

慄（人針栗）→慄（人毛髮豎立恐怖狀態）

蒂 《文選·西都賦》劉注：「蒂，花本也。」案：花之本曰「花蒂」，茄之柄曰「茄蒂」，瓜之柄曰「瓜蒂」，同有尖端之意。字皆從帝。帝者天下之尖端人物也。

嫡 《正韻》：「正室所生之子曰嫡」。案：嫡字從女從帝。所以示與帝為配者也。從口者，所以示植物根蒂之象也。嫡夫人所生之子，繼帝而為帝者也。嫡者蒂也。花蒂之中心曰「蒂」，宗室之宗主曰嫡。其為「核心」之義則一。

甋 [seal]《爾雅·釋宮》：「瓴甋謂之甓。」《博雅》：「甓，瓻也。」未盡其義。案[seal]之為文，从啇从

瓦。啇者中流夫端之矢也（俗名簷瓦，又名滴水）。瓴者領也，導水下行也。[seal]者，滴也，簷水下垂若滴淚也。然則「瓴甋」之瓦形如心臟，夫端下垂，上有中心之象矣。

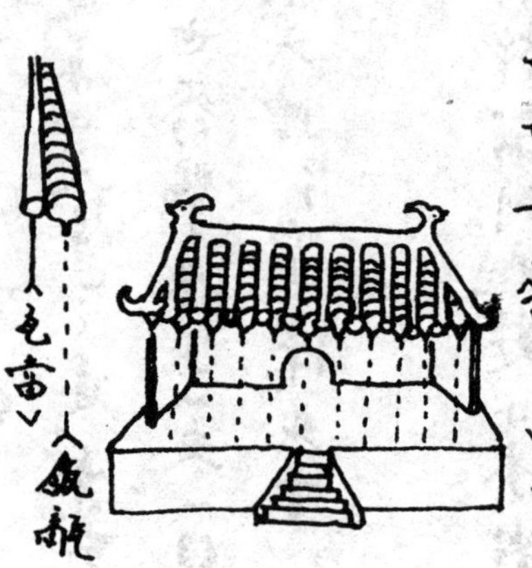

滴 [seal]《說文》：「水注也。」《增韵》：「涓滴水點。」又瀝下也。《劉宋謝惠連雪賦》：「兩其流滴垂冰，若滿溪刻」

刘明珠：案此義與瓴甋同。

敵 [seal]《說文》：「仇也。」案：應以為「[seal]」，此二鳥相對爭鳴之象，故有抗爭之義。後考《增韻》云：「敵，抵拒也。」此義極確。余釋之曰：[seal]字从啇从支。啇者「鏑」之省。支者古手控弦之態，鋒鏑相對之意，此指事字也。

鏑 [seal]（卜）[seal]《說文》：「矢鋒也。」考《卜辭》[seal]（矢），从[seal]从矢。矢者弩矢之象。[seal]者中心之象，可以有矢之中也。

四一

來 來 來（卜） 𣐈（金） 麳（篆） 《說文》：「周所受瑞麥。」《周頌·思文》：「貽我來牟，帝命率育」。

麥 麥（卜） 𪌉（金） 𪍿（籀） 麥（篆） 《說文》：「麥，芒穀，秋種厚薶，麥，金也。金王而生，火王而死。」《禮·月令》：「孟夏麥秋至。」蔡邕曰：「百穀各以初生為春，麥在初夏熟，故四月于麥為秋。」殷墟文字與思文交相輝映，「周監于二代，戫戫乎文哉」，信不誣矣。

牟 麰 𤰈 《廣韻》：「麳，小麥；麰，大麥。」

《漫語來、麥、牟、麰》，吾儂案：古文來、麥異名而同物。故來、麥乃異文而同義。古「王者」有「祀天祈穀」之禮，三代之下累世相承，今我國北京「天壇」仍有「祈年殿」古蹟在。這種「福自天來」的「宗教意識」不僅見于經籍紀載及古代建築，而且表現在上古文字中。《甲骨文》的麥，从來，从夂。來者五穀之象，夂，倒止也（足跟在上，足趾向地之足跡也。〈〉夂（夊））所以示「福从天降」之意。古篆从夂之字，皆自上而下之寓義解。如：降、夆……皆其義例。後世賚賜之賚字从來，从貝。仍存（福）自上賜之義。蓋「來」之孳乳字也。今則以來去之來，或增彳而作徠，或增辵而作逨。乃延伸義。延伸義行而初義遂晦。

《來》、《牟》：《周頌》作「來、牟」，《廣韻》作「麳、麰」。而訓之：「麳，小麥；麰，大麥」。

麰

麰《周頌》之牟。牟字初義本是農業害蟲，以頭大似牟而得名。《詩小雅·大田》注：「食根曰蟊」，字本之牟，後增虫而之蛑。蛑行而牟廢。因大麥顆粒形似牟（蛑頭）遂假為大麥之名。麰其後出字也。卅「來」「牟」二字衍化源遺軌跡以示意：

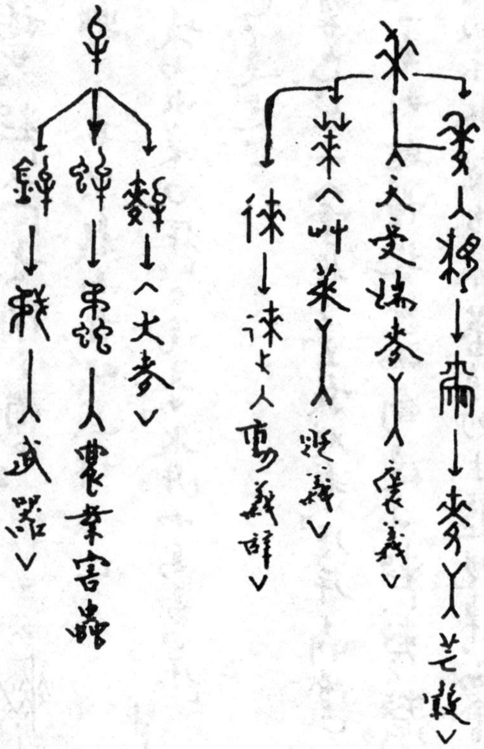

〈卅會義〉我國山東半島地望有來陽、牟平二縣，皆以盛產大麥、小麥而得名。此地名與方物攸關之文字義例。

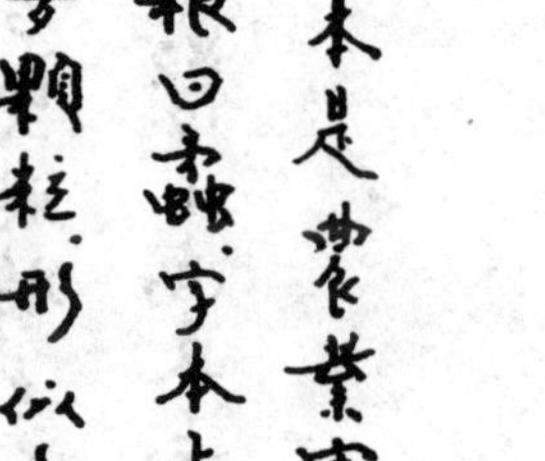

《來、麥二字聲義變革觀》：

筆者攷《段注說文古音表》：「來、麰、麥、釐」同居第一韻部。蓋文字之為物，生于語言。故文字之音、義，因息息相關，而義賴相適。大麥之為言釐

四二

𠩺 𢼸 𠩺

也。埋藏之義也。種藏土中，積雪冰封，埋頭蟄卧，《俗名"蹾墩"》遵養時晦，以待來春也。來之為言離也。分離之意也。𠩺字甲骨上𢼸。𠈌者來之形，下者厓厈之象，厈裂之態也。分者古手舉禾，擊穗脫粒也。故有分離之意。指事會意字也。小篆上𠩺，或𢼸孷。《集韻》云："𠩺，坼也。"《六書正譌》："𠩺从厂者，厈之省也。厈之性厈，如有擊之者。果熟而有味，亦坼……"。

小春脫粒

厈 厈 《爾雅·釋地》："厓岸而水深曰厈。"《說文》："水涯而高者曰厈。"

〈厓厈坼裂〉

斥 㡿 《正韻》："斥，逐也。遠也。"

坼 㘽 𤗞 《唐韻》："坼，裂也。"古人事墊了"五穀脫粒""厓厈崩墜""胎兒誕生"這一系列離體現象而創造了𠩺、孷、斄、𠩺、釐等字。以示物體分裂蕃殖的生態規律。而會意為物阜財豐，多子多福，富饒康樂之義。

果熟有味而坼

𠩺

孷 孷 斄《玉篇》："孷孖，雙生也。今名雙胞胎。古名"孿生"。《說文》："孿，一乳兩子也。"案：孷之為文，亦𠩺之同源字。

〈斄〉

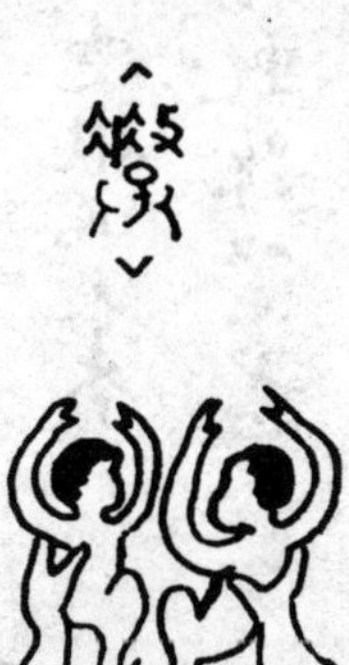

〈孿生〉

⿱𠩺貝 ⿱𠩺貝（古） 此字見于《金文》，《說文》未收。字从𠩺，从貝。亦具分别之蕃殖之義。貝者貨幣也，貨幣生息，亦猶母之生子，子之生孫，其義一也。人之困於饑寒者，以得小麥豐收為福。及其豐食，亦以家有餘財為福。及其物阜財豐，則以多子為福。甚矣哉！人心之無饜也。

釐 釐（古） 《說文》：「家福也」注：「釐猶是福。言家者，為其从里也。」釐者，祭酒受胙之謂。受福于祖宗，故曰家福。《漢書·文帝紀》：「祀官祝釐。」韋昭曰：「祭鬼神之餘肉曰釐。」《史記·賈誼傳》：「孝文帝方受釐。」徐廣曰：「祭祀福胙也。」應劭曰：「釐，祭餘肉也。」名書集：經籍文獻，多釐、禧互通。《諡解》曰：「有過為僖。伯禽十九世孫申，諡僖。《漢書》上釐。」《史記》：「周釐王」亦「上僖王」。皆釐、禧互通之例。復考《諡法解》云：「質淵受諫曰釐。有罰而還曰釐。」故釐字又有「多德有福」之義矣。

《來、麥》義變遞體軌跡示意》一覽

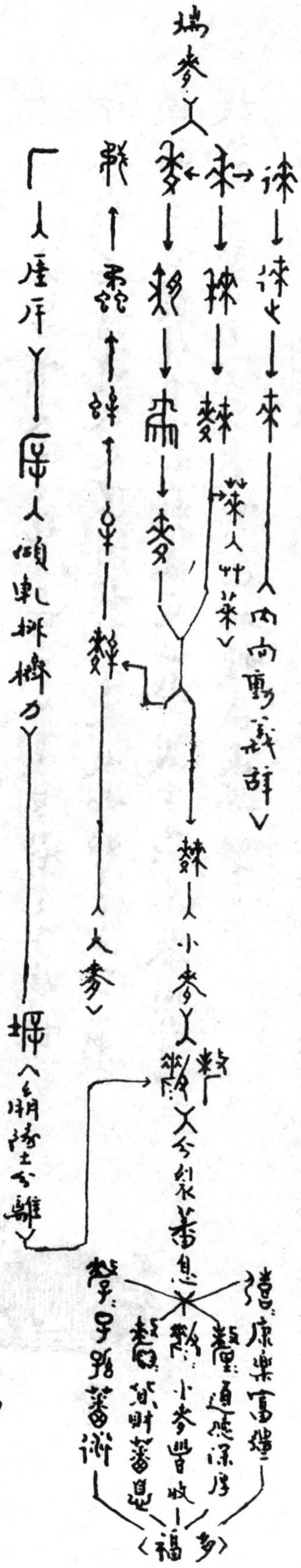

犛　犛《說文》：「西南夷長髦牛也。从牛，𣁋聲。」

名農案：大凡《說文》所云「从某，某聲」之字，往往聲中兼義。善讀許氏之書者類能言之。故知犛之為字，从𣁋，於諸古音韻律自宜以𣁋為正。此犛義字也。来、𣁋同聲。故从𣁋。从麗之字多屬黑色物種。試求證如下：

《晉郭璞注山海經》云：「背膝及胡尾，皆有長毛。小角。其體純黑。」《玉篇》云：「犛牛黑色。」《司馬相如上林賦》注：「犛牛黑色，出西南徼外。」

氂　氂《說文》：「犛牛尾也。音毛。」名農考：先秦時代，貴族旌旛儀仗夫端，皆用犛牛尾為裝飾。《詩鄘風》：「孑孑干旄，在浚之郊。……孑孑干旟，在浚之都。……孑孑干旌，在浚之城。」《正義》曰：「謂之干旄者，著旄於干首，故《爾雅釋天》云：『注旄首曰旌』。李巡曰：『旄（犛）牛尾著于干首』。孫炎曰：『析五采羽，著旄上也。其下亦有旒縿。』郭璞曰：『載旄于竿頭，如今之幢……』」筆者案：經文上「旄」，而不上「犛」者，以旄（从㫃），旄是旌旗之飾。《說文》上「氂」，而不上「旄」，可以示犛尾牛之名，因其旄尾裝飾之用而得名也。否則無以知氂、旄同中之異，異中之同矣。

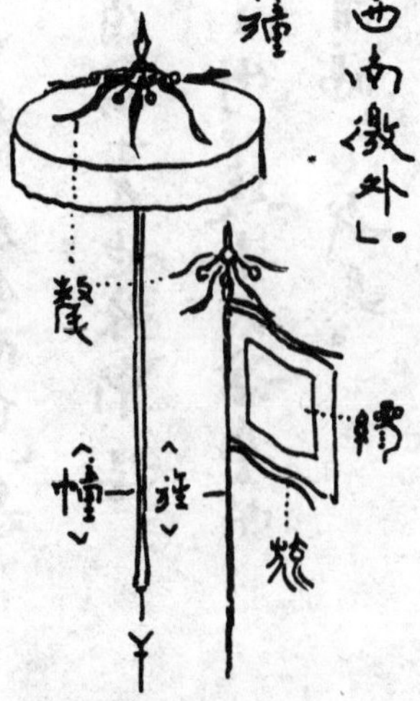

犛

斄

斄庲《說文》：「強曲毛也。可以箸起衣。」段注：「箸同褚。裝衣也。」《王莽傳》：

師古曰：「毛之強曲者曰斄。（斄以裝褚衣。令其張起也。（案此、斄庲、皆斄之誤）。

筆者以為這裏提出之「褚衣」的「褚」字很有必要占為專題提出討論。查《說文．衣部》云：「褚，卒也。从衣，者聲。亦曰裝也。」許氏之訓簡而略。其指遠而密。考《唐韻》云：「褚，音貯。」《集韻》：「裝衣也。」《類篇》：「囊也。」

案：褚之為字从衣、从者。衣者服裝之象。者、箸之省文。讀貯。貯藏之意。實際上即以布為表裏而藏綿於夾層之中。俗稱棉襖者其物也。上古填以絲絮，唐以後始有「棉」衣。《前漢．南粵王趙佗傳》：「遣使貴上褚五十衣。中褚三十衣。下褚二十衣。遺王。」師古曰：「以綿（棉？）裝衣。」（按棉衣之保溫功能全在于棉的纖維彈力形成之空氣絕緣層，可以杜絕體溫耗散。與現代之「[illegible]色服」其理相同。故知「毛之強曲者曰斄。以裝褚衣。令其張起也。」其目的完全在于利用斄毛的堅強彈力，以擴大絕緣保溫層。是非常明顯的。實際上「千旋」強曲毛都是「犛牛」的產物。因而我們有理由判斷「斄庲、斄𣯩、斄」乃一物而三名，确然無疑。因三字皆从犛。即其色徵也。所謂建類一首，同意相授者矣。古文从犛之字頗多。本應獨居一部。不知何以遭到分割而敝居攴部：斃居歹部：弊居子部：幣、蔽、𢿂居屮部：黴居黑部？姑存之以待後賢。

關于「褚」衣之另一義：《說文》訓「卒也。从衣，者聲。」卒于帥旅中屬于最末一級的組織成員。但是這裏的「卒」之政治地位還要更低的多。因為它們是被剝奪公權的服刑勞改奴隸。這些罪徒所穿的「褚衣」，應讀「赭衣」。《爾雅》云：「赭，赤也。」《前漢刑罰志》云：「赭衣塞路。」《荀子正論篇》云：「殺，赭衣而不純」注：「以赤土染衣，故曰『赭衣』。」赤土，即天然氧化鐵。國畫顏料名「赭石」。晋太原產者尤良。為著名中藥。中醫方劑用為止嘔鎮吐劑，或貧血症。古代統治者用為罪人衣服染料，目的是便于識別，防止逃竄。

黎 黎 《說文》云：「履黏也。又衆也。」古代達官顯宦足著「赤舄」《朝韓》。舄有木底。其名曰「履」。塗以臘脂，備濘泥也。履上有薦。其名曰「褋」。舄端有「絇」，舄緣有「繶」。《緇飾》舄之為物，上帛而下木。之「黍糊」以成黏合之功。黎之為文，从黍，从勿。勿，《耕具》犂之嬪。从黍，黍之象。黑色黏黍也。黎之用，可為黏料，可以釀酒，可以讌饗，可以祭神。名曰秬鬯。《書·洛誥》云：「秬鬯二卣」注：

「秬鬯」黑黍〈黎〉香酒也。〈又名鬱鬯。爲「鬱金」釀造而成。故曰香酒。今「蘭陵美酒鬱金香」乃古名牌之沿襲也〉。

黎，例爲「黎」之考證：《說文·黑部》云：「黔，黎也。暴秦呼民曰「黔首」」。謂其黑也。周謂之「黎民」，亦謂其黑也。此漢字「物色人化」例。「黔首」之類也。〈現代文藝術語名之曰「移植」。農之爲民，以土爲生者也。終年累世，奔馳于田埜之間，飽沐天光，得「紫外綫」之「洗禮」而膚色增深。故獨享「黔首」之名。「黔首」者，「黑頭」是也。與「身居廊廟之內與世隔絕罕睹天日之士獨得「白面書生」之名者，儼然是「鮮明對比」。

黎民數量佔人類社會絕大比值。故羣衆曰「黎民」。于以見東方文化之「樸素現實」色彩。

〈三離〉

棃 粉米《說文·黑部》「黴」字下：「老人面凍棃若垢。」《釋名》：「耇，垢也。皮色驪悴，恆若有垢者也。」案：此亦漢字以聲標義之例。所謂「老人面垢」即現代醫學術語之「蜘蛛痣」。

四五

民间名曰「土斑」。许氏借冻染之皮色，以拟态老人面色。亦物象人化之例。愚伸其义曰：黎者黧也。《玉篇》云：「黧，黑也。」《广韵》云：「黧，黑而黄也。」《战国策·秦策》：秦以连横说秦》：「……形容枯槁，面目黧黑。」《书·禹贡》：「厥土青黎。」注：「色青黑而沃壤（尚植質，黑色壤土）。」此皆黎黧皆黑色之义例。

黎鹿 《广韵》：「黎鹿，美也，善也。」《史世纪》：「太昊氏始嫁娶，黎鹿皮为礼。」故黎鹿之为物，即黄色黑斑之梅花鹿也。此亦黎鹿训黑色之义例。

鵹 《集韵》：「黄鵹，仓庚也。」郭璞云：「其色黧黑而黄。」

骊 《说文》：「骊，马深黑色。」《尔雅·释畜》：「注云：周穆王八骏有盗骊、窃骊。窃，浅青色，骊，纯黑色。」《礼·檀弓》：「夏后氏尚黑，戎事乘骊。《冬驾乘骊（冬祭黑帝）》」

犁 故知骊训黑色，其义极广。

黎（古音黧）
- 黎（皮色斑驳之黑）
- 黎（黑色黏黍）——（面色黑而黄）曰黧
- 犛（黑色长毛野牛）——犁（牛色黄黑相间）
- 鵹（黑斑黄鸟）——黎鹿（黄色黑斑鹿）——骊（黑马）

黄黑间色之牛曰犁

鵹

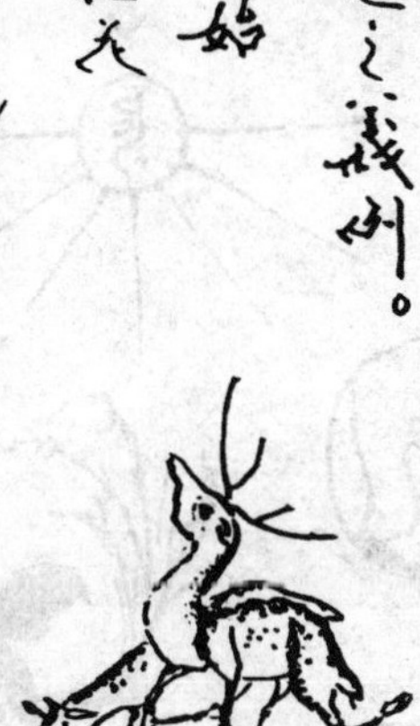

黎鹿

骊

穗 □、□、□、穟、穗 《說文》：「禾成秀也。」案：〈卜辭〉穗字之□、□，皆似伸手採穗之態，爲象形字也。金文或之□，从□、从穟，與《說文》義符。形聲字也。穗既成熟，禾須之垂。垂則必委，而葉萎矣。穗、委、萎，韵同而義在其中矣。

委 □、□、□、□、□ 《說文》：「隨也。从女。」案：隨之爲義服從也，故委字从□、从□，所以示柔曲不能自立之貌。此「物態人化」之例也。

萎 □ 《唐韻》：「蔫也。」《說文艸部》：「蔫，菸也。」同部菸字下：「婑也。」歺部𣨙字下：「病也。亦曰枯死也。」然則萎、菸、蔫、婑，異文而同義可知矣。

痿 □ 《說文》：「痹也。」《正韻》：「濕病。」如淳云：「兩足不能相過曰痿。」時賢張舜徽氏云：「痿之言萎也。萎弱無力，不能舉足也。」此解最爲明確而契意。蓋祭上部下肢癱瘓。

逶 □、□、□、□ 《說文》：「逶迤，衰去之貌。」〈傅毅舞賦〉：「蜲蛇蚺嫋。」案：虵之爲物，多節肥蟲類也。體態柔細，不能立

四六

直綫編衛之運動。在前進道路中，遇到荊棘叢生，砢磊當道，勢不能不得逞而攻虛，縈迂迴而行。此迂迴運動態之所發生也。故逡之為字从夋、从彳亍。夋者柔曲之象，彳亍者「乍行乍止」《說文》之義，「循道疾行」《六書故》之態。所以明屈折前進之象。故古漢語用為「將定形態動義詞」。《詩·召南·羔羊》：「委蛇委蛇」（段：蛇為迤）「退食自公」。明乎此後，則逡字从辵从夋之理，可思過半矣！

巍 巍《說文》：「高也。」未能盡其義。愚易之曰：「高而下垂也」。

其構築：巍之為文，从山、从委、从鬼。

鬼字从甶、从儿。大頭之人也。委者頭傾下垂之象也。山者屹之高齊于天者也。《說文》魁字訓：「羹斗也。」許氏將「魁」解為羹斗之頭。以此義律之，則巍之為名，即頭大而下垂之高山可知矣。禾之莖曲而穗垂者曰委；人之兩足不能直立者曰痿；則山之超峙雲端而頭大偏傾之態者，必不能免垂危之象。以其物體不能保持重心穩定，此勢有必至，理有固然者也。古詩人常用

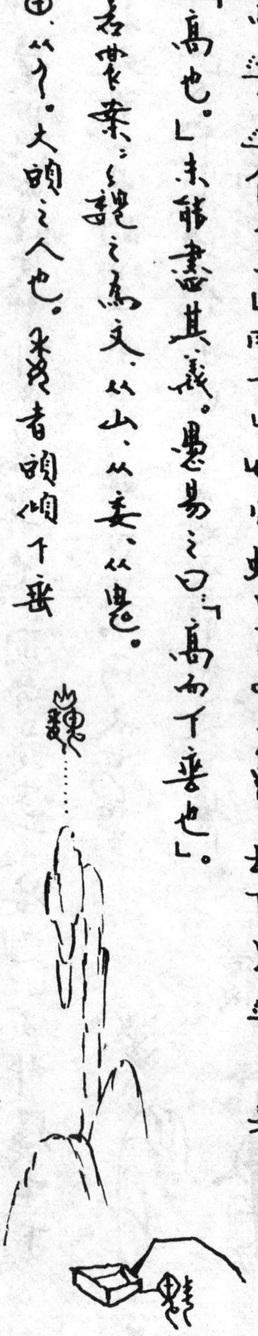

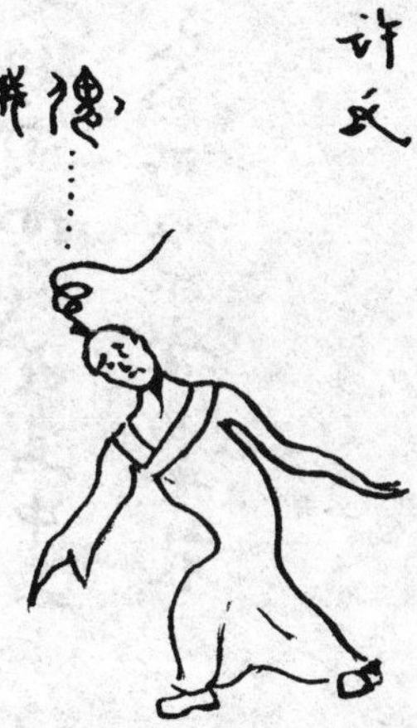

傀 傀儡 「傀儡」二字形容醉人頭肩擺動搖搖欹傾之態。此「巍義」之「轉注語」也。醉傾之機理出于

迺於中毒大腦中樞麻痹而引起中耳「三半規管平衡感應失靈。」與巍峩高山之固重心失衡而傾墜其理一也。《世說新語》云：「山濤謂：嵇叔夜之為人也，巖巖若孤松之獨立；其醉也，傀俄若玉山之將崩。」其動態誇張藝巧，非透過文字知識是莫能窺見東方文化合理而適時。表示如左以見之哉：

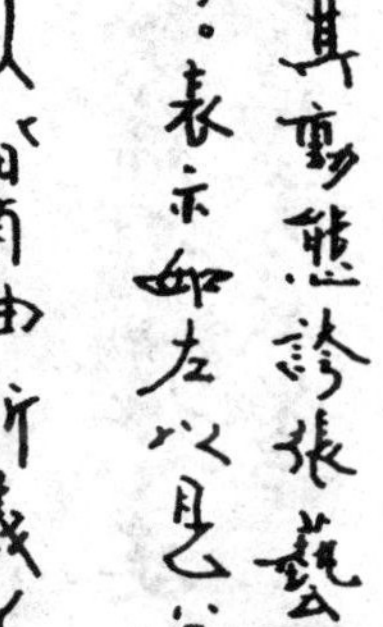

禾〈禾穗下垂〉——〈皆有曲折義〉

萎〈枝葉下垂〉痿〈人而足下垂〉逶〈人曲回向進〉巍〈山頭傾垂〉傀〈人體傾側〉

秀 秀《說文》訓為「上諱」而不言其義。段氏補之曰：「不榮而實曰秀。」

筆者竊謂五穀之屬，非盡不榮而實也。玉米之雄蕊，梢樓纓紛，形似天遂，焉得謂為「不榮而實」乎？夫秀之為文，从禾，从乃。乃者，孕之娋文也。禾之秀實，猶人之懷孕也。含苞潛藏，遠而未顯之時也。

及其籽之既成，則籽實纍纍，破苞而出，亦猶胎兒之出世。故《說文》曰：「透，跳也。過也。」《增韻》曰：

透 透

「透，徹也，通也。」然則「透」「秀」二字，皆取象於穀類之蕃殖，殆無疑矣。

夫禾之秀實，必在母株方健之時，方之人類名曰「盛年」。當此之際，其莖必肥，其葉必茂，其色必穠，其姿必豔。故秀字從仲為「優美」義，有繇來矣。

莠 莠

《說文》：「禾粟下揚生莠也。」段玉裁云：「禾粟下，猶言禾粟間也〈安靜」也。禾粟者，今之小米。莠，今之「狗尾草」。莖葉穗皆似禾。但禾穗皆下垂，故《淮南》謂之「向根」。張衡美其「顧本」。莠則穗同而揚起。禾下垂，故詩人刺其驕驕桀桀，此君子小人之比也。」

段氏不以物質之重的科學觀點來解答問題，而采取物象人化的社會觀點來評價植物，是富有風趣的。

誘 誘

《玉篇》：「誘，引也。」《左傳僖十年》：「郤芮曰：『幣重而言甘，誘我也。』」《史記趙王世家》：「吳太宰嚭貪，可誘以利。」

誘之為文，从言，从莠。會意字也。言者所以示甘音悅耳，娓娓動聽之聲；莠者所以示粉白黛綠，豔麗之姿也。動聽之聲蕩乎耳，妖冶之態眩乎目，雖欲不惑，不可得矣。故誘乃莠之孳乳字。

莠（結實穿穗）→ 誘（披莛而出）

一

莠（華而不實）→ 誘（引導策略）

屮　𐀀 卜 屮　篆。說文：「艸木初生也。象丨出形，有枝莖也。讀若徹。」
案屮之爲文，似雙子葉植物萌芽之態。丨象根莖，上透地表，下入黃泉。故有通天徹地之義。則聲中亦兼義矣。現代漢語中「貫徹」「澈底」等辭，其聲義語源，皆从屮而來。

艸　艸艸　說文：「百卉也。」屮艸字云：「艸之總名。」徐鍇曰：「艸叢生，故从二屮。」時賢張舜徽氏云：「艸之色青。故蒼、菜、翠、青諸字，皆與艸雙聲語轉。由此而相生者也。」後世之「草」，蓋已不知草之爲物乃櫟實也。說文之上草，古名曰栩，亦名「柞櫟」，又名橡斗。乃柞櫟之實，其殼可以染黑。故又名「皂斗」。今草行而艸廢，此古今之變也。

卉　卉卉　說文：「艸之總名也。音許偉切，讀若會。」案卉之爲文，从三屮，亦猶三木爲森，三石爲磊之例，衆多之義也，聚集之態也。故知卉即薈字初文矣。

茻　茻茻　說文：「衆艸也。从四屮。讀莫朗切。」案茻之爲字，从四屮，與四口爲㗊、四田爲𤳳同例，所以示聲量之加也。茻从四屮，所以示艸之多也。此与現代醫療化驗單之「+」、「++」號表示白血球數量之多寡，其情極似。故知茻即「茫」字初文，有「廣、闊無、垠意。　表示如次以見意。是名之曰《數量．示意符》。

↓《微量》 ψψ《多量》 ↓ψψ《極多量》 ψψψψ《無限廣闊量》

屯 [glyph]《卜》 [glyph] [glyph]《陶》 [glyph] [glyph]《金》 屯《篆》《說文》：「難也」。屯象屮木之初生，屯然而難。從屮，貫一。屈曲之也。《易》曰：「屯，剛柔始交而難生」。

（屯）

《繫辭引伸》在《易》䷂（坎上．震下）一卦中，

屯卦者，采用了屯字之為卦名，以闡明埋藏在地下的植物種籽，生機已經萌動，但困于堅枯地層的封閉限制，得不到伸展萌芽，而期待着春雷甘雨的降臨，以取得解脫的景象。《甲骨文》屯字——「屯」，象一株單子葉植物幼芽。《金文》屯——「屯」，象一株雙子葉幼芽。雖造型稍異，而示意則同。六書所謂象形兼指事字也。尤其是小篆屯字造形，生動地凸出了幼芽根莖受到堅固土層限制而形成了彎曲的形象。因而附有屯形的文字，都含有封閉，收藏，集聚之義。

純 純《說文》：「絲也」。未能盡其旨。考《儀禮．士冠禮》：「服纁裳純衣」。注：「純衣，緣衣也」。《禮．曲禮》：「冠衣不純素」。注：

《純》

「純，緣也。」《詩·召南》：「野有死麕，白茅純束。」注：「純束，猶包之也。」《箋》：「純曰屯。」《戰國策》：「錦繡千純（千束）」。名裳襞所謂「純衣」即封鎖邊緣之衣也。純束者，封裹之義也。故知純字从糸者，所以示絲帛之衣也。从屯者，所以示衣有邊緣也。鄭箋注：「純讀曰屯。」可謂深達古文之旨。不愧訓詁大師之稱。

迍，古文作「徏」等。此字《說文》不見。《集韻》：「音屯。」《玉篇》：「邅也。」《集韻》云：「邅迍難。行不進貌。」筆者考《易·䷂卦》：「六二，迍如，邅如，乘馬班如。」女子貞不字，十年乃字。」《傳》云：「志在乎五，不從于初。屯難之時，正道未行，與初相近，而不相得。困于侵害，故迍邅……」

經文把潔身自愛遇邅不到知心朋友的失意者，比之為遇到依恃強權暴力攔路求婚的處女。因而說把座下的乘馬，勒緊繮韁，停滯不前。上《易》者，將迍類處境的社會典型，同被埋沒在地下的植物幼芽，劃了等號。故知迍字从辵，从屯。有「行路遇阻」之義。乃指事兼會意字也。

四九

邨 邨《說文》：「地名，从邑，屯聲。」段注：「本音豚。屯聚之意。俗讀此尊切，又變字為村。」

筆者案：邨之為文，从邑从屯。人衆聚會之地曰邑（見《釋名》）。屯者集、聚之義。古代用為「村落」之義。後世之地名多有以「屯」為村名者。如天津市以南今仍有唐官屯、姚官屯，吾鄉亦有田屯、八里屯，此皆歷史遺留之古地名。其初文皆邨字也。後世化簡棄邑而留屯，仍存古意。自「村」行而「邨」廢之後，而「屯」字之被用為地名，已成不解之謎。蓋已不知屯即邨之化身矣。然屯、邨同聲，固未嘗變。此其蛛絲馬迹可尋者歟？！正如古詩所云：「少小出门老大回，鄉音不改鬢毛衰。兒童相見不相識，咲問客從何處來。」矣。

囤 囤《廣韻》：「讀若頓。」《說文》本作「⿱竹屯，篅也。一曰[illegible]。判竹，圜以盛穀。」《玉篇》：「囤，小廩也。」《六書故》：「囤，困廥。」

案：囤之為字，从囗，从屯。囗，古圍字，環繞之意。屯者，聚集之義也。此類儲糧容器今農戶猶在使用。其製非一。我國江南多用竹。北土多以葦席盤桓于巳口或缸之內，形似螺旋上升。內容食糧。此古廩也。然則囤之與⿱竹屯，皆屯之同根字也。

沌

沌《莊子應帝王篇》云：「南海之帝為儵，北海之帝為忽，中央之帝為「渾沌」。注云：「渾沌」無孔竅也。」儵與忽報渾沌之德曰：「人皆有竅，以視聽飲食，此獨無有，嘗鑿之。日鑿一竅，七日而「渾沌」死。

上文是《莊子》中的寓言故事一則。實際上是取材于雞蛋（卵）為題。「渾」从氵从軍。其外圍之象。沌从氵从屯。屯有內藏之態。古人常把雞卵視為宏觀宇宙的縮影。把宇宙視為雞卵的形象引伸。雞卵之為物本來就是一個封閉體。所以經注云：「渾沌」者無孔竅也。實質上這個圓形外殼之內的液態物質，自有其內在的生理結構。不需外力之助，自會孵雛的。而自以聰明的儵忽偏要多事施工穿孔。結果反而造成了對雞蛋原有之生命力的毀滅。《莊子》的本意，是為了諷議那些庸人自擾的多事之徒。卻為我們理解「渾沌」二字的科學實質提供了綫索。

《沌》

《渾》

春旾（⊙）《前漢律曆志》云：「陽氣動物，于時為春。春，蠢也。物蠢生，乃動運。」

筆者案：旾之為文，从屯从⊙。屯者，植物幼芽冒土而出之象也。⊙者太陽自南而北寒去暖生之意也。讀音春蠢者，所以示生物蠢蠢欲動之

態也。此象形兼指事字也。造字者捕住這一充滿和悦生機的氣象示意而規定爲一歲之首。《參各類春字造型一覽》

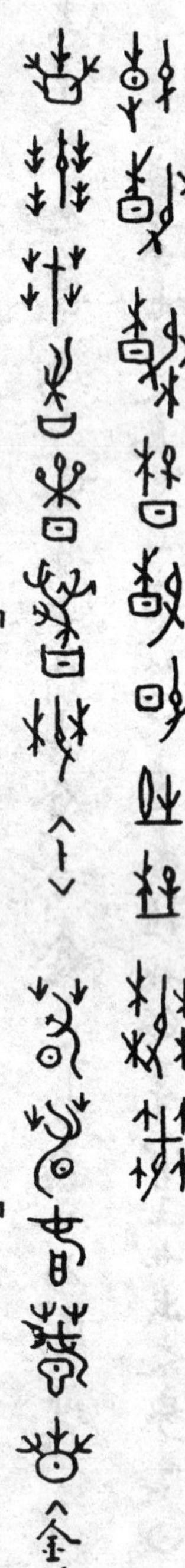
〈卜〉〈金〉

蠢

《說文》：「虫動也。」《禮·鄉飲酒》：「春之爲言蠢也。」《爾雅·釋詁》：「蠢，作也。」注：「動作也。」

案蠢之爲文，从屯、从䖵、从日。屯者，草木萌動之象也。䖵，古昆字。所以示虫類之衆也。《禮·月令》：「仲春之月，日夜分，雷迺發聲，始電，蟄蟲咸動，啓户始出。」參照上所謂「蠢動」，絶不是只限于地下冬眠的動物和宿根的植物，而是包括宇宙間的所有一切，都無一不在蠢動。這個支配萬物生態及宇宙氣象變化的偉大動力，究竟來自何處？古人也看得非常清楚。所以把太陽的形象，放在蠢字的中心位置。這一認識，是極端明確的。它是緣于太陽給人類帶來了無窮幸福，所以人們每當建寅之月，要舉行「郊祭之禮，大報天而主日」，以表示對太陽的崇拜心理。這些意識觀念，是可以透過古文字造形得到肯定的。

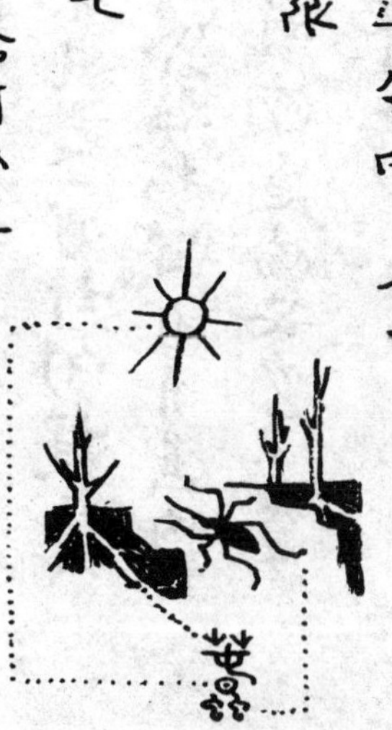

鈍

鈍《廣韻》：「不利也」此人云亦云之解，殊不足以窺造字之旨。《說文·金部》鈍字下云：「錭也」。此訓亦頗困思力。夫「錭」之為字，古雕刻之雕字，引伸文也。《荀子·富國篇》：「必將錭琢刻鏤黼黻文章以塞其目」是其義例。將經受錭琢，必有殘缺。刀之久經使用，必有殘缺壑齒，刃既傷殘，焉能望其有鋒利之功乎？此殆叔重先生之意歟？！惜此意亦不能窺見「鈍」字造字之旨。竊以為鈍字造型，从金从屯。金者刀之質也。屯者難也。象艸木始生與地相交，猶不堅之態也。故如沌、純、䖔、囤、旾、𡲞、鈍諸字鑄型立義，咸肇基于《☳☵屯》卦而無疑。嗚呼！唱「中國文字與《易經》無涉」之說者可以休矣！

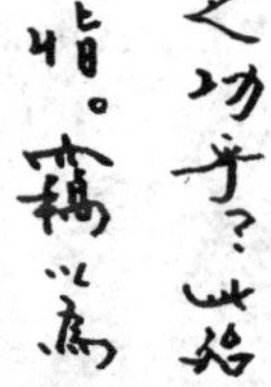
鈍

頓

𩑶《說文》：「下首也。」《釋名》：「頓，僵也。」《揚子·方言》：「頓，愍惛也。」《春秋·襄四年》：「兵甲不頓」，注：「頓，壞也。」

以上諸家之訓：一曰下首，二曰僵，三曰愍惛，四曰壞。自當以「下首」為初義。試論之于次：　考「頓首」之禮，乃《周禮·九拜》之一。亦即以頭觸地之連動形式。此出「禮」也。孝子之喪親，呼天搶地，此哀感之情也。故《方言》訓曰「愍惛」。《釋名》訓之曰「僵」，固其宜矣。夫頓之為字，从屯从頁。頁者，古文「頭」字也。《

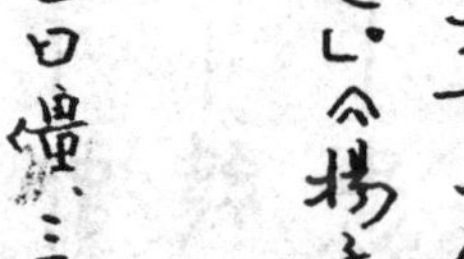
𩑶

卜辭之上帝。《說文》：「諦也」。《六書故》云：「首即首字」。可為義證。帝者，草木萌動，耑題冒地而出之象也。數諸頓首之象，雖一升一降，命運則一凶一吉。然其以頭觸地之態固所無二致也。故知蒂之為字，帝之變義字也。此與濤、殜同源，治亂互通，其例同矣。

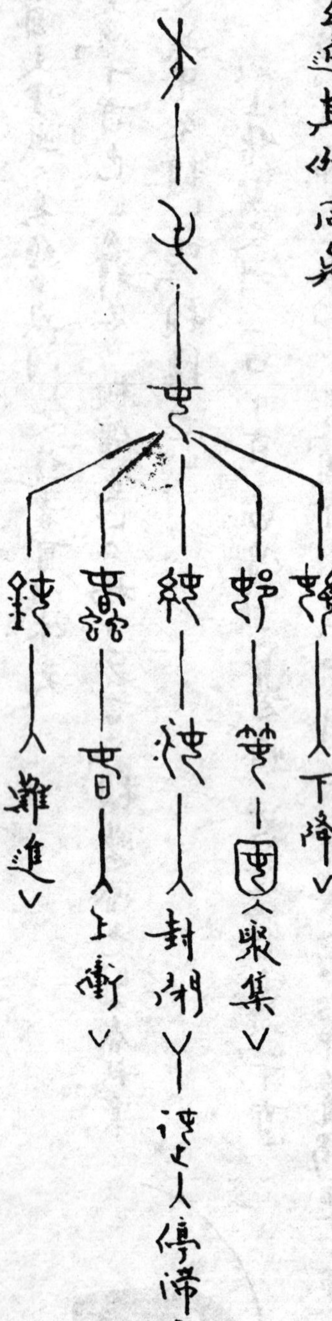

毒 𣫫 《說文》：「厚也。害人之艸，往往而生也」。段云：「毒兼善惡之辭。猶祥兼吉凶，臭兼香臭也。」段氏注引用了《易》曰：「聖人以此毒天下而民從之」。並引《列子》『書曰：「亭之毒之」』皆為厚民也。足證此「毒」字的含義，非常抽象，不易理解。不過段氏能够撇棄掉「良性」與「惡性」的狹隘觀點，而采取物質刺激效應的宏觀解釋「毒」字，自有其辯證法則的一面。同時許君依據屮形示意造象，以推定「害艸的生命力之頑強，大于五穀」，似乎也不無思考之餘地。試就字論字，聊抒管見：

蠆从為虫之為文，非之植物之形也。如气息之气字之類。煙火之熒之火、炎。而字首皆从屮。故知屮之為文，非畫植物艸木之態。有時亦假為火燄之象形。況蠆字之上乃从𦍌，而禾从屮。《𦍌部》：𦍌下云：「上下達也。」徐曰：「艸之生，上盛者其下必深根也。」王氏曰：「凡蚜蜂蠭从此。」筆者案：蠆字从「𦍌」者，蜂之螫也。从毋者，古貫字也。貫通之意也。《左傳僖二十二年》：「蜂蠆有毒，況于國乎？」此即蠆字初義矣。蓋蜂之幽、蠆，皆恃毒尾為天生自衛武器。犯之者，必用毒尾予以螫刺。使庚蠹〈俗名肚〈音篤〉子〉將作之強酸性生化蛋白液，注入皮下細纖。此烈性毒劑，可使末梢神經感受劇痛，上向心傳導，甚致產生麻痺休克。此「毒」字之真相也。許君于《說文》中，引古文𠁎字為古毒字。《康熙字典》形譌上𠁎，从屮从副。以附會「毒屮」之意，已失𠁎字初旨。不知𠁎之為字乃建築之「築」字初文也。字从刀、从竹、从㐭，削竹為籬之象。其非毒字，彰彰明矣。古音築「篤」、「毒」同聲。「音毒」例也。故知許氏之訓𠁎為毒，謬誤之甚焉。而段君不此之察，反舉出篤、篤、箸、篤聲同，以證許君「厚也」之義。蓋不詳篤字初義，乃「竹為」其物也。此物之歷史上很久矣。今民間春元文娛活動項目仍盛行之。

〈蠆〉

〈篤〉

五二A

《俗名獨竿蹺》一人騎跨竿上，前後二人肩輿而揚，故意顛簸搖擺，以取笑。跨「篤」者之須隨時全神貫注，掌握重心，以求穩定平衡，以防傾跌。故「篤」遂引申為「專心致力」義。「堅定」、「牢固」義。《易·大畜》：「剛健篤實」《爾疋·釋詁》：「篤，固也。物厚者牢固。」《廣韻》：「篤，厚也。」古籍但云「物厚者牢固」，可惜已不曉「篤」之為物，乃載人之竹馬矣。竹馬之為物，非取肥材厚堅固之竹，不能保乘載之安全。故篤字之引伸為「厚固」義。今之引伸義行而初義已晦。遂致「篤」字造形、命音、立義成千古之謎矣。竹字古音同「督」，馬字古音讀「母」。《詩·周南·漢廣》：「翹翹錯薪，言刈其楚。之子于歸，言秣其馬。」楚、馬叶韻，堪資音証。故知「篤」之為文亦形聲兼會意字矣。雖余之論點難免標新立異之嫌，然反躬自問，倘有科學基因。海內大雅伏維鑒之。

毒字初義為蜂蠆《蠍》之尾，而非毒艸，可從古文毒字覈

《毒》

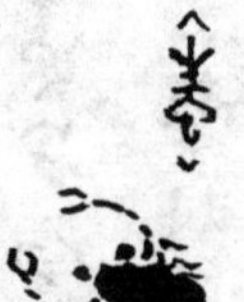

實之。毒象蠆尾含毒其體，象形字也。但許君訓毒為「厚也」。自亦有其科學依據。未容一筆抹煞也。古謂甘、脂、肥、濃之品曰「膏粱厚味」。《甲骨文字》「厚」㫗。字从米、从㫗，可以示糟末于甕，酒气外釀也。今名「高度酒」，酒之乙醲味厚者飲之令人中毒。與蜂蠆之毒尾刺人可致神經中毒，其科學基因有殊途同歸者矣。

芬　《說文》：「芬，艸初生，其香分佈也。」

案：《卜辭》字、從從。以香花觸鼻之態。

古鼻字。嗅覺器官也。古文蕙字。《卜辭》上《金文》上小篆上。《玉篇》：「蕙，香艸，生下濕地。《南方艸木狀》：「蕙，一名薰艸。古以蕙為薰艸，取其香气揮發四達之用也。故知《卜辭》居鼻下，有香气入鼻之象。即芬芳之芬字初文無疑矣。

東　《卜》《金》《篆》《說文》：「禾束也。」《正韻》：「禾盈把也。」《詩·小雅·大田》云：「彼有遺秉」疏：「秉，把也。」案：字从从。右手持禾，象形字也。其初義為「禾束」，又引為五穀計量辭。其後延伸為動詞辭。

兼　《說文》：「并也，兼持二禾。秉持一禾。」其延伸義為：一手獨執國政，曰「秉衡」。二手各兼一事，曰「兼職」。

〈兼〉

秝　《說文》：「稀疏適秝也。」注：「……凡均調謂之適秝。」

案：上邊羅列幾個字形，都是五穀形象。或从三禾，或从二禾。下部从田

五二B

或與、目的是采用清晰鮮明的植物形態，顯示出一種規律而工整的行列分部格局。這就為統计、觀察工上人員，提供了方便。古漢語把這一情況，名之曰「秝秝可數」。

本條所談的「秝」字，屬于靜態結構的秝。下邊還要討論被動式的「歷」、和主動式的「曆」。但是這三箇秝、歷、曆都屬于園總農業生產的產物。所以都從秝。

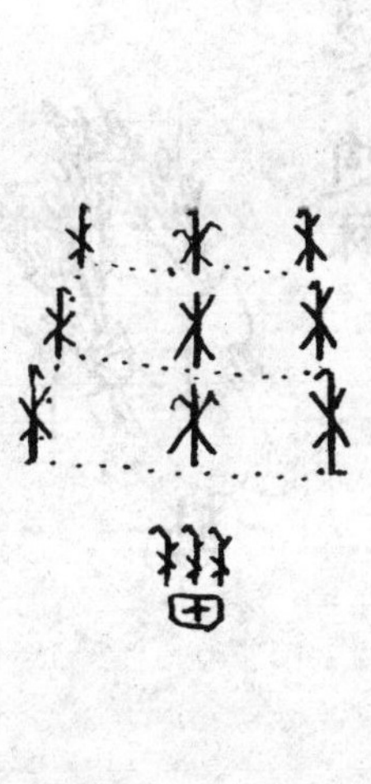

歷 歷

歷《說文》：「過也。」辵部過字訓曰：「度也。」

案：歷字造型從「厂」、从秝、从止。「厂者崖岸之象。秝者五穀之形。而許训為過、度」，顯然一個被動式的「過」。因為五穀是植物。植物本身無運動能力。只能被定為人們能符合常況。況且同五穀每天打交道、過從最密的人，只有老農。因而歷下的「止」（）也只能被視為是老農的足跡。老農操心五穀的健康成長，他知道自己有義務每天要到田間考察一下五穀的生態變化。歷字就是五穀生活規場。《說文·禾部》稽字下：「留止也。」段注云：「稽留則有審慎求詳之意。故曰稽考」。然則歷訓為「過」之義，可思過半矣。

今則用止一切經歷字、延伸義矣。

歷

曆 ⿱𣥄⿸厤⿱⊙𠬞〈籀〉 ⿸厤日〈考〉

案：曆字段注〈說文〉不見。〈新附〉云：「曆象也」。考〈尚書‧堯典〉云：「乃命羲和，欽若昊天，厤〈曆〉象日月星辰，敬授人時。」此始〈新附〉訓義之所本。〈正字通〉云：「曆以日為主，故从日。其从厤者，推其所經廿八舍，以正日躔也。曆法始、中、終皆舉之。先求日至，以定曆元，履端于始也。參以昏星，舉正于中也。察日與天會、月與日會之盈虛，齊之以閏，歸餘于終也」。

〈書‧洪範〉：「五曰曆數」。〈傳〉云：「曆數節氣之數以為曆。」〈疏〉：「算日月行道所歷，計氣朔早晚之數，所以為一歲之曆。」如果認真的研究起來，則這部古老天文學卻絕不是「三錢蘿蔔兩錢蔥」的問題了。我們只有能力譚譚字皮而已。

⿱𣥄⿸厤⿱⊙𠬞字造形，从𣥄、从厤、从⊙、从𠬞。𣥄从二止，👣之變文也。天文計秝推度基本單元也。⊙者，太陽經天〈視運動〉一週為歲之象義也。𠬞者，兩手秉持「璿璣」「玉衡」以齊「七政」之態也。从厤者，所以示敬授民時「治本于曆」之義也。

五三

重 《說文》：「厚也。从壬，東聲。」案：壬者，直立之態，東者植物之形也。植物之體重，集中于莖柢，而得到直立。一旦重心脫離支點，則莖株橫臥倒地。此重字从壬，从東之義乎？

踵 《說文》：「追也。一曰往來之貌。」許氏將足跟訓為動力辭。顯非初義。考《釋名》云：「踵，鍾也。鍾，聚也。上體之所鍾聚也。」案《釋名》意見，把足跟視為體重的支點，不僅符合物理力學觀點，同時更反映出漢字的造形、命音之義的科學性。

根 〈籀〉 〈篆〉《說文》：「木株也。」《廣韻》：「根柢也。」案：根之為字，从木，从艮。木者樹也。艮者止也。〈見易說卦〉止者「下基也〈見說文〉」。風動樹搖，樹欲靜，賴根之輔佐而穩定。故根之為言艮也。艮者止也。止者下基也。木之有根，如人之有足也。古文止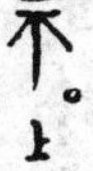同文。此艮訓曰「止」，止訓「下基」之義矣！古文根 。上从艸莖，下从根蒂。八以輔根。屮以枝莖。其力學原理與高壓電桿同。此天功乎？人意乎？吾不敢知矣！物之無根者易凋，語之無根者難信。此則根字之延伸義矣。

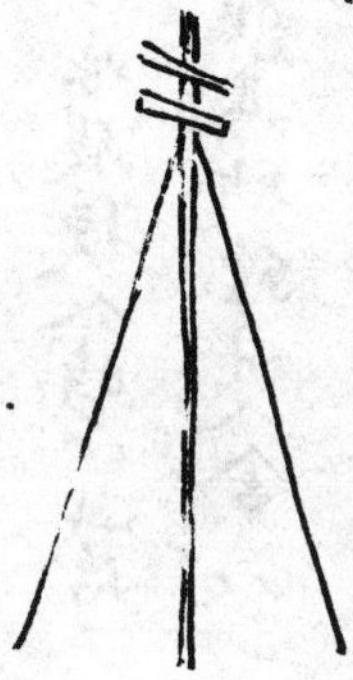

跟跟。《說文》：「足踵也」。《釋名》：「足後曰跟。在下方著地。一體任之。」

案：「跟」居股下，所以支承體重，防止傾倚也。「根」居土下，所以防止樹木動搖也。行路遇險而止曰「限」。棄官離職，靜止家居曰「退隱」，皆有止而不動之義。故字悉從艮。《易・說卦》：「艮，止也」。此漢字源于《易理》之又一旁證之例。

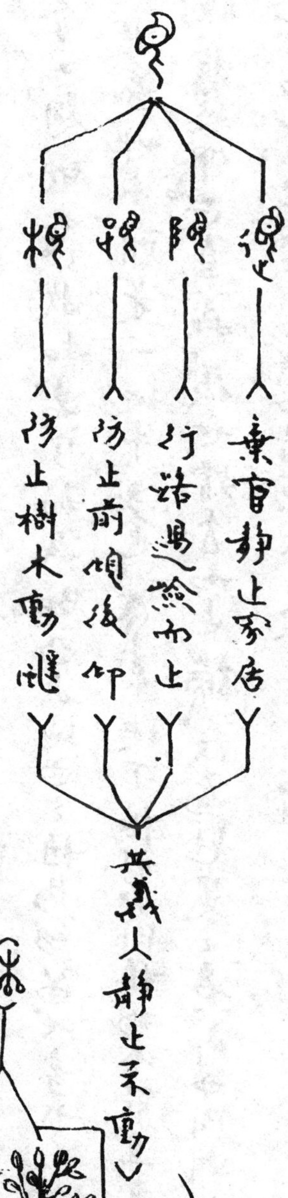

本 本《籀》 本《篆》《說文》：「木下曰本。从木，一在木下。」

《淮南子・說山訓》：「千年之松，下有茯苓」。《本草綱目》：「茯苓之抱根者名茯神」。筆者考：植物類之特「根塊」為蓄殖種籽者，固不乏例。如：蔬菜類之馬鈴薯，草藥類之香附、元胡，皆與古文本字造形不謀而似。故知古文造型擬態，必有自然依據。《廣韻》：「本，舊也。下也。」《爾雅》云：「凡物之本，必在底下。」若蒿之因陳根而生者曰「茵陳」。韭曰「韭本」。菖蒲之根曰「菖本」。皆本字之義例矣。

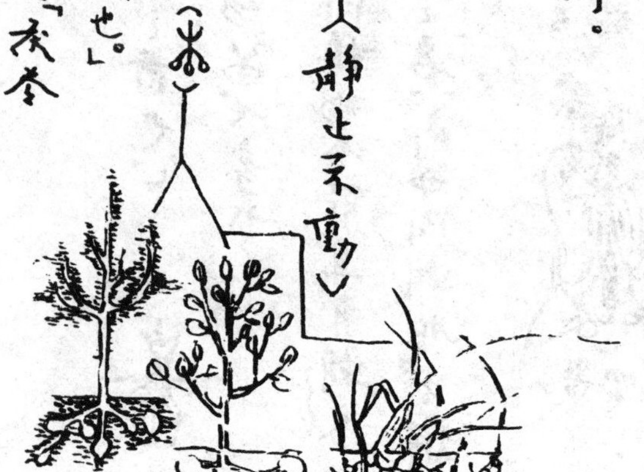

動 〈說文〉：「作也。」〈增韻〉：「靜之對也。」〈廣韻〉：「出也。」

筆者案：在所有漢字範圍絕無一字造形示意有如動之為字如此直接了當而富有科學命意。所謂从重从力。質，質上即：重＝質×體積。此開門見山之指事字也。設十斤之物，必以十斤之力推動之。然則設物重為人，則某一物體之移動，其所需之力必與其物體之重量相等。此性定規律也。此動字从力从重之義歟!?

耑〈下〉 耑〈金〉 耑〈篆〉〈說文〉：「物，初生之題也。」〈增韻〉：「物之首也。」〈小爾雅〉之文：「題，額也。」故知耑字初義，即凸出地面之植物幼苗也。象形字也。以象艸木萌芽，一，地平線也。象地下根形。因植物本能，具有朝天背地性，故延伸為正直義。後世增立而是端。段為冠冕之名。即西周朝服「玄端」其物也。蓋取「冠必正」之義而得名。玄者黑色也。所謂「玄端」「黃裳」皆取象於「天玄地黃」之色。因端居上而裳居下，故端法天而色玄，裳法地而色黃。是其義矣!

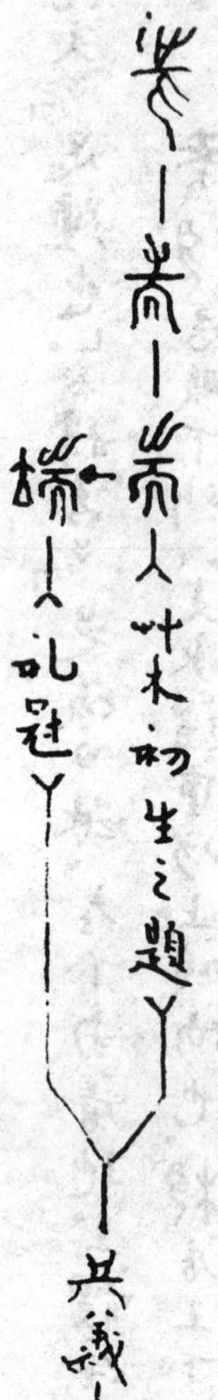

文字起源圖典

農業（二）

八

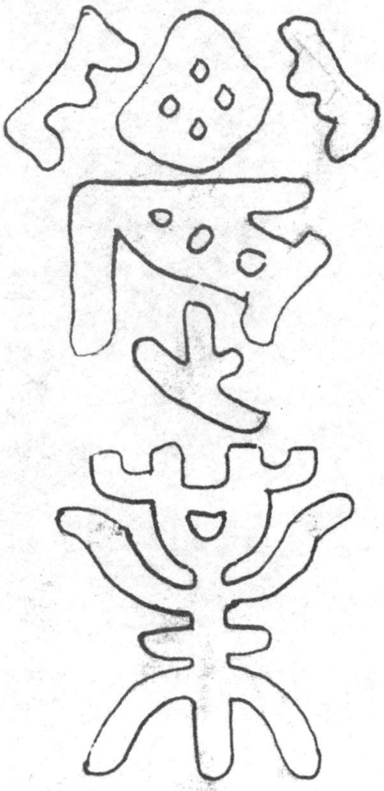

木林森 五五
桀網苟煩 五六
續縣 五六
穫獲護 五七
年豐 五七
豐豑弟豐 五八
秩麻枲䵎 五九
楙散靡縻栘 六〇
鱧朿棘棗棗 六一
亟極鏃遞圉 六一
垂陲陲鍾陲䣯 六二
睡箠郵陲腄 六二
由粤繇岳謠 六三
粤娉宵蒐 六四
猨叜按瞍叟 六五

苗 六五
婺狎 六六
農墾 六六
狼齦狠懇 六七
才在 六七
栽鋤米斷 六八
鐵錤 六八
華實殼瞉 六九
磬罄青檠 六九
稀希絺黹 七〇
妃爽裯綢周 七〇
螟螣弃騰縢 七一
賸蜂螣賊 七一

畊耙耖欋 七二
戳瞿粟䀠矍 七三
揚耬 七三
婁縷嶁寠簍 七四
褸鏤螻髏樓 七四
數耬鏤鞻 七四
梁粮糧秙 七五
尣固槖石 七五
七萋 七六
敵蹯播翻 七七
亶怛旦私 七八
朮稽頃穆 七九
禁逊欲眷燎 八〇
荊枚相莆 八一

哺餔圃兩 八二
蒯菅葛 八三
楮楓楚 八三
枏樟椅 八四
楸棽莿 八四
李杜棠 八四
植櫼檜榆俞 八五
窬逾偷踰 八六
喻輸前瑜諭 八六
栲杞桼髹魏 八六
榮櫻櫟樹 八七
鼓督短 八七

朩 朩《說文》："分枲莖皮也。从屮，八象枲莖。"从八（古分別字，亦象離體之皮膚）。讀音若"髕"。（案：江河水流分支去而不返曰派。與枲皮之離體去而不返同趣。故知朩之為文，亦形聲兼義字矣。

朩字造形反映了漚麻工作活動景象。實際上就是利用細菌的腐蝕功能剝離植物皮膚的"化工"藝術。《詩·陳風》："東門之池，可以漚麻。東門之池，可以漚紵。東門之池，可以漚菅……"這些紀載，都是我國古代利用植物纖維代替蠶絲歷史說明。

朩

林 林《說文》："葩之總名也。林之為言微也，微纖為功。"段氏引趙岐《孟子》"妻辟纑"注云："緝績（劈）其麻曰辟。辟音劈。今俗語緝麻，析其絲曰劈。即林也。"

名叢案：林之為文，从二朩，再分之象也。段謂劈林同義，其說甚是。辟以為上古有斬首之刑，名曰"大辟"。左从卩，从人跪于地頭顱下落之象。右从辛，古辠字也。後人增刀于下而成劈倒字。林取音于"辟"而已辟纑字。《說文·糸部》云："纑，布縷也。"趙岐曰："練其麻曰纑。"故知林字義同于辟，辟同于劈。皆同音轉注之例矣。

林

辟—斬首義—辟—劈物義
朩—分枲皮—𣏟—析麻義

檾、檾《說文》：「枲屬」。《玉篇》：「同」。《周禮·天官·典枲》云：「掌布緦縷紵之麻草之物」。《注》云：「草葛、蘔之屬」。《地官·掌葛》云：「以時徵絺綌之材於山農。凡葛徵，徵草貢之材于澤農」。《傳》云：「草貢出澤，蘔紵之屬。可緝績者。字亦作䔛」。《詩·衛風·碩人》：「衣錦褧衣」。許氏《說文》于𣏟部稱「檾衣」，于衣部稱「褧衣」。而云：「褧，檾也。示反古。」然則「檾衣」者，以檾所績為之。《儀禮·士昏禮》所謂「景」也。今之檾麻，《本草》作「䔛」。云：「白麻，生卑溼處。葉大如桐葉，團而有尖。六七月開黃花，結實如黃葵子。北人取皮作麻。」

《論列》：檾之為文，造型非一。要而約之，可分五類。各具指義。比列如次：

一曰檾。从𠂔从𣏟。𠂔者，華之象也。𣏟者莖株森峙聳立之態。此象形字也。

二曰蘔、顈。蘔从艸从㬎。艸者形也。㬎者聲也。形聲字也。顈从㬎从糸。㬎者聲也。糸者所以示有紡績之用也。此形聲兼指事字矣。

三曰「褧衣」，字从「耿」从「衣」。衣者，服裝之總名。耿者，小明之象也。《詩·衛風·柏舟》：「耿耿不寐，如有隱憂。」〈注〉引錢氏曰：「耿為小明。」可謂深得「耿」字之義而諳于物理人情之常。竊以為耿字之可以訓為「小明」，其義當來源于「愁人苦夜」之景。我國偉大詩人李白有「牀前明月光，疑是地上霜。舉頭望明月，低頭思故鄉。」這首名詩，已經把「小明」的背景刻劃到徹秒，唯肖至極而無以復加了！〈甲骨文〉明字上从囧，从月。象形字也。囧者，丸安窗牖〈今之囧〉之象。月者「玉鏡」高懸，光照幽室，透過窗牖入室之景也。其訓為「小明」者，與日為「大明」相對為名，此古義也。蓋人類遭時不遇，憂感縈懷之情，必興乎月明夜深之時。此詩人所以有「耿耿不寐」之嘆歟!?

褧衣字何以从耿从衣？愚曰：夫褧衣之為衣，女紅燈火傍繡，精析細織而成之物也。其理細而疏，其質輕而薄。古代貴婦名媛身著錦繡，繽于色彩奪目，有傷文雅之態。故襲之于錦衣之外，所以防塵掩視之需也。行人遙瞻服色，若隱若顯，以昭文德，而彰儉素也。造字者將「小明」晴淡之光移植于「褧衣」之名。此耿字義變之秘

五六

密，尚有賴于對「耿」字之進一步之剖視。

耿字的原始義：考：耿之為文，从耳，从火。耳居面頰之旁。火者赤色之象也。人之羞老化愁必面赤過耳。故名「耿介之士」。此耿字初義也。許氏訓「耿」為「耳連頰」信其然矣。而段君卻抛棄了光學物理槪念，及漢字的聲義規律于不顧，而斤斤于「耳頰」之義是求。竟將「耿」字此會為「憂思黏連于心」。遂致褧念之褧字造形之旨成為千古之謎。此大誤而特誤也。不知「耿」之訓為「小明」者，其義當緣端于月光透窗之景。《卜辭》冏字其鐵證也。其字自應以冏為正字。古音耿冏苘同聲。故如褧衣之字从耿者，漢字同音通段之例也。《尚書·立政》：「以覲文王之耿光」。《唐韓愈祭田橫墓文》：「自古死者非一，夫子至今有耿光」。又宋穆戡五更起行至儒溪未明詩：「山頭孤月耿猶在，石上寒波曉更喧」。以上諸耿字皆段耿為冏之例。《金文》：「䌹、絅」二文並即褧衣之褧的正字而确然無疑矣。

四 䌹 絅

絅䌹皆从糸，从冏。糸者紡績之器，冏者小明（半透明體）之象。《玉篇》訓「絅，布也」。古代貧賤者衣麻，其名曰布衣。富貴者衣絲，名曰錦繡。則絅字乃褧之正字可無疑焉！

五 苘

苘，《李時珍本艸綱目》：蒴上：「苘」字从艸，从冏。艸者植物之象，冏者「小明」之象，所以示可供紡績透孔薄紗之用也。《爾雅》、《說文》衣部曰「[illegible]」。林部曰「𣏟衣」。其所以引起困惑之故，全在于未知[illegible]、⿴之段之例有以致之。謹擬其演進軌迹如左：

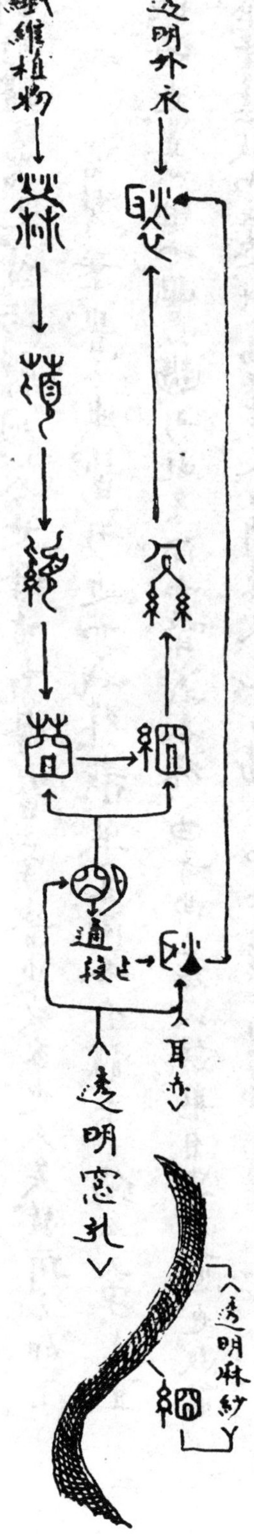

穫 𥝌卜 穫《說文》禾部，穫下云：「刈穀也。从禾，蒦聲。」

獲 〈卜〉 獲〈篆〉《說文》犬部，獲字云：「獵所獲也。从犬，蒦聲。」

護 護《說文》言部，護字云：「救視也。从言，蒦聲。」

器衆案：穫、獲、護皆形聲字也。穫者農耕之事，故从禾。獲者狩獵之事也，故从犬。護者防守之事，故从言。時賢張舜徽氏云：「救視之義，蓋起源于獵獲。刈穫之事，古者耕稼之餘，兼重漁獵。獵所獲之肉，刈所穫之穀，散置在地，易為禽獸所亂，必有人坐守之。禽獸至則大聲以驚毆之。故護字从言。口也。今

〈[illegible]〉

五七

農曆中秋收穫場，必有稚孺或老嫗坐守其旁，以驅雞雀。古稱「護雞」，今稱看雞。即其事也。

年　秊〈卜〉　秊〈金〉　秊〈篆〉《說文》：「穀熟也。」《爾雅·釋天》云：「唐虞曰載，夏曰歲，商曰祀，周曰年。」注云：「歲，取星〈木星〉行一次。祀，取四時一終。年，取禾一熟。載，取物終更始。」《疏》：「年者禾熟之名。每歲一熟，故以為歲名。」案楚篆：禾本科植物之壽命期限不過一年。故古文秊、秊、秊字皆从禾。此「漢字物象時化」例。五穀的根、苗、花、實的生態旋律與四時順序同軌。所謂「春生、夏長、秋收、冬藏」，正揭示了「年」的時間概念是奠基于「禾一熟」的意識產物。同時也反映了《天文曆法》的創造產生于農業的需要的另一個側面。

豐　豐　豐　豐〈卜〉　豐　豐　豐〈金〉　豐〈篆〉《說文》：「豆之豐滿也。」同部豊字訓「行禮之器也。讀與禮同。」今世學者對豐、豊二字魯魚亥豕也久矣。敢辨之如下：

案楚篆：「豊」之與「豐」，形近而義殊。截然不同各有體系之獨立文字。未宜混淆也。豊从曲而豐从𧯛。形既不同而聲義各殊。曲者曲己待人謙躬自卑之態也。故能恭謹慇懃而成德。此《曲禮》之名所由來也。若𧯛之為文，从丰丰从山。丰，古丰字也。山者艸木叢生之地也。丰，許云：「丰，艸盛丰丰也。从生，上下達也。」物之根深者其上必楙。是其義矣。

識分別求賞之。考《儀禮·鄉射禮》云：「司射適堂西，命弟子設豐」傳：「將飲（讀若印）不勝者。設豐，所以承其爵也。豐形，似豆而卑。」復考《燕禮》云：「公尊瓦大，兩有豐。」《傳》云：「豐形，似豆，卑而大。」更考《儀禮·公食（飲）大夫礼》：「飲酒實于觶，加于豐。」《注》云：「豐，所以承器者。如豆而卑。」

綜此可知，豐之為物，其功用等于載物之托盤。古代宴會之禮，對客獻酒，不便用手，必先置酒爵于「豐」中，然後雙手捧「豐」而獻之，所以表示恭敬也。故許氏訓為「行禮之器」，信其然矣。

豐

禮者，敬而已矣。什麼是《儀禮》？就是人類社會生活的行動制約規範。倫理主義社會組織體系本身，就意味着一座等差級別的金字寶塔。正如《易序卦》云：「有天地然後有萬物。……然後有男女……有夫婦……有父子……有君臣……有上下，然後禮義有所錯」。「錯」即是政治待遇「差別性」。儒家名之曰「尊卑」「長幼」「貴賤」。特別是在「宗廟祭祀」「射禮」、「飲酒礼」……這些政治場合的賓主獻酬形式中，此為行禮之器的「豐」，在凸出尊卑秩序上，起到了直觀示範表演之教作用。因而造字者擬出了豒字。豒字从豐，

秩 豒

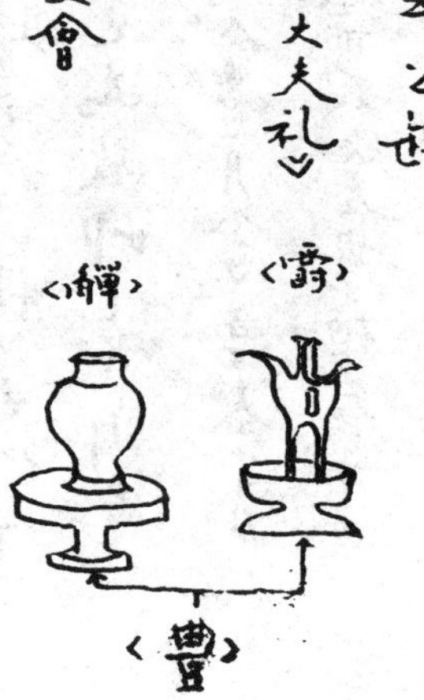

（醴 豒）

弟

第。豊者行禮之器也。弟者等級之象。弟字取象于纏繞絲繩

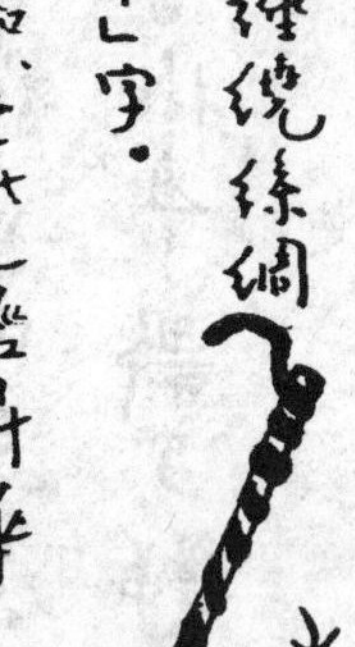

的杵杠。上下節次分明。古文用為「次弟」字，又假借為「兄弟」字。

更與豊相結合而為「秩序」的豑字。成為承載酒爵的「禮器」，至此已經昇華

為具有社會階級意識的「禮」了。此象形兼會意字也。此漢字構象之佳例。

弟（繞絲杵杠）
豊（承爵器）
→ 豑（尊卑位次）
→ 弟
→ 弟（同母之子）年齡高低
→ 第（同朝之官）門第高低

關于秩（秩）字，後有補充說明。在此從略。現在需要談的卻是豐字：

豐（說文）：「豆之豐滿也。」許氏此訓，當取象于祭禮之器。是可信的。

豐字从丰丰从豆。丰丰者山林崇樹之象。豆者祭器之形也。

黍稷生于山麓。古人目為珍品。《呂氏春秋》云：「飯之美者有山陽之穄（稷）。」古代「王

者」用為敬神禮器。名曰「粢盛（盛）」，亦為（時食品名稱曰「粢（粢）」。亦為敬神之品，則名

豐（詳見㯻字）。古代「王者」有「春祈」、「秋報」的季節大典。《禮．月令》云：「孟春，月

天子乃以元日祈穀于上帝。」「季秋之月，大饗帝。」此種古禮，亦可以《左傳．桓六年》

經文證之。其文云：「奉盛以告曰：『潔粢豐盛』，謂其三時不害而民和年豐也。」

生在山塋樕凶附黍稷，一旦被人類加工變為粢盛，納入「豆」中，登入「清廟」，便成了禮品。

《豊豐二字的連鎖關系》豐，祭上豐是木製品，豐是匋製品，還有銅製的

《敬酒之器》豐→醴……禮《敬神禮器》

《自然生物》𣏟《成林》→ 豐《黍稷滿山》→ 豐《黍稷入豆》→ 豐

秩 秩《說文》：「秩，積貌」此義晦澀難解。《書舜典》：「望秩于山川」，《傳》：「如其秩次望祭之」。《周禮天官宮伯》：「行其秩序」。注：「秩，祿廩也」。疏：「謂依班秩受祿」。案：以上諸訓，皆非秩字初義。惟《韻會》之解為合于初義。其訓引毛氏云：「从禾，形也。从失，聲也。本再生稻刈而重《音虫》出，後先相繼，故借為『秩序』字。」此會義字矣。

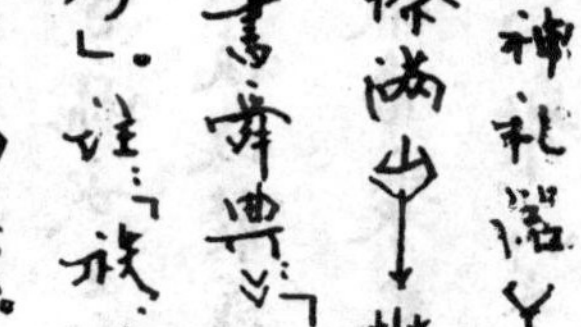

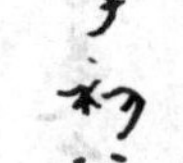

麻 麻《說文》：「枲也」。枲字訓：「麻也」。許氏《麻》《枲》互訓，則麻、枲同類可知矣。《說文》云：「麻从𣏟，从广。人所治也。在屋下。」案治麻紡織任務乃農家業餘活動項目，皆于室內，夜晚為之。《詩豳風》：「晝爾于茅，宵爾索綯」。注：「夜止絞索以待時用」。《宋范成大田家詩》：「晝出耘田夜績麻」。古代工業之官名「司空」。空字从穴从工。穴者室也。工者勞作之事也。這些資料都是麻字造型的良好注腳。

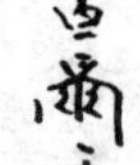

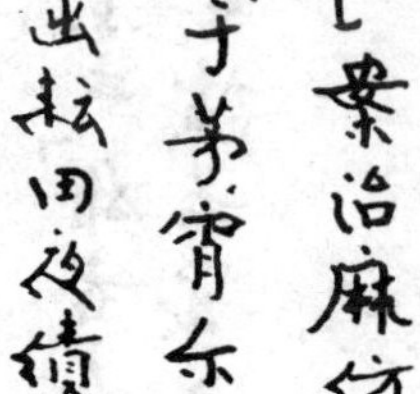

枲 枲 《說文》：「麻也。」《廣韻》：「無子曰苴，有子曰枲。」《爾雅翼》：「有實為苴，無實為枲。」二說相反。案《周禮·典枲疏》：「牡麻者，枲麻也。」《郭注爾雅·釋艸》云：「麻母有子，牡麻無子。」《玉篇》：「有子曰苴，無子曰枲。」《本艸綱目》亦云：「雄者為枲，雌者為苴。」故知《廣韻》為誤。麻其總名也。

麻
枲—雄
苴—雌

古音台讀若宜。枲，形也。台其聲也。形聲字矣。

菆 菆卜 菆 筆者案：卜辭菆字从艸、取聲，此形聲字。應即《說文》菆字。許訓「麻藍也。」从麻、取聲。艸部菆字訓「麻烝也」。案烝之為言眾也，有比肩森立之象。烝从𣏟从火，字與蒸通，有高熱之態。故知菆即過麻之剝去皮膚之莖。其色潔而白，其質輕而脆，俗名「麻稈兒」者是矣。《潘岳西征賦》：「感市閭之菆井。」注：「菆井即渭城東賣麻烝之市。」菆之為物，其形細而直，其容高而遂，其株密而無枝，故能成森嚴之勢。蓋（菆）以生態而得名者矣。

菆字从艸从取，取者聚也。古《司馬法》截耳數功曰「捕取」。以繩穿耳曰取。積土成山曰聖。人煙密集之處曰聚。艸木密集曰藂生。皆「取」之同源字也。

取—取—聖—聚—菆—菆—藂 皆从又、从耳。其有密集之義。此漢字物象人化之例。

㪚㪚㪚《說文》：「分離也。从林，攴。分散之意也。」

此字从林，从攴，左形右動。指事字也。林者旁纏（碎纏之象。攴者右手舉棒撲擊之態。物不能自動分解，必待外力之衝擊，而離散。此㪚字从林（攴之意也。凡漢字之從林者，皆具破碎支離之義，不可不知。漢唐之後，文字已形不能示意，聲不能表情。如：𢿙之上散，𣏟字上麻，⺼字上月，肉亦上月，皆其例矣。所謂「書不觀漢唐以下」，絕非空洞無米之譚。中土之人已不能識真正中國文字已兩千餘年，非自今日始矣。而況于異族之人乎？

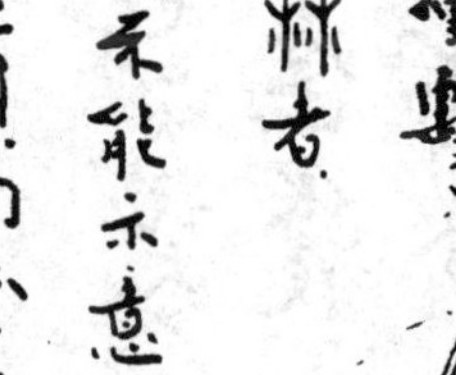

散

𢿙《說文》：「雜肉也。从肉，㪚聲。」案，𢿙之本文，从攴从⺼。右手旁肉之態，（俗名折骨肉）此形聲字也。然許氏不云「散肉」而名「雜肉」者何也？憶昔筆者童年時，就學津門。每值黃昏，常聞沿街穿巷衒賣之聲：「牛雜碎」、「羊雜碎」！係蹲而啗之。則肝臟腎腸心肺歸耳文皆混處。彼小商市賣，只知謀利，不顧衛生。有時死蠅病鳥，移入牛羊雜碎，食之令人中毒。此皆許氏所謂「雜肉」其物矣。今民間呼詞尚光重為「雜碎羹子」。此疑義諺語，即「雜肉」

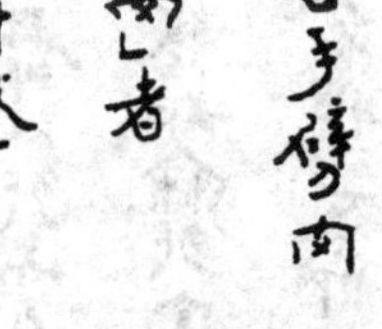

六〇

之延伸義。

古文散字，造型非一，各有旨意。謹舉數例以見義：

𣏟〈卜辭〉 𢽳〈秦篆〉 𢿾〈說文〉 𢿾〈石鼓〉 𢿾 𢿾〈金文〉 𢿾〈古籀〉

靡 𩁹 𩁹〈說文〉：「披靡也。」《廣雅》：「熟也，壞也。」案：《廣雅》之訓，施之于糜字，則語洽而義叶。以釋𩁹字，似不無張冠李戴之嫌者在焉。何則？夫靡从非而糜从米。米之為物，五穀之屬，所以供人之食膳之需也。非之為字，飛字初文也。故知𩁹字从非、从林者，所以示飛鳥殘遭鷹鸇之襲擊攫奪，奮楫掙脫，羽毛零落，蒼惶亡命之態也。兵家所謂追奔逐北，望風披靡者，即其字矣。所謂「披靡」，分散下垂之貌。古籍亦上帳靡，狀旗息鼓破落之象也。今《廣雅》訓曰「熟壞」，晉與爛肉之義歟？

〈𩁹 獼〉

糜 糜 糜〈釋名〉：「煮米使糜爛也。」《博雅》云：「糜，糒也，饘也。」《說文》：「糁，糜也。」段云：「以米和羹謂之糁。專用米粒為之謂之糁糜。」依段氏之說，則以「羹和米」之物實相當于今日回民食品之「雞肉糁」。

糁 糁 「牛肉糁」其物也。讀音當為斯蛇切，霞韵。撒（《陽平》）。此物製法，先用巨鑊煮好牛羹或雞羹，再以麥仁或稻粒投入煮熟。飲時盛入碗內

〈𩁹 㩦〉

饐饐：調以油醋。古籍饐字罕見。但有饐字。造形非一。如上饐、饐、饐、饐、饐、饐、饐、饐。《玉篇》：「饐，糜也。」《禮·檀弓·疏》：「厚曰饘，希曰粥。」可知周之饘即漢之糜，漢之糜即周之饘矣。蓋粥之為物與羹相和，而糜之為物則純米而無肉，此其別也。設或不能精察二者，其說含渾其辭，竟謂「粥亦曰饘」，疏矣！

案：《漢·南陽張機傷寒論》對汗後病癒之善後護理，皆囑以「糜粥自養」。良以「糜」之為物，其質柔而濃，其味平而淡，最宜健脾和胃而富于營養。故醫家視為保健珍品。固其宜也。

糜字从麻、从米之科學觀：米者，五穀之顆粒也。古文上:::。其形似也。麻者，析縷之象也。米入釜中，施之水火既濟之功。則顆粒澎漲分解。此時肉眼察之，宛若漿糊。若以放置諸光學儀器之下，器口之內，形似海洋無際。而縱橫重疊，交叉平列之纖維，不可勝數，盡在眼底矣。此非古人造字之神姿，事前之反映也。

（顯微鏡下之糜）

朿 𣎳《說文》：「木芒也。」案木之有朿，棗之有芒，蝟之有針，其為自衛，不能保護設施，則一也。人類師木朿而造矢刀。

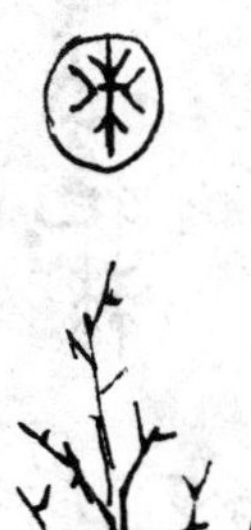

六一

以為戰鬪武器，故刺字从朿从刀。形聲字也。

棘 𣠔 《說文》：「小棗叢生者。」《禮記》：「主人寢內，以棘勒之。古用棘，今用荊。」聲義字也。棘

棗 𣡌 《說文》：「羊棗也。」是以為小棗叢生為棘，獨棘之叢生而為棗

其說明矮木與喬木的形態特徵，適成鮮明對比。

棗之為言早也。木之高大者，其出生年代之早。

故知棗之為字，聲中亦兼義矣。古文早亦作棗。从棗从日。是其意矣

〈棗〉

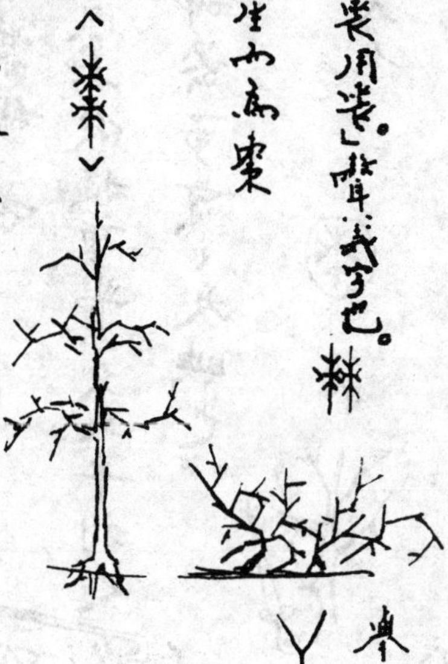

束 朿 卜 朿 《說文》：「艸木垂華實也。从木，丂。」

朿 朿字造型，酷似芭蕉層疊卷束之象。

故有中空之意。故封書曰函。木匣曰櫝。鎧甲曰鎧。

地下水洞曰瀶。盛箭之囊曰 箙 皆从丂。

〈朿〉

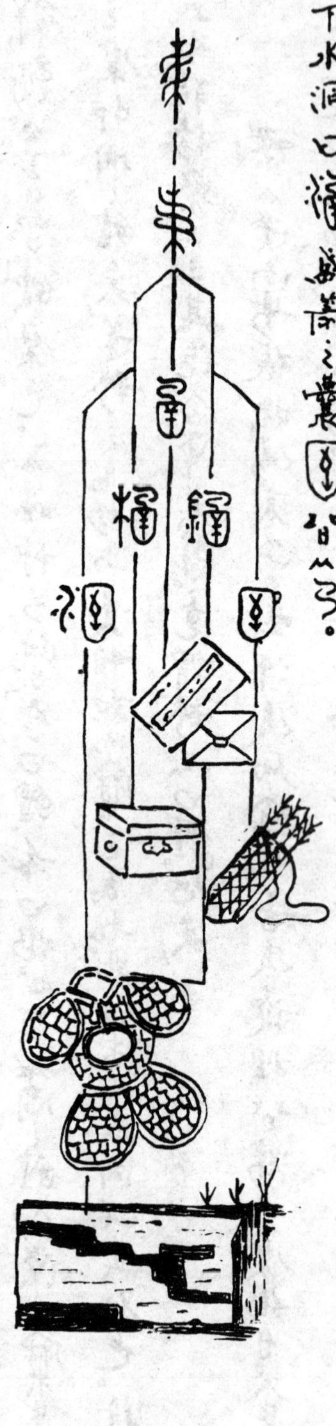

李澍秋

垂 〈上〉 〈金〉 〈篆〉 《說》：艸木華葉垂，象形。

植物之生態體式結構，必以莖為重心。莖有背地性，故能直立。葉有向光性，故枝皆橫生。枝近端連于莖，所以承受營養，吸取水份也。枝之末端，輕佈周帀，所以戴華葉，吐碳納氧，且以懸垂果實也。果實纍纍重量日增，地心引力針役，周帀末梢下垂，勢有必然，理有固

陲 然也。以九洲而言，則垂為中心，四境為「邊陲」，故陲字从阜。所以示關山路遠也。

涶 以居室而言，則堂上為中心，四檐曰涶，故涶字从垂从水。所以示餘溜順流而下也。

錘 以衡器而言，則支點為中心，錘居遠端，故錘字从垂从金。

硾 所以示其比重得平也。擣硾之器曰硾，故从石从垂。所以示其位于柄之末端也。

甀 甀之上頸細而下腹大者曰甀，故字从瓦从垂，所以示下之大于上也。

甀

硾

錘

涶

陲

睡 睡 以人之精神外貌而言，則眼瞼下垂，頭顱俯傾曰睡。故字从目，从垂。所以示閉目垂首之態也。以刑具而言，執刑者高舉竹杖，

箠 箠 受刑者伏地偃臥，竹杖從空下落，罪人血流浹背，名曰「箠楚」。故字从竹、從垂。所以竹杖從空而降之景也。

郵 郵 州里傳檄之所曰「郵亭」。故字從垂從邑。所以示文書遞上達下之旨也。

唾 唾 痰液出于口而墜于地。其名曰唾。故字從口從垂。所以示自上降下之涎也。

腄 腄 《說文》：「跟胝也。」《戰國策》：「墨子聞之，百舍重繭。」高誘云：「重繭，累胝也。」案腄字從垂从肉。所以示腄附于足跟之底也。《說文》訓為跟固，其宜矣。

垂〈艸木華葉下垂〉 錘〈衡器杠桿遠端〉 郵〈公文自上下達〉

陲〈邊境遙遠之地〉 甀〈上小下大之罋〉 唾〈痰液出口落地〉

涶〈屋檐飾瓦下流〉 睡〈閉目低首之態〉 腄〈足繭生于跟底〉

箠〈杖竹自上下擊〉 硾〈頭居桿之末端〉

從垂之字，皆有下降之意。

由 （卜） 甹（金） 由

關于由字起源之攷畧：《許氏說文》由字不見。獨段注《說文》見于系部之尾。云："由，繇或字"。注云："古由繇通用。一字也。各本無此篆。全書由聲之字，皆無根柢。今補。按詩書經傳皆用'由'字。其象徵會意，今不可知。或當從'田有路可入也'。"段氏並爲自己的論點找出依據。引徵了《韓詩外傳》云："'橫由其畝'。傳云：'東西曰橫，南北曰由。'今毛詩由已從（縱）。"此段氏之見也。

遺憾的是段氏不曾把"由"字同"甹"、"粤"二字互相對比印證，以明真義。因而由之爲字在字書中就已不見蹤迹，而由字的真義也淪于無從查考。可幸者在浩瀚的典籍中由字到處可見。遺迹猶存。惟《說文》中獨付闕如。亦古諺所謂"禮亡而求于野"之謂歟!?

怎樣認識由字？筆者以爲，由之爲字，生物萌芽之象也。《卜辭》之。小篆之由。雖造型有異，所以示植物萌芽之態則一也。故知由之爲字，甹之初文也。甹之爲字，由之繁體也。何以言之？愚曰：甹字从由从丂。丂者粤之初文也。粤之爲字，黃，取象于新生嫩芭之螺旋上進之態。故其體有中虛內通之形。而有

六三

色容之義。䌛䌛等字其同義字也。甹之為字上由而下丂。由者直立上生之象也。丂者枯木中空、橫臥之態也。故訓為「顛木甹枿」。然則由之為字，應訓曰「物之新生也」。殆無疑矣。

怎樣認識繇字？愚以：繇之為字，䌛字初文也。象䍃之形，䍃之為性，讀張為幻之徵也。善于摹擬罝、類之音，以引起其鳴，從而聞聲索迹，捕而食之。因其鳴音有蠱惑之用，故名之曰「妖言」。妖言者妖音也。後世謂散佈流言蜚語、動搖人心者曰「謠言」，蓋基于此。䌛字古文之䌛「䌛」、䌛、䌛、䌛、䌛，小篆之繇。皆䍃形字也。古音由繇同聲，遂段為「由」字，後繇訛變之「繇」。其初意愈不可解焉。

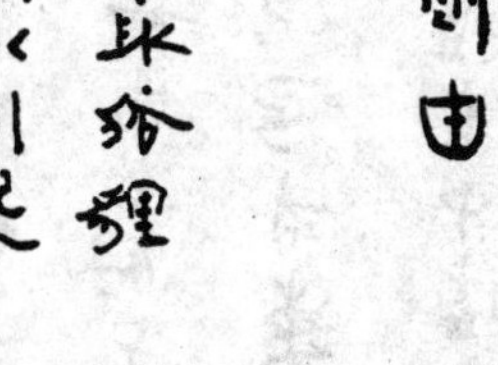

〈甹枿〉

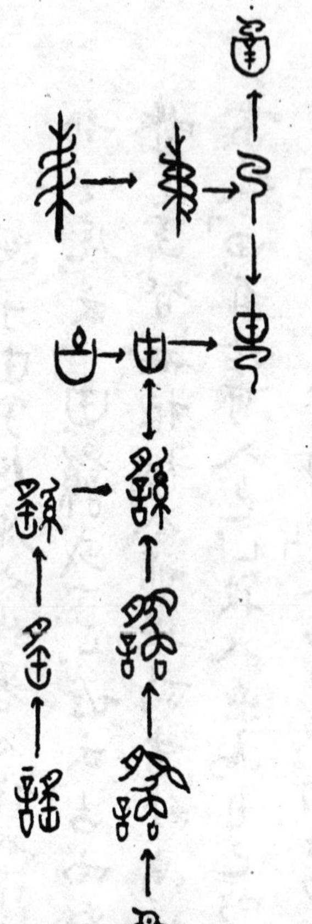

甹 甹卜 甹金 甹篆《說文》：「亟詞也。」徐曰：「任俠也。由用也。俠捷任气自由也。」《尔疋·釋训》：「甹，曳也。」注：「謂相掣曳入于惡也。」筆者曰古籀训字多采鼻卑意胎而疏于物態象徵，此千古之大弊也。要甹之為文，實象形指事字也。字从由从丂。上象萌芽，下以根蘆延展。示意與丂字同指。儼然一生物自由伸展因于阻塞之景象，有力的顯示了生物本身內在的自發動力不可遏制性。「自由」的意義，蓋發于斯。今魯南滕嶧之境民間婚嫁喪葬之禮，謂賓客中之主動自來者曰「甹」。被動邀集到場者曰「請」。此古義也。其義蓋源于生物動態。此漢字物態人化例。

娉 娉《說文》：「問也。聘，訪也。」雖女耳分部，義同。」器叢案：就語法而觀，聘、娉、與問皆「主動詞」也。考《儀禮·士昏禮》：「下達納采。」注云：「達，通也。將欲與彼合昏姻，必先使媒氏下通其言。女氏許之，乃後使人納其采擇之禮……」此「娉」字含有「主動」之義也證。娉字從甹从女。必待男方主動娉問而後許之。此其義矣。女子及笄方始受娉。故娉字兼有生長蕃衍義。

胄 胄《說文》：「胤也。从月，由聲。」段注云：「許書無由字，然由聲之字甚多。不可謂古無由字。故𠙹改為胄省聲也。(說已見前。)考《書·舜典》云:「帝曰:夔,命汝典樂,教胄子。」《左傳·襄十四年》:「……謂我諸戎是四嶽之裔胄也。」皆胄訓為胤之義例。《說文》胤下云:「子孫相承續也。從肉,从八,象其長也。八,分也。骨肉所傳支派分別,傳之無窮。」據胄、胤二訓之義論證審覈諸文字形例觀之,可知從由之字同有生長蕃毓之旨,確已無疑。表示如左:

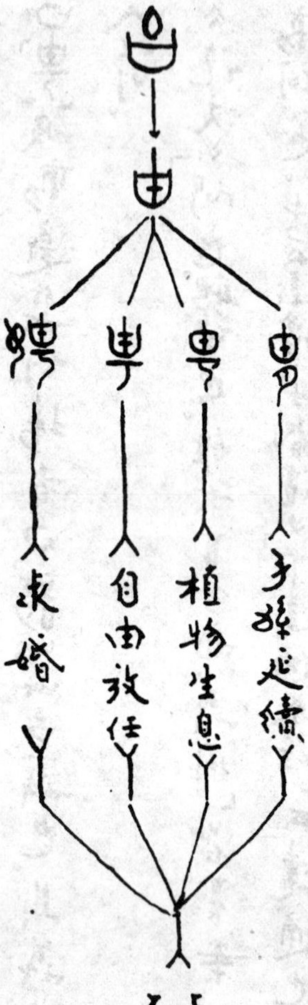

蒐

《說文·艸部·蒐字》訓:「茅蒐也。」徐曰:「今人謂蒐為地血。」《周禮·地官·掌染草》注:「蒐,蒨(茜)也。」《詩·東門之墠》:「茹藘在阪。」注:「茹藘,茅蒐也(此物人血所生。故字從鬼)」故知「蒐」字,初義本當草名。經籍用為「春獵」之名。段借例也。

案古代「王者」法制,一歲之中,必有四次定期農業除害集體活動。以保苗而期豐收。所謂「春蒐、夏苗、秋獮、冬狩」(見左傳隱五年)。蒐、獮上述是以除害狩獵的形式和開展的軍事演習的雙重意義活動。

卜辭為「春獵」曰蒐的蒐字正文，經籍不見。卻潛伏在《說文》中。其字作「獀」。

獀 獀

廷也，从叜。夫者獵戶茶餐之後歡聚舉手也。叜古搜捕之搜字初文也。《甲骨卜辭》作𡪢或作𡪢。从宀从火。似手舉火炬入室搜索之狀，此指事字也。

叜

許氏《說文·犬部》訓「獀」為「南越名犬」而未識其實，即「春獵」之蒐字初文矣。否則無以証今本經籍之訛誤而填補「蒐」字正文之空白。賢如叔重者猶思不及此。甚矣哉，治學之難也。

搜 𡪢 𡪢 卜 籀 搜 篆《廣韻》：「搜，索也。」《揚子·方言》：「搜，略求也。就室曰搜，于道曰略。」

瞍 瞍《說文》：「無目也。」《玉篇》：「無眸子也。」《周禮·春官·瞽矇》注：「有目無眸子曰瞍。」案此即現代醫學術語所謂「角膜增殖性白外障症」，因視覺喪失，全憑兩手摸索而尋物。故名之曰「瞍」者，以搜索動態而得名也。

叜 叜 叜《說文》：「老也。」案老人目昏耳聾，亦全恃兩手探索以代目。

其動態與聲者同。皆之同源字。

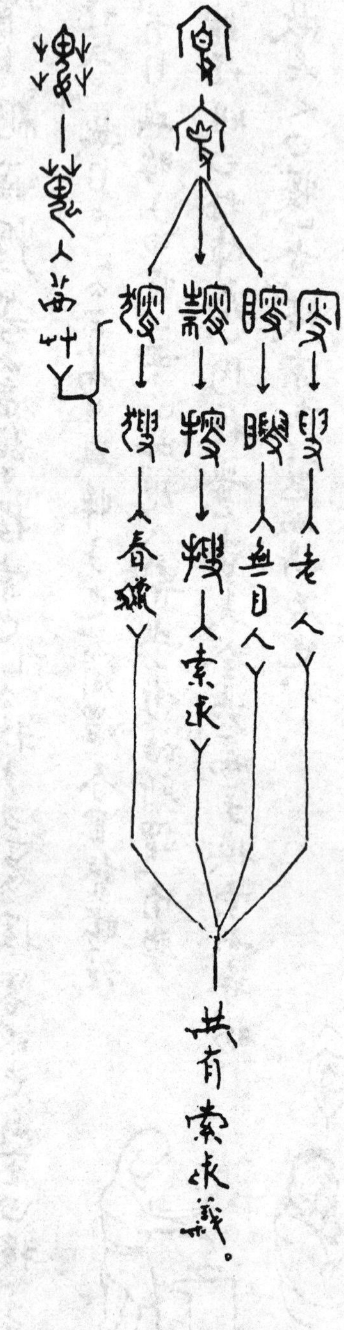

苗(上)(籀)苗(篆)《說文》：「艸生于田者穀曰苗。凡艸初生亦曰苗。」《詩・王風・黍離》：「彼黍離離，彼黍之苗。」《小疋・魚藻・黍苗》：「芃芃黍苗，陰雨膏之。」《魏風・碩鼠》：「碩鼠碩鼠，無食我苗。」注：「苗，嘉穀也。」是論苗字初義，僅能適用于五穀，然範圍而艸類不與焉。後世延伸為一切植物幼株之名，乃廣義用法也。《爾雅・釋天》文：「夏獵曰苗，除害也。」此苗之變義也。

案《殷墟卜骨》「苗」上象阡陌縱橫，禾苗挺峙之態。象形字也。後世化簡為苗。形義未改。今人延艸從由。此大誤也。不知苗之為物，「羊蹄艸」也。讀音若「狄」。古名「苗修」。(見《爾雅・釋艸》、《類篇》)

古「王者」育兵于農的政策，着眼于「耕戰」為創業之基。故有「國之大事，在祀于戎」之語。並非空談。「祀」表現為宗廟祭禹。乃習禮的最高形式。禮之興，始于飲食。民以食為天，有文事者必有武備。因此農業生產和軍事演習緊密結合起來，就成了每年四時必有的課目。青銅器銘文當中的  字，〈弓矢在外，廟宇在內〉這一圖型是寓有「文事武備」含義的。即國之大事的事字正文。

燹

〈說文〉：「火也。从火豩聲。」〈集韵〉：「息淺切」〈玉篇〉：「野火，音鮮」。這種「火海戰術」使得野獸東奔西馳無處逃形。照例是在秋收已畢之時，所以叫它「秋獮」。當然，實際上還不是從禽獸口中奪取糧食？

狩

〈說文〉：「火田也。」〈爾雅·釋天〉：「冬獵為狩」。〈詩·小雅·車攻〉：「田車既好，四牡孔阜，東有甫田，駕言行狩。」〈周禮·夏官·大司馬〉：「中冬教大閱……遂以狩田」。尤其是〈國語·齊語〉：「田狩畢弋」，注云：「畢者，捕鳥之網，弋者，有繳之矰」。經文中這些紀載對〈甲骨〉文狩字這一圖型提供了直觀說明。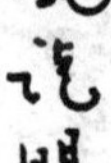象長柄鳥網。似獵犬之象。〈金文〉獸字似野獸逃遁之姿。這些文字已無異乎一

都現場活動投影。可謂生動之極。不要忽略「冬獵」的意義。因爲野生動物依賴自然界物質爲生命之源。當春夏秋時田野百物充斥，任憑人類如何驅除勢難一網打盡。迨及秋收已畢，野無青草，地淨場光。一切生活物資悉入人類倉庫之內。禽獸走投無路，勢必爲害農家。甚或潛襲家禽，甚且危及人類安全。狩者守也。有爲有守，則無虞無憂矣。

農 [illegible]

《說文》：「耕人也。」《食貨志》：「闢土植穀曰農。」堪補要言不煩一語破的之訓。猶惜不及追字之意。竊以爲農之爲字，從囟，從辰。囟，從田，土也。囟，古叡字。囟且是雙手掬土意。《甲骨》上從[illegible]。《說文》上從[illegible]。「致力于地曰農」《古[illegible]》。《楊子方言》：「[illegible]致力無餘功」。承映了農夫終歲勤勞不遑寧處之意。

農字從辰者，辰，蜃字初文。《淮南氾論訓》：「上古磨蜃而耨」。故農字從囟，從辰。

墾 [illegible]《說文新附》：「耕也。從土，豤聲。」《廣韻》：「力治也。一曰耕田用力反土也。」

豤 墾《說文》：「齧也。」《玉篇》：「豕齧物也。」以上墾〈墾〉
齦 齦《說文》：「齧也。」
貇 貇《類篇》：「齧也。減也。」《正字通》：「同懇。」
懇 懇《說文》：「悃也。」

案：墾、豤、齦、貇、懇諸字之形，皆從艮。艮有靜止之義。《易》：「艮為山。」有固定不移之態。堅固難破之貌。艮者大頭長脊巴口之獸，猶科動物。豕有剛鬣豨牙。雖有噬齧之能，剛柔互濟，必有艱難之苦。故鋤耒與磽相遇，猶豕之齧堅骨。求援之助之事，同有艱艱之義。故諸字形類而義通。《六書》所謂「建類一首，同意相授」轉注之例矣。攻堅破固非可一蹴而就。須持之以恆，故「懇」又引申為專一、勤奮義。

墾—貇—齦

墾土—〈農夫開荒〉
齦—〈獸類齧骨〉
懇—〈求援之助〉
→〈艱難〉

才 〈卜〉 才〈篆〉《說文》：「草木之初也。從—〈音囟〉

六七

上貫一。將生枝葉也。一，地也。」段玄：「一謂上畫也。將生枝葉謂下畫，才有莖出地，而枝葉未出，故曰將。」艸木之初，而枝葉畢寓焉。人之初生，而萬善畢具焉。故人之能曰才。言人之所蘊也。」

《漫譚》案：才之為字，甲骨占中，多雙子葉植物萌芽之形。審材字，初文也。段氏生于乾隆時代，未睹甲骨之文，然其論列語言多與《卜辭》字形相符者，審得力于對自然生物之觀察。所謂「聖師萬物」「文以載道」乃千古治學之大綱。信不誣矣。

照段氏的見解，認為所有一切生物的完整全備形態，都潛藏在一顆先天的微小種籽的內部。只是顯露遲早，存在着時序規律的先後問題。不過這一課題目前還存着極大爭論。筆者想，將來會有一朝得到澄清的。

在

✦《卜》 十《金》 在《篆》《爾雅·釋詁》：「在，居也。」《說文》：「居，處也。」《玉篇》：「處，居也。」

古籍在、居、處三字，輾轉互訓。不見端底之故。良以未識在之為字，實「才」字「化身」而來。✦者植物之形，艸木之幼芽也。艸木者，靜止不動之物也。人類以其居有定位，故段為居處義字。段借義行而初義遂晦。更立材字以代之。材，木梃也。（見說文）自木字增土而成在之後，而才與在，遂分庭抗禮，各有含義矣。

✦（幼小植物）
→ 在（植物出生之處）→（延伸為居處、所在義）
→ 材（成長壯大的植物）→（延伸為原材物料義）

栽 𢦏

𣟄《說文》：「艸木之殖曰栽。」《中庸》云：「栽者培之。」

筆者案：甲骨文𢦏字從木，從才，從Δ。意，𣟄字正面式投影。意，栽字初文也。此類字皆從形變而衍適之例。與𤆍〈炬〉字上火而為又同趣。小篆𣟄字從屮，從戈，從木。屮者枝杪之形，木者根莖之態。戈與又同意。所以示鑿疏株培土固根，必持之以戈，以防風動木搖。此移植古法，可從文字得之。栽之為言材也。「十年樹木」育材，備宮殿之用也。「百年樹人」，為國儲才也。栽之時義大矣哉！

鋤 鉏 鉏 耡《釋名》：「鋤，助也。去穢助苗長也。」本此而言，鋤之為字亦會意字也。〈附西周出土鶴嘴鉏復原圖如下〉

芣 𣏕《集韻》：「音華。」《說文》：「雙刃臿也。从木，象形。」注引《方言》謂宋魏之間曰「鏵」。案此訓極端可疑。今我國民間普遍應用之農村打場面子，由白臘木條製成。即其物也。若金屬之鏵，乃畊犂之尖端配件。所以助耕田翻土之功，固與𣏕渺不相涉。善哉孟子之言：「盡信書則不如無書」。吾觀此而益信。

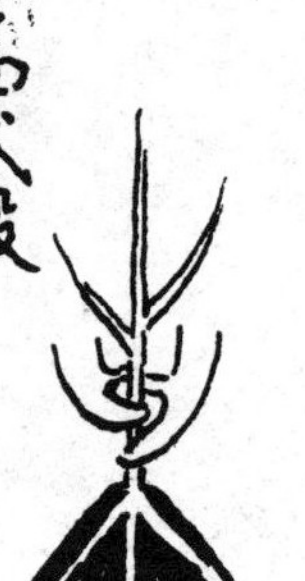

𣟄

鉏

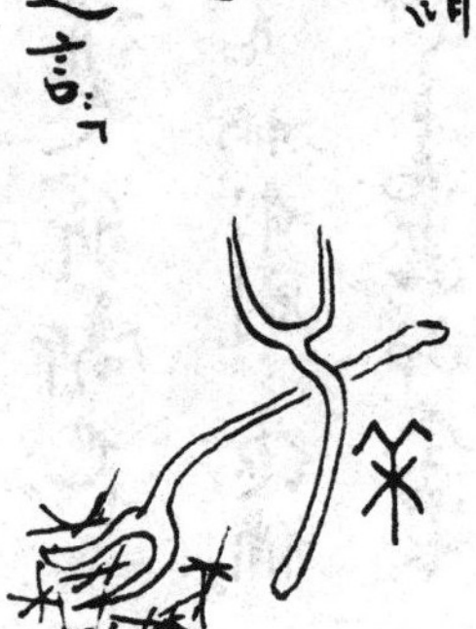

六八

斸

斸 欘《说文》木部：「欘（音著）斫也。」斤部云：「斸，斫斸也。」齐谓之「兹箕」（镃錤）。李巡云：「斸，鉏也。」郭璞云：「鉏斸，似鉏而健于鉏。似金而不以斫木。专以斫田。其首如鉏，句于矩（鉏頭同鉏柄呈四十五度以下的銳角），故谓之「斫斸也」。

笔者按：斫字从句，古句字，句曲之象也。斤者，以铁为之。曲木为柄，削斸之总称。〈見正字通〉。从斫字析义及「似鉏而健于鉏」之说明论之，可知斸之为器，即今农人用于垦荒之「大板锄」其为物无疑矣。此物似锄头而厚重其頭刃稍闊而孔稍狭。面形似箕。故得「兹箕」之名。兹，似古音嗞同。畚，即「似箕」也。此器专植在老农手中，被视为开垦生活之得力工具。然而一旦遭遇不毛之地也，就英雄无用武之地矣！也只好盼望天雨到来，待机而作了！所以孟子说：「虽有智慧，不如乘势。虽有镃箕，不如待时」。孟子的目的，本来意在阐明时机对事物的积极作用。却不料赐予了我辈文字考证的有力启发。

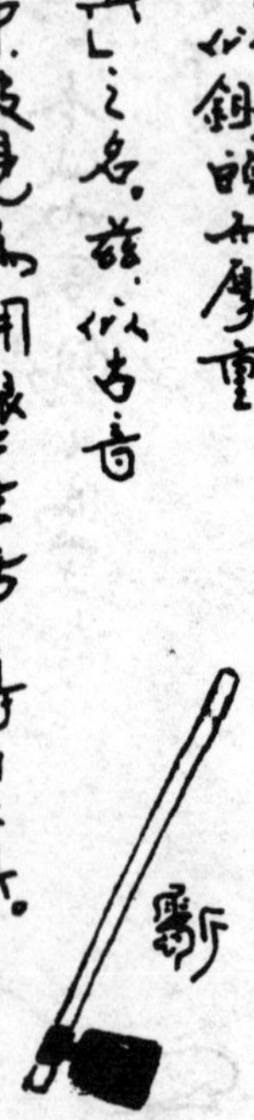

〈錤鎡〉

镃錤〈上古名〉斫斸〈中古名〉板锄〈现代民间俗名〉

華

案：古無花字，而有華。華者植物生殖器官也，開花而後結果，結果而復生核，核成而復出。循環無已。故華者花也。花者化也。從無到有，從有到無，此華之義矣。

實 《說文》：「實，富也。從宀，從貫。貫，貨，貝也。」案《康熙字典》以[illegible]為實之古文。不知[illegible]字從木，艸木之果。○○者果蒂之形。可食之物也。故實、[illegible]二字音同而義殊。今實行而[illegible]廢，莫能識其異同矣。

殼 〈卜〉 〈篆〉 〈卜〉《說文·殳部》：「殼，從上擊下也。從殳，肖聲。一曰素也。」段注：「素謂物之質，如土坯也。今人用『腔』字，說文多止作空。空與殼義同，俗作殼。或[illegible]，卵外堅也。」案殼字訓義，一曰自上擊下，二曰素，三曰質，四曰土坯，五曰腔，六曰空。段君采取了[illegible]互訓，凡濩引伸，終無以明殼字之義。其弊在于語意迷渾，舉例紛雜。余今而析之如左：

[illegible]以為殼之為字，從肖，從[illegible]。肖者幬帳之象。[illegible]其飾也。《見月部》。幬幬之為用，帷飾之所居，所以蔽風雨也。造字者取

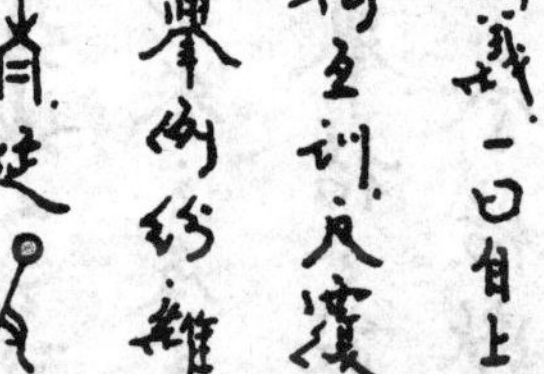

殼

六九

肯形移植于槃、殸等字。雖物徒質變而中空之象未泯。此漢字「取象立義」之例也，「建類一首，同意相授」轉注之類也。

磬字从肯者，所以示控弦張弓之態，外圍中空之象也。

穀米字从肯者，所以示稻麥之皮夾端鋒芒外圍中空之意也。殳古殳字，从右手舉棓之態，所以示從上擊下也。

殼字从肯从殳者，所以示舉棓擊卵之態，卵破而殼存，中空外圍之象昭然流露。故段注訓為「凡中空其物确然有聲」。而再變為「象聲詞」，表示以上義：

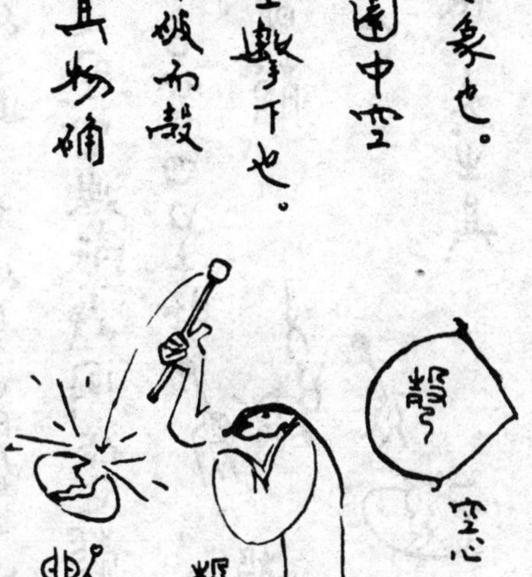

虛心受教

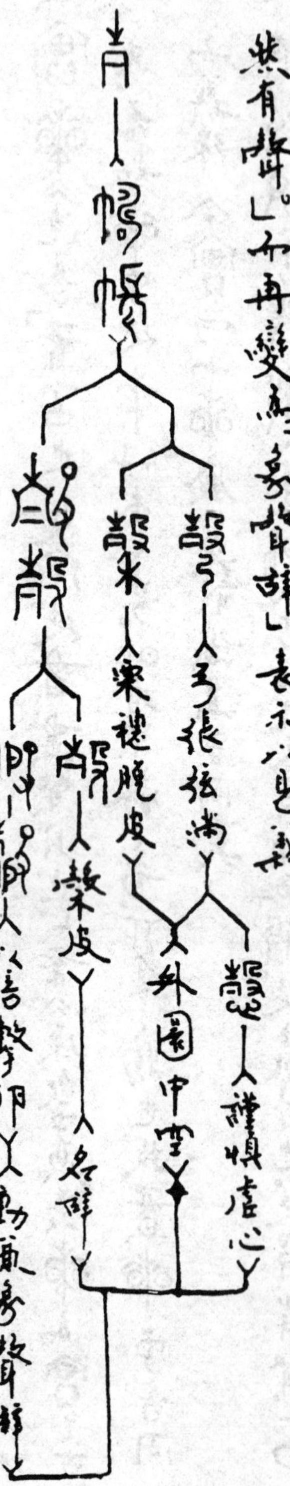

肯上象聲詞：悾讀腔〈康〉

上形容詞：悾讀苛〈渴〉

稀絺 《說文》：「疏也。」《漢書·劉章言》：「耕田者深耕穊種，立苗欲疏，非其種者，鉏而去之。」疏古文疋。字从爻从疋。故知稀疋同源而意通。《書·堯典》：「日永星火，以正仲夏。」鳥獸希革（俗名脫毛）。《集韻》：「希，寡也。」《尒疋·釋詁》：「希，罕也。」疏：「簡少之稱也。」惜乎諸此訓例，殊不能窺希字本義之指。更無以窺絺字所以从禾从希之意。

希[illegible] 什麼是希？已經成了難題。希之爲字，《說文》不見。見于《康熙字典·巾部》希

絺字。下云古文[illegible]。」[illegible]从[illegible]从糸。」復考《說文·糸部》云：「絺，細葛也。」《書·益稷》：「黹黻絺繡。」傳：「葛之精者曰絺。」《詩·周南·葛覃》：「葛之覃兮，施于中谷，維葉莫莫，是刈是濩，爲絺爲綌，服之無斁。」傳曰：「精曰絺，麤曰綌。」《禮·曲禮》：「爲天子削瓜者，副巾以絺。」

綜此觀之，可證希、[illegible]、絺乃異文而同字，蓋已無疑。然則希、[illegible]，即絺之初文也。野生植物皮層纖維之紡織品也。其物輕而薄，透明而通風。古人以製夏季服裝，可以禦暑蠲體。故爽字从大从㸚。象形字也。「絺」之織眼有花文圖案者，其名曰「黹」。《甲骨文》之[illegible]。《金文》之[illegible][illegible]。小篆之黹。可爲形證。故知希字初義即透孔麻紗。後世增禾而訓爲禾苗稀疏。

黹 附表于左以見意：（字皆从爻。象形。㸚从此。）

（黹）

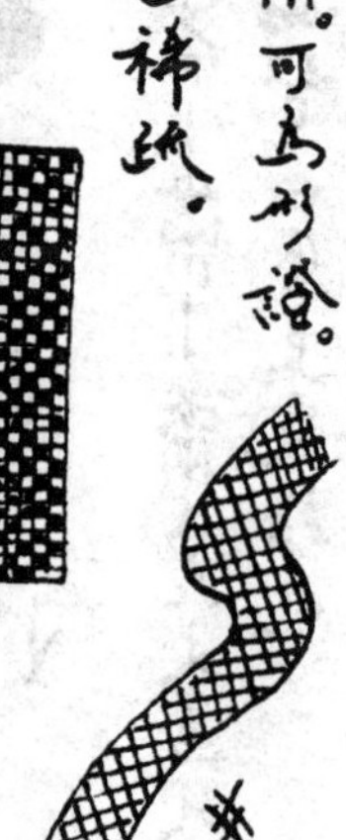

希（絺）

七〇

疋〈足趾洞張〉
稀〈田苗稀疏〉

希—㐆—絺〈透孔細麻紗〉—𦃃—𦃃—𦃃—𦃃—黹〈衣文透孔紗〉

一 𥿋〈通風透明〉卜辭上 [glyph] 金文上 [glyph] [glyph] 皆爲口(其丸符也。

〈疋〉

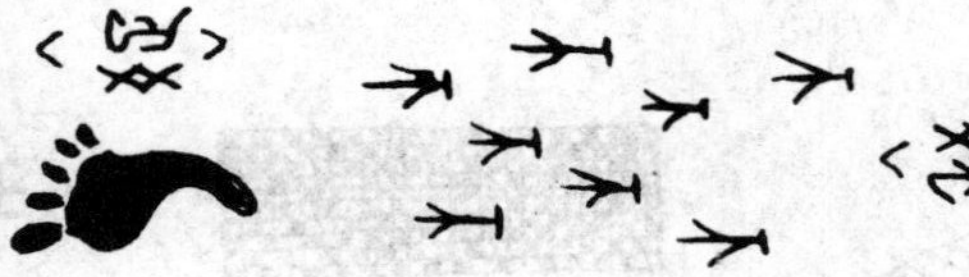

〈稀〉

稠 稠《說文》「多也」。多是時量詞。許氏訓稠爲多，時空互衣之例，非稠字初義也。

考稠字從周從禾。禾者田苗之象，周者窓植之形。周字从冂、田，疇界限也。從十，阡陌縱橫，盼塗之象也。…者五株密佈之態。禾的株數與株距成比，與土地面積成爲正比。愚叟其義曰：「地狹禾密也」。

〈稠〉

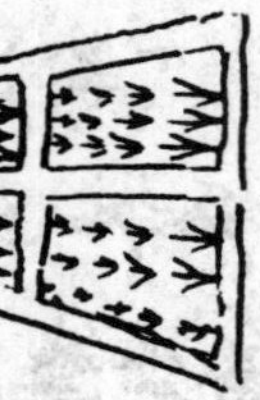

要：鳥聲繁衆曰「啁」，絲帛細密曰「綢」，

五穀稠密曰「稠」，毛髮濃密曰「𩮰」，

其義一也。

周—周
- 綢〈絲帛細密〉
- 稠〈禾株稠密〉
- 𩮰〈毛髮濃密〉
- 啁〈鳥聲繁衆〉

螟

𧎘《玉篇》：「食苗心蟲也。」《詩·小雅·大田》：「去其螟、螣，及其蟊賊。」注：「食心曰螟」。此殆野王之所本。《許氏說文》云：「吏螟：紀濫即生螟」。許氏將危害五穀的害蟲和貪官污吏畫了等號，自有其哲學想像。但非螟字造形之旨。案：𧎘之為字，从虫从冥，象兩手張冂敲目。故《說文》訓曰：「幽也。」《88部》云：「幽，隱也。」《詩·小雅·隰桑》注：「幽，黑也。」《幽字本書另有詳述，在此略》《發明》大凡宇宙間所有一切為害人類的生物，皆有「畏光個性」。如鼠、貓、豺、狼、蚊、蚋，皆同此例。固不僅是螟為然也。推原其理，自亦有因。蓋畏光個性之形成，無虞于害蟲本身的「防衛」之需要。其始也，出于隱形避逃，積久成習，累世遺襲，相沿不改，遂固定而為特定生活形式。此「生理遺傳」之所由來歟!? 人類基于主觀利益，目「害蟲」為天敵，而名之曰「螟」、「螣」、「蟊」、「賊」固其宜也。

螣

𧎘《毛詩·小雅·大田》注：「食葉曰螣」。許書及《爾雅》訓為「神蛇」，此另一物，非食葉之螣也。

案：螣之為言騰也。升高之意也。古篆上騰字本从舟、从火、从虫。自李唐後已形譌為騰。而形義非離。莫能識其初義也久矣。騰字从舟从火。火者，火炬上燃之之態。舟者水上交通工具也。故「騰」字有乘舟遇風波浪跳騰之象。故騰字有升高之蟣。造字者將它居戣下，訓蟣為蟲名，所以示它居葉下，懸遊枝莖，飄蕩飄中息影潛蹤之意也。

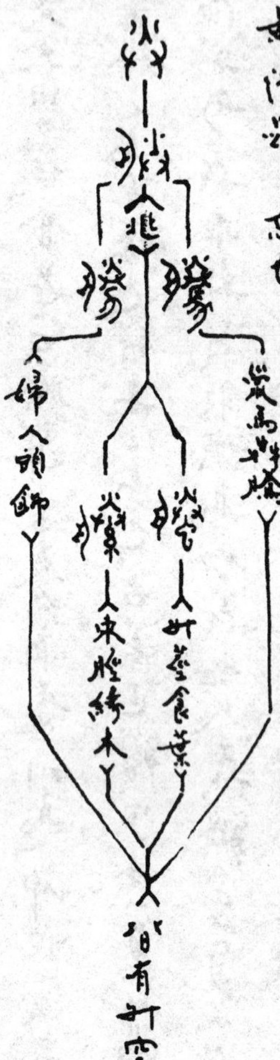

蛑 䗁 蟊 蝥 蟊〈詩·小雅·大田〉注：「食根曰蟊」其所以具齧根之力者，全賴堅銳如斧之頭角，上攻堅破土之器。古字其形象也。𣎵者，所以示其力也。此蟲屬「六足綱」，體被「几丁質」黑色背甲。甲有韌帶根連肩頸，能自由翻張，甲下有翅，可以飛翔。現代〈昆蟲學〉列入「鞘翅類」。冬則潛伏，逢春而出，故名「昆蟲」，昆，明也。「明蟲者，得陽而生，得陰而藏」〈說見王制鄭箋〉。

蟊

蟘 蠈〈詩·小雅·大田〉注：「食葉曰蟘」。案蟘之為蟲，其形未詳。蟘从賊。賊者敗也，壞也，殘也。甲骨文之 戕，𢦏。金文之 𢧜。皆執戈殺人越貨之象，會戕字也。

𧍐——戕——𢦏——〈殺人、搶劫犯〉——蟘——〈五穀害蟲〉

耕畊耕 說文曰：「犂也。古者井田，故从井」。案耕字从耒从田。耒者農具之形，田者土地之象。此形聲字也。關于畊字本書已有論及，以語焉而不詳，謹重出而補述之：

畊之為言更也，除舊佈新之義也。陳根不除則新苗不立。耕之為言殺也。耕之為言殺也。庚者賡也。賡者續也。續者繼也。古音「耕」「殺」雙聲。漢字多寓義于聲。故「更新」、「耕新」、「庚辛」三辭，字殊聲同而義通。

庚辛者，西方金秋之氣也。肅霜堅冰，萬物肅殺死期降臨之時也。故殺字从殺从丫，兩手握兵之象。辛字从辛从一，辛古愆字。示刑人除殺之刀也。故如「庚辛」二字有殺戮之義，含死亡之悔。但死不終死，滅不永滅。艸木留根，禽獸蟄藏，所以待日至春來也。逮及玄鳥北來，燕雀爭鳴，農夫荷篠肩耒，俶載南畝，此「萬象更新」之時也。

更者替也。替舊換新也。新字从新从艸，陳根已朽，幼艸新生之象也。三春之際，青黃不接，舊穀已盡，新穀未成，不賴耕耘之力，何以除穢佈新？故曰畊者殺也，殺也，「徙往開來也。殺者更也。除舊佈新也。甦也。死而復生也。〈艸畊的同音字〉畊字的音義，充分揭示了動植物「生之與死，互為因果」的辩証關系。

畊〈翻土散種〉更〈人替舊換新〉殺〈執兵殺伐〉殺〈徙往開來〉甦〈死而復生〉

畊兼生死二義，猶「亂」兼治亂，「灋」兼法廢，「祥」兼吉凶，「臭」兼香臭，其例一也。

七二

耙 耙耰《農政全書》：「耙制有：方耙、人字耙。如耕，亦用牛駕。但横、渐多齒。犁後用之。蓋耕以起土，惟深為功。耙以破塊，惟細為功。耙後則用耖，用耰。」

綜此觀之，農夫數田耕地、破塊、碎土

非一道工序所能完成之勞苦任務矣。

耖 耖《廣韻》：「音抄。重耕田也。」《集韻》：「𤰈耕曰耖。」《農政全書》：「耖如耙，其齒更長，所以耖土益細。」

欋 [古字]《金》欋《篆》《釋名》：「齊魯間謂四齒耙為欋。音劬。」

筆者考金文《散氏盤》有[古字]字，當、欋字初文也。何以證之？愚曰：[古字]之為文從木，從[古字]。古[古字]字也。籀文上[古字]。斯篆上欋。是瞿、瞿之瞿字也。後世變亂為衢字，訓義為「四達之道」〈見爾雅釋宮〉劉熙《釋名》同。案衢字從瞿從行。所以示驚鳥四處張望莫知所適之情。罪人亡命逃逸。四面楚歌，惶恐徘徊于十字路口之態。在這一命義下，[古字]字遂由恐懼一變而為四達之衢，更由四達之衢再變而為「四」的數據含義。此「四齒耙」，取名于「[古字]」之所繇來歟!? 此種木質「四齒耙」，仍存于今世。筆者于五十年代下放山區，曾目睹此物，乃農業使用清除穢場之工具。其物可推可拉，土名「灑耙」（唐史）云：「武后時官員冗濫，時人為詩嘲諷云：『補闕連車載，拾遺平斗量，欋推侍御史，椀脫尚書郎。』」注：「謂授官之多，御史可用『四齒耙』推除之。」看來，「欋」之為物，歷史久矣。

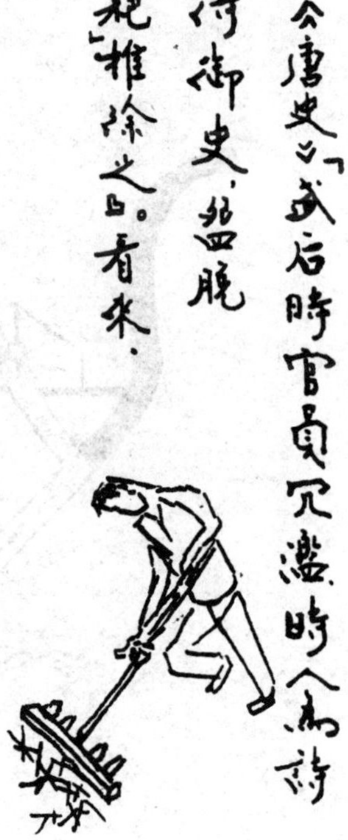

戵 （說文）：「兵器也。」（廣韻）：「戟屬，或作戵。」案：（書．顧命）：「一人冕執戵，立于西垂。」經籍作「瞿」，假借字也。

瞿 （說文）：「鷹隼之視。」徐曰：「驚視貌。」（禽經）：「雀以猶瞿視也。」（埤蒼）云：「雀俯而啄，仰而四顧，所謂瞿也。」

欋 （說文）：「耒臿也。」案：耒者，兩刃臿也。與字形、義不符，宜訓為「四刃臿也。」此字亦有訛誤，有糾正之必要。

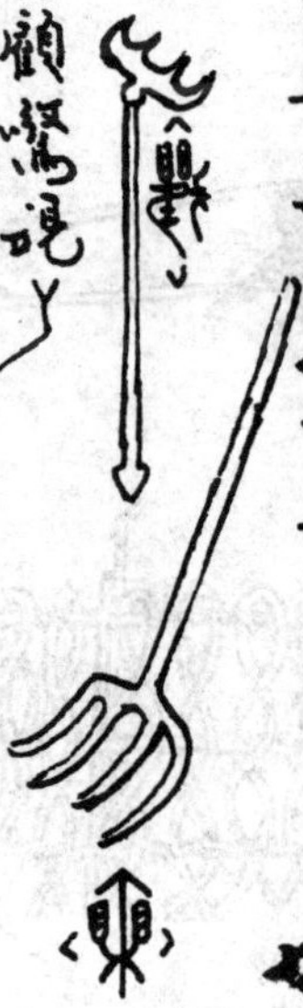

䀠 —— ——（兩目四顧驚視）—— 瞿 —— 瞿（鳥類四顧驚視）

衢（交通四達之樞）
戵（四齒金屬兵器）
（四齒木耙）
欋（四刃木臿）

（皆以四為形象之物）

耮

耮《集韻》云：「摩田器」。案耮之為物，由柳條編織而成。吾鄉名之曰「巴先」。此物固定于木梳之上。梳前繫以繩索連于樺木，以黃牛牽引而進。蓋耕種既畢，必以此器摩田，以求削墢掩垡，而成播種之功。此其用也。

耬

耬《玉篇》云：「耩也」。《正字通》云：「下種具」。一名耬車。狀如三足犂。中置耬斗。載種，以牛駕之。一人執耬，且行且搖，種乃隨空心之耬足而下，墜入壠中。崔寔云：漢趙過教民耕殖，其法三犂共一牛。一人將之，下種挽耬，皆取備焉。日種一頃。按即此耬車也。

《說明》耬車之制，遠肇自漢武趙過。其形製兩柄上彎，高可三尺。三足虛，間合二壠。横桄四匝，中置耬斗。其所將種粒，各下通足竅。旁挾兩轅，可入一牛。一人牽牛，一人執耬，邊行邊搖，種乃自下。《錄自齊民要術》

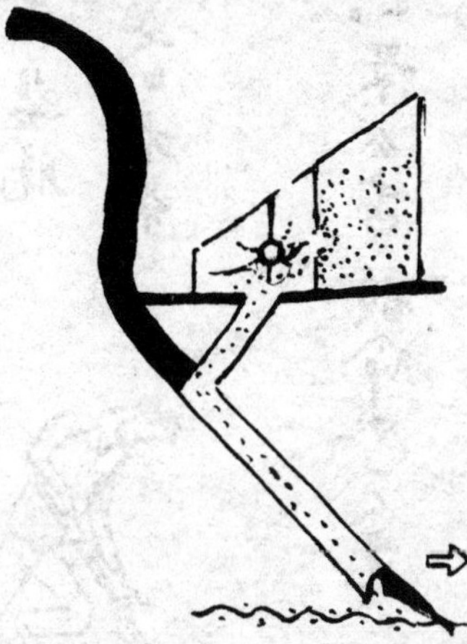

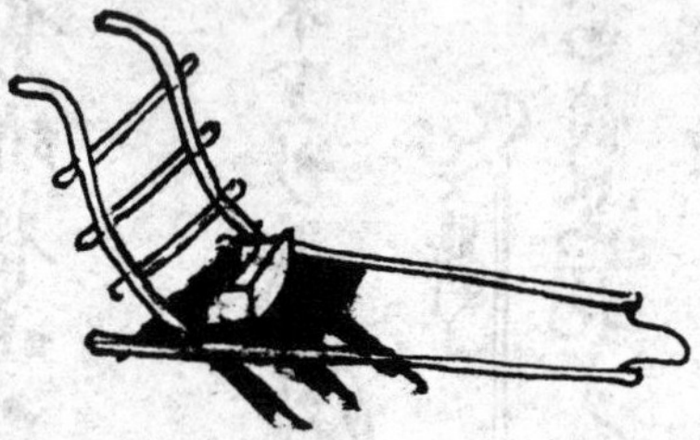

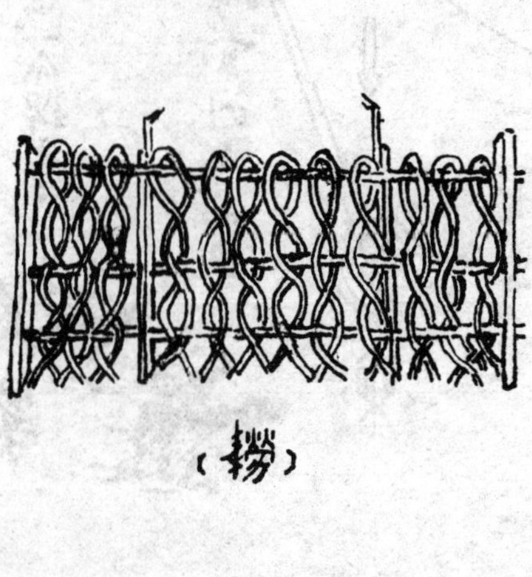

（耮）

〈字形析義〉耬字從耒、婁，器之義也。婁者漏也。字從毋、

婁婁，從口從乙。毋古貫字，穿通之義也。口者，遣孔鼻棬也。從乙者，所以示千斤之獸，婦人女子可得而控制之也。《公羊·昭廿五年》：「爲牛維婁」注：「繫馬曰維，繫牛曰婁。」可知「婁」字初義乃「牛鼻棬」專用字。良以牛之爲物，生性遲拗，故必施之以牽制。馬之爲物，生性急烈，故必道之以維繮。此古人飼畜經驗，爲吾輩治文字之學提供了有力啓示。吾鄉老農畜牛，率以利錐穿通牛鼻中膈，戴以鐵環，繫以繩索，古名曰「紖」，今名「牛繮繩」。

縷《說文·女部》云：「婁，空也。」空即「牛鼻棬」。婁施糸而成縷，故知「縷」即牽牛繮繩無疑矣。許氏訓縷曰「綫也」。此後起引伸義，非初義也。

婁既訓義爲「中空」，故漢字從「婁」之字，咸具中空之象。舉例如左：

瘻《說文》：「腫也。一曰久瘡。」不確。宜改訓爲「瘡有漏洞，積久不癒者也。」

筆者案：結核性淋巴腺炎潰瘍穿孔瘡，古名「鼠瘻」。患直腸結核潰瘍穿孔者，古名「痔瘻」，俗名曰「漏」。知瘻亦婁之同源字，故從疒、從婁。

窶《說文》：「無禮居也。」許氏但以居室狹隘不足供大典之需釋窶。非造字之旨也。

七四

（婁族文字皆有中空之象）

窶之為字從穴從婁。穴，土室也。婁者空也。古者窮、苦之家，房舍簡陋。鑿壁穿孔，鏤以無底孔窗。古諺語之曰「甕牖窶人子」。故知窶亦婁之同源字也。

簍 編竹成器，周匝透孔，其名曰簍。从竹从婁。

褸 衣不蔽體，孔洞百出名曰襤褸。从衣从婁。

鏤 雕金琢玉，玲瓏透孔，名之曰鏤。从金从婁。

螻 穿土為窩，前後有戶之蟲曰螻。从虫从婁。

髏 顱骨中空，七竅透孔，名之髏。从骨婁。

樓 建築宏偉，層臺重簷，四壁洞窗，其名曰樓。从婁从木。

數 小孔细密之魚網曰數「數罟」从婁从攴。

耬 載有漏斗之播種器，曰「耬車」。从耒从婁。

屨《釋名》：「拘也，所以拘足也。」《周礼有鞮鞻氏》《曲礼》

鞻 侍坐于長者，屨不上于堂。《說文》：「履高屨不及履」

以上舉例，皆婁的同源字，皆有中空透孔之象，可供參証。

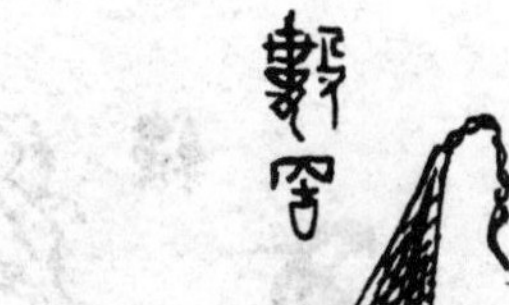

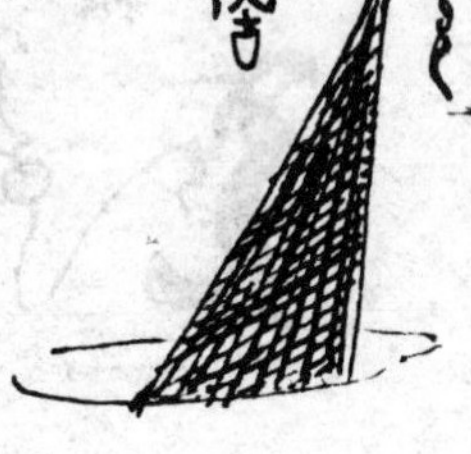

梁 沙（卜辞） 粉 粮（籀） 粱 糧（篆） 《說文》：「禾米也」。《辭海》：「似粟而大，有黄、青、白三種。亦有赤黑色者。」案：《說文》《辭海》所言，在于五穀之名物考覈，非造字之始也。試就各古文字形以闡其意：

粮字從米從皀。皀，古香字，亦作皀、皀。人類早期依漁獵為生。其後人煙繁盛，動物日趨稀少，唯有由向植物果實、草籽以濟其窮。是為農業之開端。彼時既無耕耘之術，只能掇拾采擇山野果蓏草籽以果腹。對食物之是否有害，並無鑒別能力。只能依其味覺、嗅覺，取其氣香味良者而食之。嘗其味苦而氣惡者棄而去之。嗣後農業選種緣於知識之取得，實驗原始采食果蓏草籽生活經驗發展而來。人類掌握了植物生理遺傳知識之後，于是選定了一些最佳品種，是為培育對象。名之曰「粮食」。粮食者，良食也。故「粮」字從良，從米。與「糓」訓為「善」同例。指事兼會意字也。粮字造型，命意標志了一幅人類農業發展史的生動投影。

《卜辭》沙字從⺌，顆粒堆積之象，米字初文也。從又，沙之省。沙即粱字。故知沙、粉、粱、糧皆形聲字也。表示如下以見諸字演變軌迹：

《汐、粉、粱、糧造型錯綜示意》

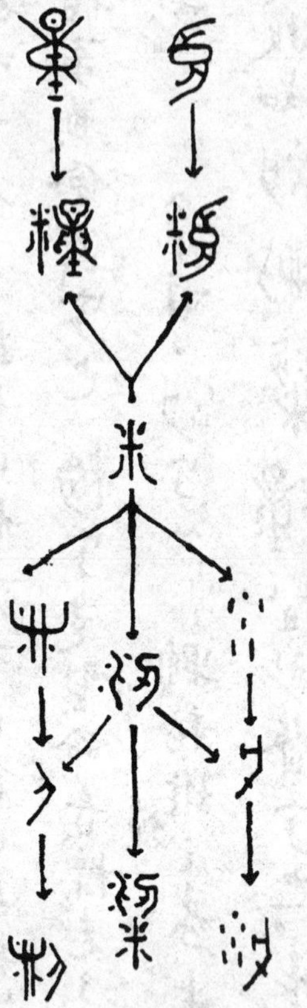

秙 稲《說文》：「百廿斤也。」案：秙字從禾、從石，則栽為百二十斤。特定重量單元詞也。古音常隻切。音諡。今商業城市標準衡器為、皆備有「標準重量儀」。其物以錢鑄成上形。重百廿斤。名曰「諡子」。此即古之「秙」也。古代以石，今世以金。其用一也。秙字今音讀担。我國港澳市場，今仍以百廿斤為一担。此古今語音之變也。《金文》担上字。似一人荷担之象。無貝，即担字，初文。小篆字古稱上石。从口，橐之形也。从石、秙之省文。所以示橐之容稟可達百廿斤也。百廿斤適于常人體力負荷，當量為古人所熟知。可從古文字二字體會之。上古無衡器，唯恃「天平」以稱物。古文平字上乘，其形證也。圖示如下：

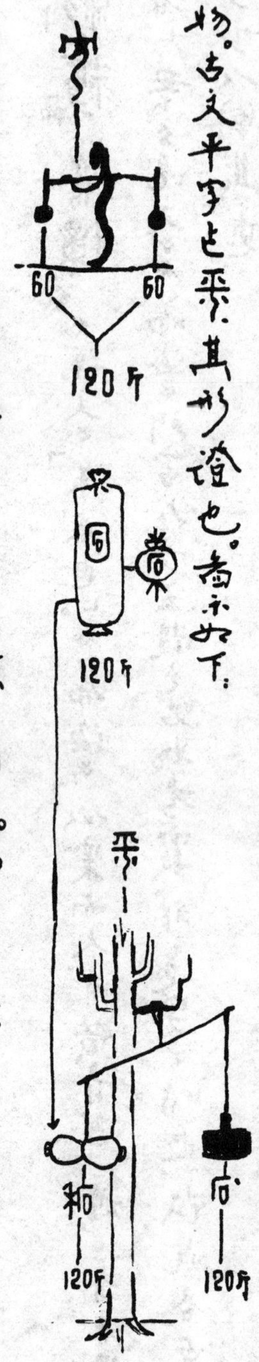

後世糧商適以石之名字右肩增上十斗之石，讀音同担。仍有古意。

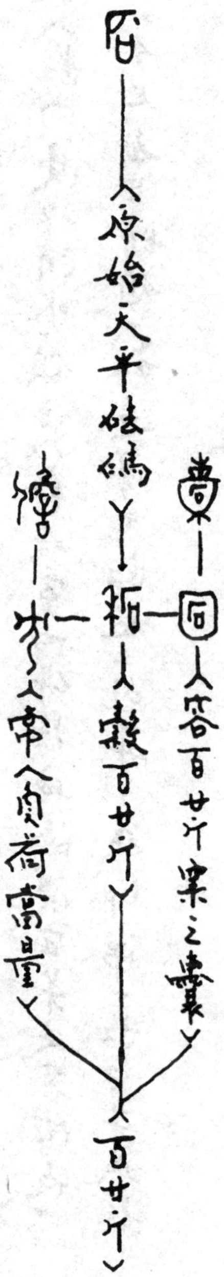

筆者童年常見糧商書寫單據，皆以石字右肩加、而成「石」，讀音為担。用為十斗之重量字，不過吾鄉已經以千二百斤為石。但糧商只知用字習慣，而莫能知其源流矣。今年逾八十，讀許氏說文而有悟，方知《漢學》失達，非一世矣。

七—《卜》十《篆》《說文》：「陽之正也。從一，微陰衰出也。凡七之屬皆從七。」張憲言曰：七象气出于一，初動屈而直出。說文以為微陰，非也。當為微陽。」時賢張舜徽氏文：「此篆當象艸木初生，屈下直上。貫一而出之形。一者地也，與屯字同意。艸木萌芽，其下必屈。見于地面者皆直。及其叢生繞出，則萋萋盛矣。七乃「萋」之初文也。金文、甲文「七」字多作十。象艸出土形。一為地，丨為苗。金文中亦有作屮者，則直與讀若徹之「屮」相似矣。自借七為計數之字而本義晦。」器襲棄、樓上二說，對「七」字的考證，張氏則重于字形與生物象徵的說明，許氏則重于陰陽曆數之闡述。令人莫衷一是。實際上許氏所謂之「正陽」，即東方古典醫籍《內經》中「六氣」之一的「少陽」也。依照農曆時間考覈，相當于三月，初至四月末的春夏之交的階段。按農曆廿四氣所規定，正是清明、穀雨、立夏、小滿四個節氣的歷程。此時太陽已從黃道綫春分點向北運動（視運動）。對北半球達四十五度斜射。此在中醫學名之曰「少陽相火」當令。這時的氣候，既不冷也不熱。最最適合于包括人類在內的所有生物生長發育的需要。其特點說，即攝氏卅六度半的氣溫。此時亞洲大陸華夏之區，出現了綠茵遍地生氣蓬勃景象。這同張氏的認識是完全一致的。不過張氏之說顯而易見，許氏之說已為今世所難知矣。

萋

[illegible][illegible]《玉篇》：「萋，草盛貌」。《詩周南葛覃》：「維葉萋萋」。傳云：「萋萋，茂盛貌」。

考萋之為字，《石鼓》作[illegible]。從艸，從水，草木得雨之象。从費，隮之省。从炏，[illegible]聲之省。皆所以示生生向上之態。示意與十字同。張氏之訓堪稱獨到。

關于七字的時義，初按：竊以為七之為吉，期也。期者待也。定期而生之意也。五穀之穀種，萌芽均在七日左右。此其證也。筆者曾觀吾鄉之生豆芽為業者，其法以瓦缸七具。從一至七，依次編號。缸底穿孔，選肥健大豆投入缸內，浸以清水，鎮之以巨石，室內保持恒溫，使豆芽從容滋長。自一至七，每日增值一缸，迨第七缸施工既畢之後，即第一缸豆芽成熟

之時。此際可將它等取出銷售，另取它枝之。如此依次採之，周而復始，循環不已。此始《易》云「七日來復」之意歟!?

七的數據在各门科學引起的共鳴：

在《易》䷼《中孚》卦，以孚雞的孚字取名，以昭示生態信息的可靠性。我们南鄉老農諺語說的好：「雞抱雞，三七二十一。鴨抱鴨，四七廿八。」有定期也。

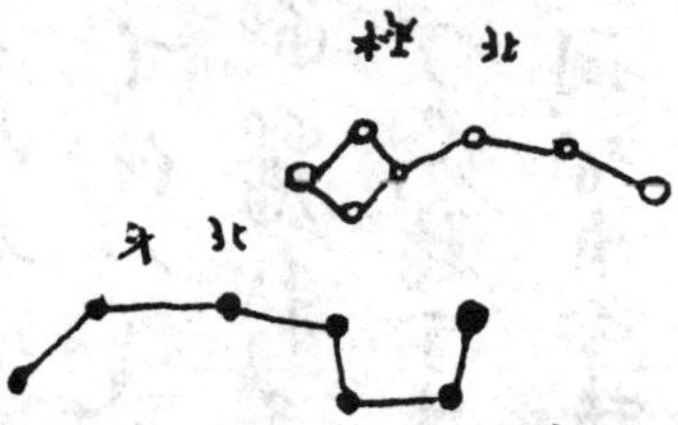

上為天文標時指針的「北斗」與觀測天象座標基點的「北極」，皆由七顆明星組合而成。上為太陽黃經中的二十八宿，也同樣屬于「七」的倍數產物。測于月球繞地週期，古人也乘取了「七」的數據創建了月的週期四分濟。尤其是人類女性生態變化周期，也打上了「七的數據烙印。正如《上古天真論》云：「女子七歲，腎氣盛，齒更髮長。二七而天癸至，任脈通，月事以時下，故有子。三七，腎氣平均，故真牙生而長極。四七，筋骨堅，髮長極，身體壯

〈孵字〉

七七

盛。五七，陽明脈衰，面始焦，髮始墮。六七，三陽脈衰，面皆焦，髮始白。七七，任脈虛，太衝脈衰少，天癸絕，地道不通，故形壞而無子也。」

這一系列不以人的意志為轉移的現象，屬于人的假定觀念乎？抑事物內在本質的流露乎？抑雜亂光怪露離之偶合乎？古人在「無莫如之何」的情況下，總以「气數」杂搭之。故知「七」字有生長義，有定期義，亦有（定）信義。可信義。

七〈㯃〈發盛〉、數〈數據〉、點〈信用〉〉

播⿰番斗旛敉〈說文〉：「種也。布也。」〈爾雅〉云：「播時百穀」。知播之為實農業專用字也。播字從手，從番。兩手抱身翻土也。翻播雙聲，與敷、佈、波、潑音近而意同，皆有分散之象。五穀藏于倉廩，農夫取而佈諸田埜，故曰「播種」。推而言之，老人白髮迎風播動曰「皤皤」。鳥翼反張曰「翻」。旗幟臨風而動曰「旛」。艸木枝葉舞動曰「蕃盛」。聲浪從點到面曰「傳播」。皆有擴、散之象。〈文書〉所謂建類一首，同意相授者也。

番〈獸掌〉

- 播〈音波分佈〉
- 皤〈頭髮飄動〉
- ⿰番斗〈種籽分佈〉
- 旛〈旗幟下垂〉
- 翻〈鳥翼反張〉

〈擴散〉

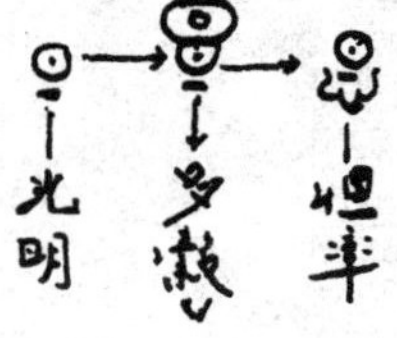

亶《說文》：「多穀也。從㐭旦聲。」段注：「亶字本義爲多穀。故其字從㐭。引伸之義爲厚也。信也。誠也。」《思恬》：亶字從㐭。《卜辭》㐭。倉廩之形。旦者東方日出光明之象也。後世孳乳爲憻比誠懇坦率義。此漢字「天象人化」例也。多穀之義例古籍不見。只能于《毛詩·大雅·緜篇》求證之。其序曰：「文王之興，由太王也。」詩曰：「古公亶父，來朝走馬，率西水滸，至于岐下。爰及姜女，聿來胥宇。周原膴膴，堇荼如飴……」

案《書·酒誥注》：「西周始祖后稷，堯時爲農業之官。教民稼穡，樹藝五穀。封于有邰。世以農業爲家。其十三代有古公亶父者，居于豳。文王祖父也。《經典名之曰太王》。」亞聖孟軻對這段歷史，述之最詳：「昔者太王居豳，狄人侵之。事之以皮幣，不得免焉，事之以犬馬，不得免焉，事之以珠玉，猶不得免焉。乃屬其耆老而告之曰：狄人之所欲者，吾土地也。去之岐山之下。豳人曰：仁人也。從之者如歸市。」當然這位亶父選擇的定居之地，是一個頗爲理想的自然環境。正如詩人所描寫「周原膴膴，堇荼如飴」詩人把岐山之陽的土地比作大塊肥肉，把這塊肥沃土壤生長的苦菜，說成是味似飴餳。其土地之美好可以想見。經歷了太王的慘澹經營，終于出現富饒康樂的局面，而成爲後來西周王朝的發祥地。大雅詩篇把古公亶父肯定爲西周王業奠基人，絕不是偶然的。所謂「曾父」，意思是家有餘糧的富翁。而且是一個開明的德行長者。許氏《說文》訓為「多穀」是可信的。是有歷史背景的。後世這伸義行而，初義晦矣！

私

私《說文》：「厶，姦邪也。」禾部私字訓：「禾也。北道名禾主人曰私主人」當時北土或有此方言，但此解殊不足以盡私字之義。

考《詩．周頌．噫嘻》：「駿發爾私」傳曰：「私，民田也。」此為「私」字之本義。先秦井田制度本有公田、私田之分。而周王業定鼎，初期的根本政策，是以富民為綱先私後公的。駿者大也。所謂「駿發爾私」就是放手發動黎民大力開發生産。在人民生活已經達到富裕的基礎上，公田的收穫，也就隨之而高了。故經傳云：「私民田也。言上設富其民，而讓于下。故民之大發其私田耳。」這種措施對發展生産是有遠見的。正是由于這一進步政策的促使，換來了上下一致的利害關係。因而人民當遇到暵災時，便發出了這樣的祈禱呼聲：「而我公田，遂及我私。」意思是：「盼望天公降雨，在『公田』獲得甘霖的同時，我的『私田』也就沾了光」毫無疑問，這一先公後私的心聲，屬于人民對「王者」的「先私後公」的開明政策換來的精神反饋。然而事物是發展變化的。降及幽、厲二王，在上者肆意暴斂，苛求無厭，農人終歲勞動，不得溫飽·對公田的義務勞動也就不感興趣了。因而「王者」的公田收穫銳減，于是領主又采取了新的措施，史學家名之曰「初稅畝」。按畝徵稅，使農人無法使用消極方法對抗。《公羊傳》以評擊的態度批判「初稅畝」云：「古者三百步爲里，名曰『井田』。井田九百畝，公田居一。私田不善則非吏，公田不善則非民。」可證公、私之間的矛盾由來久矣。《韓非子》的「八厶爲公」的解字示義，和許慎訓「厶」爲「姦邪」，是如出一轍的。

禾 𥝌 稽

《說文》：「禾之曲頭止不能上也。」許氏言其形而不及其義。段注以「此字古少用」一語了之。殊無以見禾字造形之旨。

𥝌以爲禾從反禾，與乏从反正，𠂢從反永之例同旨。所以喻反常之態也。造字者以反禾爲禾，示穀穗垂首之象。明其物態垂危不能自持之造。蓋稽字初文也。故稽字从禾从尤，从旨。尤者異也，異乎尋常者爲妖，夭者之折。蓋夫愛穀如命，見禾之垂首必審之以目，嚐之以舌〈舌〉、旨〈旨〉同文而義通。所以知味也。視其形，察其味，得其情，此「稽」字造形之旨矣。故稽字从尤从旨。此會意字也。目察之、舌嚐之、心思之，必曠日而廢時。故延爲「稽遲」、「稽留」。

《金文》稽首之䭫字，从首，旨聲。稽之同源字也。首者人頭也。旨者稽之省，所以

七九

示孝子思親之哀，以頭觸地不能自起之情也。此漢字物象人化之鐵例。

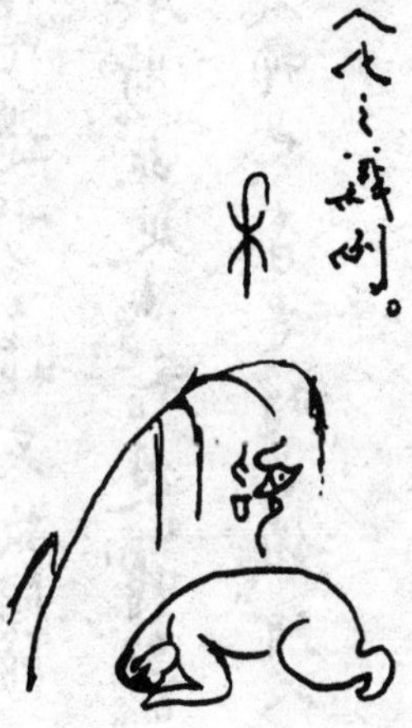

穆 〔古字〕〈卜〉〔古字〕〔古字〕〈金文〉〔古字〕〈篆〉《說文》：「禾也。」禾之名穆者今世不聞，許氏或有所本。《詩大雅》「穆穆文王，於緝熙敬止」，毛傳云：「穆穆，美也。」這究竟屬于何種植物？從來無人考證。又何以受到詩人如此高度評價？想必有她美麗芬芳、嚴肅端莊令人羨慕之態。否則不會占為偉大政治家的形象。

《思悟》〔古字〕之為字从〔古字〕从禾。〔古字〕似植物花冠之形，禾象莖葉之態。儼然一菊科植物，象形字也。

以聲義求之，穆之為言睦也。睦，从目从坴。目者視也。坴者陸之省，九洲之地也。《說文目部》：「睦，目順也。」順與巡通。辵部云：「巡，視行貌。」段注：「視行者有所省視之行也」。案所謂巡行，即巡迴視察。《春秋桓十二年》云：「三巡數之」。《白虎通巡狩注》：「巡，循也。」故知睦訓「目順」即「循場視察」，真義甚顯。《三代王制》

天子之禮。五年而周遍四岳，會同于明堂，所以親兆民而綏萬邦也。故睦字訓義爲「和」、「敬」。亦會義字也。造字者取睦穆同聲共義之旨，故𣅀字爲「王者」之形象擬態，絕不是偶然的。此漢字「物象人化」之例。

《論義》：余謂𣅀之爲文，从⊙太陽之光也。⊙居木上所以示植物花冠仰沐天光之景象也。小三者，籽實分佈降地之態也。然則𣅀之爲物，即「向日葵」一名朝陽花，其物而無疑矣。此物有「嗜光性」，晨向東，午向南，而暮向西。「朝陽花、向日葵」實顯是而得名。此物春生秋老，籽實落地。詩人察其有上承天光，下恩兆民之德，故假爲「王者」之擬態。故《論語》云：「順天愛民曰穆」。

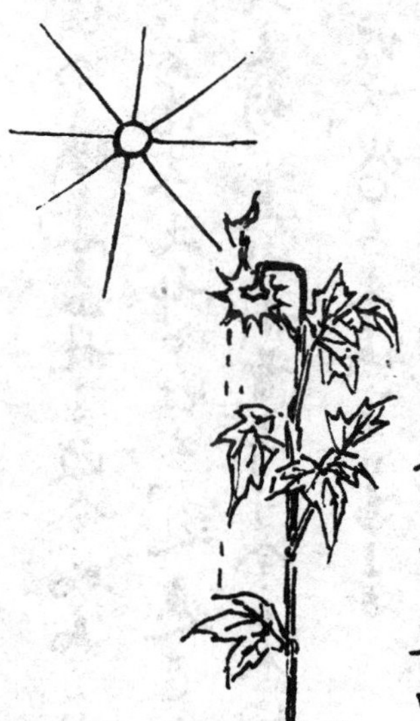

禁 𥜽 示 《唐韻》、《集韻》同訓：「制也，勝也，戒也，謹也」。多抽象之辭，莫能窺𥜽字形義。《說文》禁字訓：「吉凶之忌也」。尤覺語涉含渾，令人困惑。試揆如左：

考𥜽之爲文，从林，从示。林者樹木叢生之象也。示者視也。標榜禁示所以告人也。《詩．周南》：「肅肅兔罝，施于中林」。《穀梁．傳十四年》：「林屬于山為「麓」。故知禁字從林，林叢之稱也。從示者，語讖之文也。古者山林禽獸聚衆之地，必有專職有司嚴守。篆曰禁了。古文上从，從四人，所以示周匝戒備之密也。《易·屯卦》：「君子即鹿無虞，惟入于林中，即示如舍」。是謂山林之地，屬于禁區範疇，非常人所得任意涉足之境。彰彰明甚。《周禮·地官·虞人之職》：「掌山林之政令，物為之厲，而為之禁。」「林衡掌巡林麓之禁令而平其守。」《說文·辵部》注云：「迾，遮也。今本《周禮》山虞、澤虞，非人、進人皆執「厲」，為「迾」，或上列。其形制當等于今之「木柵欄」（禁區）。

〈迾 遮〉

迾

昚

慎者，《說文·火部》尞字下昚字，注云：「昚，古文慎字。」蓋上古有柴燎祭天之禮。禮成之後，必熄滅餘火，所謂「封山懸廢」，皆于山上行之。也其是昚字表現了尞字無火，猶有餘焰於熄，煙霧繚繞之象。所以示防止死灰復燃，為害山林也。故字讀「慎」。然則《唐韻》訓禁為制，為戒，為謹。固其宜矣。現代人類對森林保護，仍以防火為第一要義。驗今可以知古，鑒古可以知今矣！

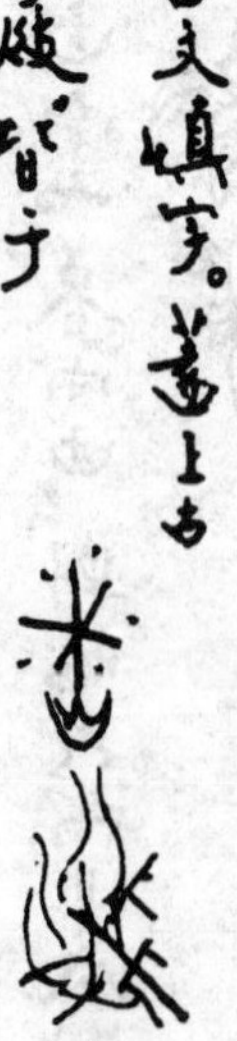

尞

慎

荆《說文》：「楚木也。」案荆之為字，造型多變，各有義旨。

一、數化人形字。此義可求證于《毛詩·魯頌·閟宮》。如「戎狄是膺，荆舒是懲」可見當時周人經常苦于荆楚不服王化。所以在銅器銘文中鑄出了數號人身的字，以示賤義。此與銘文的玥璣二字從玉以示褒義適成鮮明對比。

二、荆之為物，古代用為杖背的刑具。故字從艸從刑。《史記·廉頗藺相如傳》：「廉頗肉袒負荆請罪。」可作例證。故荆字从艸從刑。荆之為物，古代用為紡績原料。故有「雖有絲麻，無棄菅蒯」之諺語。

松《說文》：「松，木也。從木，公聲。松或从容。」《字說》：「松，百木之長。猶公。故从公。」

案公之為字，年高有德者之稱也。人之年高者曰公，木之長壽者曰松。鳥之頸下有鬚者名鶴。其義一也。今人仍用「松鶴延年」為祝壽辭。皆「物象人化」例。

柏《六書精蘊》：「柏，陰木也。凡木皆向陽，獨柏向陰指西。故字从白。白者西方正色。」《春秋緯》：「諸侯墓樹柏。」顯而易見，屬于「五行」槩念的產物。

囿《周禮·天官大宰九職》：「二曰園圃，毓艸木。」《地官、閭師》：「任圃以樹事，毓艸木。」《地官場人》：「掌國之場圃，而樹之果蓏珍異之物，以時

八一

斂而藏之」。案：以上諸文，各有形義。𤳳从糸、古「治」字，治理之意，从四由，所以象苗圃分佈之廣也。𤲞字从从，象艸木滋生之形。田似畦塍縱橫之態。𤰔字从屮、溪渠之象。卄者苗之形。ㄣㄣ者斷垣殘壁之迹，荒穢之態。皆足以與經籍印證，將為考古之資。

甫 甫《說文》：「男子美稱也」。案：甫字是田從父。父古文字。父之初義為家長。音變為甫，而化為長者之稱。俗曰田父。《論語》：「樊遲請學稼。子曰：吾不如老農。請學為圃。曰：吾不如老圃」。黃應以甫為正字。此象形字也。似老人右手舉桔立于田中，驅逐害鳥，保護稼穡。莫要低估「田父」的高尚人格。「民以食為天」。無田父則仕工商兵皆息矣。今人以「園丁」為教育工作者的崇高稱號。黃髮老甫「田父」之義而來。古文化語言也。

甫之為言哺也。鳥類飼雛曰哺。人類飼嬰曰「哺乳」。培植艸木之園地曰「苗圃」。其為培植之功，固初無二致。《文書》所謂「建類一首，同意相授」。轉注之例也。〈州畜表以見意〉

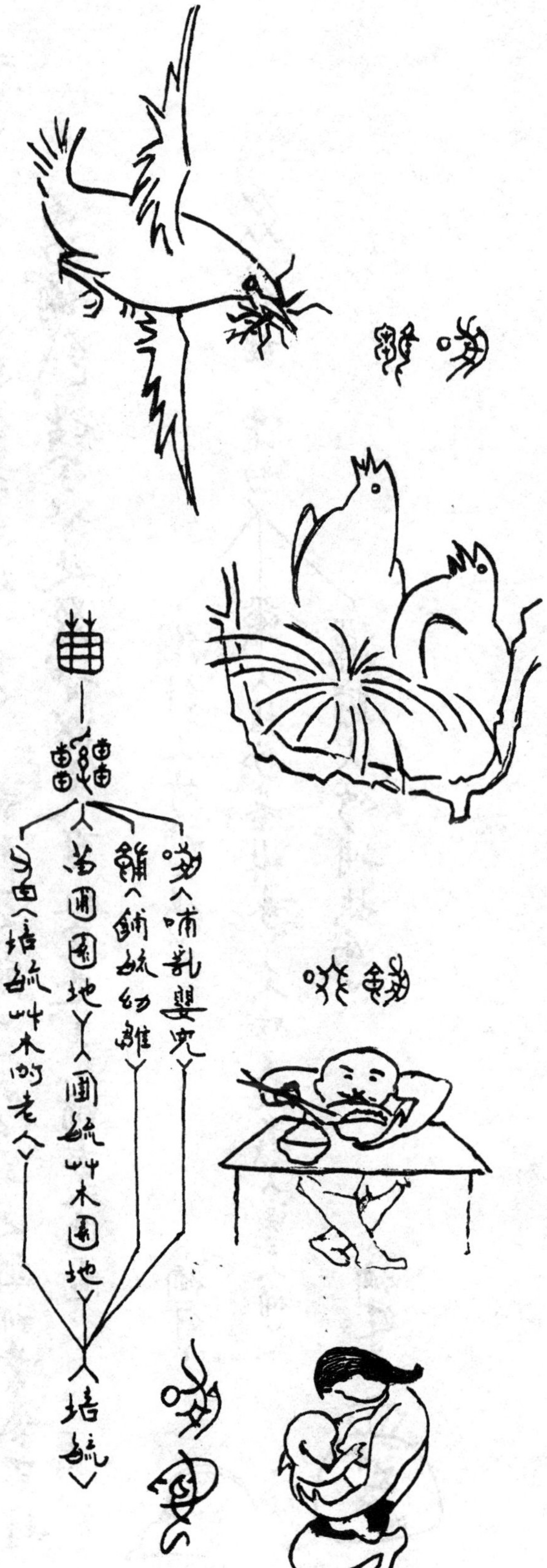

圃《說文》：「苑有垣也。一曰禽獸有圃。」《詩大雅》：「王在靈囿。」疏：「築牆為界域，而禽獸在其中也。」《周禮·地官·囿人》：「掌囿游之獸禁。」注：「古謂之囿，漢謂之苑。依經籍之義，囿之為地，似等于現代之動物園。然從文字形意觀之，則囿之為地，非盡獸禽所居，蓋亦有艸木存焉。《孟子》云：「文王之囿，方百里，芻蕘者往焉，雉兔者往焉。」可為例證。今蒙古之東圍，「西圍」地區景色，即有清皇家狩獵之地，古名曰囿。

爾《說文》：「麗爾，猶靡麗也。」从冂从㸚，其孔㸚㸚。此與爽同義。《詩小雅·采薇》：「彼爾維何？維常之華。」注：「爾，華盛貌。」案爾字古篆造型極多，或从植物莖桿直立，或似枝葉交乂，或似歲穀下垂，或似隐標遠託形色，不一而足。故訓義為華盛。固其宜矣。自假為第二人稱——爾我之義後，而初義遂晦。示形如左：

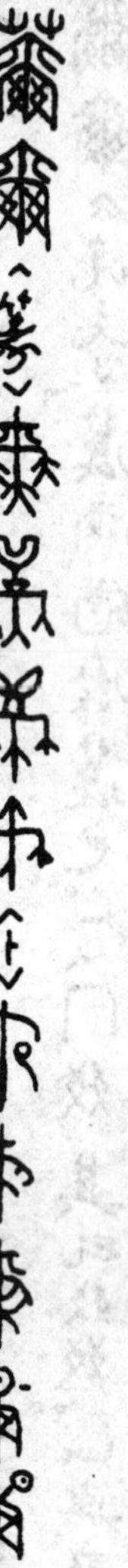

案〈詩·小雅〉：「彼爾維何？維棠之華。彼路斯何？君子之車。」〈注〉云：「爾，華盛貌。棠，棠棣也。以興將率〈帥〉車馬服飾之盛」。繇此可證，爾字造型當指植物花朵開張之象。與古文[glyph]字造型取象同例。後世用為器物美化詞。又延伸為人物面貌美麗義，用之第二人稱之代詞。——爾。更延伸為縫紉鍼黹紋理形態——「彌縫」之彌字。故今形之縫補衣裳穿刺器曰「彌鍼」。諸字皆從爻，皆㸚之孳乳字也。表示縫黹以見意：

彌

爻〈紋理分佈形〉

- 彌鍼〈縫補工具〉
- 爾〈植物蕃𣏟象〉〈物美化義〉〈第二人稱〉
- 彌縫〈縫補缺漏〉

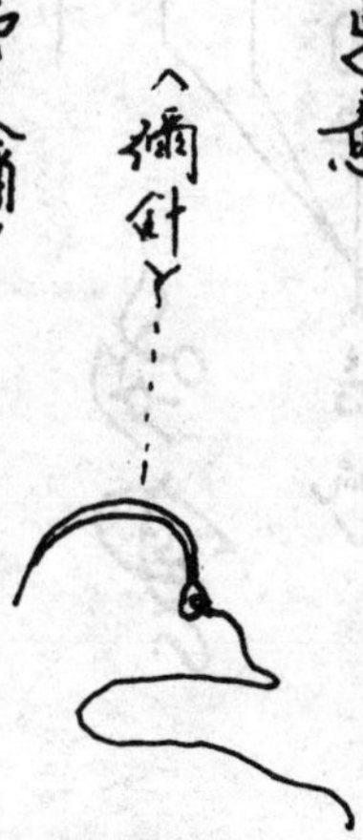

蒯　蒯𦺀𦺀𦺀𦺀𦺀　《漢張衡西京賦》：「草則葴莎菅蒯。」注：「艸中為索。」《左傳成八年》：「雖有絲麻，勿棄菅蒯。」注引《毛詩》疏：「蒯與菅連，亦菅之類。」《儀禮喪服傳》疏：「屨者藨蒯之菲也。」注：「藨席澀屨，於從是也。」《左傳昭廿三年》：「攻蒯。蒯潰。」注：「河南縣蒯鄉是也。」按：此國名、姓氏與特定地望物產之密切關係之又一例。

菅　菅　《爾雅釋艸》：「白華野菅。」注：「菅茅屬。」《詩陳風》：「東門之池，可以漚菅。」陸璣疏云：「菅似茅而滑澤無毛，根下五寸有白粉者。柔韌宜為索。」案：我國各省迄今猶有菅氏族姓。《左傳隱十年》：「公敗宋師於菅。」菅在山東成武縣境。此古國名、姓氏與特定地望物產之密切關係之又一例。

葛　葛　《玉篇》：「蔓艸也。」《周禮地官掌葛》：「以時徵絺綌之材於山農。」《詩葛覃》：「葛之覃兮，施於中谷，維葉莫莫。是刈是濩，為絺為綌，服之無斁。」《春秋桓十五年》：「邾人、牟人、葛人來朝。」按葛氏出於嬴姓。帝顓頊之後，封於葛。其後以國為氏。此國名、姓氏與特定地區物產之密切關係之又一例。

《尾語》統觀蒯、菅、葛諸物，皆成纖維素類野生植物也。古人用為編織紡績物材或衣服條料。更因物產而定地名，由地名而國名，由國名而化為姓氏。此漢字之義變軌迹，堪從《詩》、《書》、《史》、《語》見之。尤其是葛之為物，生於谿谷，蔓及山巔，其莖之長可數十丈，故詩人以「葛之覃兮」起吟，良有以也。因其蔓延紛絞，牽扯縱橫，交織故有「糾葛」、「瓜葛」之辭。其根足以解酲，今江西本草列為解酒劑。

八三

楮 𣏟〈金〉楮〈楷〉楮《說文》：「穀也。」按陸璣詩疏：「幽州人謂之穀桑。或曰楮桑。荊揚交廣謂之穀。中州人謂之楮。江南人績其皮，以為布，又搗以為紙。」《酉陽雜俎》：「葉有瓣曰楮，無曰構。」

筆者按：楮之為木，亦織作素植物也。因其可造紙原料，故延伸為「墨楮」〈古篆〉之義。

楮、楮同聲，音中亦兼義矣。

楓 楓 楓〈古〉楓《說文》：「木也。厚葉弱枝，善搖。一名𣡽𣡽。」按楓之為文，从木从風。此指事兼會意字，所以示隨風舞動之態也。《爾雅·釋木注》：「楓似白楊，葉圓岐，有脂而香。《埤雅》：「枝善搖，故字从風。葉上三脊，霜後色丹，其材可以為式。」楓木，漢宮殿中多植之，故稱「楓宸」。《南方草木狀》：「楓香樹子大如鴨卵。曝乾，可燒。惟九真郡有之。」《蜀本草》：「楓脂入地，千年化為虎魄（琥珀）。」按楓實从風从木，所以示其與風自舞也。唐詩有「霜葉紅於二月花」之譽。其種籽又為外科殘患重要藥物。

〈楓〉

楚 楚 楚 楚 楚〈楷〉楚《說文》：「叢木。一曰荊也。」按許書體例凡言「一曰」，皆非正訓。然則所謂「叢木」亦泛指樹生態之狀語，而非特定植物之名，彰彰明矣！然則楚之為物究屬何木？此則令人甚感棘手之課題。考《詩·檜風》：「隰有萇楚，猗儺其枝。」《傳》云：「萇楚，銚弋也。猗儺，柔順也。」復考《說文》艸部，萇字訓「銚弋也，一曰羊桃。」但許氏亦未明確指出「羊桃」究為何物。唯《山海經·中經》云：「豐山其上多封石。其木……多羊桃。」此物《爾雅》釋為「羊腸」。《本草經》釋為「細子」。《本草綱目》釋為「獼猴桃」。《青松南方草木狀》：「五斂子大如木瓜，色黃，皮肉脆軟，味極酸。上有五棱，如刻成。南人呼棱為斂，故名五斂子。以蜜漬之，甘酢而美。出海南。」宋范成大《桂海虞衡志》云：「五稜子」。筆者按：以上諸說皆非「楚」字真義。吾鄉各地皆有此物。其物乃為叢生灌木。莖高兩丈。枝柔而葉廣，其實狀如梨。形似彩雲圖案。覽即《詩·檜風》所云「隰有萇楚，猗儺其枝」其物也。土人呼之曰「楚桃子」，乃古名矣！

楚

栩 栩 《說文》：「柔也。从木，羽聲。其實皂。一曰樣。」《詩·唐風》：「肅肅鴇羽，集於苞栩。」傳：「栩，杼也。」

陸璣曰：「栩，今柞櫟也。」《詩·秦風》：「山有苞櫟。」陸璣疏：「秦人謂柞為櫟。」《本草綱目》：「橡實一名櫟梂，一名杼子。時珍曰：櫟，柞木也。實名橡斗、皂斗，謂其斗可以染皂也。」筆者按：柞葉可育蠶，名曰「柞蠶絲」。亦可燒木灰，含炭酸鉀，可為肥皂原料，和之發金屬音。則「柞」之與「栩」蓋一物而多名矣。

梓 梓 梓 《說文》：「楸也。」

椅 椅 椅 《說文》：「梓也。」按：椅之為木，又名山桐子、水冬瓜。初夏開黃花，結小紅果，實即《詩·鄘風·定之方中》：「樹之榛栗，椅桐梓漆」之椅也。許氏梓、椅、楸三字輾轉互訓，黃黃緣梓科之木範圍甚廣。故段玉裁氏云：「椅梓渾言之也。」《鄘風》「椅桐梓漆」，析言之也。今人謂之「金楸」、「銀楸」、「灰楸」，此古今之變也。

楸 楸 《說文》：「梓也。」復考木部「槄」字訓「楸也」。同部「榗」字訓：「梓屬，大者為棺槨，小者為弓材。」然則梓、椅、楸、槄、榗五字輾轉互訓。可知物種品質，固有親緣相似，大同而小異者矣。今民間俗謂「金楸」、「銀楸」、「灰楸」，正反映了植物學中「門、綱、科、目、種、屬」的親緣關係，知識都隱藏在文字之中。可惜今世文人已缺乏陸璣、李時珍那樣求實務精神，將古代文字一一取得落實，良可慨也。

梣 梣 《說文》：「青皮木。」《淮南子》云：「梣，青色木，治目翳藥。」高誘注：「青木，苦歷木也。」《本草》所謂「秦皮也」。陶隱居謂之「樊槻皮」。筆者按：漢張機《金匱要略》治熱痢下重，以「白頭翁、黃連、黃蘗、秦皮湯」，即梣皮也。

蘜 蘜 《說文》：「治牆也。」段注：「治牆，未詳何物。」筆者考《周禮·秋官·蟈氏》之職云：「掌去鼃黽，焚牡蘜，以灰洒之則死。」筆者按：所謂「牡蘜」，殆即「除蟲菊」其物也。鄙邦日本今尚有此物，其功用力能殺滅息虫。

栩 橡

梓

椅

子文風發故用為「席夢思」，滅蟲藥之原料。此物若植於院庭之內，則其氣味傳散四方，可使周圍環境蚊蠅絕迹。吾鄉舊有此物，而今無矣！竊以為「治檣」之名，蓋舉基於其驅蠍蠆之類害蟲，亦以檣壁肆裂隙縫為寄居之地。正如《詩·豳風》所謂「穹窒熏鼠」是其「治檣」之義矣。故知鄭注訓「牡鞠」為「鞠不華」者，非真相也。應訓為「菊之秀而不實者」為得「牡鞠」之真義。

〈鞠〉

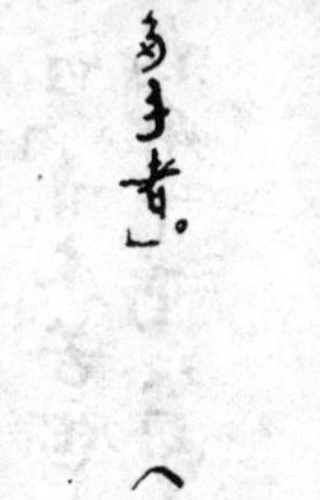

李

[illegible] 杍 李 《說文》：「果名。」《素問》：「東方木也。」《爾雅·翼》：「李，木之多子者。」《埤雅》：「李性難老，雖枝枯子亦不細。其品處桃上。」

李字的社會義，李字早為氏族標志，是具有悠久歷史的。帝堯時代皋陶為「士」，職稱理官，等於後世刑部尚書。《周禮·秋官大司寇》，即今之司法部。其後人歷代承襲理官，以官為氏。商有李利貞，避紂政治迫害，居李樹下，以地名改為李氏。老子之祖也。其後李牧，佐趙。晉有里克，衛有理全，皆與李同源。漢有李廣，唐·祖李淵，廣之裔也。世號隴西郡氏。此姓氏與地名與生物之連帶淵系又一例證。

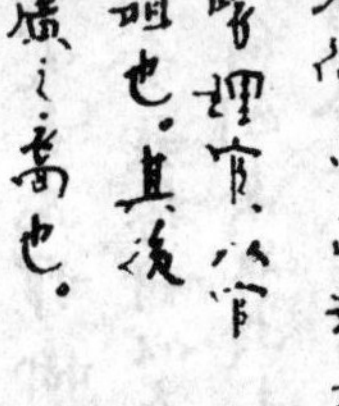

李

杜

[illegible] 杜 荼 《說文》：「甘棠也。牡曰棠，牝曰杜。」案，杜字，初義本為雌雄異株之果樹。以種籽蕃毓族類。則其種籽已有雌雄之別而無疑矣。植物類有雌雄異株者，固不僅限於甘棠，如銀杏、皂莢，皆其例證。而動物亦有雌雄同體之例，甚致罕類難交。個中自然之秘密，遠非吾人所能備知。賢如仲尼，猶尚不能畢其究竟，最後她只好在《易·繫辭》中上了「乾道成男，坤道成女」終結論斷。

杜字的社會義：《廣韻》：「杜氏，帝堯劉累之後。出京兆、濮陽、襄陽三望。」楚有杜敖，晉有杜蒯，周有杜伯。

棠

[illegible] 《說文》：「牡曰棠，牝曰杜。」杜字訓：「甘棠也。」《爾雅·釋木》與《說文》同。復考《說文·棣字》訓：「白棣也。」段引《詩·小雅》傳：「棠棣，棣也。」《詩·秦風》傳曰：「棣，棠棣也。」棠與唐、棠同字，可知矣。筆者按：「棠」之為木，有紅、白二種。紅者木質堅韌；白者果實可食。亦稱杜梨、棠梨。《山海經·西山經》云：「崑崙之山有木焉，其狀如棠。」注：「棠梨也。」俗名野梨，樹似梨而小，春初開

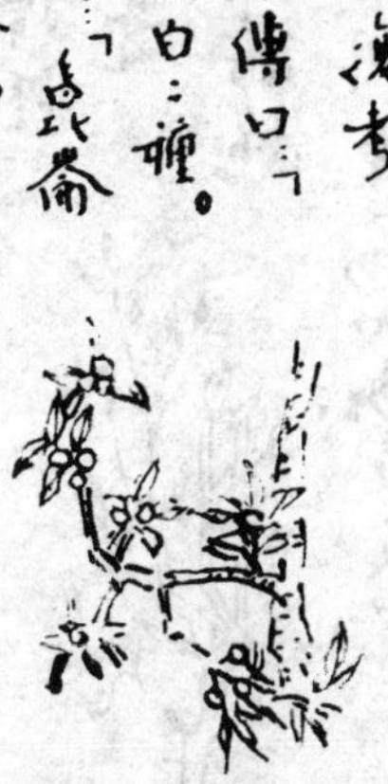

棠

小白花，结实，如小楝子大。可食。然则棠棣、棠梨、杜梨、常棣、唐棣、实一物而多名无疑矣。

棠字的社会义：《春秋》有齐大夫棠无咎。《左传·襄廿五年》：「齐棠公之妻，东郭偃之姊也。」注：「齐棠邑大夫。」在今聊城西北。见《读书方舆纪要卅四·东昌府》。按即武训故乡堂邑。五六年撤销，销城并入冠县。又書《左传·襄十四年》：「楚子囊师于棠，以伐吴。」基于上述文史资料纪载，可以看出一个特定物产，与地名、姓氏三者的统一规律又一例证。

樝

樝《说文》：「樝果，似梨而酢。」《内则》：「柤梨。」注曰：「梨之不臧者。」《尔雅》郭注《山海经》郭传曰：云：「樝似梨而酢涩。」笔者按：此物盛产于我国北部冀、辽地区。土人唯用为探望病人之礼品。其收取之季在于秋末，坚硬似木。非至来岁春和气暖自行发酵变质之后，未易食也。

樲

樲《说文》：「酸枣也。」《尔雅·释木》：「樲，酸枣。」注：「树小实酢。」《孟子》：「……养其樲棘」注：樲棘，小棘，所谓酸枣也。

檜

檜《说文》：「柏叶松身。」《書·禹贡》上「栝」，通段字也。《诗·卫风》：「淇水悠悠，檜楫松舟。」

按：檜之为木，乔木类也。绿树松叶，叶形不一。旧说谓柏叶松身。其实或似松，或似柏，或似杉。果实球果。木材亦供器具，以造铅笔虽也良。但据笔者所见，实、松叶而柏身。皮文密理。叶似针状而短簇。檜木质理柔细，古代施于棺饰。《左传·成二年》：「椁有四阿，棺有翰檜。」

檜字的社会义：考檜之为字，古国名也。祝融之后。《左传》上「鄶」。地望在河南郑州市南。此地名与植物名称之统一规律又一例证。案鄶，妘姓之所封也。

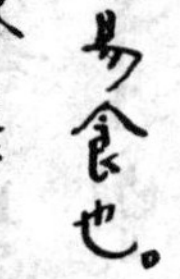
樝

樲

檜（鄶）

榆

朴（卜）朴（金）△榆（篆）《说文》：「榆，白枌。」此训浮浅已极。与以声别造字之旨。陆玑《艸木疏》：「榆有十种，叶皆相似。皮及木理异。」按此解亦未能涉及榆字的实质。考《尔雅·释木》释榆之文凡三见：一曰「蓲茎」、二曰「无姑」，三曰「白枌」。这一解说不过对「榆」木家族上了一初步粗略介绍，与「榆」之实质，固「风马牛不相

八五

及」焉。唯《礼内則》與《檀弓》紀載中，尚能窺見微恉。試引而伸之如次：

《揆要》、《禮檀弓》云：「請度為榆沉，設撥」。注：「以水澆榆白皮之汁，有急播地，棺車使滑」。這是古人在發喪引棺時，利用榆皮浸液，上推動輴車的滑潤劑，以減少地面磨擦力，而便於棺車的牽綁前進的科學技巧之應用的紀述。

復考《礼内則》云：「堇荁，枌榆免薨，滫瀡以滑之」。這些質量滑潤的物質，都屬於嗅侍貴族老年的高級食品，目的是便於吞嚥而防噎。榆粉也包括其中。筆者青年時代常見鄉民每值春荒歲凶，輒取粗糲糟糠磨碎，和以榆皮粉末，調水和成麵塊，以篩板架於沸水湯鍋之上，双手揉壓，成為細條，滿於鍋內，煮而食之，名曰「和拉」。蓋糟糠難於吞嚥，取榆皮之滑潤而易食也。

（榆粉和拉）

榆字形意分析：榆之為字，《甲骨文》作 杅，《金文》作 杅，李斯《小篆》作 榆。字皆从俞。復考《卜辭》「俞」字作 俞，俞。《金文》作 俞。小篆作《俞》。字意从舟从人从巜。亼者鋒鑄之象，所以示銳進之態也。巜《巜》皆水文之象，所以示載負之意也。舟者，水上運輸之器俞《俞》也。故《說文》《俞》字訓：「空中木為舟也」。這一詞義，蓋除上已經棄揞了幾千年後，歐人亞幾默德原理，即物體在水中的失重，等於排出同體積的水重」。蓋木不空心，則無以減輕比重，不降低比重，則不能載荷負物。此「俞」字所以訓為「空中木為舟」之義也。古代勞動人民在生活經驗中，深刻了解到木利運輸的優越性。較陸上車運可以減少地面摩擦阻力，而收周游暢行之利。从「舟」字造形示意，可以得到充分證會。推而論之：「俞」的窬字，訓義為「極、尸俞而橋」；《逾》字訓為越境；踰字訓為「跳越」……故如諸字皆含「順利」義。則 榆、逾 等文，皆 俞 之孳乳字無疑矣。

附表若次以見意

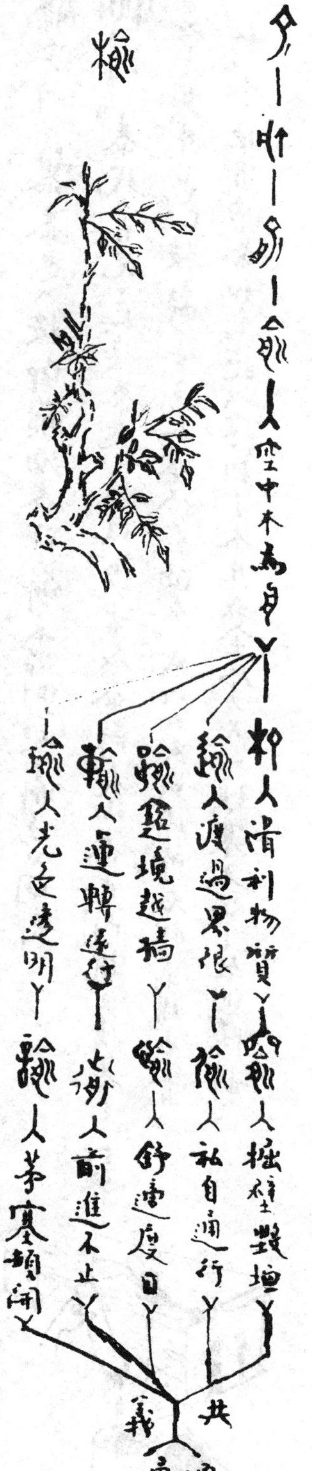

梬 梬 《說文》云：「棗也。似柿。」《賈思勰齊民要術》云：「柿有小者栽之。無者，取枝于梗棗根上插之。」

按賈氏所云，即接木之法也。蓋嫁接果木，亦有族緣規律，非其族類不能成活，故賈氏將鄭重說明之。「梬」之為文，象形指事字也。从木从由从丂。木者，樹之象，由字象幼芽出土。《書·盤庚》云：「若顛木之有由枿」，馬融謂：「顛木而肄。」《詩·周南》云：「遵彼汝墳，伐其條肄。」《傳》云：「斬而復生曰肄。」故知梬字从由者，所以示枯死古木，新生之枿芽也。从丂，在由下者，所以示嫁接砧木地下盤曲之根也。《說文·丂部》甹字訓：「木生條也。」此即《書》云「由枿」之由字初文也。《卜辭》已上甾。似草芽葉未苗生於田中。其義可證。

梬字从甹之配偶義：考甹之為文，娉之省也。《說文·女部》：「娉，問也。」「訪也」。古《婚禮》云：「納綵問名」曰「娉」。故知梬字从由丂，有婚配之義。蓋植物交配嫁接而結果，猶人類兩姓結合而生子，其理相同。華夏文明之顛撲不破之實證，在於《文》《人》合一之哲學觀念，可從文字見之。

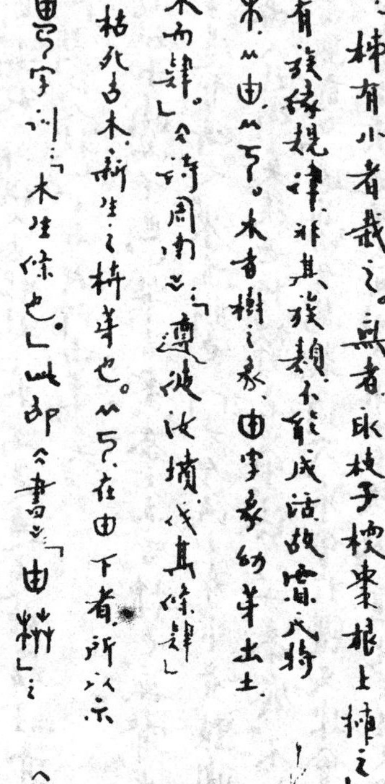

杞 檵 杞卜 杞卜 杞篆 檵古文 《說文》木部檵字訓：「枸杞也。」同部杞字訓：「枸杞也。」段注引《爾雅·釋木》及《詩·毛傳》皆云：「枸杞，檵。」《禮記》鄭注亦云：「芑，枸檵也。」是則檵為古名，枸杞雖見本草，而為今名。」筆者案：「枸杞」者，果名也。「檵」者，木名也。是亦猶棟為木名，「金鈴子」為果名同例。音有古今之分乎？《廣韻》云：「枸杞，春名

「文杖子」（幼果），夏名「枸杞」（果熟），秋名「却老枝」（木名），冬名「地骨皮」（根皮）。《本草》亦名「仙人杖」。然則𣠔字乃螢蝗之名，其餘皆為部名稱而已。竊以為：杞之為言「耆」也。耆中兼義字也。《周禮·秋官》伊耆氏之職云：「掌國之大事，供其杖咸。軍旅有爵者杖。供王之齒杖。」疏：引《王制》曰：「五十杖於家，六十杖於鄉，七十杖於國，八十杖於朝。」名曰「齒杖」（尊齒者齡也。按年齡規定適用「杖咸」）。

1. 怎樣理解「枸杞」二字的音義？是本文所欲探討的課題。枸之為言「佝」也，佝僂之義也。年老必脊背佝僂，佝僂前行者必重心前傾而易致跌仆之患。故必賴「扶老」以支持之。扶老者，杖也。「伊耆」氏供「扶老」之官也。「杞」「耆」音同而義通。六十曰「耆」。故「枸杞」曰「却老枝」，曰「僂人杖」，是其義矣。

2. 枸杞的「抗衰」、「防老」之用與取名：考「枸杞」之為木，乃藥用植物也。結實色紅如櫻桃。為著名保健劑。有增強視力、健腦益智、堅筋、強骨、療效。對內分泌系統、「神經系統」有滋養之功。久服可使老人輕身健步。故有「却老」之名。「仙人杖」之稱謂，非偶然也。然則「枸杞」非供人以拐杖之物，而是通過強化筋肉壯骨的藥物療養之方，為老人提供了內在的「拐杖」。此「却老」與「仙人杖」之名義所由來矣。

桼 𣎳 《說文》：「木汁，可以髹桼物。从木，象形。如水滴而下也。」筆者案：桼之為言泣也。無聲出涕曰泣。此「桼」之音義可以𣎳字造形得之。木者樹也，「八」者分流之象，水者點滴傾注之態。此形聲字，亦物象人化例矣。後世析漆與桼。漆行而桼廢。不知漆之為文古代水名也。《尚書·禹貢》曰：「道渭自鳥鼠同穴，東會於灃，又東會於涇，又東過漆沮。」《說文》及《前漢·地理志》亦云：「水出右扶風。」詳見《說文》桼部。

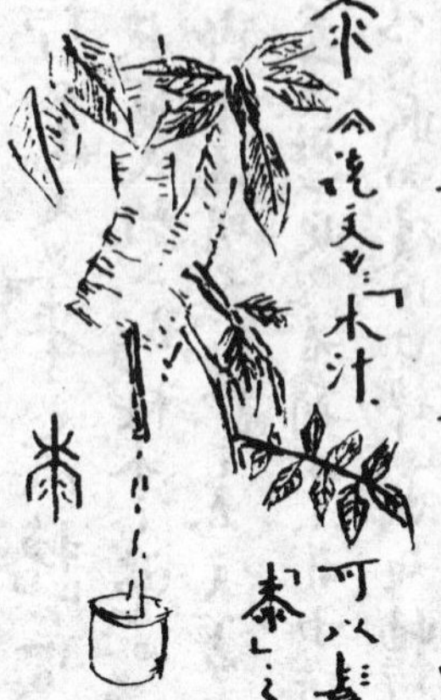

髹 𩬽 字訓：「髹，桼也」（按即蘸油漆塗飾木器的髹刷子。）同部

𩑋 𩑋 訓：「桼垸（音完）已，復桼之」。段注：「垸者，以桼和灰而桼也。既垸之，復桼之（髹），以光其外也」。按𩑋（音為物）今俗名「油灰」。或以石灰，或用清石粉，或用石膏粉，木工恆用油桼和之。施以銳利之木片，或（金屬）刀片，以填塞木器之孔洞隙縫。

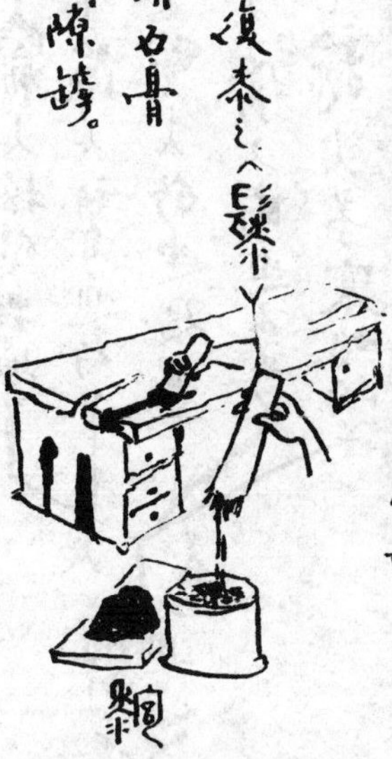

椶 椶 《說文》：「栟櫚，椶也。」椶字下：「栟櫚也。可作萆。」艸部曰：
「萆，雨衣。一名蓑衣。」案椶之為物，高達丈餘，通身直無枝。
幹杪叢生大葉，分裂如破扇。葉柄甚長，柄下有籜，裹於
幹周。各籜相重疊成層節。花黃白色。春夏之交，孕葉叢中。
黃苞破之。花細如魚子，故稱椶魚，亦曰椶笋。可蒸煮而食。結黃果，
如豆。其材赤黑色，宜為鐘杵，亦可鏇器。籜有鬚毛如鬃，故名曰椶。可為
繩索。又有「椶竹」、「唐椶」，皆椶類也。

（椶）

樗 樗 《說文》：「木也。」《詩·豳風》：「采荼薪樗。」傳：「樗惡木也。」《莊子·逍遙遊》：「吾有大樹，人謂之樗。其大本擁
腫而不中繩墨，其小枝卷曲而不中規矩，立之塗，匠者不顧。……」又《人間世》：「匠石之齊，至於曲轅，

櫟 櫟 見櫟社樹，其大蔽數千牛，絜之百圍，其高臨山十仞而後有枝，其可以為舟者旁十數。觀者如
市，匠伯不顧，遂行不輟。弟子厭觀之，走及匠石曰：自吾執斧斤以隨夫子，未嘗見材如此其美也。
先生不肯視，行不輟，何耶？曰：已矣，勿言之矣。散木也，以為舟則沉，以為棺槨則速朽，以為門戶則
液樠，以為柱則蠹，以為器則速毀，是不材之木也。無所可用，故能若是之壽。」筆者案：《莊子》屬
於寓言類的哲學文藝之品。其對於樗、櫟二木的形容不能無誇張失實之處。其旨意是兩種木
材的低劣質量性用不着多費筆墨敘述。在文字造形上已經上了說明。樗之為文，从木从雩，所以示「朽木
不可雕」之義也。櫟之為文，从木从樂，櫟之置換式也，所以示無用之材，棄諸道路，無人顧惜，任憑車馬
踐踏之態。此會義字也。莊周出於「明哲保身」的觀點，教人以「樗櫟」為師，却為我們加深了文字
知識的理解。

樹 樹 樹（上） 樹（籀） 樹（篆） 《說文》：「生植之總名。」按許君以「生植之總名」釋樹，

八七

可謂深得字義要領。蓋植物生態本能具有背地直立性。故知許氏立義之旨确有物理依據。但許氏對「樹」字遠望取象猶有闕如，悉補而出之於次：

鼓 [glyph] [glyph]　筆者以為樹之為文，首取形於[glyph]。壴者鼓也。支者右手執枹擊鼓之態也。《周礼·地官·鼓人》注：「夏后氏足鼓。置鼓於柎上。殷楹鼓。以柱貫中，上出而樹之。周懸鼓。植箕虡以懸之。」圖示於下：

《足鼓》

《楹鼓》

《懸鼓》

[glyph] 縣「鼓」之物多證明。可知壴《豎》之為文，起源于鼓柎之形。彰彰明甚。豎樹同音形似而義通。柎之為物，所以支持鼓體而保持直立也。故延伸為「樹立」、「直豎」義。《左傳·昭十六年》：「鄭大夫豎樹其取名命義，反映了柎的力學效應，保證了鼓的定位與用，而奏豎立之功。正是壴字來源於鼓柎的側面証明。

[glyph] [glyph] 考《韻會》[glyph]字與「梪」。不知梪之為文，長短之短也。《說文》[glyph]字，許君訓義為「立也」。其義不誤。但大徐以「豆器」釋之。不知「豎」字來源於「鼓柎」，而「短」字來源於祭器，二者各有淵源。固「風馬牛不相及，未若「魯魚亥豕也」。《史記·始皇紀》：「宦者利短褐」。注：「短亦作短」。即此一端已足證明《韻會》之誤。蓋豆之為器矮而短。鼓豎之義直而高。此同中之異，不可不知也。附表以見意如次：

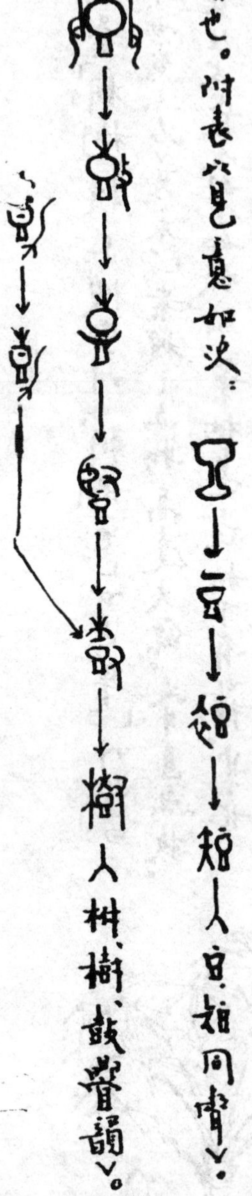

工藝

文字起源圖典

九

工攻段金鑄 一 卒鼎鐘 十 鏟鍱鍚刨甾 二一 珍貢 二九
融鎔燮辛烖 二 鐘甗豆籩 十一 盧淄壚膚 二二 琱琢理玩珈 三〇
鬲鬲 三 簠簋匡 十二 顱瀘矑驢虜 二二 琫珌璜琚 三〇
瓬 四 錡釜鐎匜 十二 黸獹 二二 璃珩珮 三〇
赤盧礪譆 五 特鬲壺瓠 十三 燈罐盍盌 二三 陶瓦旋 三一
鏐巧病圬 六 卣罍 十三 觶盠 二三 磬冀虡聲 三一
紆洿朽于迂 六 彝幂酋罇遵 十四 虘甸勺酌盪 二四 磬脊磬規 三二
竽斤斧鑿 七 盞斝爵盉 十五 玉王璞業 二五 劃𠜾斮 三三
盤新斯 七 鑪盂洗鬹鑴 十六 珪瑞瑁 二五 矩率繂 三四
析斫誓刀刃 八 鑾鎛蓋盒盛盡 十七 璧瑑璲璜 二六 帥麾 三四
亡分半 八 鐲鐻 十八 璋琥珏琮 二六 索經式栻 三五
礦冶銷消 九 隊燧 十九 玦缺決瑱珥瑬 二七 鼏冪鼎鬻 三六
肙痟筲綃 九 觥觚角 二〇 琪弁璂瑩璪 二八 叀轉摶玄暈 三七
梢淬焠 九 鏇斲槃 二〇 譟繅 二八 團幾微細 三七

綜𡳐杼榎樀 三八 裴緋翡紺緅 四六 韅鞹輅韠 五二 餕飲饕𣏌 六二
軸椄𦯀紩絺 三八 線緼幽黝紫 四六 鬘鞁靷鞮索 五三 醴糟醰 六二
業綺綾 三九 纁縞 四六 布緦 五四 潭簟譚 六三
𠂤𠦝眘繪績 四〇 緇總葱灰窗炭 四七 縷匹緆綝 五四 罕糟麥麴醇 六三
餙絲𧖴 四〇 聰曾皭鄫繒炭 四七 總綿纑縗麻 五五 醰 六四
蜀蠋黼黻 四一 綠黃黈黹黹黼 四七 幡幪蒙濛幪 五五 厚醬藍醶 六四
黺黺紱黻 四一 廣曠 四七 幎 五五 酌醫醰 六五
纚繁黼編 四二 攩革靶鞏 四八 冪帷幄埑帟 五六 篘𩟐酣 六五
絕繼織縷斐 四二 挈舛圍䋜 四九 幭帘幟櫛幏 五七 酷醣釀醒酪 六六
涚楝𣪊 四三 韣韝鞠 四九 笏棧㳗漱 五八 酥醍醉醨醪 六六
湅練柬闌 四四 斬巩恐鋻 四九 絮繺繫 五八 食饔餐飧 六七
蘭煉漱 四四 皮鞍皴 五〇 結漱紙 五九 餔湌 六七
棉綿裕輿褉 四五 頗跛坡波 五一 酒酉鬱醞麴 六〇 饘餳養 六八
纈染巟 四五 陂賴勒羈䩲 五二 釀醵監酢醶 六一 監盬 六八

（冶金類）

工 卜 卜 籀 籀 巧（古文）《說文》：「巧飾也，象有規矩也。」許氏把工字引入了美工領域，由于未睹古文之迹。

案甲骨工字，皆鍛金砧牀形。如殷商時代冶金工藝已相當發展。蓋一切手工業之操縱工具，皆繇金屬物質而來。古文巧字造型，从丂、从斤、从工。揭示了刀之与斧乃工械必備之器。則冶金技術居工業首位可見矣。許君個時代未睹甲骨文字之跡，只能對工字妄出解釋。亦勢之必然，不必苛求。

攻 卜 卜 《說文》：「擊也。」案《卜辭》攻字之作，从工，鍛金砧牀也。从攴，右手舉錘之態。丶丨象金屑紛墜之形。分明是鍛金工匠的一幅生動寫真（潛象）。《說文》訓擊，再恰當没有了。

段 卜 金 《說文》訓：「椎物也。」案椎字之義，即今之鐵錘。《說文木部》椎字下：「所以擊也。」《史記信陵君傳》：「朱亥以四十斤鐵椎，椎殺晉鄙。」《前漢書張良傳》：「良嘗於淮陽東見滄海君，得力士為鐵椎，重百二十斤。秦皇帝東游，至波浪沙中，良与客狙擊秦皇帝，誤中副車。」皆其例義。《卜辭》段字与《金文》段字，皆右手執椎開山采礦之形。《周禮考工記》：「段氏為鎛器。鎛欵其段之堅，故官曰段氏。」《金部》鍛字曰：「小冶也。小鑄之處也。」今人仍呼鍛匠曰「鍛工」。蓋源于斯。《詩大疋公劉》：「取厲取鍛（碫）」。《箋》云：「鍛，礪斧斤之石。」又云，所以為鑕也。案鑕，即砧石，亦是椹。《說文石部》碫字下：「碫，段石也。」

案段之為文，象形字也。金文之段，更豐生動。厂，皆巖崖象。以石壁嶢巘參差之容。手者右手舉椎也。◇者已石降落也。丶丶者碎石紛紛墜墜之景也。其訓義為「鑕」。鑕者砧也，上古冶金以石為砧牀」是可信的。《說文》訓鑕為「椹下石」，可疑。蓋椹下石曰「礎」，自有專字，固宜分辨，未容混淆。《正字通》謂「礎」「鑕」一物，尚待推論。附段字沿襲變遷一覽：

段 — 段 — 段 — 鍛 碫

鑕，即碫石，碫石即砧，本屬早期鍛金所砧牀。後世金質砧牀興，而石砧遂成椹、砧、擣艸……之物。自應以段為初文，段氏原為冶鑄工師職稱，後之姓氏字。殆亦如偏子、司馬、司徒、司空之例歟。皆以職稱為姓之例也。

金 □ 金 □□ 等 考古文金之□，上象斧鉞，下似斧頭。直接顯示出冶金工藝為生產戰鬪服務而大目的。古「五行」學說以「庚辛」為金的物質屬性代號，涵豐富哲理。假令我們能夠拋棄「玄學」觀念對待此問題的話，也就沒有神密可言。《尚書洪範五行》云：「金曰從革」。傳：「金可以改革」。疏云：「可銷鑄為器也」。所謂庚辛，猶「更新」也。因為金屬物的本質，富有延展性，可通過加熱，鍛鍊改變形體。故曰「庚辛」。變更之義也。何謂辛？古謂銅曰金，銅在冶金坩鍋內于融解過程中噴吐出之丸斯氣味，刺鼻熏目，令人涕淚交流。故是以「辛」為「辛酸」「辛辣」義。看來，「五行」名詞，自有其科學性。不過，「庚辛」的屬義解釋，遠遠未到天文、地輿、氣象、生態多層面的學科範疇，本文難能備及。

鑄 □ □ □ □ 金 鑄 《說文》：「銷金成器也。」

案：□之為文，从□、从□、从□、从□，古鑄字，如手捧持之態。□者冶金融器倒傾之象也。□者鑄妙模型，即承融液也。□者金屬融液光芒四射之意也。與其認為是文字，反而不如看成是冶鑄工現場鑄像更覺有趣。

中國的冶金工視歷史觀：《禮記·樂記》：「武王伐紂，封黃帝之後于祝」。注：「祝或為鑄」。《淮南俶真訓》：「今夫冶工之鑄器」。注：鑄讀為祝。此古文「祝」「鑄」二字互通之例證。考《呂氏春秋》：「四月，其帝炎帝，其神祝融」。注：「祝融，顓頊之後，老童之子吳回也」。《管子五行》：「昔者黃帝得祝融而辯于南方」。《左傳昭二十九年》：「木正曰句芒，火正曰祝融」。「祝融」、「鑄鎔」、「鑄鎔」詞義考證：祝者，鑄造也，銷金成器之義也。融者鎔也，冶器之法也。《見說文》，即鑄妙模型，此漢字特義中隱藏之科學內核，揭示出所謂「火正之官」的「祝融」氏，黃帝之賢即當時的「冶金工業部長」之職。因其有發明利用火力鑄造金屬之功，故死後被祭祀為「火神」。這是究

从史籍散見資料中看我國冶鑄工藝史：「黃帝鑄鼎荊山下，名其處曰『鼎湖』」（見史記封禪書）《漢書郊祀志》曰（《左傳宣三年》）：「昔夏之方有德也，遠方圖物，貢金九牧，鑄鼎象物……」。（《書高宗肜日》）武丁設鼎祭成湯，有飛雉升鼎耳而雊」。則華夏冶金工藝史，由上溯也久矣，固非泰西之「漢學家」所能見其端倪也。

融　鎔　鎔

融（篆）　融（籀）（《說文》）：「炊气上出也。」徐曰：「融，鎔也。气上融散也。」筆者案：鎔者冶金之法也。（見說文）（董仲舒傳曰）：「泥之在鈞，唯甄者之所為，猶金之在鎔，唯冶者之所鑄」。師古曰：鎔謂鑄器之模範也。今人多失其義。」

《史記平準書》：「姦或盜磨錢裏取鎔」。徐廣曰：「冶器法謂之鎔」。

案：融之為文从鬲从虫。鎔之為文从金从容。鬲者容器也。虫者蠕動之義也。金者融液也。容者收容之義也。故知融鎔二字，連理同聲而義通。然而融以銷熔顯能，鎔以成備為功。「融」者，金之熔于鎔中也。又能銷金光芒四射，融液沸騰，如虫之蠢蠢蠕動，此融字之形義也。「鎔」者：峽谷深邃，長驅入淺沉洞府，寒能勝熱，堅凝之象也。熱脹冷縮，剛劑殊勢，此其異也。請再言融字之義。

（《詩大雅既醉》）：「昭明有融」。注：「融，明之盛者」。（《左傳昭五年》）：「明而未融」。注：「融，朗也」。孔疏：「大明故為朗也」。案：此乃融字引申義，非融字初義也。竊以為融字造型从鬲从虫。鬲者鬴之省文，冶金土釜也。與鍾鼎之鬲異。（《說文》鬲部有「鬴」字，訓云：「秦名土釜曰鬴，音過」）。此物現代冶金業名曰「坩鍋」。乃「鍋帶土為原料所製成。俗名「砂大土」，吾鄉民間呼之曰「白坩子土」（地質學之術語與古籍同名曰「白堊」）。有耐火而耐千度以上高溫的耐力，為世界冶金工藝所適用。故知容字造型从宀从鬲从火从谷。與融字从鬲同義。皆「鬴」之省文而無疑也。斷不宜以鼎鬲「食物炊器」目之也。然則「融」字从虫，奚義耶？愚曰：虫者古虺字，蛇類也。蛇無足，時腹部屈伸而行，名曰「蠕行」。（《荀子勸學篇注》）：「蠕，微動也」。（《集韻》）：「蠕，虫行貌」。故知「融」字从虫，所以形容金屬融液熱時能和沸騰浮動之態也。其光度之強烈，刺目炫睛，東鄰日本名之曰「白熱化」。此「融」字訓為「明」，為「明之戰」，即其義也。《國語·鄭語》：「以淳燿敦大，明天地德，光照四海，故命之曰『祝融』。」可知其義。

〈融〉

燮

字形羅列：□ □〈卜辭〉 □ 燮 燮〈金文〉燮 燮〈小篆〉

集義一覽：《說文》：「大孰也。從又持炎辛。辛者，物孰味也。」

《爾雅·釋詁》：「和也。」《玉篇》：「火熟也。」《書·洪範》：「燮友柔克。」傳：「和也。世和順，能以柔和之。」《書·顧命》：「燮和天下，用答揚文武之光訓。」《書·周官》：「三公論道，燮理陰陽。」古訓難明，請深入而淺出之。燮之為文，从□、从口、从口、从又。

辛

□、□、□，削器也。《考工記》云：「築氏為削，長尺，博寸，合六而成規。」鄭玄云：「今之書刃。漢時蔡倫造紙，秦蒙恬造筆。古未有紙筆，則以『削』刻竹為字……」所謂「合六而成規」，已忠實地交代了「削」的形製，是由一枚金屬圓片六分而成的。這個六分之一圓為刃屬的「削」，經過安裝木柄及「護手」，便是□。而賦予了「金」的屬性與念。□ 增 □□ 增又而成 □。揭示了這把「辛」，使用既久之消因爐燼火、淬浸加工」。而《卜辭》中 □ 字造型从 □、从 □〈火〉，並州加了一些水滴。象「削」器經過加熱「火煆」之後，投入「淬液」，水火相遇，激動成滅之態。這在古代科學觀點未有，就是一個「火熱金——水熄火」的物理相互制約的展現。古人名之曰「燮理陰陽」。意謂上即「熱加工」與「冷加工」的配合應用。古名曰「淬」或「焠」。其訓為：「滅火器」或「堅刀刃也」。

燮字的義但組成部份說明：

□ ：〈右手執「削」形。

焱 □：《說文》：「焱，火華也。」〈煉鐵爐在鼓風囊的氣氣推動下發出的烈燄〉

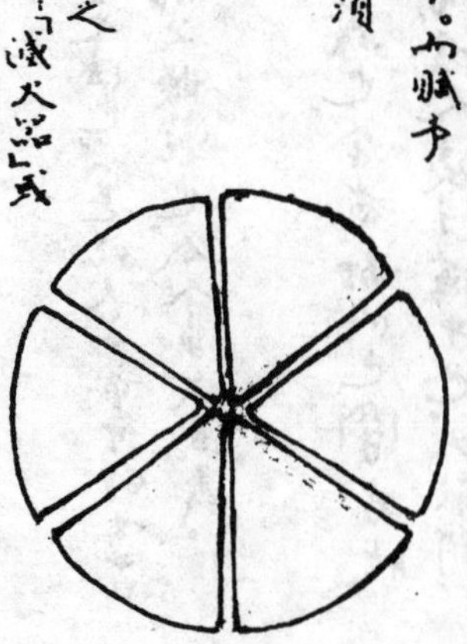

〈合六成規〉

「□制」器經過熱加工之後，再投入淬液容器中，水火相遇，水份激盪而濺之態。

所謂「燮理金易」，其緣由即冶金工程中「熱加工」與「冷加工」的配合應用。《周易》名之曰「水火既濟」。「水」與「火」的合理應用，是極不容易的事。因為這是直接關係到金屬質量優劣。不同的火候所出現之鑄造品表現為物質分子密度不同。因而也就決定了金屬本質的「剛」、「柔」特性。明乎此，則「燮理金易」之義思過半矣，故精于掌握水火溫度之冶金工人，謂之「良工」。否者曰「庸工」。善于診病人體溫變熱變化者，曰「良醫」。否者曰「庸醫」。善于觀察民情的執政者曰「良相」。故有「良工成器」、「良醫活人」、「良相活國」的諺語。古諺語舉以「燮理金易」名之。

鬲 鬲〈卜〉 鬲〈篆〉

《甲骨文彙編鬲部》鬲字注：「燕二之七。从二鬲。說文所無。」

案：此字時人多釋為「兩」。是初未之敢信。疑而未決者蓋有年矣！但長期考證，依于《康熙字典》獲其迹相。蓋出于《篇海》，訓云：「去滓也。音歷。」初不能獲其義。近于讀《周禮·考工記》中，得到一切啓示。聊錄管窺，求正于海內賢達，所冀高明者以教之。

考《周禮·考工記》：「㮚氏為量。改煎金錫則不耗。」鄭云：「消湅之精，不復減也。㮚，古文上『歷』。」可知「㮚」、「歷」皆通假字而非正字。所謂「改煎」，其即凝固之金屬錠投入鬲器二次提煉過程。《說文·金部》鏈字訓：「銅鐵樸也。」可見其義。

案：《卜辭》「鬲」字，从二鬲。其即《篇海》之「鬲」字。亦即鬲之駢文。

怎樣認識鬲字？是本文急欲突破之難題。案《說文》鬲字訓：「鼎屬。實五斛斗。」段注：「上象其口，X象腹交文，下象三足。」《爾雅·釋器》：「鼎款足者謂之鬲。」《前漢·郊祀志》：「其空足曰鬲。」蘇林曰：「足中空不實者，名曰鬲也。」

粢、鬲之為器，炊具也。古時盛饌用鼎，常飪用鬲。是知鼎、鬲同類，皆炊具也。《易》曰：「鼎折足，覆公餗」。可為例證。但筆者所見，古文造型从鬲之字非盡炊具也。且有冶金融器存焉。《卜辭》鬳字，《金文》鬳字。其明證焉。《禮·樂記》云：「武王伐紂，封堯之後于祝」，注：「祝讀為鑄。」《淮南·俶真訓》：「今夫冶金之鑄器」，注：「鑄讀為祝」。《呂氏春秋》：「四月，其帝炎帝，其神祝融」，注：「顓頊氏老童之子，吳回也。為高辛氏火正（冶化部長）」。然則「祝融」即「鬳」氏，依佳諸注釋文字通假示例，結合古文字造型特點，立足于科學觀點推論之，可知所謂「鬳」「鬳」氏，實際上並非神。而是東方世界最始發明和造冶鑄工藝的氏族部落。是完全符合邏輯的。

怎樣理解鬲鬲字？「鬳」「鬳」二字的造型示意已充分證實鬲之為物，並不限于用為飲食炊具，而且可以用為冶金融器而無疑。此物乃「鉛礬土」為原料（俗名耐火土。吾鄉民間名曰白坩子土。地質學名曰「白堊」）所製成。色白，如「氧化鋁」。扣之，發金屬之鳴音。冶化工藝術語呼之為「坩鍋」。乃世界通用之冶金融器。以其有耐熔攝氏二千度以上高溫耐力。今修補鍋鍋手工業者乃沿用之，以之融鑄之器。秦篆鬲中字，其物猶也。何以知之？

《考說文鬲部》鬲中字下：「秦名土鬴曰鬲中」。段注：「今俗之鍋。釜者出于匈也」。此解已接觸到了鬲中字真相的邊緣。試就論其跡如下：秦用商君之策，聚天下兵器于咸陽，鑄十二金人，高五丈餘（《史記》）。當時之冶鑄工藝高度發展可以想見。故鬲中字之誕生于秦代，已揭示鬲中為冶金之器的演進。李斯之篆鬲中字者係于《倉頡篇》《凡將》諸篇用之。許氏收入《說文》。此鬲中字之沿襲固有脈絡演進可尋，非絕無師承之臆說也。明矣！許公之所以未能作言鬲中為冶金融器者，良以《說文》為書成于東漢。其時出土文物尚少，而安陽甲骨出于今世。故要由觀金文、甲骨之跡。時至今日吾人始能目擊《卜辭》鬳字、《鐘鼎》鬳字之形，對鬲中字之出科學性之推斷，正文本章。卻不料商代《卜辭》已有鬲鬲字，非近于向矣。問題在于未能作出科學的治學觀點。

関于□□字的形音義之透說：〈圖譜考工記〉：「栗氏為量，改煎金錫則不耗」。注云：「消湅（銷煉）之精，不復減也。栗故作歷。」（可見栗、歷皆通段字而非本字）

素〈考工記〉所謂之「金」，即「青銅」也。青銅者，即銅与錫的合金。从〈考工記·輈人〉篇中可資考證。〈輈人〉云「攻金之工：「築氏」執下齊（劑，下同）；「冶氏」執上齊；「鳧氏」為聲；「栗氏」為量；「段氏」為鎛器；「桃氏」為刃。金有六劑：六分其金而錫居其一，謂之鐘鼎之齊；五分其金而錫居其一，謂之斧斤之齊；四分其金而錫居其一，謂之戈戟之齊；三分其金而錫居其一，謂之大刃之齊。」綜上列資料記載的各類金屬器物之配料標準上看，可知這些成品皆屬青銅器而無疑。故「栗人」与「改煎金錫……」指金錫合稱。然則西周時代呼「銅」曰「金」，彰彰明矣。

怎樣理解「改煎金錫則不耗」？天然金礦含量未純，為了保證成品質量純潔，必須采取淨化措施。名曰「精煉」。金屬投入融器，加熱化為液體。雜者上浮，重者下沉。「栗人」利用多個融器反覆傾注、濾以淘汰融液之雜質。故□□字之形，正反映了它在冶鑄工藝中的主要作用。此□騈立之器形，与甲骨

造字亦意同例。此与炊事「淘米」之態同趣。指二器互相傾注之形的「象形字」。故〈篇海〉云、「去滓也」。其訓義确有依據。

殷商時代，冶鑄工藝已達高峰，大型鼎鼐重達千斤。彼時尚無今世之巨型熔煉器。唯恃小型（多件）融器以濟其窮。其「澆鑄」之困難可以想見。（說詳後鬯字）

〈考工記〉是西周王朝王族史官所專著。其內容不能排除殷商物質文明的遺存。故〈考工記〉的內容往往可以時為甲骨文字之佐證資料。故知〈卜辭〉「□□」字，即〈考工記〉「栗氏」之職的「栗」之正字。僅注中之「歷」与「粟（栗）」皆為借字，非初文也。

□□字之形義混：□□从二□騈立，與林字从二木同恉。吅从二口同義。平林之樹非二木也。衆口喧（吅）。

莫非二人也。〔古文〕之上很多冶器之象，非兩器也。千百熔器之象也。時人未解漢字造型之原則，誤認為「數許」，釋為「兩」字，謬之甚矣！

奭

奭奭奭奭〈卜辭〉奭〈篆〉奭〈楷〉此字，唐蘭釋夾，于省吾釋奭，羅振玉釋䩞。三家之釋各有千秋。然以愚見，自覺羅氏為優。其所以聚訟之緣，良以未審奭字「形基」「音源」，遂教魯魚亥豕，莫由闡見癥結。愚也不才，好逞臆說，大膽陳辭，不計譏羞，唯賢者之斟采焉。

《說文》：皕部奭字訓：「盛也。」段注引《詩箋》：「赫赫躍躍。」含人本上䩞䩞。《詩·常武》毛傳：「赫赫然盛也。」《詩·小雅》：「路車有奭。」（紅光閃爍的乘車）。「韎韐有奭」（紅色的皮蔽膝）。赤部云：「赫，火赤貌。」此解對古人之所發掘大。遺憾的是《說文》中未能明示出奭字造形取象之由來，令人有玄虛之感。

案《卜辭》奭字與小篆奭字，骨、罍文而同字。準此而推，知奭之从大从〔古文〕與奭字从大从皕同例。蓋可見焉！而許公訓大與皕同為「盛」義，乃示人以當然，而未示人以所以然也。

怎樣理解皕和〔古文〕？是識別奭字的關鍵。皕从二百。百从一从白。《說文》：白，「西方之色也。」東方文化是奠基于「五行」觀念的產物。故白色有金屬之象。《禮記·曾子問》：「當室之白。」注：「白謂室西北隅當戶明者也。」故知「皕」之為文，有金質之義，光芒之象。與〔古文〕之从凵从工同。工者器之形，凵者光之象。故知〔古文〕皕，皆冶金熔器。即〔古文〕字也。大者人形也。奭字，胸肩伸展，雙手提攜冶金熔器之態，象形字也。

〔奭 焱〕

此冶鑄工人，雙手提「鬲」，熔液滾滾，光芒刺目，熏膚灼肌，身熱口喝，汗流浹背，訓義為盛，不亦宜乎？愚則謂奭之為字，「黃、赫」字初文也。後起之「焱」字造型，不意與奭同象。惜乎未能知奭字取像之緣來，愚表而出之。

□、皕、□三文間輾轉互化之推敲

考□〈金〉、□〈秦篆〉从二□並列。《篇海》云：「音陸，大浮也」。復考《說文》皕字訓：「二百也」。按二百之義難通，應訓為光熱之義。古奭从此。析義：筆者案：皕之為文，从二百。百从白，光色之極《墨子·治金工術》語「白熱化」，即一千度高溫；十十為百，故知皕字有光熱、鎔和義。而与〈考工記〉「㮚氏為量」之金屬融溫之一□同義。而形義為表裏。蓋□之為文，金屬融溫之象也。皕之為文，乃指事字，所以示金屬融液光熱之義也。故奭字从皕从大。〈卜辭〉古文□象卽治金工人左右雙手提舉雙□之態，乃「燚」字初文也。〈內經〉云：「大曰赫曦」〈高熱病態〉。「赫赫師尹」〈有威望的人〉。「赫然震怒」〈勃怒面赤〉〈詩·蓋〉，寶矣王赫，靡不有赫」〈太陽光照大地〉。以上所舉含有「赫」字的古文成語例句，皆具光熱之象義。《金文書所謂「建類一首，同意相授」是也。

〈詮釋表如次以示義〉

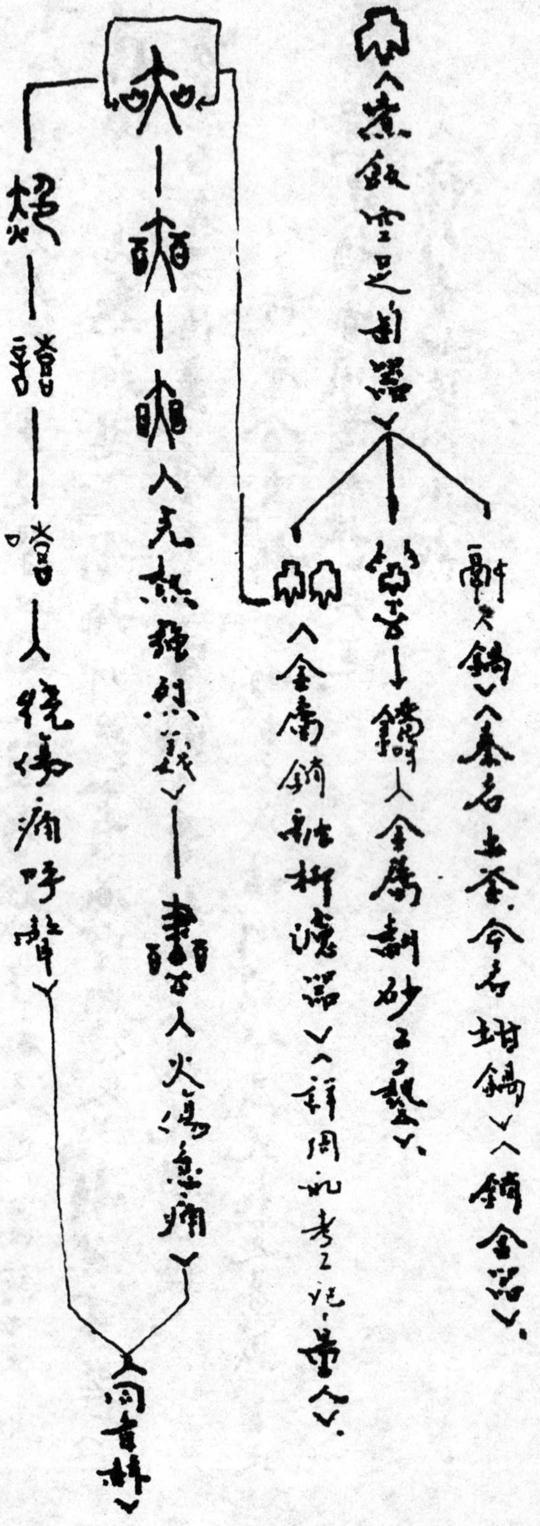
鬲（煮飯空足之古器）
（鍋）（秦名土釜，今名坩鍋）（鎔金器）
鑄（金屬製砂工藝）
鬲鬲（金屬銷融析濾器）（詳周禮考工記·㮚人）
（光熱強烈火燄）
（火傷急痛）
（燒傷痛呼聲）
（同音詞）

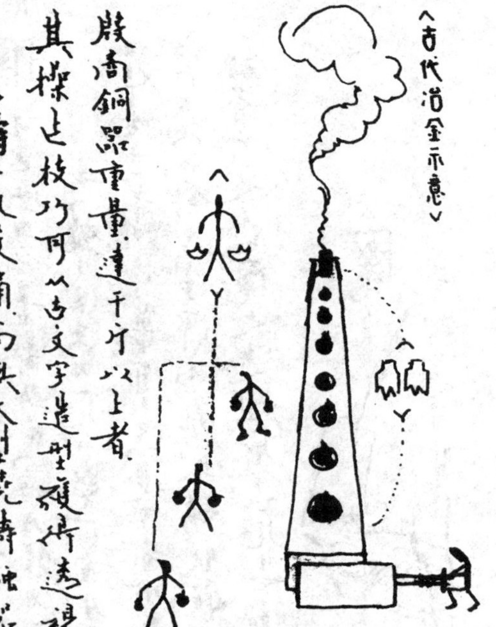

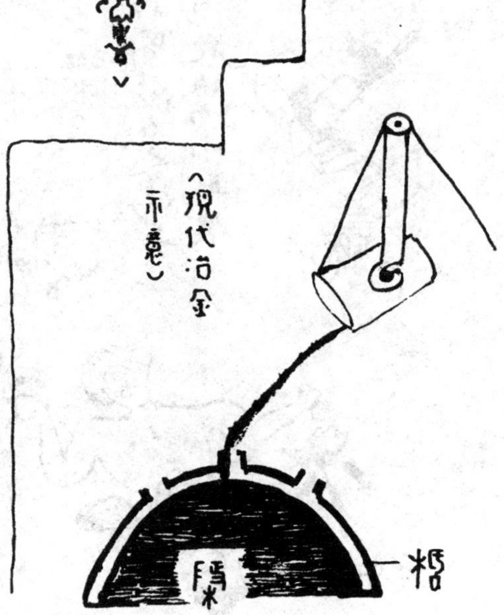

殷商銅器重量達千斤以上者。
其操作技巧可以古文字造型獲得透視。因
上古冶鑄工執設備，尚無大型澆鑄融器，
唯恃大量小型冶煉融器，人力集體轉輸，以成冶鑄之功。造字者采用〈形、物、象〉表示冶金現場
之喧囂、光熱、紛紜景象，而訓義爲「盛」。蓋後世燚字所由文也。〈說文〉訓：「此古公名，讀若郝」。〈說文
赤部〉赫字下：「火赤貌」。〈詩邶風〉：「赫如渥赭」，傳曰：「赫，赤貌」。〈生民傳〉曰：「赫，顯也」。〈出車傳〉：「赫
赫，盛貌」。〈常武傳〉云：「赫赫然，盛也」。〈節南山傳〉：「赫赫，顯盛也」。〈淇奧傳〉：「赫有明德」。〈雲漢傳〉：
赫赫，旱氣貌」。〈桑柔傳〉：「赫，炙也」。〈說文酮部〉曰：「赫，盛也」。是詩中凡訓盛者，皆段赩爲赫。〈尔雅釋
訓〉：「赩赩，本也赫赫」。古代學者，往往把文字的歷史顛倒置，而誤認「赫」是本字，「赩」是通段字，此大謬而
特誤也。竊以爲灻之爲文，皆「赫」字所文也。其訓爲「南方之色」者，蓋秉承「五行」槩念而立說。非灻
字造形取象也。愚以爲灻字之形意，當來源于冶鐵工執。因鐵的氧化爲赤色故也。雖此可證我
國煉鐵工執之歷史，應在殷商之前。〈尚書禹貢〉：「厥貢璆、鐵、銀、鏤、砮、磬」。可作灻字研究參考之資。

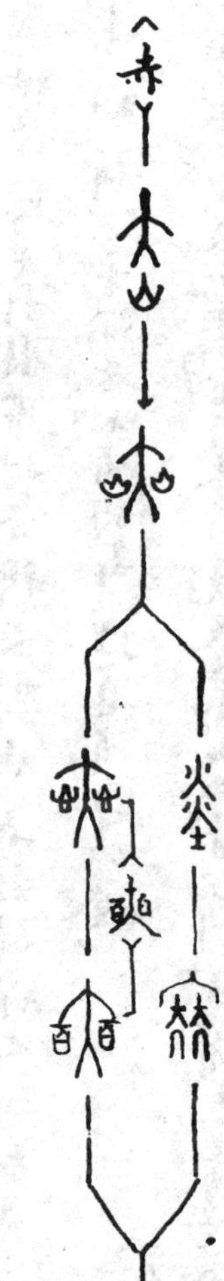

五

結語：據上引徵羅列資料之形、音、義推律證之，可知「赤」「奭」「赫」三字同源而無疑。《六書通》以「赤」「奭」「赫」三字同居「七陌」韻部，想是有力佐證。

衋

衋〈金〉 衋〈金〉 衋〈篆〉《說文血部》衋字訓：「傷痛也。音譆。」《六書正譌》：「痛傷則血枯。會意。」《集韻》：「音赩」。

《字形析義》：怎樣認識皕、皕、𦣻𦣻？此字金文《嗌卣》从二自。自，古鼻字。《說文》从二百。《師䜴鼎》从二𦣻。頁、自、鼻、百三文同聲。故知皆聲符，而與義無涉。

又怎樣理解衋、衋？此字《說文》、《嗌卣》同上衋。聿古筆字，于義無當。獨《師䜴鼎》从衋，為就是造字之始。衋字从又、从皿。右手執火之象。《說文》訓：「火之餘也」。皿者傷之象。火灼膚潰、流血之態也。此指事字，非會意也。象徵為冶鑄工人所災難疾苦之遭遇。字取

譆 譆

聲于譆。譆者，呼痛之聲也。《說文》言部譆字訓：「痛也」。《左傳襄卅年》：「或叫于宋太廟曰：『譆譆，出出。』」注：「譆，熱也。」尤足見「譆」有熱痛之義。故知衋亦聲義

䂨 䂨

字。《韻會》「䂨」字音赩、《集韻》音「赫」，義同「」。如皕即「焱焱」字初文可證矣。

礪 厲 厲

《說文》：「小石也」。案：礪之為石，現代名曰「砂岩」，乃顆粒狀岩石。可上磨刀石。《書·費誓》：「礪乃鋒刃」。傳：磨石也。

考：礪之為文从厂从萬。厂者，崖岸也。萬古蠆字〈蠍子〉。

《僖傳廿一年》：「蜂蠆有毒」。造字者用蠆尾螫刺之利，以喻砂石之傷手。

《詩·大雅·公劉》：「涉渭為亂，取礪取鍛」。傳：「渡渭水為舟，絕流而南取鍛礪斧斤之石」。厲之造型，取長尾毒蠍隱厂下之象。

〈厲〉

〈礪〉

〈衋〉

鏐 𨩌 𨪼《金》𨪐《說文》：「黃金之美者。」此訓不確。《辭文》與說文同。考《爾雅·釋器》：「黃金謂之璗。其美者謂之鏐。」注：「鏐即紫磨金。」《爾雅》成書于西周。其訓自不能脫離時代色彩。筆者遍考鐘鼎甲骨無銅字。「擇其吉金」之語則幾乎遍佈于每一銅器銘文之中。故知商周時代呼銅曰「金」而無疑也。非後世之黃金也。鏐之爲字究指何物？不可不察也。其在各書或訓「黃金之美者」，或訓「赤磨金」。然則究以何訓爲確？試述之如次：竊以爲「鏐」之爲義，優質金屬之堅稱也。《金文·吉日壬午劍》《郘公華鐘》銘文同見「玄鏐」、「赤鏞」之辭。皆所以示銅器之優也。故知所謂「玄鏐」即紫銅之謂也。

巧 丂《古籀》巧《篆》《說文》：「技也。」《廣韻》：「能也。」《韻會》：「點慧也。」咸不言造字之形義。愚則云：丂之爲文，轆屈柄之象也。像物理力學知識中吉普，即變態之起重杠桿也。其特點在于能以微之力獲得巨量之功。故訓義技。

疛 𤴓《漢張機傷寒論》：「腹疛痛。」字从疒从丂。所以示腸管紐轉之象。現代醫學名之曰「腸扭結」。

圬 𡉭《集韻》：「泥墁也。」《左傳·襄卅一年》：「圬人以時塓館宮室。」《論語》：「糞土之牆不可圬」之「圬」也。亦指事象形字。

紆 𦀋《說文》：「詘也。一曰縈也。」《考工記·矢人》：「中弱則紆。」注：「紆曲也。」《史記·屈原傳》注：「紆曲也。」《博雅》：「繩索也。」紆之爲文从糸从丂。糸者，繩索之象；丂者回繞之形。象形兼指事字也。

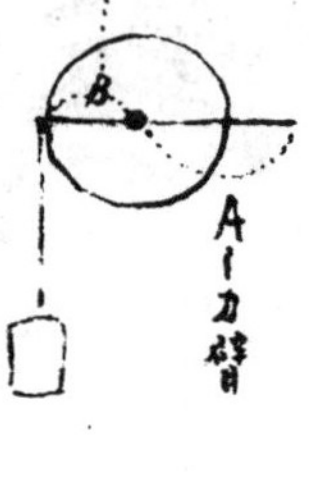

丂的功能，在于力臂大于重臂

汙 汚 洿 《說文》：「濁水不流也。一曰窊下。」《左傳》隱三年疏：「服虔云：水不流謂之汙。」

案：汙之為字从水从亏。水者流動之物也。亏者回曲之形也。其引義為污穢者，以腐穢之產生由於雜質沉積之汙亂。雜質之沉積由渠道不能暢通宣泄有以致之。渠道貴能直，直則易通，曲則易塞，塞則淤滯而腐穢生焉。所謂「流水不腐」，正揭示了「暢通」是防腐有效措施，迂曲是致汙的成因。此汙字从水从亏之義也。

朽 朽 𣧌 《說文》朽上𣧌。訓云：「腐也」。後世上朽而从木。字形未同，義亦相因。歺者死之省，木者樹之象。故知𣧌訓為「腐」，取義于死尸之潰爛；而朽則取義于樹木之變腐。《列子·周穆王篇》：「鼻將塞者先覺焦朽」。故知朽之為字宜訓為「腐臭」為初義。乃气味辨也。古籍但示其義而不及造字之形意，往往如此。愚竊以為𣧌朽二字从丂。唯木、歺為異。歺者表殘之象，人之將死，其骨必曲而有傴僂之象。木之將老，其本必曲。此造字取象有从歺、从木之異，其為衰老之象則一。人與艸木同趨于腐。此𣧌朽二字異中之同也。

于 亏 《說文》：「於也。象气之舒亏。从丂从一。」

案：亏之為字，吁之初文也。丂者迂曲之象。一居丂上，所以示障塞之義也。此「吁歎」之吁字初文也。《說文》「歎」字訓：「悲泣气咽而抽息也」。所謂「气咽」，乃气管痙攣而導致之气管括約肌收縮運動。所謂「抽息」，是即呼吸中樞神經之反射功能。此種病態，同時亦可表現于「消化系統」。是鬱病患者，往往表現「賁門」〈賁上口〉痙攣而引起吞嚥困難。故知亏字从「一」，有障礙之義。从丂者，所以示呼吸飲食困難之象。管竅不能暢通之情。此亏字之旨義也。

迂 𨑒 〈卜〉 𨑒 〈篆〉 《玉篇》：「遠也」。《說文》：「避也」。案：迂字是形聲，从辵从亏。辵者「循道急行也」，《集韻》亦訓「乍行乍止也」。《說文》。亏者曲回之象也。旅行路遇險阻，必繞道而進。故《說文》訓義為「避」。相避之義也。迂道而進，則行程必增，故《玉篇》訓義為「遠」。其義一也。

竽

𥫗亏〈说文〉：「卅六簧乐也。」〈周礼春官笙师〉疏：「竽，四尺二寸。」注：「竽管类，用竹为之。形参差，象鸟翼。火禽，火数七。冬至吹之。水数六，六七四十二，竽之长盖取于此。」〈释名〉：「竽，汙也。其中汙空。」卅六簧宫管在中央。」

〈周礼之注〉涉及到古天文历数知识，内容玄渊，非本文所能备述。

兹从略，谨论此竽字之形义。

考竽字从竹从亏。竹者，竹管林立之象也。亏者「吁欷」〈呼吸之声也〉。

此种簧乐器含有三部音域。赖呼吸之力而发音奏曲。其构造理与现代之「口琴」略同。故有「吁欷」之义。其形为竹管林立若竽。故字从竹从亏。亏者竽之省指事字也。

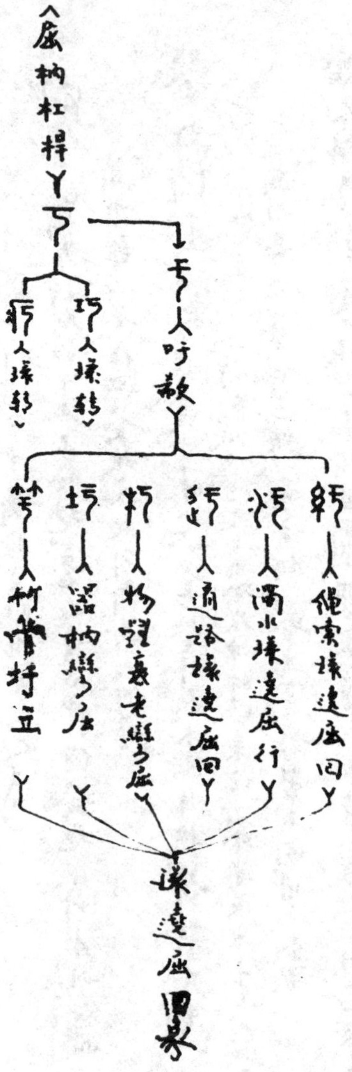

斤 𠂇〈卜〉 〈说文〉：「斫木斧也」

斧 〈篆〉 〈卜〉〈说文〉：「所以斫也」。 案：古籍之训，斧、斤二器甚难区分。而〈卜辞〉𠂇字造形尤与

七

斧形亦皆。悬于田野考古工作中（壬戌）之秋，曾于莱市陆平地区红土阜原始遗址得出土石器十余件。
经山东省考古专家鉴定，一致认为「石斧」。其形与（今卜辞）"ㄅ"字酷肖。其字即「斤」
其物也。以学术权威专家审定，好唯诺之（文亦文而已）。（图示如下）
此物形制与今日农村中「镢子」无二。若将出土「石斤」复原增设木柄，
则与（今卜辞）"ㄅ"字三者对照互比，有雷同之感。

斧（卜）此物在新石器中尚未发现。悬在考古中，仅发现下列A型石器，
其形虽似斧但无銎。故未敢判断其为何名。

鑿（卜）鑿（說文）「穿木也」。（易繫辭）刳木為舟疏云「刳鑿其中」。
（詩豳風）「二之日鑿冰沖沖」。朱註「鑿冰，取冰于山也」。看来，鑿之為器其用久矣。（今卜辭）字，
其形象也。要之斤主斲，斧主析，鑿主穿。形制不同，用亦各異。

斲（卜）（金）（卜）（金）（插）（篆）（說文）「永斲也」。（正字通）「斲，斫物器。或木或錫銅
為之」。其斲之種類極多，或陶或金或玉。不可縷數。其最早者應為陶與木耳。（此象形字也。）

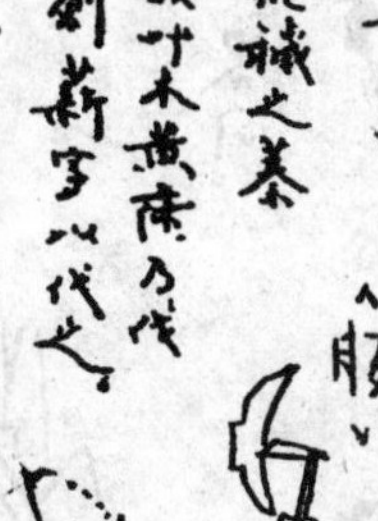

新（卜）新 義（說文）「取木也」。此訓樵薪。此即薪字初文也。字从某从斤，某古「蓁」字蓁蓁積之蓁
字，斤者斧斤也。伐木之器也。（詩豳風）「析薪如之何，匪斧不克」。（禮月令）「季秋草木黃落，乃伐
薪為炭」。皆从此。此後起字，以草木有斷而復生之義，故世以新為自新，「新」「薪」字而另創薪字以代之。

斯（卜）（籀）（說文）「析也」。其「斯」即後世「撕」字初文也。（爾雅釋言）「斯，離也」。（詩陳風）
「墓門有棘，斧以斯之」。箋云「唯斧可以開析之」。考（今卜辭）字，以斤析薪之象也。籀文
字从遠从斤，以遠撕開之象也。後世逐漸演之而加手。而原有之「斯」逐化「此」「是」義。

析 ↓ 𣂺 ↓ 𣂺《卜》 ↓ 析 析 析《金》 斯《篆》《說文》艸部 斯字訓「斷也」。

案此字《卜辭》《金文》《小篆》咸从木从斤。故知今世从手者誤也。

斫 所《說文石部》斫字訓「斷也」。斤部訓「斤，斫木斧也」。據諸形義可知「斫、所」異文而同字。說文斫字下「讀之若灼」，堪為音證。蓋上古時代人類製石斧為伐木采薪之工具。《卜辭》斫字，其象徵也。故知斫所一字。

誓 ↕ 折《卜》 折 誓 誓 誓 誓 誓 誓《說文》「約束也」。《爾雅·釋言》「謹也」。

案：誓字訓義為「約束」，為「謹」，于義鄙狹，非造字之旨也。古人相約示信，或折矢相誓，或破物為信，或斷金以見誠。故有从矢、从缶、从金之文。蓋所破之物有異，所以示信之意則一。

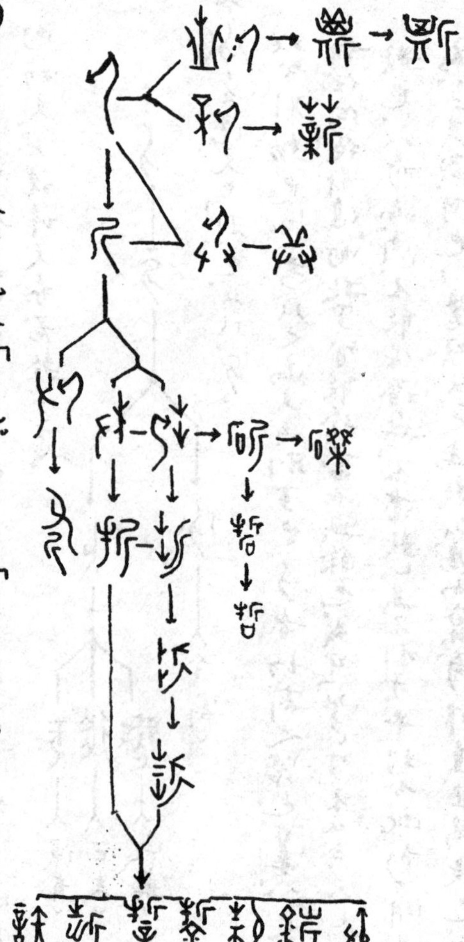

刀 刀《卜》 刀《篆》《說文》「兵也」。《玉篇》「所以割也」。

刃 刃《卜》 刃《篆》《說文》「刀堅也」。案刃之為字，今从刃形之訛也。自應以卜辭刃字為初文。造字者以⋯⋯為標志，所以區別于刀背也。《圖示如下》此為形指事字也。

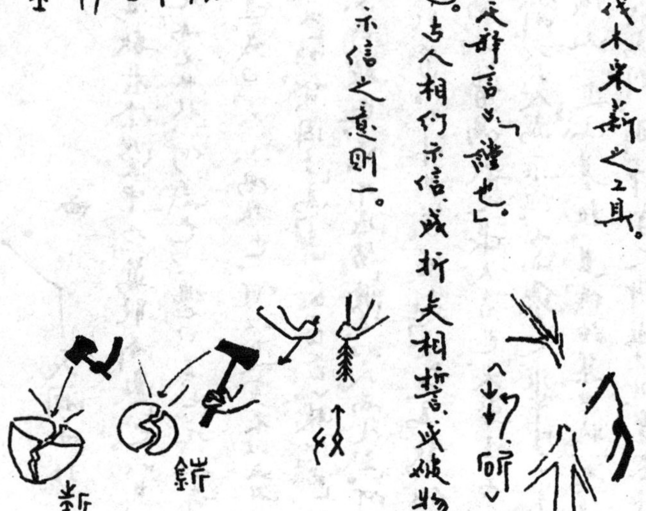

八

亡 匕〈卜〉 化〈金〉 匕〈篆〉《說文》：「逃也」。此處中義，非逃字初義也。考《家語》：「楚人亡弓，楚人得之……」故知亡字初義應訓為「失」。業《卜辭》匕字象刀缺失之形，亦象形指事字。（圖示如下）

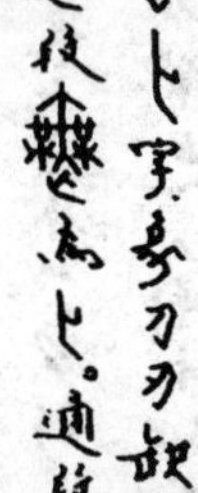

鐮刀缺刃

業亡之為文與字之已交也。後世從䒤為匕，通段例也。不知䒤者乃荒蕪字也。

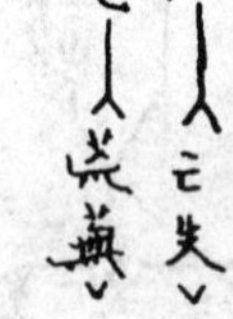

物遺失草中

通段字行而本字廢，其例極多，固不僅一匕字也。《周易》無字作「无」。此女媧煉石補天之殘，那便是有無之无的初文。（說詳天字篇干字下）。

東 南 天 北 西 —— 天潤西北

ㄅ —→ ㄅ —→ 匕 —→ 无〈沒有〉、化〈亡失〉、䒤〈荒蕪〉

ㄅ —→ ㄅ —→ 㣺 —→〈分割〉

分 㣺《說文》：「別也。从八刀。以分別物也」。考八之為文，為別字也。刀者切割之器也。蓋「八」之為數，能除盡中乃「萬能除數」也。以其對任何他對值的數字皆能除盡而無餘也。或曰：「分」字不从三、六、七、九，而必从「八」，何義也？愚曰：三、七、九，皆奇數也。以奇為「奇」，不能保證與「不盡數」。其不利于平均分配，彰彰明甚。或曰：「六」亦偶數也。何以造字不以六刀為分，其義何也？愚曰：「六」之為數，似偶而實奇，非真正偶數也。「六」的質因子為「三」（6=3×2）。故以「六」為「奇」，其分配物產，永不能盡。此「分」字不从「六」而从八之理也。或曰「五」亦奇數也，古「介」成「公」，讀以八而代五，何義也？愚曰：「五」之為數，二分之一也（$\frac{1}{2}$），其量為「半」，故半字从八从牛。（$\frac{1}{2}$=.5）。故知「五」之為數，似奇而實偶也。五，亦「萬能除數」也。分字不从「五」而从「八」何也？愚曰：「八」者偶數之最大者也。大業上古漁獵時代，人類共勞同分。屠獲大型野獸，或者為了便於分配，照例以八人為一小組，分而食之。半字从半，从八，其有力義證也。《周易》數理以八為基數。現代電子計算機，以二進為基數。其儲存集中於「8」之數目，為：16×4=64。其「資因數」皆以「八」為基。然則「分」字从八，訓義為「別」，則漢字之科學性，豈容諱哉！

礦、卝、鉚、磺、鑛、𥗽 《說文·石部》礦字訓「銅鐵樸石（礦石）也」。《周禮·地官·序官》「卝人」注：「卝之言礦也。金玉未成器曰礦。」又《地官·卝人》之職云：「卝人掌金玉錫石之地，而為之厲禁以守之。（礦地管理人員）若以時取之，則物其地圖而授之。（地質勘探測繪人員）」

文字衍化繁述：「案今本經籍所用'卝'字，系幼兒'總角'字也。自應以'礦'為正文。《廣韻》上鉚。《集韻》上𥗽鑛。」同《周禮》。郭璞《江賦》：「……下則金礦丹礫。」可知古人對地下礦、藏物質，統以「礦」字概括之，而無疑矣！此徹諸《周禮》而可識者也。

字形析義：礦之為文，从石从黃。黃者土之色也，地之象也。石者山之形也。一切金屬元素，莫不出于地「側生于山」。「五行」所謂「土生金」這一槩念，可从礦字體現之。後世增「广」而上𥗽，或从「金」而上鑛。「广」，古岩字也。義與礦同。

𥗽字讀音考證：礦字古音讀若「卝」。可从民間語言證實之。今魯南民間仍呼「塊爌」曰「廣爌（卝）子」。」信乎民間語言乃考古「化石」也。礦字皆讀為「矌」，不悉始自何年。謬誤相承，已非朝夕。今讀音行而初音廢。

冶、冶 《說文》：「消也。从仌台聲。」《三蒼》：「冶，銷也。遇熱即流，遇冷即合，與冰同意。」《三蒼》把金屬的液化凝聚現象同水的三態變化等量齊觀。以說明冶字从仌从台之義。是與禱符合造字情意的。愚竊以為冶字从仌从台者，凝聚之意也。台，古胎字，初文也。蓋取義乎生物定胎之意。因金屬融液，傾注於翻砂模型之內，必與模型容積態勢相似，俗名「定型」。故知許君訓「冶」為銷者，據金屬融解過程而言也。《三蒼》之訓為「遇冷即合」者，據凝固過程而言也。」

銷 鍺 《說文》:「鑠金也」。《史記·始皇紀》:「收天下兵，聚之咸陽，銷以為鍾鐻」。案：銷字造型从金、从肖。金者爍物也。肖者消也。冶金者投爍石於爐中，金遇火而消融，則形體消失，構料排棄而重量耗減矣，故銷之為字有削減意，有消失意，亦有縮小意。

消 消 《說文》:「盡也」。《禮·月令》:「冰凍消釋」。案：冰化為水曰「消」；金遇火而融解曰「銷」。患消渴（糖尿）者肌肉脫失，形消骨立曰「痟」；薑桂碎末曰「屑」。字皆从「肖」為義。《揚子·方言》:「趙、肖，小也」。《莊子·列禦寇》:「達于知者肖」。注:「肖，失散也」。推而言之：繒之疏稀者曰「綃」；器之小者曰「斗筲」；樹之末梢曰「梢」；夜靜無聲曰「宵」……皆有微弱之義。

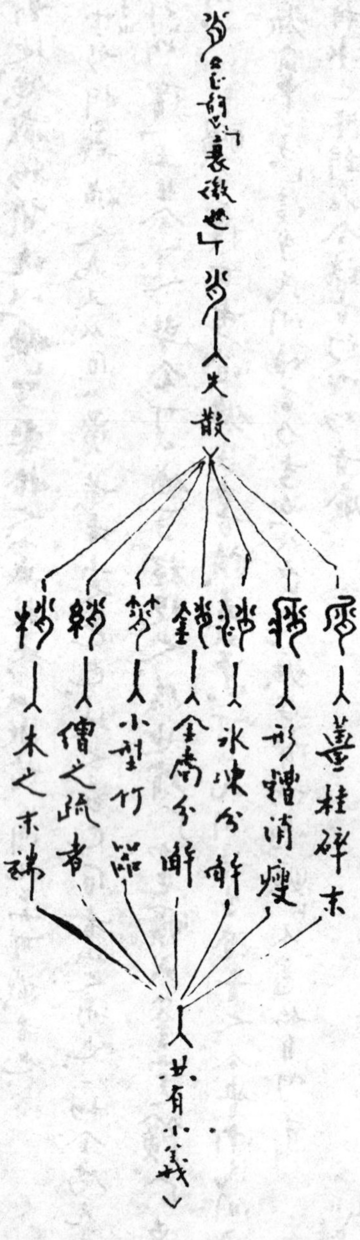

淬 焠 淬 焠 《說文·水部》淬字訓:「滅火器也」。同書火部焠字訓:「堅刀刃也」。《玉篇》:「火入水也」。《史記·天官書》:「火與水合為焠」。晉灼曰:「火入水為焠」。《前漢·王褒傳》:「清水焠其鋒」。師古注:「焠，謂燒諸水中以堅之也」。案：除上所謂「淬、焠」，即冶金工藝中的「熱加工」與「冷加工」交互施用的技術。也是兵器加工的最後一道工序。故字从「卒」，从水、或从火。《爾雅·釋詁》:「卒，盡也」。注:「終盡也」。

卒之為文,象形字也(兼指事)。

象成衣工上最後的一鍼,故訓義為「終盡」。焠字从火者所以示火煅之意也。淬字从氵者所以示冷卻凝固之義也。這一技巧顯然屬于「火能尅金」「水能滅火」的「五行」理論的基石。因為金屬兵器經過加熱鍛煅之後,銹蝕脆落,重量又然耗減,冶鍛技工必徒之以加罰,而增其鋒利。既成之後,則投入冷水,以凝固之。其名曰「焠」。亦最後之工序也。故字从「卒」。

不要把冶金工藝視為雕虫小技。因為淬液的溫度高下,直接影響金屬質量優劣。劍戟刀,著名世界。其他秘全在于淬液溫度的控制。古籍所云:「變埋金陽」「水火既濟」這類格言,都標志着古代科學水平,值得古文字學者深思。

〈焠〉

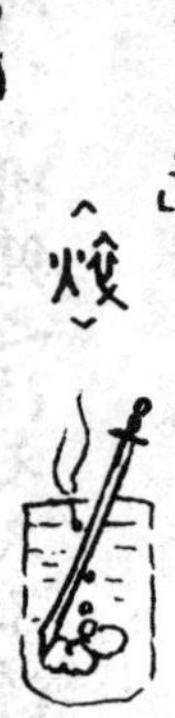

鼎〈甲〉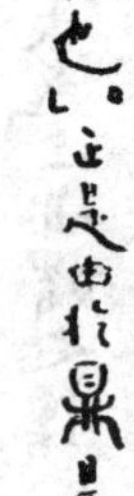〈金〉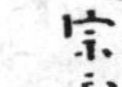〈籀〉〈篆〉《說文》:「三足,兩耳,和五味之寶器也。」《玉篇》:「鼎所以熟食器也。」正是由於鼎是宗廟祭饗的禮器,所以就成了神權社會的政治標志。

鼎與政權的關系:《左傳宣三年》:「楚子伐陸渾之戎,遂至於雒,觀兵於周疆。定王使王孫滿勞楚子。楚子問鼎之大小輕重焉,對曰:在德不在鼎。昔夏之方有德也,遠方圖物,貢金九牧,鑄鼎象物……使民知神姦……桀有昏德,鼎遷於商。商紂暴虐,鼎遷於周。德之修明,雖小重也。其姦回昏亂,雖大輕也。天祚明德,有所底止。成王定鼎於郟鄏,卜世三十,卜年七百,天所命也。周德雖衰,天命未改。鼎之輕重,未可問也。」

王孫滿在這段回答楚子的詢問中,闡明了上為傳國之寶的鼎並非決定政權命運的可靠保障,而是必須靠政治的道德來爭取人民的愛戴與擁護,是必備辦法。因為王孫滿已經覺察到楚子有妄圖,取代周室「王權」的野心。

〈人類自進入「家天下」之後,就奠定了王權世襲的法統。但王者的後裔,雖多基于號令統一的需要不得不建立「立嫡唯長」的宗法體系。因而王者宗廟祭饗的「神器」必由「後王」管理。《易·序卦》：「主器者莫如長子」。這就決定了「器」的「傳國之寶」的政治屬性。降及春秋季世，周室號令不行，諸侯異政，以國為基礎的「單行法規條文」出現於鼎銘之上。如《傳昭六年》：「鄭人鑄刑書於鼎」。《昭廿九年》：「范宣子遂賦晉國一鼓鐵，以鑄刑鼎，著宣子所為刑書焉」。這時的鼎已經由烹煮之器一變而為法典標本矣。古文櫝合灋二文互相通段。揭示出任何法制都不會一成不變。當某法制一旦腐敗，不能適應社會，就必須「革故鼎新」。《甲骨文》中腐敗的敗字之「鼎」，象右手舉鍾擊鼎之態。正是一箇砸爛舊鼎另鑄新鼎的生動寫照。文史學者名之曰「鼎革」。普通上說是一個改朝換代過程。後世名之為「變法」、「維新」。

鍾 鐘

《說文》：「酒器也」。此解過分狹義。因為酒器之外尚有量衆的鍾。古籍有「萬鍾之祿」的官俸待遇，可為例證。《左傳襄廿九年》：「餼國人粟，戶一鍾」。《前漢食貨志》云：「穀糴十鍾」。《小爾雅》：「二缶謂之鍾」。注：「斛也」。《淮南要畧篇》：「一朝用三千鍾贛」。注：「鍾十斛」。然則鍾之為物，不僅用於容酒，亦可用於量衆也明矣！其形製與容量亦因時而異，可斷言矣！

案鍾之為文，从金从重。金者，所以示為金屬鑄造之器也。《考工記》有「栗氏」之官，乃專司鑄造量器之職，可為考證之資（《說詳本書「量」字》）。現代科學已經證實，同一容器所貯納之特定物質，其重量必絕對相等。其字从重者，所以示兼代衡器之功能也。鍾讀若「中」，所以示用鍾之法，不欠、不溢之象也。此諧聲兼會意字也。今經籍皆「鍾」「鐘」通段互用。魯東亦然，非一世矣。

〈西周出土銅鍾〉

鐘 鐘 鐘 鐘 《說文》：「樂鐘也。」

案古代祭祀、讌饗賓客之禮，必鳴鐘止樂。《荀子·樂論篇》：「聲樂之象，鼓大麗，鐘統實。」注：統者，鐘能統眾樂，為「君樂」，入領導之音。可見鐘的政治地位之高尚。《金文·邾公釛鐘銘文》：「陸融之孫止取龢鐘，用敬卹盟祀，祈年，用樂我嘉賓，及我正卿……」又《王孫遺者鐘》：「王孫遺者擇其吉金，自乍龢鐘，淑于鼓，以享于我皇祖，用晏以喜，用樂嘉賓、父兄，及我朋友……」可見當時一切隆重大典，鐘是必用之物。再從《詩經·關雎篇》中有「窈窕淑女，鐘鼓樂之」的紀述了。

考鐘之為文，從金，從童。金者，所以示金屬鑄造之器，童者，「撞」之省，亦聲之變文也。撞擊之義也。撞擊則能發音矣。此鐘字造形之義也。

（鐘）

甗

甗 甗（卜） 甗 甗 甗 甗 《說文·鬲部》：甗字訓：「甗，鬲屬」，桂注：「甑上體鬲」。本書瓦部甗字訓：「甗也」。《正字通》引《同文備考》：「從虍者，飾以虎文」。

案《周禮·考工記》：「陶人為甗，實二鬴，厚半寸，唇寸。」又云：「甑實二鬴，厚半寸，唇寸，七穿。」然則甗訓為「甑」，則甗亦有穿可知矣。所謂「穿」即「箅」也。《廣韻》：箅字訓：「甑箅也」。《說文》：「箅，蔽也。所以蔽甑底」。筆者案：古代初無箅，應時用甑，用甗為蒸餾工具。待竹製箅既興，始有竹箅。故知許君訓箅為甑底，據漢世而言說也。今黔、貴苗族，仍于竹節部橫斷，而穿孔如節，納米其中。置于甗竈口上，燒水蒸之。仍有原始遺意。始即古之「甑箅」矣。

鬳以為《卜辭》甗字，古之甗器也。後世甗字銅鑄之器也。其居鬲上者，所以示器蓋有獸紐也。故器物形制之變革，亦即歷史進化之投影。物質嬗變與常，惟賴文字為傳世考古之化石矣。

（箅）

（穿）

（甗）

十一

豆

豆梪鋀《說文》：「古食肉器也」。《爾雅·釋器》：「木豆謂之豆（梪）」。《公羊傳·桓四年注》：「豆，祭器，狀如鐙。」《詩·毛傳》：「木曰梪，所以薦俎醢也」。《禮·明堂位》：「夏后氏以楬豆，商玉豆，周獻豆」。注：「楬，無異物之飾也。獻音娑，疏刻之也」。復考《說文·金部》之鋀字訓「酒器也」。

據上列引徵經籍諸豆從文字，可知豆之為器，周有金、木、玉、竹質之異，而器之內容亦有食物與飲料之不同矣。

豆之為文，象形字也。其形製宛如今之高柄盃。◯象杯，||象柄，一象底。故知豆形符也。木、金則質符也。現代以豆為植豆（荳）名，古代謂今之豆曰尗（菽）。

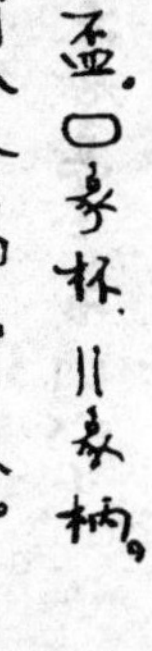

豆字義變之探索：豆字之所以縣器物名而化為禾穀之名的原因也，許就是由于古人在祭神活動中，經常習慣于將尗豆止為盛「菽」的容器之故，因而就導致了菽豆二物爭就為同位語辭。如：《毛詩·大雅·生民》：「蓺之荏菽，荏菽旆旆。……卬盛于豆，于豆于登，其香始升……」。這篇詩辭的主旨，本來為歌頌西周王朝始祖——后稷發明創造農業，祈年豐收報天祭神的盛況而已。但是在詩辭的字裏行間，卻保留下來古文字義變的體系軌迹。

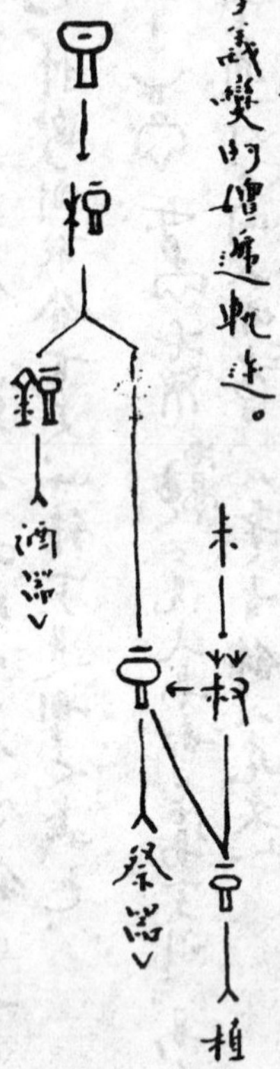

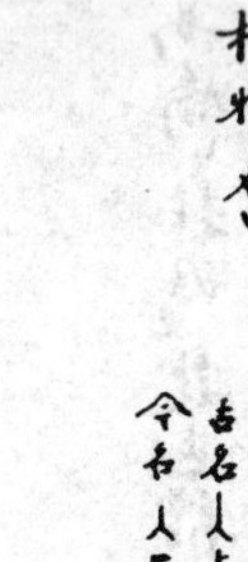

籩

籩《說文》：「竹豆也。邊聲」。《爾雅·釋器》：「竹豆謂之籩」。《疏》：「籩以竹為之。口有藤緣。形制如豆。亦受四升。盛棗、栗、桃、梅、菱、芡、脯、脩、膴、鮑、糗、餌之屬。祭祀燕享所用。」

《周禮·天官·籩人》：「掌四籩之實。朝事之籩，其實麷、蕡、白、黑、形鹽、膴、鮑、魚、鱐。」

考籩之為文，从竹，从邊。或从匚。邊者，編也。从竹，所以示其為竹編之器也。竹編之器不能盛水。故其所容者皆果品、乾肉、乾魚、乾果、食鹽之屬。

簠 匚 匚 匚 𠤱（金） 𥮗（篆） 《說文》云：「黍稷圜器也。」《廣韻》：「簠簋祭器。」《詩·秦風》傳云：「外方內圓曰簠，用貯稻粱，容一斗二升。」

簋 飤 飤（卜） 𥫗（金） 簋（說文）云：「黍稷方器也。」段注：「許云簋方簠圓，鄭云簋圓簠方，不同者，師傳各異也。」桑戴曰：「舊圖云：內方外圓曰簋，外方內圓曰簠。」皿、《秦風》音義合。

考甲骨文字及《金文》，簋字皆从合，古食字也。所以示簋為黍稷容器，「禮之起源於飲食」也。（見《禮運篇》）字或从木，或从竹者，所以示取材非一也。《考工記》：「瓬人為簋，實一觳，崇尺，厚半寸。」《疏》：「祭宗廟皆用木簋，今此用瓦簋，據祭天地及外神尚質，器用陶瓬之類也。」簋之與簠，其取材固不一而足也。其各家注釋，或云簋圓簠方，或云簠圓簋方，而今人有異（袁）是之惑。但據（現）代出土銅器證之，則以簋圓簠方之說為可信。但事實上絕不能否定古惟有竹簋、竹簠、木簋、土簋、竹簠之存在。𥮗、𠤱、匚等字皆其證也。以竹、木之質易朽，故不能保持久遠，故知許氏之說，據上古竹器木器；鄭君之說，據商周銅器之形而言也。

匚 匚 匚 《說文》云：「飯器也」，「筥也。」案匚即後世之筐字。匚之與筥雖有方圓之異，其為竹篾、柳條編織之器則同。故古籍匡筥并稱。案匚字从乚，古文字匚，受物之器。方形容器也。器本開口向上，而以橫向出之，古文造型往往如此。考𢀜其形例也。匡者，所以盛物之器也。匡不正，則容物不傾。故欲求物之穩定，必求正其匡。故延伸為糾正偏邪義。名曰「匡正」。《孝經》云：「將順其美，匡救其惡。」《論語》云：「管仲相桓公，霸諸侯，以匡天下。」「匡謬正俗」、「以匡不逮」皆其義例。

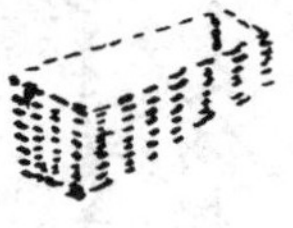

十二

錡 錡〈說文〉注引〈詩召南采蘋〉：「于以湘之？維錡及釜」。傳：「錡，釜屬。有足曰錡，無足曰釜」。

案錡之為文，从金从奇。金者，所以示其為鑄造之器也。奇者，單數也。〈易〉以三奇為乾卦，于數為九。九等于3×3。故奇明業器乃數據義符也，所以示錡有三足也。

釜 [古文] 釜之為字，〈說文〉無明確定義。唯于鬲部鬴字下云：「鬴或从金」。案鬴之為物，計量器也。又釜之為物，烹煮之具也。形既不同，用亦各異。後世典籍互相通假，混淆莫辨矣。案釜之為器，半球體形之中空炊具，即今日之鍋也。〈孟子滕文公章〉：「許子以釜甑爨，以鐵耕乎？」可知釜字本義應為炊具之力證。其形製之所以作半球體而中空者，蓋基于炊食盛飯操作方便之需要。唯其底部半圓，因而不易穩定。此有足之釜即——錡之所由興也。

今民間所用之三足砂鍋，即古代錡之遺製。

鐎 [古文]〈說文〉：「鐎斗也」。〈廣韻〉：「温器，三足而有柄」。〈急就篇〉：「鍛鑄鉛錫鐙錠鐎」。注：「鐎，謂鐎斗，温器也」。〈周禮春官鬱人〉注：「以煮之鐎中，停于祭前」。〈博古圖〉：「漢熊足鐎斗高四寸八分，深三寸二分。口徑二寸三分。容一升四合有半。重一斤十兩。有流，有足，有柄。足飾以熊，柄首以銅為之。

復案：〈史記李將軍傳〉刁斗注：「以銅作鐎器，晝炊飯食，夜擊持行，名曰『刁斗』」。

宋王應麟云：「刁斗，如世所用有柄銚子。可炊一人食。鐎斗亦如今有柄銚子，而加三足。刁、鐎皆有柄，故謂之斗。刁無足而鐎有足」。（參閱宋趙希鵠洞天清錄集古鐘鼎彝器辨）。

案鐎字从金从焦。金者，鑄造之器也。焦者，乾燥之意。〈說文火部〉𤆍字訓：「火所傷也」。大凡一切液體物質，經過加溫處理，其水份含量必有耗損而呈現濃縮。此鐎字从焦之義乎！

匜 [古文諸形]〈說文〉：「匜器，似羹魁。柄中有道可以注水酒」。

〈左傳〉：「奉匜沃盥」。杜曰：「匜，沃盥器也」。〈唐書百官志〉：「盥則奉匜」。此注水之匜也。〈禮內則〉：「敦牟卮匜，非餕莫敢用」。此注酒之匜也。案匜亦象形字。此器可以盛水洗手，也可以盛酒之用。

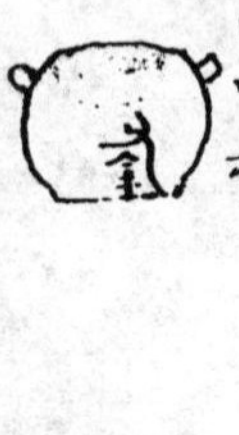

錡

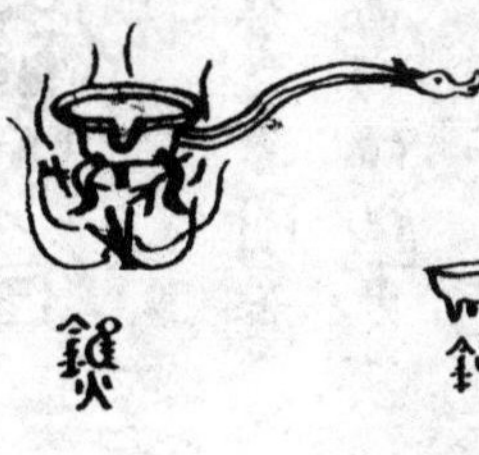

鐎

匜

持（篆）《說文》：「握也」。《廣韻》：「執也」。案持之為文，从寺从手。寺古持字，初文也。篆即侍衛之人，古名宮中衛人曰「寺人」。寺篆从手从㞢，示其為以足之步為職者也。後世增手而之，訓義為「握」、為「執」，而化為動義辭。但可持者為何？固必有其握之器物。考宋陸游詩云：「登山雙不借，取水一軍持」。「軍持」者，其形似瓶，汲水之具也。

鬲（卜）（卜）（金）（金）（篆）《說文》：「鼎屬」。《爾雅·釋器》：「鼎款足謂之鬲」。注：「鼎曲腳也」。疏：「款，闊也。謂鼎足相去疏闊者名鬲」。《前漢郊祀志》：「其空足曰鬲」。注：「蘇林曰：『足中空不實者名曰鬲也』」。

壺 《說文》：「昆吾圜器也」。徐曰：「昆吾作此器」。《正韻》：「[illegible]曰罇彝」。周制用壺有方圓之異。案壺之為文，形聲字也。壺之形製

瓠 相似，故字形多變。瓠以為壺之初飲器也。壺之為言，瓠也。《詩·豳風》：「八月斷壺」。傳云：「壺，瓠也」。可見壺瓠二字互通之義。其來源於上古人類以瓠為壺之歷史大概這一事實，可能上溯到石器時代之前。我國京劇《捉放曹》劇中有呂伯奢手提葫蘆沽酒之表演；《水滸傳》：「火燒草料場」，豹子頭林沖夜宿山神廟，手提葫蘆「風雪沽酒」的描述。今我國山西廣大山區鄉仍習慣於剖瓠為瓢用之盛水之器，此可為字學考古之資料。

壺、瓠、葫三物形似而用同。文字乃語言符號，則瓠、壺、葫之歷史淵源一脈相承可見矣！

《禮記》有「投壺」之禮，所以備賓主唯晏之樂。賓、主依次投矢其中，中多者為勝，負者飲。壺

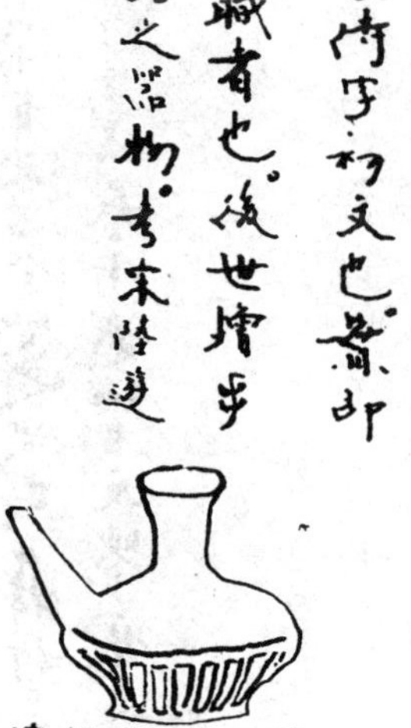
〈宋代出土軍持〉

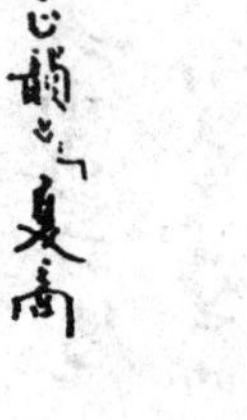

十三

有「弦者鼓琵以助興」。同時主為計籌（許刻為）此壺實際上等于射夫之「時」，非飲器也。

卣 卣卣卣卣卣卣卣〈卜〉卣〈金〉卣《唐韻》：「與九切」，《集韻》：「以九切，音酉」。《玉篇》：「中尊器也。」孫炎云：「彝為上，罍為下，卣居中。」郭璞云：「不大不小，在彝罍之間。」《詩大雅》：「秬鬯一卣」。《周禮春官鬯人》：「廟用修」。鄭玄云：「修讀曰卣」。

這個中型酒器的名稱的來龍，其說有二：1.卜器說。主此說者為唐蘭先生。其理由是將卣字造型与《卜辭》咎〈咎〉字劃了等號，而且認為咎、卣聲近，故認定卣、咎同字，而判定為古代貞（用為「咸卜之器」。照此意見邏輯，則「咎」之咎及酒器之卣，則同屬「本無其字以聲託物」的「段借之例」。

2.木實說。主此說者為先賢許慎。其訓云：「艸木實垂卣卣然」（卣音調），許君將酒器与植物下垂之象劃了等號。因而認定了上為酒器的卣字之形義，音義乃木實的化身。因為古音條調同游同居一部，照許君之說則卣被借于「卣」，亦段借例也。但許氏之說与唐氏不同。今人莫衷一是。敬候讀者高術詳考。

卣

〈壺 投〉

罍 罍罍罍罍罍罍罍罍罍罍《說文》：「龜目酒尊。刻木上雲雷象，示不窮也。」《釋文》：「罍，酒尊也。」《周禮春官司尊彝》：「皆有罍，諸臣之所昨也。」《禮記明堂位》：「山罍，夏后氏之尊。」注：「山罍亦刻而畫之，為山雲之形。」案罍之為文亦象形兼聲義字。从畾者，雷之省，所以示注酒之聲勢如雷雨也。从缶者，所以示器之有雲紋圖案也。从缶或从金、木者，所以示有瓦器、金器、木器之罍也。《韓詩》云：「天子以玉飾，諸侯大夫皆以黃金飾，士以梓」。故罍字造形不獨體現了高度藝術性，而且反映了歷史社會法制的階段色彩。

〈罍〉

彝 《說文》：「宗廟常器也。从糸，糸，綦也。廾持之，米，器中實也。此與爵相似。」《周礼春官小宗伯之職》：「辨六彝之名物，以待祼將」。注：「六彝：雞彝、鳥彝、黃彝、虎彝、蜼彝、斝彝」。《尔雅·釋器》：「彝、卣、罍，器也」。《廣韻》：「酒尊也」。《周礼春官鬯人》：「廟用修」。鄭云：「修讀曰卣。卣，中尊，謂獻象之屬。尊者彝為上，罍為下……」案《鬯人》云：「凡祭祀，鬯而飾之」。傳：「飾之謂設巾」。疏云：「案《冪人》云：『以疏布巾冪八尊，以畫布巾冪六彝，凡王巾皆黼』，是尊皆有巾冪」。由此觀之，彝之為物，於酒器中被視定為「上尊」。又有周案紋飾布冪覆器上，可知矣。《卜辭》中彝字从酉，从廾，酉者酒器之形，八者所以示酒香四達之氣也。廾者巾之象也。然則彝字之意，可思過半矣。「黃彝」亦名「黃目」，以其器畫有目形而得名。（見前）

〈黃彝〉

酋 《說文》：「繹酒也。从酉，水半見于上。禮有大酋，掌酒官也。凡酋之屬皆从酋。」

筆者案：《尔雅·釋詁》云：「繹，陳也」。古陳、陳通。故知所謂「繹酒」，即陳舊之酒也。《詩大雅·抑》：「告尔舊止」。箋：「舊，久也」。《韻會》：「舊，昔也，老宿也」。考酋之為文，从酉，八而出酒香上浮，冲瓶而出，陵空瀰漫之態。其訓酋「為半見於上」者，段注：「繹酒糟滓下沉（沉），水半見於上」。繇此可見酋之為文，形聲字也。酉是酒罈，一象酒液上漾，糟粕下沉之態。八象香气浮游，所謂「半見於上」，即清濁分化，酒液挹醇（純）。古代釀酒無蒸餾技法，以熟黍調之以麴蘖，和以清水，入冬釀而夏飲。全憑麴菌分解之功，不假自然氣溫之催化，故釀期稍久。《礼·月令》：「孟夏之月，天子飲酎。」此古代造酒冬釀夏熟之例證。酋、久音相似而義同。故知酋訓「繹酒」，即久釀之酒也。今人名之曰「老窖」，「遠年花雕」與「繹酒」兼同物而異名。

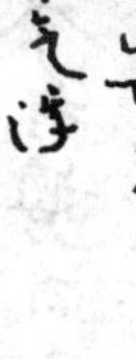
酋

十四

酋字義變之発述：酋之為字，本為「陳酒」之名。其後義變為「酋長」之名者，蓋本於原始氏族部落聯盟集會公推最高權威者任主席，執行酒令。後起之封建王朝法制，以「祭酒」為官府首長的職稱。如國立大學校長曰「國子祭酒」，乃有上古遺意。

尊 尊

《說文》：「尊，酒器名。从酋，廾以奉之。或从寸，或从缶，作罇。」《集韻》：「亦作樽、䵺。」《正字通》：「今俗以尊作尊卑之尊。」筆者按，尊字造型甚夥，《卜辭》作尊、尊，古稱作樽，或作鐏，或作隫、隫，所以化酒器為「尊卑」之義者，由于上古部落酋長擁有酒令之特權，酋長不舉杯樽，同席者莫敢先舉。因而尊字由自然物質名而昇華為對特定人物之尊敬、尊嚴、尊貴義。更由于酋長具有發號施令特權，因而言出法隨，眾莫敢違，故造字者將尊增辵而訓為「遵循」、「遵從」、「遵王之道」……等義。此「酋」、「尊」、「遵」輾轉孳乳、變義之遺蹟軌跡也。

遵 遵 遵

尊字造型之多樣化，除了揭示尊的製造物質不同以外，還標志了上古工藝的逐步進化與精巧。

陶墫

銅隫

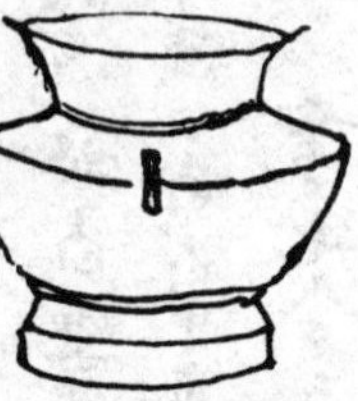

木樽

尊瓷

犧隫

〈尊〉

《詩．魯頌》：「白牡騂剛，犧尊將將。」《集傳》：畫牛於尊腹也。或曰：尊作牛形，鑿其背以入酒也。
《南史．劉杳傳》：劉杳嘗〔與〕沈約坐，語及宗廟「犧樽」。……杳曰：此言未必可安。古者樽彝，刻木為鳥獸，
鑿頂及背，以出納酒。魏時魯郡地中得齊大夫送女器，有犧樽，作犧牛形。晉永嘉中，賊曹嶷於青州發
齊景公冢，又得二樽，形亦為牛象，二處皆古之遺器，知非虛也。

考《周禮．春官．司尊彝》：「掌六尊、六彝之位……其朝踐用兩獻尊，其再獻用象
尊。」鄭司農〔眾〕云：「……獻讀為犧。犧尊飾以翡翠。象尊以象鳳凰，或曰：以象骨
飾。」《禮記．明堂位》曰：「著，殷尊也。」「犧象，周尊也。」《疏》曰：「著，殷尊也者，無足而底著地，
故謂為『著』也。」「犧象，周尊也者，畫沙羽及象骨飾尊也。」然，殷名「著」，而周名「犧象」。
《禮記》又云：「君西酌犧象」，亦是周禮也。

犧象

盞　琖　醆

《博雅》：「杯也。」《揚子．方言》：「趙、魏之間或曰盞。」注：「酒盞，最小杯也。」

考《禮記．明堂位》：「爵，夏后氏以琖，殷以斝，周以爵。」《疏》：「夏后氏以琖者，夏爵名也，以玉飾之。」
要盞之為字，或从玉，或从角，或从皿。故知盞器之為器，周亦有肯質、名質、副質之眾矣。唯其初形何
似？剜木之是。

斝　〈卜辭〉　〈金文〉　〈篆文〉《說文》：「玉爵也，从吅，从斗，冂象形。」《禮．明堂疏》：
「殷以斝者，殷亦爵形而畫為禾稼，故名斝。」《正字通》：「斝兩柱交，似禾稼。」此形聲字也。

斝

爵　〈卜〉　〈金〉　〈篆〉《說文》：「禮器也，象爵之形，
中有鬯酒，又持之也。」《埤疋》：「大夫以上與燕賞，然後賜爵，以彰有德，故謂『命
秩』為『爵祿』、『爵位』。」《埤雅》：「詳述了上為官員皆會綜合職稱的『爵位』一辭的『命』

爵

十五

意与之為酒名稱之「」，時雙邊闕疑。但非爵字造字之恉也。筆者案：爵之為器有流，有足。流似雀尾，而足似雀爪，讀音同雀。故知爵亦形聲字也。往籍以「雀弁」為「爵弁」、古文名「朱雀」為「朱爵」，皆「雀」、「爵」互通之例證。是爵適源于爵形似雀之恉。

盉 《金文》《說文》：「調味也。」《廣韻》：「調五味器」

《博古圖》：「商有阜父丁盉。雲雷盉。三螭盉。執戈父癸盉。周有蛟螭盉。單從盉。嘉仲盉。龍首盉。麟盉。螭紐盉。粟紋盉。細紋熊足盉。漢有鳳盉。螭首紐紋盉。凡十四器。其款識，或謂之彝，或謂之罇，或謂之卣。取調和五味之義則一也。

筆者所見青銅器盉，多為斂口，大腹，三足或四足，有長流，捉鋬及蓋。典型盉則流在鼎而設《空》足。古時祭饗，「盉」為烹者薦體之器。或謂「盉」為溫酒，或調和酒水以節制醲淡之器。《參閱宋董逌廣川書跋之盉銘，及近人王國維觀堂集林之說盉》。竊以為前人之所以未能對盉之功用作出明確判斷者，蓋緣李唐之後，學人好新立異，不求古訓。同於各逞臆說，莫衷一是。案：盉之為言，和也。《禮運》云：「五味、六和、十二食。還相為質也。《注》：「春多酸，夏多苦，秋多辛，冬多鹹，加以滑甘，是謂六和。」《周禮·天官》：「內饔掌王及后、世子膳羞之割烹煎和之事。」復考《說文·鬲部》鬻字訓：「五味和羹也。」《爾雅·釋器》：「肉謂之羹。」注：肉臛也。」《廣雅》曰「湆」。疏之可正臛名羹」。又考《書·說命》：「若作和羹，爾惟鹽梅」。《傳》「

盉

醬鹹梅醋，羹須鹹醋以和之。」《禮樂記》：「大羹不和」注：「大羹肉湆，不調以鹽菜。」蘇此觀之，可知「和」是調和五味之物，盉是容納肉羹之器，彰彰明矣。則許氏訓盉為調味，《廣韻》訓盉為調五味器，固其宜矣。盉之為器，雖為調羹之器，有時亦有調酒之用。盉字其證也。

鑐 鑐 鑐 鑐 《說文》鑐字訓：「炊器也」。《玉篇》：「鑐，似瓶，有耳。或作鈴」。復考《博雅》：鑐字訓：「瓶也」。案鑐鑐二字形似而音同，唯从缶从金為異，故知此器有陶質與銅質之不同。其形製則一。究為酒器乎？食器乎？或汲水之器乎？此則有待於進一步之考證。

鑐

鑐

盂 （卜） （金） 《說文》：「飯器也」。《揚子方言》：「宋楚魏之間，盌謂之盂」。《史記滑稽傳》：「酒一盂」。《韓非子外儲說》：「君猶盂也，民猶水也，盂方水方，盂圜水圜」。案盂之為字，卜辭文字有 字，蓋盂字習文。盂之為器為用較廣，或訓飯器，或訓酒器，或訓容水之器，其用甚廣，形製非一，概可想見。以金文「 」字造形之例觀之，因知盂亦有三足者在矣！惜吾人未能舉觀一二備參焉！

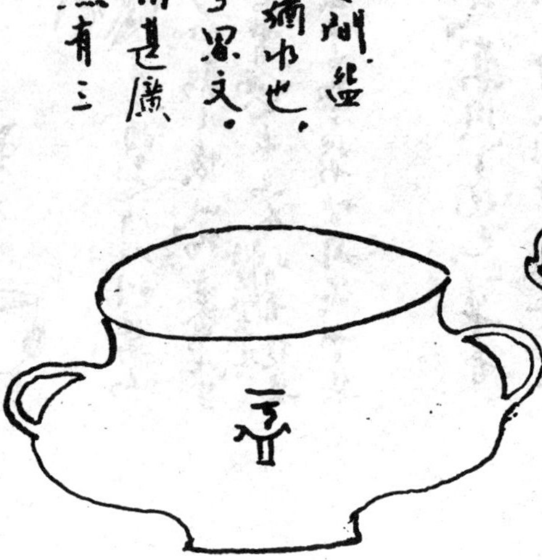

洗 （卜） 《說文》：「洒足也」。《儀禮士冠禮》：「設洗於東榮」。考《禮內則》：「面垢則燂潘請靧，足垢

十六

烊湯請洗」，故知洗之字義不僅是洗足的專用動詞，而且是水水的容器名稱。

甲骨文「𣥂」字其形證也。

㩗

槜〔篆〕《說文》：「三足釜也。有柄喙。」《集韻》：「鑊也。通作『鑴』。」

筆者案：槜巂之為文，从巂从提，取者宜是煮器，提者鳥也。即《唐詩》所云之杜鵑也。古名「巂周」（見爾雅釋鳥）。詩人筆下之「子規夜半猶啼血」，即其物也。此鳥亦名「鶗鴂」。古文巂上〔篆〕。

《集韻》之所以訓槜為鑴者，所以明提巂之為器，其形似鵲也。故不識「巂」即「規」之初文，則無以見巂形似鵲之情。此物象禽化字也。亦《六書》形聲例。槜之為物亦為煮器也。其嘴有柄，所以備提攜之用也。嘴似鳥嘴，而足象鳥爪。（槜足似鳥爪。）嘴有提梁，以便提攜。故鑴字从巂，亦有提攜意。从金者示其為冶鑄之器也。然據筆者所見出土古物之提巂，皆為銅器。而《集韻》鑴字从金。固知亦有銅槜矣。惜吾人眼界狹隘，所見不廣耳！

討論：《說文》：「〔篆〕」即巂字訓：「巂周，燕也。从隹，屮象其冠。」埤嵗云：「『巂周』，子規也。」筆者案：「子規」之為鳥，即「杜鵑」也。此季候鳥也，于每年春秋之間光臨黃河流域。吾鄉民間呼之曰「燒香撥供碗明柄脖」。鳴時冠毛奮張如半圓規狀。〔古文〕故詩人以「子規」名之。其鳴音甚哀，鳴則目赤如泣血狀。故詩人有「淚血染成紅杜鵑」之句。造字者因〔古文〕形似巂，而以「鑴」名之。槜字从冊，所以示器有三足也。从規者，設規為巂也。故知〔古文〕之初文應以鑴為正字。故知《集韻》之訓，猶有依據。後世「槜」行而鑴廢，已難窺知其真意矣！

鑴〔篆〕〈鑴—槜形變示意〉

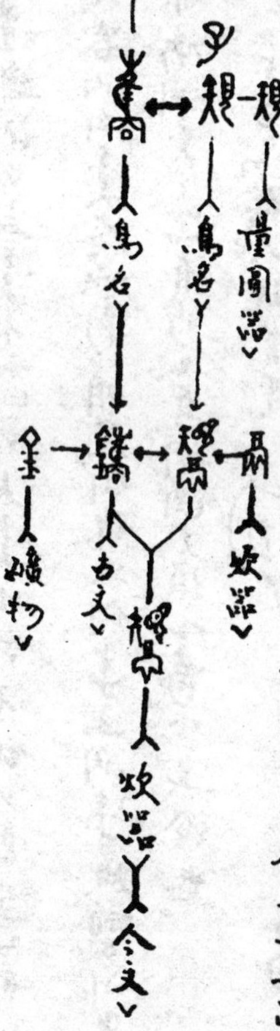

鑾 □ □ 鑾

《說文》云：「人君乘車，四馬鑣，八鑾，鈴象鸞鳥聲，和則敬也。」意除上述種鑾鈴的聲音，目的在于警告行人開道讓路。這和現代的汽車鳴器是一樣的，功無致的。「鑾」的裝設用途非一，因位置不同而異名。在馬鑣曰「鍚」，在衡曰「鑾」，在軾曰「和」，在旂曰「鈴」，實一物而多名。其形製為一空心透孔之圓鈴，中含銅丸，下有直柄，底有扁樹，形似豆。車動則發音，鳴聲似鸞鳥，故名曰「鑾」。鑾之為文，或从䜌，或从䜌，或从金，或从㗊。䜌、䜌皆古亂字。㗊者眾口也，亦雷之古文，有眾音成雷哉。金者能發音者也。《左傳·桓二年》云：「鍚鑾和鈴，昭其聲也。」其鳴音之盛可知矣。則从䜌、从䜌固其宜矣。

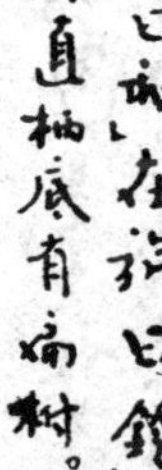

錞 □ 錞

《廣韻》云：「樂器，鐸之，與鼓相和。」《晉語》云：「戰以錞于、丁寧，儆其民也。」注云：「錞于形如碓頭，與鼓相和。」《周書·明斯徵傳》云：「樂有錞于者，近代絕無此器，或有自蜀得之，皆莫之識。徵見之曰：此錞于也。眾弗之信。徵遂引干寶《周禮注》，以芒筒捋之，其聲極振，眾乃嘆服。徵乃取以和樂焉。」按「芒筒」之為物，吾人未見。唯《辭源》云：「芒筒」條下云：「芒筒，古樂器，錞于之配件，猶胡琴之弓。」

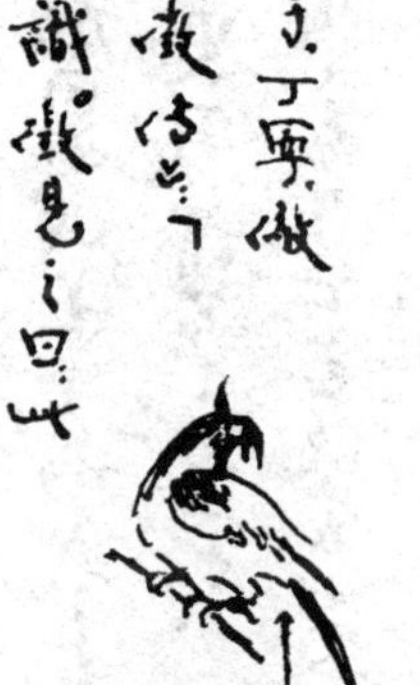

考《周禮·地官·鼓人》云：「以金錞和鼓。」千古以來，莫能知其形。至明氏而真相始見，亦文帝業。竊以為一物之興，必非成于一旦夕，皆有其悠久之歷史來龍。所謂「周監于二代，郁郁乎文哉」，可知西周之禮樂絕不能脫離夏商二代之沿襲。則錞盂之創造自亦不能排除其為歷史傳統物的可能性。商代甲骨文字中之□字，其形論也。□之為字，从□，从□。□者樂器也，□者盂之象也。証之以《辭源》「錞盂」古之者書所載形如碓頭之象，恰恰符合，故知□字即「錞」之初文矣。

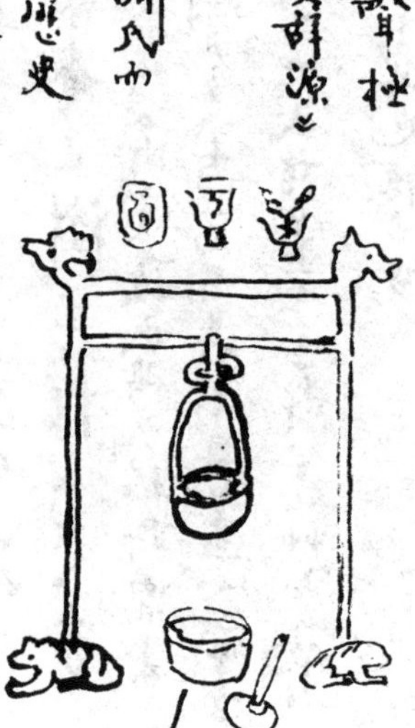

〈碓〉

十七

蓋 □卜 □卜 □卜 □卜 □金 □金 □金 □金 □金 □篆《爾雅》：「蓋，苫也。」《傳·襄十四年》：「乃祖吾離被苫蓋」，注：「蓋，白茅苫也。今江東呼為蓋。」筆者考古篆「蓋」字从艸从「侵」，此侵苫枕由「塊」字也。固知古人皆以艸代衾矣。今魯南滕州方言仍謂「鍛」曰「蓋點」，其語尚存古義。

《發明》古人以白茅為高潔之品，故訂婚之禮物，祭祀之供品，皆用之。《詩·召南》：「野有死麕，白茅包之」。《易·大過》：「藉用白茅」。《蔡邕·獨斷》：「天子大社，以五方色土，首以白茅」，皆其例證。

青蓋字，初義非容器配件之器蓋也，乃奄覆之義也。古篆奄上□字从林从大口。大口飯器也。亦上山，或上从□。《說文·山部》林者，枝葉稠密，奄藏之義。《前漢·蘇武傳》：「掘野鼠去艸實而食之」，注：「去，藏也。」《尚書·蔡仲之命》：「爾尚蓋前人之愆」。《關尹子·八籌篇》：「其高無蓋」，此蓋字之延伸義，非初義也。蓋字本義應訓為「茅草覆食也」。何則？古文諸蓋字上部皆从艸或从芊，从米，从羊，亦艸之變文也。下部皆从□或□或□，或从□，皆具食之器也。據古音

□饗饋食之噐，必有白茅奄覆器上，亦猶蓋加□同例。此蓋字初義之象也。

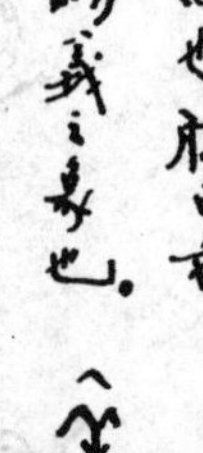

盇 □ □《說文》：「盇，覆蓋也。」段注：「此與大部□字音義畧同，謂器之蓋也。」

筆者案：□从合从□从□。合者，盒之省，奄覆之象。□、□盛飲食之容器也。与□字形義同。

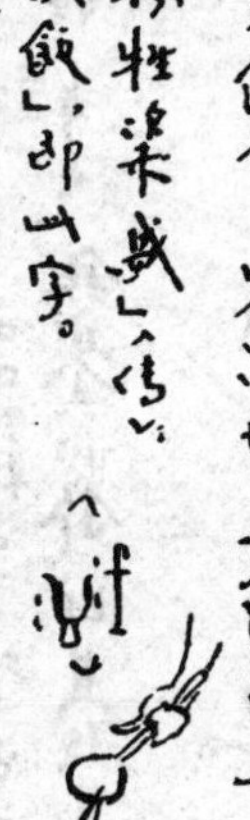

盛 □卜 □金 □篆《說文》：「黍稷在器中，以祀者也。」《書·泰誓》：「犧牲粢盛」。《傳》：「黍稷曰粢，在器曰盛」。案：此字本音應讀「成」。俗云「盛飯」，即此字。

由飯盛滿溢而延伸為豐盛義，音變為「勝」矣。勝者，婦人首飾有高聳之象，以喻食器豐盈。

盡 □卜 □卜 □卜 □金 □篆《說文》：「器中空也。」案：盡字初文上□，是手執牛尾刷器皿之象，器內清淨排除淨盡，而器已空矣。《釋詁》：「徹，悉，卒，泯，忽，滅，罄，空，畢，罄，殲，拔，殄，盡也。」皆空之延伸。

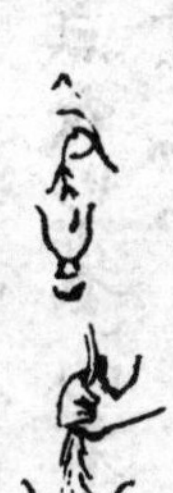

鐲 □ □ 鐲《說文》：「金部鐲字訓：『鉦也。从金，蜀聲。軍法，司馬執鐲。』《周禮·地官·鼓人》：『以金鐲節鼓。』」注：「鐲，鉦也。形如小鐘，軍行鳴之，以為鼓節。」《金部》鉦字訓：「鐃也。似鈴，柄中上下通。」《玉篇》：「鉦以靜之，鼓以動之，亦名鐲也。」《詩·小雅·采芑》：「鉦人伐鼓」，漢[illegible]曰：「周禮鼓人，以金鐲節鼓，以金鐃止鼓，無鉦名。」

《討論》考□□之為字，《說文》不載。唯見於青銅器《商君鉦》之銘文中。《商周青銅銘文選》之編者訂名曰《商君鉦》。與《銘文》之□字形義疑有出入。試採詳如左：

案此字从三□，从金。金者，示發音之器也。□古黽字（見甲骨文）。鼃之為物，水族昆蟲也。常生於污穢泥淖中。故知三□有昆蟲聚集泥沼溷濁之象。故《周禮·秋官》有蟈氏「掌除水蟲。若欲殺其神，則以杜橭午貫象齒而沉之……」故知三□所以示澤沼之溷濁也。依《周禮》之義選擇之，則□□之為文，自宜規定為濁。為合理，以古音韻律推之，溷濁鐲三字聲同而義通之原則，吾人有充分理由認定□之為文即《周禮·地官·鼓人》之所謂之「金鐲」其字矣。何則？余曰：□从金，从三□。金者發音物體也。□數有三，濁之象也。據形聲互比例，其為「鐲」字可斷言矣！或曰：鐲之為字何義也？余曰：鐲之為言濁也。依《聲學》之知識論之，物體發音之輕重，與「振幅」之大小成正比。音調之高低與振動頻率成正比。此與古樂理中之「清商」、「濁商」……曲異名而同實。夫鼓之為物，眾樂之長也。其音重，其聲和，故能諧調九宮，振撼山川，所以壯士氣而驚敵也。然則以鐲節鼓，則鐲亦「軍樂之一」。而與鼓為伍，其聲之和盡可見矣！命名曰鐲，不亦宜乎？聞者唯唯而退。

小結：青銅之□□字，器之正名也。《商周銅器銘文》之編者訂為鉦字，同位成份器名也。自以辨「鐲」為允當。謹拜之於此。

鐰 鐰《說文》：「鐰，鐰也。从金，豫聲。」此訓難懂，《廣器》。謹考證於左，以辨其異。

十八

考《周禮·秋官司烜氏》：「掌以夫遂（鐩，下同）取明火於日。……以供祭祀之明齍、明燭……」《禮記·內則》：「左佩紛帨、刀、礪、小觿、金遂；右佩玦、捍……木遂」。註：「金遂可取火于日。陰則以木遂鑽火也」。筆者案「金鐩」即《秋官司烜氏》之「夫遂」也。其物即銅質凹面聚光反射鏡也。以鏡向日，利用其反射光柱投射於艾絨之上，吃緊可到達燃點，再以口吹之以促進氧氣供助燃，止用便見大焰熊熊矣。此與「冰球之凸透鏡聚光取火原理有異曲同功之妙。宋沈括《夢溪筆譚》中言之甚詳。此見秦遺法也。非以見古代科學之高尚說。圖示如下：

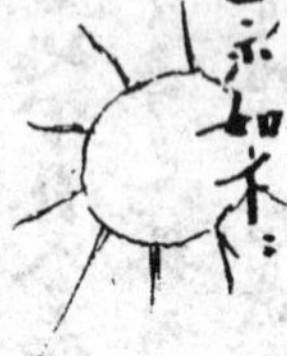

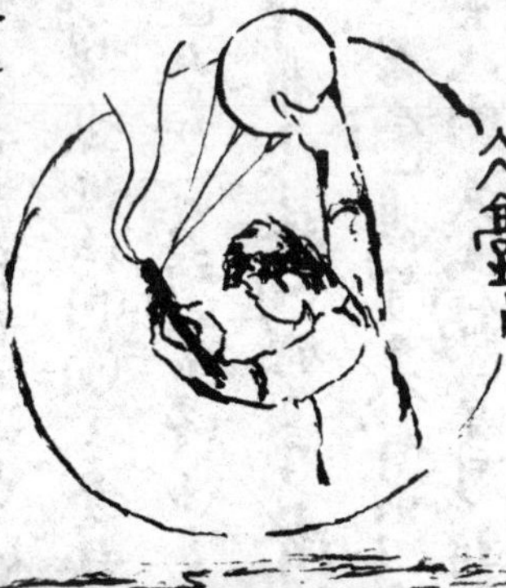

《金鐩》

鐩

《鐩的歷史背景》

鐩 隧 隧 燧（《禮記·內則》：「左佩金燧，右佩木燧。」註：「金燧取火於日，木燧鑽火也。」）封建社會規定了這兩種取火工具，屬于家庭成員晚輩在服侍長者生活中的必備之物。顯然是為了在陰、晴氣象變化中的照明、取暖、炊事而設的。但是僅僅局限於這一狹窄意念是不能理解鐩字的先天本質的。因為它是取火工具的「鐩」，是有其悠久歷史可述的。上邊的鐩字多樣化，在說明什麼？這是值得推敲的唯一課題。請敘述如次：

〔木鐩〕

〔金鐩〕

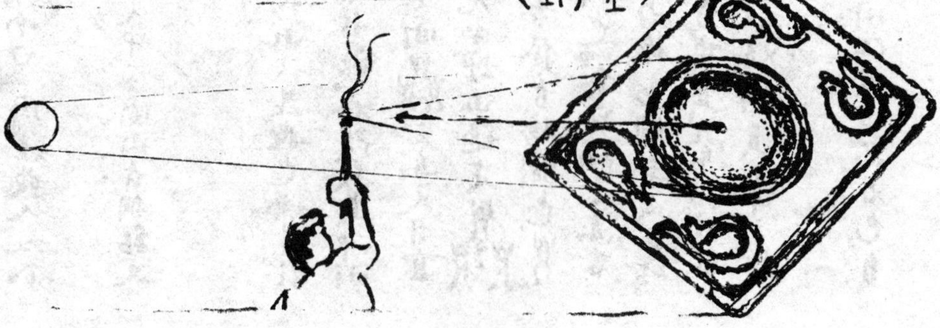

鑒于人類早期的生活形式，是靠漁獵為生的。這種生產任務的唯一特點，就是對野獸上戰。古文戰字——戰从單，从戈。說明了人類在缺乏這些利器的情況下，不得不運用集體智能和科學技巧來求勝的真相。這就迫使我們對古代文字的造型，命音的研究，成為必要。

鐩：从金从隊。告訴了我們這種取火鏡，屬於金屬製品。《考工記·輈人》云：「金錫半謂之鑒燧之劑」，已經占了許明的未代。但「隊」是什麼？這就是本文所要闡明的「問題」。表錄其於下：

㒸 阝 陊〈八上見卜辭〉 隊 義《說文》云：「高隊〈墜〉也」。《集韻》云：「落也」。《玉篇》云：「部也，百人也」。《廣韻》云：「羣隊也」。

《發明》素《說文》訓隊曰「高隊〈墜〉」。《集韻》訓隊曰「落也」。二訓同義。此二訓示提供了人或動物，在山上遭到追擊，不幸失足，跌落萬丈懸崖，葬身滿壑的慘景。从古文字造形上，可以不難說明而知。有的象幼兒首足顛倒。有的象動物从空而落。這都是後世「墜」字形之。「隊」字乃後起之新字也。因「墜」有「落地」意，故又通假為「地」字。此其大率也。

《玉篇》之訓隊曰「部也，百人也」。《廣韻》之訓隊曰「羣隊也」。這一訓示與許慎二氏不同。顯然是面向追擊部隊縝審的觀察，所得之景象。實際上是一個問題，表現為兩個方面。也就是角度不同，各有所見。因而也就使「隊」字出現了義變形分。表示于左，以見意：

㒸——阝——陊——隊
- 隊——〈集體義〉
- 墜——〈墜落義〉

燧

鑒於人類發明了取火技術，因而使熟食得到了實現。

隧火字造型，正是一幅狩獵者選擇了一個石壁缺口〈阝〉上為天然竈突，把野獸置于其上，又在「隧道」中鑽木燃火，以事燔燒的生動畫像。故知阝之為文，地形也。㒸音，獸形也。火在隧下，燔

（隊）

（隧）

獸之象也。則當時已有鑽木取火之術，蓋可見矣。此即「燧」字初文也。歷史學家把這個最先進入熟食的部落名之曰「燧人氏」。造字者把「鐩」字定取火工具名。把「㒸」字定「墜落」字，將「隊」字定捕獸部隊名，把「㒸」字定為「獸」形。把「隧」字定「隧道」字。這些文字皆以「㒸」為「義根」。故知這一系列文字同出一源，都在反映人類早期漁獵生活的真相。是極為明顯的。所有關「鐩」字的「字族」體系一覽，以觀漢字進化演變之軌跡。

◎索隱云：「隊之為文，古墜字也。」以野豬自懸崖下落之象。後隊字增耳而定隧道之隧。又增火于下而成「燧」，為天然石壁左右對峙，置薪于上，然火于下而炙燔之。後世失火而增走。定城堞門洞之「熏隧」字。◎春秋昭元年曰：「鄭伯及其大夫……私盟于閨門之外。」晉：「熏隧」，入填塞城門洞。

關于「熏隧」的考證：◎墨子備突第六十一曰：「城百步一「突門」，突門各為窯竈，入門四五尺，為「丌」「門」入門洞，上瓦屋，勿令水潦能入門中。吏主塞突門，用車兩輪，以木束之，塗其上，維置突門內。使度門廣狹，令之入門中四五尺。置窯竈，門旁為橐，以鼓風器，充竈，伏柴艾，殺全入下輔而塞之鼓而熏之」。晉謂上是一種「瓦斯」作戰術，故曰「熏隧」。

《漫話火塘》燧此字造型示意顯示了人類脫茹毛飲血進入了熟食的歷史開端。《韓非子·五蠹篇》云：「民食果蓏蚌蛤，腥臊惡臭而傷害腹胃，民多疾病。有聖人作，鑽燧取火，以化腥臊，而民悅之，使王天下，號曰『燧人氏』。」在這裏揭示了「火」對食物的殺菌滅毒功能。當原始時代人類使用的火，仰賴于雷電所形成的天然火。一旦熄滅，人們便無法尋找火種。于是人類不得不另尋取火之術。燧人氏生于十七萬年前，是首創取火術的「火祖」，乃燧明國國王也。國有燧木，又名火樹。曲四萬頃，有鳥名鴞，啄燧木而生火。聖人感焉，于是折燧木以石鑽鑽木取火，世人稱之為「燧皇」。燧皇故址于河南商丘縣境。該東南數百米處有高地名「閼伯臺」。閼伯者燧皇後繼之「火祖」也，與上古先帝神農以後之有後帝嚳《左傳》也。相傳閼伯置火種于丘上，供奉及百姓取用。因此人們奉閼伯為火神，稱其臺為「火神臺」（即閼伯臺）。

《思境》在東方世界上古有先帝神農與後帝嚳，兼而任農業大師的出現，正反映了我國農業發展史上的兩個農業科技進化里程碑。這和燧皇與閼伯兩位火神的先後出現，正標誌着東方古人取火技術的兩座科技進廣黑祖碑、二者存在同步意識。是完全符合邏輯的。

《考證》位于河商丘境內「燧皇陵」東南之「閼伯台」上，建有規模壯觀的「閼伯祠」。閼伯名契，《說文》上禼。甲骨文上《說詳杜青宗教，五五頁，殷二天象》丙「字下」、閼伯就是「火神」、也是一位天文學家。又是有商王朝的始祖，為帝堯司徒之官，掌教化。封于商，賜姓為子，主火政。商丘地處中原之區，每當季冬「大寒」季節斗柄指丑的早晨，可以看到東方蒼龍的心宿——大火之星光臨天空正中。其銹光色赤紅而得名。大火又名「大辰」。《卜辭》上辰、古辰字也。辰是海中大蛤。《淮南·氾論訓》「上古磨蜃而耨」。大蜃當空之際，已時值立春，即農事方興之時。此「大辰」取名之義也。商歷建丑，夏歷十二月，周歷之二月也。斯時中原商丘地區日辰是「大火」中天，故大火又名丙星。「商歷」又名「大火歷」。

閼伯死後，昭明繼為「火正」。昭明傳位于相土，相土發明了馬車。此時六世孫王亥發明了牛車。因中原地區土地肥腴，沃野千里，生產物資剩餘，于是王亥服牛乘馬，驅趕着牛羊，滿載貨物，到四方去搞交易。外部落氏族便呼之為「商人」。後世呼買賣為生者曰「商人」、賈，自此始。全閼伯十三世孫成湯，攻桀于南東，代夏王朝而有天下，而以商為國之大號。此其大筆也。

觥酸觵《說文》角部觵字訓：「兕牛角可以飲者也。其狀觵觵，故謂之觵。
徐曰：「觵，曲起之貌。」《周礼春官小胥》：「觵其不敬者。」注：「觵，罰爵也。」亦作觥。《禮圖》云：「觥大七升，以兕角為之。或刻木為之，形似兕角。蓋無兕者用木也。

案：角之用為飲器，其歷史上限久矣。上古之民，食鳥獸之肉，取其角以飲。後世銅質、木質、玉質之飲器名字，皆從「角」，蓋本乎上古之遺義。「觚」、「觛」、「觶」、「觥」諸字，皆其形例也。觥之為器本屬角類，嗣後工藝進化而有銅觵。而字仍從角，未離原始本色。銅觵之形，製腹部橢圓，圈足，有流，有柄，蓋有獸紐。雖形俱異，而名仍其舊，字仍從角。亦猶太羹不和，粢食不鑿，玄酒在室之意，亦不忘古也。此義可以經典求證之：

〈卜〉〈補〉角〈小篆〉《禮·禮器》：「宗廟之祭，尊者舉觶，卑者舉角。」

案：《禮器》所云之「角」，有名而無實之角也。雖屬酒器，並非獸角，而銅質酒器也。其義與觶、觛、觚、觵同例。看來好象名已不符實，令人困惑。要知造字之旨，自有其歷史傳統與概念屬乎其中。未容膠柱鼓瑟，刻舟而求劍焉。

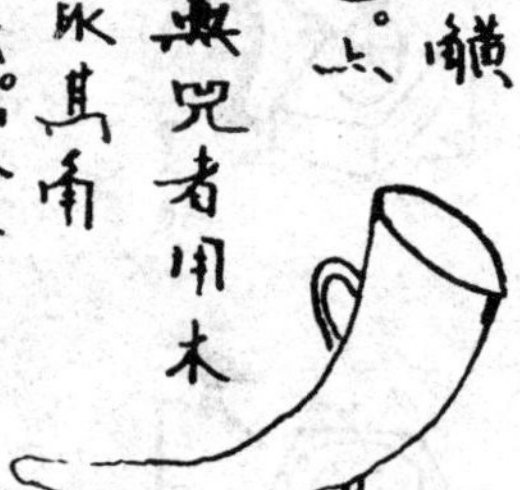
〈觥〉

〈觵〉

角

觚𤓰《說文》：「鄉飲酒之爵也。一曰觴受三升者觚。」案：所謂「鄉飲酒」之禮，實謂上即西周王朝在基層行政地區從事選拔推薦優秀人才的會議形式。許君於《說文》中但言「觚」的用途場合及「觚」的容量，而未及造字之旨。許公訓詁，往往如此。

2 1

案：觚之為文，从角从瓜。所以不觚之為器，其形似瓜，有角有楞也。對這個文面立體幾何空心器，孔子曾在《論語·雍也篇》中，占了這樣的評語。說：「觚不觚，觚哉！觚哉！」意思是：「應該有角的酒（器）竟然無角。觚呀，觚呀，」仲尼論發言目的是利用借題發揮的形式，諷譏那些不遵守王制辦事的從政者。但是在這一感嘆語之中說明了商末周初年代觚的形製，還保留着角楞。此及春秋時代，觚已經變為圓的了。

鏇 鏇

《說文》：「圜鑪也。从金，旋聲。」玄應曰：《周成難字》云：「鏇謂以繩轉軸裁木為器曰鏇」。筆者案：「鏇」之為文，从金从旋。旋者旋轉動力也（動力傳導）。金者能挖木之切削工具也。鑪字从金从盧，非爐也。當曲柄杠桿「轆轤」也（偏心連桿）。上古簡陋，鏇、樸。木架、木框、軸，左手持木，右手操刀，畫規為圓。斷（斲）木成器。古文斲《斲》《鏇架》二字，其形證也。看來漢時已有「鏇床」矣。

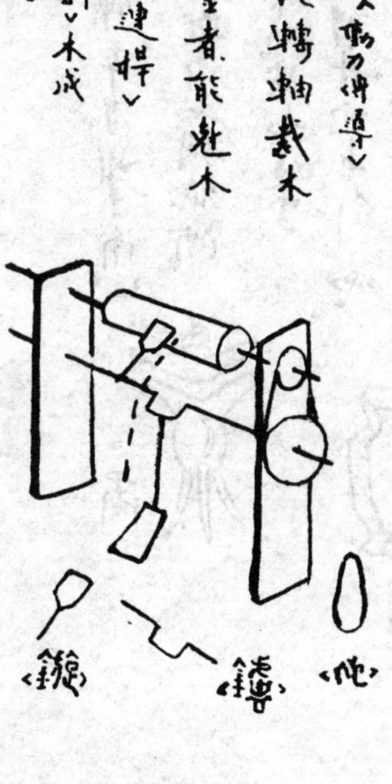

斲 斲 斲

《說文》：斤部，斲字，訓「斫也。从斤从豆。」徐鍇曰：「豆（豆）器也。斤以斫之。」或从畫从𠬞之斲。

案徐氏訓斲之解已（可謂）絲紗背之境，唯斲字之結構付闕如。試述其意如左：

案：斲字造型从畫从豆，或从𠬞。畫于甲骨文上，象右手握持圓規之圓之態。𠬞者古執字，兩手提物之象也。或从「斤」者，斤者斷伐切削之器也。綜此可見，古人刻木為器，必先畫規為圓，然後施之以斧斤。這一操作過程完全可以字形透視之。

《尚書·梓材》之「既勤樸斲」。傳：「已勞力樸治斲削」。「梓材」是木工的職稱，「樸」是未經加工的木料。从「既勤樸斲」一語中，可以透視到一塊木料變化成器操作過程之雛範。

在三個不同時「斲」字造型中，充分寫照出一件成品的三大施工過程。

早期人類使用的器皿只能依於天然物體。如以匏為壺，以蠡為瓢。繼則代之以手工製造，最後則代之以機械。《說文》云「偽」字訓：「偽者人為之，非天真也。」故人多為「偽」。這個人類智慧發展巧奪天功的歷史進程，可以古文字充分表現之。

鏟 鏟 《說文》云：「鏶也。從金產聲。一曰平鐵。」段注云：「謂以剷鐵削平柔鐵也。」案：照段氏之解，則鏟之為物，當相當於今日之「磨剪刀、戧菜刀」所用之「戧子」其物也。許君以「鏶」與「鏶」、「鏟」

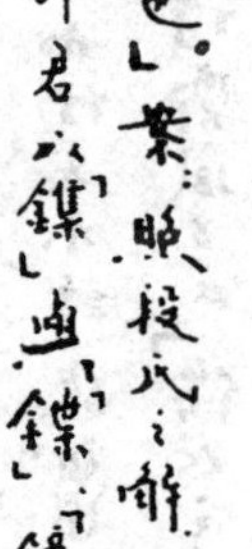

鏶 鏶 三字互訓。殊嫌混淆難明。不知鏶之為物，金屬之薄片也，與「鏶」同物而異名，固與鏟有別，未宜魚目混珠焉。

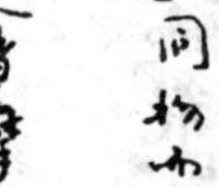

鐋 鐋 《廣韻》云：「音儻。工人治木器。」《韻會》云：「以鐵為斲，凡木石有斤斧痕迹者摩之令平也。」

案此器既能平木，亦可摩石，非常見之物，存疑。

剷 剷 《集韻》云：「削也。」案剷之為言暴也。剷為平木之器，必有木屑剝離，暴落是其義矣。

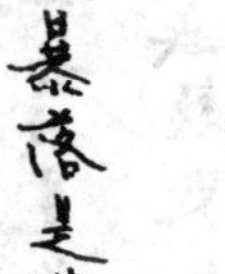

甾 甾 由 案《韻會》引《玉篇》云：「由，同甾。」《康熙字典》云：「甾同甾。」咸未得甾字的音、義。唯許氏《說文》將甾、由二文列入同條。為能獨具卓識，破千古之惑。蓋得力于博古通今，《廣雅》方言之故。考《說文》甾部云：「東楚名缶曰甾。」段注引《史記》文云：「太史公曰：自彭城以東，東海、吳、廣陵，此東楚也。」缶下曰：「瓦器，秦人鼓之以節歌。」（此見于《藺相如傳》）象形。然則由（缶）既象形矣。由復象形。音一物而語言不同，且音、一字。《玉篇》上「由」近之。

〈討論〉一、照段氏意見，由、缶（缶）二文乃同文之譌變。其讀音之不同乃地與方言所決定。段氏並作據《史記》所載「藺相如請秦王為趙王擊缶」之語（見《史記》）以補定「缶」即瓦器之證。其義極確。惜乎其未能兼及甾、由二文互通之情，愚補而出之如左：

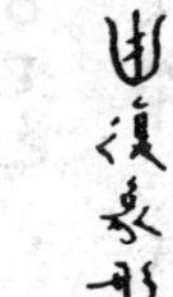

考甾之為文，从巛从由。由者缶之形也。巛者缶之色也。巛者水之象，依《五行》之學說，于位為

北于味為鹹，于色為黑。《說文》黑字訓云：「北方色也。火所熏之色也。」許氏用前一則依「五行」學說闡明「黑」的上古科學理論提定，用下一則說明黑色物質的成因。是非常明顯的。因為古為陶（窯）的「缶」事實上就是「燒陶工業」的產物。「火所熏之色」一語正有力的指出了古在陶（窯）洞中蒙受煙熏「洗禮」的生動逼象。古漢語有「熏陶漸染」一辭，正是反映古為黑色陶器形成的過程景象。

二、關于甾的讀音問題：竊以為甾之為言，玆也。玆从二幺，黑色之義也。《說文·玄部》玆字訓云：「玆，黑也。」甲骨文玆作𢆶，象河流挾帶污泥而下之形。我鄉謂夏季江水泥濺之污泥曰「玆泥」，即《卜辭》中之𢆶也。昔，除上述種黑色污泥，臭氣熏天，實皆腐爛死於動、植物的「化身」。其中富有蛋白質、脂肪素，有利于生物之成長。故農民采用為肥田物質。故「玆養」與「孳生」等字皆从「玆」。我國東北松花江與遼河流域之廣闊肥沃黑土地區，盛產大豆。古冀州原地區，黑土層曾盈數尺，土壤學家名之曰「腐植質壤土」。於以見「玆」「甾」同聲而訓義為「黑」之義。故知甾之為器，即現代考古學所謂之「黑陶」，而無疑也。故漢字中从甾之字多具黑色義。試舉例以明之：

〈火熏之色〉

熏陶
沾染

緇：《周禮·天官·染人》云：「翟頳（染色的雜凡。佳文皆段狀為「翟」，古翟狄同聲）有六：曰翬。曰搖。曰翯。曰甾。曰希。曰鷂」。以上六字皆雉族禽名，各具特色，而佳文未詳，故「甾」之為義究為何色？尚待考證。但其義於《毛詩》中得到連續反應。考《詩·鄭風》云：「緇衣之宜兮」。注云：「緇，黑色」。疏引《考工記·鍾氏》之文云：「鍾氏染羽……三入為纁，五入為緅，七入為緇」。傳云：「染纁者三入而成文，再染以黑則為緅」，又復再染以黑，乃成「緇」矣。」經文在這裏透露了一個「染色學」原理。

並且使我們理解或意識到「鍾氏」所用的「染術」，係于「紅、黃、藍」三色的混合色而成的。所謂

「三入」即指絲品經歷三染、三曬手續，就變成「纁」。纁者熏也。其「色調」与現代「煙斗」常用以夾煙之

〈叀〉

叀 食指、中指「指甲」之色彩同。紅、黃、藍三色混合「染術」，經過七次工序，逐步加深

的結果，必定要化為黑色絲織品。無論上「黑」就是「紅、黃、藍」三合色的最高

隴處。這同廿世紀《光色學》中「七色全吸收等于黑」的原理是完全一致的。緇字从糸从甾。

糸者帛也。甾者黑色也。《說文》訓緇為「帛黑色」。此甾為「黑闇」之證一也。

《博雅》云：「甾謂之皂。」皂者黑色英果植物也。古代奴隸社會之賤役身着黑衣，故

命名曰「皂隸」。皂字从七从白。白者光色之義，七者紅、橙、黃、綠、靛、藍、紫也。七色全反射則為

「白」，七色全吸收則為「黑」。此皂从七从白而訓為黑之義也。甾為黑闇之證二也。

《釋名》云：「緇，滓也。泥緇黑色者曰滓。此色然也。」此甾為黑闇之證三也。

甾〈卜〉甾〈銘〉巛甾〈篆〉考甾之為文，《卜辭》上甾，銘文上甾。至秦篆增巛而上巛甾。故漢字

盧 盧字从夫从甾从皿，而訓為「飯器」。盧之為器，亦黑闇也。今俗人以盧字為从夫从田从皿，大誤而

特誤也。自當以从甾為確。故从盧之字皆以「甾」為聲符，而含黑色義。虍則聲符，皿則形符也。

淄 甾〈金〉巛甾 篆《鄭道元水經注》：「淄水出泰山萊蕪縣原山」。《爾雅釋丘》：「水出其左曰營丘」。孫

炎曰：「今齊之營丘，淄水過其南及東。」以丘臨水，故曰「臨淄」。《金文》《齊叔夷鎛》銘文之甾字是

二二

望之」姝美之說不謀而合。故知甾亦象形字也。廬以為甾乏从甾亦黑色義也。所以形容其水之色感也。大凡水之深者，遠望暗之，往往如此。泰山下之「黑龍潭」，成周北陸之「黑龍江」，《尚書‧禹貢》之「黑水」，皆以水深而得名。《孔子家語》：「不曰白乎，涅而不緇」。《後漢皇后紀》：「恩隆好合，遂忘淄蠹」。淄蠹二字亦污穢黑暗義。

其義皆源於甾。此甾為黑閒之證四也。

壚 壚 《說文》「土部」壚字訓：「黑剛土也」。案壚字从土从盧，而盧字从虍从甾从皿，亦甾之同義字。此甾為黑閒之證五也。

臚 臚 《儀禮‧聘禮》注：「臚，豕肉也」。案「臚」之所以成為「豕肉」之義者，以豕之為畜，毛鬣咸黑之故也。故臚字从虍从甾从肉。此臚字从甾亦黑色義符。此甾為黑閒之證六也。

顱 顱

推而言之，頭有黑髮，故頭骨曰顱。黑色之獸曰「驢」，黑色之犬曰「獹」，黑煙繚繞之火具曰鑪，黑漆之箭曰「黸矢」。凡此諸字，皆从甾以標義。蓋莫而非甾為黑閒之證耶？

瀘 瀘 《後漢書‧西南夷傳》注云：「瀘水一名若水，在嶲州南，特有瘴氣，三月、四月經之必死。」其水之污穢可知。諸葛武侯出師表云：「五月渡瀘，深入不毛」，所以示其環境惡劣也。故知瀘水亦污穢之水也。其字从甾，固其宜矣。又如盛火焚香之器曰鑪，目中黑子曰矑，皆从甾為義，可類推矣。

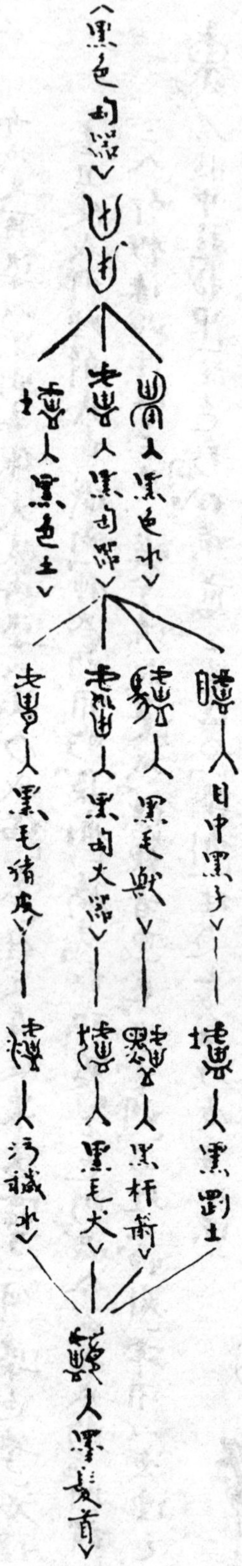

燈

□〈卜〉 鐙〈籀〉 燈〈篆〉 《玉篇火部》燈字訓云「燈火也」。

《說文》有「鐙」而無「燈」。《金部》鐙字云「錠也」。徐鉉曰「錠中置燭，故謂之鐙。今俗作燈，非是。」

《詩論》案：徐云《說文》之「鐙」即照明之燈。頗具卓識。唯其謂「後世作燈非是」則未能稽古之契也。考《甲骨彙編》此部有「□」「□」正二文。當即燈字初文。其文字造形蓋得自「燈孔透像，產生投射倒影」之現場景象的觀察與摹擬。是完全合乎「光學原理」的。

□字从□从□。□者照明設施，□古步字，亦登之省文也。火焰上升之意也。□者感光器官也。

昔年曾讀《楚辭》有「華燈錯些」之句。意為「燈」的歷史始于春秋。今讀《卜辭》始信殷商時代已有燈矣。先秦經籍有「燎」而無「燈」。貴族有「大事」時「庭燎」以照明。《周禮天官閽人》注：「燎地燭也。……所作之狀，蓋百根葦，皆以布纏之，以蜜塗其上。若今蠟燭。對人手執者為「手燭」，于地者曰「地燭」。《玉篇》：「庭燎」國有大事，樹以照明也。今于《卜辭》文字，始知殷代有燈。信夫古代文字可以補經籍之不足矣。

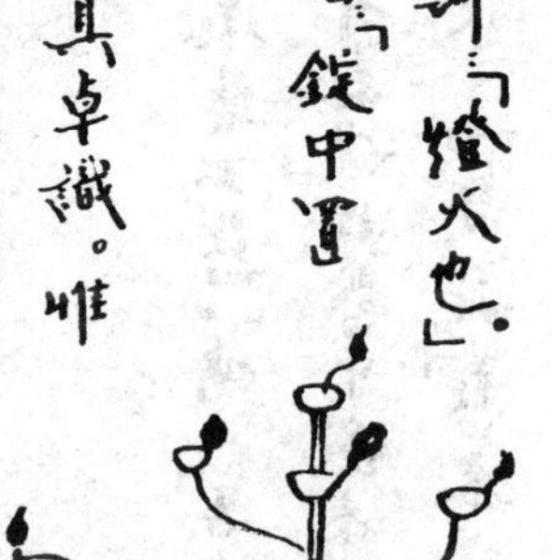

〈燈〉

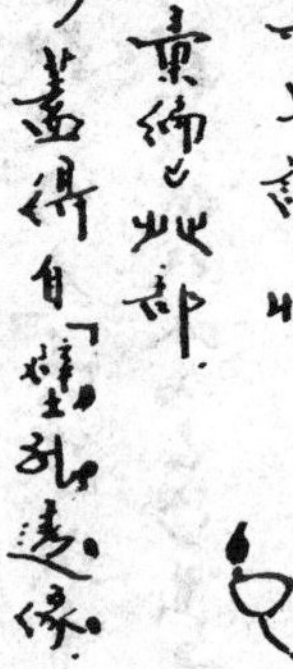

〈鐙〉

□

□

二三

罐　鑵《說文新附》云：「器也」。《玉篇》云：「𦉥罐」。《類篇》云：「汲器」。案罐之為言灌也。灌溉之器也。
字从缶，示其為瓦器也。古代培植蔬菜，多于臨河之境，園丁汲水，唯恃抱甕灌園。今鄉
郊僻壤農民汲水，仍用瓦罐。

盒　榼　榼《說文》曰：「覆也」。《爾雅·釋詁》云：「合也」。案盒之為文，从大从皿。盒者飲器也。
說文作「𥁑」。皿亦飲器也。此古代飲具，或以木製，或以瓦製。今我國蘇州出品之漆
飾木器，仍有此物。東鄰日本多用瓦質製成。蓋仿古工藝品也。

盌　㼝　埦　椀　盌　鋺《說文》云：「小盂也」。案盌之為言圓也。字或从土，或从木，从瓦，从金。更有玉盌
則盌之種類亦繁言哉！

觶　觶　觗　觶　觶《說文》云：「鄉飲酒角也」。《禮》曰：「一人洗，舉觶，受四升」。《玉篇》云：「酒觴也」。
案觶為盛酒之器。其字从角，與西周青銅之觶已不相符。蓋原始酒觶
皆由角所製。厥後工藝發展而變為陶質、木質、銅質，但文字之形仍保留着古代
遺意而从角。此如古人燃火爆竹驅鬼，今日火藥製成之鞭炮仍名「爆竹」。黃帝
以桃符懸于門戶以避邪，至今新春楹聯仍名之曰桃符，雖以紙代木，而名仍其舊。此皆歷史文化之遺迹
也。「觶」字从角而不从金玉者，亦思古之義也。

敦　敦　𦉢　錞　鐓　敦　敦《周禮·天官·玉府》云：「合諸侯則共珠槃玉敦」。傳云：「古者以
槃盛血，以敦盛食」。疏云：「合諸侯者必割牛耳。祭祀有黍稷，故敦中盛黍稷。
今盟無黍稷，敦中宜盛血……」又《禮·明堂位》云：「有虞氏之兩敦」。注：「敦黍稷器」。

《罐》
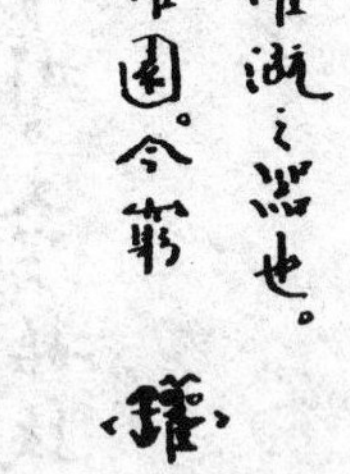

《榼》
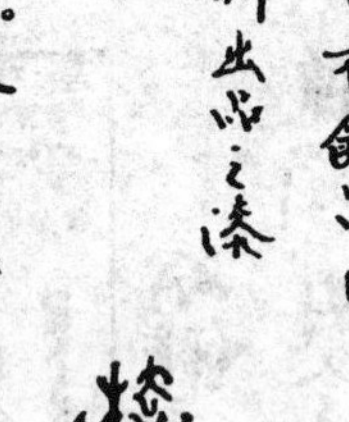

《盌》

《敦》

〈討論〉[glyph]之為文，象形字也。𣪘之為言堆也。古音堆𣪘同聲。《內經五常政大論》云：「土曰𣪘阜」注：「𣪘，厚也。阜，高也。土餘，故高而厚。」案《內經五行定義》，土為脾臟。知所謂「𣪘阜」即脾臟腫脹病。患此症者，腹部膨㾓，四肢瘦削為特徵。其形態與𣪘形雖肖。而醫名「肥熱原蟲病」。《越人難經》名曰「痞蹟」。故𣪘之為名，有人象物化意。後案堆之為義，「𣪘土」也〈見唐韻〉阜字之義「土山」也。故知𣪘之取聲，有「地形器化」義。𣪘之為器可用于祭祀，以盛黍稷。可施于會盟，以盛歃血。其器形圓，腹大而中空，形似堆阜像。如已懷妊人。此「𣪘」之命義，取音造型之所解來也。

𤇈[glyph][glyph]〈字彙〉：「盛火器也。」〈宋王安石春夜詩〉：「金爐香盡漏聲殘，剪剪輕風陣陣寒。」又蘇軾上元侍宴詩：「淡月疏星繞建章，仙風吹下御爐香……」皆應視[glyph]為正字。俗从爐或鑪。

勺[glyph][glyph][glyph]杓〈說文〉：「枓也，所以挹取，象形，中有實，與包同義。」

酌[glyph]〈說文〉：「盛酒行觴也。」〈詩周南卷耳〉：「我姑酌彼金罍」〈前漢蓋寬饒傳〉：「無多酌我，我乃酒狂。」案酌之為文，从酉从勺。酉者酒罈也。勺者以勺盛酒注入杯中也。獻酒者，少則不盈，多則滿溢，故不多不少適可而止。故曰「斟酌」。延伸為「酌量」、「酌情」等義。

二四

盨 [古文字]（[古文字]）　查《說文》皿部，盨字訓：「（檢盨）負戴器也」。段注：「檢，小㨪也」。見匚部」。筆者考《說文》匚部[古文字]字下云：「小桮也」。《漢東方朔傳》：「以是寠數也」。師古注：「戴器也。以盆盛物，戴于頭者，則以寠數薦之。故朔云盆下為寠數」。《楊渾傳》注亦云：「寠數，戴器」。竊以為鄭邦朝鮮至今仍有以頭代肩之勞動形式。蓋我國先秦時代之歷史遺迹之殘影也。《孟子》云：「頒白者不負戴于道路矣」！堪為考證依據。憶幼時嘗睹吾鄉沿街賣煎餅者，皆頭頂「鍋拍」（藉稽杆排成，以針線縫合之鍋蓋），為了保證頭頂物體重心穩定，頭上薦以織稚束環，此即古之「寠數」也。

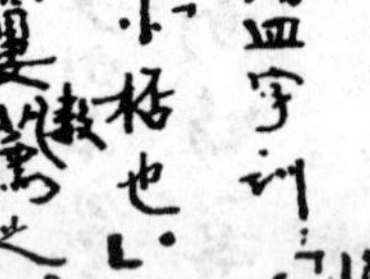

[古文字]

寠數

然而這一認識與現代之文物考古之刊載之「[古文字]」器物造型大相逕庭，頗有未合。考青銅銘文之「𥂖伯大父盨」之[古文字]與《卜辭》之[古文字]（「盨」字）極似。以文字象形會之，則盨之為物，可能是洗面之盛水器。蓋盨之為文，从[古文字]从皿。[古文字]者頭之象。皿者器之形。盨之為器有足有耳之方形器也。蓋上有四孔，所以出氣也。《禮內則》云：「面垢燂潘請靧，足垢則燂湯請洗」。故知[古文字]之从[古文字]从[古文字]，與[古文字]字从[古文字]从[古文字]同例。尤其是器蓋四孔，更顯示出「溫器」的特徵。故知盨之為物為「燂潘」之溫器。所以供洗面之需而用的溫水器也。特別是「[古文字]」的造形从米（「米」也）出于「燂潘」的形象，這和《內則》的記載可以印證的。《說詳拙著「人文」與「頭」字》由此可證「檢盨寠數」之辭另有其物，非[古文字]字本義矣。

治玉工藝

玉 丰 𠀀（卜辭）王（卜）王 玊《說文》：「石之美者。……」案此訓簡明而扼要，他如玉有五德……，皆附沙繁文縟辭，無甚可取。考《甲骨文》玉字遠形型之丰，實取象于「玉者」究穢絲繩貫玉下垂之形。小篆訛之王。以其與帝王之「王」字易混，加右側增「、」以別之。《說文》以「石之似玉」為訓之字殆不可詳舉，蓋玉雖不同，色彩各異，後世無法詳審矣。周玉之為物，清潤而美觀，古代貴族用為「禮器」物料原材。

（丰）

王 璃 𤣩 玉 璱 㻊《己韻》：「王玉二字二字不同，點在下畫之旁者，實玉字也；點在中畫之旁者，王工字也。朽玉也。息六反。」讀若秀。𡻮 从（山之象也）从 凵 者，示出玉之山光色絢爛之態也。王𠬞者，雙手捧玉之象也。後世形訛為「璞」，仍有初意。

璞 𤣩 𤩼 𤩼（卜）璞（小篆）案璞字《說文》玉部未收。《玉篇》云：「玉未治者。」《增韻》云：「玉未琢」。《韻會》：「玉素也」。

考《卜辭》𤣩 从 𡿧，从玉从𠬞。似雙手山中取玉之態。此指事字也。小篆之璞各有取義。案《韻會》：「玉之素曰『璞』。」《說文》訓「木之素曰樸」。《爾雅》：「𡿧之不華連屬而不分離者曰『𤩼』。」此猶木之未分割者曰「樸」，玉之未斵剖者曰璞，土之大塊者曰墣。其為完整之義則一也。故字皆从「菐」。

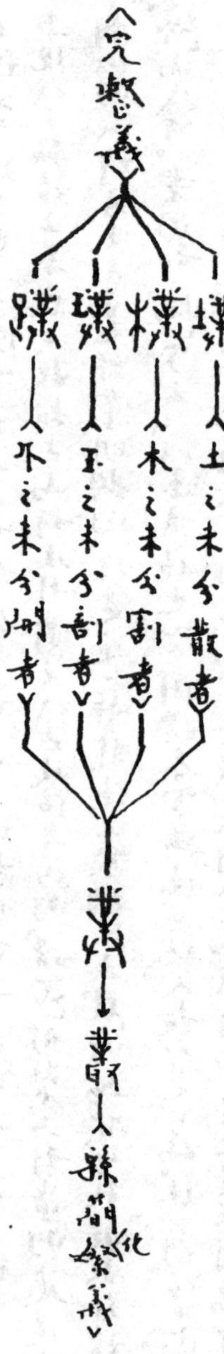

（𤣩）

（蹼）

菐 𡴨《說文》：「瀆菐也，給事者。」案菐之為字，依甲骨文例觀之，本當「完整」之義。造字者將其一變而為臣僕之名。而成為百官文集的事務人員職稱。似乎與「菐」之初義大相逕庭。不知漢字義變規律者未足與言個中妙諦焉。夫物極必反，分合相因，陰陽推進，聚散無常，此天地之道，自然法則也。故治亂同源，盛衰同文皆其例也。玉之生於山，其質純固完整無缺，追求得而剝之，鏤之以剞劂，施之以雕琢，則斑然大觀，珍琲其象，繁傳其形矣。木之生於野，樹枝塊碩，非不完整堅固也，至時代而解之，施之以斧斲，美之以技巧，則飛潛動植之象現於畫棟雕梁矣。土之存於地，本太樸之質，非不完整純固也。然而陶人得之，碎之，磨之，塑之以陶，飾之以膠漆，則禽走獸、紐鐏簠簋琳瑯滿目於廊廟矣。此物質形態繁衍之義，可以叢、叢、業諸字皆有繁殖之義得之。

圭

珪 《說文》云：「瑞玉也。上圜下方，圭以封諸侯，故从重土。」案所謂「重土」，即「封疆」之斷面形也。其形似以土壘土堆，與現代之錢塘土基無二。故知此為封侯拜爵之代表政治身份的「瑞器」形製，與封疆的建造模式（說詳「封」字）是相似的。此許君之意是非常明顯的。但是這一解釋，絕不能說明「圭」的物質功能。故欲知圭的政治作用，必求之於

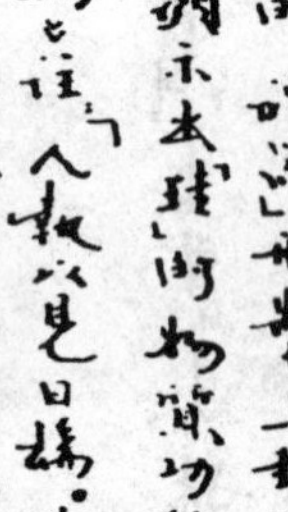

瑞 璘 璘「瑞」而後可。案同部「瑞」字云：「以玉為信也。」《周禮·春官·典瑞》注云：「人執以見曰瑞。瑞，符信也。」

考瑞之為文，从玉从耑。耑古端字。瑞正之義也。所以示人執圭向君，姿態必須端正也。但是單純地从「瑞」字造形參之，尚無以見「信」的迹象。故欲求「圭」的「信用」之義，還必須求於「瑁」字。請為君言「瑁」。

瑁 瑁 瑁 瑁。案瑁之為文，从玉从冒。冒古帽字，从冃从目。《說文冃部》冒字訓：「蒙而前也。」以物自蔽而前也（蒙頭形）。

今之多遠行者，尚蒙布蓋藏自己面目，其初仍用此物。（冒只露出眼睛，其餘部份皆被蒙藏。故字从冃从目）。

故知瑁之為字，亦有覆蓋蒙藏之意。《說文》瑁字訓云：「諸侯執圭朝天子，天子執玉以冒之，似犂冠。」《正字通》云：「諸侯即位，天子賜以命圭（委任狀），圭上邪銳。瑁方四寸，其下邪刻之，闊狹長短如圭頭。諸侯執圭來朝，天子以瑁之刻處冒彼圭頭，以衡瑞信，若今之「合符」然。

〈瑁

〈圭〉

竊以為所謂「諸侯朝天子」之禮，當是最高一級之行政會議。所謂「執圭以見君」，即手持「入場身份證」報到手續也。所謂「君執玉以瑁之」，即證件檢驗手續也。故當時上「圭」之為物，等于「身份證」，而「瑁」則等于「證件存根」。此即「執瑞為信」之義。此與後世商業合「同」，甲乙兩方各執其半，中有騎縫大印，以備對照，其義相同。故曰「合符」。

璧（辟玉）《說文》：「瑞玉圜器也。」《玉篇》：「瑞圜以象天也。」《白虎通》：「璧者外圓象天，內方象地。」《爾雅釋器》：

「肉倍好謂之璧」。疏：「肉，邊也；好，孔也。」邊大倍於孔者名璧。考《聘禮》文：「享君以璧，享夫人以琮」，故知璧之為物，備于觀見國君時特定禮器。而「琮」之為物，則是方形玉器，被當時禮制規定為享夫人之物。這一規定顯然是和《易經》：「乾父坤母，天圓地方」的概念分不開的。在這一概念指引下，於是把「天空」、「太陽」、「王者」、「璧玉」視為統一的政治哲學象徵。圓而名太陽曰「璧日」。太學的「泮水」曰「璧池」。「清廟」外圍之水曰「璧雝」。皆取象於璧圜而得名。此璧字延伸義也。

「璧」與「貨幣」：璧之為物，本為敬天祭祀禮器也，是諸侯享王之贄（見《曲禮》），在《聘禮》中「璧」是不可缺少的禮器。到了戰國時期又被珠玉商賈引入了金融市場，而成為交易中的高值貨幣。後來又代之以銅而摹仿鑄造成為外圓內方的銅幣，故幣璧音同而形似。

漢幣　清幣　〈蒲璧〉

璧的階級性：《周禮·太宗伯》「六瑞」以等邦國。王執鎮圭，公執桓圭，侯執信圭，伯執躬圭，子執「穀璧」，男執「蒲璧」。宋沈括於發掘古冢得其物，云「蒲璧」刻文若蓬如蒲花，「穀璧」如粟粒耳！

環（圜玉）

《爾雅釋器》：「好倍肉謂之瑗。肉倍好謂之璧。肉好相等謂之環。」肉者邊也。好者孔也。故知邊大于孔者可名為「璧」。孔大於邊者可名曰「瑗」。邊孔相等者可名曰「環」矣。

瑗（瑗）

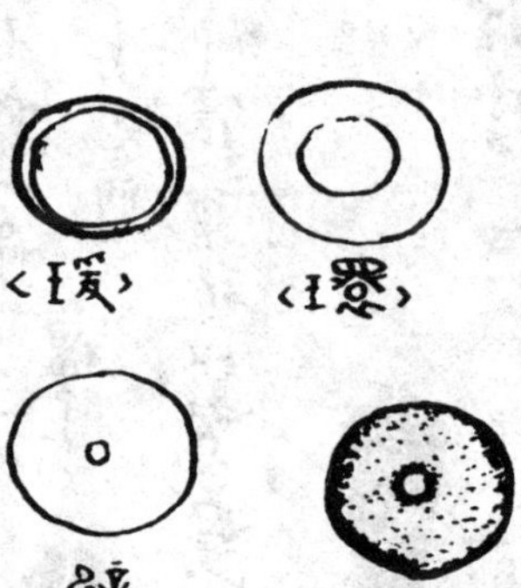
〈環〉　〈瑗〉　〈璧〉　〈穀璧〉

璜（璜）《說文》：「半璧也。」《白虎通》：「黃石為璜。」海濱有璜涯。底有石而黃，

璜

二六

璋 璋 璋

《說文》：「剡上爲圭。半圭爲璋。」案《詩·大雅·棫樸》：「濟濟辟王，左右奉璋。」繇此證之，則可知「半圭之璋」與珪同用。亦執玉爲信之器也。其用與天子執玉以瑁珪，同有合符之義而無疑。否則難以理解「半圭」之義是非常明顯的。蓋既曰「半圭」，則必有另一「半圭」之存在。然則璋之爲物，半在諸侯，半在天子朝廷，可推而知者焉，非合符之器而何哉？雖經文不載此義，按諸事理之常，吾之判斷必非妄言也。愚曰：璋之爲言彰也。彰明之義也。所以彰執玉爲信之意也。則璋之爲器，亦「瑞玉」也明矣！況《典瑞》有云：「牙璋以起軍旅，以治兵守。」則璋之爲物可以調兵遣將，有虎符之用已不待辯而立見矣！

〈璋〉

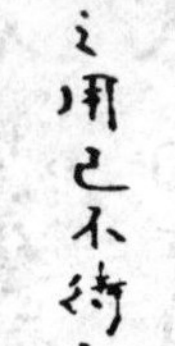

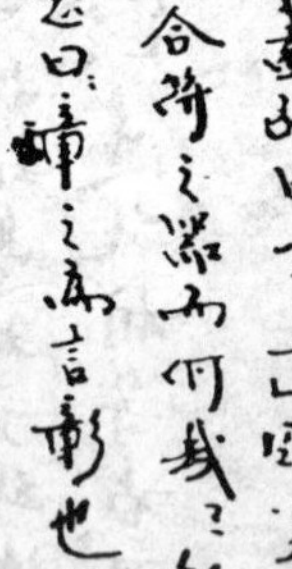

〈牙璋想象〉

琥 琥

《說文》：「發兵瑞玉。」《周禮·大宗伯》：「以玉作六器，以禮天地四方。……以白琥禮西方……」，又考《傳·昭卅二年》：「賜子家子雙琥」。如琥之爲物，乃禮器。與許說似有未合。故段氏注「許所云未聞」。竊以爲許氏生于漢代，去古未遠，其訓必有所本。案趙宦光云：「古玉虎符，兩體不全形。不敢嫚。亦無字。故曰『琥文』。」

〈玉琥[illegible]〉

〈銅虎符〉

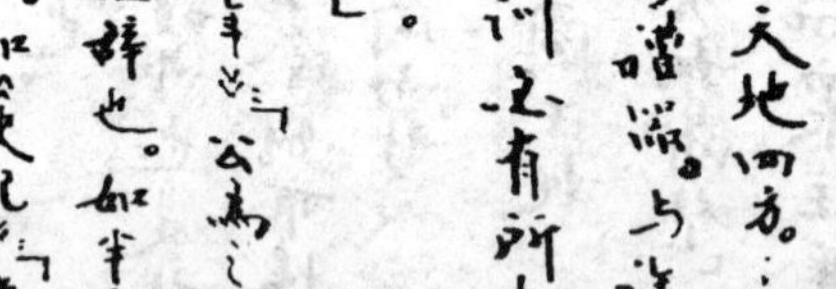

玨 珏〈下〉 玨 玨 玨

《說文》：「二玉相合爲一玨。」《左傳·僖卅年》：「公爲之請納玉于王。與晉侯皆十玨。」知玨之爲實，乃玉之基本計量單位辭也。如半圭爲璋，半璧爲璜，皆其證。

古代以玉璧上諸侯，聘問之贈禮，皆以偶數爲計量單位。如《史記》：「蘇秦以合從說趙，趙王大悅，乃飾車百乘，黃金千鎰，白璧百雙，以約諸侯。」又如「虞卿說趙孝成王，一見賜黃金百鎰，白璧一雙」，皆其例證。

琮 琮

《說文》：「瑞玉。大八寸。似車釭（輪軸套管）。」徐曰：「謂其狀八角而中圓。」《玉篇》：「琮玉八角，象地。」

《周禮·春官·大宗伯之職》云：「以蒼璧禮天，以黃琮禮地……」。「蒼」是對天空顏色的摹擬，「黃」是對土地顏色的仿效。這兩種祭天、敬地的玉器，在顏色上的選擇上是具有「體天法地」的藝巧的。《註》云：「琮之言宗，八方所宗，故外八方，象地之形。（琮中虛圓，以應無窮，象地之德。故以祭地。）」「琮」的物質形象、顏色特徵、及其所代表的特定人物的社會等級，以及宗教領域中的「大地之神」三者的藝術象徵的統一。雖如易見屬於《易經》「八卦」圖譜的摹擬和「五行色律」的著明。《瑞禮》云：「禹君以權，禹夫人以琮」，便是一政治哲學觀念上看，古人把「大地之神」、「國家法定的女性領袖」和「玉琮」視為同一象徵，這一概念同樣屬於《易經》「天圓，地方，乾父，坤母」的意識形態的產物，是與儒學意識的。

漢考《周禮·冬官考工記·玉人》云：「駔琮五寸，宗后以為權。「大琮十有二寸，射四寸，厚寸。是謂「內鎮」，（王后的名器），宗后守之。駔琮七寸，鼻寸有半寸，天子以為權」。傳云：「駔讀為組。以組繫之」。鄭司農（衆）云：「以為稱（秤）錘，以起量」。這種用絲繩穿繫着的小型「駔琮」，不僅帶有「地神」的文化色彩，而是被貴族權威用作衡量物重的「秤錘」。這是值得探討的課題。

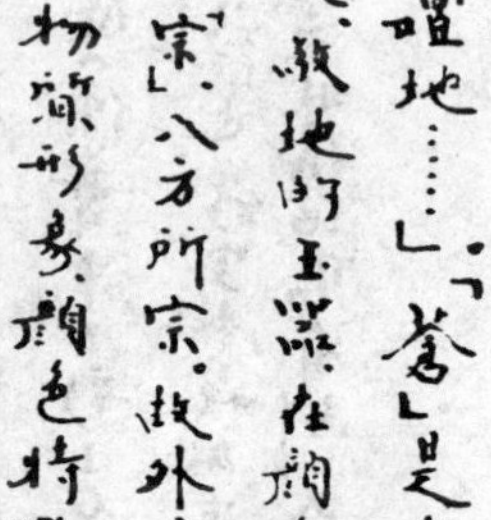

物質重量本身的性質，就直接體會到地心引力的物理功能效應。古人把「秤錘」看作「地神」，不是他與科學事實的幻想，是應該予以客觀評價的。在《易·乾卦·九五·爻辭》中云：「同聲相應，同氣相求。……本乎天者親上，本乎地者親下，則各從其類也」。這段經文清楚的揭示出氣體物質的「離心力」和固體物質的「向心力」的不同運動方向，是處在同一垂直線上而趨勢各異的物理功能。地球引力的存在，可從「秤錘」上得到證實。因而古人把「琮」來祭地，不是偶然的。因而可以肯定「琮」的「宗教含義」是來源于物理特性的產物，是不為荒誕的。近年在我國古史稱之「蠻夷之鄉」的「河姆渡遺址」（屬于舊石器類型文化）出土了大量精巧珍璣的玉器，其中的「玉琮」同中原、陝西出土之玉琮形製及古籍的記載完全一致。琮的形象既然為于《周易》文化體態的產物的話那麼！玉琮就不應該出土于舊石器時代的「河姆渡」遺址中。首先《周易》之形成絕非始於西周已經成為明朗事實。尤其是「河姆渡」出土的精巧玉器遠非青銅刀所能勝任，其所用之工具究爲何種金屬製成，尚非今日考古界、科學界所能解釋。這就對「泊來說」的《社會發展史》提出了嚴峻的挑戰。讓洋博士再從頭學起吧！

玦 玦《說文》：「玉佩也。」《九歌》注云：「先王所以命臣之瑞，故與之環，即還；與之玦，即去。」《白虎通》云：「君子能決斷，故佩玦。」韋昭曰：「玦如環而缺。」案：玦之為文，从玉从夬，夬者中之半，故有一分為二義。故冰凍而器裂曰缺，水堤被裂曰決，齒被曰[齒+夬]，皆一分為二義。《說文》夬字訓：「分決也。」《說文》訣字訓：「別也。」故知凡从夬之字，皆有破裂義、一分為二義。

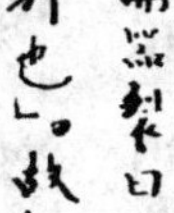
〈玦〉

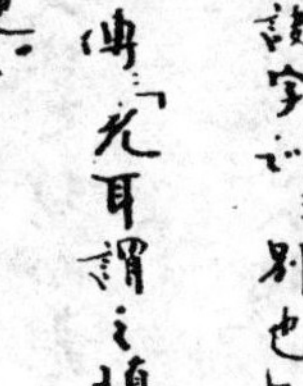

〈缺〉

瑱 瑱 珥 《說文》：「以玉充耳也。」《詩·鄘風》：「玉之瑱也。」《衛風·淇奧》：「充耳琇瑩。」傳：「充耳謂之瑱，天子玉瑱，諸侯以石。」《釋名》：「瑱，鎮也。懸珠當耳旁，不使妄聽，自鎮重也。」

考《左傳·昭廿六年》：「以幣錦二兩，縛一如瑱。」疏：「瑱，充耳。」《正義》曰：「《家語》云：水至清則無魚，人至察則無徒。故人君冕而前旒，所以蔽明；黈纊塞耳，所以蔽聰。」《禮》：「一條五彩，橫冕上，兩畔下垂，繫黃綿，綿下又懸玉為瑱，以塞耳。」案：現代女性裝飾仍有珠玉塞耳之飾，仍有古意。《說文》：「珥，瑱也。」知瑱、珥異名而同物。

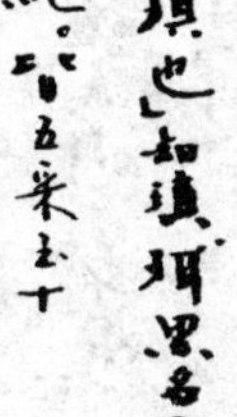
瑱

瑬

瑬 瑬《說文》：「垂玉也，冕飾。」《周禮·夏官·弁師》：「掌王之五冕，五采繅，十有二就，皆五采玉十有二。」「袞冕」十二旒，用玉二百八十八（2×12×12）。「鷩冕」九旒，用玉二百一十六（2×9×12）。「毳冕」七旒，用玉一百六十八（2×7×12）。「希冕」五旒，用玉一百二十（2×5×12）。「玄冕」三旒，用玉七十二（2×3×12）。

案所謂「旒」，即瑬也，古亦作「旈」。旈，即五彩絲繩（繅）貫串五彩玉石，以十二為一組，名曰一瑬。瑬之為言旒也，隨風飄流之義也。以名詞而論則「瑬」也，以計量詞而言則「旒」也。旒字本義為旗幟飄帶，此處用為「量詞」，假借例也。瑬的數額，根據配套之服裝而定。不同之服裝，又與不同之禮儀活動有別，又與政治職稱有關。在此從略。

琪、璂、璟：《爾雅·釋地》：「東方之美者，有醫無閭之珣玗琪焉」。《集韻》上「璟」。案《爾雅》之訓殊不能盡琪字之意。

《集韻》上「璂」，亦未能見其義。《說文·玉部》有璂而無「琪」，尚能述其物用。曰：「弁飾也。往往冒玉也」。段注引《周禮·夏官·弁師》文：「王之皮弁，會五采玉璂」。

考《毛詩·衛風·淇奧》：「有匪（斐）君子，充耳琇瑩，會弁如星」。疏：「謂會髻縫中」也。皮弁之縫中，每貫結五采玉十二以爲飾，謂之「璂」。案：璂之爲文，从玉从綦。綦或綦，玉者示其物之質也，綦者，綦之省文，所以示「星羅棋佈」之態也。从綦者，所以示采玉有秩縫綴之功而與「皮弁」結合成飾之義也。

弁、冠、纓略之：古代貴族人物，戴鹿皮之冠爲禮服便帽，其名曰「弁」，其形製爲三角形之鹿皮十塊縫合而成，頂心正當顱骨十字交合點處，其名曰「髻」，亦即頭髮旋渦中心。中稽《鐵叉學》名之曰「百會穴」，即其部位。其處以圓形象骨鑲嵌，以足弁頂，其名曰「邸」。邸之周下有縫十道，鑲以五色彩玉，其名曰「璟」。弁之左右兩側，有孔用爲玉笄穿髮之通道。笄之兩端繫之以黃繩，其名曰「紞」（頭上擴纓）。下懸玉瑱。笄之兩端有絛繩下兜頦部，其名曰「纓」（紘）。此皮弁之大略也。

璂、璂：《詩·衛風·淇奧》：「會弁如星」。梁周興嗣《千字文》：「弁轉疑星」。這些記載都在充分說明了「璟」的色彩藝術光輝形象。

瑩、瑩：《說文·玉部》瑩字訓：「玉色」。《廣韻》同。究竟此玉屬于何色？則語焉而未詳。試求證之。

竊以爲瑩之爲言，榮也。榮者植物之色也。木部榮字下：「桐木也」。段引《爾雅·釋木》云：「榮，桐木」。「梧」下云：「桐木」。此即賈思勰《齊民要術》所云「青桐」、「白桐」之別也。郭注於「榮」下曰：「梧桐」。於「櫬梧」下曰「梧桐青皮者」。知「瑩石」、「桐木」皆是青色之物。《說文》以「榮」爲「桐」之別號，則「瑩」之與「榮」同有青色之義彰明矣。《詩·齊風·著》云：「俟我于庭乎而，充耳以青乎而，尚之以瓊瑩乎而。」傳：「青，青玉。瓊瑩，石似玉。」疏引《說文》曰：「充耳以青，謂以青玉為瑱〈珥〉。故云青玉。」雖此可證《衛風》所謂「充耳琇瑩」，即青色玉珥蓋無疑矣。此物曾于壬戌之歲田野考古中得之于古鄣陵平鄉紅土埠原始遺址出土之女尸「耳瑱」。其質，似玉而非玉，其色淡綠而蒼白。此即《詩》所謂「充耳琇瑩」其物也。

〈瑩〉

女子之「耳瑱」與男子之「瑱」，乃同類裝飾，同名曰「珥」。男女皆能佩戴。此物不獨見于經籍記載，而且見于田野。有米以青色彩石為耳飾，蓋其有悠久之歷史傳統，而非始自商周也可知矣。此物現代考古學者名之曰「松綠石」，反不如我鄉老農方言，謂物之顏色青淡者曰：「綠瑩瑩的」，為能合「瑩玉」之質相。此無他，不讀書之弊也。可憐也夫！可憐也夫！竊以為瑩者螢也。螢火之蟲尾有磷質，所以供夜飛照明之需也。其光色白而微綠。現代X光閃影鏡所發射之淡綠光波名曰「瑩光屏」。皆取象於「螢火」而得名。皆證上所謂「瑩玉」亦取色於「螢火」之色而得名無疑也。依現代礦物學知識言之，所謂「瑩玉」，即含有氧化銅之「矽酸銅」也。

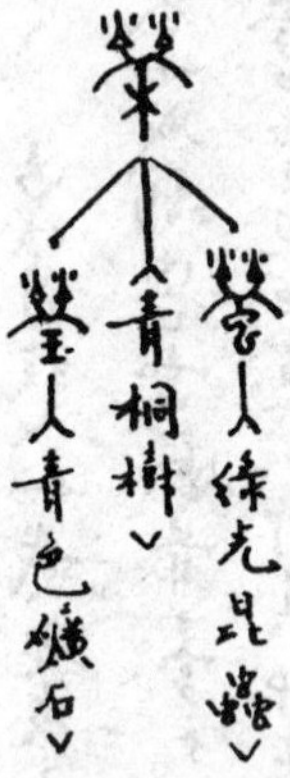

璪

璪 《說文》：「玉飾。如水藻之文。」璪之為文，从玉从喿。玉者玉也。喿者，藻之省文也。藻生於海中，其形五彩繽紛。玉工取其象用為玉器裝飾。故玉飾之「璪」與繒玉之絲名「繅」，皆取象于「藻」可知矣。然藻之為字从艸从氵。

繅 从喿。其字之所以从艸从氵者，所以示其為水生植物也。其字从「喿」者何義也？

《說文》品部「喿」字下：「鳥羣鳴也。」喿从木从品。木者樹也。品从三口，示其音之衆也。

木者鳥棲之所也。故「喿」訓義「羣鳥鳴」，此喿字之本義也。

《論述》璪：配合衆音以諧樂曲，古名曰「操」。戰場虛張聲勢以威敵

曰「鼓譟」，以火燃竹，爆炸之聲不絕於耳，名曰「爆音」。流感發病，高熱持續，四肢反射動態，煩燥，名曰「躁擾」。（見張機《傷寒論》）。染絲五綵，以錯玉曰「繅」，瑪玉成串，以為璪，曰「璪」。吳越之地古稱蠻夷之鄉，其民裸體文身，是為「澡身」。宗門懲罰，是為「澡身浴德」，而成「薰沐盟誓」之義。魚家烹膏之氣息難聞，曰「臊」。或音質色化，或音質文化，或音質形化，或音質氣化。皆「喿」的孳乳字，此漢字孳變規律，可從形聲講之。皆有煩亂之義。然則璪字以喿者，所以示冕旒左右搖擺互相撞擊玉鳴之音也。

喿：眾鳥群鳴。繅：五彩絲絕。璪：瑪玉成串。澡：五彩文身。操：配音成曲。

譟：雜音喧囂。燥：爆破之音。躁：動態煩亂。臊：氣息腐臭。

珍 貝

𤣩 鉒 貯 珍（《說文》：「寶也」。朱駿聲謂不詳，故補述之。）

考珍之為字，造型非一。古籀或从金，或从玉，或从貝，各具特徵。試明之如次：

貝，字皆从貝。乚者水波之象，从貝者示其為水族生物也。从彡者髮之象也。貯字似之。

貝的生理形態：《爾雅·釋魚》引《相貝經》文：「《書》朱仲受之于琴高，以遺會稽太守嚴助，其略曰：『目層入壯，如赤電黑雲，曰「紫貝」，赤質紅章曰「珠貝」，青地綠文曰「綬貝」，黑文黃畫曰「霞貝」，下此曰「浮貝」、「濯貝」、「嚼貝」、「慧貝」。』」

復考《山海經》：「陰山漁水中多文貝」，邦山濛水多「黃貝」。觀之，貝之色彩眾多可見矣。

賁

故《尚書·湯誥》之文：「賁若草木」，注：「賁，飾也」。《易·賁卦辭》文引傳曰：「賁，古斑字。文章貌。」蓋斑之為字从玨从文，与賁字从貝从艸同義。玨訓玉色，艸訓花木之色，皆是豐富多彩之意。於以見造字者對植物、礦物、動物的形色紛紜的綜合示意技巧。

雖于遠古東西的瑰麗華麗，艷美可愛，故古代貴族女性不但選為裝飾物品，而且施之於器物裝潢的需要。這是有例可查的。古人以貝為頸飾（項鍊），其名曰「嬰」。會盟之器飾以貝珠，名曰「珠槃」。皆以貝為飾之例證。《小雅》：「萋兮斐兮，成是貝錦」。《詩·閟宮》：「貝胄朱綅」。皆貝為組（戎田）飾之義例。

琇，珍之為文，从玉从㐱。㐱，古鬒字。說文彡部：今字訓「稠髮也」。从玉者，所以示以玉飾髮之意。今人名曰「首飾」。詩鄘風：
「鬒髮如雲，不屑髢也」。君子偕老，副笄六珈」。此古人以玉飾首之例證。復考說文玉部「璂」字訓「弁飾，往往冒玉」。詩衛
風淇奧：「充耳琇瑩，會弁如星」。又考說文玉部「璪」字訓：「天子衮冕十二旒，鷩衣之冕九旒，毳衣之冕七旒，絺衣之冕五旒，
玄衣之冕三旒。皆用彩色之玉」。此皆古人用玉飾首之例證。

鏒 鋆 者，金文「珍」字，从㐱从玉，亦飾物也。西周馬車，以金為「鍚」，以飾馬額。銅鈴以飾車衡。鸞鈴以飾刀，名曰「鸞刀」。銅
鈴以飾旗首，名曰「鑾旂」。銅金以灌刻操曰「鋈續」。皆用金飾物之例證。

綜上引各種義例參之，可窺㐱、鏒、鋆、琇諸字之形，皆是帶有裝
飾物質之意而無疑矣。金玉因之為物，早期用途本為用為政治文藝服務之品。
到了後期已演為商賣，引入商品市場，化為商品。更繇商品性質，再變而為經濟商場之有償
證件矣。「貨」字是「賜」，从貝从易。錢之為物，本為農具。一變而為布幣。鏟之為物，本為青銅，發明門互贈
之禮品，一變而為貨幣。這些金玉同時裝品，隨着歷史發展而改變了使用目的，促進了「㐱、鏒」的社會
價值，而成了人人追求拾命爭取之物。故訓義為寶也。非偶然矣。又如武器變成了刀幣（齊之法化）皆其
例也。

〈鍚〉
〈鑾〉

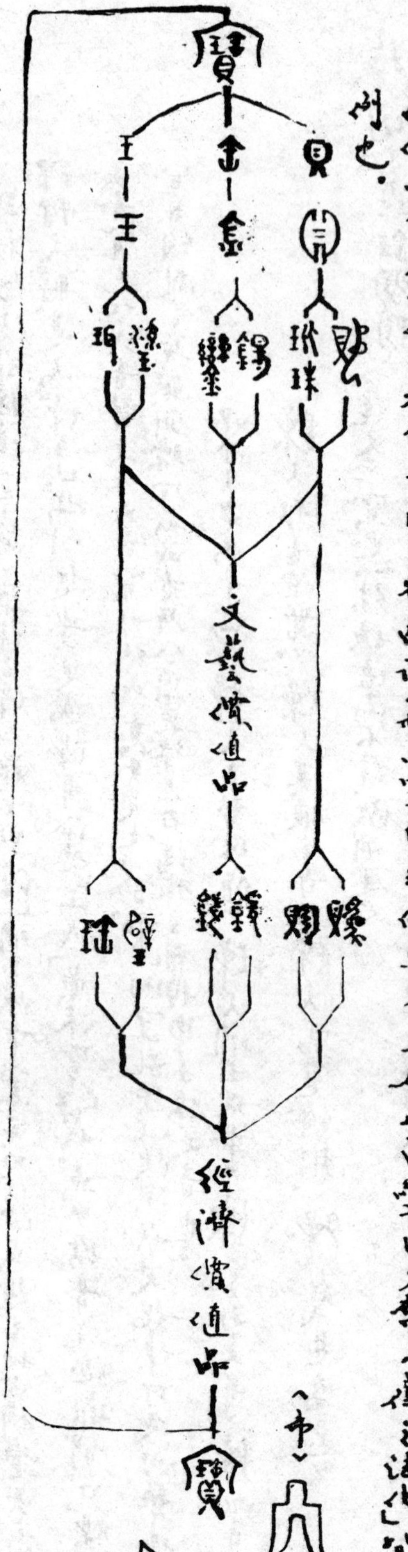

〈布〉

部

〈法化〉

琱 《說文》：「治玉也。」琱字从周，周之首，雕琢密也。勺吻利爪，啄性剽殘，琱字从雕為義，以象

治玉之刀。鵰注之例也。

琢 琢 《說文》：「治玉也。」琢字从豕，啄者雀啄之意，所以示鑽鏤之態也。古稱「琢磨」，以相配伍。其意自有區別。磨所以求面之光滑也，琢者穿刻也。

理 理 《說文》：「治玉也」

討論：案：許君于琱、琢、理三字，同訓「治玉」，是三字同為治玉動辭。蓋綜合而言則為「治玉」，分別言之則為「琱」、為「琢」、為「理」。此同中之異也。《爾雅·釋器》：「玉謂之琢，石謂之摩。」段玉裁云：「按琢琱字謂鐫鑿之事，理字謂分析之事。《考工記》：『謂刮摩玉之工。』玉人記玉之用。『柳人』、『雕人』闕。柳人，蓋理之。如柳之疏髮。『雕人』蓋琢之。如鳥之啄物。《左思賦》：水鳥曰：『雕琢蔓藻』是其義。漢書『理』字下引《戰國策》：『鄭人謂玉之未理者曰「璞」。』是理為剖析也。」據此觀之，可知「琢」字之義穿鑿之意也，「琱」字之義刻劃之意也，「理」字之義，玉藏于石中，以斧析而出之之意也。此琱、琢、理同中之異也。

〈理〉

〈琢〉

〈琱〉

玩 丸 玩 《說文》：「弄也。从玉，元聲。」廾部弄字下：「玩也。」

討論：許君《說文》「玩」、「弄」二字互訓。其義深長。考玩之為文，从玉，从元。玉者石之美者，元者圓也。古元字作 。其義為人首。首居人身最高部位，其義業本乎天圓地方之意。圓主動而方主靜。故《正韻》：「丸」字訓：「彈丸也。」凡物圓轉者，皆曰丸。《前漢尹賞傳》：「長安少年羣輩，相與為探丸，得赤丸者斫武吏。黑丸者斫文吏，白丸者主治喪……」《說文》丸字訓：「圜也。傾側而轉者，从反仄。」

筆者案：許氏《說文》玩、丸分屬二部。「玩」訓弄，而「丸」訓圜。蓋已將同文一分為二。玩為動辭，而丸為名辭。其實，玩、丸同源，後世一分為二，許君因之。今人以掌心承托、手指撥動之鋼球，即其物矣！

探丸

珈 珈 《詩·鄘風·牆有茨》：「君子偕老，副笄六珈」。疏：「珈，以玉加于笄為飾，若今『步搖』。」

〈六珈〉

琫 琫鞛 《說文》：「佩刀上飾也。」《詩·小雅·瞻彼洛矣》：「鞞琫有珌」，傳：「鞞，容刀鞞也。琫，上飾；珌，下飾。」

《詩·大雅·公劉》「鞞琫容刀」疏：「鞞者，刀鞘之名。琫者，鞘之上飾；珌，下飾。」徐鍇曰：「琫之言

珌 琫也，若捧持之也。」筆者案：刀鞘之上口曰琫，琫从玉从奉（封），封鎖之義也。珌之言蔽也，所以鞏固刀室也。與「琫」之為刀室之鞏固設備同義。一在刀室之上口，一在刀室之底，兼而同功。今粵人間語言，仍謂「鞘口」曰「琫上嘴」。皆屬史文化之遺存也。

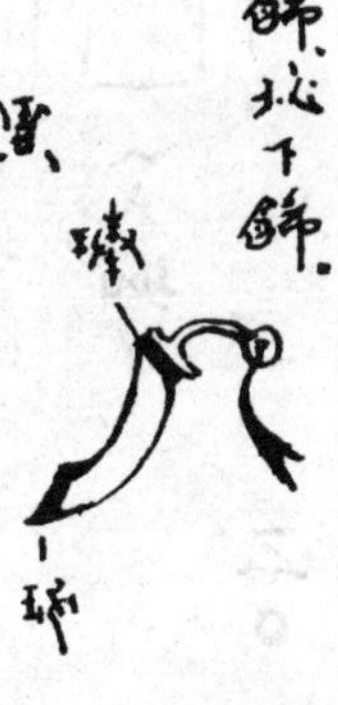

璜 璜 《說文》：「半璧曰璜。」佩下有衡，下有二璜，上牙形于其中，以衝之，使關而相擊也。

琚 琚 《詩·衛風·木瓜》：「投我以木桃，報之以瓊琚」傳：「琚，佩玉名。佩有琚瑀，所以納間。」疏：「謂納眾玉與珩上下之間。」朱氏曰：「佩有珩者，佩之上橫者。下垂三道，貫以蠙珠。璜如半璧，繫于兩旁之下端。琚如圭而正方，在珩璜之中。瑀如大珠，在中央之中。

瑀 別以珠，下繫于璜，而交貫于瑀，復上繫于珩之兩端。衝牙如牙，而兩端皆銳，橫繫于瑀下，與璜齊，行則衝璜出聲也。」又錢氏曰：「佩玉之雙璜，上繫于珩，又有組以左右交牽之，使得因珩之抑揚以自相衝擊。而於二組相交之處，以物居其間，交納而抑揚之，故謂之瑀。」

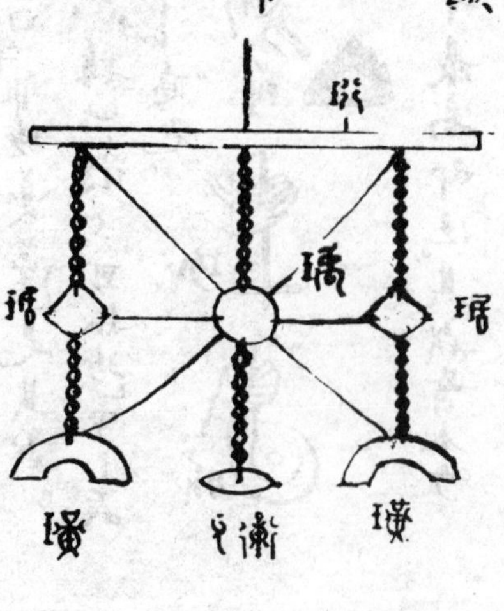

珩 珩 《說文》：「音衡，佩上玉也，所以節行止也。」

古代人君朝服，腰間佩帶的玉珩，並非完全出于美觀的需求，而是為了控制行動步伐節奏、速度、停頓，當然這一措施和當時的峨冠博帶、長襟大袂服裝特點有關。珩之為言，衡也。所以保持身體運動姿態平衡，不偏不倚也。故字从「行」。

珩

珮　珮　𤧬（古）　珮（古文）

案珮之為文，从玉从凡从巾。玉者示其質也，凡者聚之省，即古凡字風字。巾者所以示下垂之態也。（金文）𢀖字从人麥之形也从林，所以示示麥隨風飄甲之姿也。故知珮，𤧬二文，都「指事」字矣。（說文書）所謂「視而可識，察而可見」者焉。

毛詩·鄭風·女曰雞鳴篇：「知子之來之，雜珮以贈之」。（毛傳）云：「雜珮者：珩、璜、琚、瑀、衝牙之類」，故知珮字乃珩、璜、琚、瑀、衝牙諸物之綜合名稱無疑矣。（左傳·僖二年）云：「晉侯遺曰：珮，衷之旗也」。意思是：珮所寓的態之表現，為於內在意識的象徵。此語與儒家哲學「誠於中，形於外」相應。

讀禮記·玉藻云：「古之君子必佩玉，左徵角，右宮羽。」看來，「珮」之為物，不僅是具有裝飾其身的作用，同時，還表現為對人的一種音樂精神享受。

然如珮玉是該時所有一切社會活動場合皆宜使用，若遇喪乘中唁剛宜禁忌。

（治匋工藝）

陶 [glyph]（甲）[glyph]（籀）[glyph]（古）[glyph]（金）陶《說文》：「再成丘也」。案：許公之詞，本諸《尔疋》，非陶字初義。

考《漢字图書》：「呷瓷之瓦器」。《廣韻》：「夏桀臣，昆吾作陶」。《詩·大雅·緜》：「古公亶父，陶復陶穴，未有家室」。復考《尚書·皐陶謨》，古籍亦作「咎繇」。古繇搖同聲，故知陶字古音讀「窯」，而義同。《說文》：「陶音遙」。《廣韻》《集韻》《韻會》《正韻》並「餘昭切，音搖」，可之音證。繇此可證，陶之為字，即窯字，初文而無疑也。《說文》引《夏書》云：「東至于陶丘。陶丘有堯城，堯嘗所居，故堯號陶唐氏」。漢案：垚之為文，从三土，積壘而上，象陶窯層升之迹。故知帝堯所居之「陶丘」，實因陶窯工藝發展而得名，蓋為不容懷疑之事實。復考古公亶父所居岐陽之地，正當我國陝北黃土高原，其地至今仍有穴土而居之習俗。然則《詩》之所謂「陶復陶穴」，即土窯，其物矣！《卜辭》已陶之[glyph]字，从[glyph]（居）从[glyph]，儼然一幅燒陶窯之土窯形態也。則殷商時代陶業之發展已相當可觀矣。以安陽出土之陶器可以證之。《周禮·考工記》有「陶人」之職，其字亦宜讀「窯」，自為不容移易，可以見矣！古人居之所，燒瓦之所皆書之陶

瓦 [glyph]《說文》：「土器已燒之總名」。《廣韻》：「夏時昆吾氏之瓦」。《史記·龜策傳》：「桀為瓦室」。注引《世本》曰：「昆吾作陶」。張華《博物志》：「桀之瓦，蓋是昆吾為桀作也」。繇此觀之，我國之瓦，有歷史上很也久矣！ 考[glyph]之為文，似左右雙手掌心，顛倒相合之象。造字者用以表示屋頂一仰一覆之態。此乃象物化之例，亦指事字也。今民間諺言謂多才之士際遇轗軻，不得展抱負，偃後無聞者曰「瓦着」，亦瓦字延伸義也。

瓬 [glyph] [glyph]《周禮·冬官考工記》：「旊（音倣）人為簋……」。故知「旊人」之職，與「陶人」之職，同是瓦器專業技工。然[glyph]字从㫃何也？案：㫃之為文，古「掩」字也，蓋表覆蓋之義也。孔門弟子姓言名偃，字子游。經籍之「偃」，適該例也。自應以㫃為正字，然之為言與「偃」為

三一

相對義。同是旗飄帶，束則曰㫃，展則名斿。一開一闔，合義各異。

游者展示之態，放者隱蔽之象。聚斂者，如旅行之展于日光之下，曝而曬之。以及既乾之後，又斂之以帶，以防雨露侵襲。此種情景，仍習見于現代帆船。此旅字从㫃从从之意，已了如指掌矣。

〈㫃〉

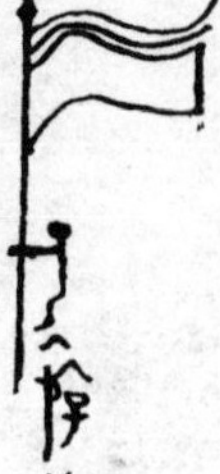
〈斿〉

〈旅〉

磬 上〈甲〉 〈金〉 〈稱〉 〈篆〉《說文》：「樂石也」。稱上為象懸虡之形。殳，擊之也」。案「虡」是懸磬之架左右兩端所立之柱，兩柱之上的橫梁，

簨 其名曰「簨」。簨，上有版，其名曰「業」。《廣韻》：「簨虡」。《釋名》：「所以懸鼓者」。橫曰「簨」。簨，峻也。在上高峻也。縱曰「虡」。虡，舉也。在旁舉簨也。簨上之版曰「業」。刻

虡 為牙捷，如鋸齒也」。《禮明堂位》：「夏后氏之龍簨虡」。〈注〉「簨虡」所以懸鐘磬。橫曰簨，飾之以鱗屬。植曰虡，飾之以贏屬，羽屬。」

《周禮冬官考工記》：「磬氏為磬。倨句一矩有半。」注：「先度一矩為句。一矩為股。而求其弦，既而以一矩有半觸其弦，則磬之倨句也。」案《考工記》所謂之「倨句」，即今之「三角函數」也。

又《禮明堂位》：「叔之離磬」，注：「叔之離磬者，叔之所造編離之磬。」所謂「編離之磬」，即十二律呂也。

〈磬 編〉

〈虡〉

黃鐘	大呂	太簇	夾鐘	姑洗	仲呂	蕤賓	林鐘	夷則	南呂	無射	應鐘
C	·C	D	·D	E	F	·F	G	·G	A	·A	B

聲 殸 卜 聲 《說文》：「音也」。案殸之為文，从殸，从耳。殸，古磬字。殳，象右手執殳擊磬之形。从耳音，聽音器官也。口音音符也。故訓義為音，固其宜矣！右手執殳擊磬音入于耳，是以成聲。象形兼指事字也。

〈殸〉

馨 [illegible] 馨《说文·香部》馨字训：「香之远闻也。」

〈说明〉篆馨之为文从「殸」从「香」。香之为文从「黍」从甘。「殸」者「磬」之省。磬之为物，石质乐器也。发音之物也。故声字从「殸」从耳。香字从「黍」者，「黍」之省也。《书·洪范·五行》曰：「稼穑作甘。」《左传》人为韶雅佳之「脾香」。其味甘，其色黄，其气香。故香字之形义，皆本禾黍。《五行》之气，含时庄物，而无杀为。穑以为「番」之为啬，气态之物也。然馨字之不从「气」，而从「声」之省，而训义为「远闻」，何也？盖以「声」之与「气」，同为风力传播致远而来。古人造字往往将听觉感受及嗅觉感受统以「闻」字概括之。故耳之听音，与鼻之嗅气，可以交互互用。齐鲁方言谓用鼻辨别香臭曰「闻闻」；冀辽地区民间谓用鼻辨别香臭曰「听听」，至今犹然，此古汉语之遗存也。〈说详拙著〈[illegible]〉字〉

韶 [illegible] 韶、《说文》云：「虞舜乐也。」《玉篇》云：「继也，绍也。」《礼·乐记》云：「韶，继也。」注：「韶之言绍也。」言舜能继绍尧之德。」窃以为所谓「虞舜之乐」，即当时之「韶歌」也。舜继尧之位，揖让而有天下。其礼乐典章自不能脱离帝尧之传统。古代以「礼乐」为「继世」之宝。故舜之「韶乐」与帝尧之「咸池」，自必然保留着相似之处。所谓「继世绍也」，有力地揭示了其民族的历史传统文化，都是具有历史背景的。

夫

规 [illegible] 卜 [illegible] 金 [illegible]《说文》云：「有法度也。」古文有 [illegible] 而无「规」。[illegible] 字见于津门，非初文也。篆《说文》将规字纳入夫部而立「规」。按诸形义殊无依据。盖篆文夫、大酷似，故知规字从夫，字之传抄之讹变，非初文也。其初文自应以从 [illegible] 为正字。试据卜辞以证如次：

[illegible] 者〈卜辞〉之规字也。[illegible] 金文之 [illegible]，皆右手执规画圆之态。《周语》：「成公之生也，其母梦神人规其臀以墨」，意思是成公之母当生下成公之际，梦见神人用墨笔画成公的屁股。录此可证

三二

古文「規」「畫」同文而義通，是有例可援的。現代漢語中仍有「規劃」並用之辭例，可為義證。其所以規畫同文之故，蓋因幾何原理本有「圓出於方，方能生圓」之定律。故《說文》聿部「畫」字訓「介（界）也。从聿（古手執筆形）画象田四界」。特別是金文「畫」字从聿、从㐅、从田，則造形示意，更顯示古代幾何製圖「規矩並用的生動景象。㐅者規之象，画者，矩（角尺）所成也。

後世規畫二字各自獨立分庭抗禮。圜曰規，方曰畫。

《詩·沔水》之「規，正圓之器也」。

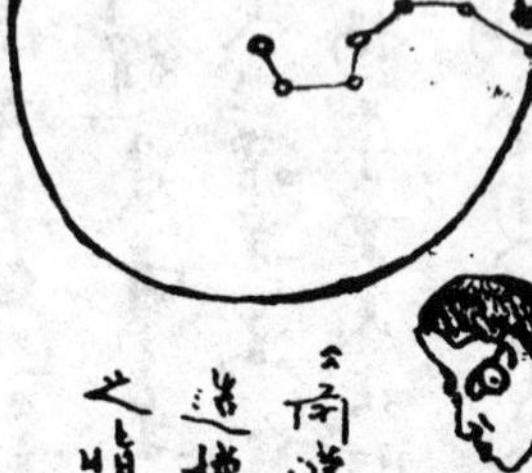

〈㐅〉

規〈木〉

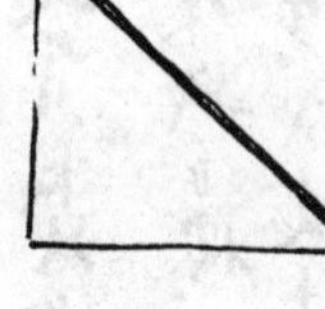

〈合矩以成方〉

〈方圓互生圖〉

〈環矩以知圓〉

《前漢律曆志》之「衡運生規，規圜生矩。」《漢書揚斗綱傳》斡旋規律，以正贏圖。規的製造模式來源於天象週期之觀察。方矩之創造取法於四象之方位。可謂深得「天人合一」之旨。竊以為卜辭㐅字與金文㐅字，兼規畫二義之兩用字也。其義與治重同文。

現代機械技工使用之量徑規，其形與古篆㐅字同。

𢧜㚇一字同例。《許詞》之𢧜、㚇、榘乃與畫為對之專義字也。

《說文》引公夫文伯之母云：「女智莫如婦，男智莫如夫」，亦引《字統》之義云：「丈夫識用必合規矩，故規从夫。」皆牽強附會之辭。

蓋不從許學觀點之說，故多為虛之辭。其說決不可從。

㐅—㚇〈方圓之義〉

䂓—㚇—榘〈規之異稱，亦有矢故。榘从矢从木者，榘之繁也。从見者，審之以目也。所以畫圓之器〉

畫—畫—畫〈以手執矢畫地為界之義〉《禮·檀弓》：「哀公使人弔蒯尚（蕢尚），遇諸道，辟于路，畫宮而受弔焉。」注：「畫地為宮象。」此與許公之訓正合 畫〈界也〉

斲 𠜴 畫斤 斲 《說文》斤部斲字訓：「斫也。从斤、从𥃳。」徐鉉曰：「𥃳，器也。斤以斫之。」

案所謂「斫之」者，即雕斲之義。故知斲字从豆、从斤，即手持金屬工具從事雕刻器皿之意。上古無銅鑄之豆，唯有陶豆、木豆。梪字其形證也。𨮫字乃後起字，應在青銅器時代無疑。古㽅字上𦘒，象右手持刀刻木之態。其造形亦意與畫斤、𠜴（古文斲）同。豆者圓器也。㽅者亦圓器也。將欲施工斲木為器，先必以規畫圓，然後循綫而雕刻之。此古斲字从畫、从斤之意也。然則𠜴字从畫、从𦘒。𦘒古執字。亦執規畫圓之象形也。雖此可證「畫」之為字有方圓二義，彰彰明矣。

劃

金文畫字皆上聿下畫，或畫。字从聿、从乂、从田。田者地也。聿，右手握筆執規畫圖于地之象也。《說文》畫字訓：「介也。」從聿从畫，象田四介。許君但言其方，而不及圓，一偏之見也。考《周語》有云：「成公之生也，其母夢神人規其臀」。此古漢語規畫互通之鐵證。尤其是應該重點指出的，即《說文》將「規」字偏入夫部，不經之甚。此遍考字書文獻，從無規字从夫之例。雖世代沿襲將錯就錯，約定俗成，讀者難返。是為文字學者斷不宜同於流俗也，無依則之盲同。規畫同源，可以證于古文，方圓互化見於《周髀算經》，非妄言也。謹表示有關畫字之文字如次，以見一斑：

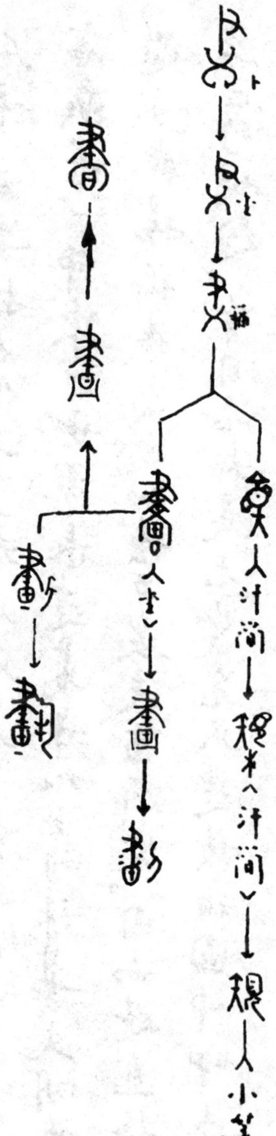

三三

尾語：不要把古代文字看成是美之藝術小品。因為這些文字是型、蘊藏著一部東方世界長達萬年以上的科學文明史。不僅今天需要繼承發揚、將來更要加強力度從事研究。因為這直接關係到民族興亡的問題。盲目無知是無法完成建設祖國神聖大業的。數典忘祖、永久是不可饒恕的罪惡。讓那些迷途的羔羊覺醒吧！

〈圖一〉

（畫）

〈畫〉

〈斲〉

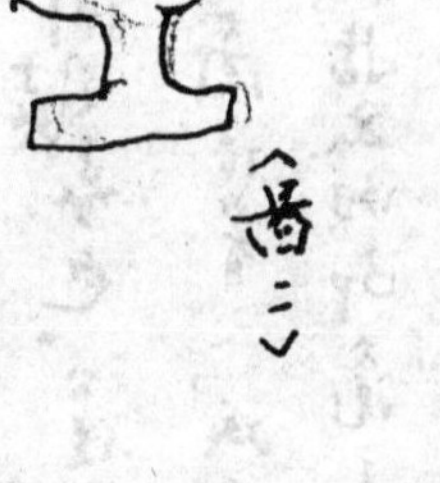

〈圖二〉

〈說明〉：圖一、是左手扶木、右手執起畫圖之像。

圖二、是畫圖成果、執斤刻字之態。同是「畫」字。此指事字。說文書所謂「視而可識、察而可見」者焉。於以見古文字之系統性。〈見前表〉

巨〈古文〉𢀡𢀡〈金文〉榘矩〈篆〉《韻會》：「正方之則也」。《玉篇》：「圓曰規，方曰矩。」《尔疋》：「矩，法也」。《說文·工部》巨字訓：「規巨也」。段注引《周髀算經》曰：「圓出于方，方出于矩。故折矩以為句，句廣三，股修四，徑隅五。既方其外，環而共盤，成三、四、五。兩矩共長二十有五（[illegible]）。

𢀡之為文象形字也。工似尺形，乀象斜徑繩索。〈金文

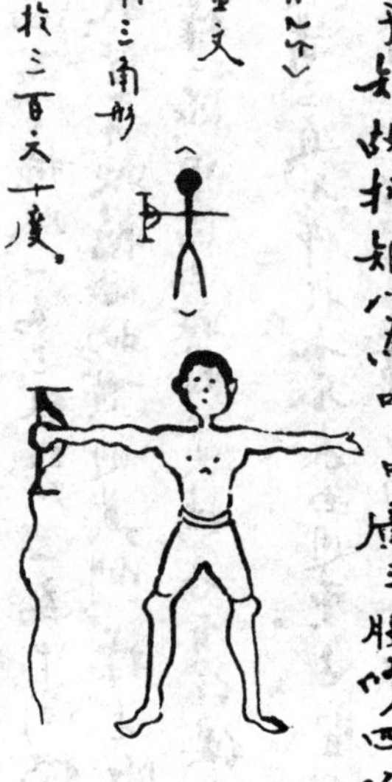

〉矩字象正立人形右手執矩之態。古代科學用三、四、五以標明直角三角形橫線、直線、斜線三者的比率。所謂「圓出于方」，即四個九十度相合等於三百六十度。所謂「方出於矩」，即四直角相合，等於凌形。或二直角等于長方形。

復考《周髀算經》之：「用矩之道：平矩以正繩①，偃矩以望高②，覆矩以測深③，臥矩以知遠⑤，合矩以為方④，環矩以為圓⑥……」或分別圖示其義如次：

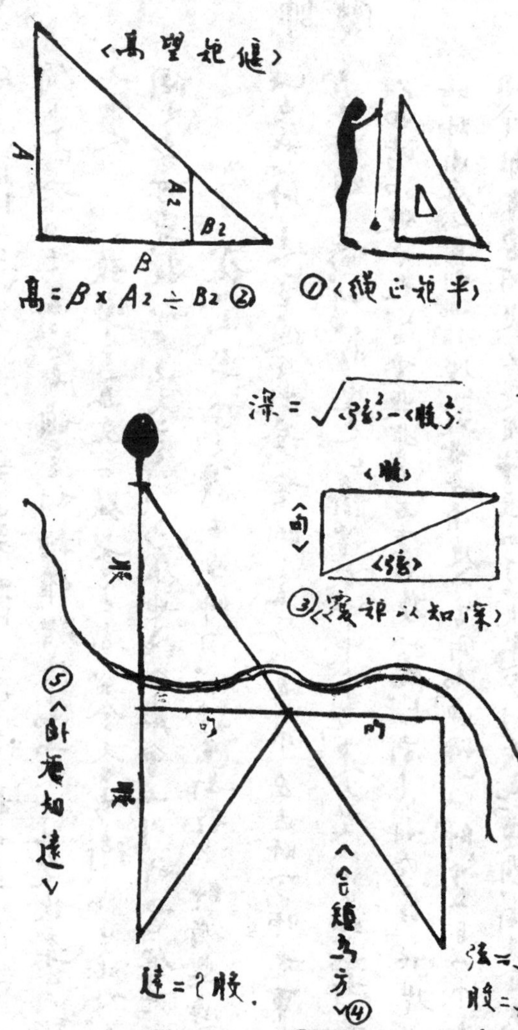

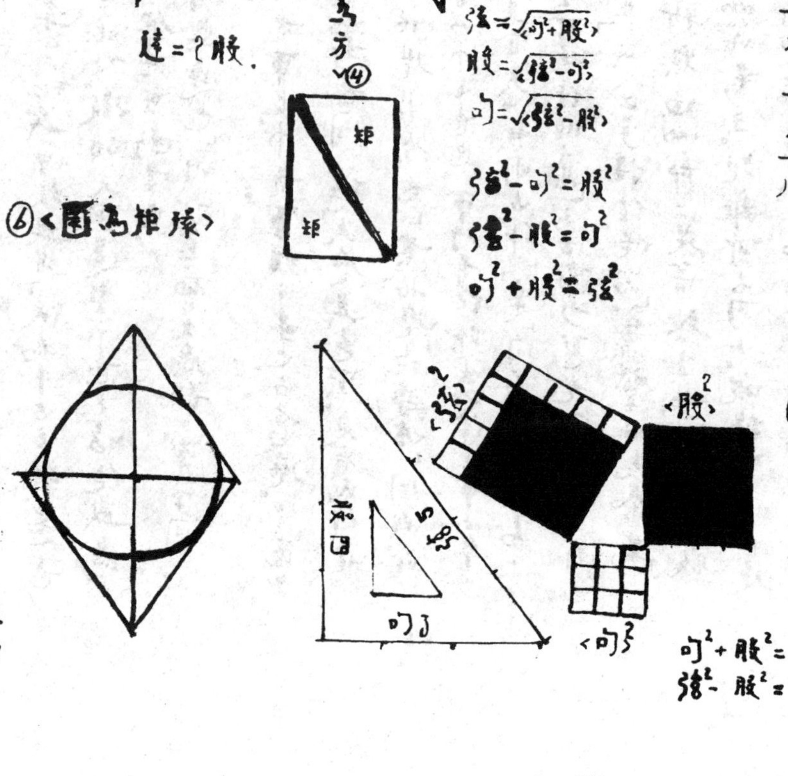

弦²−勾²=股²

率𢕟𢓊𢓊𢓊衛𢓊㣥（可疑）《說文》：「捕鳥畢也。」（可疑）《玉篇》：「遵也。」《廣韻》：「循也、領也。」案《玉篇》《廣韻》之訓極確，惜語焉而未詳，遂致率字初義湮沒無述，流為千古之謎。愚甚而出之。

攷率之為文，《殷契》上𢓊，《金文》上衛，亦上𢓊𢓊。徵諸文字，甚近形示意之略，絕無鳥網之象可尋。故知《說文》之訓，乃後世淺人之附會，而非許書原意，可斷言也。

竊以為「率」字之義，古與帥同。《禮王制注》：「帥，循也。遵也。」訓與《玉篇》《廣韻》「率」字同。

帥

此古義「帥、率」互通之明證。案帥之為字从𠂤从巾。𠂤，古師字，師者軍也。巾者軍旗之象也。古名曰麾。《玉篇》：「麾，旌旗之屬，所以指麾也。」《周禮春官巾車》：「建大麾，以田，以封蕃國。」注：「大麾，其色黑，夏后氏所建，以四時田獵者也。」《書牧誓》：「右秉白旄以麾。」《荀子成相篇》注：「指麾，指麾也。」案「指麾」與「遵循」同義。蓋將帥南麾而言，則為指麾；就軍卒南進而言，則為遵循。此「帥」字从𠂤从巾之意也。軍行有征，師出以律，三軍士卒用命，離當前進，必遵循帥旗而行。故率字訓義為「遵循」，固其宜矣。然則古「帥」「率」同義，已無疑焉。所謂「率」，無除上乃行行於兩兵以於後之動義耳。此種動態，完全可從「經緯工具」之活動形態充分表現之。圖示如次：

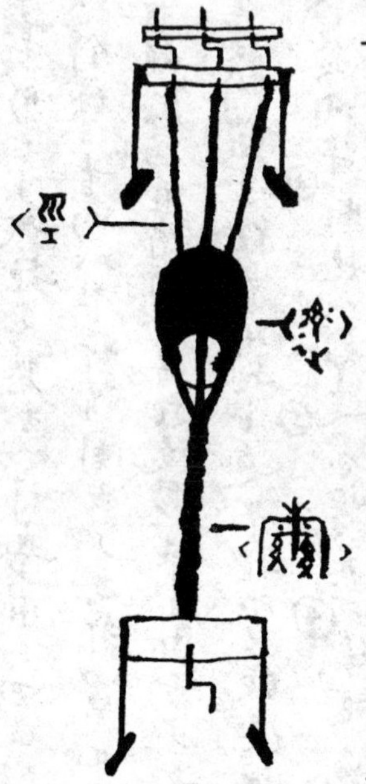

《說明》：「此人工手操經緯器。」蓋成肇自先秦。其形制特點，由兩部二足着地，上部橫連木版而成。兩器對立，距離可大可小，視線索之長度而定。其兩器之橫版，一為三孔並列，一為中間獨孔。各個版孔，皆有轆轤曲柄，貫通其間。操上時，甲乙二人各操一器。甲器三轆轤之大端各有經線相信。通過木分形之「綜合器」。此「綜合器」之形製特點，有半管狀溝三道，分佈於木分表面，通連上豎文排列。其橫向非離為一百二十度。三經穿過半管狀溝，復合而為一。共結於乙器之轆轤曲柄之大端。甲乙二人，對立運轉，各執轆轤，甲則左旋，乙則右旋，以促進三絲之結合而成索。在這樣情況下，雖然三絲互相結合之速度將逐漸伸展，於是必使木架形「綜合器」不斷向對方推進。在我們眼觀運動着木鏃似「綜合器」牽制一條長索跟蹤前進。至「綜合器」到達轆轤之際，亦即繩索完成之時。《爾雅．釋言》：「小者謂繩，大者曰索」。古文索作𡩉，或作𡩉，亦作韲。表左右兩手搓繩於屋內之態。《詩．豳風》：「晝爾于茅，宵爾索綯」。豳風時為周代，成于公劉時代，其時尚在殷商之前的夏代。當時人們只能憑藉雙手之力搓繩，是不足為怪的。春秋時代銅器銘文絕無見到𡩉字。字形與後世使用之手搓繩器完全一致。冂表絞繩器之雙足，上有橫版，版有三孔。中間一隆起示為「繩心」。左右

二叉垂直與繩心共為三絲，受轆轤之旋轉推動，合而為𡩉。此直觀象形字也。雖此足證，絞繩之器的發明遠在西周已有其物。繩絞之經字古篆作巠。首製繩工藝之生動圖片寫真，可足工藝史之考古資料鑒證。

結語：絲之、衍二字皆从絲从行或从千。絲音與絲合成一索之象也。行之者「循道旅行」之義也（見文書段）。亦即木架形「綜合器」循繩索而前進也。「綜合器」牽之于前，繩索形成于後，其引義為「導循」而與達、帥同義。固其宜矣！然則率字應訓為何義而後可？愚臆之曰：「率者帥也，率行於前，絲隨于後」絲繩之象似之。故引義為遵循。又不足也：「綍，律也」。孫炎曰：「綍，大索也」。又《釋名》：「縣下縋曰綍」。可見率綍同義之證。

式栻 式 栻 《周禮．考工記》：「凡溝防，必一日先深之。以為式，里為式，可以傳衆力。」注：「程人工也」。疏：「程人工者，將欲造溝防，先以人數一日之中所定尺數，是程人功法式……」

業《考工記》所謂「人之法式」皆係上即「工程預算書」也。當然這預算不僅包括勞力統計、工程設計、施工藍圖、完成日期，而且還有測量指數、圖紙說明……」是不言而喻的。

栻與式到底說明了什麼？考式之為文，从弋，从工。栻字，初文也。後世增木而定栻。《周禮

春官北天時遠也式」可濟考據。然則式、栻要、文而同字無疑矣。《博雅》云：「栻，梮也。梮有天地，所以推陰陽占吉凶，以楓子棗心木為之。」《漢書·王莽傳》：「天文郎按栻於前，日時加某，莽旋席隨斗而坐。」

《史記·日者傳》褚少孫補「分策定卦，旋式正棊」。《索隱》：「式即栻也。」

這個占為占卜術工具的「式」，當然不能排除宗教色彩。蓋、前、上即後世的「羅盤」之前身。其中少不了「五行」「八卦」「天干」「地支」……內容。但是我們應該怎樣理解這個「式」字是十分重要的，而且必須使這一具有科技性質的工具，成了不可理解之謎。

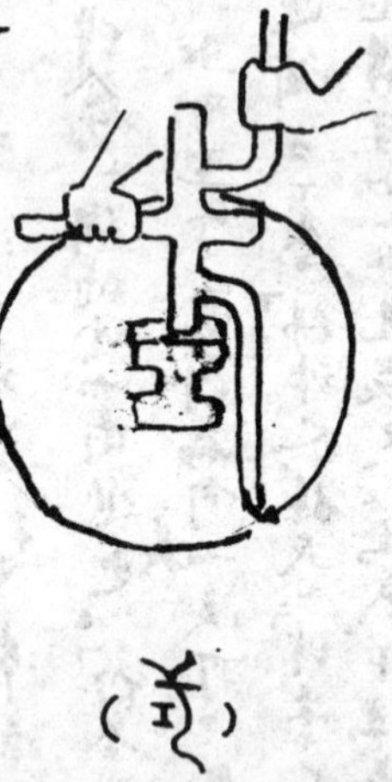

應該指出的即是為什麼這個「式」字會出現在《周禮·考工記·匠人篇》中？謹節錄經文以示、見識：「匠人為溝洫。耜廣五寸，二耜為耦。一耦之伐，廣尺深尺，謂之畎。田首倍之，廣二尺，深二尺，謂之遂。九夫為井，井間廣四尺，深四尺，謂之溝。方十里為成。成間廣八尺，深八尺，謂之洫。方百里為同。同間廣二尋，深二仞，謂之澮。專達於川，各載其名。」這個以「進位」為測量等差級數的農田水利灌溉體系之建立，其工程之大是可以想見的。以下剖一種經文中可以令人窺見一些施工技巧。「凡天下之地勢，兩山之間必有川焉，大川之上必有涂焉。凡溝逆地阞，謂之不行。水屬不理孫，謂之不行。梢溝三十里而廣倍。凡行奠水，磬折以參伍。欲為淵

〈栻〉

則曰指鍼。凡溝必因水勢。善溝者水漱之。善防者水淫之。凡為防,廣與崇方。其閷參分去一。大防外閷。凡溝防必一日先深之。以為式。里為式。然後可以傳眾力……」這裏的「里」字,應讀音為「以」。「里」者,除上是是自責地形,甚測繪製藍圖,施工設計的工程師一級的人物。所謂「里為式」者,實即建築工程施工「方案」。當然不會排除數學公式及圖案模式的應用。前邊已經提到的「栻」者,除上即鐘有磁石而針為核心,註附有幅射狀線的木製時空推盤。古人把它作為建築施工的測繪工具。其物理功能者,等於現代測量技術使用之「經緯儀」其物也。「式」字的篆文結構形態,象一橢圓規在幾何製圖之態。可見有力參證。後世漢語中「法式」、「形式」、「儀式」、「模式」、「樣式」、「程式」……等詞,皆緣此而生。

鼐 鼐 《說文》:「鼎之絕大者」。案近代出土之「司母戊鼐」,學者皆以鼎呼之。知物之不能得名之正已非旦夕矣。

鼏 鼏 《說文》:「以木橫貫鼎耳舉之。从鼎,冂聲」。案此字《禮儀》皆叚扃為鼏。《儀禮·士昏禮》:「設扃鼏」。《陸德明音義》:「扃,鼎杠也」。其釋極確。惜其未講字形真相,而許君尚能明之。可謂學有淵源。《士喪禮》:「左人抽扃」,注:「扃,即鉉字」。其所釋義確,而字非其文矣。蓋鼏之為文,為世俗所久已不見,而僅存其音。約定俗成,己只知有扃,而不知有鼏者,不知幾度春秋矣。只好以「鉉」字當之。鉉之為言懸也。為舉之義,乃動義辭,非物名也。鼏字从冂,橫居鼎上,當杠桿意,穿左右鼎耳之象,指事兼象形字也。二徐與鼏字相混,智者千慮之一失也。

鼒 鼒 鼒 金 鼒 等 鼒 金 此字《說文》未見,而出土銅器銘文多有之。《玄簠》之文:「□上鼒」。

鬵 鬵 鬵 《說文》:「大釜也。一曰鼎大上小下,若甑。曰鬵」。《詩·檜風》:「誰能亨魚,溉之釜鬵」。鬵之為言潛也。取其器之深而廣。如《詩·周頌》:「潛有多魚」。「潛」、「槮」古通。《爾雅·釋器》:「積柴水中以取魚,曰槮」。古人造字,象形器,皆有自然擬態之象。故知鬵字从兓,潛之省也。从鬲,器之形也。所以示烹魚用鬵,如魚之居「潛」、「槮」。喻其器之深而廣也。此器古人常用于烹魚。《老子》云:「治大國若烹小鮮」即指此而言。意謂器之深、魚之多,只宜耐心等待,不宜亂翻亂動也。其義與《匪風》詩同。

鬵

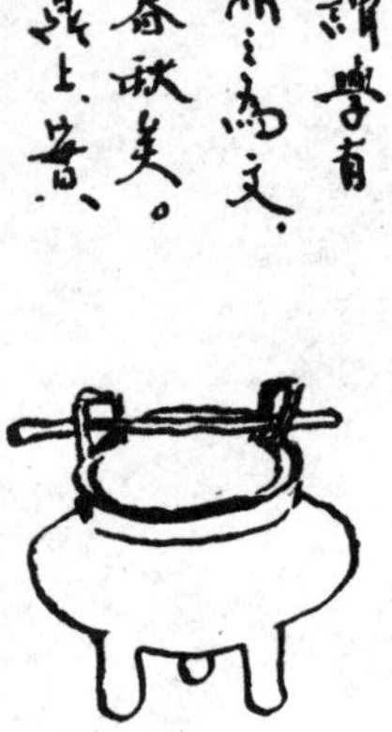

鼏

三六

尾語：上列的每一箇單字，在科技家（當然不是那些冒牌專家）的心目中，都可以被認為是一箇專業課題。而成為終生攻研的目標。這些琳瑯滿目的科學遺產，都被號稱「哲學家」們恣意踐踏歸入了「歷史垃圾堆」中。真可以說是功絕千古矣！

有關紡績工藝的文字

叀 [篆形] 金 [篆形] 籀 說文云：「六寸簿也。从寸叀聲」。案說文之解亦另有所指，非叀字初義也。而「叀聲」之訓亦與古音未合。蓋「叀」居古音十四部，簿居古音第五部。馭如許氏者，斷不致此。故知此條絕非叔重先生之語。竊以為叀之為文，上古時代之「紡塼」，為形字也。此物於田野考古原始遺址中多見之。今山鄉僻壤民間紡線仍有之。吾鄉名之曰「撚線陀子」。叀之為言轉也。旋轉之意也。摶、團、轉、玄、眩諸字皆出此。謹分別論列於後：

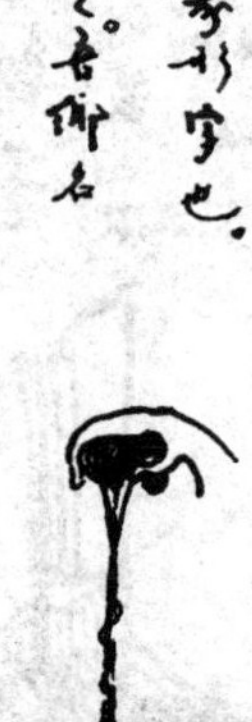
叀

轉 [篆形] 說文車部云轉字訓「還也」。廣韻云「動也。旋也」。案轉字从車从叀。取中輪為象，紡塼為義，叀之孳乳字也。

摶 [篆形] 摶 說文云「圜也」。周禮冬官考工記輪人云「俾以行山，則是摶以行石也」。又禮曲禮云「毋摶飯」。案摶之為文，从手，从叀。手者，動義也。叀者團也。亦叀的孳乳字也。今俾一乎向磨擦也。摶——滾動磨擦也。

轉

玄 [篆形] 說文云「幽遠也。象幺而入覆之也」。考許公此訓，大有漢東方朔與武帝之「覆盂射物」游戲之情景。[篆形] 事見漢書。故許君牽為義例。說文把玄字列入了魔術領域。予了玄字拿上了神秘的外衣，使人感到風趣橫生。又云「黑而有赤色者為玄」。許君據周禮冬官染人之義而訓玄為赤黑之間色。惟有古義。遺憾的是許君未能將玄字之造型形化遺蹟及其色含義統一起來。竊不自揣冒昧，試證如次：

竊以為玄之為字，乃叀之變文也。其文變規律與糸、朿、[篆形]、[篆形]同例。玄之為言旋也。旋轉之義也。其所以從中為黑色之義者，蓋基于人體旋轉過動可以導致周身血量產生離心趨勢。遂成腦

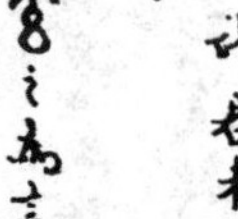
摶

暈 [篆形] 腔充血。引起中耳「三半規管」平衡效應失調。而出現眩暈目眩，視野黑暗自覺症象。今甲骨文暈字正象人光全部幽去，患眩暈目眩者的自覺證象。此症西方醫典，名之曰「美尼伐氏病」。中醫病理學名之曰「水氣上逆」。

《山海經》曰：「在天為玄，在地為水，在色為黑。」此東方古代龍典五行學說，其源於《河圖》、《洛書》、《先天八卦》。其學術宏觀意識，上及天文，下及地輿，中及人物，可從古文字得以略示。暗字从日从玄。玄者旋也，旋轉之本也。从日者，所以示日光合黑之義也。這一系列包括天體及生理機能等，統括于玄字之內，是毫無疑問的。故知玄之形義，玄字契文，是可以肯定的。《說文》曰：專、叀二文圖述非專部，姜孫于專字之文僅是聲之義，而義境全殊，所謂「失之毫釐，謬之千里矣」。

團

團《說文》曰：「團，圜也。」《班婕妤詩》曰：「裁為合歡扇，團團似月明。」《韓愈城南聯句》云：「紅綸囊櫻又，黃團繫門衛。」《黃團——小集》案：上引詩例皆非團字初義。團字从叀从囗。叀古字，紡縛也，旋轉之物也。囗古圍字，圍繞之意。故知團之初義即「線團」也。欣後延為「團結」、「團聚」、「團圓」、「團體」等詞。

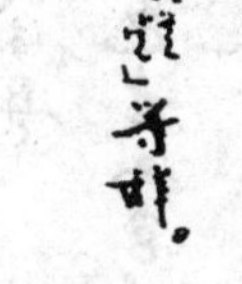

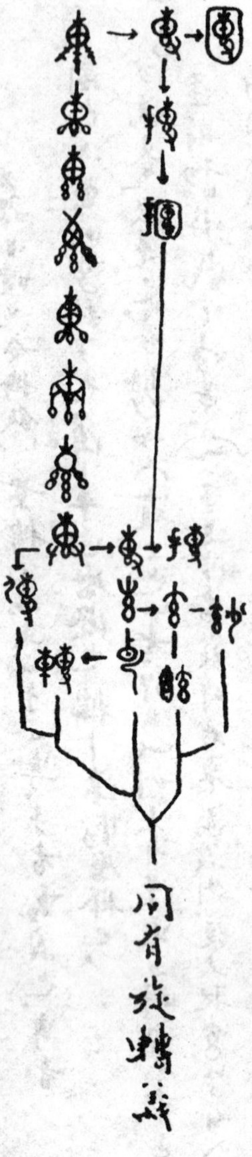

幾 機 《說文》曰：「幾，微也。」《易·繫辭》曰：「幾者動之微。」案：《說文》云、《易》云之訓，皆非「幾」字初義。此象形字是織布之機字，初文也。許君訓「幾」為「微」者何也？

古文微字，象出長髮人形也。《廣韻》曰：「微，細也。」《說文》曰：「細，微也。」从糸，从囟。象腦柳似織維之形，而非微之訓。蘇是觀之，則可見許君之訓幾為「微」，與《廣韻》之訓為「細」，細之訓義為「微」，其真意並非在于織布之「機」，而是在于布機之織維。彰彰明甚。故幾字有細微義，教理義亦有機械義。

（幾）— 幾 — 機（細微義）— 機械義

機 機〈說文木部〉機字訓「主發謂之機」。考先秦文字有「𢆶」而無「機」。故「幾」字兼括「細微」、「機械」二義。可得而知。至秦則「幾」「機」分化為二。幾訓「細微」而機訓「機械」。後世則「幾」「機」互通而不限。現代已几代「幾」，而將机代「機」。此歷代造𨑳之新觀也。〈說文〉訓「主發謂之機」，以行文語氣察之，似偏專指弓弩之發射關鍵而言。何以疑之？蓋因「幾」之原字當是「𢆶」，字从丝从弓从矢。丝从二止反背力之兩極分化也。弓者發也。矢者箭也。以文字原則論斷，可以判斷〈說文〉之解是屬于弓弩之機，而非織布之機。彰彰明甚。夫〈說文〉之問世，歷時兩千餘載。雜字百出，各逞臆說，輾轉鈔謄，刻印流傳，其難於採尋實竟者不知凡幾。文書稱「機」字豈己哉！

綜 綜〈說文〉：「織縷也」。太簡略。〈玉篇〉：「持絲交」。其語甚確簡明而扼要。

考〈漢劉向列女傳〉：「推而往，迎而還者綜也」。可見漢時不僅有斷式之紡織機而且有立式紡織機矣，否則「推而往，迎而還」之綜，是無法得出合理解釋的。〈易·繫辭〉：「錯綜其數」。〈易經〉采用了「錯綜」一詞，足為數理變化的形容詞，足證西周之前我國的紡織機械何其細巧已臻高度發展。〈詳見後篇字。〉

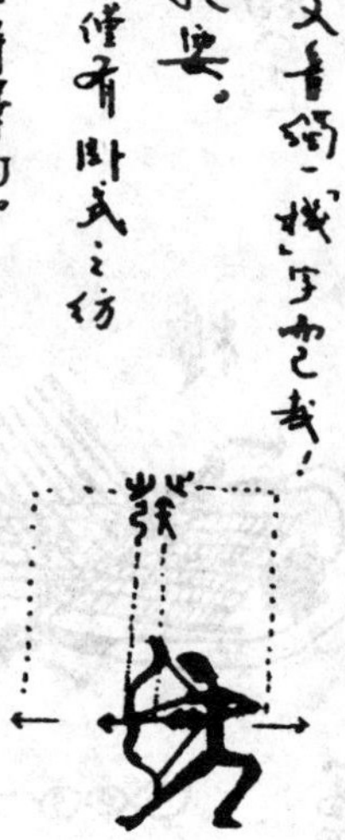

〈討論〉：考綜之為物，乃紡織機械中的一個重要組成部份。其具體形製由一排形似木梳之版狀構件配伍而成。其橫列之直豎構件，即所以供經線穿過之通道。全部經線分為奇偶兩組，一、三、五、七……由甲綜通過，二、四、六、八……由乙綜通過。綜之上下皆有繫索，索之上端着於機頭，下端分連于左右踏板。

綜〈一圖〉

𦃃 古名曰「𦃃」。所以成兩綜交替升降，及滑手通梭之功。十分繫綜之索又叫所以示手足註用之意。讀音為「提」，所以示收疲之態。〈大說文云〉：「𦃃，機下足所履者。」即其物也。〈見圖二〉司機人兩手雙足相施，使二綜不休，交互升降，每次升降，經線又有一次開張。司機者更機梭梭。古名曰「㮂」。㮂之為言，開也。開嚴之義也。㮂字从米从𦉫。于与間聲而義通。

三八

杼之為器，橢圓中空，兩端像圓。經線順序由內而外，一端洞口通于腹底，乾似紙筒，抽線外出。反復回紡，以成經緯結合之功。緯者圍也。圍繞經線縱橫起伏者也。〈圖三〉此紡織之要訣也。然則杼內所牽之線，即緯線也。《詩·大東》注：「杼，持緯者」。

綜 時運契析義：綜字从糸从宗。糸者絲縷之象，宗之為言總也。總合之義也。然造字者不从總而从宗者，良以宗之為文从宀从示。宀者屋宇也。示者神也。宗廟祭饗之義也。主祭者帝王也，帝王者「宗主」也。此原始宗族部落由統政權轉系之文化產物。一國之民，千家萬戶，統攝于「宗主」；猶一機之線，千絲萬縷，統攝於綜，其義一也。民有男女，國有帝后，絲有奇偶，綜有兩儀。其物同也。古代文字之義，不會擺脫歷史特徵，是不言而喻的。

複 複 《玉篇》云：「機持繒者。」《說文》段注：「繒者，經與緯之合也。緯與經合，患其不緊，則有複入經之間以緊之。」〈圖三〉

椿 榺 《韻會》云：「絲榺，卷絲具。」〈見圖二〉案《說文》訓為「榺滕」，其說不确。

軸 軸 柚 《詩·小雅·大東》云：「小東大東，杼柚其空。」注：「杼，持緯者；柚，即軸字。」

複 椱 榎 《說文》云：「履法也。」〈圖四〉〈下詳第十〉

黹 絺 《說文》云：「箴縷所紩衣。」

綫 《爾雅·釋言》云：「黹，紩也。」郭注云：「今人謂縫紩衣曰黹。」復考《說文·糸部》綫字下云：「縫也。」《玉篇》古文紩也。」《急就篇》注：「細刺謂之紩。」《周禮·司服》鄭注：「黼黻刺繡為黹。」謂刺繡也。上

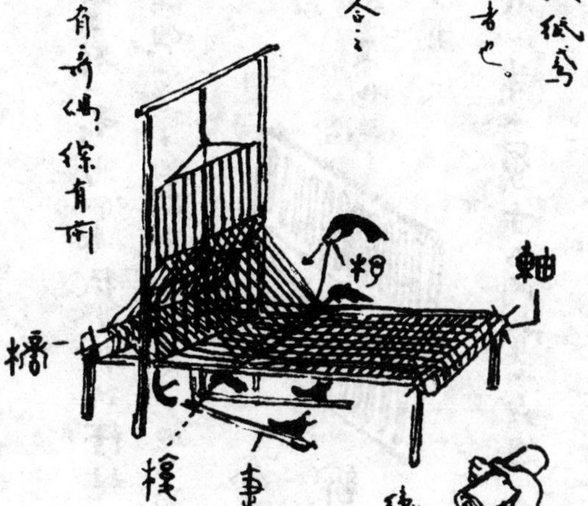

〈二圖〉

〈圖三〉

〈圖四〉

考《周禮·司服》云：「祭社稷五祀則希冕」，注云：「希或作黹。」可知黹希二字互通。案希之為字絺之刺文也。字从爻从巾。巾者布之省，爻似綾形文織齒案花紋。有通「風」意，希疏義，透明義。故知即絺字而無疑。絺是葛麻紡織品，等於今日之「透孔紗」。古人用為夏服。《詩·葛覃》云：「為絺為綌，服之無斁。」傳云：「精曰絺，粗曰綌」。可為義證。《曲禮》云：「為天子削瓜巾以絺。諸侯巾以綌。」《玉藻》云：「浴用二巾，上絺下綌。」皆貴絺而賤綌。案絺之為物，精細之葛麻織品也。後世名曰「夏布」，以其輕利而無礙也。故知黹與絺乃同物而異名。復考《說文》徐鉉注云：「黹，从㡀，从丵省。」《集韻》云：「丵」字訓云：「竹木叢生，象根株形，蔓疑出形。」黹，以為黹之為字从㡀从业。㡀者敝也，敝巾也。古有敝舞。业者丵之省，

業

業字之始基也。古文業上業、[illegible]、[illegible]、[illegible]、[illegible]。諸文造型，咸取象於竹木樹器等戴之態。故古代美術工藝者用業字以名鐘磬桐簴之裝飾。《詩·大雅》云：「虡業維樅。」疏云：「植鐘磬之木，植者為桐，橫者為簨，桐上加大版。捷業如鋸齒。」而采用細緻的「樅」木為原料，則「業」之文理之密可見矣。

基上數引資料證之，可知業黹二字形義相通。《金文》云：「衣黹楚楚」之楚上黼黻。字皆从黹。可以形容服裝之戴美狀觀也。此許君訓黹為「紩衣」之所由來也。甲骨文[illegible]、[illegible]諸文，皆應為「絺」。固無疑矣。但是同時也應說者則絺黹互通者，古籍通假之例也。事實上這種上為美工藝術的專用字，絕不只限于葛麻織品，而是有它更為廣闊的表現市場。尤其是在絲織品中的表現更為凸出。此意可從下條「綺」、「錦」等文字中獲得鮮明啟示。

綺 綺

《說文》云：系部綺字訓云：「文繒也。」段注：文者，錯畫也。錯畫謂逆錯其介畫。繡為文錯之文，謂之「綺」。《釋名》云：「綺，敧也。其文敧邪也。」《前漢·高帝紀》云：「賈人無得衣錦、繡、綺、縠、絺、紵、罽。」注引師古曰：「綺，文繒。即今之細綾也。」看來，綺之與綾，雖異名而同類，無疑矣！惟質地厚薄與有色無色

三九

亦無耳！由此可知綺的文理絕非橫平豎直，而是由斜文組成的「菱形圖案」無疑矣。

綾

綾、綾、綾。《說文》：「東齊謂布帛之細者曰綾。」《釋名》：「綾，凌也。如凌之理也。」《玉篇》：「文繒也。」《廣韻》：「綾，綺。」《王延壽·魯靈光殿賦》：「崗繒綾而龍鱗。」註：「綾繒，不平貌。」由此可知，綾的組織結構形態，屬於具有主體花紋之絲織物無疑矣。則《說文》之訓，略略之甚矣。

已故夏鼐先生於其所著《考古學與科技史》一書中云：「殷商時代的絲織品中，便已有了平紋組織的地紋上，織出經斜紋菱形為菜花紋織物。在黑布淖爾（樓蘭故址）和額濟納河（居延湖）烽燧的漢代遺址中，都仍有出土。蒙古諾音烏拉漢代匈奴墓中，和俄國克里米亞半島上公元一世紀，刻赤遺址中也都有發現。後者是一八四二年出土的。可謂近世最早發現的漢代絲織品矣！這些絲織品，無論就花紋圖案方面、或織造技巧方面而言，都有充分根據判定是殷商至漢代一脈相承的。其主要特徵是大型的菱形。菱形的內部又包含有樹葉紋。……平紋織地的夾織經一上二下改為三上一下。（引的斜紋組織。相鄰的二枚經線它們和緯線的交織點，每後移一棵斜出。呈現了連續的斜的對角線狀態。這可以推測，當時已有「提花機」。按照幅儀和密度，全幅經線要達三千五千之多。依照花紋高度和緯線密度，「綜」的數目可能在四十一五十之多。這樣多的綜框，是無法由一人使用腳踏完成升降任務的。除了一二地綜由足踏自責之外，其餘的數十片「提花綜」則必須另外一人，在「花樓」上依照順序提起須要提起的「綜」。雖不象現代那樣結構複雜的「提花機」，但當時已有了簡單「提花設備」，是可以認定的。」

《討論》夏鼐先生在其大著中也曾這樣說：「在甲骨文中，存在着一些有關絲織的文字。」獨恨其並非致力於文字之學的專家。因而在文字與具體實物之間的介紹說明上，找不到恰如其份的說明「例字」。筆者竊不自量，忝為夏公私淑門徒，以填補其空白如次。在甲骨文字中，最具典型者能反映絲織品藝術圖案的形象者，莫過於「㬎」字，介紹如下：

□ □□□□此字造型从艸，从□。《說文》艸部：卉字，「艸之總名也」。未能盡其意。唯《爾雅》之解

卉 具有說明價值。《爾雅》艸字訓：「卉也。百艸總名」。由此即後來的「蕾莟」之蕾字初文也。故卉字从三屮，有眾

蕾 集義。有百花聚放象。□者果實之形也。形似熱帶植物中之波羅蜜□之底部，其根蒂也。此果

我國民間名之曰「鳳梨」。鳳，因其美麗似鳳而命名。此物在現代植物學中名之曰「葚果穗」。《玉篇》：「葚，

桑實也」。因其生理，與桑同形，故植物學者命名曰「葚果」。實質上葚果乃集體花序之果物也。其果實

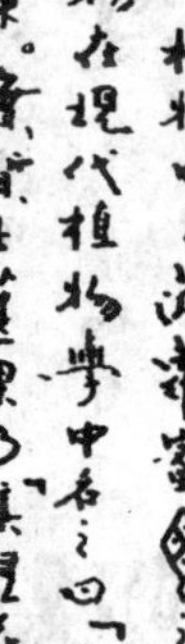

繪繢 形態可以葚果族之「葉蕾」、「桑葚」、「茨花」……獲得說明。《甲骨文》中取□字為美術圖案字。後來形變為繪。繪字从糸

从會。糸者繒帛也。會者經緯交集之意也。《說文》糸部：繪字，「五采繡也」。《小爾雅》：「雜彩曰繪」。何晏《論語》：「繪

績繢 事後素」注：「繪，本文作繢」。字从糸，从貴。可見此種精美華麗的絲織服裝，在當時社會屬於特權階層貴族人物

的專用品，而庶民不與焉。考《尚書·益稷》：「余欲觀古人之象。日月星辰山龍華蟲，作會宗彝，藻火粉米，黼黻

絺繡，以五采彰施於五色，作服，汝明。」繢字訓為「五彩之衣」，事實上乃是貴族人物的外在標志。這一文飾為政治服

務的意義絕非始自殷商，而是在殷商的千載之前的「虞舜」時代就已經形成為社會制度了。夏鼐先生把衍文的絲織

品出現的歷史上限，推到殷商的論點，是非歷史真相。因為任何一種工藝的發明創造，都必須有其衍化演進過程。

同樣紡織工藝來論，也不會，而且不可能在一夜之間，便能登於高峰。這是符合事物發展進程規律的。因為遠在不可估計

的軒轅黃帝之元妃「嫘祖」，我們的前人已經發明了蠶桑之術。雖蠶桑初期的絲織素帛，開始經過漫長的歷史

長河的演進，而到達到高級紡織藝術水平。這也是符合規律的。素帛的綵（素字）字造型，从糸，从絲。儼然是一

幅人字排列圖案。而《說文》訓義為「白緻繒也」。雖此可證由色的斜紋絲織品，遷在彩色的斜紋絲織品之前。是可

以理解的。這是雖於彩色的斜紋絲織機的「提花綜」的數目，起碼要高出若干倍之多的緣故。實質上綵字的造形示意

不會為我輩研究《中國紡織藝術史》提供了物証投影。因此我們完全有理由上為代表「五采繡」的繪字，以及代表「織

縷紋衣」之「黹」字，必然要誕生在綵字之後。是毫無疑問的。綵、繪二字，已生動地顯示了紡織工藝的進化過程。

四一

《甲骨文》的[glyph][glyph][glyph]諸字，即糸系系字初文，其字與絲通。所不同者即佛是高麻織品，而黹則係蠶絲織品。而禮織品皆有斜紋面案。絲字从爻从巾。黹即《甲骨文》「黹」字之演變也。錦此蠶之蠶則可知其為絲織藝術品物之「綺」和「黹」皆喬於[glyph]的藝態產物。黹上[glyph]即「蒔蕙」之[glyph]（蕙的）原始字也。蕙是名貴的香植

餙 [glyph]

物。氣味芬芳可親，故古人用為貴族服裝之紋飾，故知[glyph]系絲綿與《甲骨文》[glyph][glyph][glyph]諸字以及系黹黹[glyph][glyph][glyph]……等這一「字群」的「造形之義」皆源出於[glyph]。謹提殷商出土之綺[glyph]者，物面

業以從古文字造形之情：

緜 [glyph]

卜[glyph][glyph]《說文》系部緜字訓「[glyph]所吐也。从二糸象形」。

蠶 [glyph]

卜[glyph][glyph]《說文》云「任絲虫也」。[glyph]之為文，从[glyph]从[glyph]。蚰古昆虫字。蠶聲符。許書讀未義在音。竊以為[glyph]之為言三也。三月也。於夏曆為寅。於八風為「融風」。[glyph]之為虫生於斯時。生卯辰巳至午月夏至一陰生則止[glyph]自縛而化為蛹。經午未申酉戌亥子丑長期冬眠至寅、月則破繭而出，化而為蛾。自午至寅，凡八月之久。則產卵育子。《大戴禮》所謂「[glyph]八日而化」，「[glyph]」即[glyph]也。《易乾坤注》云「自無而之有。謂之化」。《韻會》云「天地陰陽之運行，自無而有，萬物生息，則為化」。然則所謂「化」，即現代昆虫學中所云「完全變態」也。[glyph]是「一年生生物」。自初生至死亡，歷時一歲。在一歲週期中，大空之風向凡八變，名曰「八風」。八風的變遷順序，依時針方向而行的。東北曰「融風」，東方曰「明庶」風。東南曰「清明」風。南方曰「景」風。西南曰「涼」風。西方曰「閶闔」風。西北曰「不周」風。

筆者謹按：餙之為文，本宜从食从系。其本義應為食品之裝飾，如茶點作成動物能形之[glyph]餅附加壽喜文字花蝶為業。後世形訛之餙而形義已乖無人能識其指矣！

餙

近代出土殷商綺錦《夏鼐考古》

北方曰「廣漠」風。八風之名各有含義，實与生物代謝節律同。所謂「融風」即東北風也。融者融和之義，溫暖之氣也，現代科學術語名之曰「融氏三十七度之氣溫」。此種氣溫熱度与所有一切動物體溫相同。故能適合生物蕃殖之需要。依五行學說云：「東方為震，東北為艮。在天干為「甲乙」，在地支為「寅、卯」，於歲為春。」春者蠢也，蠢，蠢動之意也。東風解凍，蟄虫啓户，萬物以開動。此虫字从曰从它之義也。言虫而不言蠶者，以蠶為昆虫之代表。言虫而蠶在其中矣。《說詳拙著天象篇「風」字》。《詩．豳風．七月》云：「一之日觱發」，《易》云：「七日來復」，皆假日為月。故知「八日而化」，即八月也。

蜀 蠋

（以上皆卜辭蜀字）小篆作蜀。《說文》曰：「葵中蠶也。」《爾雅．釋文》引作「桑」。段注引《詩．豳風．東山》曰：「蜎蜎者蠋，烝彼桑野。」為「蠋」即桑蠶之證。筆者案：考古詩訓律，「烝」、「填」音義互通。填，實塞之意也。所謂「填彼桑野」，即野蠶佈滿了桑林。所以形容蠶之多也。蠶之為物，本屬野生昆虫，乃桑樹之災害，後來被人類收養，上為衣服原料，取給來源，遂化害為利。不過「蜀」字所含義止於此。

「蜀」字在地理中，是四川省的簡稱。古名桑榆之鄉，以其地多桑而得名。桑是蠶的寄生物主，故其地多蠶。此四川古名曰「蜀」之所緣來也。大凡古代地名，多為封國領主後裔姓氏，或與當地物質特產有關。如荊楚多荊，秦地宜禾，魯都東海之濱，登泰山可以望海而睹日出，故魯字从日从魚，所以明日出東海、漁鹽之鄉也。諸如此類，例不勝舉。蜀字從燚。《太平御覽》引漢揚雄《蜀王本紀》云：「蜀之先稱王者有蠶叢，折權、魚鳧、開明，是時椎髻左衽，不曉文字，未有禮樂。叔氏蠶叢，從開明至蠶叢，凡四千歲。」唐李白詩：「蠶叢及魚鳧，開國何茫然」。文選友人入蜀詩云：「見說蠶叢路，崎嶇不易行。」皆指四川而言。此漢字地名与物產關系之義例也。

蜀是形義觀：之為文，從、從。者，蠶蛹之形也。者，纏繞之象也。与小篆蜀字同是上端目傳之狀。此象形字也。蜀之為言僞也。《說詳天象篇僞字》。蜀与蠋異，理而同類，皆變態昆虫也。《莊子·庚桑楚》云：「奔蜂不能化藿蠋」。注云：「蠋，豆藿中大青虫也。」案：此虫專食豆類，害蟲也。吾鄉名曰「豆虫」。通體肥胖，農民捕捉燒而食之，滋味肥美。蠋、僞、蜀，皆同源字也。表示如次：

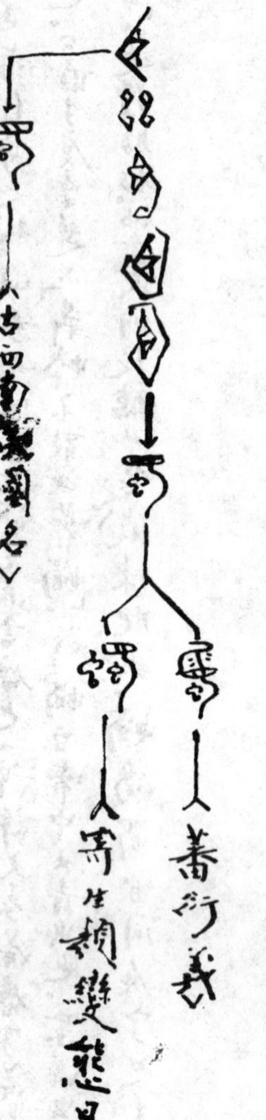

黼 黼 《說文》：「白與黑相次文。」《爾雅·釋器》：「斧謂之黼。」疏：「黼，半白半黑，似斧刃白而身黑，取能斷截。」一曰白西方色，黑北方色。西北黑白之文，乾陽位焉。剛健能斷，故畫斧以黑白為文。」

黻 黻 《說文》：「黑與青相次文。」《爾雅·釋言》：「黼黻，彰也。」郭注：「黼文如斧，黻文如兩己相背。」黑與青謂之黻。《周禮·春官·司服》疏：「黻，取臣民背惡向善，亦取離合之義，去就之理。」

案：西周王朝服制以「黼」「黻」各為「九章」之一。其物古人未見，故古人僅舉京劇於滿服裝以舉例說明之。是否有當，未敢知也。依近代封建王朝禮服規定而言，其腳前曰「黼」，其後曰「黻」。存樣佳證試畫示如下：

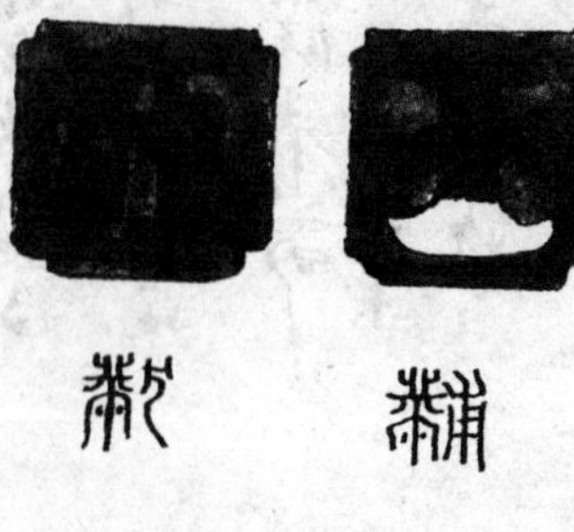

黹 黹 《說文》曰：「箴縷所紩衣也。」《書·益稷》：「藻火黼黻絺繡。」黹即絲織品之未點形圖案。

黺 黺 《說文》曰：「袞衣山龍華蟲。黺，畫粉也。」《書·益稷》：「藻火粉米，黼黻絺繡。」傳曰：「黺若粟冰，黹若綉米。」

紋 紋 《集韻》：「音文。」《玉篇》：「絛色也。緣者衣也。」《廣韻》：「黹色」。

案：紋之為字，金文衛鼎作紋，从爻。小篆作紋。爻者，斜紋文爻之象。糸者，絲織品也。與卜辭字同例，亦象形字。所以示其衣有斜紋交錯之圖案也。

黹 黹 紋 《集韻》：「音畢。」《說文》：「會五采繒色。从黹，綷省。」筆者案：黹之為言萃也，會萃之意也。族聚之象也。所以示圖案花紋集結也，彩離繁縟之態也。草木集聚曰薈萃。綵帛之色彩集聚曰黹。其義一也。

黹黹黹黹《說文》：「合五彩鮮色曰衣裳黹」。徐曰：「今止楚之段借也」。筆者案青銅器銘文如《㸚觚》《攈古》曰有黹字，故知徐氏之說確有依據。

緶緶《類篇》：「音眠」。《玉篇》：「黹，緶也」。《類篇》曰：「音邊，紩也」。緶者，《說文》緶字訓：「交枲也」。案所謂「交枲」謂以枲合股交辮之也。交係為辮，交枲為緶。緶者，《玉篇》：「緶，交縫衣也」。今諺語謂兩幅之邊縫之曰緶，謂縫一幅之邊亦曰緶。緶此可知黹字之義，即以鍼穿線，交叉縫聯之意。今俗名「緣邊」，亦名「鑲邊」，統其意也。

〈黹〉

黹黹《類篇》：「音辯。紩謂之黹」。筆者按，紩从枲从紩。枲者麻也，紩者徵之省文。徵，器之意也，精細之象也。故知《類篇》訓黹為「紩」，即帶有圖案花紋之鞋底也。《字彙》黹部之黹字訓：「履底也」，可為有力佐證。筆者幼時嘗見婦女「納鞋底」者，以黏布為襯，層疊《屢布》置日光曝乾之，名曰「鞋靠子」。以剪刀剪之足形之形，然後裹之以大布，再以麻線引鍼，先以錐《鍼錐》穿孔，從之以縫納，反覆上下，縱橫行列，納成方圓之齒案花紋，美麗而可觀，即黹字其物也。

黹之為文，从黹从扁。黹者，鍼紩之意，紋理之象也。扁者，編之省，編緝之意也。而訓義為履底，此指事兼象形字也。

（黹）

編編編（卜）編（金）編《說文》：「次簡也」。《史記·孔子世家》：「讀易韋編三絕」。《前漢書·儒林傳》注：「編所聯次簡也」。案《說文》之訓，以編字初義，起於「竹簡」，事實上未必然也。何則？文字之起源，來源於生活，生活乃一切文藝之基礎。故生活者，文化之源泉也；文字者，生活之上層建築也。竹簡非直接創造生活之工具，又豈能為文字取象之始基乎？余謂編字初文，實來源於捭棘，編織及製造器皿之景象。文字本身已忠實地記實，

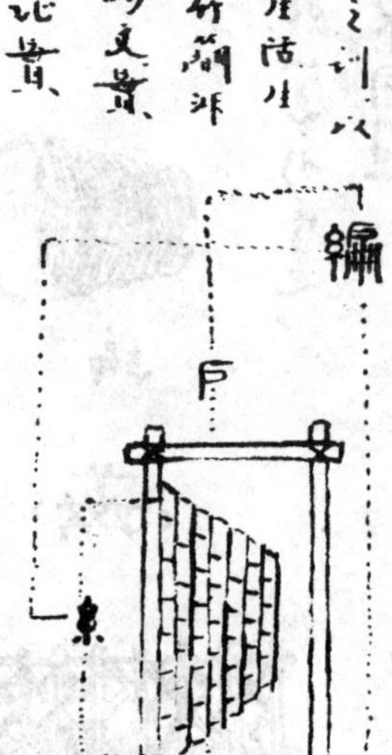

四二

了這一問題。

絕 [篆][篆]（下）[篆][篆][篆]（上）[篆]（下）

[篆]（上）[篆]（稿）[篆]（籀）《說文》云：「斷絲也。象不連體二絲。從系、卪聲」。案古篆諸絕字造形，皆從刀、從叀或[篆]，此象形字也。

（[篆]）

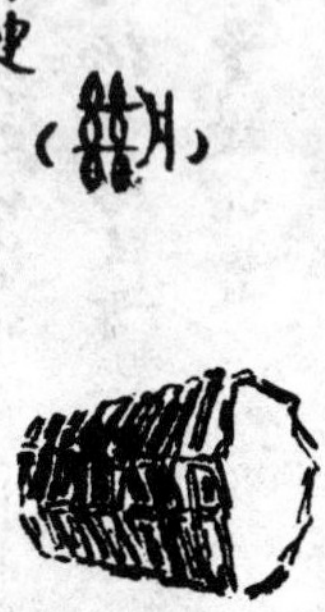

編 （[篆]）

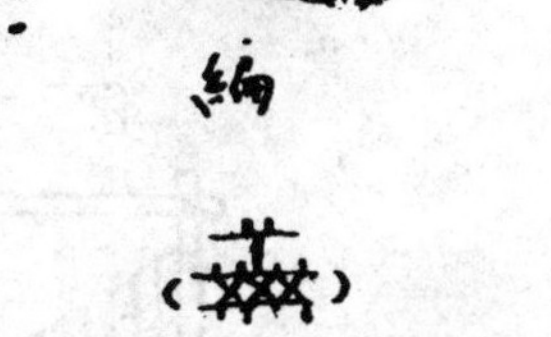

繼 [篆]《說文》云：「續也。或作[篆]。反絕為[篆]。」此字造形與反米為[篆]同例。

案反[篆]為[篆]與反止為[篆]、反正為乏，皆同一例。乃對待之義也。續絕工藝，吾鄉名之曰「接（讀上聲）繩」。其工序雖細微之極，先將兩節斷繩之斷面諸合股折開，使之分散，狀如「旋螺」，然後精細觀察，逐一對心順理組合，按照原有結構，使之互相銜接，再行施工緊縮筆固以求收復如初之堅度。此非心細如髮、眼明如鏡、思路清醒之士不能勝任也。

（[篆]）

[篆]

織 [篆][篆]（上）[篆][篆][篆]《說文》云：「布帛之總名」。《小爾疋》云：「治絲曰織，織，縷也」。《書‧禹貢》「織文，錦綺之屬」。△古集字：[篆]，經線也；二，緯線也。弋，聲符也。

縷 [篆][篆]《說文》「錦文貌」。《詩‧小雅‧巷伯》「萋兮斐兮，成是貝錦」。《廣雅》云：「縷，文章相錯貌」。

斐 [篆]《說文》云：「分別文也」。《易》曰：「君子豹變，其文斐也」。案[篆]之為文，左右對稱之圖案也。是即《說文》云「分別文」其義矣。豹之為獸，兩耳雙目，左右四肢，謂之「分別」其文，故斐亦象形指事字也。

案，[篆]，从[篆]（冏）之變文也，从[篆]，莫之省，所以示錦文富麗之態也。

[篆]

涚　涗：涚文水部涗字訓「財溫水也」。筆者案：財之為言，貨幣也。古代以貝為貨幣，故財字从貝。此財之造字形義也。图与涚無涉。按則許君涗為「財溫水」者，蓋取貝之自然物質屬性為義，非貝之經濟價值義。此意不可不知。貝之為物，水族類也。產於海中。其骨甲中富有鹹基鈣素。於化學定性上為鹹基物質。其「脂肪酸」類具有接觸分解，中和致能。故古代湅絲工藝用為生絲織品（繒帛）「變質劑」。名曰「湅絲」。許君訓涗為「財溫水」者，所以示湅絲工藝必賴日光水作為動力共成物質催化之功也。㬎字从日从糸从火。可見其義。《周禮·冬官·考工記》曰：「㡛氏湅絲，以涗水漚其絲七日，去地尺暴之。晝暴諸日，夜宿諸井。七日七夜，是謂『水湅』。湅帛以欄（楝下同）為灰。渥淳其帛，實諸澤器，淫之以蜃。清其灰而盝（同漉、濾）之。而揮之，而沃之，而盝之，而塗之，而宿之。明日沃而盝之。晝暴諸日，夜宿諸（井）。七日七夜，是謂『水湅』。」

案：佳文傳文云：「淫謂漚以欄木之灰。蜃謂灰也。」《周官》云有白盛之蜃。蜃，蛤也。鄭玄謂：「淫，謂薄粉之，令白。蛤，今海有焉。」驗此可證：涗之為字兼該上可以染指「楝灰」、「蜃灰」二物蓋已無疑。

《討論》云：考涗之為字從兌从水。水者液也，兌者金也。於《易·卦》之為西方，於《五行》之為金，在色為白。此涗字之造形示義之大莖也。故知涗之兼指合義，應為「含有金屬元素之液劑」矣。本就楝、蜃二物分別說明以證之：

楝（欄）　一、考《爾雅·釋木》云：「楝木高丈餘，葉密如槐而尖。三四月開花，紅紫色。實如小鈴，名金鈴子。俗名苦楝。」案：楝之為木，可供燒炭。敲之成聲，發響（叁）屬音。其木質中含有天然鉀鹽。土人以碎木灰置筐中，以水澆灌，淋於缶上而過濾（涚）之，得褐色鹹液，民間呼之為

楝

四三

蛋鹹。（對石鹹而言）此物有祛油脫垢之力。農村用之洗衣、滌器，操飲食業者用之以製糟魚，可使魚骨酥軟鬆散似泥。因其有分解動物骨組織之功能，使膠質與鈣質分離之故。故知練衣當質上即生絲變質劑也。以化學術語言之，即謂的「脫膠劑」。其唯一有效成分為「碳酸鈣」。對生絲織品具有軟化、漂白功力。

（西）「蜃」（周禮·地官·掌蜃之職）云：「掌斂互物、蜃物，以共闉壙之蜃（葬棺墓穴的滲透吸水劑之用會成於）。祭祀共蜃器之蜃（粢飾祭器的塗料），共白盛之蜃（粉刷宗廟宮室牆壁的塗料）。以上經典提供的資料使吾等認識到「蜃」為之為物質，實上即有「氧化鈣」而無疑也。藉此可以進一步判斷出「㡛氏湅帛……畫繢湅器之以蜃」實質上是指「蜃灰」上為生絲「漂白劑」使用的。因為生絲必須經過「鍊治」的變質加工之後，已經化為質地柔軟的「練」。但是練的纖維中所殘存的雜粽色素還需要一道「漂白」工序。因此我們是有理由認定「練蜃」與「蜃灰」之物，事實上都應該在「涗」的名稱之內。是合乎邏輯常理的。這是由古至為「生絲洗湅劑」——涗字的本身含義可以充分顯現的。（詳已見前）

（蜃）

涗＝捧水澆淋＋蜃灰。 洗練劑＝氧化鈣（鍊練劑）＋氧化鈣與（漂白劑）。

然則涗之為物即「湅絲劑」也。許君訓義為「財溫水」。以往文化史之湅絲工序中，可知「溫水」之溫字的真實意義。茲示如下以見義：

溫字造型：从水、从日、从皿。

反映了一幅湅絲工藝的三個工序場部想像圖。

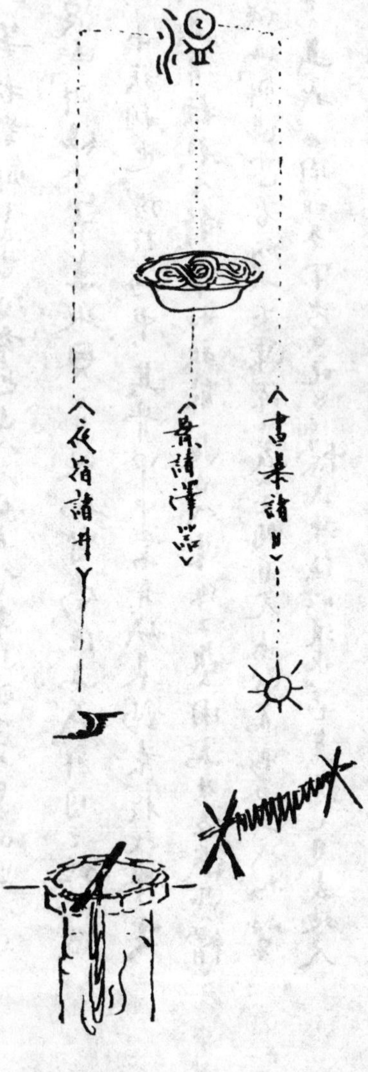

凍 湅 《說文》:「湅,𣶒也。」《玉篇》:「煮絲絹熟也。」筆者案:「湅」字從水從柬。柬者揀之省文也。古代湅絲用楝灰浸漬而變潔。故湅字从柬从水。故知湅亦楝之假注字。

練 練 《說文》:「湅繒也。」《玉篇》:「煮漚也。」《釋名》:「練,爛也。煮使委爛也。」《急就篇》注:「練者,煮縑而熟之也。」《周禮·春官·染人》:「凡染,春暴練。」注:「暴練,練其素而暴之。」按此觀之,「練」之爲物乃經過加工而變皆之絲織品也。以潔白而輕柔爲素質之物也。練字从糸从柬者,糸者絲之省也。柬者揀之省也。所以示生絲之繅經過選揀湅之化爲練矣。

柬 柬 《說文》:「分別簡之也。从束从八。八,分別也。」案《說文》之訓,揆諸文字形意,難免疑惑之處。蓋柬之爲練之省也。柬之爲文从束,木帛之象也。而許君略而不言,疏之甚矣。柬字从八者,非八也,帛上字迹之態也。近年湖南馬王堆出土之春秋「盟書」,以竹聿蘸漆寫於帛上,可之考古物證。其物与「柬」字形義相合。古代盟誓,築壇告天,玉敦珠盤,歃血同盟,宣讀,盟主執牛耳以示神明監臨,聲聞於天……《詩·小雅·出車》:「豈不懷歸?畏此簡書。」蓋段「簡」爲「柬」之例。自宜以之柬爲優。

(柬書)

閑 闌 《說文》:「門遮也。」此訓極確。惜語焉而不詳,無以闡述字之形意。

考闌之爲文从門从柬,形義字也。門者室之戶也,柬者帛之書寫文字者也。柬帖於門扉之中,所以示封閉之態也。俗名「封條」者是其物矣!其訓曰「門遮」,不亦宜乎?

(闌)

蘭 蘭 《說文》:「艸也。」陸佃云:「闌艸爲蘭,闌不祥也。」案:我國古代,有陵向植蘭之俗。其義非專謂「禳除鬼祟」,且有古代社會文明之意義存焉!蓋壹門陵前之地，乃賓主相會之處。所以示朋友相訪應於陵前之地等候之義。故蘭字从艸从闌，所以示闌阻之義。故知陵前植蘭，所以示賓主相見之界限標志也。此與今周禮之廟門之內植碑為主客揖見之地，其義同例。今我國古都北京民俗朋友拜訪，雖門戶大開，庭院寂靜無人，必立於門外，以手敲門上環，待主人聞聲而出，方能步入大門，所謂「柴外叩聲必揚」，此古風之遺存也。蓋賓上陵前植蘭，即植物性之宇門衛哨也。但此神禮教性的文明制度，施之於君子則可，施之於小人則無效，行之於治世則可，行之於亂世則無效矣！

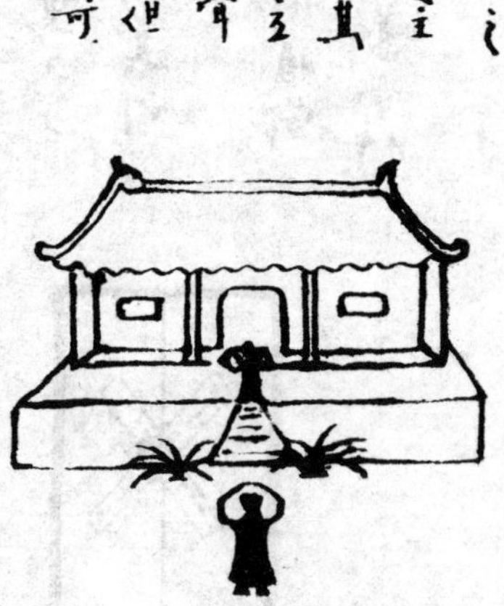
〈蘭植前陵〉

煉

煉《說文》：「爍治金也」。案煉字从火从柬。湅字除水增火的置換式也。是知以水治絲曰湅，以火治金曰煉。故二字互見於注。蓋未審孰居先而孰居後矣。此尚有待於考證焉！

漱

漱《說文》：「辟《襞》漱鐵也」。段注引《文選·張協七命》：「乃漱鑠，萬襞千灌」。李注云：「襞謂疊之，灌謂鑄之」。段謂「文者取鍛之義。漱者灌也。」（以簡釋義。辟者襞之段借字。）

案煉鐵的「煉」字其字从火，固為常規。此「漱」字从水，與慌氏湅絲之湅同文，而增攴。此則義有可疑、形有可議者焉。夫鑄鐵之藝，本有水火兼施之理，古人名之曰「燮理金素」（熱加工與冷加工交替互用）。故「漱」字造形从水，原不足怪。發人深思的是湅絲的「湅」字為什麼也能夠延植到「漱」鐵之藝文字中來？因而我們懷疑到「煉鐵」改用「漱鐵」，這一特殊造字跡象，亦無是有科學事實的。試辨析如次：

竊以為「漱」字造形从氵或从火之煉。這一變形規律決不能同治鐵之藝的「淬」字與「焠」之者等量齊觀（《說許本為□字》）。因本文所探討的着眼點，在於湅字的物理化學屬性觀，故不能不求证於《考工記》。「湅」之為字，出於《周禮·冬官》。其文云：「慌氏湅絲，以涚水。漚其絲七日。」是謂水湅。湅帛以「楝」為灰。楝灰含有豐量之「鹼鉀」。被古人用之作絲脫膠劑。於化學定性屬於植物鹼類。其有較化合的效能。屬於「脫膠劑」。因而我們完全有足夠的科學依據證實，「漱」之字義正標志着它是一種「鹼性淬液、淬鋼法。」是非常恰當的。淬液的種類，是不一而足的。有「水劑」，有「油劑」，有「藥劑」。總而言之，不外酸、碱二性。東瀛鄰邦以戰刀名馳於世界。其他器技巧，在於「淬液」。此人所共知。《史記·荊軻列傳》：「燕太子豫求天下之利匕首，得趙人徐夫人匕首，取之百金，使工以藥焠之。」索隱曰：「淬，染也。」據此觀之，淬液的優劣可以左右鋼質的性能，是在幾千年前已被吾國民所習知與應用。碱質、淬鋼有抗腐防銹之力，已被漢代人所掌握，可從《說文》「㶿」字證實之。

（㶿）

〈冶金〉湅

㶿（碱質、淬鋼淬液）—鍊（鍛鍊）

湅（碱質湅絲液）

楝（含鉀植物）

柬（會盟的帛書）—闌（闌門材條）

蘭（闌門香草）

欄（牛圈）

練（經過製湅潔白柔爽的絲織品）

棉 綿

《說文》系部「緜」字訓：「聯微也」。緜之為字與棉同義。

緜 綿 棉 棉之為物，天然纖維植物也。人類用其纖維組織的貯藏空氣功能，將其納入衣服表裏之間，形成絕緣層而成防寒之功。古文裕字是𧙗字

裕 𧙗

從衣，從谷。衣者服裝也，谷，古文「㝐」字，有空間象，取音于燠，溫暖之義也。𧙗字的造型命意之反映出人類利用纖維夾藏於衣層之內而防寒禦冬的真相。棉襖的襖字从衣，从奧，奧者秘藏之地。

襄 衣者蔽體之物，所以示「蟄虫潛藏，君子居室」之情也。故襖、「裕」二字皆人類利用棉衣禦寒之良好說明。

緜 綿 棉之為文，从木，从帛。木者植物也，帛者蠶絲之象。緜字从帛，从系。所以示蠶絲之尚未紡織成帛者也。棉為植物纖維，緜者是虫所吐之絲也。雖品類不同，所以供人禦冬之衣服，其功用

則。上古無棉帛，是中古以後西域泊來之物。故先秦文字有緜而無棉。表示如下以見義：

帛——絲織品

棉——植物纖維，代緜者

緜——絲之未成帛者，後泛化作爲「綿」「棉」時，空指纖義。

纊、纊 縣 《說文》：「絮也。」同部「絮」字訓「敝緜也」。所謂「敝緜」，即破碎之蠶皮與碎絲之副產品。古代窮人衣緜，富人衣絮。以其質劣而價廉也。纊之爲文，从糸从廣。糸者纖維之象，廣者擴也，有空間義。故纊之爲義，亦有衣層織緜意。亦即窮人所着之「敝綿衣」。是纊之義也。《中古戰場文》：「繒纊無溫」，即「敝緜」之衣。

有關染絲的文字

染 《說文》：「以繒染爲色。从水，杂聲。」徐鍇引裴光遠云：「从木，木者所以染，梔茜之屬。从九，九者，染之數也。」《周禮·天官·染人》：「染人掌染帛。」《爾雅·釋器》：「一染謂之縓，再染謂之赬，三染謂之纁。」裴徐之說頗有依據。古代染絲顏料以取給于植物爲主。古文彩色之彩字也「綵」，字从糸从采。糸者繒帛也，采从爪从木。此是以說明絲帛之染料，取給於植物之證。故染字从木，此其義矣！

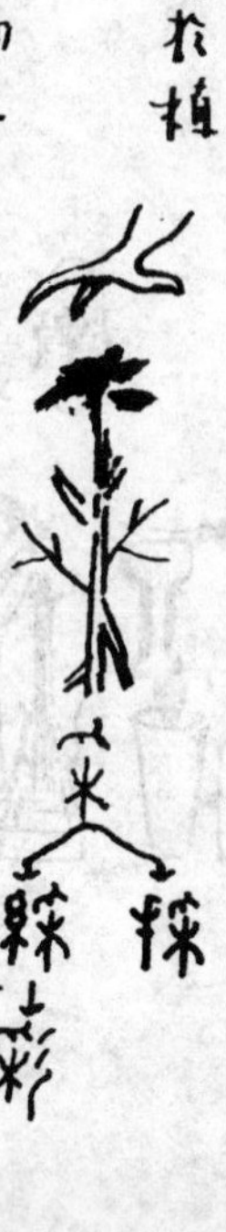

㡆 《說文》：「設色之工，治絲練者。一曰：㡆隔也。」段注引《詩·周南》：「南有樛木，葛藟荒之」，傳：「荒，掩也。」隔之義。謂網其上而蓋之，即許所謂荒之也。《玉篇》曰：「㡆，幪（帳幪）也。」筆者案：《周禮·考工記》所謂之「㡆氏」，非專代染畫績、練絲之職，而是兼司染絲業務。此是其職稱字義中可以求證之。考「㡆氏」的㡆字從巾從荒，巾者帛之省也，荒者蕪也，草掩地也（見說文草部）。復考《詩·魯頌·閟宮》毛傳云：「荒，奄也」，皆是訓爲「奄」之義例，而許訓之所顯出。古代人民將絲帛着色現象，和土地能草上一層草幕等量齊觀。這正是因為那時所用的染帛顏料基本上都取給於草木。在這一連想概念基礎上於是造出了幯字。巾是大地的代表，艸者色綵多澂也。此象形兼指事，能註字也。

蜚 𧌒〇說文云：「𧌒蟲名蟿也。」筆者案：𧌒之為文，从非从虫。非者「文足網其背翅之形也。」古曰「蠢蟿」[illegible]今名「臭蟲」，寄居壁縫木版之內，專食人血為生。其蕃殖力特強，故字从虫。此虫周身顏色赤紅，故緋字从非，从糸。翡字从羽从非。分述如下：

緋 緋〇說文新附云：「帛赤色也。」案緋字从糸，質符也；非者色素符也。

翡 翡〇說文云：「赤羽雀也。」雖此可見羽亦物象符，非亦色象符也。緋、翡皆𧌒之孳乳字矣。

紺 紺〇說文云：「帛深青揚赤色。」〇釋名云：「紺，含也。青而含赤色也。」〇博雅云：「蒼青色也。」筆者考所謂蒼青，即深綠色也。青之為色，黃與藍之間色也。故知〇釋名所云「青而含赤色」者，乃「紅」、「黃」、「藍」之合色。現代色彩學術語名之曰「靛」。民間呼之為「沙青」。然則紺色即三基色之合劑矣。

緅 緅〇說文新附云：「帛青赤色也。」案〇周禮冬官考工記鍾氏云：「五入為緅。」注：「染纁者三入而成，又再染以黑，則為緅。」〇論語云：「君子不以紺緅飾。」何晏注：「緅者三年練以緅衣。」疏：「淺絳色」〈咖啡色〉案緅亦三基色之合色，唯偏于青者則為「紺」，偏于赤者則曰「緅」，此其別也。

縓 縓〇說文云：「帛赤黃色也。」〇爾雅釋器云：「一染謂之縓，再染謂之赬，三染謂之纁。」段注：「古以茜染者，謂之韎。

纁 纁 謂之縓。以朱及丹秫染者，謂之縓赬纁。〇玉藻云之韐韍，即縓之假借字也。」案「縓」字初義本為蜀繫，以古語纁、縓同聲通段，纁為縓矣。〇玉藻云又云：「一命縕韍幽衡」〈縕從韋服飾市字〉「韍」者，韋革製成之蔽膝

翡

緋

文名韍。故韍字从韋。韋者柔革也。古代以服飾色是政治身份外在標志，故曰「一命緼韍幽衡」。一命即一級官吏。

幽 𢆶 《說文·𢆶部》幽字訓「隱也」，自部隱字訓「蔽也」。《詩·小雅》：「桑葉有幽」，毛曰：「幽，黑也」。《禮·玉藻》：「一命緼韍幽衡」。鄭云：「幽讀爲黝」。《周禮·牧人》：「陰祀用幽牲」。《春官·守祧》：「守祧幽堊之」。鄭司農讀幽爲黝，引《爾雅》曰：「地謂之黝，牆謂之堊」。

黝 《說文·黑部》黝字訓「微青黑色」。《玉篇》：「黝，黑已微青色也」。《爾雅·釋器》：「黑謂之黝」。《釋宮》：「地謂之黝」，注：「黑飾地也」。

《討論》：從以上徵引經籍義例，知幽、黝二字同義而音同，已無疑問。其所以同訓爲黑者，蓋黑基于黑生于火之熏炙而來，此點可從黝、幽之文造形之共性證之。

考幽之爲字，从𢆶从山。黝之爲字，从黑从幼。𢆶、幼同聲。黑从囧从炎。与幽字从山同有煙熏之象。火者木之所生也。木之爲物，皮質化合物也。在質隨煙波漸浸綫空，熏染所至，其色必黑。此景可求諸于農村收事火房煙場之觀察。筆者幼時，恆出入于外祖母之家。入其火房，四壁漆黑，一無所見。待稍停片刻，視野漸明，仰首而視，可見千條萬縷黑條備從從空懸下垂。此種條倒灌，煙塵附着之產物也。此幽字之取象所由來歟！幽字从𢆶，煙塵爲條懸游綫空飛舞之迹也。山者煙霧升騰之象也。故訓義爲微，爲黑，固其宜矣。黝从幼从黑，所以示幼兒愚昧也。与𡡈同義。此黝字另一義。

紫 𥿋 《說文》：「帛青赤色也」。《釋名》：「紫，疵也。非正色。正色之疵瑕，以惑人者也」。紫色時誘人魅力超過「朱」色。所以論語有「惡紫之奪朱」的悲歎評語。此《釋名》之訓所依據見論語。

纁 𠦝 《說文》：「淺絳也」。《周禮·天官·染人》：「夏纁玄」。所謂「淺絳」，即赭色。纁字造形从黑，与黝同例。故知纁之色接近於黑而赤矣。《儀禮·納徵》：玄三法天，纁二法地。皆本乎乾坤之義。

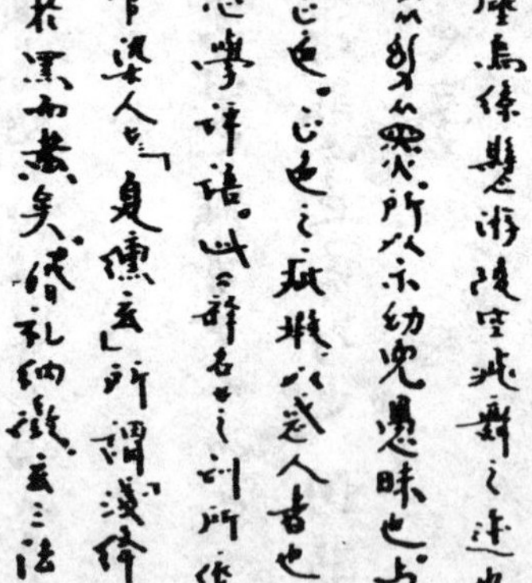

縞 《說文》：「鮮色也」。《書·禹貢》：「厥篚玄纖縞」。傳：「縞，白繒」。《禮記·王制》：「殷人冔而祭，縞衣而養老」。注：「殷尚白而縞衣裳」。《戰國策》：「強弩之末，不能穿魯縞」。則縞之爲物輕而薄可見矣。

惠

素縞之爲字，聲義字也。《爾雅》：「皓，白也」。《說文》皛字訓「顯也」。白部皎字下：「月之白也」。《孟子》：「皜皜乎不可尚矣」。

細 細《說見本篇囟字下，此不贅》

《集韻》云：「皛，白貌」。皛、皎、皛、皓諸字從白而與細同聲。故知細之為物潔白之絲織品矣。然許君不訓為「白色」而訓「鮮也」者，蓋鮮之為言顯也。鮮之為味強烈之刺激味也。于色係學原理言之，色之反光性最強者莫如白。言「鮮色」而「白」在其中矣。

繱 繱 囟 囟《說文》云：「帛青色也」《青色的絲織品》。

蔥 蔥《說文》云：「菜也」。許氏但示蔥的食用價值，而不及「蔥」的形、色。蓋未盡其義。今據《本草》、《爾雅》之義以求証蔥、繱相通之意。考《爾雅》云：「蔥，淺青也」。案此訓與《說文》繱字之訓相同。蔥者植物之青色者也。繱者帛之青色者也。故知繱者蔥之孳乳字而無疑。

蔥的廣義觀：《本草》云：「蔥從囱，外直中空。有囱通之象」。案繱、蔥之文字皆從囱。囱

《蔥》

囱 囱

古囱字初文也。古亦作囱。古篆曾、窗、甑、聰、恖、顖……等字皆從囱。所以示通透之義也。故耳之通透者曰「聰」，思之通透曰恖，器之上下通透者曰甑，植物之中空者曰蔥，嬰兒透顖之處曰顖，竈之通風設備曰煙囱。字皆從囱。於以見漢字之系統性為其他文字所難以匹敵的。

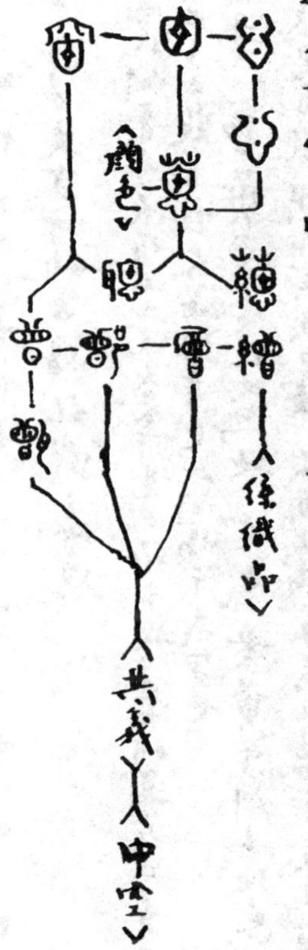

灰 灰《說文》云：「死火餘隶也。從火，從又。又手也。火既滅可以執持」。

炭 炭「山 岸」《㡀》《說文》云：「燒木餘也。從火，岸省」。案岸即厓岸之初文古作厂。象山石之厓巖。

四七

考《甲骨文》之「庚」字是「[古文]」「[古文]」字从「冂」、从「火」。「冂」者屋舍之形，「火」為燃燒之象。此字前人不釋，筆者以為應釋為「庚」字。此象形字也。《周禮·地官·掌炭》云：「掌炭物之徵令，以時入之。以權量受之，以共邦之用，凡炭之事。」注：「灰炭皆山所出也。炭給辦煉。」今從甲骨文「[古文]」字考証之，可知煅燒炭物之藝，始創西周，而是在殷商時代燒炭之藝已臻高度發展矣。《卜辭》之文字可補古籍記載之空白。

綠 [古文]（卜）[古文] 此字我國民間普遍流行，而《說文》未可見，亦非事故，是補其義曰：「青黃之間色也。」[古文]从糸示染雜之義，从[古文]，漉酒之器，酒之為物成于五穀，五穀之苗皆青色，此間接示義字也。

黃 [古文][古文]（卜）[古文]（金）[古文]（小稱）[古文]（篆）《說文》云：「地之色也。」案「黃」字訓為「地色」，地者土也。此據《周易》之《五行》之古義而言也。「黃」的色狀甚為駁雜，如：赤黃曰「䵡」，黑黃曰「黬」，白黃曰「黇」，青黃曰「䵑」，凡此諸字皆非黃之正色。唯「黈」為正黃之色。（見《說文·黃部》）表示如次：

案：黃之為文，从田从[古文]。而訓為「地」色。田者地也，地者土也。[古文]古光字，色澤之義也。地之為義，於《易》為坤，於位為中，於味為甘，在人身為胃，在生物為五穀。此廣義也。《易·坤卦》：「坤厚載物，德合無疆」古人認為「地」是無邊無際的龐大物，因而廣之的「廣」、擴大的「擴」、曠遠的「曠」……字，皆从「黃」。於此可見漢字的意識依據體系，是知《易》理，不可不明也。任彼「洋博士」怎樣誣蔑，事實還是事實。

廣 [古文][古文][古文]（卜）[古文]（金）[古文]（篆）《說文》云：「殿之大屋也。」《玉篇》云：「廣，大也。」《廣韻》云：「廣，闊也。」《易·繫辭》：「大以配天，廣以配地。」案「广」之為文，从「宀」从「黃」。「宀」者屋字之象，黃者廣闊之義。此形聲字也。

曠 [古文][古文]（古稱）[古文]《說文》云：「明也。」《書·皋陶謨》云：「無曠庶官」。傳云：「曠，空也。」《前漢·賈山傳》云：「曠日十年。」師古注：「曠，空也。」筆者案：曠字有時、空二義。如《千字文》云：「曠遠綿邈」。此空間廣闊意也；如「曠日十年」，此時間長久意也。

擴、獷、擴《正韻》：「張小使大也」。《孟子》：「知皆擴而充之矣」。案：擴之為文，从手从廣，推廣之義也。容禎譜大之意也。亦「黃」之派義字。

黃—黃—黃—黃—（地之色）—廣
廣—擴（人推廣、張大）
廣—（殿之大屋）
廣—曠（人遠渺、久遠）

有關「革」之藝術字例

革、革、革、革、革、革、革《說文》：「獸皮去其毛曰革。革，更也」。考「革」之為文，象形字也。

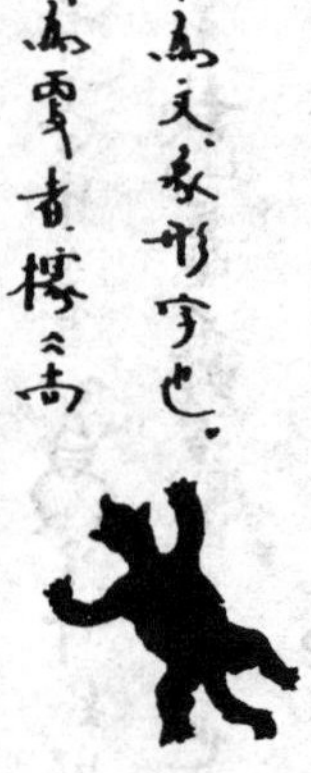

以離獲之獸皮。案：「獸皮去毛曰革」者，據治革工藝之意而言也。其訓為「更」者，據之尚書堯典「日永星火，鳥獸希革」之義為言也。因獸皮不經除毛則無法製成鞮鞢。而獸之生於曠野，不賴改變毛髮之密度，則無以適應寒暑之更替。故前者應視為人類製造工藝之技巧，而後者則宜視為生物自然適應本能。然其為「變更」之義固無二致焉！「革」字雖自然物質變化，再引申為社會變化義。名之曰「革命」。推而言之，蛇蟲脫皮，蟬蛹蛻化，雛雞破卵，凡此種種生態變化無一不屬于「革命」行動。故生物不經改革，則無以生長壯大；社會不經革命，則無以促成人類之進化。在《易經》卦象中，上☱（澤）下☲（火）叫做「革卦」。澤者水也。火者燃燒之象也。水在火上，其勢不能相容，而《易經》反而名之曰「革卦」者，這就是說宇宙間一切事物的發展與進化，都不須依靠「矛盾」為動力而出現的。古人名之為「革故鼎新」。讓我們套用《易經》的慣用語：「革之時義大矣哉」！注水于鼎，火燃于下，以成烹煮之功，此人類進入熟食之始，故曰「革故鼎新」。

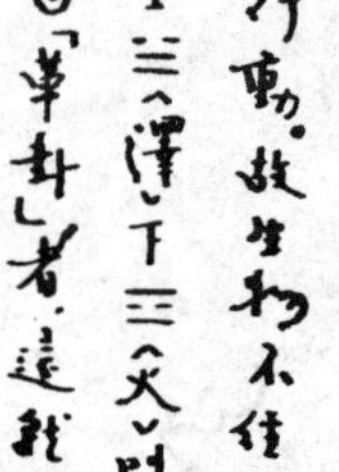

鞄、鞄、鞄《金》、鞄《篆》、鞄《說文》：「柔革工也。从革包聲」。此字讀音非一。《辭文》《廣韻》並音僕。《唐韻》音「雹」。《集韻》音「鮑」。考：「鞄」、「鞄」二文，見於青銅器《鞄叔鐘銘文》，載於《金文編》。

楊篤先生注云：「鞄与鮑通。鞄叔即鮑叔。」案楊君之訓例与《周禮·冬官·考工記·鮑人》段鮑爲鞄同例。但《鮑叔鐘》銘文上陶旁、陶字，而不上鞄，亦不上鮑。其義顯明。試分別釋述之。

《討論》陶之爲文从陶，从革。陶之爲文从陶，从彡。案陶、陶二文古陶字。陶之爲文古窯字初文也。故知陶字建築物也。《考工記·鞄人》注「皋陶」字上鞄，从𠃍，从陶之省。可爲形例。將析義如次：

筆者竊追憶幼年於名鄉曾見治革工匠手持新剝帶毛之鮮牛皮，覆于土竈之鼎上。竈底燃以茈蒿。竈頂有孔，濃煙滾滾。治革者以牛皮覆諸其上，反覆翻轉遍動牛皮而烘燥之。其竈爲磚砌，泥土所築成。形似窯竈。此古代治革技術之遺法也。今少數游牧民族仍用之。此殆陶字造型取景之所由來歟？何其形意之符耶？

〈陶 陶〉

鞄、鞄互通之義明透曉。《說文》鞄字訓：「柔革之工也」。筆者案「柔革」之爲物，可以造鼓。此于《考工記》經文「鞄人」与「韗人」相接，可窺其工種之密切。古代戰鼓以鱷魚之皮爲之，取其發音宏亮而聞遠也。古名「鼉鼓」。《唐太宗送毛相溫南征交趾詩》有「風吹鼉鼓山河動」之句，可爲義證。《甲骨文》中亦有字，可知殷商時代已有鼉鼓矣。《說文·黽部》鼉字訓：「鼉，水虫，似蜥蜴，長丈所。皮可爲鼓」。鼉名鱷魚，因魚類也。看來「鮑人」所治之柔革，固亦應包括魚皮在內，而不只限于獸皮矣。鼉字从單从黽，則鱷魚之爲物兼有水獸之性，可以文字表現之。然則鞄、鮑二字互通非偶然矣！

韗、韗、韗 《說文》韋部訓：「相背也。从舛，囗聲。獸皮之韋，可以束枉戾（偏邪）相韋（違）背，故借以爲「韋」。」案此訓僅闡明了韋之爲物得名之故，非言韋之物理性能也。愚則曰：韋之爲物，須基物質浸製而成之柔軟革也。古人用刀劃爲皮線，以纏繞兵器之長柄及車轎外圍，

[illegible] 以增強柱體之耐性力。而訓義為「單固」。復考《說文·手部》[illegible]字訓「擁也」。〈用部〉「[illegible]」字訓「擁也。衷也」。「擁衷」即擁抱。由此可見「韋」字訓為違背者將之是向背之義而言也。素韋纏繞木柄一週，以往應而得一百八

[illegible] 十度。而前半週則運動方向是背道而馳的。故字从北从〇。《說文》云：「北，背也」。

[illegible] 〇，古圍字也。掉繞而行之足迹也。「[illegible]」字从用、从工。給韋柄也。韋，素皮繩也。

故知「[illegible]」「[illegible]」「[illegible]」皆象形字。臥有在外「拱」相手合抱採之之義也。

[illegible] 《詩·豳風》云：「既破我斧，又缺我斨」。斧，橢銎斧；斨，方銎。皆[illegible]之孳乳字也。

[illegible] 《金文編注》云：「射韝也」。

[illegible] 《說文·糸部》「纕」字訓「援臂也」。

[illegible] 《玉篇》云：「射韝，臂捍也」。

案：韝、纕、韝三字音同，一物而多名。其制或以革、或以絲。可从文字知之。此物佩於射者腕間。其位置正當人體上肢「撓肌肉束狀韌帶」。是「射擊手」在賽中必有之保護設施。目的是為了對撓子者而稱「撓肌」束縛力之加強，以協助腕部環狀韌帶組織活動力之不足。而有利于兩手推力之提高。

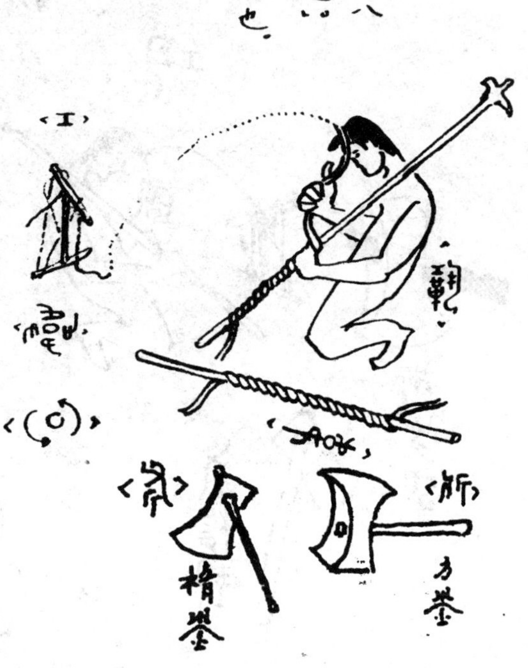

[illegible] 《說文》云：「蹋鞠也」。《劉向別錄》云：「蹴鞠，黃帝所造，因娛戲以練武」。《漢書·藝文志》云：「兵技巧十三家有蹴鞠廿五篇」。郭璞注《三蒼》云：「毛丸可蹋戲者曰鞠」。案：所謂「鞠」即今之足球也。其字从匊、从革或从毛。反映出古昔之亦以革為囊。从匊者

四九

昔以來踝也。从足者昔以利足也。古人把踢球足蹴，武的項目与現代之運動會有共同之處。

靳靷桊（下）𡍮 𡍮靳 〈說文〉云：「當膺也」。〈左傳定九年疏〉：「靳是當胸之皮。」

靷 〈後考〉〈說文〉靷字訓「引軸也」。〈集韻〉云：「駕牛具，在胸曰靷」。〈詩秦風小戎〉云：「陰靷鋈續」疏云：「

靳 所以引也」。〈釋文〉云：「靷舊本皆作靳」。由此可知靳、靷二字音近形似而義同無疑矣。〈左傳

哀二年〉云：「我兩靷將絕，吾能止之」。疏云：「古之駕四馬者，服馬夾轅，其頸負軛，兩驂在旁，挽靷助之」。〈說文〉云：「在胸

曰靷」。〈左傳僖廿八年疏〉：「在胸曰靷。其制以皮繞馬胸而引車軸也」。蘇此可見靳靷同字而無疑矣。

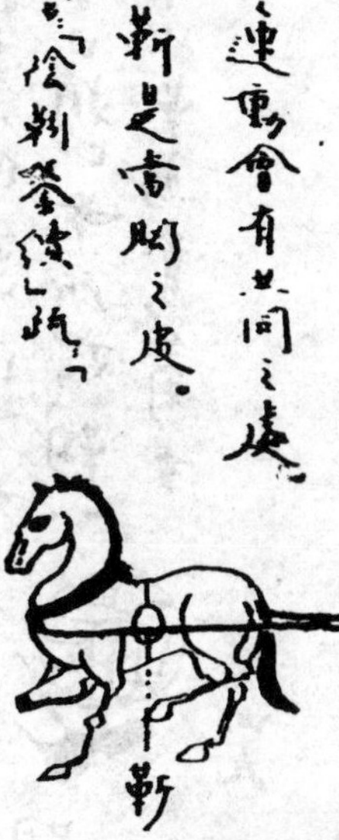

巩 㺬 〈說文〉云：「褱也，擁也」。〈徐鍇〉：「工聲」。筆者考：巩之為文，从丮，从工。丮者「執」字初文也。雙手執物之

象也。工者紡織之機也。古鄉民間呼之為「杼楊子」。古文𡍮字造型示意，与巩字同。故知巩字有一手

鞏 執織、一手持絲束織，縈御，纏繞意。此象形指事字也。

恐 㺬 〈說文〉云：「懼也。从心，工聲」。筆者恐字訓工為形而可，訓工為聲殊非造字之

情也。𢖶以為工之為文，紡絲器也。故知恐字皆取音於紡。操者合抱動態

以人之恐懼危急，多双手抱頭，是其義也。故知巩心字

以巩者懷身體備成一團之象也。取音于紡者

掌抱頭之意也。从心者由懼而為之情也。

鞏 㺬 〈說文〉云：「斧斤穿也。从金，巩聲」。〈詩釋文〉云：「斧空也」。

〈段注〉云：「三字謂斤斧之孔」。鑿斧有穿孔，所裹容斧柯也。故知鞏字

造型上有擁裹束縛義。許君以𢖶訓巩者，以𢖶之為字，嬰兒被襁褓之象。

巩—巩丮—
巩金—金：穿斧柄
鞏—丮：包裹束柄
巩—：双手抱頭
→擁抱義

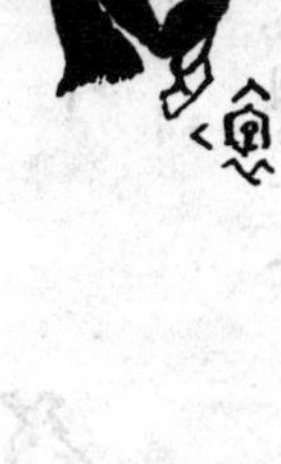

皮 𠬸 𤿭 𤿬 𤿯 𠬷

《說文》：「剝取獸革者謂之皮。从又，為省聲。」段注：「古皮」：「𤿭」同在十七音部」。故知皮字段𤿭之音。案「為」字古之字是古手牽象鼻之形。有役使之意。對獸破皮、人類食其肉而使其皮。此「為所取為」義之所類來為。許君訓「从又，為省聲」，遂竄去其象皮的珍貴醫藥價值。可以止血愈傷，久已在上古漁獵時代被人類所熟知。故知皮字造型示意是具有歷史科學背景的。古文「皮」之「𠬷」。象在手持刀之形。我國各地農村仍為事工藝，至今仍沿用此物，古代遺法也。此漢字股器以未識之例。不可不察。

𤿬 𤿬《說文》：「柔韋也。从北，从皮省」

《討論》：「考𤿬之為文，从北，从𠕁，从皮。徐氏謂𤿬字从北為「反覆柔治」之義。補爲是眼形以之見。惜其未能兼及从𠕁之義。茲補出之如下：

案治皮工藝，當兆有蛻化學工藝之一。其敞器在於利用細菌發酵功能，以促進獸皮殘肉之脫落。其具體措施為：來取離體之獸皮，密閉缸內，與外界空氣隔絕。同時加入鞣劑探皮，以助其發熱。强須注意定時翻覆檢查，以觀察皮質之變態。務要掌握時機政應，適當否則流於「太過」「不及」。「太過」則底毛脫落，皮質腐爛，成為廢皮。「不及」則皮質生硬，不合製造需要標準。故善治皮者，皆能適時處理，無「太過」「不及」之弊。能抓住最佳時機，於徹底清除雜質之下，迅速采用鞣基藥劑浸漬而固定之。斯為盡善盡美之成品而成為「既輕且柔」之理想保温防寒之衣料矣。

古代貴族上至王者，下及士大夫，皆食稻衣裘。所謂「緇衣羔裘，素衣麑裘，黃衣狐裘」（見《論語》）當時不僅治皮工藝已臻高度精良，而裘的表裏顏色也是要講究配套合理的。

故知𤿬之為字，从北者，反覆柔治之義，从皮在𠕁中者，密閉之象也。𤿬、𤿭、𤿯三字訓同

而義適。衣之輕而實者，皆嘖謎。此讀字聲義連鎖規律。故不諳治革工藝者則無以解𤎩字之形

意，不識古詞規律，則無以見𤎩字之物質、致能、物理然也。

𤎩𤎩〈𤎩〉韗韝鞈𤎩（說文）曰：「羽獵韋絝」。所謂「羽獵韋絝」，義即郊野「冬狩」所服

之皮絝。其質輕柔而捷便。故名「羽獵韋絝」。現代名之曰「皮套褲」。絝者褲字初文也。

大凡軍服之用於冬令者，必以輕突之品為上選。以其能有利運動故也。

其字或上〈𤎩〉字从〈𤇾〉从𦝫。〈𤇾〉者帐裝之義。𦝫古「朕」字也。𦝫从舟从炏。

𦝫者兆也。船底縫罅也。炏者以手舉火之象，火炬也。〈說詳拙著人文

而「𦝫」字之此《累》，故知〈𤎩〉字从𦝫者，段映明之火炬以示溫暖之義也。以火能

發光熱能生熱，此其義也。考（說文）犬部「獠」字訓：「獵也」。段注引《尔疋·釋天》曰：「宵獵爲獠」。

案獠，从犬，从尞。尞者狩獵之物也。尞者焚柴也。又犬部「[illegible]」字訓：「火田也」。《春秋左傳·

隱五年》云：「春蒐、夏苗、秋獮、冬狩。」故知冬獵曰狩。火畋亦曰狩。宵田亦曰獠，亦有火。然則「羽

獵之絝」曰〈𤎩〉。其字从火从炏，不亦宜乎？段氏謂：〈說文〉火廿二部無炏字，遂謂〈𤎩〉字从炏

「其義未聞」。良由對「𦝫」字之形義未予深究之故。智者千慮之失歟！

須業，古文𤇾、獠二文皆从火。故知「狃獵」、「宵田」、「冬狩」皆有舉火

之事。此〈𤎩〉字从𦝫之義，實源於「羽獵」之事而來，彰彰明矣。

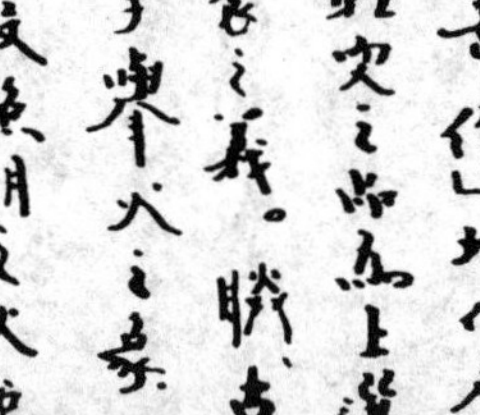

〈羽獵韋絝〉

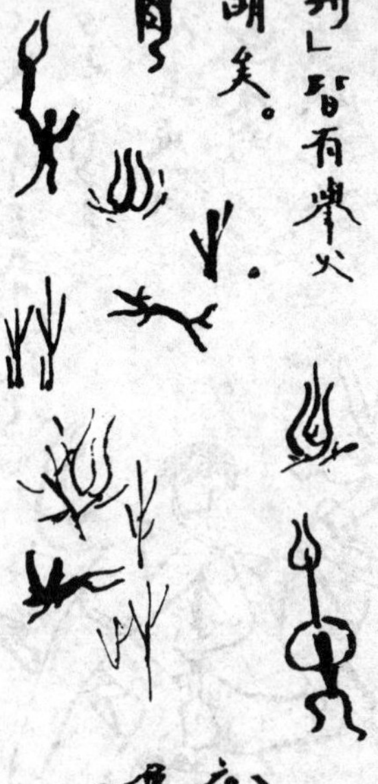

〈獵火〉

甲骨文尞字是 皆

以大然木之象，与炏𤎩二文同一

造字形例。　然則𤎩、韝、韗同音而義適者，所以示羽獵韋絝者，乃是輕細密、柔而輕便適

于嚴寒環境之穿服也。

（有關古籍對「治皮之秘」理論知識的簡介）

考《周禮·冬官·鮑人》曰：「革欲其荼白而疾澣之，欲其柔滑而腥脂之。引而信之，欲其直也。信之而直，則取材正也。信之而枉，則是一方緩一方急也。若苟一方緩一方急，則其用之也，必自其急者先裂。」

（譯文）

要保證皮革的「象白革」那樣潔白光澤，就必須短縮洗滌時間，以防止皮革表面的光澤因長時受到水浸而喪失。要保證皮革的滑柔性，就必須采用油脂浸漬以事加工。

上條所提出的僅只是指出「治革之秘」中應該注意的兩大要點。下邊又繼續提供了「皮革質量檢查」的措施和檢驗標志特徵與其因，並指出了成品在將來實用前途中必然的落後。

把治成的皮革伸展開是為了便于檢查皮革的是否已條理順。假如把皮革伸展開，發現向背不正，那就不然是由于皮面的一側緊張，而另一側弛緩的結果。使用這樣的皮革上鼓膜，則將來必定要在緊張的部位首先破裂。原因是厚薄不均。

在讀罷上文的基礎上，對研究有「皮」的文字的理解是非常有利的。

頍（《說文》：「頍，傾也」。《玉篇》：「不平也」。）董書業：頍之為文，从頁从皮。頁古之𦣻（《說文》訓義為「頭也」）。从皮者，偏邪之義。蓋皮之為物，富有膠質蛋白，伸縮係數較高，而富有彈性。對气溫之升降，空气濕度之變化最為敏感。就吾人日常生活知識為例，大凡一切皮革製品，置于日光之下曝之片刻，其向光之一面，因水分之蒸發，必然出現差縮而引起邊緣翹起中心凹陷，甚緣背光面的水分含量高于正面之故。

推而言之，植物之穗性向日光方位下傾，其莖難亦向太陽之輻射彎曲狀態。推其物理皆緣物體兩側緊張程度不同而來。人之患「偏枯」疾病者，其左右兩側之循環血量與植物之傾斜，皆緣生理組織纖維兩側緊張程度不同之故。電桿之左右拉線，若斷其一側之拉線，則電桿必向有線之一方傾倒。此亦緣兩側支力喪失平衡之故。此種物理現象

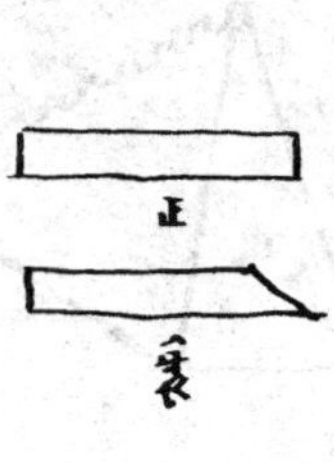

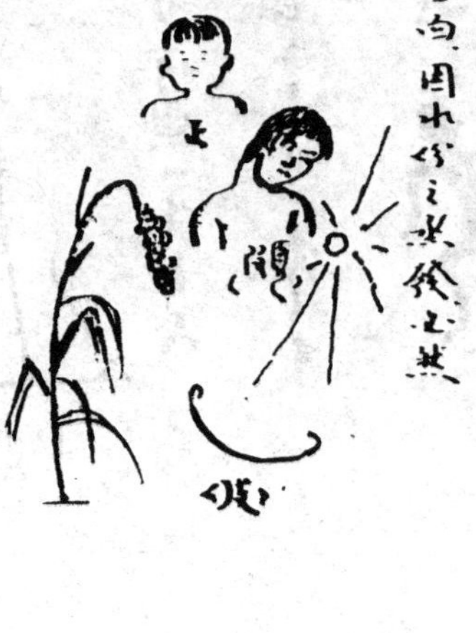

五一

以動物皮革表現最為凸出。古造字者掌握了這一物性特點，遂將「皮」字作為「偏傾」的文字義符。故傾字从頁从皮。

跛 𨁏 《說文》云：「不正也」。《玉篇》云：「足偏廢」。案：跛之為文，从皮从足。古文足作 形，形符也。从皮者義符也，与傾字造型同例。字或从尢旁。尢，古尪字初文也。尢，大之變態也。大者正立之人形，尢者一足長一足短之人形也。其行走之不能直立也必矣！

坡 𡍄 《說文》云：「阪也」。漢俗稱山領曰長坡，其峻峭高峻者曰相見坡。

案：坡字从土从皮，土者地也，皮者偏傾之義也。故知「坡」之為文亦「跛」之同源字。

《討論》云：城壁之建築結構，必求內外對稱。則形正而體固，靜止而不遷。以其本大末小，支持面廣，重心穩定也。故於文字形義則一、止為「正」。此其義矣！

若其兩旁後的或前的後傾則必有前撲後仰之患焉。此中國文字之科學性說明非拼音文字所能望其項背也。

波 𣲖 《說文》云：「水涌流也」。考𣲖之為文，从水从皮。水者江河海洋之象，皮者傾斜之形。蓋波之形成皆由後浪之推前浪而來。其浪之緣起，因江底之地殼之傾斜或瀑布之懸傾動力或海底爆裂、地心熱量噴發或巨風吹襲。諸原因有以成之。故當力之推動，則水必成波。波之為言，坡也。傾斜之義也。水靜則平，受動力推送則騰空而成峯。波之有峯猶山之有巔也。波之有坡猶山之有麓，峯麓之間傾斜相連猶山之有坡也。波坡同源，同「皮」之孳乳字也。

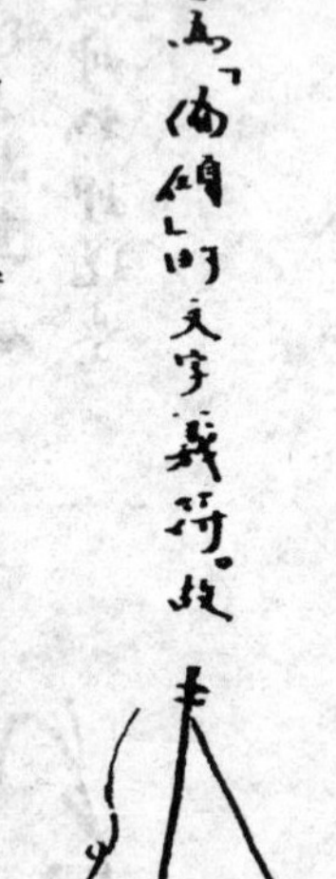

（偏傾 不正）

（跛）

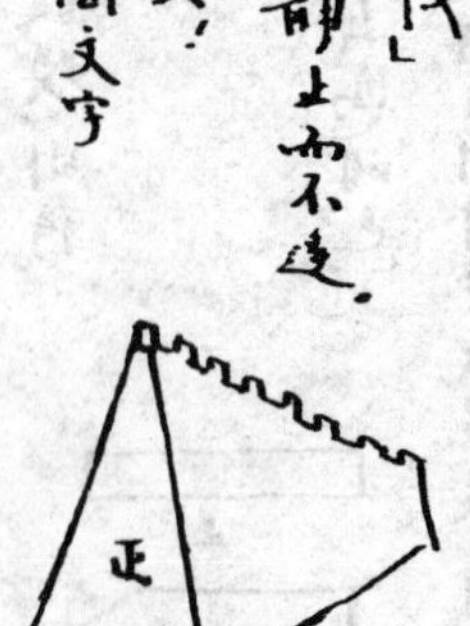

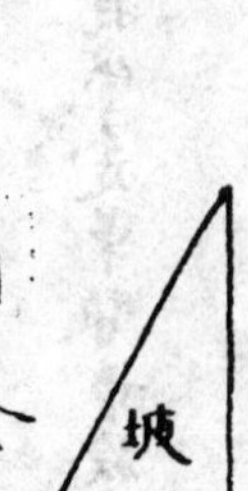

陂陔〈篆〉澔〈卜〉《說文》：「阪也。一曰池也」。復書同部「阪」字：「坡者曰阪。一曰澤障也。一曰山脅也。」

筆者案：許君「陂」、「阪」二字互訓。如陂阪二字同義。復考《風俗通義》云：「陂者繁也。言因下鍾水，以繁利萬物也。」

案：陂之為文，从阝从皮。阝者阪之省，皮者坡之省也。古名曰「陔」，今名「水庫」。水庫之建立，必因山洪之蓄儲。《孟子》所謂「澤梁」無禁，即其物矣。「澤梁」之建，選擇境，必選山麓斜坡之下，所以便於承受山洪也。周圍設障，下游築渠，所以攔水（亦名「攔水壩」）。渠有閘門，所以通流魚、留魚類之流失也。可以啟閉開合，其名曰「陂」。陂者「箄」也，其形似「箄」，又似「柵欄」。故甲骨文陂字作澔。冊者陂之象也，口者水门也。氵者水流之態也。止形構字也。梁上可通行人，故名「澤梁」，橋梁之意也。名曰「澤」者，所以灌溉田畝，澤惠生物之意也。

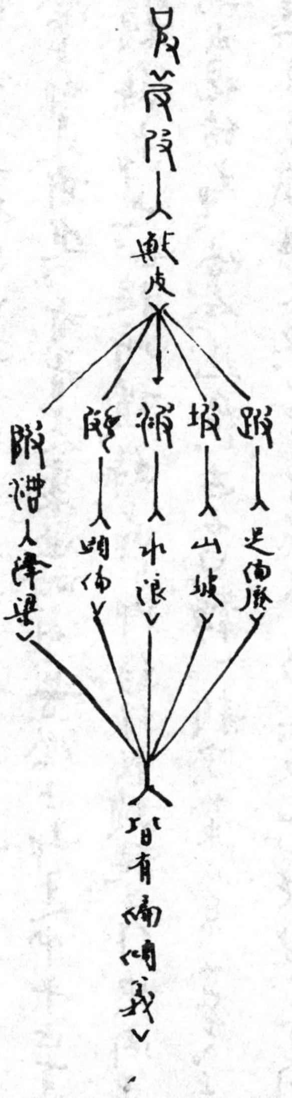

〈陂澔〉

五二A

纇

纇纇《老子道德經·四一章》云：「進道若退，夷道若纇……」大意是：看着，看着象是後退，實際上却是前進；看着是褻曲畸型，實際上却是中平正直。經注引《說文》云：「纇，絲節也。」按所謂「絲節」即紡線或績繩工作中，因手腕的直徑粗細有異，而出現結節。俗名「疙瘩」，古名曰「纇」。纇字从米、从糸、从頁。米者米粒之顆。卷曲之態，糸者纖維之象，頁者球狀之形也。故知纇纇二字同宗。求証於下：

考《左傳·昭十六年》鄭大夫子產云：「出令之不信，刑之頗纇（變形走樣）」古漢語將頗、纇二字上為一個聯綿狀語，來形容一切事物的畸型變態，是具有唯物辯証科學基石的。分別說明如次：

壹「頗」之為文，从皮、从頁。（下詳上彎）頭之象也。皮者，褻曲之義也。何以知之？《周禮·冬官·考工記·鞄人》云：「引而信（伸，下同）之，欲其直也。信之而直，則取材正也。信之而枉（褻曲），則是一方緩、一方急也。」在這裏經文已科學地闡明了皮革卷曲的物理原因，是由於皮革的正反兩面的緊張力度不同之結果。「鞄人」是製革工師的職稱。為了保証成品的形態正直，就必須對新剝的鮮牛皮在執行刮削施工過程中，要嚴格注意到皮革的厚度和面積、長、廣，左右平均一致性。以避免皮質乾燥脆化後，出現紐曲變形。這字者用紐曲的「皮」字之義符，以芻〈昫〉之形符，以示昫佝絇衰之意。此與、⿰米縐字从米、从糸、从芻而訓義為「絲節」，在示意技巧上實異曲而同工。《文書》所謂「建類一首，同意相授」是為「轉注」者也。

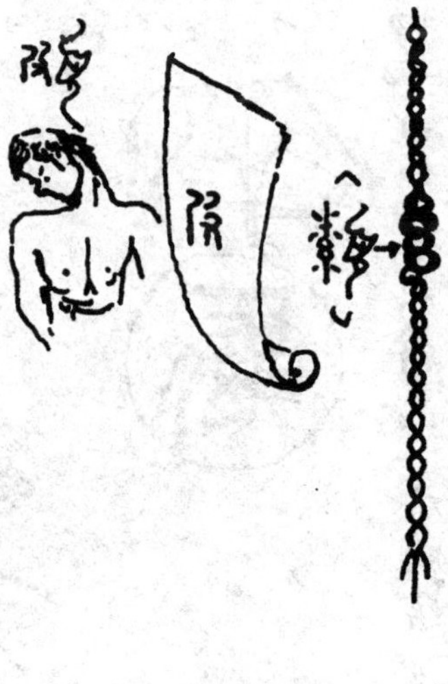

〈形〉
芻
皺〈皮〉　⿰米縐〈素〉
〈義〉

皮之為言，僻也。偏邪之意也。

素之為言摞也。球狀結節之態也。此漢字、漢語形聲相適之規律，善讀、《說文》者，皆能知之。

五二B

勒 《說文》：「馬頭絡銜也。」从革，力聲。一曰：繫也。

有銜曰勒，無曰羈。《釋名》：「絡也，絡其頭而引之。」案：勒字从革从力。革者皮也，轡也。力者特以手之形，以手控轡奮臂而牽擊之，故曰勒。指事字兼聲義矣。

羈 《說文》：「絆也。」段注：「既絆其足，又網其頭。」

按羈者，羈縻也。以革帶約束馬足，使之不能自由行走，此象形字也。

鞆 「馬頭維也」

韅 《說文》云：「著亦鞥也。」案：許訓之亦，古籀上作 ，小篆上作大，音、腋字初文。故知「著亦鞥」即「著腋鞥」。俗名「腋帶」。《釋名》云：「韅，經也。橫經其腹下也。」今俗名「馬肚帶」。

鞹 《說文》云：「革也。」段注引《論語》孔注云：「皮去毛曰鞹。」鞹从革从郭，槨从木从郭同例，皆有外圍之象。

⿰革各 《說文》云：「生革可以為縷束也。」所謂「生革」，即未經加工烘乾之鮮牛皮，剖割之皮條。古人常用之以代繩索亦繫物。故知⿰革各字从革从各，與絡字从糸从各同例。

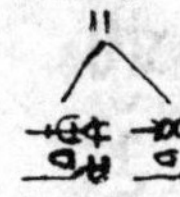

韗 攻皮治鼓的工人曰「韗人」（見《周禮·冬官考工記》）。

案：韗之為文，从革从軍。革者去毛之皮也，製鼓之材物也。軍者鼓之形也。古代陸軍行師野外宿營，帥幕為居且上，周遭圍環以兵車，其名曰陣。故陣字从車从𠂤，師字从𠂤从帀。皆取象于環繞之陣形。光輝之煇，運轉之運，一為燭火光環之象，一取車輪轉之態。皆有圍周之象。鼓之為物，亦圓形體也。故韗字从革，所以示其為皮革製品也。从軍者，所以示其形之圓也。大凡漢字之从軍為形者，其字皆有圍義，不可不知。……皆其移注轉。

鼗 鼗 鞀 鞉 磬《說文》云：「遼也。」《玉篇》云：「與鞉同。如鼓而小，持柄搖之，旁耳還自擊。」案鞀之為物，本當名貴樂器。後世成為民間商販叫賣之音，名「貨郎鼓」。案鞀、磬二文，字皆从召，从革、殸聲。革者皮也，殸者磬之省，召者號召也，命令之音也。古代祭饗大典，必有音樂伴奏。樂有八音，所謂金、石、絲、竹、匏、土、革、木，皆聽命於鼗鼓。樂官掌之。故「樂師」由瞽人任其職。在樂隊尚未起曲之前，必先由瞽人搖動鞀鼓，以之起樂信號。樂隊聞鼗鼓之後而起奏，故鼗鼓為眾樂之長。故《釋名》曰：「鞀，導也。所以導樂作也。」可知鞀鼓之音具權威性，是之為「音樂司令」而出現的。故鞀字从召，所以示呼喚之義也。白部召字訓：「評也。」是其意矣。

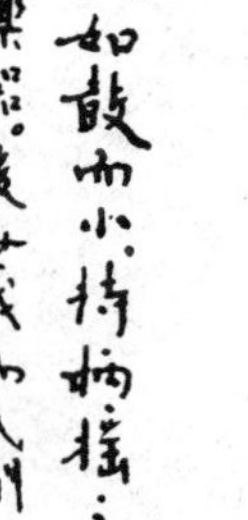

靸 靸《說文》云：「小兒履也。音蘇合切。」《釋名》云：「靸，韋履深頭者之名也。」案此即靴字古文也。可以聲義知之。今靴行而靸廢矣！

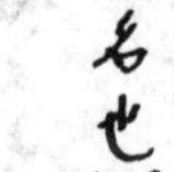

[革卬] [革卬]《說文》云：「鞮屩。」段注引顏注《急就篇》云：「卬角，若今之木履而下有齒。」案此物吾鄉名曰釘鞋。即《前漢溝洫志》云：「泥沼水，山行則梮。」其物矣。如淳曰：「梮謂以鐵為椎，頭長半寸，施之履下，以上山不蹉跌。」

鞮 鞮《說文》云：「革履也。胡人履連脛，謂之絡鞮。」案此物之紀述，極似現代球鞋。《辭義》云：「絅者絣佮也，鞮者升舉之態也。」此種革製之履，上及脛骨，下覆趾背。中有直縫一條，左右各有穿孔一排，自下而上。着此履者，先左右雙手握提履口，然後將足深入履桶，兩手用力上提，令足着底，再以皮綫交叉穿孔，使之左右聯絡，而結於脛下，故曰「絡鞮」。此其義矣！今則名曰深筩皮鞋，古今異名也。

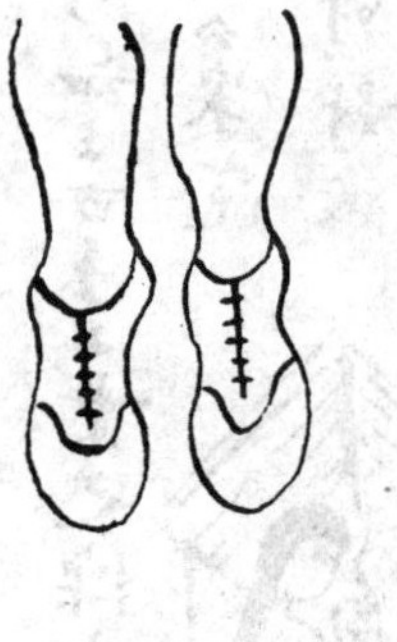

索　索索索索索索《說文》：索，「艸有莖葉可作繩。」《小爾雅》：「大者曰索，小者曰繩。」《急就篇注》：「索者，謂切撚之令緊者也。」《詩豳風》：「晝爾于茅，宵爾索綯。」

《吳語》：「統名列索、索二字造型觀之，可知上古手工業之操作環境，皆于室內夜間爲之。《說文·𣏟部》云：「𣏟，所以治也。在屋下。」《宋范成大田家詩》：「晝出耘田夜績麻」，从《毛詩》、《宋詩》、《說文》所語所對照古籍可證。古代工業之官職稱名曰「司空」，又名「司工」。《周禮》稱爲「冬官」。蓋取農民春耕、夏耘、秋收之餘而役使之。惟其有害民食也。司空之空字，从穴，从工。工者治絲之具，穴者古穴字，室之象也。此其旁證也。

索字造型頗多。《金文》作索，皮革引申之「靳」也。《籀文》作索。經繩之器也。

小篆之索、索，當用剃麻之繩所以供束紮縛物，「縻」、「紮」，牽牛之需也。字皆从廾者，兩手操作之象也。以「索」之爲物，所需極廣，乃生產中隨時隨地不可少缺之品。故延伸爲「索求」義。今本義廢而延伸義行矣！

《有關麻織品的字例》

布 [篆] 《說文》：「枲織也。」段注：「其艸曰枲，曰萉；析其皮曰𣏟，曰朩；屋下治之曰麻；緝而績之曰綫，曰縷，曰纑；織而成之曰布。布之屬曰紨，曰㣃，曰絟，曰緦，曰緆，曰綌，曰𦃇，曰㡓，曰幏。古者無今之木棉，但有麻布及葛布而已。」

篆[布]之為字从巾，父聲。故知古代佩巾、拭巾、覆物之巾，皆葛麻織品而無疑。其延伸為敷布及「貨泉」者，乃第二義。留待後述。竊以為[布]之為文从巾从[父]，父之為言，敷也，舒展之義也。又之為言寬也。敷散之義也。所以蔽體也。故知布之大用，在於供衣服之用而已矣。

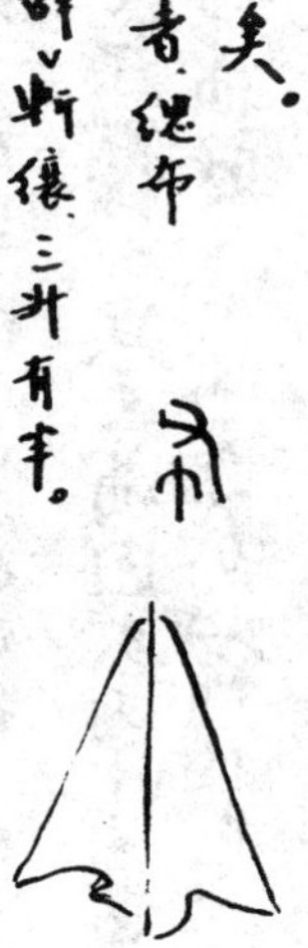

緦

緦 [篆] 《說文》：「十五升抽其半布也。」段注：「緦者布名。猶大功、小功，往云緦麻三月者，緦布衰裳而麻絰帶也。凡布幅廣二尺二寸。《禮經》：『布八十縷為一升。』〈計量單位詳〉斬衰三升有半。齊衰四升。緦衰小功之縷，四升有半。升數各不同，而皆合二尺二寸之度以成布。十五升去半者，十五升朝服之升數也。去其半則為七升有半。朝服十五升，其布密；緦用其半，其布疏。謂之緦者，鄭曰：治其縷細如絲也。」

怎樣理解布八十縷為一升？這是關鍵問題。這裏的「升」實非升斗之升，也非升降之升。而是以紡織機八十條「經線」為單元的「計量詞」。所謂「縷」，即經線一條。《說文》云：「縷，綫也。」

「升」和「布」的密度關係：在統一規定之布的幅廣不變前提下，布的質地精粗疏密必然決定於「經線」的直徑。而「綫」的直徑是和綫的數目成反比的。「經綫」愈多則其綫必細，因而「升」的增多也就意味着「經綫」的多而細。也就形成了「升」的增多則布的質量越細。喪服所用的布，是根據亡人和生人的血緣關係決定的。大凡直系親屬之喪服，其服制期限長而布質愈疏；反之血緣關係疏遠者則服制期限愈短而布質愈精。如「斬衰」三年，「齊衰」一年，「大功九月」，「小功五月」，「緦麻三月」。示意於後以見義：

直系血緣尊親：斬衰三年，3.5升布服 = 80縷×3.5 = 280縷〈280條經線，最粗布〉。
旁系血緣尊親：齊衰一年，4升布服 = 80縷×4 = 320縷〈320條經線，較粗布〉。
血緣旁系卑親：大功九月，8升布服 = 80縷×8 = 640縷〈640條經線，較細布〉。
三世旁系卑親：小功五月，10升布服 = 80縷×10 = 800縷〈800條經線，細布〉。

五四

自中每起經緯：二尺=7.5升=80縷×7.5=600縷（600根經線或細絲）。
並表 15升=80縷×15=1200縷（1200根經線或細絲）

此與二十世紀現代紡織工藝之紗布，以「支數」為紗質厚薄標準同例。緦字从囟从糸。與細字从囟實同例。囟者古顖字，前腦本古神經纖維交叉器集之所也，以喻布文之細也。緦囟同聲，音義可知。偶認囟為田，則誤矣！

縛 纗

《說文》糸部縛字訓：「蜀細布也。」《左思蜀都賦》云：「黃潤比筒。」《揚雄蜀都賦》云：「筒中黃潤，一端數金。」

匹 匹

秦古制布帛皆四丈為一匹，故《說文》訓：「匹，四丈也。」《文書正議》云：「四丈則八端。」故知「端」之長度，等於½丈=5尺。匹字造型从匚从八匚，是用巾封閉、兩端開口的容器之形，即《蜀都賦》所云容納「黃潤」之竹筒矣。這筒竹筒可以容納長達八端的「黃潤」。其質量之輕、體積之薄可知。這種四川特產的帶有黃光的縛，其售價，竟達到一端數兩黃金。其名貴可見矣！縛之為文，从糸从隻。糸者紡織物之象，隻者「雙」之省文。所以示其物輕薄而輕如雪片也。

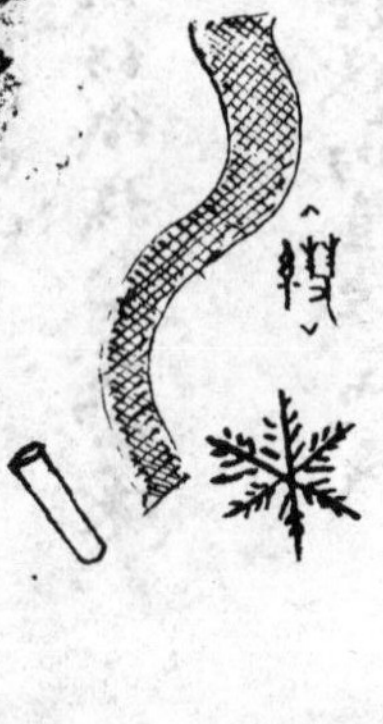

緆 緆 𦅼

先鄭《眾》云：「緆，麻之滑易者。」劉熙曰：「緆，易也，治其麻使滑易也。」

《採潮》云：考緆之初文是𦅼字，从𣏟从易。𣏟者𣏟之省文也。《說文》𣏟部𣏟字訓：「枲屬。」（段注）《周禮·典枲》云：「掌布緦縷紵之麻草之物。」注云：「草，葛苘之屬。」《事苑》云：「𣏟，絺綌之材于叢藪，草貢之材於澤藪。」注：「草貢出澤，萌紵之屬，可緝績者。」績即𣏟之異文，績因出于澤與葛出於山不同。績又是𦅼。《毛詩》兩言褧衣。許於此稱𣏟衣。於衣部稱褧衣，而云褧：𣏟衣也。然則褧衣者，以𣏟所績為之。」

筆者案：《中庸》云：「衣錦褧衣，惡其文之著也。」古代貴族朝服，皆絲織之，必五光十色，古人為了防止華麗過分眩目，有傷雅素，特製𣏟織之衣以罩之。故知𦅼之為物，必製之𣏟（褧）衣之原料物料矣。褧衣亦正是「𦅼（絅）衣」，有問（闇）微明之象。這隱約可見的「半透明之麻紗」、治即以「緆」爲原料物料加工之成品。其訓爲「治其麻使滑易也」，是有要可遵，有義可據的。

繐 繐《說文》曰：「細疏布也。」段注引《禮經》曰：「繐縗裳牡麻絰，既葬除之。」傳曰：「繐縗者何？以小功之繐也。」注云：「治其縷如小功，而成四升半……」又云：布本有一種細而疏者曰繐。但不若「繐縗」之大疏，而「繐縗」之名，兼用其意……」

案繐之爲文，从糸从惠，惠于《卜辭》上作㥁音，惠之初文。《說文》段注考證既肯定「繐」屬于獨立的麻織品，而與《經義》無涉，則此種麻織品必有挑花植物美工圖案，而是貴族夏服原料，而非喪葬之用也，彰彰明矣！

縐 縐《說文》曰：「絺之細者也。」段注據《衛風·君子偕老篇》「蒙彼縐絺」，傳曰：「蒙，覆也。絺之靡者爲縐。」案：靡靡謂紋細貌。如水紋之靡靡也。未卽曰：「靡靡，碎也。凡言靡者，皆靡義，謂其精細。」

筆者案：段君說《經》詳《經》已失，縐字遺形本旨，雖免捨本逐末之嫌。竊以爲縐之爲文，从糸从芻。芻者「刈艸也」（見艸部），芻聲也。亦卽農夫儲備之禦冬乾艸。斷碎之枯艸其形必細而短。縐紋似之。此象形兼指事字矣。許君既縐爲「絺之細者」，則縐之爲物，亦葛之織品無疑矣。《詩·葛覃》：「葛之覃兮，施于中谷，維葉莫莫，是刈是濩，爲絺爲綌，服之無斁。」則縐爲細葛織品也必矣。大凡絲織毛織、葛織麻織甚而荊蕁之品，於《說文》皆集于糸部，此通例也。唯學者思而辨之而已矣！

纑 纑《說文》曰：「布縷也。」案：所謂「布縷」即「⿱彖麻經」其物矣。趙岐曰：「練麻曰纑。」《麻部》⿱彖麻下曰：「未練

⿱彖麻 ⿱彖麻治纑也。」筆者案：《冬官·考工記》有「㡛氏湅絲」之明文，無「湅麻」之記載。但不等於古無「湅麻」之術。絲之與麻，皆自然界白纖維體。故知欲求纖維組織之變化，固必有化學加工過程，固不局限於動物與植物之分也。从《說文》⿱彖麻（音斛）字爲反証，可知趙岐之訓，確有其據。

幡 幡《說文》曰：「書兒拭觚布也。」師古曰：「觚者，學書之牘。或以記事，削木爲之。其形或六面或八面。

皆可書。觚者棱也，以有角棱故謂之觚。即孔子所嘆也。觚以學書或記事。
若今書童及貿易人所用粉版，既書可拭去拭去再書。……」筆者案：所謂「觚」
之爲物，實等於現代之「黑版」或學童之習字「小石版」。故知幡之爲物實等於
今之「黑版擦」其物矣！幡之爲文，从巾，从番。巾者麻織品也。番之爲言
翻覆之意，所以示既書可以拭去，拭去可以再書。然則幡亦形聲字也。

幏

幏〈篆〉冡〈卜〉《說文》：「蓋衣也」。段注：「覆蓋物之衣也。」《法言》：「震風淩雨，然後知夏屋之爲帡幏也。」《尚
書大傳》：「下刑墨幏」〈大戴禮〉。 案幏字，初文《卜辭》作冡。網罟羅罩飛禽之形也。厥後形訛而从豕。已
失初文之象。其後又增巾而爲「帕紗」字。又增艸而作蒙。爲塚上之艸。然則延伸爲一切蒙蔽義矣！
《尚書大傳》之「下刑墨幏」，即罪犯人以黑紗冡面遊行示衆，以示耻辱之義。

冡——網罟罩鳥
- 矇——蒙蔽目
- 濛——細雨籠空
- 蒙——艸覆塚上
- 幏——蒙面黑紗

共義——〈黑暗〉

幎

幎〈篆〉[seal] [seal]〈卜〉[seal] [seal]〈金〉[seal] 《說文》：「幔也」。《玉篇》《集韻》《韻會》《廣韻》同訓：「覆也」。西部覀復字訓：「覂也」。案覆之爲文从西从復。
西者，酒瓶倒傾之象。復之爲文从㚆从夂。㚆从缶从夂〈倒止〉，亦酒瓶倒傾之意。後增「彳」
〈行之省〉而訓返還。又增西〈音亞〉。今山東半島方言謂傾水曰「西」，此古代語言也。
故知《廣韻》……訓「幎」爲「覆」。爲深得「幎」字之意。自較《說文》訓「幎」爲「幔」
爲勝。

幎之為物，覆蓋飲食之冪中也。故古籀从冖，从酓，或从鼎，或从酉。冖者布巾之形，鼎酉會居冖下，所以防塵絕蠅也。

《周禮·天官》有「幎人」之職：「掌共巾冪。祭祀，以疏布巾冪八尊」。經籍上冪。

此字造型非一，文皆从冖，覆中之形也。字或从日者，日光隱沒之象；或从莫，莫之省，日沒之象也。此

幎字造形取象各異，所以隱蔽之義則同。今文上冪非初文矣！

幕

《說文》：「帷在上曰幕。」幕从巾从莫，日沒草叢，太陽沉降在地平線之象也。金文《守宮盤》上䁕，示目

《圖》不能見之意。所謂「帷在上曰幕」，可見「幕」字初義，即行軍帳棚之棚頂矣，所以蔽日也。

帷

《說文》：「在旁曰帷。」《釋名》：「在旁曰帷。帷，圍也，所以自障圍也。」雖此可知，帷之與幕，皆是帳棚所組成部份。故《周禮·幕人》：「帷幕皆以布為之。四合象宮室，曰幄。」《玉篇》：「幄，帳也。」《類篇》：「幬也。」《廣韻》：「

幄

大帷」。《小爾雅》：「覆帳謂之幄。」皆語焉不詳。《釋名》云：「幄，屋也。」為能差近其意。尤其是《三禮圖》云：「上下四旁悉周曰幄」，古人之好發揮，大抵如是。考「幄」之為物，其具體形制，後籀从無定論。愚求而證之。

《討論》：素幄之本文，从巾从屋。尸部屋字訓「居也。从尸，尸所主也。从至，至所止也」。考屋之為文，从尸从至，至从一。一者地也。至者燕雀从空而降之象也。故許君訓為「飛鳥下至地」，所以示「倦飛知還」之意。此物像人化字，喻人之奔波似勞燕之東西，動極思靜，必止於屋內以求安息。故屋字从尸。尸者仰臥之人形也。故屋有「人所安息之地」之義。惜此義雖傳，後無以窺屋字之象，更莫能覩幄字之義。試求證如左。

竊以為屋之為義與房為封。房从方而屋从至。方者四方之義，至者垤之省文也。

垤

《韻會》：「垤，蟻封也。」《廣韻》：「垤，土之高也。」《詩·豳風》：「鸛鳴於垤。」陸佃曰：「蟻謂之垤。」考甲骨「垤」字初文上从，字从，从△。者蟻群之象。△古土字，似丈堆之形。皆「蟻塚」之象也。雖此可知屋字造型从尸，从垤之意，所以示屋頂之圓，似蟻垤也。復考古籀屋上，从丰从此，从垤。丰者夫諸之鍾也。幬帳之頂飾也。此者二足分張之態，所以示周建帳之以織分佈開張，其象如「垤」也。此「王者行軍佈陣，將帥之所居也」。

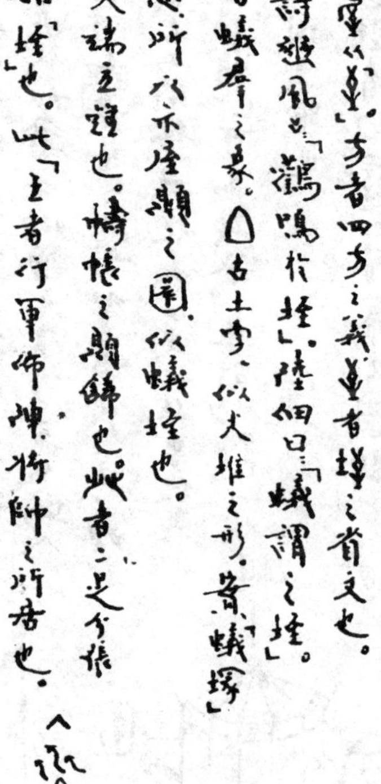

《說文》曰：「屋者，室之覆也。」引伸之，凡覆於上者皆曰屋。天子車有「黃屋」。《許數》曰：「

屋，小帳也。」筆者案：「黃屋」者，天子之蓋也。其狀如傘。《周禮·考工記》曰：「輪人

為蓋，以象天。蓋弓廿有八，以象星廿八宿……」可知「黃屋」之形製，蓋源《易》之理

「天圓地方」之義。然則「幄」之為物，與「黃屋」異名而同物無疑矣。《史記·始皇紀》曰：「

子嬰度次得嗣，冠玉冠，佩華紱，車黃屋，謁七廟。」可為義證。然則「幄」

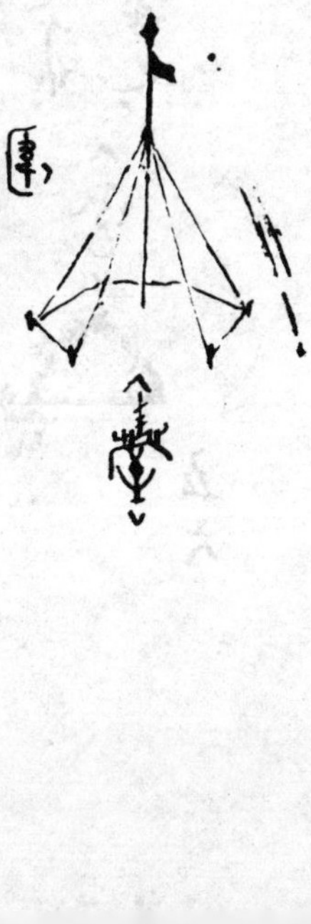

〈幄〉

之形製，為圓頂之屋也明矣！其周帀曰遮，因其宜也。

結語：蟻穴之封塚曰「垤」，室之圓頂者曰「屋」，帳幕之圓頂者曰「幄」。

其義皆導源於「垤」也明矣。《詩·豳風·鴟鴞》曰：「……鸛鳴于垤。」陸佃曰：「蟻塚謂之「坻」，

亦謂之「垤」。」从至，从土。以蟻之微而能為垤，用其至也。」垤从至，从土。有積土成山之義。表示如左

以見幄遞轉注之軌迹。

〈蟻至土而成垤〉

↓

垤

屋 从尸，从垤之省〈圓頂之室〉

垤 从土，从至〈蟻封〉

幄 从巾，从尸，从垤之省〈圓頂之帳〉

帟 《說文新附》曰：「在上曰帟。」《周禮·天官·幕人》曰：「掌帷、幕、幄、帟、綬之事。」注曰：「帟，主在幕

若幄中座上承塵也。」考帟之為文，从亦在巾上。亦古文作亦，象腋下滴汗之態。亦

液字初文也。造字者取亦字居於巾上，以象屋頂微塵降落之態。故訓義曰「承

塵」。此象形、指事兼轉注字矣。

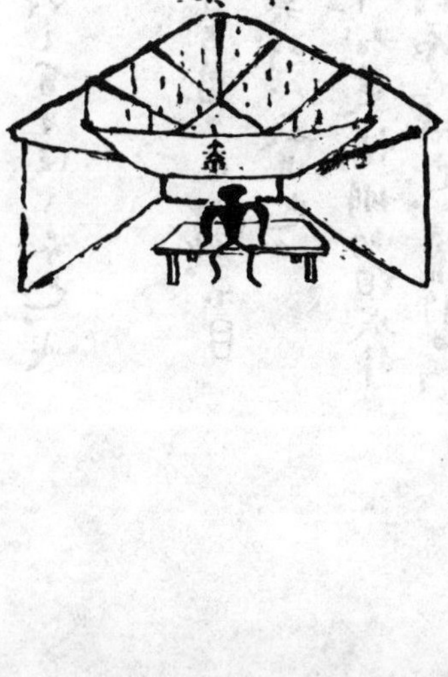

⿰巾夒 [篆]

《說文》云：「墀地，以巾撋之，从巾夒聲。讀若水溫䰙也。一曰箸也。」

（《討論》此字之形譌音變而義乖久矣，唯許君猶能識其意。但《說文》之古篆而義湮，後人罕識其旨。遂致此字形變為幔。殊不知夒之為文，古猱象形字也。夒之為文古猱字之化身也。時賢張舜徽氏謂「⿰巾夒」為「塗漆之巾」，並旁徵博引以明其意。紙上談兵，未能令人信服。要知研究文字固不應拾規蹊而斤斤於玄理之求。余竊以為⿰巾夒之為物，實今日之「地板擦」也。古天子之高殿，日以紅漆塗地，名曰「丹墀」。「中涓」（皇宮衛生之潔夫）執⿰巾夒往洗拂之役。故字从巾从夒。巾者器形也。夒者「猱」字之化身也。字與音適。（說詳拙著《人文篇》）夒字在此从「暑」。故知此字从夒者所以示操除時指而免穢器薰鼻難潮也。⿰巾夒，乃昆切。

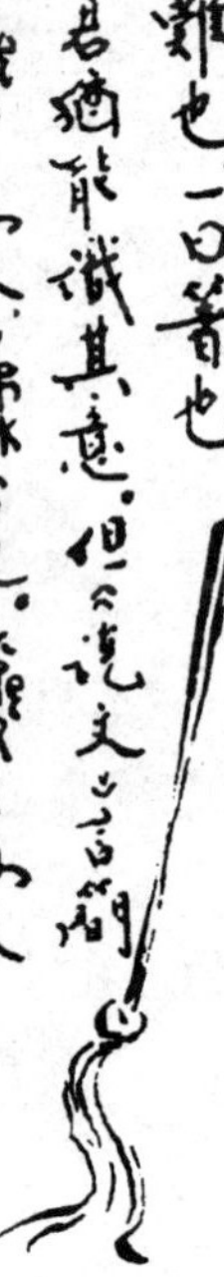

〈⿰巾夒〉

席 [篆] [篆] 席

《說文》：「藉也。禮天子諸侯席有黼繡純飾。」考[篆]之為文，席字初文也。[篆]从石、因，知人類早期有以石為牀而就寢偃臥，此為苦而寢體者矣。至西周王朝而物質文明進化，始有黼繡為飾之席。此文字變化之軌迹與歷史進化同轍。可以字形見之。故席字从[篆]到席，亦猶宿字从[篆]到[篆]也。

[篆]—[篆]—[篆]—席

[篆]—[篆]—[篆]—[篆]

席宿二字的統一變化規律，揭示了人類从穴居野處到宮室安眠的過程是漫長而久遠的。

徽 [篆]

《說文》：「幟也。以絳徽帛箸於背。从巾，徽聲。春秋傳曰：『揚徽者公徒。』」

案：[篆]之為文，从了、从攴、从止、从巾。了者道路之象也。攴者右手執杖戰鬥之姿也。止者若之首物出生之題，頭面之形，所以供識別之目標也。故訓義為「幟」。《字詁》曰：「幟，標也。」《說文》：「旌旗之屬。」朱駿聲曰：「凡表朝廷之旂，與軍中之幟，皆用絳帛。以大易仍小而為之。將帥以下皆題識。平時則僕射文學長所著，又所救火人衣，用絳帛著於背，皆徽識也。」筆者案：今運動會員所著之「背徽」。

五七

及申右擲部之人背部皆有號碼，又如球隊上之背有號名號碼，皆徽之類也。

幖 《說文》：「幖，幟也。」案：幖之為文，从巾从票。巾者布也，票古飄字，飄蕩之義也。今會議體及遊行隊伍皆用紅布橫書大字，名曰「會標」、「行標」，皆當用「幖」，自應以幖為正字。流俗所變，約定俗成，標行而幖廢矣！

櫛 《說文》：「木比之總名也。」按此訓雖無大謬，但核諸字形，却有未符。應訓為「竹梳也」。此物以竹節製成。理髮師用為洗頭清除髮根脂垢之得力工具。其形緣節皆齒。五指握於掌心而用之。施於頭之顛顱，作旋迴運動。似耖之破土。待積垢既碎，則澆之以水，而污垢順流而下，入於盆中矣。此象形字也。[illegible]者人形，从木，沐之省。[illegible]者古澆字也。沖滌之象。凵者盥器也。乚似澗流之態。此造字情，所以示櫛之功能詳而備矣。

有關造紙之棧的字例

⿱竹沾

⿱竹沾　○說文云:「潎絮簀也」。簀同部「簀」字訓「牀棧也」。復考木部「棧」字訓「竹木之車曰棧」。段玉裁謂「以竹若木散材編之為箱,如柵然,是曰「棧車」。復段○管子小問篇云「夷吾嘗為圉人矣,傅馬棧最難」。○莊子云:「編之以皂棧」○公羊傳哀四年云:「勝國之社,奄其上而棧其下。」所謂「勝國之社」,即亡國政權的祖廟,武王克商對殷人的一種賤視的政治待遇。「奄其上,棧其下」也就是用木材編排的籬笆將殷人的祖廟封閉起來。○後漢書張良傳云:「良說漢王燒絕棧道」。崔浩云:「險絕之處,傍鑿山巖,施版梁為閣也」。這種用木材排成的山坳崎嶇小道,唯我國四川有之。○莊子○莊周馬蹄篇云所云之「皂棧」,亦即木柵欄排成的「馬圈」,也是非常明顯的。○說文云訓「簀」為「牀棧」,意思牀上也就是鋪在牀板上的「竹笆片」。在理解「棧」字形義之後,也就比較容易了解「⿱竹沾」字之為何物矣。⿱竹沾是造紙之抄的重要工具。其實,即鋪在木框上面的小型竹簾。簾和木框合在一起,其名曰⿱竹沾。古人用它來撈紙的工具。造紙之抄,必用之。無之則不能調和「紙柸」,故「⿱竹沾」字从竹,竹者,簾、簀也。从沾者,數着之意也。古詩謂濺濕衣衫曰「濺沾巾」。唐詩云「沾衣欲濕杏花雨」皆「沾」訓附着之義例。○廣韻云:「沾,漬也,濡也」。造紙之匠兩手執⿱竹沾,浸入紙漿池中,然後舉而出之。則紙漿纖維附着在⿱竹沾上而成紙。此乃造紙工藝術語中名之曰「潎絮」。此「⿱竹沾」字造形从竹从沾之意也。(潎,讀如撇。)

棧

潎　澈

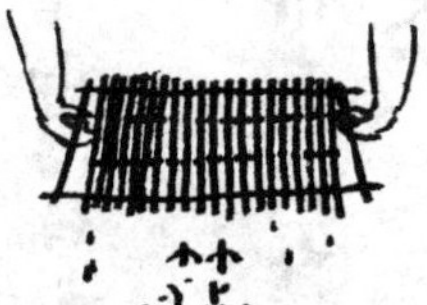

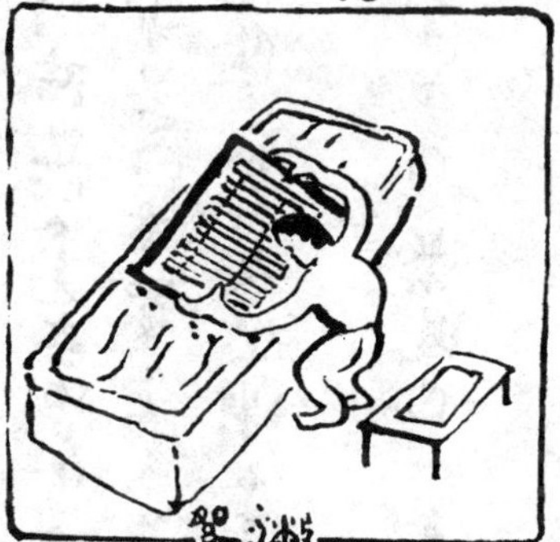

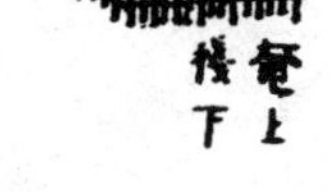

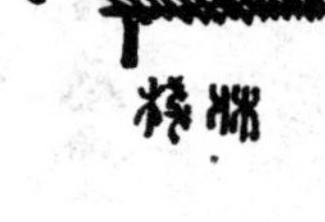

㡀敝㡀敝《篆》㡀敝《上》《说文》㡀部训「败衣也。从巾，象衣败之形。」同部敝字训「帔也，一曰败衣。」

考敝之为字，卜辞上作㡀敝。似右手举棒击打破衣之态，此象形字也。

古代服装皆丝织品，故知不言敝絮而敝絮之义已在其中矣！

絮絮《说文》「敝緜也。」《释名》「絮，胥也，胥久，故解落也。」《急就篇》注「渍茧擘之，精者曰緜，粗者曰絮。今则谓新者为緜，故者曰絮。」絮之为文，从如从糸。如者似也。糸者丝之省。其义为「如丝而非丝也。」意，絮上即治丝剩馀之残品及废烂不堪之破衣。先秦时代用为造纸原料。可以下述䌐字窥知之。

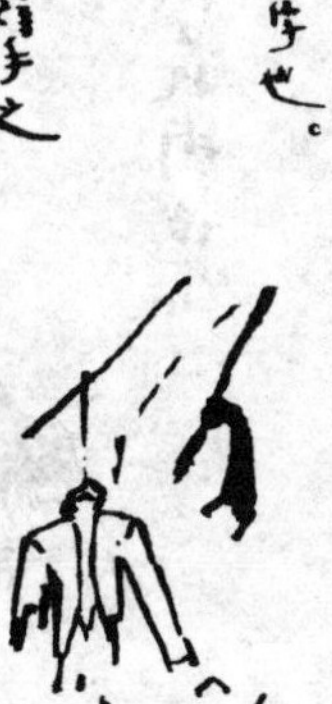

〈敝〉

䌐䌐《说文》糸部䌐字训「繫䌐也，一曰維也。」同部繫字训「繫䌐也，一曰恶絮」

繫繫《说文》「繫䌐也，一曰恶絮，係之结也。」

《讨论》

笔者案：许君于《说文》中，䌐繫二字互训，故知䌐繫二字声同而义通。其意甚明。窃以为䌐之为文，从糸从虒，虒者䌐之省文也。故训义为「丝之结」，即不能上纺织原料的丝纺线（加织絲之意）因而用䌐丝造成的纸叫作「赫蹏」。其质与后世的「高丽纸」相似。《汉书外戚传》：「武发箧中有裹药二枚，赫蹏书曰：『告伟能：努力饮此药，不可复入，汝自知之』。」应劭注：「赫蹏，薄小纸也。」邓展注：「赫音兄弟阋墙之阋。」师古注：「赫字或作繫。」以此知「赫蹏」即「繫䌐」。用「繫䌐」作的纸也叫「繫䌐」。此西汉成帝时事。那么在蔡伦前，不但有纸，并有精薄的蔺纸，这正可与灞桥西汉墓中纸相印证。

关于䌐字之音考，案䌐字《说文》无音，《集韵》音「離」。犹忆童年时，吾邑郝村乡有娘村刘园，为高君季月所领辨，彼刘园什年日不聊生，服装破旧褴褛不堪。时人为其赠才偉號曰「繫䌐斑」。此古代历史文化语言也。

綜此可知所謂「繫絖」一詞，當即古代貴族遺棄之斷損之絲織服裝而無疑矣！證以甲骨文𢿱敫（敝）二字之形，益覺信而有徵。古人用之以為造紙原料，固其宜矣！此意可從《說文》繕字求證之。

結

繕《說文》：「方扶。治敝絮也。」案：繕之為文，从糸从音。音者棓之省也。棓者毆絮也。棓古棒字也。擣絮之器也。《韻會》：「棓同棒。」《廣韻》：「棓，杖也，打也。」可為有力參證。

然則許君訓繕為「治敝絮」者，即「擣舂綱絲」之義也。

綱絲加工擣細之後，即成紙漿，便可投入池中，以待「漂紙」矣！

〔繕〕

潎

𣿅（潎）《說文》水部潎字訓：「於水中擊絮也。」段注：「擊當為撆（撇）。手部曰：『撆，飄也。』飄為漱。」《考工記》注曰：「湖漂絮。」《莊子》曰：「洴澼絖。」皆在於水面漂擊之。竹部「箈，潎絮簣也。」糸部紙字注：「絮澤也。」然則「潎絮」乃造紙之先聲。

案：潎之為字，蓋平行而變為斜線上升之動向解也。筆者於童年常在河灣手持石片，對河中水面之斜向投射，利用石片本身旋轉動力以及對逆水面接觸產生之反作用與浮力情性效果，可使石片出現斜進上升而騰空飛躍，以達對岸。此種物體運動形態，俗名曰「撆」。然則造紙工人之潎絮動態，亦系依運動而無疑矣。此種動作形式與漁翁水中持網揚魚酷似。不如此，則不能潎取池內紙漿入箈也。真意甚明，古代文字言簡而意繁，非精深思處，莫能得其真相焉！

五九

紙

紙 《說文》云：「絮滓也。」案之為文，从糸从氏。糸者纖維也。氏者底也，止也。紙漿加工搗碎工序既畢，必投入池中，旋沉之後，造紙工匠以竹竿攪拌而混合之，以使纖維上遊懸浮，而利箔漉。是其義矣！

酒

有關釀造工程的例字

（卜）（金）

酒《說文》：「就也。」同部酉字：「就也。八月黍成，可為酎酒。」徐曰：「就成熟也。……」《釋名》：「酒，酉也。釀之米麴，酉澤久而味美也。」

《江氏酒譜》：「酒之所興，肇自上皇。成之帝女。一曰杜康。」看來，酒的發明創造歷史上很久矣！

《討論》：酒之為文，从酉从水。酉者，陶罐之形；水者，液態之象。古天文曆法以酉字為干支紀時辭，於歲時為中秋。為什麼造字者采用酒罐之為紀時字？這是鑒於古代天文曆法的創造，是為由農業生產服務的。因為仲秋八月，是五穀成熟季節。五穀豐收，便有條件造酒了。然而許君不言五穀，而獨言「黍成」，何也？蓋黍為五穀之長，乃釀酒之上品。酒之為物，備於王者敬天、祭祖、讌饗賓客的禮物。因而上為紀時辭的酉，和上為飲料物的酒，既獲得了概念的統一。於是造字者把酉增水而上酒，把酒減水而上酉。因而酒、酉二字的同源，也可以看成是古老天文知識、農業知識、化工知識的綜合表現，是不為過份的。

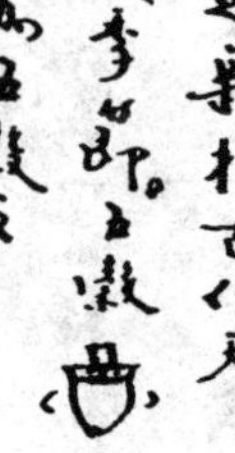

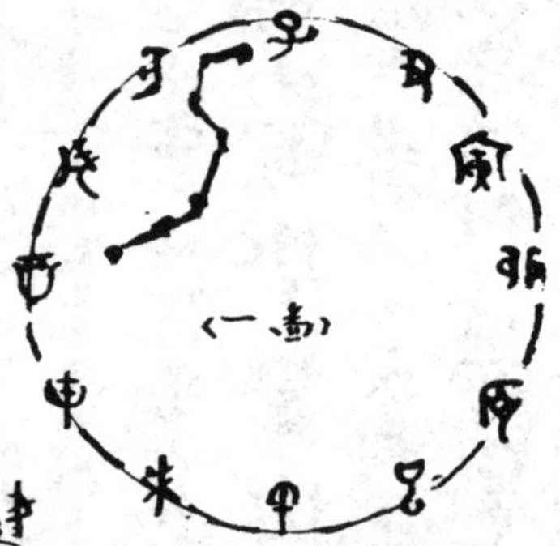

（圖一）

《酉字釋義溯源》

1. 天文觀念義：酉之為言，秋也。於方位為西。「斗柄」建酉之時也。与卯為對。卯象門開，天光直射之意。卯象門閉，天氣寒涼之意也（圖二）

2. 生物觀念義：酉之為言，就也。成就之意。五穀成熟之義也。五穀成熟，可以造酒矣。

3. 酒的釀造過程時間義：酉之為言久也。陳舊之義也。春日釀造，至秋而成酒。

（圖二）

上古之未錯釀造之術。全憑自然氣溫催化醞釀之功，故成酒過程之長，為時之久，是其本意矣！

六〇

字形亦象酉，象酒罈。竊以為釀造工藝即利用菌類分解化合的功能之有「機化學」也。故漢字之从酉文字無一不與化學屬性有關。故如人類對化學知識的運用，當應自釀酒始，可斷言也。

麴

麴 《說文》云：「酒母也。」《玉篇》云：「麴蘖。」《釋名》云：「麴，朽也。鬱之使衣生，朽敗也。」

者麴之為文从麥从匊。麥者麥芽也。麥芽酵素有分解澱粉效能，而產生「麥芽糖」。麥芽糖為「麴菌」提供了蕃殖物質基礎。造麴者將麥芽搗碎如泥，置之以模型使之成塊而乾燥之。密閉于暗室之內。七日之後而成五光十色之「酒母」矣。現代科學知識提定出了細菌的蕃殖條件有三：一曰水份，二曰營養，三曰適當的溫度。蓋不如數千年前的古人早已用之於釀造工藝矣。此意完全可以「鬱」字形義獲得透視。

鬱

鬱 鬱 鬱 鬱 鬱 《說文·林部》鬱字訓：「木叢生者。」段氏引《詩·秦風·晨風》云：「傳：鬱，積也。」疏云：「鬱積而茂盛。」復考《九經字樣》云：「鬱」字訓：「鬱，芳草也。」鬱，木叢生也。今往典相承，通用鬱字。可證鬱、鬱二字相通互用，由來久矣。竊以為鬱、鬱二文，同具「芳香」「鬱積」二義。許公誤分為二，難免「蛇足」之嫌。蓋鬱之與鬱字，皆从缶，从彡，从臼，从林，从冖。唯林有寓耳！自從以鬱為正字而無誤。古文之同文雙義者例不勝舉。如以愛為「治」「亂」、「鬱」「鬱」之通，「祥」「災」「吉」「凶」、「勝」「負」、「興」「亡」，悉其例證。竊以為鬱字从林者，麴菌叢生之象；从彡者，麴絲色彩雜糅之形；从缶者，濾酒篩囊也。《說文》云：「以秬（黑黍）釀鬱草，芬芳攸服，降神也。」

醞

醞 復據《說文·酉部》醞字，訓「醞，釀也」。案醞字从酉，从昷。酉者酒器之象。昷者寒熱適度也。用現代科學術語言之，即攝氏卅六度半之意。故如醞訓為「釀」，與鬱訓為「積木」，皆是生物發熱過程。其訓義為「醞」不亦宜乎。

特別是在《金文》鬱字造型示意上，明顯地昭示了在釀酒容器的外圍，纏繞着一層保温組織。目的是為了「保温」。古名「鬱積」。鬱積之義當是起源于保持森林之溫熱，其成因由于枝葉密集，空氣不能對流之故。故鬱鬱二字之義源，皆由「蓄熱」這一槩念而来，是绝無疑問的。

鬱字的芳香義：此義當來於釀酒之香草——「鬱金」。其物產於鬱林郡（廣西）。其物質，成份含有揮發性精油。黄色素〈Carcumin $C_{21}H_{20}O_6$〉草酸鉀〈K—oxalato〉及樟腦澱粉等。《中醫學》用為治療肝臟性黃疸、膽石、高血壓性神經痛、癲狂等疾患。近代藥理學家Robbers氏認為用鬱柚出之「鬱金油精」，可增進膽液的分泌。所含黃色素並可使膽囊收縮。鬱金的精油中含肝脂油精，為「膽固醇」的溶解劑。故可治「膽石」病。都是膽管阻塞的疏通藥啊。在《中醫病理學》中名之曰「解鬱」。於以見「鬱金」之為物，有「疏肝解鬱」醫療效能。唐李白詩云：「蘭陵美酒鬱金香，玉碗盛來琥珀光，但使主人能醉客，不知何處是他鄉」。可見古人用「鬱金」之為調酒的香料，並非完全出於鼻與味的需求，而是兼有其醫療保健因素的存在。縱此觀之，鬱與鬯、鬱金之鬯形同而義通，是奠基於鬱金可以調酒的釀造工藝創系之上而產生的。細讀佳釀自能知之。

鬱

鬱的釀造義：古鬱之為文，从林，从缶，从冖，从彡，从鬯。林者迺森林之象也。彡者雜色之象，所以示迺斷之色彩采多也。缶者釀酒容器也。冖者密閉之意。鬯者滲入隱酒之器也。黑黍所釀之酒名曰「秬鬯」，則「秬鬯」乃佳酒「過濾」之清酒也明矣。鬱字是一个複合形義字，於《文書》應屬「指事」。也反映了釀造工藝的全部內容。

醖

醖《說文》云：「釀也」。同部醞字訓：「醖也」。

《討論》曰：「案《公羊》醖、釀二字互訓，是有科學意義的。古醖之為文，从酉从昷，昷之為字，从囚从皿，會意，溫字初文也。許《公訓》義為「仁」，以皿食囚也」。竊以為昷字初形，原宜从皿从日。日古日字太陽也。太陽為宇宙之熱量能源，以皿臨日，則皿内之水，必吸收光熱之感化而變為昷，後世增水而為溫。

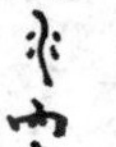

昷

六一

其義愈顯。此文字孳衍遞嬗之適例。於是「㬈」行而「昷」廢矣。今易其訓曰：「昷者，熱之適中也。太陽臨皿之象也。光照于皿，則皿中之水溫矣」。孳也以觀，可知《說文》昷字从囚，字形之譌變也。其字與𥁕字將及譌入同例。故知許君訓昷為「仁」者，是引申義也，非初義也。所謂溫之為義，即不寒不熱之中，春氣候也。於《文氣》中屬「少陽」之氣。醫，即現代三十六度半之恆溫。此溫最適應一切有機生命體之需要。釀酒之亦是借賴酵菌為動力的。酵菌之為物，亦有機生物也。釀酒之藝，屬於有機化學。自不能不注意環境之氣溫，以利於釀造之功效。故知醞字从昷。从昷者，皿者，體也。昷者，溫暖也。醞字是造型揭示了釀酒之器必須置於溫暖的環境。故醞字為指事字也。

釀

釀《說文》云：「醞也」。案「醞釀」一辭，現代漢語猶存。其義源蓋出于造酒之概。書釀之為文，从酉、从衣、从𢑴。《說文》吅部云𢑴字訓：「亂也。从爻、工、交、吅。一曰窒𢑴」。窒𢑴之訓，最為重要。試申明之。

案𢑴之為文，从衣、从𢑴。吅者，球狀體也。㠯者，曲折疊積之象也。爻者，縱橫交叉之態也。故訓義為「亂」。固其宜矣。衣者，包藏之義也。球體之物，疊積之物，縱橫交叉之物，形形色色，包藏衣內，故訓義曰「窒𢑴」。「窒」字从穴、从至。納眾物於容器之象也。是字意將𢑴字納於酉內。所以示麴菌之形（爻）散在之形（吅）疊積之態也。从衣者，所以示釀酒之器外有保溫組織維護也。故許君醞、釀二字互訓。詳參𢑴字形義，自能悟得古文字之連鎖意態。

𨣧

𨣧《說文》云：「麴生衣也」。案𨣧字訓為麴生衣，其語見詳。𨣧之為文，从酉、从豙。豙字初文為豕（見甲骨），从㣇从豕。豙字造形，取象於獵捕豕，故有豙叛之義。故知𨣧字訓為「麴生衣」者，即「醋衣」其物也。此物俗名「醋蛾子」。學名「醋雞」。此物寄生於醋罐中，浮於液面。故字从豙、从酉。酉者容器之象，豙者寄寓之象也。以現代生物化學術語名之，即「醋酸菌」矣。

（𨣧）

醶

醶《說文》云：「酸也」。《玉篇》云：「酸味也」。《廣韻》云：「酢味也」。此訓最具古義。案《說文》酢下訓云：「酢，醶也」。醶者，固體物質；酢是液體物質。似有未合，然如以酸味這一角度思之，則可知許君所訓之醶字，乃「醋乾」其物也。當然上述是一種脫水的「醋粉」。徐鍇謂：「今人以酢為酬酢字，反以古醋字為主答客人敬酒，主人回敬酢。此俗相承之變也」。案徐君以酬酢二字義變，為時代演化之結果，誠確論也。

酢

考《高第俳封禪記》云：「酢梨酸棗」，即「酸梨」。遼寧多生此物，古代或用為調味。後世不知醋、酢同訓為酸之故，蓋源於此。

試以彝獻，唯能對《禮》之制徵，及應求證之。酒有升高血壓之功，醋有降壓之力。古代富主要飲客（酒量低下，主人同飲節之則不暴，受之則不失，不得已時倘況下口，即代之以酢（醋）。今我國民間仍有此俗。以「酬酢」與「醶味」二字之變遷推考可證以酢（醋）代酒之俗，其歷史久矣！然則醶字从僉者，所以示「醶」稀水之意也。許君訓醶為醶者，醋稀之意也。「酢」「醋」義通而形異，其物質雖性不同，因事制宜而為用之義變也。

酉、醶（醋）稀水
醶（醋）稀
酢（醋）
酬酢義
醶味調料

〈說明〉酢者，醋之初文也。古文有酢而無醋，其有力之反酒也。自醋字誕生，取代了酢字之後，而酢字初義遂晦，而代為主賓酬酢之義。

醮

醮〈篆〉醮〈卜〉《說文》焦部醮字訓：「列也。从焦聲」段注云：「當从《玉篇》作燋，字之誤也。」然犬炙也。引伸為凡炙之偁。醮謂酒氣酷烈」然則醮即烈酒之烈的正字，今烈行而醮廢矣！

醮

醮〈卜〉筆者考《卜辭》酉部有醮字。从酉从叀从㞷。酉者酒也，与焦同義。叀者聲也，亦義符也。叀之繁體，銅器銘文屢例多段叀為「列姐」字。故知古文叀、叀、彖、彖諸字聲同而義通。故知醮字从焦，从叀同義。然則《卜辭》「醮」字从「㞷」何義也？余曰：「㞷」古「往」字也。《卜辭》止㞷，《金文》止㞷。㞷者狂之省文也。《卜辭》止狂，稱止㞷，小篆止㞷，均止形例。《說文》犬部狂字訓：「狾犬也」《癡狗》。《廣韻》：「病也。心不能審得失之地則謂之狂。」故知醮字从醮从㞷者，所以示烈酒令人發狂之意也。故知醮、醮異文而同字無疑矣！

飲

〈卜〉

〈金〉

《說文》：「歠也」。《玉篇》：「咽水也」。《釋名》：「飲，奄也。以口奄而引咽之也」。《易》需卦之虞注曰：「水流入口為飲」。引伸之可飲之物謂之飲。如《周禮·天官·膳夫》：「飲用六清」。又《酒正》：「辨四飲之物：一曰清，二曰醫，三曰漿，四曰酏」。象飲之初文《卜辭》止飲。以頭俯舌伸入甕之人像。此形義字也。故知飲之為字，應以飲酒為初義。

六二

自無疑問。飲字讀音有二：一曰上聲，讀如引。此用於飲劑、飲料之名。如中藥劑中之「清涼飲」、「五汁飲」、「十滴飲」、「連原飲」……二曰去聲，讀若印。如「飲馬黃河邊」。此動義的。「漢字義從聲變」之例。謂之為「聲從義變」，亦無不可。

糟

醩 《說文》：「酒滓也。」《周禮·酒正》：「共后之致酒於賓客之醴、醫、酏、糟。」注文：「糟謂醫、酏不泲者。泲曰清，不泲曰糟。」案今之酒，但用泲者。直謂已濾之粗為糟。古則未泲帶滓之酒曰糟。《衆經音義》云：應書皆引許君《淮南注》曰：「粕，已漉粗糟也。」然則糟謂未漉者。」

筆者考《說文》引用徐注「漉」、「泲」二字，今世罕用，皆「過濾」之義也。糟是未經過濾的酒。今人所謂之酒「糟」古名曰「粕」。今我國江南，仍有以糯米飯與棗栗等物合釀者，其味美。酒棗之粕合食共飲。甘香可口。《周禮·漿人》注：「飲醴用柶者，糟也。不用柶者，將水也。」「柶」是有柄的四股小木耙。古供食糟的餔具。

柶 杷

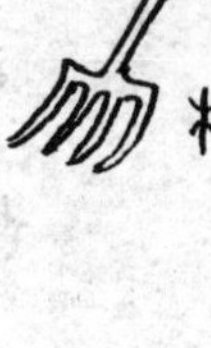
杷

醴

醴 《說文》：「酒一宿熟也。從酉，豊聲。」《周禮·酒正》注曰：「醴猶體也，成而汁滓相將，如今恬酒矣。」段注：「按汁滓相將蓋如今江東人家之白酒，恬即甜也，即[illegible]也。故酌醴者用柶。」與許云一宿酒。則此酒易成。」

筆者案：此「一宿熟」之酒，必與春釀秋成之「酎」不同。臆先秦或亦有速成之釀酒術。當時始之必備技巧，其必賴「重溫鍋」設備矣。此法簡而易行，吾鄉民間「爁柿」，皆用此法，一夜之間可使柿味濇化為甘而色化黃。此古法也。所謂「恬酒」即「甜酒」，同音相假字例也。

⿰米覃

（上）⿰米覃（籀）《說文》：「糜和也。從米，覃聲。讀若譚。」

醰

《說文》：「酒味長也。從酉，覃聲。」

考：醰、⿰米覃二字，文皆從覃（𠣎）。故欲明二字之初義，必須自求證「覃」字始。茲列舉有關覃字之古文，以供探索之「問路哨」或「敲門磚」。

潭 㴱〈卜〉㴱 㴱〈金〉 潭〈篆〉《說文》訓為「水名」，無以見潭字真義。考屈原《楚辭·抽思》：「長瀨湍流，泝江潭兮。」注：「潭，淵也。」《淮南·原道》：「以曲隈深潭相予。」注：「深潭，回流饒魚之處。」故知潭字初義應訓「深廣常積之水」。其字形蓋取象於酒罈之義而無疑焉！卜辭㴱字具象徵也。〈見商〉殷後延伸為「覃思」、「常譚」……等深遠義，皆潭之首為形義，輾轉之例矣！

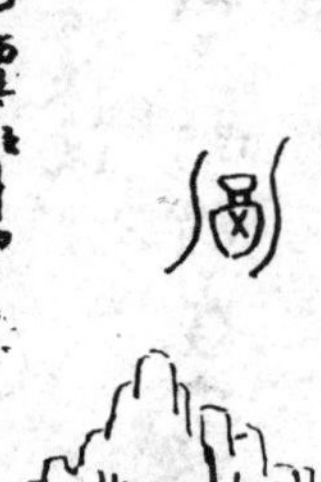

簟 簟 簟〈金〉 簟〈篆〉《詩·齊風·載驅》：「簟茀朱鞹。」〈傳〉：「方文席也。从竹覃聲。」

與筵同類而形似。《說文·竹部》筵字訓：「竹席也。从竹，延聲。」案許君《說文》通例，多以聲兼義。故簟从覃聲，與筵从延聲之義例推之，則簟、筵二字皆是長席之名無疑。《周禮·冬官·匠人》之職文云：「周明堂度九尺之筵，東西九筵，南北七筵……」，簡而易見。簟、筵這類長大竹席，都是取材於長大的「簟竹」篾編織而成。《越南志》：「博羅縣東有簟竹，既大，薄且空中，節長一丈。其長如松。」《贊寧·筍譜》：「簟竹長二丈，猶為筍，可食。」堪知「簟茀」亦長席矣！

譚 譚〈篆〉《管子·侈靡篇》注：「譚，延也。」《玉篇》：「譚，大也。」注：「譚猶著也。參譚不絕。」《魏志·管輅傳》：「此老生之常譚。」案「老生常譚」者，歷史傳文軼事也。「參譚不絕」者，語多而話長也。故知譚字从言者，聲之義。从覃者，所以示「補心人重話偏長」也。此漢字時空互化之例矣。

〈討論〉：案，水之深而廣者曰「潭」。竹之高而大者曰「簟」。席之廣而長者亦曰「簟」。語述千古之事曰「譚」。糜粥濃而味香者曰「橝」。酒之香氣醲而長者曰「醰」。故知潭、簟、譚、橝、醰皆訓義為長。此聲中之義也。古文覃上㔾，象深廣長大之酒罈。此形中有義也。古篆从㔾之文，極多。謹列表於次，以窺㔾字發展之軌迹。

六三

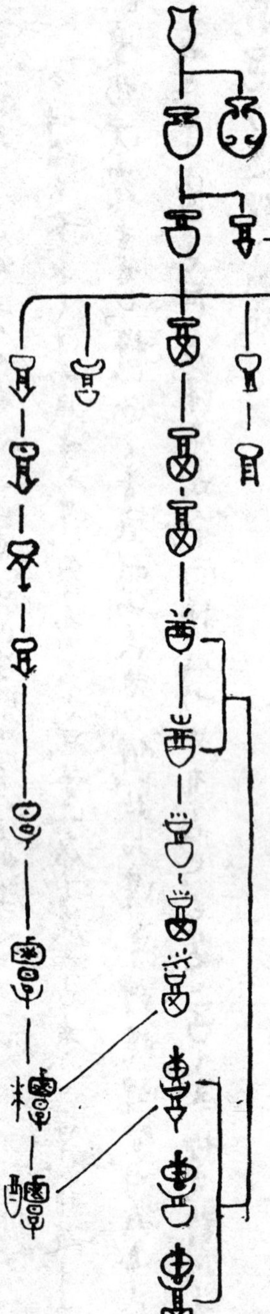

𠷎　由上表察之，可知𠷎之為文，實自[glyph]字演化而來，亦即後世隸字，而文亦無疑矣。故㽉𠷎造形本身已具酒器之形。而《說文》反把酉於𠷎側。此種繁變形例，亦猶[glyph]化為爵，然後化為燕同理矣。

㽉　糟　《說文》米部糟字訓：「糜和也。从米，覃聲。」要許君訓[illegible]多增中無義。而相鄰文字又多義

𥹌　𥹌　黏相屬。故糟後𥹌字訓：「潰米也。从尼，从米。」要从米，从尼之義。尼者，泥之省。所以示黍米入酒，潰爛如水之和土也。故有融和之義。故《說文》訓為「糜和」。《釋名》：「糜，煮米使糜爛也。」《博雅》：「糜，糊也，饘也。」

糜　𪍫　要古所謂𪍫，即黏米飯也。聊城地區盛產穀類，其民皆以𪍫（音糜）、黏穀為食。土名曰「黏𪍫糕」。古代重（重）釀之酒。必增熟黍入甕子於酒罈中，以求能和酒液之釀度。名

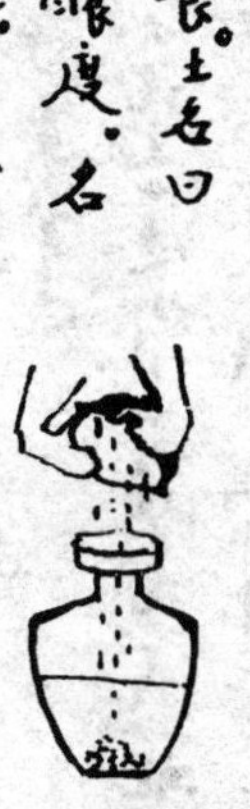

㽉 ①

醕　醕　曰「醕酒」。《前漢書·曹參傳》：「飲以醇酒」注：「醇酒不澆」（不澆薄），謂厚酒也。」《後漢劉盆子傳》：「乃畜釀醇酒（見前）」。《易·繫辭》：「萬物化醇而精醇也。」《朱子本義》：「醇，謂厚而凝也。」（酒液比重非高，今名高度酒）。此糟字訓為「𪍫和」，其義矣。故亦有厚義。（酉之）

怎樣會知道「糟」、「㽉」同字？茲以辨如下

𠷎（後世繁變增米而上糟（糟））

醰 覃 覃 覃〈卜〉 醰

醰之爲字，各家詮釋不一。唯段玉裁獨得其義，曰：「酒味長也。」段氏並當徵博引，以正前人之誤。謂《廣韻》、《玉篇》皆云：「酒味不長也。」謂「不」乃賸〈多餘〉字。注引《集韻》云：「酒味苦也。」段謂此由宋時說文以〈酉〉覃醰，篆而奪〈覃〉〈酉〉之故耳。《漢書》初刻時已如此。或曰：「古〈酉〉醰同部，疑無二字。然小徐本分列兩處。小徐上「酤」，長味也。」案《洞簫賦》云：「良醰醰而長味。」李注引《字林》云：「醰，酤同，長味也。」段氏謂「同」乃賸字。」

案段君之訓極確。獨惜其未能舉出醰字義證者，良以彼時我國安陽小屯甲骨尚未出土，無以窺古篆之迹。竊以爲《卜辭》覃字即《說文》醰字。試求其義如下：

覃之爲文，从酉从叀。酉乃酒器，叀古蕙字。《說文》之叀，訓爲「小謹」，而誤之專之初文。史獸鼎以哲學叀念。何其形似而義乖耶？最令人困惑者，即許〈慎〉於《說文》中，以蕙次叀而訓義曰「仁也」。許君治學，習慣於抽象概念，以解釋自然現象，以其契也。殊未顧叀之爲文乃蕙字初文也。此字《卜辭》作□或□、□、□。造型與大同而小異。《玉篇》云：「蕙，香草。生下濕地。」《南方草木狀》云：「蕙，一名薰草。」《爾雅翼》云：「一幹一花而香有餘者，蘭；一幹數花而香不足者，蕙。」《屈原·離騷》云：「既滋蘭之九畹兮，又樹蕙之百晦。」可見蕙之爲物，乃著名香草。

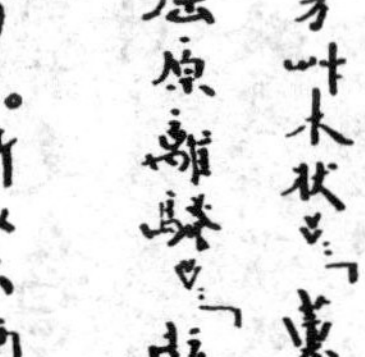

□

怎樣理解覃字？筆者曰：覃之爲文，叀居酉上。所以示酒香上浮之態也。此酒之是香草釀造而成無疑。《禮·禮器》所云：「諸侯相朝，灌用鬱鬯。」即其物矣。其訓爲「酒味長」，固其宜也。

覃字形例之採測：覃，叀居酉上。與《卜辭》□部□〈𠦝〉字，叀居□下同例。雖造型結構分佈微異，所以示香氣發散之態，固無二致。《六書》所謂「建類一首，同意相授」是爲轉注者。

覃字聲義採測：覃、醰疊韻而義適。《字林》云：「醰，酤同，長味也。」然則覃即醰酒其物矣。然則施於禮神則曰「醬瓷」，兩君相見則曰「饔醴」，固同物同用而異名，可知矣。不賴亯字形聲之推究，將何以明之？聊書於斯以自勉。

享

亯 亯 亯 亯 亯 亯 亯 亯 亯 亯 亯 亯

《說文》：「山陵之享也。」《玉篇》：「不薄也。重也。」《易廣》：「博享配天地」。

（說明）享字初文本來是一個酒罈的倒影。——亯。亯，酒尊源

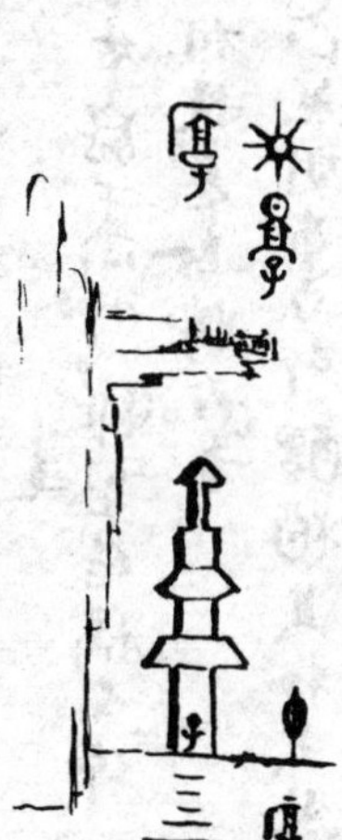

於亯。亯即亯之省略式。向酒內續未之態。《說文》訓義為「釀和」。也就是酒漿釀進增高。錄於酒之持續非高，終於發展為由「量變」到「質變」的意義。於是在亯上增添厂（岸）字，成為體積之享，山陵之享，捷量之享，以至於「天之高，地之厚」。更昇華為惠母是澤之厚……享的龐大「義相」，是奠基於微觀物質、分子的積聚密度非高為起點，終於形成了宏觀無際的宇宙浩瀚義。所謂「放之彌於六合，卷之則退藏於密」（《大學》）。意味着東方文化意識的宏偉性，非拉丁文字所能望其項背矣！用西方人的語彙來說：「真有些『魔術化』了！」

醬

爿（上）醬 醬 醬 《說文》：「醢也」。同部醢字訓：「肉醬也」。葉許君皆續於二字互訓者，所以示人以「共性」也。故段本醢與醬之不同點，則需要考求博採以明之。《周禮·天官·膳夫》云：「醬用百有二十甕」，則醬之品類不一，而是可知矣。復考酉部醬字下：「醬也」。《集韻》云：「醬音块，蚌醬」。復考《史記·西南夷傳》云：「南越食蒙蜀枸醬」。注：「劉德云：『枸樹

醢 醢 醢

如桑。其椹長二三寸，味酢。取其實以為醬』。又如「蝦醬」、「蟹醬」……由此觀之，則醬之品類亦多矣。將何以識醬字之意乎？筆者竊以為：大凡物之剁於醢中，經久發酵變質，而味美堪嗜者，皆「醬之屬也」。故如醬字非特定物名，乃同一處理方式而成之多種食品之「綜合名稱」也。此許君醢醬互訓之由來歟！？

䣼 䣼

《說文》：「雜味也」。鄭曰：「以諸和水也」。段云：「雜味者即以『諸』和水也。乾者為『桃諸』、『梅諸』，水漬為『桃濫』。於《辭名》可得其義也。《內則》正義曰：「諸者，眾雜之辭」。又案《廣雅》云：「䣼，醬也」。又案《周禮·天官·漿人》注：「鄭玄謂『涼，今寒粥，若糗飯雜水也』」。

《辨析》案：《禮·內則》有「濫」而無「涼」。則《說文》之「𩱀」，即內則之「濫」可知矣。濫之爲言泛也。而許君訓𩱀爲「雜味」，可知𩱀之爲物，乃多種果品合成之食品兼飲料綜合劑矣！筆者猶憶少年就學津門，每當酷暑盛夏，常有肩擔沿街衒賣冷食飲料者，名曰「果子乾」。以容器盛之，鎮之以冰塊。其中包括桃杏梅李藕瓜之類，雜以酸楂白糖調味之品，五光十色，邊食邊飲，令人神怡沁脾，暑氣頓失。此殆許君訓𩱀爲「雜味」其物矣。

關於鄭玄謂《漿人》所載之「涼」，固與《內則》「濫」之爲物不同。蓋《內則》之「濫」，即《說文》之「𩱀」，其物爲水果製品。若《漿人》之「涼」，乃五穀之品。故鄭訓爲「寒粥」，若「糗飯雜水」。此意可證之於民間。我國東北廣大遼吉地域，皆以「水飯」爲夏季家常便飯。其製法：以煮至八成之熟米飯，濾去米汁，調以新汲冷水，佐以大葱、豆醬食之。土人名之曰「冷瀝粥」。自每年端陽始，至中秋止。此俗至今猶存。是即鄭君所云之「寒粥」其物矣！

𩱀之爲文，从酉，从京。酉者飲器也。京者，凉之省文也。所以示酉內有冷飲之意也。涼从京从仌。《爾雅·釋丘》之「絕高爲京」。古人早已發現氣溫之降低與海拔成高正比這一自然規律。物之寒者莫如仌，故造字以京、仌爲凉。此𩱀字从酉、从京之義歟!?

⿰酉可

⿰酉凶

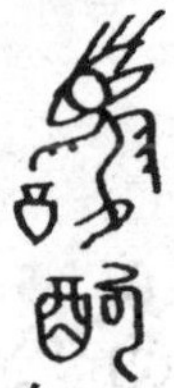

⿰酉可《說文·酉部》⿰酉可字訓：「醉醬也」。醬从酉从祭之省。酉者酒也。祭者肉赤之色。後考《書·微子》之「我用沈酗于酒」。傳：「說文上酗」。案：字見于《大盂鼎》銘文：「在酒無敢酖。有祡烝祀無敢。」似魁梧高大之人面臨酒罈之象。以銘文語義察之，自宜釋爲⿰酉可字。

鬯

《說文》：「以秬釀鬱艸，芬芳攸服，以降神也。」秬者黑黍也。「秬鬯」即黑黍和鬱艸釀造之香酒。古代王者用以祭神，用以賞功臣。《書·文侯之命》：「用賚爾秬鬯一卣……」青銅器銘文之亦常見此語。案：鬯之爲文，亦象形字也。似漉酒之篩囊。內有糟粕。之文可以見之。鬯字讀音爲暢。有精神舒暢之義。因鬱艸之爲物，有開鬱之療效。現代藥理學已化驗證實，鬱金所含之肝脂油精，爲胆固醇溶解劑。對高血壓症引起之精神病態有明顯療效。如《唐李白詩》：「蘭陵美酒鬱金香」

六八五

玉盌盛來琥珀光，但使主人能醉客，不知何處是他鄉」。審此，則此種香酒取名「鬱鬯」之意，可思過半矣。

譫 譫 此字見於青銅器《國差譫》之銘文：「國差位事歲，咸丁亥，鑄乃寶譫。四䉛用賞旨酒，侯氏受福，眉壽，卑（必）匕（旨）卑（必）清……」國氏是西周時代衛國的權門貴族，世代秉鈞執政，銘文開端的「位事」二字說明國氏世襲執政的人繼承相位時開始。為了紀念這一日期，特鑄造了四個酒器，以「必清必旨」等字句

篘 䉛 語義參之，完全可以判斷銘文中的「䉛」字屬于漉酒的竹器」。案䉛之為文，从竹从奠。奠者尊之譌。其初形應是篘或䉛，隸變可是篘。《字彙補》：「音初，初鳩切，讀若鄒。」篘者蒭莞也（茜草）。古代用為過濾酒漿，所以除糟也。故知譫字从缶从詹，詹者屋簷之義。故知譫之為物，乃係以之盛酒的器皿，而䉛則為漉酒竹篩，屬以茜草，專用縮酒之器矣！此所以譫䉛之文並不連用之！

附古以示意如下：《列子·湯問篇》：「狀若甑甗」注：「甑甗，瓦餅也。」

⿰酉舌 ⿰酉舌 ⿰酉舌 《集韻》：「音活，未沛酒。」《字學指南》：「與甜同，甘也。」《抱朴子·百家篇》：「偏嗜酸⿰酉舌，甜者莫能賞其味也。」案⿰酉舌之為文，从酉从舌。舌香酒也。舌者甜之省。⿰酉舌之為言，甜也。《集韻》訓為「未沛酒」，蓋即今日江南民間釀造之「老糟」，其物以糯黏飯雜以棗梨果餌，釀以麴蘖。味甘而能醉人。故「酣飲」之酣字从酉从甘。以其味甘而氣香，不覺其能醉人矣。此⿰酉舌字从酉从舌，与酣之从酉从甘，其旨同矣！《集韻》之音活者，據酒名而言也。《字學指南》訓⿰酉舌与甜同音，據酒味而言也。然則「⿰酉舌」亦變作字矣。

酣 酣 《說文》：「酒樂也。」徐曰：「飲洽也。」《玉篇》：「樂酒也。不醉也。」《尚書·伊訓》：「酣歌於室」，訓：「樂酒曰酣」。酣从酉从甘，有越過越甜，飲酒無度之意，義會意字矣！

酷 酷 《說文》云：「酒厚味也。」《唐韻》、《集韻》、《韻會》、《正韻》云：「同音焅」。《說文火部》焅字訓「旱也」。《廣韻》云：「熱氣也」。故知酷字从告者，焅之省文也。焅有乾燥、高溫之義，則酷亦有高溫乾燥之意也明矣。余謂酷之本文，焅字从酉代火之置換式也。焅之轉注字也。酒之為物，從「體燃料也。高度之酒，飲之令人口乾而身熱，味辛辣而刺激。故延伸為「酷烈」、「酷吏」、「殘酷」等義。

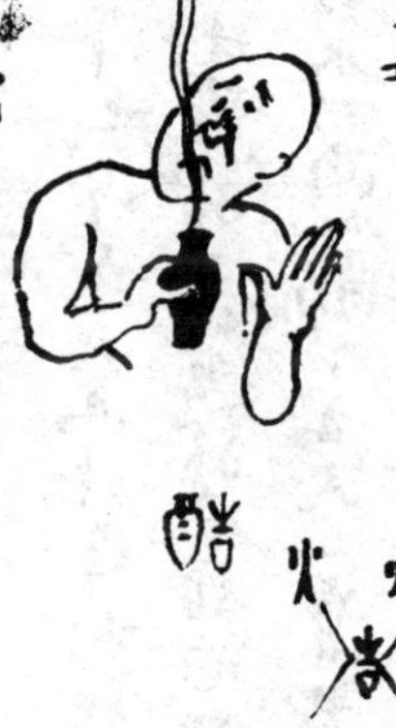

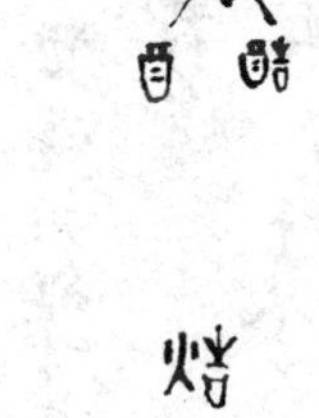

⿰酉贛 ⿰酉贛 《說文》云：「酒味淫也。」案：陰雨連綿曰霪雨，汗液涔淋不已曰浸淫，目不轉睛曰淫視，慢聲不止曰呻吟，皆有延長義，聲義同也。故知⿰酉贛讀為「酒味淫」，亦酒嚥下咽，餘味久留口中，長時不斷之義。今人謂「香煙」之味過醲者曰「太⿰酉贛」，即此字。音杠。酒之氣味太濃者亦曰⿰酉贛。

釅 釅 《增韻》云：「醲也。」案：釅之本文从酉从嚴。嚴有威嚴之意。吾鄉民間謂過於苦澀難飲的醲茶曰「釅茶」，即此字。

酲 酲 《說文》云：「病酒也。亦曰醉而覺也。」案：酲之本文从口从𡈼从酉。𡈼古挺字，挺胸直立之意，从口者高聲狂呼也。逞醉之逞字从此。故知酲字真義應訓為「酒狂」。《詩小雅》即《節南山》云：「憂心如酲，誰秉國成」。幽王時代民不聊生，老百姓都恨得成了精神病，好象渴醉了一樣，詛咒之聲不絕於口。此詩人使用了「憂心如酲」以形容民的精神狀態。堪稱「神來之筆」。尤其是如字指出了小民的精神面貌，並非真醉，而是由於遭受壓迫感受而產生的心理暴發反應。「憂心如酲」除了給我們提供了理解古文化的鑰匙之外，還告訴了我們「不同現象的因素可以產生統一本質的結果」。

酪 酪 酪 《六書故》云：「酒類也。北方以馬乳為酪。」故因謂湩酪。《正字通》云：「酪有乾溼二種。《元飲膳正要》云：『造法用乳半杓，鍋內炒過，入餘乳，熬數十沸，頻以杓縱橫攪之，傾出罐，盛待冷，掠浮皮為酥，入舊酪少許，紙封貯，即成酪。又乾酪法，以酪曬日曝，使結，掠去浮皮，再曝，至皮盡，却入釜炒少時，器盛，曝，使成塊收用。』」

六六

酥 酥 案：所謂湩酪，即俗名之「馬奶酒」。所謂乾酪即俗名之「奶豆腐」。蒙古人猶以為食品。

《韻會》：「酥，酪屬，牛羊乳為之。」《臞仙神隱書》：「造酥法：以乳入釜煎二三沸，傾入盆內冷定，待面結皮，取皮再煎油，出去渣，入鍋內，即成酥油。北方名『馬思哥』。」案：酥古名也。今西餐中之麵包塗以「黃油」，即其物矣！

醍 醍 醍 《本草綱目》：「寇宗奭曰：『酪上一重凝者為酥，酥上如油者為醍醐。甚甘美』。陳藏器曰：『醍醐性滑，物盛皆透，惟雞卵殼及壺蘆盛之乃不出』。」筆者案：醍醐之為物，蓋奶油中之最精者也。因其分子極微，故滲透力極強，無孔不入，亦醍醐之極品也。復考《周禮·天官·酒正》：「四曰緹齊。」注：「緹者，成而紅赤，如今下酒。」疏：「下酒謂糟牀下酒，其色紅赤。」案：古籍：緹醍二字互段。自有區別在焉。緹字本義為紅色訊染係，後段為赤色酒名。《說文》糸部緹字訓：「帛丹黃色也」。《周禮·春官·司服》注：「五伯緹衣，古兵服之遺色」。可知醍緹二字（色同）本義自別，未容混淆也。

醉 醉 醉 《玉篇》：「酒過量也。」按醉字从卒，猝之省也。犬部猝字訓：「犬从艸暴出也。」《玉篇》訓：「猝，倉卒暴疾也。」筆者目睹醉後之人，多神智昏昏，行走重心平衡失調，故每有傾跌之患。故知《玉篇》之訓深得醉字从卒之旨。所以示傾跌之速也。

醨 醨 《說文》：「薄酒也。」醨之為文，从酉从离。离之言，離也。離，散也。蒸粒成糟，水化為氣，津液皆竭，滓味漓洩，故俗曰「酒梢子」，古名「尾酒」。醨之義乎？《楚辭·漁父》：「世人皆醉，何不餔其糟而歠其醨？」其不能醉人已可見矣，故訓為「薄酒」。

醪 醪 《說文》：「汁滓酒。」段注：「米部曰：『糟，酒滓也。』許意此為汁滓相將之酒。」案：醪之為物，即醴酒也。俗名「老糟」，即不經過濾之甜酒，將水滓相雜，味甘而氣香，汁液極醲，又名「醇酒」。酉部醇字訓：「不澆酒也」（不對水的酒）。醪之為文，从酉从翏。羽部翏字訓：「高飛也」。造字者以翏示酒氣之凌空瀰漫，可證其酒之醲，揮發觸鼻之意。《廣韻》：「醪，濁酒也。」足證其酒液之醲矣。我國遼寧地區，謂罪人越獄逃遁，高飛遠揚曰「翏粧」，此古文化語言之遺存也。

有關飲食之食字例

食 [古文字] [古文字] [古文字] 篆《說文》：「亼米也。从皀，亼聲。」段注謂：「各本作一米也。《玉篇》亦同。蓋孫強時已誤矣。（又許會意）本作「米也」，亦未是。今定為「亼米也」。由亼字俗用而誤也。以「合」下云「亼口」例之，則此當為「亼米」言矣。亼，集也。集眾米而成食矣。」筆者案：段說甚確。甲骨文食字皆象豆中盛米之形。蓋一器所容之米數不止千百。故知段君之解，於音於義均能形合而義洽，不愧一代文字宗師、許氏之功臣焉！特別是（以下諸）[古文字] [古文字] [古文字] 諸文，皆型示意，實與段君「集米成食」之說，若合符契。此象形兼會意也。所謂「畫成其物，隨體詰詘」，「以類合宜，以見指撝」者是也。

〈[古文字]〉

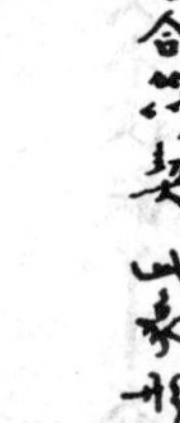

饔 [古文字] [古文字] 金 [古文字] [古文字] [古文字] 稱 [古文字] 篆《說文》《玉篇》同訓：「熟食也。」段注引《詩·小雅·祈父》注：「熟食曰饔。」重引《周禮·天官·內饔》注：「饔，割亨煎和之稱。」復考《孟子·滕文公篇》：「賢者與民並耕而食，饔飧而治。」注：「朝曰饔，夕曰飧。」然則饔字含義有二：一曰「熟食」，二曰「朝食」。究以何者為初義？是為值得研究之課題。

〈討論〉案饔之為文，甚顯形非一。[古文字] [古文字] 二字，皆象手捧食之象。此與《周禮》規定「凡王之好賜，肉脩，則饔人共之」。共即今供字。古之所[?]。故知 [古文字] [古文字] 二文，皆饔人捧器獻「熟」之象形（以下詳之「熟字之 [古文字]」）。[古文字] 即 [古文字] 之側面式。故知饔訓為「熟食」，自宜以 [古文字] [古文字] 為正字而無疑。若以朝義求之，則亦以 [古文字] [古文字] 為正字。何則？[古文字] 之為文，从 [古文字] 从日从 [古文字]。[古文字] 者食器之形。日者早晨之時。[古文字] 者善擇水中高地而居之鳥也。古名「雝渠」（又作 [古文字]）[古文字] 為之。澤中高燥之形（以下文[?]隸之肴今入鴡鴿、雝渠）即其物。雝之為字本是水中高地之義。後遂（去中）為洲之名，而其義不變。故知 [古文字] 字有豐盛之意。食物豐盛，食之令人腹滿。故早飯曰 [古文字]，所以亦適口充腸，腹滿膨隆之態也。食量之多寡，取決於勞動之消耗。朝晨為一日之始，人之勞動方興，行程遙遠，荒僻之境，無處可食，難於持久。此所以晨餐必豐。此 [古文字] 字從日从 [古文字] 从 [古文字]，兼具有「最餐必豐」之義，彰彰明矣。示意如次：

〈[古文字]〉

饔
- [古文字]—[古文字]—人〈熟食義〉
- [古文字]—[古文字]—[古文字]—[古文字]—人〈晨餐義〉

〈[古文字]〉

〈[古文字]〉

餐餐《說文》：「吞也。或从水。」

飧飧《說文》：「餔也。」

餔𩜩𩜄《說文》：「申時食也。」謹案：許公飧「餔」二字互訓，是二字異文而同義可見矣。何則？余曰：飧字从夕从食。夕者，夕陽西下也。餔字从食从甫。晡之省，申時也。《張機金匱》之謂勞瘵：肺結核患者，病人午後體溫昇高，症象名之曰「日晡潮熱」。故知「飧」之與「餔」皆晚餐矣。

湌湌《集韻》：「音孫。水沃飯也。」

〈討論〉：案許氏《說文》訓餐為「吞」，窮義辭也。《集韻》訓湌為「水沃飯」者，名辭也。剩餘之冷飯也。故字亦从湌。从水从食，所以示飯之冷也。可為佐證。然則《說文》以湌、餐異文而同字。則餐字初義亦「水沃飯」而無疑矣！蓋餐之為文从歺从食。歺部訓「殘穿也」。則餐之為物亦遭受著甚殘穿之遺物矣。此種剩餘冷食，必沃之以溫水而食之，庶能暖胃燠腹而無傷。然則餐之與湌，皆食畢之殘餘，已彰彰明甚。午飯之殘餘至夕時以溫水沃而吞之。其名曰「飧」。固知餐、湌、飧三字可以互通，理有然矣。考《列子·說符篇》：「爰旌目將有適也，而餓於道。狐父之盜曰丘，見而下壺餐以餔之。」注：「餐食音孫。水澆飯也。〈吾鄉名曰「潑粥」〉。」

綜此可證：餐、湌、飧三字皆剩餘殘食之名，不待辨而見矣！然則許君訓餐為「吞」者，言水飯流暢而易下也。《集韻》訓湌為水沃飯而注音為「孫」者，晚間食午之餘之義也。訓為「水沃飯」者，本義也。表示如下：

- 餐、湌、飧 — 共義〈水沃飯〉
- 各別義：
  - 餐 —〈訓吞〉
  - 飧 — 晚餐 — 與朝饔為對待義〉
  - 湌 —〈水沃飯〉

饘𩟿餰饘𩚵饘饘◎玉篇云：「糜也。」◎禮檀弓云：「饘粥之食」疏云：「厚曰饘，稀曰粥。」◎說文云：「周曰饘，宋
謂之餬。」案此即◎漢張機傷寒論◎中所云之「糜粥」。案則濃稠而高度熟爛之米飯。聊城方言名之曰「黏粥」，音
御名之為「二抹子」。

餉饟餉◎說文◎玉篇◎同訓：「晝食也。音賞。」案餉之言晌也。即中午餐。

養𦎫養◎說文云：「供養也。从食羊聲。」案：◎卜辭◎𦎫字从羊从攴，从口从食，三者，牽羊也。从口食之戶也。从
攴者，牧童右手執鞭之象也。◎卜辭◎𦎫字與◎說文所引古文養字造型大同而小異，故知養字初義
應為飼養家畜。與牧字从牛从攴同例。但養从羊而不从牛者，以羊為人類早期主食，遠古時代狩獵後為
手段而得，遠古人類由狩獵發展為飼養，可以文字證之。若牛之為物，專服勞役，故不云養而曰牧。◎余又錄書云：
「牛黑腹者名牧」。夏后氏祭用玄牡，可知牛之黑者被古人視為上品，則「牧人」之名義有由來矣！此牛曰牧之淵源乎？

醢𥁲◎說文云：「肉醬也。」案◎周禮天官醢人云：「醢人掌四豆之實，曰醓醢、蠃醢、蠯醢、蚳醢、兔醢、魚醢、
雁醢。」可知「醢」乃肉合極醬貴，醬上。𥁲字之義，並非某一特定食品之名稱，而是利用某一烹飪
技術製成之許多食品的綜合名稱。如今之「蝦醬」「蟹醬」「豆醬」「辣花醬」「蘋果醬」是也。若將「醬」字誤認為
「豆醬」之專用字，則「蘋果醬」之味甘，「辣花醬」之味辛，「柿醬」之味酸。又何以皆可名醬？應該認識到：醬之為
言醲也。明乎文字之音義，則能舉一而反三，觸類旁通矣！故余曰：「醢之為言解也。」分解也。古有醢尸萬段
之酷刑，名曰「俎醢」。俎字从仌从且。仌者肌肉之文理，且者切肉之木案也。「醢人」將肉剁碎，
納入罎中，雜以蔥薑鹽梅，技以麴糵，助其醲釀發酵之功，成為肉醬。此醢訓為「分解」，其義
矣。𥁲之古文作𥁲，从皿从𠀠从有。皿者容器，醲釀之象也。𠀠者食具也。有者右手執肉之象。
與祭字造形取象同例。

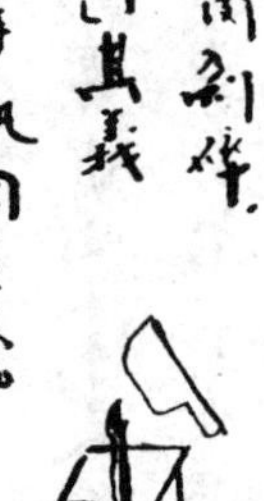
〈俎醢〉

醓醓𥁲◎說文云：「血醢也。」◎博雅云：「醓，肉醬也。」◎詩大雅行葦云：「醓醢以薦」疏云：「醢用肉為醢，特有多汁，故以

六八

醓醢為名」。案：醓醢之為物，亦醢的一種。其物以動物之血為原料，故呈液態。此類食品後世已罕見（醓音覃）。

䣼[seal]《玉篇》：「音沉」。《韵會》：「上醢及䣼者，必先膊乾其肉，乃後莝之。雜以粱麴及鹽漬，置瓶中，百日則熟」。可知䣼之為物，亦醢之類矣。

羹[seal]《說文》：「五味盉羹也」。段注：「皿部曰：盉，調味也。《內則》注曰：凡羹齊宜五味之和，米屑之糝。晏子曰：和如羹焉，水、火、醯、醢、鹽、梅，以烹魚肉，宰夫和之，齊之以味，濟其不及，以泄其過。凡肉羹必用菜。菜謂之芼。《儀禮》：「鉶芼」，牛藿、羊苦、豕薇。芼及醯醢鹽梅，是之謂五味之和也。蓋於鉶謂之羹。肉汁不和五味，謂之大羹」。

案：羹之為文，从羔从美。羔者羊之幼小者也。古人以羔羊為最佳食品，故注：「羔羊美湆」並稱。《說文》羊部曰：「美與善同義」。誩部譱字曰：「此與義、美同義」。我部義字注：「義从羊，與善美同義」。《漢書·正朝》：膳字注：「膳之言，善也」。《前漢宣帝紀》：「其令大官損膳省宰」，注：「膳具食也。食之善者也」。準此，諸字義例推知，則美羹字从羔从美，亦有「美好」之義，彰彰明矣。

膷[seal]《廣韻》：「牛羹」。《埤雅》：「膷，香也」。《祥文》：「膷音香，牛臛也」。案：膷之為文，从肉，从鄉。鄉之省文。卄部薌字訓：「穀气也」。音段為「香」。以示牛臛〈牛肉湯〉之香。亦形聲字矣。

臐[seal]《玉篇》：「臐，今時臛也」。羊曰臐〈羊肉湯〉。《禮·內則》：「膷、臐、膮、醢」。《祥文》：「臐，羊臛也」。

案：臐之為文，从肉，从禾，从黑火。肉者牲也，少牢也。所以祭神之物也。《卜辭》牲上[seal]。可上形例義記。《禮·郊特牲》：「周人尚臭。……蕭合黍稷，臭陽達于牆屋。……取膟膋燔燎升首，報陽也」。疏云：「蕭合黍稷，是蕭以香蒿，與黍稷合。《詩》云：『取蕭祭脂』。是蕭與脂合也。故知有蕭及脂黍稷合馨香也」。此牢者以為「臐」之為義，羊臛也。羊之為物，少牢也，祭神之物也。臐之為文，从肉从𣎳从㷭。𦙶者脂之省。木者柰禋之態。㷭者煙炎升騰香气出于窗牖之象。故知膫之字造型之始，當與系于郊祭祀天之禮。可聆音察理而無惑，按形度義而不誣焉。往昔藉段為「羊膫」之名者，乃引伸義也，非初義也。然則膫字本義云何？余應之曰：「膫者燔脂祭陽也。从𦙶，尞聲。尞亦表聲也。「周人尚臭」是其意矣。

案：所謂「冬至報天」郊祭之禮，表面上乃是標志了古人對太陽北返殷切盼望的心情。仍然帶有原始人類的樸素宗教色彩，自然和政治欺騙不同。吾人探討古代文化，應當具備科學思想，特因膫的字研究之機而連類及之於此。

膮

膮《說文》云：「豕肉羹也。」案：膮之為文从𦙶从堯。肉者肌也。堯者饒之省，豐盛之義也。豕為之肌肉豐饒者，莫過于豕。古名曰豕，今曰肥豬。故膮訓為「豕羹」，示其肥也。

腥

腥《說文》云：「星見食豕，令肉中生小息肉也。」段注：「息當是瘜」。「疒部曰：瘜，寄肉也。星見時食豕，豕每致此疾。」《內則》云：「豕盲眂而交睫，腥。」鄭玄云：「腥當為星」。肉有如米者。似星。謂豕不可食者。……」

《討論》案：許氏之見，謂豕之生有瘜肉，歸咎于「星，食豕」之所致。顯然缺乏科學依據。獨鄭玄之說為能形容逼真，且最寶貴之語即「肉有如米者，豕不可食」。蓋鄭氏基於生活實踐之經驗而不能明確指出此種病猪歸於「絲蟲」寄生之結果。然經鄭提出之「豕盲視而交睫」亦即現代生理學所謂「睫毛倒生」道出的角膜潰瘍病。」此種紀載為今世獸醫提供了新時對「絲蟲患猪」的外在徵象檢查目標。於以見傳統文化之「再認識」與發揚的重大意義。

〈腥〉

脩

脩 全 脩《說文》云：「脯也。」段注：「薄析曰脯，捶而施薑桂曰脩」。案：脩之為文从攸从𦙶。攸古作攸。象人遭追逐潛水逃遁之形。示意攸遠，又音于幽，有遙遠意義。（說詳〈文編〉）。延伸為長遠、年久義。與「永」字時，皆互有同例。大凡漢字之从攸爲形者，皆具「長」義。如《蘭亭序》云：「茂林修竹」、「修短隨化」，《國語·楚語》：「騎夷修八尺有餘」，皆隱訓爲「長」之義例。故如脩字从攸从肉，乃長條乾肉也。又二字通也。云：「肉條割而乾之也」。推而考之：條麻纖維之長者曰「絛」。人之相距萬里，憂念不已曰「悠」。皆脩之同根字。

攸—脩
- 从心——相距遙遠，憂慮不已——是「悠」
- 从彡——物體之長——是「修」
- 从肉——長條乾肉——是「脩」。古代制度，學生用乾肉向老師繳納學費，名「束脩」

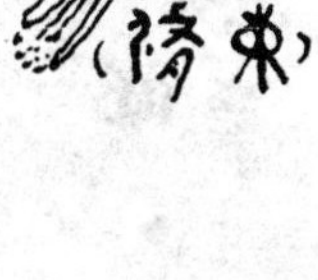
（束脩）

膴 膴

《說文》云：「無骨腊也」。《張載·七哀詩》云：「原陵鬱膴膴」，注云：「膴膴，肥美也。」音呼。剖魚時，割其腹以爲大臠也。蓋膴之爲物，即魚肚皮肉。現代飯店之名肴紅燒魚肚皮，即古之膴矣。因其肥嫩而味鮮美，故又名大臠。《說文》訓爲「無骨腊」，解其義也。粵曲方言，謂肉之肥膩者曰「膴嗜」。

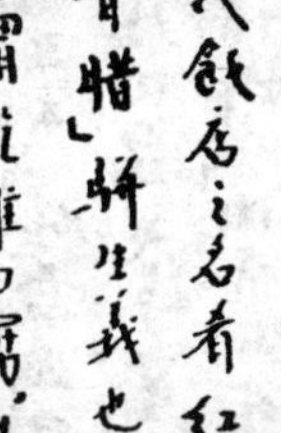
（膴）

腒 腒

《說文》云：「北方謂鳥腊腒」。案《禮·內則》注云：謂乾雉曰腒。其訓頗涉爲周。蓋今之「封雞」「牝鴨」皆屬上焉。「居」爲「昔夕」也。昔之爲文，从昔从日。昔者已往之時也。取意於臘，冬時之意。取伏陽之候適時處理可以防腐也。故知腒字从居亦有儲藏義。

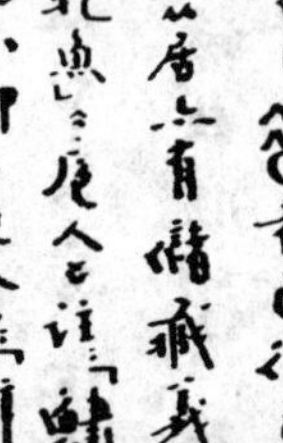
腒

鱐 鱐 鱐

《說文》云：「乾魚尾鱐鱐也」。《內則》云：「鱐，乾魚」之屬。注云：「鱐者，乾析之，出東海」。案《周禮》所云之鱐，即今之乾鹹魚。亦即《庖人》云「辨魚物爲鱻薨」之薨也，薨，鮝上也。是將乾鰻之類。吾鄉名之爲「乾晝鯗魚」，即鱐之類矣。鱐之爲文，从魚从肅。有嚴肅寒冷義。我國西北高原寒冷地區名曰「甘肅」。其地麥雞之人，高處鱐佳佳，經久不腐。故知是爲儲藏備用之乾魚。必擇冬季嘯歸風乾之，所以防腐而也。現代術語名之曰「低溫處理」。此鱐字从魚从肅之義也。肅之爲言縮也，「熱脹冷縮」物理常規也。肅字从聿从㴱。古手持杖測水之象，有「如臨深淵」之義。臨深則心懼，心懼則元氣收縮，其生理反應與冷風侵襲同態。造字者以肅示乾魚萎縮之象，此象形兼會意之例矣。

飴 〈說文〉：「米櫱煎者也。」〈天工書〉：「以米櫱煎稀米為日飴也。」〈本草〉：「膠飴也，乾枯者曰餳。」筆者案：飴之為物，即麥芽糖也。〈詩大雅緜〉：「周原膴膴，堇荼如飴」，有米，飴的發明歷史上很久矣！麥飴之為物，即「麥芽餹」也。其製法：先以磨粱成屑，入釜製煮餹之。熟後倒入缶中，拌以新鮮麥芽，使之揉和，產生化學上用。使之複入白缶之內，浸以溫水，水未溶和者，成淌丸泄出，即成初步之餹漿矣。然後倒入釜中加熱，煮熟而濃縮之，則飴已成矣。此物俗名「餹餳」。再將餹餳移諸案上，揉其冷凝未堅，及時加以拔扯，使之充分氣化，俾致餹色由赤化白，氣泡叢叢如蜂房蓮窩。

餳 揉以豆粉，邑瞇之處，此即〈說文〉所云：「餳，飴和饊者矣。」俗名糖瓜，北京人以糖瓜祭灶神即此物。

饊 〈說文〉：「熬稻粻餭也。」案〈集韵〉：「饊」與「糤」，訓與許氏同。〈廣韵〉饊字訓：「飯也。」其義愈泐茫無稽矣。〈釋論〉考：饊之為文从食从散。分散之義也。〈說文〉訓饊為「粻餭」者，粻者膨脹也，餭者大也。

粻餭 稻米乾熬者，與水加熱之義也。俗名爆米花。稻米乾炒必遇熱而體積膨脹。製餳工藝，將稻米花揉和於餳內，所以變餳之堅韌而成酥鬆之質，以有利於咀嚼也。本意此情雖浸沉于書海翰漢，終莫知悉字之昭矣！

豋 〈說文〉：「豆飴也。」段注曰：飴，米蘗也。蘗，芽米也。然則豆飴者，芽豆煎為飴也。𦉍部𦉍下曰：「讀若飴豋之豋」〈方言〉：「〈方言〉謂之餦，餭謂之䬪。」郭璞曰：「以豆屑雜餳也。」筆者案：郭注好确。我國黃、遼地區至今仍有此物，土人名之為「抵豋條」。其法，將飴糖置釜內，薦以炒黃豆粉，加熱融解，後置案上，以手反覆扯拔，其動態形似蘭州拉麵。以促進其氣化，風乾而食之，香酥而甘，即〈說文〉之豋矣。更有所謂「豆酥糖」者，其處理程序與「豋條」同，唯彼所用之飴，乃「糯米飴」，與「豋條」之「粱飴」有異。俗名「黃糖」，其味更優於「豋」矣。目應與「豋」劃為同類。今江蘇高郵尚有之。

案：豋之為文，从𠂔，从豆。𠂔者屈曲之形，豆者豆粉也。此指事字矣。

〈豋〉

黥 黥从黑。熏之焰也。

豉䜴 《說文》：「配鹽幽尗也」。徐曰：「尗，豆也。幽謂之幽閉也」。篆書豢，所謂豢，即黑暗無光之境。尗是大豆古名。
蓋今之豆字乃古謂名。古之尗字今人用為親屬之稱，此古今文字之義因時而異也。所謂「幽尗」，即黃豆煮熟，將
入甕中密閉絕光，使之自動發酵，配以食鹽，用為佐膳之品，魯南民間呼之為「醬豆子」，入膳所所常為善
品。中醫藥物所用者無鹽，名「淡豆豉」。《仲景傷寒論》有「蔥豉湯」，用為發汗解熱之劑。看來，豆豉之歷
史久矣。（豉音是）

眷䜴 《說文》：「豆醬」。段注：「此《本草經》之「大豆黃卷」也」。篆眷之為文，从米，从豆，米者

䜴之省，卷曲之象也。即今名「黃豆芽」，其物也。此物含有豆類酵素，中醫用為「腸鳴寒」藥材。

酸 酸 潸 醬 《說文》之水部，潸字訓：「久泔也」，泔字訓：「周人謂潘曰泔」，潘字訓：「淅米汁也」。故
知所謂「久泔」者，即淘米之水，經久而酸化變質，之腐敗物無疑矣。據此而推，則潸字
字从月从酉，从水。亦腐爛之內可知矣。潸从酸，然久之義。脩本乾肉，遇水經久而腐化，是其義矣。
物之腐敗，必有發酵過程，脩字亦上之醬。醬本轉字之音，以義變而同濟。大凡物之腐化成泥，皆由細
菌上業。細菌之蕃殖條件有三：一曰水份；二曰營養物質；三曰適宜的氣溫。酉者發酵之象，月者有
機成份也。字之音為閑生熱之態也。韓者菌類蕃殖之迹也。三字合參而淸之義昭然若揭矣。

餕 餕 《禮玉藻》：「日中而餕」。注：「食朝之餘也」。《禮祭統》：「古之君子曰：『尸亦餕鬼神之餘也』」。注：「凡
食人之餘，及日晚食饌之餘皆曰餕」。《說文》餕字訓：「食之餘也」。《禮內則》：「父母在，朝夕恒
食，子婦佐餕。」又段：「每存，冢子御食，群子婦佐餕。如初，柔滑，脂甘，嫡子餕。」
篆餕之為文，从食从夋。餕者，俊美之食也。東棗、飴蜜、甘柔香膩之品也。善、食豐富而
適口之物也。古人以為優待老人之特殊供應。老人食餘，子女為了保證新鮮，不再二次重進，將所剩餘食品
一次徹底盡量吃完，而將美好剩餘食品由幼小孫輩處理，以示敬老愛幼之情。此「餕」為食餘之義也。

菹

菹（古文字形）金文 揃（古文字形） 《說文》：「酢菜也。」《釋名》：「菹，阻也。生釀之，遂使阻于寒溫之間，不得爛也。」案所謂「阻于寒溫之間」，依科學術語而言，即低溫消毒處理法。我國東北地區民間普遍食之，名曰「酸菜」。其製法：采取秋末晚菘，以沸水烹煮片刻，迅速撈出，投入清潔冷水使清之，以鉅石鎮於其上，待其自動發酵，水面產生「醬難」一層，即宣告成熟。此時「酸菜」已被醋酸所固定，永不腐化變質，隨吃隨取，是為家庭常備蔬菜。此即《釋名》所謂「阻於寒溫之間」其義矣。鄰邦朝鮮製菹，亦雜以薑蒜辣椒之屬。案我國古代之「雜菹」，段成式以其所著之書名之曰《酉陽雜菹》，所以明其書之「令人讀之津津有味」也。

古代祭祀也用菹，遂包括一切野生植物之類在內。《詩·小雅》：「疆埸有瓜，是剝是菹。」《禮·祭統》：「水草之菹。」注：「芹茆之屬。」《周禮·天官·醢人》：「饋食之豆，其實鏽菹。」《說文》艸部「𦼮」字注：「𦼮，菹也，或從皿作䔰。皿，器也。」甲骨文（古文字形）等文，皆𦼮字也。繇此觀之，則可知「菹」之內含，不僅限于白菜，而且包括許多野生植物，不僅為人所食用，而且為獻神之品矣。《侯鯖錄》云：「細切曰齏，全物曰菹。」然菹字另一義矣。然則𦼮是在野之物，（古文字形）是宗廟之物，彰彰明矣。此亦猶「薦」生于野則為粗食之草，而字之為薦。置諸器中薦于鬼神，則其（古文字形）兩例，其義在于有無皿字之標耳。

餗（古文字形）《說文》：「鼎實，惟葦及蒲。」段氏已據《毛詩》經文力辯《說文》「葦」字之誤。云：「其殽維何？炰鼈鮮魚。此謂鼎中肉也。其蔌維何？維筍及蒲。此謂鼎中菜也。」考《易》☲☴卦：「鼎折足，覆公餗。」又案：金文餗字之（古文字形），皆象鼎中烹煮之形。故知鼎之為用，固不限于烹飪蔬菜矣。古宗廟祭饗，皆鼎俎並陳，尤足證鼎非專為煮菜之器，彰彰明甚。竊以為餗之為言束也，束縛之義也。今人於市購買蔬菜，遂家必用草索縻紮，以便攜帶而防散落。此（古文字形）即「（古文字形）」之初文可知矣。鼎中煮菜曰餗，古名曰瀹。為了便于打撈，必須將蔬菜以麻繩繫縛成束。此餗字初義也。

尤憶童年，恆遇肩擔鍋竈、米飯、嫩肉之食販，其釜中大鬻，兼皮、肥、瘦三層，皆用麻經繫束。此今時生活實例，即文字考古之借鑒。要知古事即今事，今人即古人。明乎此者，庶可與言歷史文化之遺產焉！

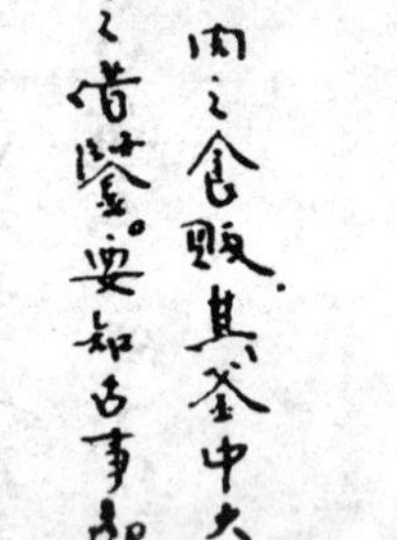

膳

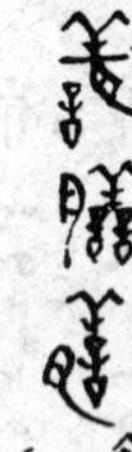

《說文》云：「具食也。」案許君訓「具食為膳」，殊不足以見膳字之形義。信如所言，則「肉具之陳」亦為膳矣，是為乎可？考膳之為文，从譱从肉。譱之為文，从羊从誩，或从言。羊者肉味之美好者也。古漢語以「美羊美酒」註稱。言者誩之省。誩古譱字也。故如譱字有眾口一辭，多相讚美意。从羊从言有美食入口義。故《周禮》云：「膳用六牲」，以羊為肉類之代表。其義與鮮、羹之鮮也，从魚从羊同例。

鮮

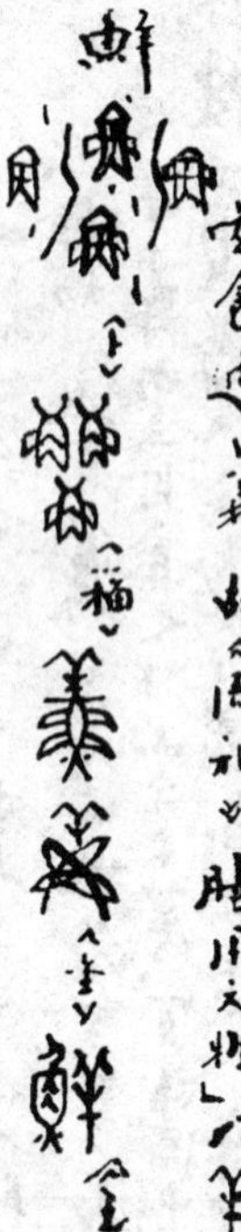

《金文》：「生也。」《禮·內則》云：「冬宜鮮羽。」註：「鮮，生魚也。」案人類不懂古人有食生魚習慣，現代東鄰日本大和族、蝦夷族、朝鮮族，以及北美洲愛斯基摩人，皆保留古人類早期吃生魚的習慣。則西周時代以生魚為貴，猶應時食品未足云奇矣！考《說文》魚部鮮字訓：「鮮魚也，出貉國。」許君釋鮮字為特定民族地區特產之魚，自有其史地之考據未容置辨，但此乃別義，非普通義也。《釋名》云：「鮮，好也。」《玉篇》云：「鮮，善也。」釋名、玉篇二書期然已經把生鮮的魚味和羊的肉味劃了等號。此鮮字从魚从羊之形義所繇來也。從考甲骨文鮮字之形，象眾多小魚集體游泳之態，然則「鮮」字古義，應訓為「小魚」無疑矣！蓋魚之氣味最鮮美者，莫過乎小魚。《老子》云：「治大國若烹小鮮。」則鮮字初義應訓「小魚」，不特昭示於甲骨字形，而且可證之於《道德經》，亦可互為表裏、互應之考證依據。後世所「小魚」之鮮字，延伸為罕少義，以小小同源之義又遞出「尟」「尠」二字。此鮮字遞嬗衍化之軌迹也。今人仍謂罕見之問題曰「新鮮事兒」，亦少之義也。

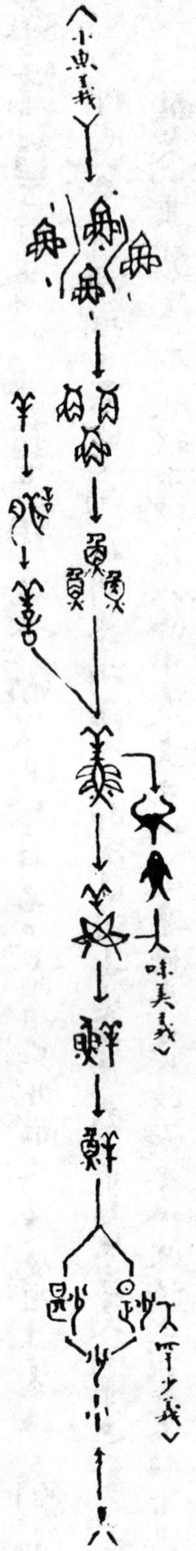

羞 [glyph] 甲 [glyph] 金 [glyph] 篆 說文：「進獻也。从羊，羊所進也。从丑，丑亦聲。」廣韻：「致滋味為羞。」周禮天官膳夫：「掌王之食飲膳羞。」又「清羞」用百有二十品。」注：「羞出於牲及禽獸，以備滋味，謂之庶羞。」

案羞之為文，象古手持羊之態，故知[glyph]字，初義應是取象於狩獵活動追捕野羊。嗣後復用為戰場追捕逃敵之動義詞。如青銅器不嬰簋：「王命我羞追」，堪為義例。古人思想投射，視對敵之戰與田獵活動等量齊觀。因而對戰俘亦以獵獲品視之。此亦如奴隸罪犯名之曰[glyph]，与狩獵之野雞的[glyph]字从人系。其例相同。田獵俘獲之禽獸可獻為「王者」之膳羞，戰俘獻于澤宮其為進獻之義則一也。故說文訓羞為「進獻」固其宜矣。

戰俘遭遇極本當可恥之事。故羞又延為恥辱義。

饈 [glyph] 類篇：「進獻也。一曰致滋味曰羞。或从食。」字彙：「饈，膳也，薦也。」

羞字訓為珍饈美味，或与「食」「饕」雙重聯系食有關。孟子告子曰：「食色性也。」東方古代哲學把「性慾」和「食慾」視為兩種生物，是有物質基礎的。例如：牛為蠻豕的生殖器官，本當說辭無比醜穢可恥的東西。然而偏偏是被人所最愛吃的食品。嬰兒胎盤更是公認的穢污之品，卻是最高價的營養物質。

[glyph]——狩獵義——戰俘義
——羞——恥辱義
——饈——美味義

養 [glyph] [glyph] 說文：「稻餅也。」小徐曰：「稻餈，稻餅。謂炊米爛，乃搗之，不為粉也。粉餈，以豆為粉，糝餈上也。」筆者案：「稻餈」其物，我國今已不見，唯東鄰朝鮮尚有之。

七二

乃我國古代食品工藝之遺存也。其製法如下述：先將糯米入甑蒸熟成飯，傾入木臼，雙手抱杵搗之。全爛如泥狀為度。再以煮熟赤小豆或黃豆，脫皮取瓣，和篩為豆粉。敷佈於糯泥團表層，以免黏滯沾手。或和以白糖，或以豆沙為餡，包成丸餃形，柔甘細膩。此先秦食品加工技術，至有宋時代尚未失傳，而今息矣。

餌 𩜁 餌

《玉篇》云：「餌，食也，餅也，餻也。」《說文》云：「餌，粉餅也。」徐鍇曰：「《釋名》云謂蒸燥屑，餅之曰餈，非也。粉米蒸屑皆餌也。」

謹案：徐鍇之說，猶有可據，非徒託空言，遁辭而徒之論。筆者猶憶童年，就學津門，嘗睹街頭巷尾，肩挑街賣食者，置木模于蒸箄之上，內盛糯粉，底部承以鐵釜。釜中容水，釜底生火。釜熱水沸，蒸氣達于箄上，則糯粉受蒸鎔而離為「粉餅」，俗名「熱根」。即徐鍇所云之「粉米蒸屑曰餌」，其物矣！餌之為文，《說文》上從𩜁，字象雙耳之形。亦象形字也。耳之言而也，柔耎之義也。

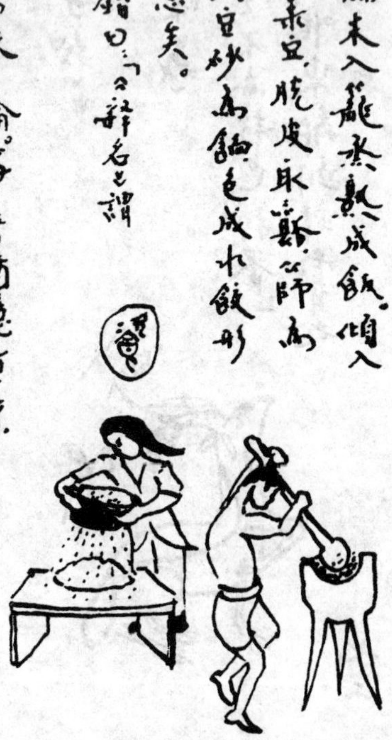

糝 糝 糂 糣

《說文》云：「以米和羹也。」《周禮·天官》云：「羞豆之實，酏食糝食。」〈𩜁〉注云：「取牛羊豕之肉，三如一。（各1寸）小切狼臅膏（臆脂，肋膜脂肪，俗名板油）。與稻米二肉一，合以為餌煎之。」又注云：「此《周禮》糝食也。」

案此「處方」規定所製之食品，姑為賴以上海冠生園出品之「大腿糉子」。糝字從米從參，米者顆粒之象，參有眾多之義。故知此種食品是完整稻粒所製成。與「餌」、「粢食」之粉劑餅劑不同。可從文字得之。今江南民間名之曰「水晶餅」者是矣。

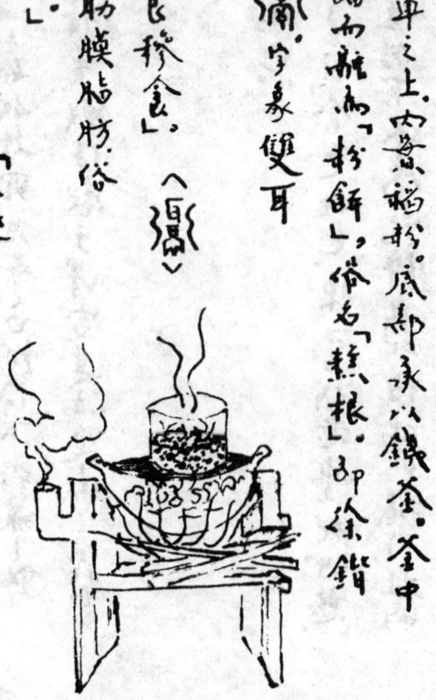

糗 糗 餱 餱

《說文》云：「熬米麥也。」又「乾飯屑也。」案古謂之熬，今謂之炒。《內則》「糗餌」注：「熬大豆與米也。」《博疋》云：「糗，糒也。」《書·費誓》：「峙乃糗糧。」故知「糗」之為物，即行軍攜帶之「炒米」矣。《大疋·公劉》云：「

「迺積迺倉，迺裹餱糧，于橐于囊，思輯用光。弓矢斯張，干戈戚揚，爰方啟行」。注：「餱，食也」。

《說文食部》餱字訓：「乾食也」。故知《鄪誓》所謂「峙乃糗糧」，與《公劉》所云「迺裹餱糧」同是行軍攜帶之「炒米」。糗，从米从臭。臭者香之氣也。米豆加熱炒熟，必香氣四達。《禮·郊特牲》云：「周人尚臭。蕭合黍稷，臭陽達于牆屋」。是從古文義例，「臭」含香、臭二義，與「味」無吉凶之義同規。則「糗」是炒香之米，其始可見矣！行軍所以必攜乾糧者，所以防其窮議也。魯省之民，皆以「乾煎餅捲子」為家常便飯，良以地處沂蒙山區，跋涉長途，曠日持久，便于攜帶之故。審此，則糗糧之義思過半矣！

饋 [illegible] 卜 [illegible] 饋《玉篇》云：「半蒸飯」。《釋名》云：「饋，分也」。《爾雅·釋言》：「饋、餾，稔也」。注：「今呼餐飯為饋，饋熟為餾」。《說文》云：「饋，脩飯也」。段注：「脩之言溲也。水部曰：溲，沃汰也。許辭文引字書云：「饋，蒸米也」。」案此所可謂一以貫之。

〈討論〉考饋之為文，从食从賁（卜辭）上 [illegible] 者食器，[illegible] 者分類匙中有堅固之質，所以示飯質之堅而不柔之意。此會意字。《金文》之从米 [illegible] 之訛變也。遠不及《卜辭》及《秦篆》義之明顯矣。我國東北遼吉地區生活習慣，以沸水浸煮秫米，片刻急速撈出，傾于案上，以大缶嚴密扣蓋，俄頃之間，盛而食之。土名「乾飯坯子」，其米粒堅硬，非南人所能適應。若逢夏季，則以新汲井水洵汰，佐以生蔥、豆醬而食之，名曰「冷〈音客〉𩜹〈音衛〉」。其米粒个個分散，涼爽清利。北京人名之曰「水飯」。此即《說文》所云之「饋」其物矣！

饋

瀹 [illegible]

《說文》云：「納肉及菜湯中薄出之。」段注：「薄，迫也。納肉及菜於沸湯中而迫出之。今俗所謂煠也。玄應曰：「江東謂瀹為煠」。〈音閘〉

案：水部瀹字下「漬也」。《易·既濟九五》：「東鄰殺牛，不如西鄰之瀹祭」。《漢書·郊祀志》

七三

注：「淪，猶謂淪煮新菜以祭。」與引「瀹」字意近，即「清水煮菜」之義也明矣。余曰：淪之為言「籥」也。管樂器也。《釋名》云：「籥，躍也，氣躍出也。」指名把水在沸騰以下時氣泡上浮時鳴聲同管樂時鳴音相摹擬，可謂深得聽音之妙。大槩古人早已懂得百度時沸水可以適救植物「雜生菜」時破壞。因而采用攝氏八十度時熱水煠菜，其名曰「芼」。俗名大響邊時水。

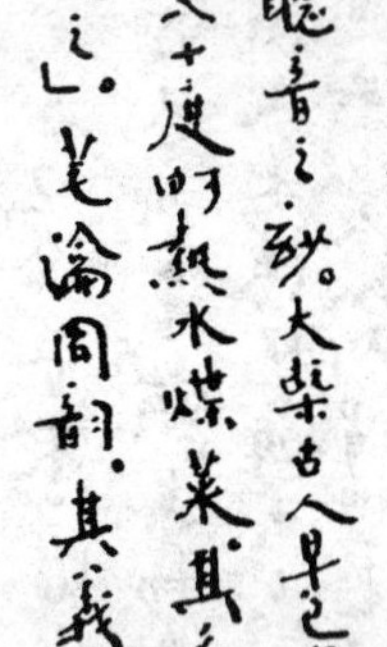

《詩·關雎》云：「參差荇菜，左右芼之。」芼淪同韻，其義可見矣。

煮

□ □ □ 《說文》云：「烹也。」案說文云：煮或从水作□。按金文煮字从□从□。□古字□之□字从迷从㞢。乃古字□之具。迷象高杜四壁分列置於竈內。□是鼎下有火之形。

者之為文，古猪字也。煮不从牛羊而从豕，以猪乃肉食之代表之故。故以尤其是□字从二，反映了

煮，采用水之義，與炅裁从火為相對之義。

□ □ □ 《說文》云：「炊釜沸溢也。」宋本正作「沸」。段玉裁：「今江東俗謂火盛水沸溢出曰□出。」

筆者以為所謂「□出」，乃象聲辭也。俗名「潑鍋」。

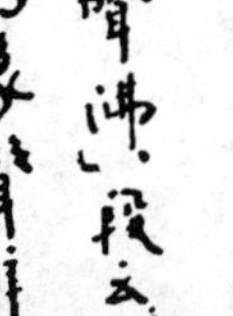

沸 □ □ □ 《說文》云：「□也。」段注：「今俗字涫滾沸正字也。」筆者案：沸从水从弗。沸沛字皆聲之轉，故知沸亦形聲字。

鑊 □ □ □ □ □ 籀鑊，篆□ 《周禮·天官·亨人》：「掌共鼎鑊。」注：「所以煮肉及魚臘之器。」

師古曰：「鼎大而無足曰鑊。以□人□。」《儀禮·少牢饋食禮》云：「羹定，雍人陳鼎五，三鼎在羊鑊之西，二鼎在豕鑊之西。」疏云：「魚腊羊腊皆有竈。」《說文·金部》云：鑊字訓：「鑊，鑴也。」同部鑴字訓：「瓽也。」又部曰：「瓽，大盆也。」段注云：「少牢饋食禮有羊鑊、豕鑊，所以煮也。」

《發明》：鑊為煮器之一，固已無疑。但从古篆□□□中之形像之，固知鑊之

本僅用於烹禽而無疑矣。余曰鑊之言獲也。其所烹者，獵之物也。上古時代本無銅鑊，所恃以烹煮者，貴陶甑而已矣。金文、卜辭，鑊字只有器形，從「金」者，雖此可證鑊之歷史淵源久矣。蓋古人類生活物資，半取漁獵之類，無一非獵獲而來。入于器中和水煮之，其名曰「鑊」。蒦字从隻从又，是其證矣。商湯伐夏革命成功，取「濩」為「國樂」之名，以示勝利之義。甲骨殷墟文字（□）字，用為祭名，即此字。

獲 （□）卜（□）卜（□）卜（□）卜 从犬蒦聲。《說文》：「獵所獲也。」《周禮·夏官·大司馬》：「獲者取左耳。」鄭注：「獲，得也。得禽獸者取左耳，當以計功。」从獲之為文，从蒦从犬。蒦者，古手捉禽之象，犬者獵狗也。於以見勝利者視戰俘與獵獲之禽獸的驕矜姿態。獲字猶「獸性人化」，亦猶烹獸之器被用為烹人之器同例。《漢書·刑法志》：「陵夷至于戰國，增加肉刑，大辟有鑿顛、抽脅、鑊烹之刑。」還有什麼人道？「烹獲」「烹鑊」等辭，皆以這一概念而來。

穫 艸穫 《說文》：「刈穀也。」艸曰刈，穀曰穫。《集韻》：「與獲同義。」

護 艸護 《說文》：「救視也。」《廣韻》：「助也。」《增韻》：「擁全之也。」農民秋收之禾穀，必聚于一處，置人以守護之。字从蒦者，所以示手足勞動得到之果實也。从言者，大聲呵斥驅逐鳥雀偷食也。故五穀之收成曰「穫」，收獵之收成曰「獲」，烹煮禽獸之器曰「鑊」，高聲疾呼驅逐鳥獸害虫曰「護」。皆建類一首，作「（□）」，所謂同意相授，是曰「轉注」者也。

艸穫

〈蒦〉

〈西周銅鑊〉

七四

沃 卜 籀 篆 《說文》：「灌溉也。」《廣韻》：灌字注：「澆也。」《唐韻》：「百川灌河」注：灌，注也。《禮．曲禮》：「沼之溉者不（寫）」注：溉，滌也。故知所謂「灌溉」有洗滌澆注之義。許氏以「灌溉」釋沃義，确而形晦。蓋沃非初文，當應以字訓灌溉乃得形合而義協。沃其後起字也。試探溯如左：

案字見於甲骨，卜辭亦用為成湯四世孫（沃丁）名字。此字从从八，似水从罒口噴散而出之態。當象形兼指事字也。有洗滌沼皿之果，排瀉污水之意。許君訓為「灌溉」，固其宜矣。後起之肥沃之沃字，从水从夭。夭者河流也。夭者胸頸屈折之幼女也。故訓義為「少好」。或訓「以為桃華少女之形態」。又見《毛詩》，遶字者將夭字未屈形象形植於江河水流屈折之象，而近仰為「沃壤」義，土質，田未肥美義。良以河流屈折處，必是土壤淤積之所。其水自上游之有機肥原多蓄於此。故其地叶木蕃桃而豐秀。所謂地之饒者多產物，古名「沃田」。《詩．衛風》：「桑之未落，其葉沃若。」疏：「沃若，沃然盛也。」於以見物之美亦稱曰肥。《詩．檜風》：「隰有萇楚，猗儺其華，夭之沃沃，樂子之無家。」詩人把人物之美與沃壤緊密結合。雖詩辭語叶中透露了自然生態識於時粮豐因果關係時同時，也揭示了、沃、𣲵諸字的義變遷嬗軌迹。是非常明顯的。示意如下：

飫 殀

由排泄污穢義，一變而為水流曲折義，再變而為土壯物美義，終於飲食豐饒義。《千字文》：「飽飫烹宰」是其義例。其訓為生命短折「殀札」者，乃「夭」之另一義也。

：灌溉沼皿排除污水。沃：人污水入河，屈折流徙，淤成良田。𣲵：人土壯物美（人物秀麗）。

古代貴族祭祀讌饗之禮，必有異俎。異中貴肉，宰夫置于俎案，刀刃割分，貴賓揖而食之。

隸將沼盛水以待主人沐手，名曰「奉匜沃盥」。

盥 卜 篆 《說文》：「盥，从臼水臨皿。」此訓「灌溉」之又一義例（見下圖）

炙

𤎅炙　《說文》：「炮肉也。从肉，在火上。」按許君據象形之義以釋炙，而不及其聲。似與《說文》之慣例未合。或是後人傳抄遺失耳。筆者以為「炙」字宜訓為：「从肉在火上，熾聲」。庶能得「聲中兼義」之旨。蓋炙之為言熾也。《左傳·昭十年》：「柳熾炭於位」。今人烤羊肉、烤牛肉者，皆將肉貫穿於鐵線而架空於木炭火盆之上，肉內脂肪遇熱而沸溢，吱吱之響。是即古文𤎅字从夕、从火、从朿之義矣。故知炙之為文亦《形聲》字矣。

（𤎅）

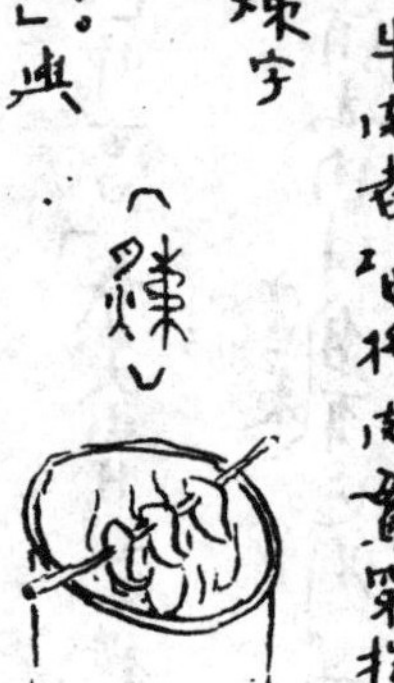

熾

[illegible]　《說文》：「盛也」。筆者案：熾訓為「盛」，與酉部「醯」訓為盛同例。《說詳〈工藝篇〉》蓋古代經籍之訓詁，言簡而義豐，其弊端在於對問題之說明，往往囿於事物之片面而疏于整體，或高談闊論而不切實際。遂使文字之異、質、晦而日并，并之義類。「熾」字其一例也。盛之為字，訓義曰「盛」。盛者滿也。甲骨文「盛」上 叶皿。叶者杓也。皿者祭器豐盈粗粒四溢之象也。謂之有富餘之象則可，據之以釋熾字遠離本義之旨，則尚有待於詳細之說明。

（叶皿）

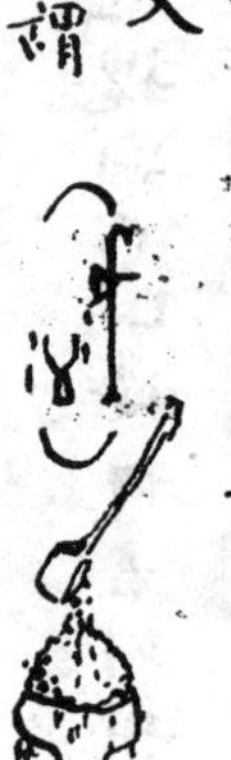

竊以為熾之為文，从大火、从音、从戈。有光、有熱、有聲、有動之字也。大火者火之光也。音者金屬之聲也。戈者撥動之器也。分明是一個鮮明的炊爨活動之象。故往典多用為「烹煮」的同位辭。《周禮·冬官考工記》：「鍾氏染羽，以朱湛丹秫，三月而熾之。」此熾訓「烹煮」義則可援用現代染織工藝說明以求證。筆者昔年曾參觀染毛線之術。按其操作規程，先以毛線納入釜器，注以清水，燃火加熱，炊之至沸點，投之以硫酸明礬、顏料，繼之以打撥，暴光曝乾。其術與鍾氏染羽之法同理。筆者猶憶昔年曾讀《韓非子·備內篇》云：「今夫水之勝火也明矣。然而釜鬵間之，水煎沸竭盡其上，而火得熾盛焚其下，水失其所以勝者矣。」韓子之論，深刻的闡發了《易卦》「水火既濟」的內容。此「熾」字訓義為「烹煮」之又一例。故知「熾」的本義為「烹煮」，其訓為「盛」者，是延伸

（熾）

義也。本義晦而延伸義行矣。亦猶獻字本義取象於冶金而延伸為「戲」其例相同。其義態同源於
「[illegible]熱」。

炒 𤏸　〈說文〉：「熬也。」按炒訓為熬，漢時語也。非𤏸字造字之始也。考𤏸之為文，从𤏸，从火。
戉从鬲。依〈金文〉變形之例，字亦可以為𤏸，其義甚明。故知𤏸，音形也，火者熱符也。
艸部𤏸字訓「刈艸也」。此象形字，似艸處囊中之態。〈[illegible]〉〈孟子〉云：「文王之
囿方百里，芻蕘者往焉。」今農民飼養牛羊，皆於盛夏之際刈艸而曝乾
之，以備嚴冬飼料。即古所謂「芻蕘」也。故知芻之為物，即枯艸矣。枯艸
之形，細而短。縱橫交錯，凌亂無章。與烹飪之「炒肉絲」同。故𤏸之為文，亦象
形兼指事字矣。𤏸字讀音乃「芻熬」之合聲，與漢時語音同軌。則聲中亦兼義矣。

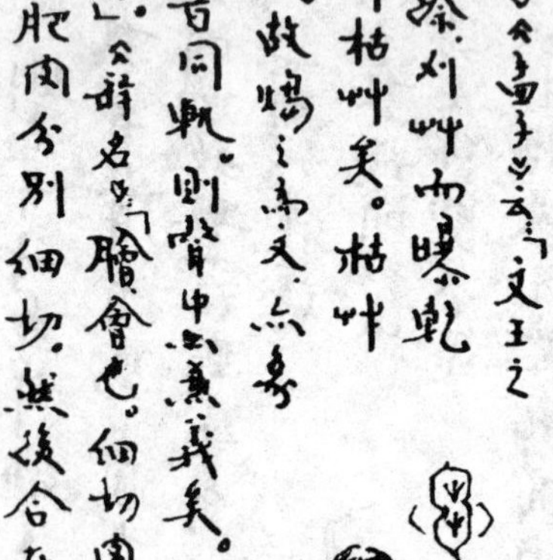

膾　〈說文·肉部〉：「膾，細切肉也。」〈玉篇〉：「肉細切者為膾。」〈音快〉。〈釋名〉：「膾，會也。細切肉
令散，分其赤白，異切之，已，乃會合之也。」意思是把瘦肉、肥肉分別細切，然後合在一起
共炒。膾與𤏸同意。𤏸是動詞，膾是名詞，此其不同也。

臠　〈說文〉：「臠，臞也。一曰切肉臠也。」〈正韻〉：「塊切肉。」〈正字通〉：「塊割也。」按許君訓臠曰
「臞」。〈爾雅·釋言〉：「臞，瘠也。」考臞之為文，从月，从瞿。瞿今恐懼字之初文也。其更早之形止
象圓睜雙目之態。人瘦則二目猶大。故〈釋言〉訓義為「瘠」，良有以也。故如臠字之義應為「小塊瘦
肉」無疑矣。今俗云「肉丁」者是矣。

胾　〈說文〉：「大臠也。」〈正字通〉：「切肉曰胾。」〈前漢周勃傳〉：「獨置大胾。」師古曰：「胾，大臠也。」按：即
俗名之「紅燒肉」。

湆　〈音泣〉〈集韻〉：「羹也。」〈博雅〉：「湆羹謂之脏〈湆〉」等音。按：羹有菜，而湆為肉汁（而無菜），自有區別。前人
語焉不詳，當須識之，以今語也。

鬻鬻《說文》：「鍵也。从鬲，米。」

鬻鬻《說文》：「鍵也。」按許君對鬻、鬻二字同訓為鍵，總合義也。蓋「鬻」之與「鬻」，義大同而小異。今民間語言北京土語仍呼米煮之稀飯曰「粥」，山東土語呼以粮磨碎煮成之稀飯曰「糊塗」。皆歷史傳統語言也。今「鬻」「鬻」廢而「粥」「糊」行矣。今糊字已被用為「漿糊」字，又延伸為沾補義。更以米粉加以豆汁共煮曰「粥」。此古今之演變也。

餳餳《集韻》：「飴也。」案餳之為文从易而音稀。餳之為文，从昜而音糖，當須識別，而今誤也。蓋「餳」之為物，液態物也。「餳」之為物，餳之濃縮物凝固之體也。許君不加區別，統以「飴」字概括之。而謂固體之餳，二次加熱融解和以糇糧（米花，又名饊）者曰「餳」，此許氏之義也。故《說文》有「餳」，而無「餳」。《釋文》：「餳，洋也。煮米消爛洋洋然也。」其釋頗有近似之處，然而文人雅士不臨現場，俾莫知其真相，故對於名「餳」、「糖」、「飴」於模稜兩可。此治學之大患也。

紅紅《說文》：「帛赤白色。」《釋名》：「紅，絳也。白色之似絳者。」《論語》：「紅紫不以為褻服。」疏：「紅，南方間色也。」可見古代所謂「紅」色，非今之所謂紅色也。而今人所謂之「紅」色，實即古人所謂「赤」色也。此於古《五行》：「南方丙丁火，其色赤」之義可以証之。竊以為「紅」字初義非「色相」辭也。婦人所經營紡織品之總合名稱也。古代社會分工，男耕而女織。故以紡織之事曰「女紅」（讀工）。女紅，即「女工」也。《漢酈食其傳》：「紅女下機。」師古曰：「紅讀曰工。」故知紅之為文，从糸从工，所以示紡織之象也。糸者綫之象。工者繢綵之糾也。《史記文帝紀》：「服大紅十五日（月），小紅十四日（月）。」注：「服虔曰：當言大功、小功。」此「假借」例。可為「紅」工同聲之音例。然則「紅」字訓為「女功」者，本義也。其訓為「色相」者，延伸義也。

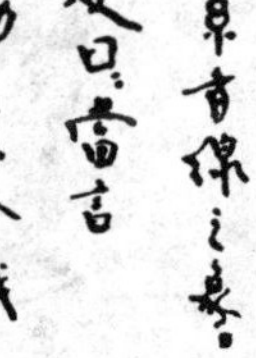

熹 □□□□□□□〈卜〉熹〈篆〉〈說文〉：「火炙肉也。」、

按：熹字訓爲炙肉，當爲初義，後世訓爲微陽、光明。〈晉陶潛歸去來辭〉：「恨晨光之熹微」。〈宋范成大田園雜興〉：「而後山家起較遲，天窗曉色半熹微」。此皆熹之延伸義。延伸義行而初義遂晦。〈玉篇〉止「瞦」，乃後起字，訛初文矣。

㷅〈說文〉：「炮炙也。以微火溫肉。」〈玉篇〉同「煨」。讀若煨。

燔 焚 □□〈卜〉燔〈篆〉□〈篆〉〈說文〉：燔字訓：「爇也。」〈玉篇〉：「炙也。」〈詩小疋〉：「或燔或炙。」箋：「燔，燔肉也。」又〈大疋〉：「載燔載烈。」傳：「傅火曰燔。」

筆者者〈卜辭〉：林□實或上林□，似兩手舉火炬之形。有焚林獵獸之態。復考：〈記、礼運〉：「夫礼之初，始於飲食。其燔黍捭豚……」傳：「中古未有釜甑。釋米捭肉，加於燒石之上而食之耳。」竊以爲人類之脫離茹毛飲血，進入熟食，其始必從然山林焚澤。由獲取焚林焚死之獸，則徒之而創造燔黍捭豚之術。最後有釜甑鼎鬲之器，而成烹煮燔炙之功。從□、□、燔等文字造型，可以清楚看到人類從利用野火逐漸掌握人工取火的進化過程。

火 □〈卜〉□〈金〉火〈篆〉〈說文〉火部訓：「⿰火尾也。南方之行，炎而上。」按⿰火尾卽燬之初文。故讀音爲火尾之合聲。古人但看到了火的危害力，却忽略了火的建設性用，故有此見。關於「南方之行」雖然似乎庸俗，然而這是東方文化特色，却不能下以鄙視〈說文〉的真貴價值。

燀 [甲骨文]（卜）燀（篆）《說文》燀字訓：「炊也」。按：炁字从旡从火，象人張口吹火助燃之形。

爨 此古人燃火造飯之形象。承培元曰：「炊，爨也。爨字上象甑形，中从林，从象兩手納之以火。是燀之以薪之說也。」時賢張舜徽云：「燀之言闡也。闡者開也。凡炊必開張其柴而後火可燃。若填塞，不能通氣，則未有能燃燒者。燀、闡雙聲義通。」

〈爨〉
〈炁〉

筆者按：張君之說自較許君為生動，但非燀字初義。考《左傳·昭廿年》：「水火醯醢和以醯梅，燀之以薪」。注：「燀炊也。」此許氏之所本。復考《周語》云：「火無炎燀。」注：「燀，炎起貌。」又如《史記》語：「威燀旁達。」《漢書·敘傳》云：「燀耀威靈。」是「燀」之含義絶不只限於「炊事」義。而是具有光明、威望之涵……的多面含義。《廣韻》云：「燀光明也。」《廣韻》：「燀，燃也。」在此應予指出者，即宇宙之最大光源與熱能，乃是太陽。故談我國「燀」字初義，自不能不聯繫於古代天文之象知識。《爾雅·釋天》云：「太歲在卯曰『單閼』。」〈單閼是上古天文學木星紀年的十二支紀時代號之一。〉《史記·天官書》引李巡說：「陽氣推萬物而起。故曰『單閼』。」《屈原賈生傳》引孫炎注：

七七

字之「蟬焉」。〈古音焉謝同聲〉按單〈單〉之為字蟬之初文也。〈殷墟卜骨〉之[illegible][illegible][illegible]堤為形例。「焉」者黃鳳也。皆瑞行善兆之物。古天文學者用「蟬焉」為「仲春」季節名。以標志太陽黃經為[illegible]。赤道北邊亞洲氣溫自南向北昇高所以示氣溫和蟬蛻之速。此時斗綱指東，許氏訓為卯，為天门開，故闡字从門，从單。闡者開也。古[illegible]从[illegible]字从[illegible]从[illegible]同例。單闡卯木也。木能生火，所以示炎夏將臨。[illegible]字之古義。故所謂「陽春有腳」給單闡之義矣。

熇 [illegible][illegible]〈下〉[illegible]〈稿〉熇〈篆〉〈玉篇〉之「火乾也」。〈集韻〉之「熇」。〈文書故〉之焙。按照現代科學術語即加溫脫水之序。字亦之焙。古篆熇同聲。故知[illegible][illegible]皆熇字。

烈 卢[illegible]卜〈說文〉「火猛也」。按卢[illegible]从卢。卢，部之省。从[illegible]，然燒之象，亦即烈字初文。骨受火燒內部脂肪氣化膨脹而爆炸。故訓義為火猛。歹，歹与歹同源。〈金文〉之[illegible]。析言之則[illegible]為线割之[illegible]。歹為刀割之列。列衣是衣服破裂。烈為焚燒之爆烈。統言之則皆為裂。

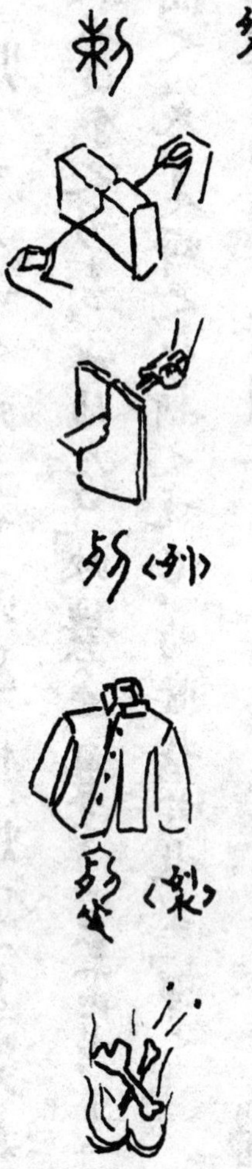

焦 〈卜〉 〈籀〉 𤓯《說文》：「本上作𤓯，火燒黑也。又炙也。」《禮月令》：「其味苦，其臭焦。」注：「火之臭味也。凡苦焦者皆屬焉。」按《卜辭》之「雋」从隹从火。依隹与鳥同之例，應即焦字。

炈 〈卜〉𤏿《玉篇》：「陶竈窗也。音役。与投役同。」《廣韻》：「喪家塊竈。」按所謂「喪家塊竈」，今民間喪葬饗宴吊客之烹飪土竈也。以土和泥脫坯建築而成，今農村仍普遍應用之。

焱 〈卜〉 〈篆〉：「火華也。」《集韻》音豔，義同。《班固東都賦》：「焱焱炎炎，揚光飛文，吐燄生風，欲野歕山。」注：「謂光華奮迅之兒。」火光飛濺之態也。在班氏的寫作中已經把光熱聲色都包括在焱字的架金中。此焱字廣義也。事實上火光之內本來就包括各色光譜。此理見全可以透明三角玻璃的折光上用，獲得驗證。故知焱讀為豔，美麗之義也。此義可用現代「禮花」之五光十色繚繞空中說明之。許氏訓為「火華」，固其誼矣。此種光象可以現代「電焊」工藝求證之。

焚 〈卜〉 𤑏 〈金〉 者，此字宋本《說文》上作「𤑏」，段氏《說文》上作「焚」。同訓為「燒田也」。筆者按：「燒田」者，初民火畊刀種之義，農事稼穡字也。《卜辭》字手舉火炬，焚林之象也。狩獵

七八

活動也。故燚、燚二文之義同中有異，異中有同也。

炎 炎〈卜〉𤆍𤆍〈《說文》：「火光上也。」〈《書·洪範》：「火曰炎上」此許氏之所本。〉筆者按：凡从𤆍之字，皆有上升之義、光明之象、溫熱之性。

文字是自然物理的產物。固不能捨棄自然屬性而另尋定義。所謂「燮佈萬物」。正說明漢字與科學無背。炎从二火重疊，所以示「火性炎上」有推動空氣上浮之力也。

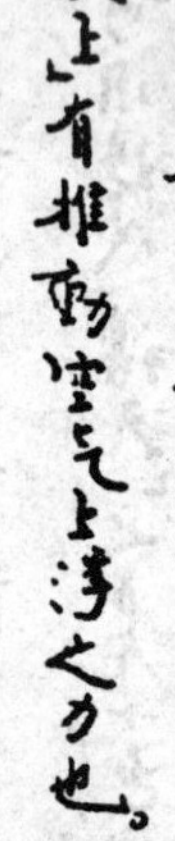

𤆍

〈烈山焚澤〉

燂 燂〈《說文》：「火熱也。」〈《廣疋》：「爇也。」筆者按：「熱」之与「爇」，皆非攝氏百度之水。故不訓沸。

燂之為文，从𠾷、从火。𠾷字古文上𠾷，〈即今之罎字〉。容水之器也。吾鄉民間，灶鍋之側，皆有附設之溫水設備，俗名「溫缸子」。證之《禮·內則》：「面垢則燂潘請靧。足垢則燂湯請洗。」「潘」是洗臉水，湯是洗足水。二者皆非滾沸之開水。故知燂水不過是四十度的溫水。

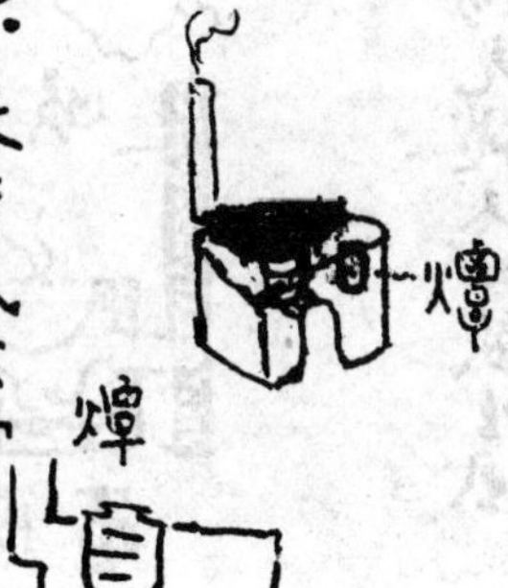

赤 赤〈卜〉赤〈金〉赤〈金〉赤〈小篆〉〈《說文》：「南方之色也。」〈《玉篇》：「朱色也。」按許氏據五行」緊扣立說。顧氏據植物之色以示義，皆非造字取象之旨。余足之曰：「赤者，大火之色也。」可从赤字造形證之。

然

□〈卜〉 𤈦〈篆〉 □〈籀〉《說文》：「燒也。」筆者考《卜辭》□字，从□，从肉，从犬，从廾。

□者火光上行也。肉者從之變文，兼狀之義。冉冉者聲符也。故知□即然字初文。籀文之□，秦篆之𤈦。後世增火而之燃，而然遂假代為然諾義。示意如次：

然字演變一覽

□—□—𤈦—燃〈燒也〉
└〈然諾〉

光

□〈卜〉 □

□□□□《說文》：「明也。从火在人上。光明意也。」筆者按：火在人上，指事字也。夫三光者，日、月、星也。日月星辰位於天空而照臨下土。人居天下而瞻仰日月，故□字造形□居人上，而訓義為明。無日月當空，雖有物而目不能見矣。蓋物象之顯現，由光之反映而來。無光線之投射，則物體無條件自顯其形。故處冥暗無光之境，雖有物而人不能知其有物。故光訓為明。明者照也。《易繫辭》：「懸象著明，莫大乎日月。」此□居人上為□之意矣。

識

戠〈卜〉 □ □□□〈小篆〉《爾雅·釋言》：「戠也。」

《說文》同。筆者按：戠之為字，《卜辭》〈□□〉

無光有人而不能見物

七九

上說，本為熾戠之字，因豐（滿）之義而延伸為一切盈滿義。從戠之為文，多由指事字也。戠从炎，戈从火。从音，从言，从口。有色、有聲、有光、有味、有熱、有熾有戠之義也。故余曰熾之言，如也、識也、示也。有色可見，有聲可聞，有戠可熾，之象也。故訓義為「熾」，固其宜矣。又如巾部「幟」字訓：「幖也」。（見字詁）言部「識」字訓：「知也」。皆與織同源，形似音近而義通。

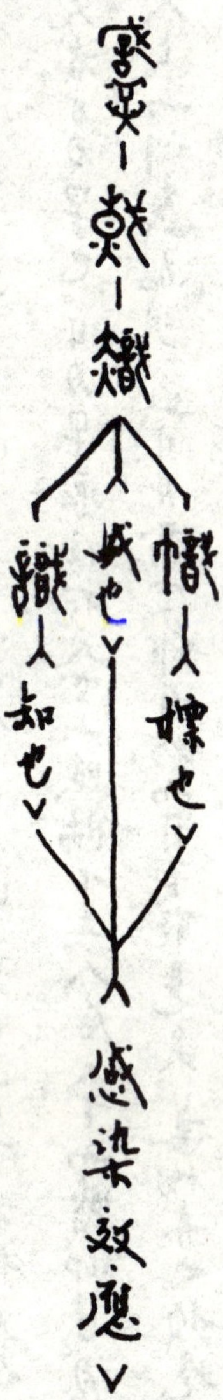

灰「𡿧」「𡿧」（卜）灰（篆）《說文》：「死火餘𤆈也。从火从又。又，手也。火既滅，可以執持。」

炭 炭《說文》：「燒木未灰也。」葉大徐本上「燒木餘」。其訓遠不及段本之義為優。良以炭之為物，在科學原理上，屬於「不完全燃燒」木質。又名「活性炭」（俗名未燒透）；若已燒透，則名「灰」而非「炭」矣。此「灰」與「炭」之區別也。故應以段本為确。

《討論》炭之與灰，同是木質燃燒時副產品。故字皆从火。但甲骨文字上「𡿧」，

字从厂而示从又。窃以为「厂」者古文石之省，岩崖之象也。《甲骨文》字作《窑》之㝛。象𠂆

在∩中。故知「灰」之与「炭」，皆煅烧工业之副产品，可从字形推之。古代煅烧无煤，以木为燃料，「所谓『柴窑古器』者也。今山西民间之釜罐瓦窑，仍有以柴代煤者，余亲眼目睹之古法也。考《周礼·秋官·赤友氏》掌除墙屋，以蜃炭攻之」。《地官·掌炭之职》云：「掌灰物、炭物之征令，以时入之，以权量受之，以供邦之用。」西周时代国家已有专职的「灰」、「炭」收购供应的机构。则先秦时代我国陶业已相当可观，而灰、炭之供应必来自煅烧工业无疑矣。故知「灰」、「炭」二文，皆象形字，以埋藏之，自宜炭字上灰，而非灰。炭字从山从灰，其佐证也。则《说文》之误厂为又，亦李斯之咎，非许氏之责也明矣。

復考《礼·内则》云：「冠垢，和灰请漱；衣裳垢，和灰请澣」。则当其时我们前人已经掌握了利用草木灰中的「炭酸钾」（《碱》）作为洗涤剂的科学知识了。

炱 炱《说文》：「灰炱煤也。」段引《通俗文》曰：「积烟曰炱煤。」《玉篇》曰：「炱煤，烟尘也。」

煤 煤《广韵》：「炱煤，灰集屋也。」《吕氏春秋》：「乡者煤室入甑中，弃食不祥，回攫而饭之。」

案《吕氏春秋》所述，乃孔子周游列国困于陈蔡时的故事。当时师生七日不食。幸有子

八〇

貢用錢買通出路，購來粮米，交顏回造飯，不料屋頂落下一塊煙灰，掉在鍋中飯裏，顏回愛惜粮米來之不易，就把這塊被污染的飯吃了。後來有同學向老師回報，顏回偷飯吃。……」據此可知古代「煤」字的定義，絕非今天的煤，而是柴火煙霧形塵分子的集結物。在拙著中88古字解釋中有詳細說明。

煣

煣《說文》：「屈申木也。」《玉篇》：「以火屈木曲。」《廣韻》：「蒸木使曲也」。

按木工之取新鮮木材以成彎曲之工具也，必須施之以熱加工處理，以變其形。因新鮮木材含有足量水分及纖維細纖，而富有強韌性與彈力。（其即性折不致於斷，釋之則自動還原）非施之以火燒，使其水分脫失，纖維喪失了彈性活力，而能够長期固定於需要的狀態而不變。這一木材改造加工，古籍名之曰煣。

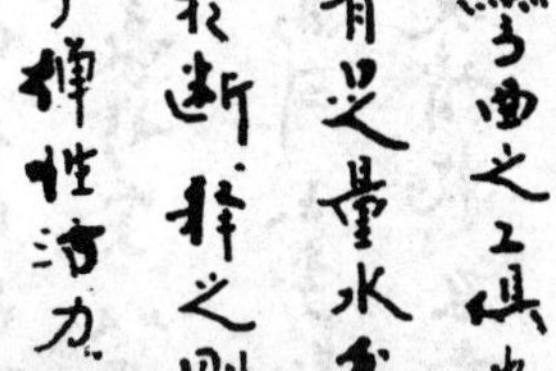

〈煣〉

烕

〈卜〉 〈金〉 〈籀〉 〈篆〉《說文》：「烕，滅也。从火戌聲。火死於戌，陽气至戌而盡。」此解與《淮南天文訓》同，但能適合於烕字實，未能與古篆意合。若〈卜辭〉之似天雨滅火。〈金文〉字似舉棒撲火。象流水沖火，各有形義。未可以許說槩之也。

盡 〈卜〉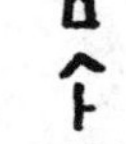〈金〉〈篆〉《說文》：「器中空也」。

筆者按：殷墟甲骨文字「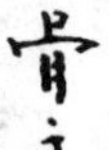」字，似手持尾毛滌器之象。李斯訛變為，已義乖而形離。而許氏訓詁未覩甲骨字迹，尚能符古文之形義者，得力於道統師承，口述心授，學有淵源，其來久矣。嗚呼！世界文明古邦亦多矣。埃及金字塔文字，巴比侖、尼尼微楔形文字，皆文隨國滅，與世長辭者，良以衣缽續存，後繼乏人故也。其民族衰微非偶然矣。我黄炎文化厤萬劫而未朽者，儒家之力也。

有關音樂的文字

音 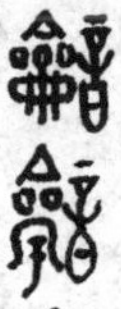《說文》：「聲也。生於心，有節於外，謂之音。宮、商、角、徵、羽，聲。金、石、絲、竹、匏、土、革、木，音也。从言含一。」許氏將樂理知識，樂器的音質，人的語言情調，思想意識，上下統一觀念的解釋，簡而易見，是和《禮·樂記》的內涵分不開的。

宮 〈C〉

商 〈D〉

角[illegible][illegible][illegible][illegible]龢龢龢〈E〉

徵徵徵徵〈G〉

羽羽羽翏〈A〉羽之本義為鳥毛。樂理取為音律名，与宮、商、角、徵同是假借例，非初義也。

韶韶韶韶《說文》：「虞舜之樂也。」〈說明〉所謂「舜樂」「湯樂」「帝嚳樂」，都是一些上古對「帝王的頌歌」。皆載於古《樂經》，與《詩》、《書》、《易》、《禮》、《春秋》合稱六經。今只存「五經」，蓋「樂經」已亡於秦火。則古樂僅存其名，其詳与曲已不可見矣！

護[illegible]〈卜〉護《玉篇》：「湯樂名」。

韺韺《玉篇》：「六韺，帝嚳樂名」

韹韹鍠[illegible]韹《爾雅》：「韹韹，樂也。」《廣韻》：「韹，樂鐘聲也。」

盂[illegible][illegible]〈卜〉[illegible][illegible][illegible][illegible][illegible]〈金〉[illegible]篆《說文》：「盂，飯器也。」《揚子方言》：「宋楚魏之間，盌謂之盂。」《史記滑稽傳》：「酒一盂。」

案：盂字造型或從皿，或從金，故知盂之為器或為陶質，或為銅質。然則從金之盂，殆即「錞于」之于的初文矣。

錞𨱏錞釪《廣韻》：「錞𨱏，樂器，鳴之所以和鼓也。」《周禮·地官·鼓人》：「以金錞和鼓。」〈注〉：「錞，錞于也。圜如碓頭，大上小下，樂作鳴之，與鼓相和。」《晉語》：「戰以錞于、丁寧，儆其民也。」〈注〉：「錞于形如碓頭，與鼓相和。丁寧，鉦也。」《韻會》：「一說形如鐘，有舌，謂之錞于。」《樂書》云：「自金聲之清言之，謂之錞。」後周平蜀，獲其器，太常卿斛斯徵曰：「錞于也。」以芒筒捋之，其聲極振。取以和樂，適之「錞于」。〈芒筒之形無考〉

邗

邗《說文》：「周武王子所封國。」《百家姓考略》云：「武王子封于邗，後世去邑以為姓。春秋時為鄭邑。」今河南沁陽縣境。《左傳·僖二十四年》：「邗、晉、應、韓，武之穆也。」注：「四國，皆武王子。今河內野王縣西北有邗城。」

《綜合論說》案盂之為字，飲器也。錞𨱏者，樂器也。二器形制同，具內深周高之態。以義推之，則武王四子所封之國，必當四境高聳，中心低凹之地。愚竊以為邗之為義，圩也。《史記·孔子世家》：「孔子生而圩頂，故名丘。」司馬貞曰：「圩，窊也。」江淮間水高于田，築堤而扞水曰圩。故如古文盂、圩同源，指事兼形聲字也。

附「于」之轉注字，舉例如下以見意：

《淙詩自錄》

八二

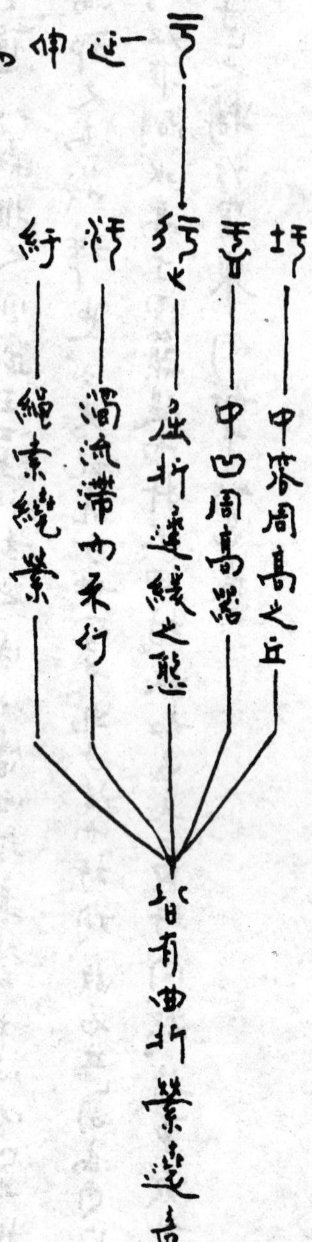

亏 丂〈卜辭〉 雩 雩〈金文〉 亏〈秦篆〉 [illegible]秦璽文。

會 [illegible]〈卜〉 [illegible] [illegible] [illegible] [illegible]〈金〉 會〈篆〉《說文·亼部》會：「合也。」同部合下云：「亼口也。」亼下云：「三合也。从人一，象三合之形。」許君之說難免籠統槩括。

爰考證之如下：

考《儀禮·士虞禮》云：「……『贊』設二敦于俎南，『祝』酌醴，命『佐食』啟會。……」〈注〉：「會，合也。謂敦蓋也。」『贊』、祝、佐食，皆參與祭禮的職司現場的人員，「佐食受命『啟會』」。何謂「啟會」？啟者開也。殷微子啟，史或上徽予開。衆門涤刀開經籍成書涤刀啓。古文開、啓二字互段通用。故知「啓會」即揭開盫蓋。合、合二名而同物。上顯如下底曰「合」，專言蓋則名合。从亼〈漢儿註〉之意也。合即盫也。

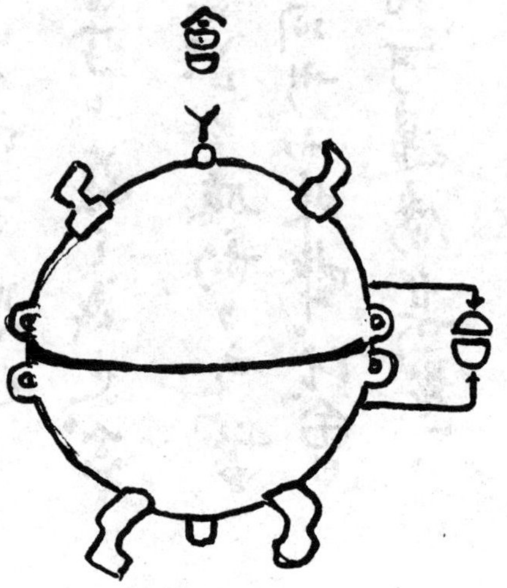

（䤼）

盫古文上䤼、䤼、盫、車、𠬝、尊、家形字，而尤以𠬝字為酷肖。𠬝者宗廟祭饗「齋盛」之器也。古点曰合字从合、合字也。中間亦从〈米〉黍稷之象也。會之為形，外圓而中空。上下相合，故名曰會。〈金文〉會造型似合，具左右兩耳。真盫之肖像矣。

會字後来被昇華為人類社會運動義詞。合字亦如之。如：「會諸侯于塗山」。文公践土會盟。桓公九合諸侯。秦合縱連横。這些語義中的會字、合字再也不能被上為盫蓋来認識了。雖然它們無保要有簋蓋的形態。會的同音共義字多得可觀。如：

巜从二乀平行，二川會流之象也。佮从亻从合口，二人相會于路之象也。

𩟖从𠤕从合。聚食之形也。薈从艸从會，艸木繁衍之態也。迨之徙

合从彳止。迨遝相徙，前後相及也。洽水遝郃而入黃河，皆聚集之義也。

弇合𢍰𠔏非　𢌰義字形為合廾，器之小口而中寬者曰弇。《爾雅·釋言》：「弇，蓋

也。」注云：「覆也。」此轉注之例也。弇、奄同義而相授，《金文》上𣝗。

从林，意𣝗之象。奄者飯器之有蓋者，故訓曰奄覆。盦亦从奄从辵

从皿，與𣝗同皆。食器之形。故《爾雅·釋詁》云：「合也。」《說文》云：「覆也。」

薈从奄从艸。《冬官·考工記》以為車蓋之蓋字，亦覆之義也。盒

字从合从皿。以盦覆皿也。故《集韻》訓為「斂口之器」，《廣韻》云：「盦

覆也。」　以上徵引諸字，或同聲而殊形，或同形而殊聲。就「會」

字，字族同源異派，孳乳分支之聚觀也。核其要指，可逮「會集」、「聚」、

「奄覆」二義。謹排列如次，以示趣：

《會合同源異派示意一覽》

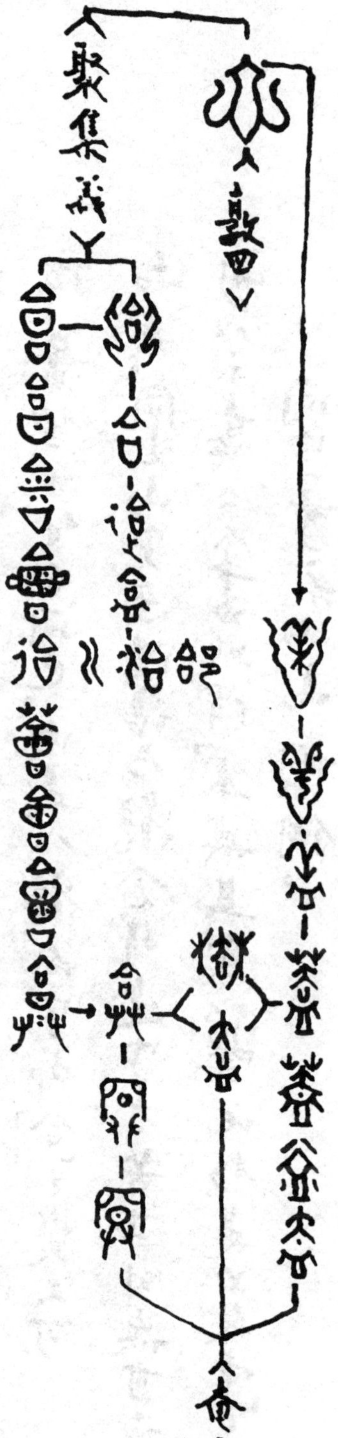

《略譚會、合、同之邏輯軌跡》

前言

會、合、同之為一項橫聯議題對待，是否屬於性由別渊？也許被斥為離棣不經。只、好醜命於明哲之士以指教。

同同《說文·冂部·同篆》下：「同，合會也。」《玉篇》：「合，同也」、《儀禮·會字詮》：會，合也。謂醫蓋。」是證「會、合、同三字同根。其始基質源於「醫蓋」。考《書·禹貢》：「雝沮會同」疏云：「二水會合曰同。」復考《周禮·春官·大宗伯》之職云：「時見曰會、作《殷》見曰同」。《論語·先進》曰：「宗廟之事如會同。」

八四

《詩·小雅·吉日》云：「獸之所同。」《傳》云：「同，猶聚也。」《豳風·七月》云：「同我婦子，饁彼南畝。」注云：「同，猶俱也。」《易·同人》注云：「同，謂和合於人也。」

綜以上舉例，皆同之「社會義」非「自然義」也。

在數學《幾何定理》云：「任何兩個平面，相重疊，經反覆驗證其周匝邊緣悉齊一致，無參差之處，即是何同。」

竊以為同之為字，[古文字]之變文也。所謂「合同」，事實上即合二為一之

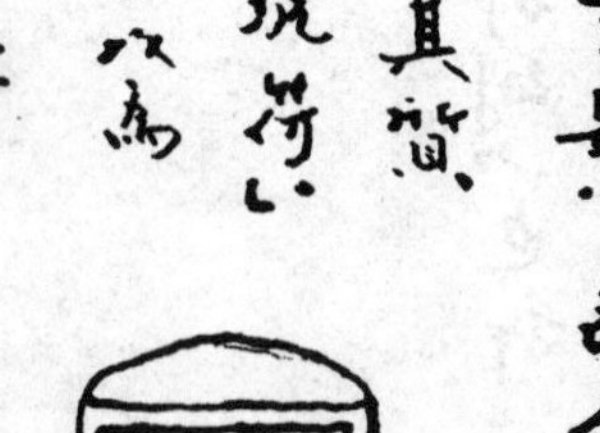

器皿。古代會盟、朝覲、征伐、遣將，皆有「合符」以示信。其質，或以金、玉，或以竹木。如《史記》云「趙如姬為平邍君盜虎符」。朝覲諸侯執瑾，天子執瑁。或執半圭以為璋，或半璧以為璜。备，質，上皆合同也。由是以觀，同字即「合」之變文可知矣。同之為字，于漢語乃觀念詞。造字者苦于計無可施，只好取盒形以示意。《文書》所謂「本無其字，以聲託物」是曰「假借」之例也。

同字孳乳而為桐、銅。

桐 [篆] 《說文》：「桐，榮也。」《爾雅·釋木》：「榮，桐也。」《書·禹貢》：「嶧陽孤桐」《傳》：「嶧山特生之桐，中琴瑟。」《詩·鄘風·定之方中》：「樹之榛栗，椅桐梓漆，爰伐琴瑟。」考桐之用于造琴瑟，自羲皇由來久矣。時至廿世紀之今日，猶被人類視為絃樂器之理想器材。良以此木纖維緻（細）長，於發音，共鳴敏感，故桐者同也，同聲相應也。此桐之所以从木从同之真諦？

銅 [篆] 《說文》：「赤金也」。

案銅字从同从金，繹桐之从同从木也。木之善鳴者唯桐，金之善鳴者唯銅。古有「銅山西（崩）洛鐘應」之語，雖難免涉誇張，但其旨在闡明「諧振」聲學規律，尚不能以神識目之。

筒 [篆] 《一切經音義三蒼》：「筒，竹管也」《呂覽·適音》：「黃帝命泠倫制十二筒，以別十二律。」

黃鐘、大呂、太簇、夾鐘、姑洗、仲呂、蕤賓、林鐘、夷則、南呂、無射、應鐘。

C #C D #D E F #F G #G A #A B

八五

十二個竹筒、長短不同。

「三分損一、三分益一」的一套竹管、實際上即是一部完整的標音儀器，其數理公式在此从略。

案《周禮‧春官‧典同之職》文：「典同掌六律六同之和，以辨天地四時陰陽之聲，以為樂器」。實際上「典同之職」乃是一位負責檢驗「樂鐘」音質、音量合格與否的專業鑒定技術人員。所以經文說：「凡聲，高聲「碮」〈鐘之正聲「緩」〉、下聲「肆」、陂聲「散」〈險聲「斂」〉、達聲「贏」、微聲「韽」、回聲「衍」、侈聲「筰」、弇聲「鬱」、薄聲「甄」、厚聲「石」。此十二種就是鐘之病也。直言病鐘者，故是除此病外，即是鐘之善者。故言病鐘而已」。顯而易見，所謂「高、正、下、陂、險、達、微、回、侈、弇、薄、厚」這些字樣，每個單字、都在標志着特定音型，並且和鐘的特定型態緊密結合。尤其、是所謂「碮、緩、肆、散、斂、贏、韽、衍、筰、鬱、甄、石」這類字樣，每個單字、都在標誌着特定音質、音色、音量特徵。其複雜微妙、已經不是單純依靠常用文字能夠體現的問題。只有音樂家的耳朵、始克勝任其事。

《典同》

〈呂律〉

寫到這裏，筆者恍然大悟，彷彿看到一人站在「鳧氏」新鑄成交付驗收時「列肆佈鍾」之前，左手捧竽對口鼓龡，右手揚「鼗」擊鐘，靜心試聽以審查鐘音和竽音腔調是否一致。以確定新鐘的質量是否合格。如此反覆行之。直到把文律、文呂十二竹筒逐一對號把列肆佈鍾試聽已畢。此即「與同」之真相歟?!「同字之義，本來屬于「倍應、錯木念辭」。這字者苦於無計可施，只好取代表盛形之合字變態而上同以示意。（六文書之所謂「舉事為名取聲相成，形聲之例也。

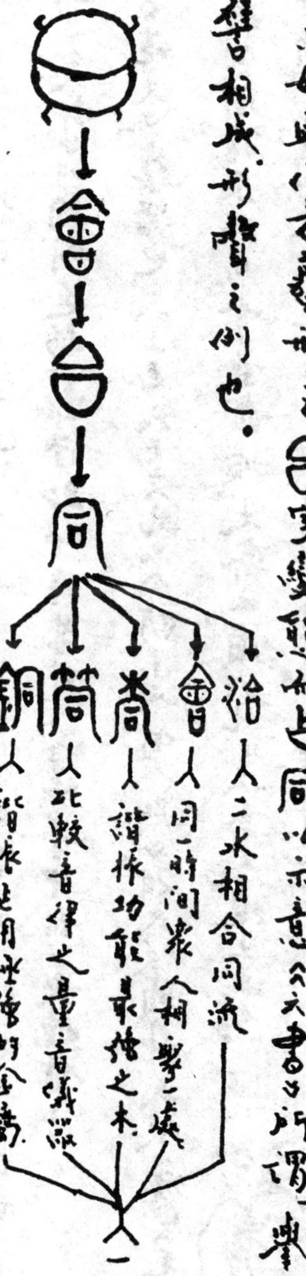

附有關古代樂器名字如下（依照八音規律排列「匏、土、革、木、石、金、絲為序）：

笙 从竹生 說文云「笙十三簧，象鳳之身。正月之音，物生，故謂之笙」段引白虎通曰「匏曰笙。匏之為言施也。在十二月，萬物始施而牙。

銅笙

八六

笙者太簇之气，象萬物之生。故曰生。」《釋名》曰：「笙，生也。象物貫地而生。」按《禮經》云：「東方鐘磬謂之笙，鐘、笙磬。東為陽中，萬物以生。……」這个笙是利用匏瓜占成的，居八音之首。

筆者案考《禮·月令》云：「孟春之月，日在營室，昏參中，旦尾中。其帝太皞，其神句芒，其蟲鱗，其音角，律中太簇，其數八，其味酸……」縣此以觀，足證中國的文字學、音律學、以及天文、曆法、气象、醫學……無一不會牽和透露着《易經》與《河圖》《洛書》《五行》《八卦》的鮮明色彩。難怪那些洋秀才們在治學中到處碰壁了。

塤 壎 𡔋《說文》：「壎，樂器也。以土為，六孔。」《詩·小雅·何人斯》：「伯氏吹塤，仲氏吹篪。」《毛傳》：「土曰塤。」《周禮·小師》：「掌教塤。」大鄭云：「塤六孔。」後鄭云：「燒土為之。」《白虎通》曰：「塤，坎音也，在十一月。」塤是土質樂器，居八音之二。

案塤字从員，所以示其形橢圓似卵也。又从土，从熏者，熏者燬燒之意。所以彰其為陶質器物也。列其聲為坎音者，☵居北方，據天象言之，斗柄建子，冬至已到，陰盡陽生之時也。古人將黃鐘、大呂、太簇、夾鐘、姑洗、仲呂、蕤賓、林鐘、夷則、南呂、無射、應鐘，配備在一歲週期十二月份之內，是知古人把聲音和气象視為「同物同性」的科學觀點，分不開的。同時古人還認為「音樂」有推動自然气象變化之力。此點可從禱暵「雩舞」必用「咸樂」，可以見之。

塤

鼓 𡔷 𡔶 𡔸 𡔹 𡔺 𡔻（金） 𡔼（篆）《說文》："郭也。春分之音。萬物郭皮甲而出，故曰鼓。从壴，从屮，又。屮象垂飾，又象其手擊之也。"

《正韻》："鼓，革音之器。伊耆氏造鼓。"《玉篇》："瓦為椌，革為面，可以擊也。樂器。鼓所以檢樂，為群音長。"《周禮·地官·鼓人》："掌教六鼓。"注："雷鼓八面，靈鼓六面，路鼓四面，鼖鼓、皋鼓、晉鼓皆兩面。"又夏后氏足鼓，置鼓于趺上，謂之節鼓。殷楹鼓，以柱貫中上出而樹之也。周懸鼓，植簨虡而懸之也。

案：鼓之為物，革製樂器也。其音甚弘。古代用為集體勞動之施工信號，或而軍隊戰之進攻命令。在樂隊中經常用為節奏音律的打擊樂器。後世由樂器名而化為鼓勵士氣之動義辭矣。鼓是革質樂器，居八音之二。

瞽 𥈉 𥈊 𥈋 《說文》："目但有眹也。"《周禮·春官·瞽矇》注："無目眹謂之瞽。"案：此解殊不符瞽之意，自應以許訓為優。考《書·胤征》："瞽奏鼓。"如擊鼓之事為瞽者之專責，彰彰明甚。

（漢畫像石擊鼓圖）

（足鼓）

（楹鼓）

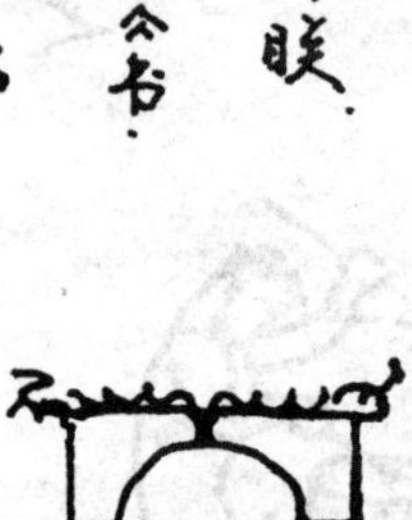
（懸鼓）

八七

復考《詩.周頌》云:「有瞽有瞽,在周之庭」。注:「目無明則耳聰,使為樂官,名之曰瞽。周所專而命名也」。「泰鼓」為眾樂之長,故掌鼓之人為樂隊之長,是其義矣。此「瞽」字从目从鼓之所由來也。《六書》所謂舉事為名,取譬相成,是曰形聲者矣。

柷

柷《說文.木部》云:「椌,柷樂也」。椌下柷篆訓:「柷,樂,木椌也。」

《爾雅》郭注云:「柷如泰桶,方二尺四寸。《風俗通》云:「尺五寸。中有椎柄,連底桐之,令左右擊。止者其椎名」。此古代之起樂器也,段氏已明之矣。

筆者案:下列二圖:‹1›為錄自《辭源》。未知何所依據,無能筆者親眼目睹佛教會徒音樂隊所用之起樂器,其形製,皆如合手邊徑不過三寸之紅泰中空木桶,乃圓桶而非方桶也。中有木椎懸垂,以銅絲繫於桶壁。操此器者以右手將桶柱於地,而握緊桶之上口,用力左右搖擺之,此際桶中之懸空木椎,則因人手之動力可支配而左右碰撞,形似木鐸擊鈴而發出啤啤恍啷之音。並非另有木椎而打擊發聲也。是即古籍所謂「柷」之為物真實面貌矣。

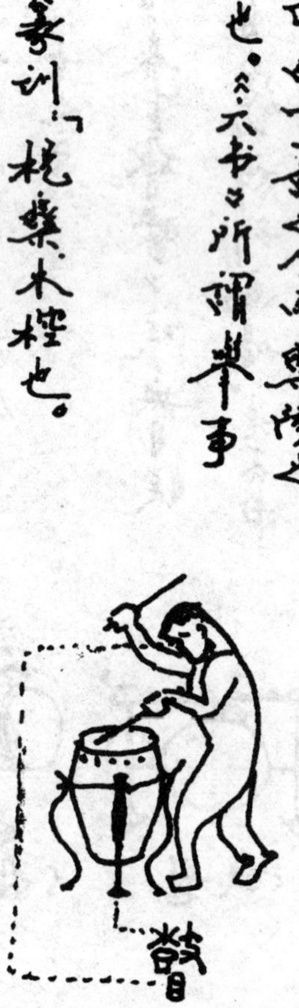
瞽

‹1›
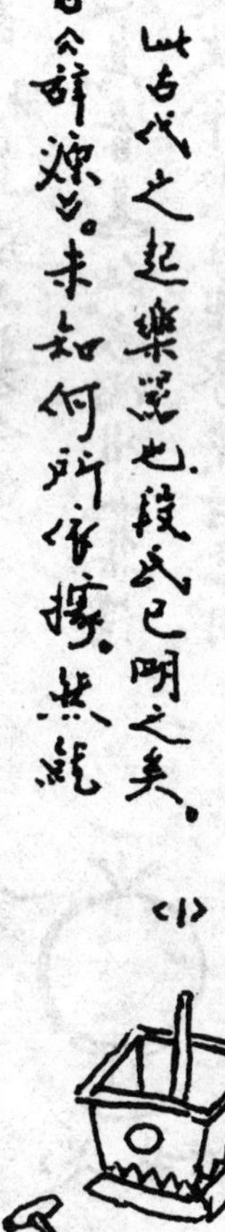
柷

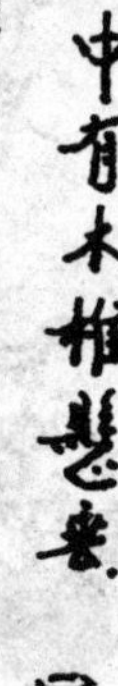
‹2›

敔 𢿓 《說文·攴部》：「敔，禁也。一曰樂器，椌楬也。形如木虎。」柷、敔是木質，居八音之四。

《書·益稷》：「下管鼗鼓，合止柷敔。」《爾雅·釋樂》：「所以鼓敔謂之籈。長尺，櫟之。敔狀如伏虎，背有廿七鉏鋙。」

〈𢿓〉

〈籈〉

附〈漫話敔、禦〉

考《說文·攴部》：「敔，禁也。」段氏定為「禁、禦」本字，後世禦行而敔廢。段氏此解可謂深得古文造字旨義互通之秘。獨恨其未能對敔字造形之旨予以闡明揚曉，試述之於後：

竊以為敔訓為「禁」者，初義也。其訓為「止樂器」者，延伸義也。漢時去古未遠，故許氏之學多有先秦之積蓄，為世所莫及。夫「禁」之為意，「止暴禁亂」之義也。我國有清時代，司法機構仍有每歲年終清理監獄之定例，限制「冬至」以前的規定。所以示不違「陽生陰殺」之自然生化旋律也。先秦殷墟文字仍保留着歲終祭天大典用死囚羅祀神明宗教儀式。以示彰明「王法」「止亂禁暴」之義。《安陽出土之甲骨文字》〈𢿓〉、〈𢿓〉二文即「禦」字直觀意像也。〈意示于下〉

然則《說文》敔字是𢿓从攴，𢿓者手舉梏之形，

𢿓者罪囚也。此誠字「人態物化」之鮮活例矣！

八八

𢿓

其形意与𢼸同。俑然无误矣。世字所作形變之軌迹約略如下表：（詳見宗教五九）

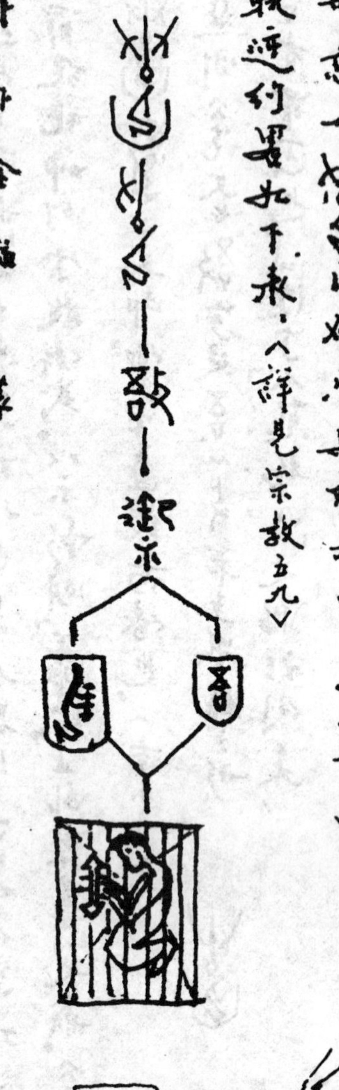

𢼸、鼓同聲，由鼓、𢼸轉一變而爲器物名，同俱打擊之意

磬 殸（金） 磬（籀） 磬（篆）《說文》：「石樂也。籀文殸，象縣虡之形。殳擊之也。」《五經要義》：「磬，立秋之樂。」《白虎通》：「磬者，夷則之气，象萬物之成。」《書·禹貢》：「泗濱浮磬。」《傳》：「泗水涯水中見石，可以爲磬。」

考我國安徽有靈璧縣北有磬石山，山在泗水之南。《尚書》云：「泗濱浮磬」即此。（見辭源）後世鑄金爲之，而字亡磬。

磬（古）

關于磬的形製，《周禮·冬官·考工記》：「磬氏爲磬，倨句一矩有半。」注：「必度一矩爲句，一矩爲股，而求其弦。既而以一矩有半觸其弦，則磬之倨也。」所謂倨句（勾），即懸磬之鈎所需之穿孔位置的確定。古人把這个直角三角形的石磬，依照「勾股定律」，在勾端、股端連成一條斜線（弦），然後A、B之間連成一條垂直線。要求磬的穿孔，一定要處在垂直線之中，以免重心偏離。示意如下：

磬是石質樂器，居八音之五

《禮·明堂位》："叔之離磬"，注："叔之離磬者，叔之所作編離之磬。"陳用之曰："叔之離磬，特懸之磬也。"《三輔皇圖》："股廣三寸，長尺三寸半，十六枚同一簨虡謂之編磬"。

鐘、鍾、鍾、𨤍《書》用鏞、鍾、鐘。《世本》曰："倕作鐘"。《釋名》："鐘，空也。內空受氣多，故聲大也"。

鐘是一種信號器，古公侯之族食客千人，故稱"鐘鳴鼎食"之家。也是宗廟祭享的樂器，也是封爵晉位賞賜功臣的"名器"。足以說明鐘之為物在古代社會文化領域的重要地位。《周禮·春官·小宗伯》之設有"鐘師"之職。"凡樂事以鐘鼓奏'九夏'：王出入奏'王夏'，尸出入奏'肆夏'。牲出入奏'昭夏'，四方賓來奏'納夏'，臣有功奏'章夏'，夫人祭奏'齊夏'，族人侍奏'族夏'，客醉而出奏'陔夏'，公出入奏'驁夏'。"夏者大也。無除上都是一些用於國家各項隆重典禮，而且標有政治色彩的"樂曲"。其功用在於配合歌聲。這些歌辭皆來自詩經。"樂曲"則來自"樂經"。《三字經》中提到的："詩書易，禮春秋，號六經，當講求"。而今傳世者僅只"五經"。"樂經"

已燬于「秦火」，不復能聞先秦之音矣。於是鐘聲的文化價值，鐘聲在文化領域和鼓聲在軍事領域中，同樣具有號令之用。後來鐘聲被用為白晝的報時信號，而鼓聲被用於黑夜報時信號。而今只能在文學成語中保留着「暮鼓晨鐘」歷史語言了。鐘為金屬樂器，故列於八音之六。

琴  《說文》：「琴，禁也。《禁者，吉凶之忌也。》《白虎通》曰：琴，禁也，以禁止淫邪，正人心也。」此聲訓為訓。」神農所造。《筆者按《竹書紀年》云：宓羲氏造琴瑟，制嫁娶，以儷皮為禮。上古之樂，說文所據，本乎《世本》其說難定。而應以《竹書紀年》為宜。《說辭于後》，洞越《琴瑟底之孔洞》練朱五絃。

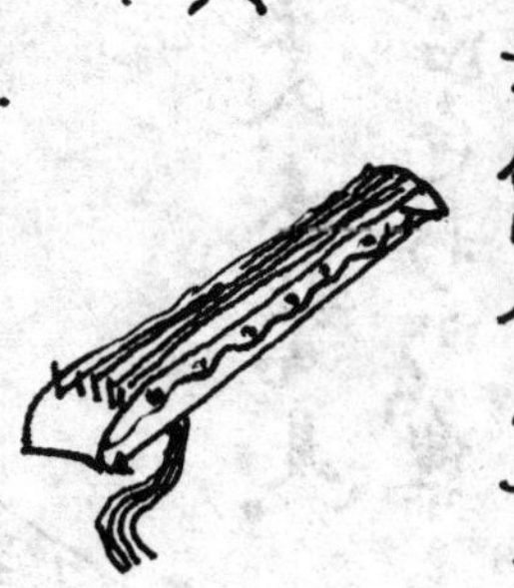

瑟  《說文》：「庖犧所作絃樂也。」《琴與瑟，皆絃樂器，故為一籍，列為八音之七》。

案琴之與瑟，陰陽和諧之音也，男女歡聲之象也。琴之音剛而亢，瑟之音柔而順。《關雎》之詩云：「窈窕淑女，琴瑟友之。」古人把琴瑟伴奏，剛柔相濟的樂音，提高到男女相愛，「同聲相應」「同氣相求」的意識境界，這不是偶然的。樂為音律之貴乎和諧，與歌曲唱音之同調，鳥類雌雄之共鳴，天象之正負電荷相感而成雷，其致一也。故善言物理者，必通乎人情，達乎人情者，必明乎天道。古語謂夫婦感情分裂曰「琴瑟不調」。《易》卦君民同心為䷊地天泰，上下離心為䷋否。此東方「天人合一」的意念，亦可見之於泰否兩文化。故人呼鋼琴為「樂器之王」，呼小提琴為「樂器中之皇后」。這種以音質、音色、鑒別雌雄、屬性，物理學念同東方世界以琴瑟喻夫妻相愛之音是不謀而合的。信夫孟子之言：「先聖後聖，其揆一也。」「禹稷顏子易地則皆然」。這類儒家至理名言，是放之四海而皆準的。

關於琴瑟的歷史上限問題

從人類進化史的角度來認識太皞虙犧氏，那也許就是人類開始擺脫野蠻與昧意識的「肇始」，著實走入文明禮樂社會的開端。已知《曲禮》所云：「鸚鵡能言，不離飛鳥，猩猩能言，不離禽獸。人而無禮，不亦禽獸之心乎？夫唯禽獸無禮，故父子聚麀。是故聖人作，為禮以教人，知自別於禽獸。」禮的科學實質，在於止暴禁亂，安定社會秩序。沒有禮的制約，必將產生飲食男女之爭。因此我們完全有理由肯定「虙犧氏造琴瑟，正基之樂，制嫁娶之禮」，正是人類和野蠻劃清政治界限，建立文明社會的開端。古史學家稱之為「百王之祖」，是不足為奇的。

人類進入文明社會之後，為了相互依賴生存，勢所必然，要請求人際關係的和睦親愛。音樂藝術除精神陶冶的功能，是為古人所深知的。消除社會矛盾，必先以改善夫妻關係開始。然後纔會由點及面，把和平氣氛推廣到整个社會。亞聖孟軻說得非常明确：「君子之道，造端乎夫婦；及其至也，察乎天地」。這也許就是虙羲氏將琴瑟與嫁娶之禮互為表裏，緊密結合的高深意境吧！？本來社會所形成，卻婚姻關係的產物。沒有男女關係就不可能有社會。無怪《易・序卦》說：「有天地，然後有萬物；有萬物，然後有男女；有男女然後有夫婦；有夫婦，然後有父子；然後有君臣；有君臣然後有上下；有上下，然後禮義有所錯……」這就充分揭示了漢字的客觀規律，遠非其他文字所能望其項背者矣。

簫 ⿰龠肅 箾 簫《說文》：「參差管樂，象鳳之翼。从竹，肅聲。《楚辭》：「吹參差兮誰思？」是也。《通禮易纂》：「虙羲作簫，十六管。」《釋樂》：「大簫謂之言。小者謂之筊。編廿三管，長尺四寸。」《周禮・小師》註：「簫，編小竹管，如今賣飴餳所斂者。」《周頌》同。

愚案：簫之為物，管樂器也。以竹為之固無疑問，堪以字形知之。但「簫」字所代表之物，乃單管洞簫，非「⿰龠肅」字所代表之排簫也。當須辨別分令識也。蓋簫从竹从肅，而⿰龠肅从龠从肅。此區別關鍵不可不識焉。故知⿰龠肅之為器，多管並列，比肩而立，參差之象也。因其有兩部「音域」故能形成左右鳳翼之象。斂之者，必須將口左右横遊，若今

⿰龠肅

簫

之「口琴」歙法。此則宜用「龡龢」二字造形以說明之。若簫之為物，則獨管多孔之器，全憑左右兩手十指職司開閉，以代龢之用，口左右遊移，以奏成曲之功。故吹簫之吹字宜用吹而弗用龡。此其文字之選用之原則，亦足以窺察西禮樂器形態同中之異、異中有同矣。

〈簫的音質、動感觀〉

或問：簫字从竹从肅，何意也？愚曰：「簫字从竹者，示器物之質也；从肅者所以示其肅音。令人聞之則歡娛之情頓息，而悲感之忱油然而興也。」問者又曰：「龥字从龠，何意也？」愚曰：「龠者示其形也，竹管排列之象也。龝者古「秋」字也，所以示金風送爽、玉露凝寒、嚴霜堅冰、萬物肅殺、艸木凋零、蟄蟲潛藏、慘淡哀傷之情也。宋蘇軾在《赤壁賦》這樣說：「客有吹洞簫者，其聲嗚嗚然，如怨如慕，如泣如訴，餘音嫋嫋，不絕如縷，舞幽壑之潛蛟，泣孤舟之嫠婦。」真可以說已經把簫音對人的刺激動感描寫得淋漓盡致了。故知簫、龥二文雖造型各異，所以示悲感淒涼之情，其致一也。所謂異曲同工者矣。

肅 𦘒 肅也《說文》：「持事振敬也。从聿在𣶒上，戰戰兢兢也。」

案：肅之為文，从聿从𣶒。右手策杖，立臨深淵之態。

聿𣶒

或从竹笑。所以示快樂也。古文竹字与籀文龢字从龠从龢从秋同意。盖人之感於命境引起之心態反應，與身體全體西周之刺激同樣可以統一生理致應。雖內因外因不同，而出現是狀直之，目光、頭、視，心理波動之情固初無二致。故這曲字利用音律感動人心。故「蕭」字或从竹从肅。或从龠从蕭省。造型雖異，意義則同之。漢字之造型、命意之義與一字不能和盾「五行」意識到認知如下：

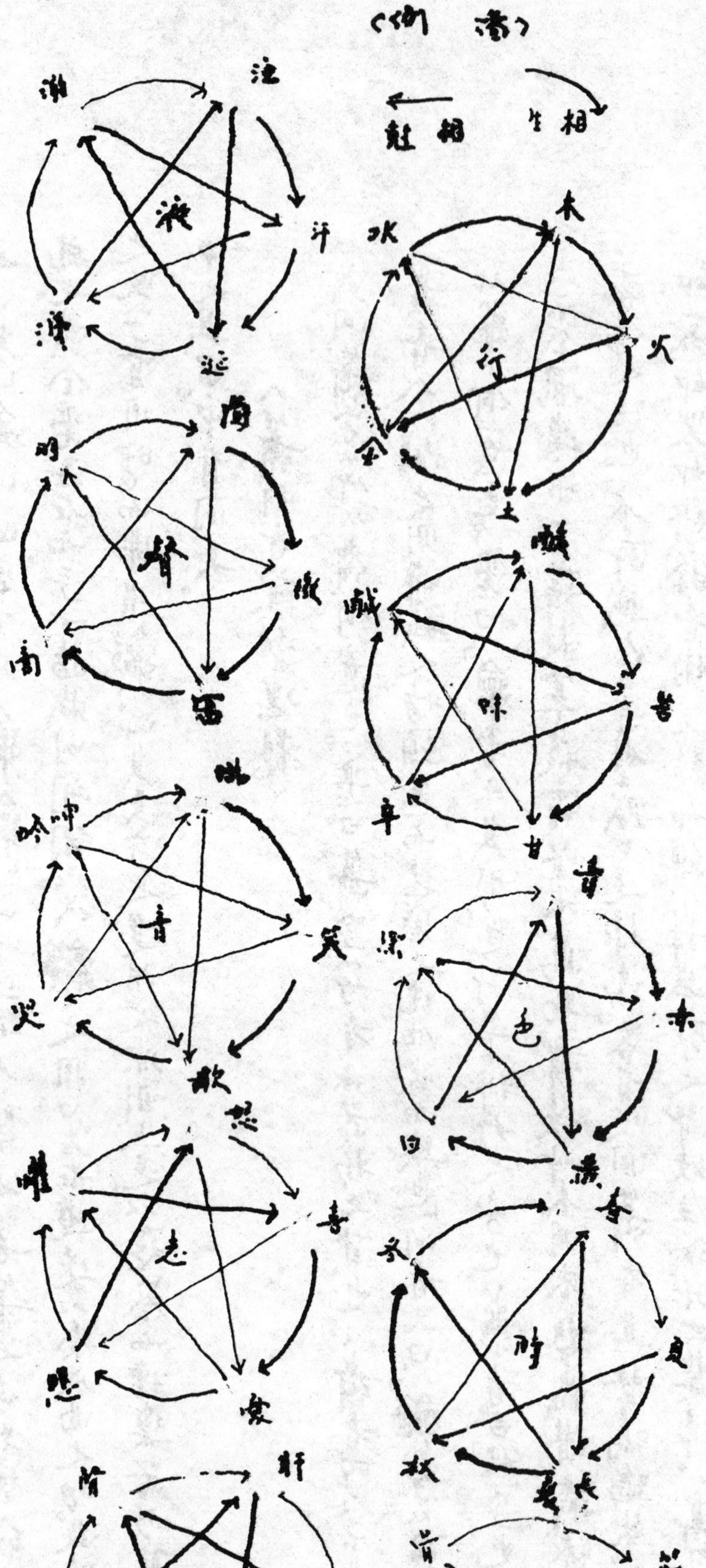

文字起源圖典

戰鬥狩獵

十

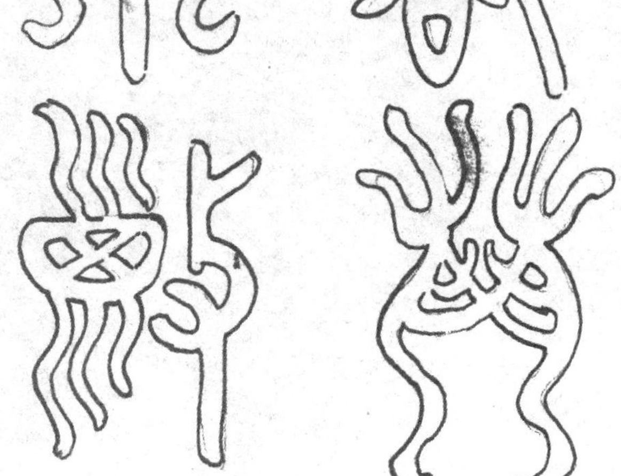

文字般若圖典

禪門拾擷

十

弓弘引弋 一
矢笴鏃咎 一
鏑棓矰弭弣 二
弸弦射 三
侯墉 四
巢事弁弇祋彈 五
壴攺斅敲細畢 五
禽擒羅離罔罔 六
網鋼剛綱惘蜩輞 〇
羅穽罟罩 七
翼罧罶罶 八
弩邊逸遮 九
干戟 一〇

兵甲刀則割 一一
戎伐戍弗（鄉） 一二
彈戰戰 一三
戒戕戚揩 一三
賁韗箙 一四
韝箙族 一五
湊轅 一六
戈戊戌方楙懋 一七
盾鉞干東函 一八
合領頸 一八
械極送 一九
鼓鼖鼙 一九
壴鼓鼓彭喜熹 二〇

鎬嬉嘉侸 二一
鬳滋盅 二二
戲虘 二三
魄娭 二四
俊虜鐸 二五
克穀 二六
橐斁嘍 二七
檜鞭武 二八
衛 二八
術隊笑 二九
穀馬御馭 三〇
伍 三一
什兩 三二

族鏃 三三
簇嶽 三三
徒 三四
師輝渾 三四
𠂤軍轅 三五
張張 三七
置獲 三八
弼鐊 三九
轉聯 三九
罕箙罝 四〇

弓 [illegible]卜 [illegible]金 [illegible]篆 《山海經》：「少皞生般，是始為弓。」《荀子·解蔽篇》：「倕作弓，浮游作矢」。《周禮·冬官考工記》有弓人之職。有關弓的選材、製作紀述極詳。可見弓的製作之技量於西周時代已相當可觀。而弓的長短、大小形製，與規格又與政治身份等級有關。如：「天子之弓，合九而成規；諸侯之弓，合七而成規；大夫之弓，合五而成規；士之弓，合三而成規……」非本文所能盡詳。

弘 [illegible] [illegible]弘卜 弘篆 《說文》：「弓聲也。」所謂「弓聲」，即發矢之後弓弦所振動餘波。以現代語釋之乃「象聲辭」。弘之為文從弓從口。弓者形符，口者聲符。為形聲字也。

弘

引 [illegible] 引 《說文》：「開弓也」。按引字從手從弓。或從弓從一。弓者發矢之器也。一者弦之形。手者臂延弦之態也。故曰「開弓」。此「引」字初義也。而後延伸為內向牽動義者。如「引導」、「引誘」……

弋 [illegible] [illegible] [illegible]金 [illegible] 《玉篇》：「繳射也。」《韻會》：「弋，繳射飛鳥也」。《說文》：「橜也」。許氏將弋釋為橜，覺可疑。吾甚懷疑弋之為字本無正文。古籍皆以「射」

代之。所謂「本無其字，以聲託物」之例。推源其故，蓋緣秦漢之後，不覩鐘鼎甲骨之文。遂致模糊迷離，臆說杜撰，創出「雉」字，「魚目混珠」者，歷數千載矣。蓋不知先秦古文本有陵字。可慨也夫！《卜辭》𡍬字即以繳繫矢之象形。舊即「雉」字初文。《說文》訓「夷」為「東方之人」，亦猶楚人曰「荊」之例，乃「假借」例，非本義也。《附夷字多源義變形論述遺概，不意一覽》

《正文》陸 隊 陵 —— 𠦪 𡍬 → 夷《此代字正文，象矰繳繫矢之形。因東夷部落之人善射，遂假為東方民族之名》

《通假字》：𦍌《射義讀若叕，經典假為音律名》

《代用字》𡍬 ——→ 陝《俗字》

《本篆》桋 →

矢 𠂔 矢 卜 𠂔 金 矢《說文》：「弓弩之矢也。從人，象鏑、栝、羽之形。古者夷牟

止矢」。宋衷曰：黃帝臣也。

箭 笴《正韻》：「音笴，箭幹也。」

鏃 𥏾 从矢 鏃 鋜 鉃 鏃《玉篇》：「箭鏃也。」《書·禹貢》：「砥、礪、砮、丹」傳：「砮石，

𥏾 中矢鏃」。可知早期的箭頭，皆由石質磨製而成。《石部》云：「砮石可為鏃。」《國語》

「仲尼曰：肅慎氏貢楛矢石砮，長尺有咫」。是其證。可惜我不知道屬於何種名石。

↑〈略〉

鏑 鏑 篆 《釋名》：「鏑，敵也。可以禦敵也」。此訓欠明。愚易之曰：「鏑，矢鋒也。」鏑之初文從矢從帝。矢者箭頭也。帝者古帝字，植物花冠之蒂心也。字亦作象形。從矢所以示矢之尖端也。此指事字也。

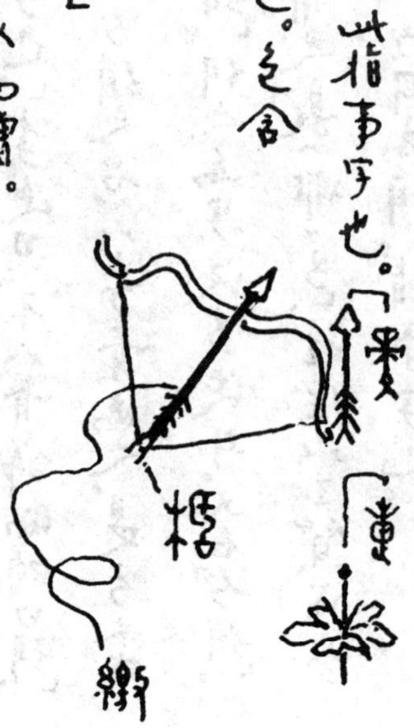

栝 栝 《說文》：「矢栝，檃弦處」。愚曰：栝之為言括也。包含之義也。箭榦底端，開張所以銜弦也。

矰 矰 《說文》：「弋射矢也」。《玉篇》：「結繳于矢也」。《周禮夏官》：「矰矢，用諸弋射」。《老子》：「飛者可以為矰」。《班固西都賦》：「矰繳相纏」。無奈這些解釋，絲毫無助於對矰字之理解。怎樣認識矰繳二字？按：矰字從矢從曾。矢者射器也。曾者「繒」之省。生絲之帛也。故知矰字本義，乃繫絲之矢。復按：繳之為言絞也。繚繞之象也。古籍經典語例，恆「矰繳」連用。如：《易·遯卦上九》注：「矰繳不能及」。《戰國策·楚四》：「不知夫射者，方將修其碆盧，治其矰繳。」《史記·留侯世家》：「雖有

二

說。上曰：為我楚舞，我為楚歌。歌曰：「鴻鵠高飛，一舉千里。雖有矰繳，尚安施？」」《孟子．告子上》：「一人雖聽之，一心以為有鴻鵠將至，思援弓繳而射之……」清焦循正義曰：「繳為生絲縷之名，可以繫弓弋鳥。」此解可謂確有卓見。然此可證，所謂「敫繳」，即生絲繫矢附射鳥工具，所以防散矢之流失，便于回收也。「繳」字本音讀紋，後世音變為「捉」，其義待考。

弭 弭 彌 彌 彌 (絲米) 弭 弭 《說文》：「弓無緣可以解轡紛者。」此解頗覺啟古，姑置弓論。《爾雅．釋弓》：「有緣者謂之弓，無緣者謂之弭。」注：「今之角弓也。」李巡曰：「不以骨飾兩頭曰弭。」《詩．小雅》：「象弭魚服」。傳：「象弭，弓反末也。」疏：「弭者弓弰之名，以象骨為之，是弓之末曰弭。弛之則反曲。」筆者按：弓之兩端反張部份叫「弭」，弭之為字，從弓從耳。又名「弓弰」。為了保證堅固，必須以韋〈皮〉線〈纏〉繞之。貴族人物使用之「敦〈雕〉弓」，往往以玉、寶、或象牙製成之套管施束之，故從玉「珥」，其正文也。故「弓耳為弭」，指事字也。

弣 弣 《釋名》：「弓中央曰弣。」《廣韻》：「弣，弓靶中也。」按：所謂「弓弣」，即射者用手把握弓體之二等分點。故《廣韻》訓為「弓靶中」。

𢐎 □ 《釋名》：「弓末曰簫（梢），中央曰弣，簫弣之間曰淵。」吾搓按所謂「簫、弣、淵」皆以聲托義字也。簫之為言梢（杪）也，末端也。弣之為言附也，附着之意也。淵之為言彎也，彎屈之象也。

弦 □ 以猶 弦 絃 《說文》：「弓弦也。象絲軫之形。」筆者按：弦字从弓从玄。弓者射矢之器也。玄者幺之變文，古數字也。殷墟文字之□，□象紡塼之形，从三幺合成一束之態。此上古紡績工具，今薊鄉僻壤仍有之，民間呼之為「撚線砣子」。古代以絲繩或琴絃以黃牛之筋為弓弦。此其間中有異，異中有同也。

射 □ □ 卜 □ 金 □ 以猶 䠶 䠶 《說文·矢部》：䠶下云：「弓弩發于身而中于遠也。」《增韻》：「以弓弩發物也。」《禮記·射義》：「古者天子以射選諸侯、卿大夫、士。」

三

射者男子之事也。因而飾之以禮樂也。」《射義》有「大射、賓射、燕射……」
將古代社會把射術列為「六藝」之一。所謂「射以觀德」，事實上絕不是單
純對射技的評比，同時還包括對射者的禮、儀表、心」精神文明的考察。
這是非常明顯的。如《周禮·地官·保氏》之職云：「保氏掌諫王惡，而養國子以
道。乃教之六藝：一曰五禮，二曰六樂，三曰五射……」注：「五射：一曰白矢，二曰三連，
三曰讓人，四曰剡注，五曰井儀。」疏：「白矢」者，矢在侯而貫侯過見其鏃。「三連」
者，三矢連續而去也。「讓人」者，君與臣射不並立，讓君一尺而退。「剡注」者謂羽頭高鏃
低而去，剡剡然。「井儀」者，四矢貫侯，如井之儀容然。」圖示如下：
卜辭金文從弓矢，皆象形字。小篆射字从身寸，取象于人，指事字。

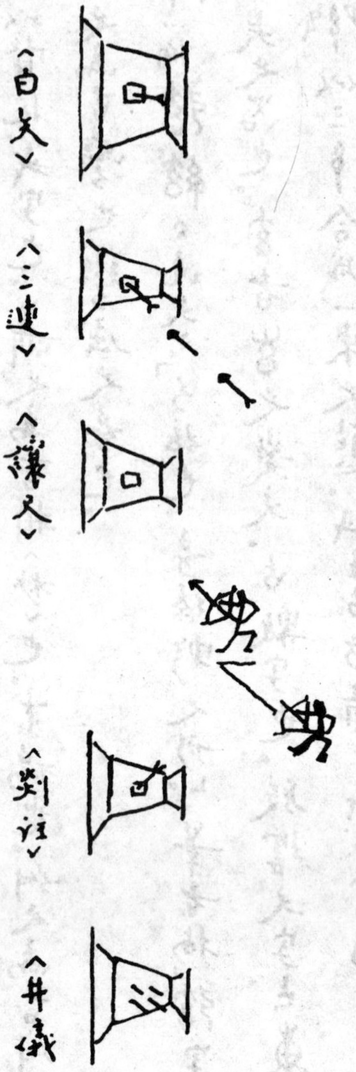

射示意

侯 𠈳 𥎦 篆《說文》：「春饗所䠶侯也。從人，從厂，象張布。矢在其下。」

考《周禮·天官·司裘》之職云：「王大䠶，則共虎侯、熊侯、豹侯，設其鵠；諸侯則共熊侯、豹侯；卿大夫則共麋侯，皆設其鵠……」《冬官考工記》云：「梓人為侯，廣與崇方，而鵠居一焉。上兩个與其身三，下兩个半之。上綱與下綱出舌尋，縜寸焉。張皮侯而棲鵠，則春以功。張五采侯，則遠國屬。張獸侯，則王息燕。祭侯之礼，以酒脯醢。其辭曰：「惟若寧侯，毋或若汝不寧侯，不屬於王所，故抗而䠶汝。強飲強食，詒汝曾孫諸侯百福。」這個祝禱辭太有趣味了。

關於侯字形義之切換：甲骨文侯字從厂，從矢。厂象棚敞，厂似直壁。宛如今之影壇銀幕側面之形。其下從个（矢），繳然射的之象也。古者天子以射選諸侯，故侯之為字具有「射的」與「封君」雙重含義。從《考工記》祭侯祝辭的語義中已經令人覺察到古人在神秘意識指引下，「射侯」的特定社會階層人物偶像的屬性，是客觀存在的。此漢字含義之可變性和特定歷史文化社會背景是分不開的。

〈侯〉

〈𥎦〉

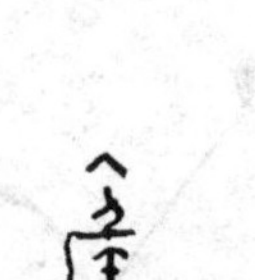

埻《說文》土部：「埻，射臬也。」木部臬字下云：「射埻的也。」許氏埻臬二字互訓，予吾輩之啓發有限，試檢討如次：

考埻之為字，是指《說文》。亦見於《周禮·天官·司裘》。但經文上𡏼，而不從土。依文字形義論之，自宜以《說文》為優。何則？按埻字從土從𡏼。𡏼者古享字。建築物之象也。土者地也。故知埻字造型與墩同義。尖堆之形也。聲義与準同者，所以示供射者據瞄「三點連成一條直線」而設之中間標識也。其物理功能等於現代步槍之「準星」。《圖①》「準星」位於槍口上啓。「標尺」位於後（瞄視基點）与「射的」三者連成一條直線。以奏「命中」之功。甲骨文 《直》字

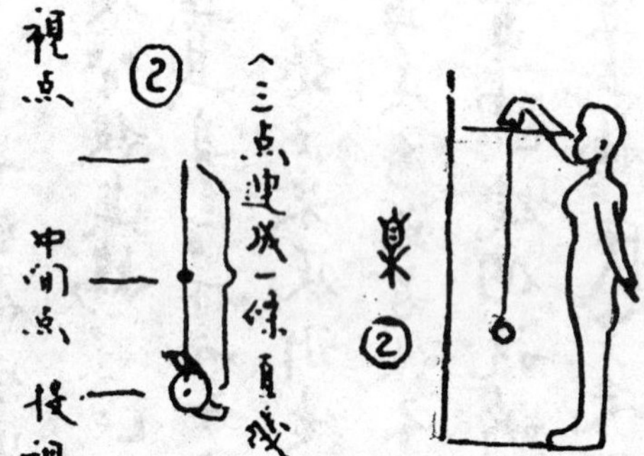

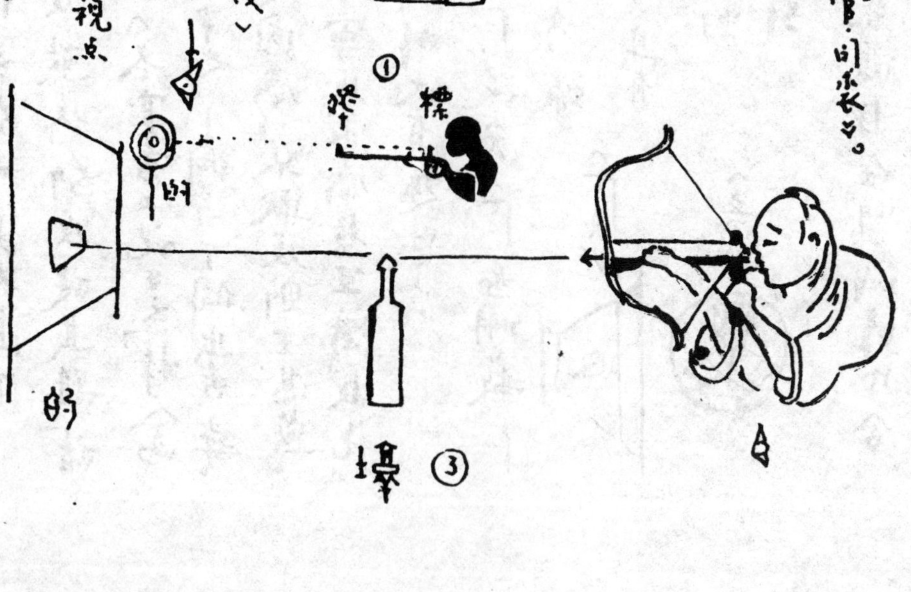

造型示意，可與「墉」字有力說明佐證。（圖②）

許氏采用「墉」「臬」二字互相訓詮，也是有其科學見解的。補述如下：

臬、槷、⿱自木、⿱自木，考⿱自木之為文從自，從木。木者，直立標識也。自者古文鼻字。鼻居人面至中至正之地。古代建築施工必立木為臬，要繩於臬木之間以求直。故⿱自木字從自從木之義同時也揭示了瞄測身活動，也是依靠「三點連成一條直線」的原物。而與「墉」「罟、遴同功」。

結語：基上理由可知「墉」之為物，即介乎「射矢」「反鵠」之間的土築標識，雖經文不載，然從物理、字形、文義之互詮已宛然符契焉。故不揣「臆說杜撰」之譏，冒昧陳之。

事

[?]、[?]、隸「[?]」卜事篆《說文》：「事，職也。」《增韻》：「職，執事也。」《廣韻》：「事，使也，立也，由也。」《釋名》：「事，倳也。倳，立也。凡所以立之功也。」《集韻》：「大曰政，小曰事。」名從農據：從來言事者，其義甚廣，其類頗繁。要而言之，有關之任也。或為鬼神之事，禩字是也。或為史官之事，[?]字是也。或為政務之事，[?]字是也。或為將帥聘問之事，[?]字是也。其事之大者，莫如。

此字從[glyph]從卯。[glyph]者戰鬥之象，卯者高嚴之形，所謂「國之大事在祀與戎」之事字也。《六書》所謂「視而可識，察而可見」者指事字也。[glyph]應隸定爲[glyph]〈[glyph]〉

畋　[glyph]　畋卜　[glyph]金　[glyph]籀　畋篆　《說文》：「畋，平田也。」《書·多方》：「今爾宅爾宅，畋爾田。」

疏：「治田謂之畋。」今人謂營田求食謂之畋食。

筆者按：古所謂「治田曰畋」之義，疑非專指「春耕、夏耘、秋收、冬藏」而言，而且包括「春蒐、夏苗、秋獮」，即除害運動。其義見全根據不同字型詳之。如[glyph]字從[glyph]，從田，治田之畋也。[glyph]、[glyph]從支，從田，畋獵之畋也。驅逐害人之獸也。

此在《六書》爲指事。

畢　[glyph]　[glyph]　[glyph]金　[glyph]　畢　《禮·月令》：「畋獵罝罘、羅網畢翳。」《禮·雜記》：「畢用桑。」注：「主人舉肉時以畢助之。喪用桑，吉用棘。狀如叉，柄三寸，長八寸，柄長二尺四寸，丹漆兩端。」《毛詩·大東》：「有捄天畢。」朱注：「天畢，畢宿也，狀如掩兔之畢。」《小雅》：「鴛鴦于飛，畢之羅之。」疏：網小而柄長，謂之畢。」《詩·小雅·漸漸之石》：「月離於畢，俾滂沱矣。」〈金牛 Tau〉

吾儂按，畢之爲文，象形字也。兼三物而一名也。一曰舉肉之杈，二曰捕鳥獸之網，三曰天文星座名。八十年代湖北省隨縣曾侯乙墓出土之漆盒《天文圖》之畢宿字造型近

□□。畢从絲繫鳥網之象。圖示如下：《金文》之□尤肖其形。

《天畢》

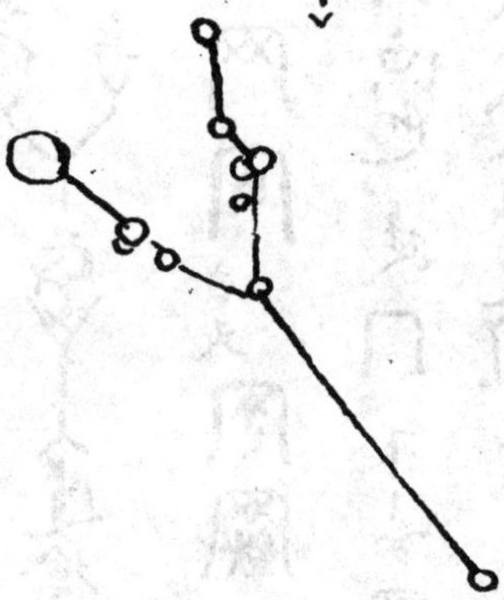

《□》

《□》

禽 □□□□□□卜 □篆。《爾雅釋詁》云：「二足而羽曰禽，四足而毛曰獸。」

擒 □ 《白虎通》云：「禽，鳥獸總名，言為人禽制也。」古無擒字，經籍通段禽為擒。戰勝執獲曰禽。如《春秋傳》三十三年云：「楚伐鄭，析衲公子瑕，门于桔柣之门，瑕覆于周氏之汪，外僕髡屯禽之以獻。」故知古「禽」字兼名、動二義。後世分化為二字。

禽—禽 { 禽—名詞；擒—動詞 }

羅 離 □□卜 □金 □ □篆。《玉篇》云：「離，散也。」《廣韻》云：「近曰離，遠曰別。」《詩王風》云：

摘上舉諸例，皆指人間離別為義。非離字與惜也。考《詩．衛風
新臺》：「魚網之設，鴻則離之。」古離羅互通。又與儷同。故知離之為字，
有遭擒義，亦有離別義，有心憂義，亦有配偶義，儷耦義字也。
《類篇》：「罹，遭也。」《左傳成十一年》：「卻犨奪施氏婦，婦人曰：鳥獸猶不
失儷……」儷離同聲，故離字亦有配偶義。宇宙一切動物，皆有「離合悲
歡」之情。所謂「鴻則離之」，遭擒之意也。一旦遭擒，則雌雄失偶，而生離死別
之情油然而生。故羅、離、儷舉聲韻而義通。此漢字聲義轇轕相因之規律，熟於
聲律義例者，類能知之。列前表字以見意：

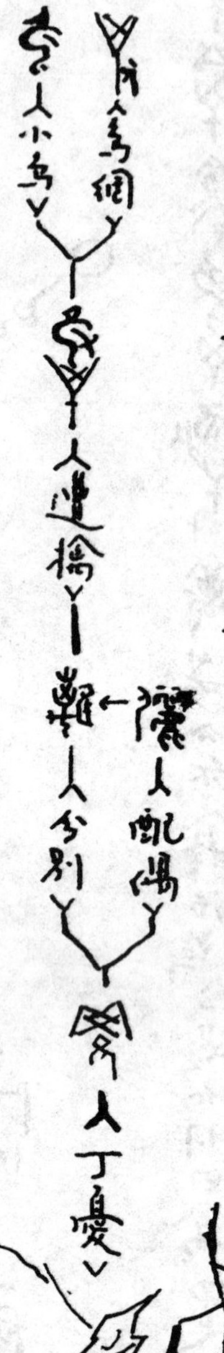

罔 网 网 卜 网 冈 古文 罔 网 篆 《說文》：「庖犧氏所結繩，
以畋以漁也。從冂，下象网交文。凡罔之屬皆从网。」所謂「凡罔之
屬」，即各式各樣之網。古者不能一一備舉，故「舉一反三」以明之。此許氏之意也。

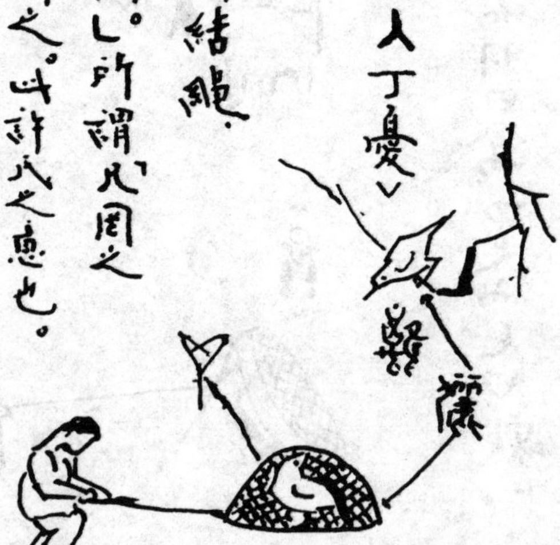

岡 岡 岡 《說文》：「山脊也。取上銳下廣形。」岡之為字，從网從山。其造型類然來自懸要

之漁網的擬態而無疑。故知网下增山而成岡。岡左增金而成鋼。岡右增刀而成堅剛能斷之剛。增糸而成漁網之提綱。又增山于岡上而成崗哨之崗。此類文字都屬于「网」、「山」離文的後裔。网的另一支系為表部增亡而成罔。罔左增糸而成網。增車于左而成輞。增心而成惘。增虫而成蝄蜽之蝄。（或从鬼成魍）此网字孳乳蕃息之繁觀，堪述下表明之：

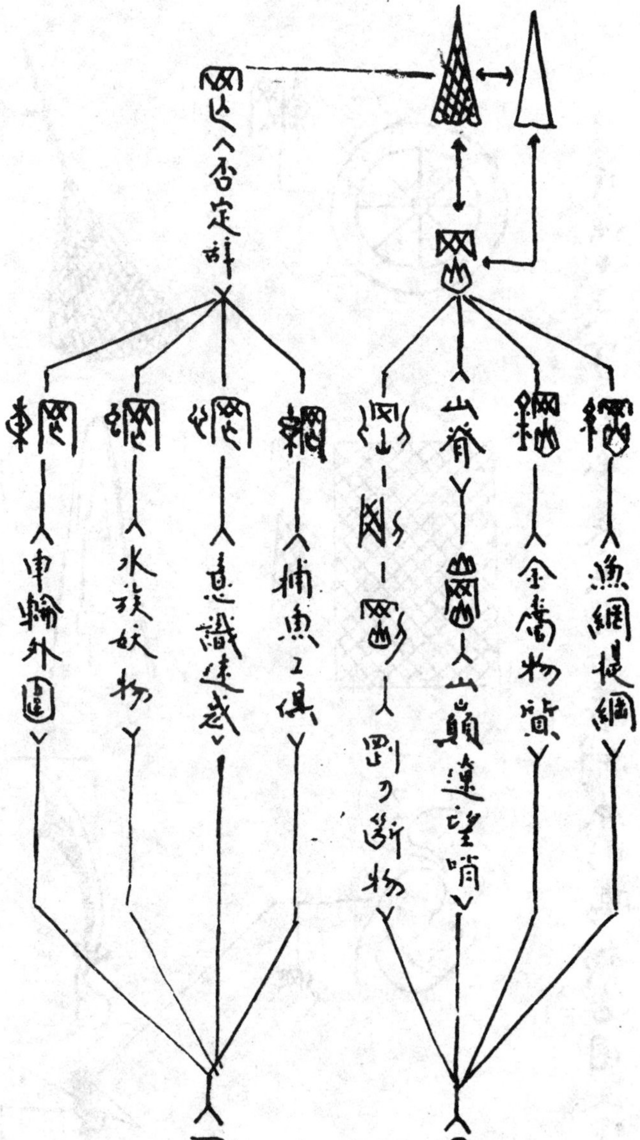

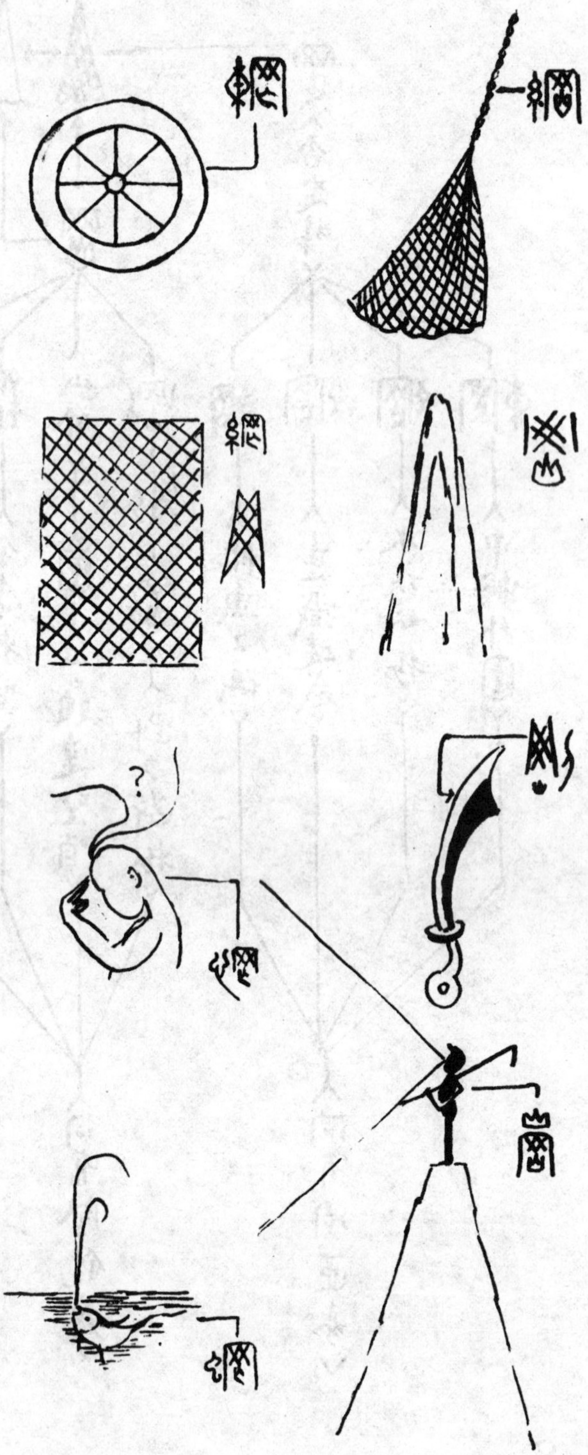

《尾語》：文字好象是具有血緣關系的動物，每個文字都有父親，都有母親。在同一父母所生的子女中，也會有的偏向于父性遺傳，有的偏向于母性遺傳。這毫不足怪，因而他們的性格也必然帶有個性，但是他們畢竟是一母所生，所以在形態上還存在着共性。所謂同中有異，異中有同。

罿〔罿〕《說文》：「罬也。從网緟。一曰綰也。」筆者按：綰者，纏繞也。山區獵民往往以馬尾繩佈於荊棘叢中，捕捉野雞山雞，此古代遺法也。

穽〔阱〕阱 篆〔井〕卜〔井〕卜 《說文》：「陷也。所以取獸也。一曰穿地陷獸也。」

《書·鄭誓》：「杜乃擭，斂乃穽。」疏：「穽以捕小獸，穿地為深坑，入不能出……」

按：穽字造型，從冂，從井，冂者〈〔井〕〉户也。井在穴下，所以示入地之深也。《卜辭》之〔井〕井似獸陷井穴，象形字矣。

署〔署〕卜〔署〕《說文》：「部署，有所网署。」余謂：「署、置之言羅絡之。若眾網也。」《玉篇》：「置也。」筆者按：所謂部署即張羅佈網以待獸至而捕之也。後世段為軍旅活動佈陣待敵辭，近仰義也。《卜辭》之〔署〕字

七

象兩手高張長網之人形。儼然一獵者佈網之象。自宜釋為罾字初文。後世小篆罾字造形，從网，從曾。罾者，數獵之具。曾以著落為意。獵者佈網，必伸展四角固定於地，繫之於樹。詩所謂肅肅兔罝，椓之丁丁，堪與罾活動之有力寫照。其意與□字造形示義同指。故知□即罾字初文。

罦 □

爾雅之釋器以「覆車也。」按：覆之為言傾也，反覆也，定也。車者，從動之器也。罦之為物，其形似籠而大，顯有門戶，檢以棚版，版下承以橫軸，上置穀穗為餌，籠中置圖，以上指米之使，而誘野鳥入籠。待野鳥既降，舂于棚版。斯時棚版重心偏離橫軸旋轉，推動棚版翻轉，而野鳥入籠就擒焉。罦之為字，從网從孚。网者捕鳥之具。孚者俘之省，據俘之義。此形聲字也。

罠 羂 𨇤 說文：「罥也。」思邃切，或從足從𨇤。《逸周書》曰：「不卵不𨇤，
以成鳥獸。罠者，係獸足，故字又從足。」
若罠枝𨇤字從足從罝。足，古止下肢之名也。
𣥂，古文止𣥂。脛字古文止从𣥂，皆屈膝跪地之象，故訓義
為蹲跪。象形指事字也。蹲字者，采取跪地人形，以揭示與獸犇跃之際遭
遇係索猶然用力屈膝跪倒之象，亦會義字矣。

罧 𦊬 槮 說文云：「積柴水中以聚魚也。」郭景純曰：
「積聚柴木於水，魚得寒入其裏藏隱，因以
簿圍捕取之。」按，罧之為字從网從林，固有
捕捉之義。「林」者，所以示水面浮柴之象，示示魚
而魚在其中矣。余名之為「隱春不息」。今民間
養魚仍用此術，古瀉也。讀若滲。滲藏

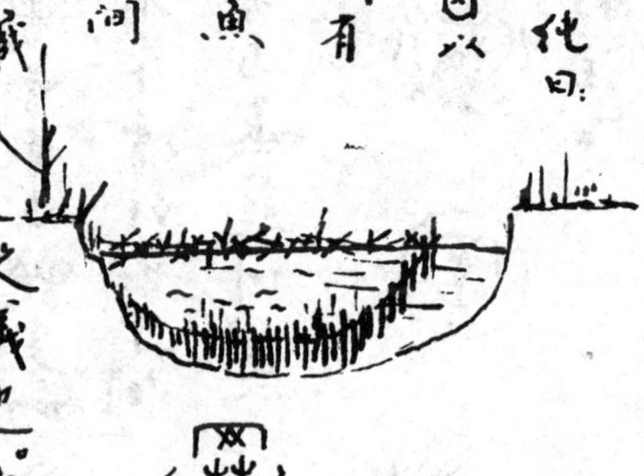

之義也。罧中亦兼義矣。

罾 《說文》：「魚网也。」《文穎》曰：「罾，魚网也。」師古曰：「形如仰繖也。蓋四維而舉之。」

筆者按：罾之為名，層也。罾字從网，從曾。曾者，古甑字，初文，古代陶製炊器也，其製有上下二層，上層盛米，下層注水，中間有箄，形似篩狀，底部燃火，水沸而米熟，其理与蒸籠同。造字者將魚網喻為篩狀，水潭目為水器，魚在網上，好象米也。此于《文書》所謂「建類一首，同意相授」，是為轉注」。

罶 《說文》：「曲梁寡婦之笱，魚所留也。」吳林農按「敝笱在梁」一語，千古以來，莫能明其說。竊以為，笱之為言拘也，罶之為言留也。「拘留之義也」。罶之為器，編竹為籠，圓口而巨腹，口緣輪匝竹刺芒然而內向，捕魚者以笱代網，承於「澤梁之箄口，魚類順流而下，入於罶中，可進而不可退。古諺所謂「悉入吾笱」是其意矣！（見下圖）

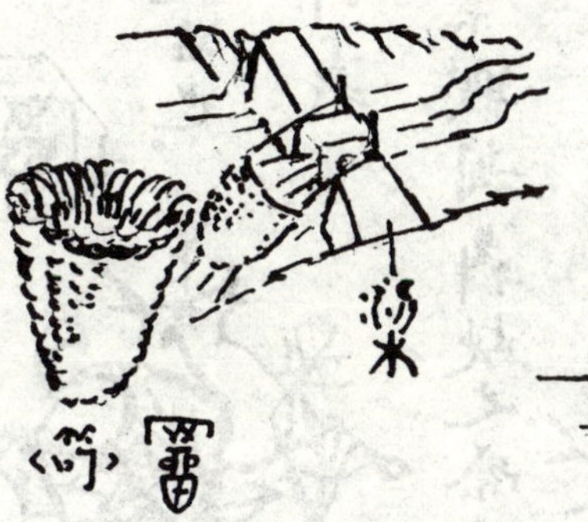

弩 〈說文〉：「弓有臂者。」〈釋名〉：「弩，怒也。其柄曰臂，似人臂也。鉤弦曰牙，似齒牙也。牙外曰郭，為牙之規郭也。下曰懸刀，其形然也。合名之曰機，言如機之巧也。亦言如門戶樞機，開合有節也。」

逸 〈廣韻〉：「奔也，縱也。」〈正韻〉：「隱也，遁也。」〈左傳成公十年〉：「乃逸楚囚」注：縱之也〈辭找〉。名象狀：逸之為字，從兔、辵。兔之為物，長腹大耳，善奔之小獸也。其字從彳〈行之省〉從止〈足之形〉，循道疾行之象也。〈六書故〉

〈叢明〉云：兔之為獸，耳大以司聽，長腹而善奔。草食為生，無爪牙之威，善良之獸也。一朝大敵當前，計無可施，唯有奮其兩腹之力，東奔西逃而求免禍於一時。故兔

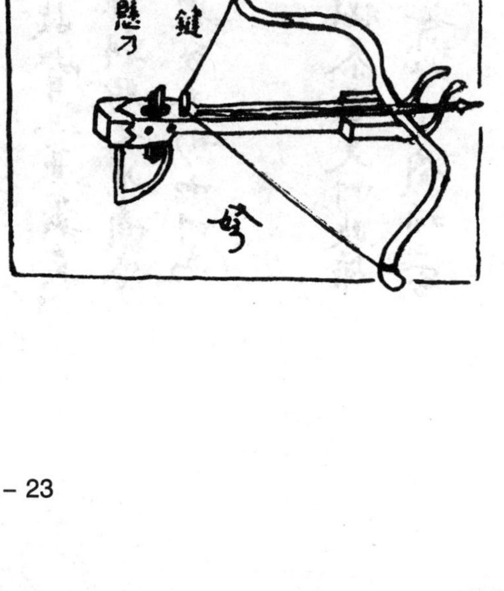

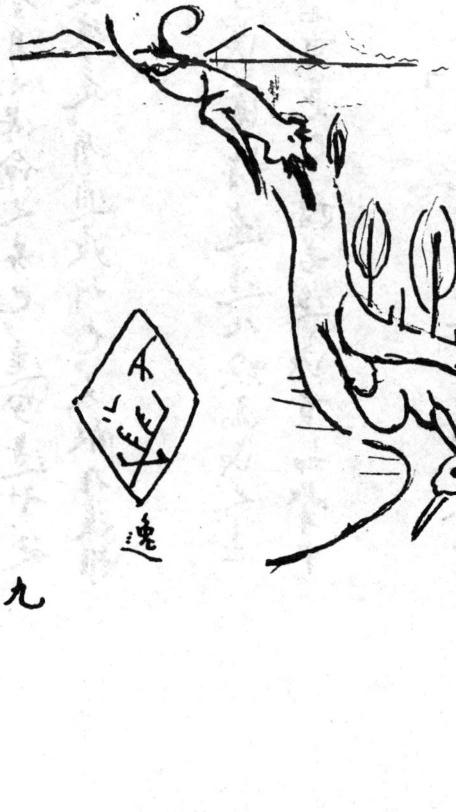

九

字造型從兔而無、尾，所以示身遭鷹犬、棄尾全身而保命之象也。逸字造型從兔从辵者，所以示豺狼追趕奮力逃生之態也。故從辵。循適疾行也。大敵在後，雖欲緩步，豈可得乎？

逸字讀音為逸，喻逸壞境也。義同于逃、遁，跡遠遁化險為夷之意也。故知逸字造形為「指事」，所謂「視而可識，察而可見也」。讀若逸、逃者，知其中亦兼義矣！

逐 [illegible]甲 [illegible]甲 [illegible]卜 [illegible]卜 [illegible]卜 [illegible]甲 [illegible]卜 [illegible] 篆

《說文》：「追也。」考逐字造型從豕，從止，或從鹿從止。或以加彳。豕與鹿，獸類也。豕、鹿之下從止，止者人之足之跡，所以示獵人跟蹤追獵之態也。此系所兼指事字也。猪鹿豐韻，故會亦兼義矣。豕者猪也，肉之肥者也。鹿者美之，美麗者也。可以供祭宴之需、朝服之用，備婚禮之儀。故猪、鹿為獵人之所樂于追逐，勢有所必然，逐字者，取鹿豕為形而訓為「追」，非偶然焉！

《漫譚逐鹿》《史記》云：「秦失其鹿，天下逐之」。史家好像把秦丟失的政權，比喻占無主的野鹿，把楚漢爭鼎，說成是獵戶之間的爭奪。齊、韓上、劉、項二家所爭奪的並不是「鹿」，而是「祿」。〈土地和〈民〉。此義可從鹿、畐、祿三字含義一脈相承之旨，獲得體會。

鹿之為獸，毛色豔麗，肉味鮮美。貴族用以充膳，〈户用為「苞苴」之獻，〈行聘〉士人以為婚禮。自商而後，易之以酒。其名曰畐。酒者穀類之產物，故畐字造形仿酒之囊与鬱鬯之同，例而訓為香酒，其義一也。賓主要饗之珍品，朝廷賞功之重禮，清廟祀神之祭品也。士以列位祭神以為榮，故曰榮祿〈今名曰「政治待遇」。殷後畐字增示而占祿。使祿字賦予了鮮明的神權色彩，而兼有農學的經濟象徵矣。《書・大禹謨》云：「四海困窮，天祿永終」意思是，假如普天下的人民都陷入饑寒交迫，最高統治者的香酒也喝不成了！在這裏經文清楚地揭示了經濟与政治相依為命的科學真理，於以見漢字的高度文化價值。

漢字的旨義傳遞舉例，略反之：

——人結婚禮品——畐——人要饗禮品——祿——人祭神禮品——〈爵位、財富〉。

一〇

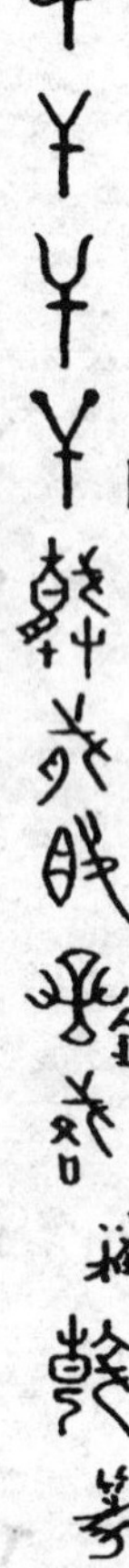

《說文》：「有枝兵也。」段注：「兵者械也。枝，木別生條也。戟爲有枝之兵，則非戈之平頭，而亦非直刃，似木枝之衺出也。」此段氏所說明，極爲重要。觀諸卜辭干干二文暨小篆干字造型特點，無論大同而小異，依段氏之意審之，自宜定爲戟字初文而無誤。竊以爲戟字《說文》之戟，从倝，从戈。倝者，日之始出光芒上冲之象。造字者用光芒直射太空的早旦太陽來比喻直立而鋒芒對空之「戟」。這一想像是以證明干的器形與戟字的造型藝術想像的統一，無疑若符契，毫釐不爽。此點光芒之爲干戟同義之鐵證。蓋戟之爲言棘也，鋒束之象也。戟者急也，格衛之意也。戟者逆也，顯揚之象，敵對之態也。此背中之義，可從《正字通》求證之。張自烈氏謂屰（古逆字）爲古戟字。云：「戟者有枝兵也。與干字同體。雙枝爲屰，單枝爲戈。隸省爲逆順字。又上戟字以別之」。張氏雖未言及屰（古逆）、屰字初文乃倒置人形。但是也科學地判斷出干、屰、戟三文的微變順序。爲我們研究干戟二文的內在連系，却提供了寶貴資料。表示如下：

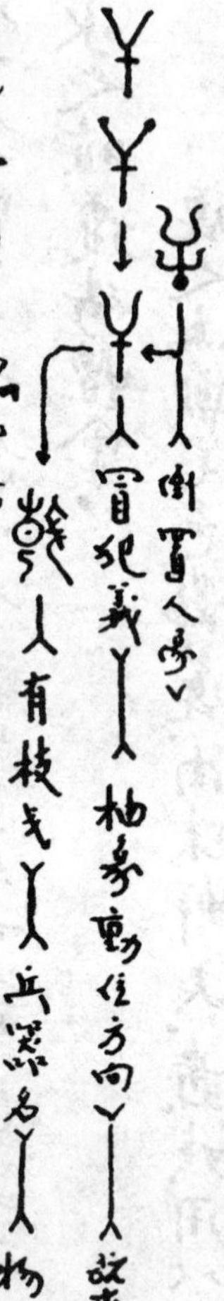

《說文》訓干爲「犯也」，仍有初意。《方言》謂：「自關而東干曰瞂，戟曰楯」，顯有未符。後世誤讀爲「乾」「甘」，實大誤也。自應以戟字爲確。

兵 ［古文字形］ 篆 ［篆形］ 古文 《說文》云：「械也。」《增韻》云：「戎器也。」《世本》云：「蚩尤以金作兵。

兵有五：一弓，二殳，三矛，四戈，五戟。」又執兵器從戎者亦曰兵。《禮曲禮》云：「死寇曰兵。」注：言能捍禦難為題所殺者，謂為兵也。

筆者按：兵字含義極廣，造型非一，各有命意。《卜辭》［字形］字，兩手舉斤《斧》之形也；古文［字形］字，雙手抱¥《戈》；逆立之人形，武裝戰士也。古文［字形］字，从功，从名，所以示為國捐軀，功成名立之烈士也。此會義字矣。

甲 ［古文字形］ 田 籀 ［字形］ 篆 《說文》云：「東方之孟，昜氣萌動，從木戴孚甲之象。太一經曰：人頭空《腔》為甲。」《正韻》云：「甲，草木之孚甲也。」《易解卦》云：「雷雨作而百果草木皆甲坼。」按以上這些解釋，或以植物種籽外殼為甲，或以人頭腦殼曰甲。顯然是據自然物象觀察而來的認識。但是我们在古文字中所遇到的甲字，都屬于作戰使用的籐簡牌，和戰士的頭盔形象。這個矛盾，假若我们拋開機械的唯物論冷靜地辯證思考一下的話，那便可以追溯到鐵盔銅盾的創造發明，是來自植物種籽和動物觸骨的摹擬，是完全可信的。不如此，您就不能理解「想學是自然科學的

上層建築物」的這一事實。大槩古人治學的習慣，最善於致力于事物發達歷史糊塗的囫圇，却往往疏略了眼前現實的理解。所謂「窮源溯本」、「撫今追昔」，這是古人基本治學精神。所以在古籍中所暴露的都屬於事物取源的「祖相」，而不涉及由這個「祖相」發身而成的現有物。這就使我們找到了字形和解釋不符的原因。

刀　《說文》云：「兵也。」徐曰：「象刀背與刃。」《釋名》云：「刀，到也。以斬伐到其所也。」《玉篇》云：「所以割也。」名書楷按：刀之為字，《說文》論其形，《釋名》言其音，《玉篇》說其用。其物一也。此金屬之刀也。上古之刀，非金屬之刀也，貝刀也。上古集體漁獵，獲獸則分而食之。分物者必有准則，故則字從貝從刀。《說文·貝部》云：「則，等畫物也。」徐曰：「取用有節，刀所以裁制之也。」刀者，切割之器也。上古之貝刀，唯一用途，厥為割肉。故割字從刀，從害。

則

割　《說文》云：「剝也。」《爾雅·釋詁》云：「割，裂也。」疏：「謂以刀裂之也。」《廣韻》云：「害也。」名書楷按：割字，初文止𠜂。從米口，從刃，從丿。米古豬字也。米象脊、尾、四肢。口象頭。中間从丿，所以示身首異處之態。此古害字也。害者傷也。《見宀部》傷害致死之義也。死後施之以刃，則屍體分割矣。指事字也。

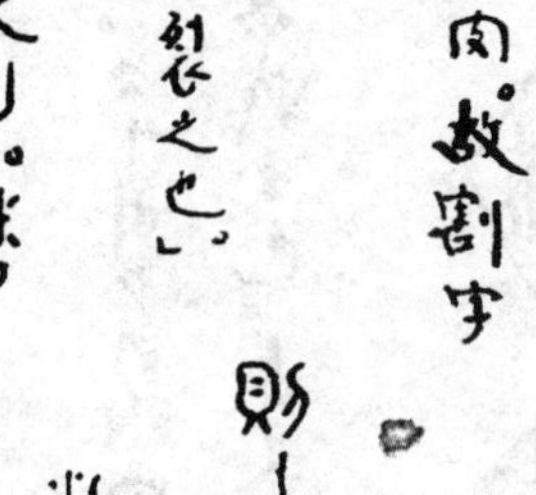

戎 [illegible]卜 [illegible]金 [illegible]籀 [illegible]篆 [illegible]古文 《說文》："戎，兵也。"段注："兵，械也。"《禮記·月令》："乃教于田獵，以習五戎。"注："五戎謂五兵：弓矢、殳、矛、戈、戟。"鄭司農云："戈、殳、戟、酋矛、夷矛。"後鄭云："此車之五兵也。步卒之五兵，則無夷矛而有弓矢。"兵之內容包括車兵、步兵、士。故戎字引伸義為卒旅……" 考戎之為文，造型非一。《卜辭》戎字皆正面而立盾戟形，皆左手執盾，右手揚戈或持矛。指事字也。金文戎字無人象，但有[illegible]、[illegible]、十[illegible]。古文戎字之[illegible]、[illegible]、[illegible]，皆甲戈之形。戈者殺敵武器，甲者禦防之器。故古謂出師上戰曰"興戎"。參軍入伍曰"從戎"。行軍動態曰"戎馬匆匆"。皆延伸義也。戎之本義應為武器。

伐 [illegible]卜 [illegible]金 [illegible]卜 [illegible]篆 《說文》："擊也。"段引《詩·召南·甘棠》："蔽芾甘棠，勿翦勿伐。"又《詩·小雅·采芑》："鉦人伐鼓。"傳曰："伐，擊也。"又《禮記·郊特牲》："二日伐鼓何居？"鄭曰："伐猶擊也。"《尚書·牧誓》："……不愆于四伐、五伐、六伐、七伐……"鄭曰："一擊一刺曰伐。"此伐字本義也。引伸之，乃為征伐。如：《周禮·夏官·大司馬》："以九伐之法正邦國。"《春秋·莊公二十九年》："凡師有鐘鼓曰伐，無曰侵。"此伐字廣義也。" 吾農考：伐之為文，《卜辭》止"[illegible]"以戈擊撲倒斜在地之人形。金

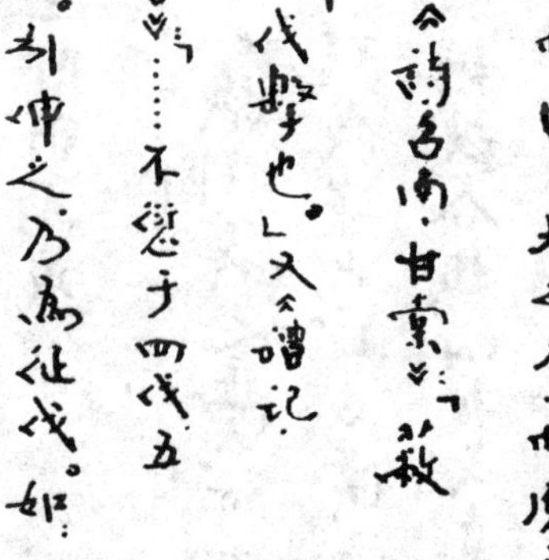

文伐止𢦔象右手執戈从背後橫向敵人之頸。皆形象字也。小篆作字遂形之難窺出初意。

戍 卜 金 籀 篆《說文》：「守邊也。」《尔雅·釋言》：「遏也。」注：「戍守所以止寇賊。」《留青日札》曰：「人坐即則為戍。人立行則為伐。」此古人據人在字中之位置高下以識字別義之據。可謂別有韻致。

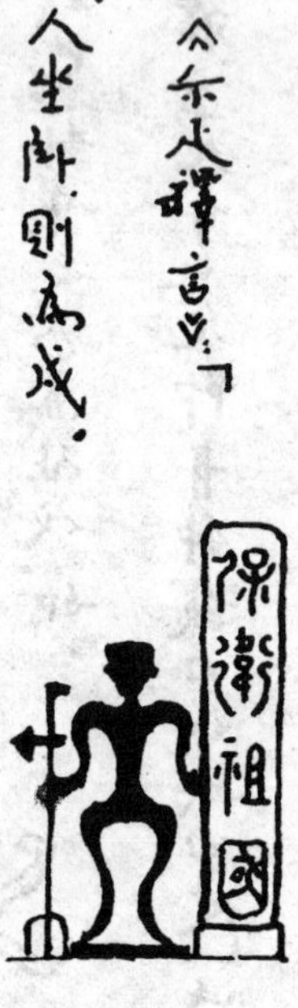

按《春秋莊八年》：「齊侯使管稱、連致父戍葵丘。」注：「戍，守也。」古漢語謂保衛邊疆曰「戍守」。這個定義同金文的字會形示意，相為合拍。此執戈直立之人像即圖防哨兵的生動寫照。雖與《留青札記》之紀述稍有出入，觀圖中有同，故知「伐」之訓「擊」者，動義詞也；「戍」字訓「守」者，靜義詞也。雖伐、戍二文同屬从人从戈，而自有動靜之分。此不可不知。未容疑形戍義也。

弗 卜 金 籀 篆《說文》：「撟也。」段注：「撟者，律之撟也。……」按，此解文妥。《正韻》：「所以撟正弓弩者。」《韻會》：「正弓弩也。」此訓極確。考《詩·秦風·小戎》：「交韔二弓，竹閉緄縢。」傳：「韔，弓室也。」「交韔

文二弓于韔中也。謂紲繩縢約也。鄭注《周禮》云：「弓檠曰柲，弛則縛于弓裏，備損傷也，以竹為之。」石叢按：鄭注所言亦未盡妥。景除上「柲」字，衍之誤也。自宜以「弗」為正字。古弗、衡同聲。後世形譌為費、發、弗、費、衡等文。此物從來至乎今常，乃兩根竹棒夾在弓側之反兩面。中間以繩索纏繞橫縻，上下兩道，其目的是為了糾正弓身變形而設。或者是出師遠行，將弓於橐鞬，負之於背，或為有所防止碰跌衝撞，出於抗挫防折的需要。从上畫中完全可以理解之。古代修理武器工匠，采用

此法，以器治弓弩之紐使變形，名曰「矯正」。《易·說卦》云：「坎為矯輮」疏云：「使曲者直為矯……」此弗字為「正弓器」之有力佐證。矯从矢，从喬，堪為顯例。

彈 [glyph]

[glyph] 彈《說文》：「行丸也。」《玉篇》同。《吳越春秋》：「彈生于古之孝子。孝子不忍見其父母為禽獸所食，故作彈以守之。」石叢按：甲骨文彈作[glyph]。[glyph]象弓。○象泥丸。[glyph]象弦。此彈字初文，象形字也。彈字讀音有二：一曰讀若譚，動義詞也。如：彈指、彈劾、彈簧是也。二曰讀若蛋。如彈丸、槍彈是矣。

戰

[glyph] [glyph] 此字見于《卜辭》。從[glyph]文觀之，似二戈

戔？

重疊，與戔字相類。《說文》云：「戔，賊也。」但[glyph]文乃二戈向背。且與[glyph]、[glyph]、[glyph]回合文。頗與執戈格鬥之態。自宜信為「戰鬥」之

[glyph]

[glyph]字為嘆。存疑可也。戰，从戈从[glyph]。此人與獸鬥之戰，即戰字初文。

我 金

《說文》：「施身自謂也。从戈禾。禾古文垂字，一曰古文殺字。」

考古文我字造型繁多，但皆屬兵器之形已無疑問。究竟出于何種動機會以「為第一人稱」咩？此則殊堪思議之課題。也許是緣于古代人類在長期武鬥中積累的經驗中認識到武器是命運的唯一可靠保證。在這一意識支配下，于是就把武器規定成為每人適用的自身代稱了。

戉 金 戉 戉 鉞 篆 《說文》：「大斧也。」《說文》引司馬法曰：「夏執玄戉，殷執白戚，周左杖黃戉，右把白旄。」不言而喻戉是王者特用的儀仗工具。皆除上述非殺伐武器，而是標志「王者」政治威儀的道具，所謂「神武而不殺」者歟!?

〈戉〉

戚 鏚 《說文》：「戚，戉也。」《詩文王世子》云：「戚小于戉」

〈王戚壺〉

後世發為「休戚」「親戚」字。

矠 《說文》：「矛屬」。《廣韻》：「音策，以手取物也」。《國語》：「矠魚鱉，以為夏槁〈薨〉」。薨是乾魚，矠是魚車」，文中假器名為動詞。

矠字義等于穿刺。此上古捕魚之證也。

矠

貫、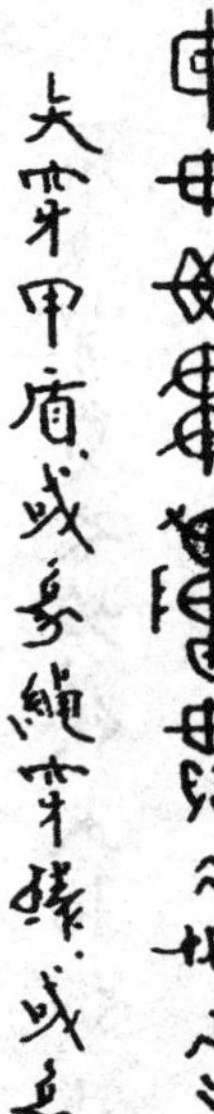《博文》：「穿也。」《五經文字》：「毌穿口音。」按：以上字形或象矢穿甲盾，或象繩穿錢，或象繒貫貝。指有穿通之義。

轒轀《說文》：「臨陣車也。」《正韻》上「衝」。《詩大疋皇矣》：「與爾臨衝，以伐崇墉」，注：「衝，衝車也。」疏：「臨者在上臨下之名。衝者從旁衝突之稱。故知二車不同。兵書有「衝車」、「臨車」之變。《墨子》有「備衝」之篇。「知「臨」、「衝」俱是車也。」是證「臨車」、「衝車」屬于兩種不同形製的軍事用車而無疑。考《墨子·公輸篇》云：「公輸盤為楚造「雲梯」之械。成，將以攻宋。雲梯之為物，以大木為床。下施六輪。上立二梯，各長二丈餘。中施轉軸。車四面以生牛皮為屏蔽。內以人推進。及城，則起飛梯于雲梯之上。以窺城中。故曰「雲梯」。（見《武經總要》）按此即《詩大疋皇矣》所謂之「臨車」其物也。

復考《淮南覽冥訓》：「大衝車」注文：「衝車者，大鐵著其轅之

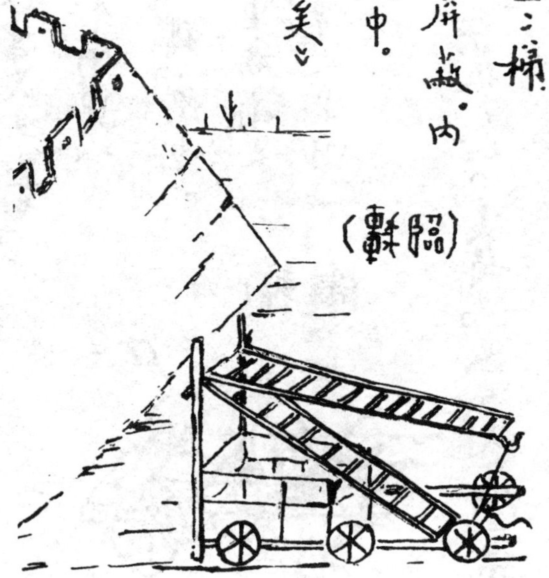

（轒臨）

之端。馬被甲，車被兵，所以衝于敵城也。《漢書·天文志》：「王莽軍至昆陽，占營百餘，圍城數重，或為『衝車』以衝城，或為『雲車』高十丈，以瞰城中。」此所謂「衝車」，即「轒轒」也。考「轒」之為字，從車從賁。賁者，衝之省文，車者運行之物也。故知「轒」即衝鋒陷陣之車的正字，可無疑矣。

（轒轒）

箙

卜　金　籀　篆

《說文》：「弩矢箙也。」《廣韻》：「盛弓矢器。」《周禮·夏官》：「中秋獻矢箙。」注：「箙，盛矢器也。」注：「箙，竹箙也。」《鄭語》：「檿弧箕箙。」注：「箙，矢房也。」

名家按：箙之為字，從服，從竹。服之為言，衣服之象也。竹者，所以示其器為竹製品也。字或從「韛」，示從韋，韋者柔皮也。故知亦有皮製之箙矣。「服」字古音讀若箙，有箙藏義、封閉義。則皆中亦兼義矣。古文等文，皆象弩矢之器，此所以皆其字也。此弩矢之器，專供武人騎戰及車戰之需，器有攀繫，以便肩後背負之功。發矢和弦，隨手可以操取。

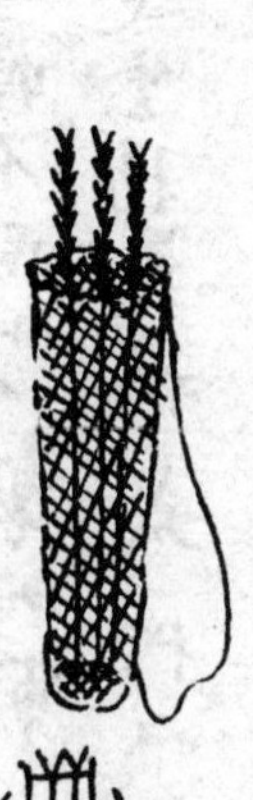

輣 𨊠 輣 △廣韻：「音服。車笭間皮篋也。」△前漢張安世傳𨊠車注：「虔𨊠笭」。△張衡西京賦：「𨊠笭重𨌥。」注：「𨊠，車制間皮篋，以戟笭者，或作輣。」△韻會：「通作箙，服。」漢書△廣韻竹部云：「箙，箱箙也。」知箙即竹製容器。字從竹從𠬝，從夾。竹其質也。象其形，夾者左右持也。故知箙是乘車旅途中懸繫在車廂兩壁內側之容器而無疑。△儀禮文：「隋方曰箙」。△禮月令：「宋篚筥」注：「隋者，似方非方，似圓非圓。」△禮器大夫樕楚形狹而長也。樕、隋、橢同義。輣字亦作𨊠，從車從玨。玨者，二玉相合之意，指定物質量辭也。古諸侯大夫賓主相見之聘問儀式之執玉為禮，其名曰「贄」。故知𨊠之為器，絕非專于為戰爭服務，△容納与贄，而且可用于服務政治之需矣。

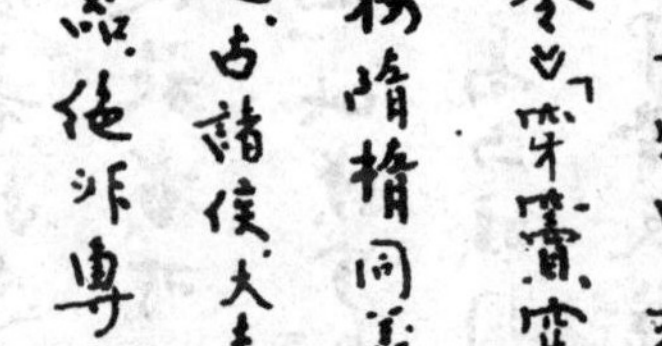

簇 甲文 金文 卜辭 石鼓 簇 籀 簇篆 从矢 古文 △白虎通曰：「簇者湊也。」集聚義，言萬物簇地而出之也。△玉篇：「矢金也。」按此乃通鏃義。△禹貢傳：「砮石中矢鏃。」乃已字。簇字形音析義：按，簇之為言束也。束者縛也。纘聚而約之以繩（束）以縛字之義，後延伸為「矢五十為一束」。詩魯頌泮水「束矢其搜」注義。△說文糸部云：

一五

「縛，束也。」甲骨文縛字作[illegible]。象雙手合細枝條之態。有叢聚之義。束、縛、族三字疊韻而意同。與《卜辭》五族字造型二矢同向並立之意并同。皆有纏聚束縛之義。

〈文五十〉

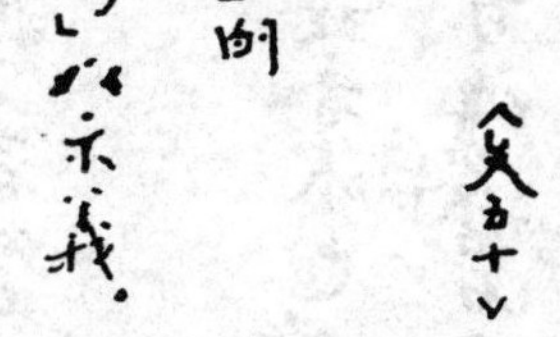

《字義發明》名曾按：簇字造型從竹，從族。

竹之為物直立于山野之地，聚集繁生之物也。《易繫》上一切動植物之繁殖無一不脫從「綿瓞引由」的這一必然的構成規律。而以竹為最著。故造字取象于「竹」以示義。

此指事兼會義字也。故知簇字從族者，所以示一母多子，子又生孫，世代繁衍，聚家為族，聚族成邑之象也。此漢字「物象人化」例。

族字從㫃者，所以示竹之高與旗同之象也。從矢者，所以彰其有箭杆之用可以為戰也。甲骨文族作「[illegible]」。字從㫃者，旗幟之象；矢者射獵之具。此上古氏族部落集體旅進獵獸活動之象形字，可與卜辭

簇

「[illegible]」《旅》字造型互參自明。古造字者把「簇」字想像為「聚族而居的竹林」。史究全可以從字形得到說明的。請繼述《白虎通》之義如次：

湊𣶒

輳𨌷

班固《白虎通》云：「簇者湊也」。竊以爲兩人譯簇爲「湊」，兼有其自然物之氣質、湊字造型從仌從奏。仌者冰紋之象，奏者「輳」之省文也。輳者車輻集於車轂之態也。故古漢語以「輻輳輪集」作爲四通八達之城市的形容辭。

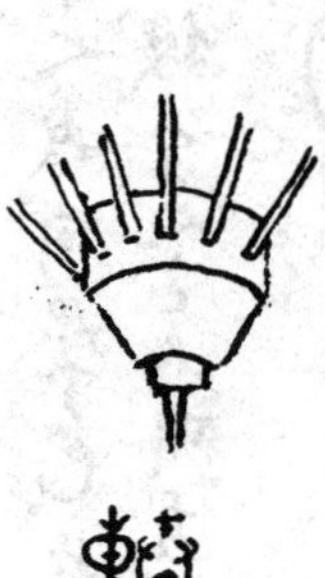

輳

是字以湊字訓簇，蓋取象於水的遇寒凝冰之跡象特徵，試舉例如下：

例一：水之盛于容器，恒靜止而平定。及其天氣變化，冷卻成冰，其變化程序，必從周圍開始。其始也，必周匝凝固，而中心猶濕，比及四周冷氣向內逐步侵襲，則中心之液態領域逐步縮小，終則周匝堅冰逐步向心壓縮之動力迫致中心液體無地堪容，而轉移方向，對空發展，使冰面核心出現丘峯。此簇訓爲湊之義例之一也。

（湊）

例二：我們在冬天清晨之際，經常看到玻璃窗壁薄冰一層，其分佈狀態，酷似花卉圖案。此室內空氣懸浮游動之水分子，遇冷而附着於冰層玻璃窗

一六

壁其始也；气聚而成水，其終也，水凝而成冰。其冰文之分佈或形似松葉或形似花

題。推其原理，纖（微細）物「結晶」體精遠規律而成。其每一圈核心，皆由微塵顆粒分

子而成。微塵分子本身，即無限多邊型之球狀體。其形成之冰粒圖

案之分佈，必然要受微塵的輻射線所支配，而形成輻射花紋。此簇訓為「湊」

之義例二也。

三、以微塵為核心而形成之六角型片狀結晶體的——雪，古名曰「縢六」。此

簇訓為「湊」之義例三也。然則簇、螓、湊三字同源，皆有叢聚之義，彰彰明矣。

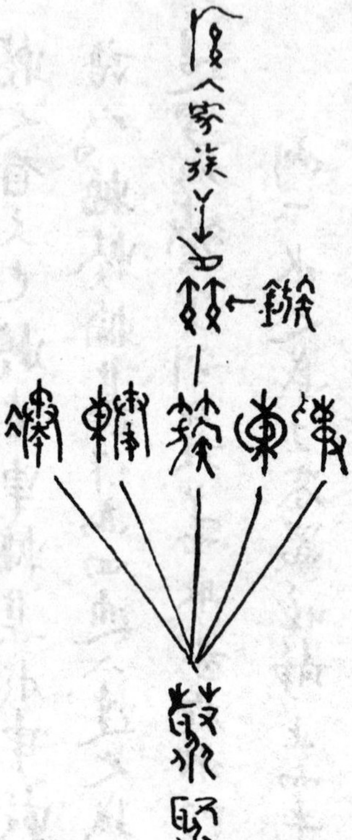

縛 象雙手縻索，束 象繩索縻

索。《詩魯頌·泮水》：「束矢其搜」，注：「矢五十

為束」。《說文》：束，縛也。訓古音束、縛、簇三

字雙聲，皆有叢聚之義，同源字也。於

語法為量詞，與「鏃」字之名詞有別。

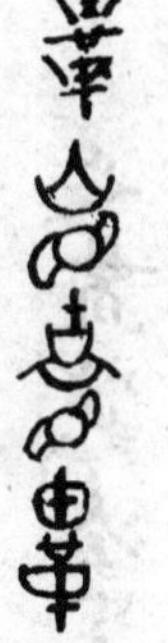《廣韻》：「兜鍪也。」即今鋼盔。

其製或以革，或以金，故鍪從金而曾從革。

戈 金 篆 《說文》：「平頭戟也。」《正義》曰：「戈，鉤孑戟也。如戟而橫，安刃，但頭不向上，為鉤兵也。直刃長八寸，橫刃長六寸，刃下接柄處長四寸，廣二寸，用以鉤害人也。」愚曰：戈之為言割也。戈之為物，殺人之器也。刃加於頸，如割雞也。此戈字之會義乎？

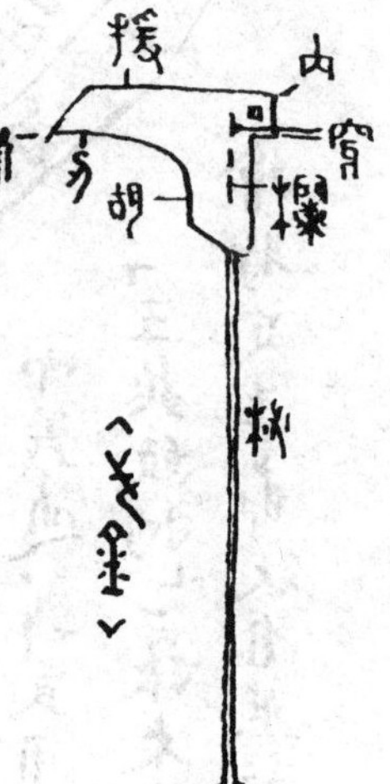

戊戉 篆 戉 鉞 《說文》：「斧也。」〈九六〉建於兵車，長二丈。象形。徐曰：鉤兵也。《詩·秦風》：「小戎俴收……厹矛鋈錞。」註：三隅矛也。

《周禮·冬官考工記·廬人》：「厹矛常〈十二尺〉又四尺〈十六尺〉，夷矛三尋〈廿四尺〉」

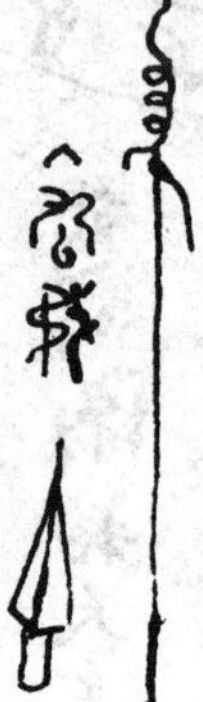

《尉繚子·武議篇》：「殺人於五十步之內者，矛戟也。」《揚子·方言》：「東吳、揚、江、淮、南楚、五湖之間謂之鍦，或謂之鋋，或謂之鏦。」看來，矛的種類非一。可以知矣！

「戉」字本來是武器名。後來被「天文曆數學」段借為「紀時辭」。

《說文》云：「戊，中宮也。象六甲五龍相拘絞也。」註：「六甲者，《漢書》：『日有六甲』是也。五龍，五行也。」《律曆志》曰：「豐楙於戊。」五龍，六甲是有其廣湖內涵的。《叢明》所謂「六甲」是指一歲週期內包括六個甲子（60×6=360日）而言的。所謂「五龍」即木、火、土、金、水。古今天文曆法把五行同三百六十五又1/4日緊密結合，將一年劃分成五等份，稱為「五氣」。按照「斗綱」旋行方向（順時針方向）順序排列。曰「一之氣厥陰風木，二之氣少陰君火，三之氣太陰濕土，四之氣陽明燥金，五之氣太陽寒水」。屬于「戊己」的節令，處于一年當中的樞節，所以把它名曰「中宮」。此時赤道以北的氣象，正當長夏高溫氣候，風雷雲電

霈雨勃興，因而草木繁茂，枝葉縱橫，形似戰爭的大戈長矛，因而古文兵器的「弗」和植物生態的「棣」，和天文紀時的「戊」叶……這一「字彙」皆音同形似而義通。許氏用「五龍絞搏」一語來描繪特定季節大自然的

光熱、電波、氣流、雷聲、江河大地的綜合動態迹象，是非常生動的。表示如次：

㷰→燚（人事業豐偉）

此於《六書》謂之「建類一首，同意相授」段借」是矣。

𤏐→燊（人植物生態）

吖吖串→（人兵器名）

伐←（人紀時辭）

盾 盾 盾《說文》：「瞂也。所以扞身蔽目。」今曰「擋箭牌」。

鎧 鋡《埤雅》：「甲介鎧也。」《孟子》：「矢人唯恐不傷人，函人唯恐傷人。」《周礼·冬官·考工記》：「函人為甲，犀甲七屬，兕甲六屬，合甲五屬。」可見這個戰鬪防護服絕不限於金屬制品，也有革質制品在內。古籍多假函字為鎧。

按函之為字，包容之義也。故欲求證函字，刱意必先從马字始。

马《說文》：「嘾也。艸木之華未發，函然，象形。」《口部》云：「嘾，含深也。」按許氏嘾马二字互训，殷含辭马，適殷例也。

蓋嘾為口唇，马象植物捲心葉柱，如螺旋錐體而無齿也

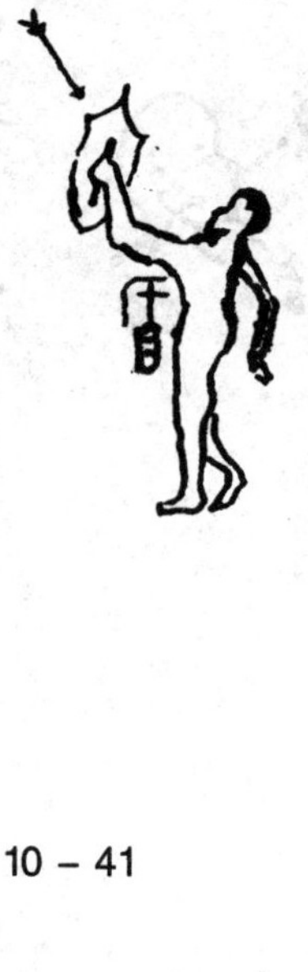

鋡

十八

含于内，故讀音為含。含者色容之象也。

𢎘 𢎘：𢎘《說文》：「艸木𢎘華貴也。」按，𢎘、𢎘二文，皆艸本於華植物之態，疑象江南芭蕉，又象瓊花。劍狀葉類之花華成長，初期皆含藏于捲心葉框之内，造字者用為含字，象形兼會意字也。

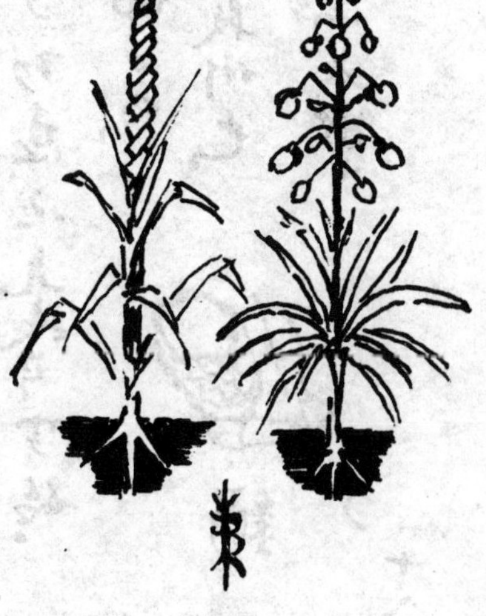

𢎘

函 函《說文》：「舌也。」注：「舌在口所以別味也。函之言含也，含于口中也（見《大疋》毛詮）。」䏿者函也。《通俗文》：「口上曰臄，口下曰函。」造字者以弓為色容義符。以〇代表口腔，以丫代表舌。以十代表舌蕾（味蕾），以表示全部味覺器官色容於口腔之內。

含 含《說文》：「嗛（腮嗛）也。」按含之為字，从口从今。口者納食之戶，今者鈐之省也。《系文釋序》疏文：「鈐，鑲也。」故字有閉口含藏義。

頷 頷《逸足》云：「頷，含也，口含物之車也。」《揚子·方言》云：「頷，頤，頜也。」

頜 頜《說文》云：「頤也。」《韻會》云：「同頷。」按：含、頷、頜三字音同形類而釋通。

椷 椷 櫝 篆　金

《說文》：「椷，篋也。」徐曰：「函櫝。」《揚子方言》：「趙魏之間，梧曰椷。」《集韻》：「函容也。」可見椷之為字，乃容器之總名，其具體萬物，或為竹篋，或為木箱，或為柳斗。其器形固無定型，彰彰明矣。後世名來往書信曰「函牘」，大都古人通信也都以竹管容納矣。否則不會有「緘櫝」之名。金文函字本為「箭囊」。點被引入函牘，則「椷」字義域之廣，可知矣！

涎 篆

《易》☷☵卦云：「地中有水，師……」後世名曰「涎洞」、「潛流」（地下河）。涎字另一含義曰「涎養」。《史記》云：「越人扁鵲，遇長桑君授以長生之術，教之飲『上池』之水（舌下腺分泌液）」此道家保健秘法。涎字從口，口腔之象，從羊，舌之省文，從卩，「味蕾」之態也。此涎字選型之「科學秘密」，殊仍唯「氣功學」家可以知之。涎字之「水」即「上池水」，涎即「上池水」通過食道下流注入「胃脘」之象。此種來自「內分泌系統」之「生化液」，含有多種維生酵素，乃人身自產之「長壽素」，故「涎」字有「涎養」義。於以見古文字之價值。

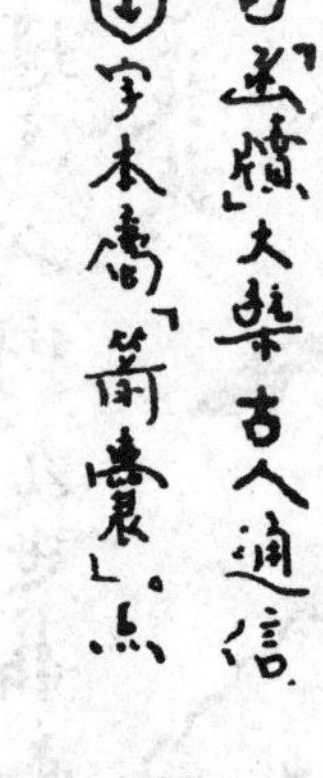

《涎養》

鼓 [金文、卜辭、金文、籀文、篆文諸字形] 金 卜 金 籀 篆

《說文》：「鼓，郭也。春分之音，萬物郭皮甲而出，故謂之鼓。」許君好從宏觀廣義之論述，如此。竊以為：鼓者，樂器之名也。《正韻》：「鼓，革音之器，伊耆氏造鼓。」看來鼓的歷史上很久矣。《玉篇》：「瓦為椌，革為面，可以擊也。」據此上古之鼓也。《周礼地官鼓人》：「掌教六鼓」注：六鼓：靁鼓八面，靈鼓六面，路鼓四面，鼖鼓、晉鼓皆兩面。夏后氏足鼓，殷人楹鼓，以柱貫中上出而樹之也。周人懸鼓，植虡而懸之也。」

《懸鼓》

《楹鼓》

《足鼓》

鼖 [古字形] 鼖 鞼

《說文》：「大鼓也。」《尔足·釋樂》：「大鼓謂之鼖。」按鼖字從鼓，從賁，之省或從革從賁。猶龜之三足者曰賁，人之勇武而高大者曰「虎賁」，其例一也。古代上戰，以賁鼓為進軍信號。《考工記·鼓人》：「以鼖鼓鼓軍事」。堪為義例。後世「鼓動」一辭實源于此。鼖鼓的聲音雄弘，能够振奮士氣，助長軍威，故曰鼖鼓。

鼜 [古字形] 鼜

《玉篇》：「守夜鼓也。」《周礼地官鼓人》：「軍旅夜鼓鼜。」疏云：「在軍警戒，急在于夜。言鼜者，永

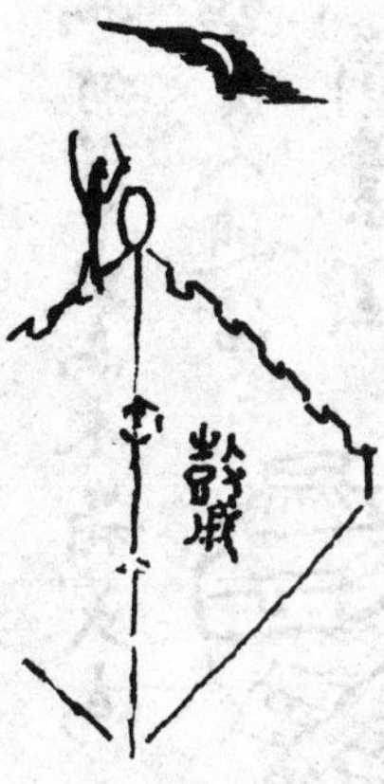

憂感飭慨懼之意。」這是為了喚醒守衛營寨的戰士不可疲倦入睡，要隨時隨地注意敵人夜襲。《說文》上鼜。

壴 𡔛 𡔛 𡔛卜 𡔛 𡔛 篆《說文》：「陳樂立而上見也。」段注：「凡樂器有虡者，豎之，其端上出可望見。如《詩》、《禮》所謂崇牙，金部所謂鎛鱗也」。「豆屮」，段注：「豆者豎也。豎立也。豆有骹而直立，故豆豎從豆。屮者上見之狀也。」

按鼓字從壴（《卜辭》亦作壴、𡔛）乃鼓之形象。從攴者，右手奉鍾之形，故知鼓字有擊鼓義。鼓則去攴而剩壴。段氏以豆骹直立釋之。證諸物理重心力學概念圖無不合。但豆之与鼓究竟是二物，故自宜釋為「趺」字為契義。古所謂「夏后氏之足鼓」，「置鼓于趺上」。趺壴聲近而意通。《廣韻》：「跏趺，大坐也。」故知壴即「足鼓」，所謂「置鼓于趺」其物也。

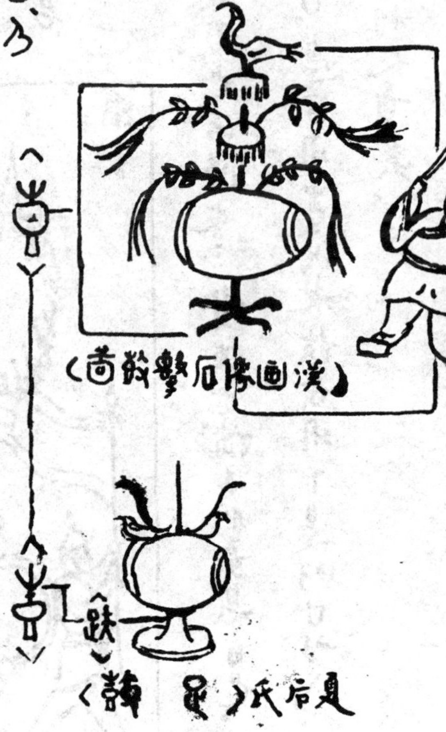

豈 𡔛 𡔛 𡔛 𡔛 𡔛卜 𡔛 𡔛 篆《說文》：「還師振旅樂也。」《心部》云：「愷，康也。」《廣

頍云：「樂也。」《小雅·魚藻》云：「豈樂飲酒」，注云：「豈本上愷」。按豈（音）字造形，實取象于戰鼓，聲變爲愷者，取「激昂慷慨」之義，象凱旋之情也。此漢字「義從聲變」例。

豈 古者戰勝凱旋歸來曰「振旅奏凱」。趾高而氣揚，口唱勝利之歌，必有鼓聲伴奏，特別是獨文豈的字，從虎，從豆（壴之省），表現了虎賁戰士一的英武雄姿，凱歌伴鼓聲喧天，響徹雲霄的氣氛。後人在音邊旋加上「忄」，以表示開明、爽朗、樂觀意識的人物性格，曰「愷悌君子」。

彭 壴彡卜 彭篆 《說文》云：「彭，鼓聲也。」壴彡字左邊之壴，鼓形也，右邊之彡，聲波也，讀者明象其音也。

喜 壴口卜 喜 喜楷 喜 《說文》云：「樂也。」從壴從口。造字用壴以表鼓音，用下邊的口形代表歌音或笑聲。故訓義爲歡樂，蓋勝利之音矣。

熹 熹卜 熹篆 《說文》云：「炙也。」此解或爲熹字本義，許氏必有所本。《廣雅·釋詁》云：「熾也。」《玉篇》云：「熱也，蒸也。」按熹字從喜從火，宜理解爲最適合的溫度，兼有光明之象。《陶淵明·歸去來辭》云：「問征夫以前路，恨晨光之熹微。」故知「熹」字有一線曙光意。

饎 饎 糦 《說文》：「酒食也。」《詩·大雅·泂酌》傳：「饎，酒食也。」此許氏所本。段云：「酒食者可喜之物也。故其字从食喜。」《商頌》：「大糦是承」，傳：「糦，黍稷也。」《方言》：「糦，熟食也。」

筆者按：諸家之解各有所偏。唯段氏之說為正常而平易。

嬉 嬉 《方言》：「戲也。」《廣韻》：「遊也。」《集韻》：「美姿貌也。」

喜

譆——熱也。又見《左傳》「或叫于宋太廟，譆譆出出」杜預注：「譆譆，熱也。」與熙相通段」今本或曰「譆」

憙——心情愉快

熹——气溫適宜

饎——好吃的飲食

嬉——美好的女容

——樂

嘉 嘉 嘉 嘉 嘉 嘉 嘉 《爾雅·釋詁》：「美也。」按：嘉之為字，從壴從加。加之為字從力從口。壴者鼓之省，口者聲也。力者气所任也。而義為美，揭示了這個聲音不僅使用了美好的辭章，而且是化出了雄大之气力高音語言。嘉獎也。

侸 侸 侸 豎 《說文·人部》云：「侸，立也。」《玉篇》云：「侸。」《廣韻》：「侸同尌。」段玉裁云：「尌豎音義同。」在這裡筆者提出鄭重聲明，必須嚴肅地劃清「鼓喜」與「豆喜」的

二一

界限。要充分認識到它們的不同的實質。此千古之謎，要揭而露之：

《發明》：蘇以為《顧野王玉篇》列舉之亻壴字異，亻壴字，初文也。字从人从壴。此壴字乃口下之壴，非鼓下之壴也。何以明之？要曰：口上之屮，植物之態也。豆下之凵，豆之足也。豆中之口，豆之腹也。至若鼓下之壴，其口上之屮，鼓之飾也。〇下之凵，鼓之足也。中部之〇，鼓也。此其間中有異，未宜魯魚，亥豕，魚目混珠。此甚于有白馬、白玉、白人之辨，匪人之認識孔子為陽虎也。能不致分析現象與實質，即同中之異，和異中之同，是區別聖智與下愚的鴻溝。口壴之壴，徒屮徙口。艸居豆中上見於外之象也。豆者祭器之名，屮古生字，植物之象也。其名曰菹。菹居豆中，是為「菹豆」。《論語》：「衛靈公問陣于孔子。對曰：菹豆之事，則嘗聞之矣……」以言祭祀之禮也。故知屮「居豆中上壴」，屮「在野外曰艸」，與粢在野曰黍稷，及在器上鼎同例。此造字原則也。菹之為物，內涵廣，有動物之「俎」。牛曰太牢，羊豕曰少牢是也。植物之「菹」，蘋蘩和藻之類是也。何以知之？舉例如下：

《詩召南采蘩》：「于以采蘩？于沼于沚。于以用之？公侯之事。」《采蘋章》云：「于以采蘋，南澗之濱。于以采藻？于彼行潦……于以奠之？宗室牖下。誰其尸之？有齊季女」。此皆古代

《蘩豆》……

祭祀豆中盛酒之「意相」說明，但酒類所盛祖物品種非一，無法在字形中作細微區

□別，只好以豆字作象徵性之顯示。甲骨文盛字造型作「□」，或作□。《集韻》作

□「□」，《說文》作「□」，訓曰：「酒也」。甲骨酒字造型作□，象左手承酒之態。□

文的酒字造型作□、□，這一系列文字造型，無不忠實地反映出豆中盛酒的直

觀景象。皆為余對豆字作出的論點提供了有力依據。故愚曰豆之為語定義靜

辭也。豆，酒盛於地曰□，猶酒樽之盛于地而曰□（尊），其義一也。許氏訓作曰「豆」是非常

科學的。但是豆字含義並不止此。□之另一義為「短小」。古文豆字作「□」，上象豆腹，下

象豆足。又名曰「校」。《禮記·祭統》云：「夫人薦豆執校」。《類篇》云：「豆中央直者

為校」。校之高度，只限於容接手掌樣，廣之握持。其短可知。

吾鄉民間諺語，村姑娘諷識男子身材短小者曰「一把攥，肩的胸光

不冒」。此歷史文化語言堪作考古化石。古籍稱童子曰「豎子」，稱宮

庭小臣曰「官豎」，謂少能寡才之人曰「豎子不足與謀」。皆貶義

辭也。此漢字物像人化之例。

□ □ 世人對豆字的血統淵源之困惑不明也久矣，在我們常見的傳統字典注

釋中，幾乎千篇一律都采用了許君的「陳樂立而上見」的壴字定為豆字的前身。晚近出版的《甲骨文編》也毫不例外。足證歷史傳統習慣，勢力之強大無比矣。獨時賢康殷甚睿卓識，敢于大膽向世為音字翻案，其革新精神堪為後學楷模。但是追根結底，還是以「陳樂立而上見」的「壴」字為造宥，令人感到仍有未能擺脫前人窠臼之嫌。關鍵在于未能識別壴字究為革鼓，或是陶器。辨之如下：

戲

在《文字源流淺說》中，有關戲字的研究，凡兩見。一致認為音字來源于《金文》戲字之形體而生。但其論點局限於對壴、戈二文的說解，而不及其餘。特別是對「虍」的含義，獨付闕如。令人難于成為信讞。非一日矣。幾經寒暑，筆者終于在《說文》同嚮望已久的虛字偶結邂逅之緣。尋繹再三，喜不自勝。謹不揣冒昧，略抒管窺，就教於海內方家：

虛

考《說文》云：「虛，古陶器也。」復考《廣雅》訓：「虛音許羈切」。又考《集韻》注云：「虛，虛宜切，音戲」。尤其值得一提的即《六書正譌》之說：「於戲之戲從此」，堪稱一針見血。正為古漢語感歎辭「嗚呼」，古籍上「於戲」皆通例也。

虛

筆者於是始悟到《金文》戲字的原始結構配件的拼裝任序格局應該是會爲屬于戲左右並列。而不宜理解爲戈豈上下重疊。因爲這樣看法的結果會把戈字從壴中排斥出去而与之爲伍。導致壴的自然形體破壞而陷于無法弄出說明端緒。示意如下：

戈豈 ×　戲 ✓　戲 ✓

1.《發明》稿以爲秦篆戲字造型示意是表現戈擊鬥器之象。而

2.《金文》戲字造型示意則反映了鬥器已遭擊破之態。

3. 豈之爲文，則是壴已經損失了紐蓋之後的殘賸象徵。

4. 豈象器腹漏洞穿孔。

5. 豈以豆道殘餘。大好鬥器至此雖欲修復，其勢已有所不能。故豈字後世認變爲豈而發爲「否定義語」矣。然豈上之㠯仍保留着殘餘豆道傾瀉之遺意。此豈字遠源于鬳之軌迹，固歷歷可數。也許是不容懷疑的吧！這就可以看出豈字絕非破鼓之形，可斷言矣！

6. 關于《說文》書之說以「於戲之戲從此」之說也是具有客觀歷史背景

二三

可尋的。豊之為器，形製高麗而莊嚴，必是宗廟祭享之器。一旦被戎擊毀，就令人念味着一場翻天覆地的戰亂烽煙，清廟淪為廢墟，神器化為灰燼的悲慘局面。故豈之為言歎也，吁歎慨嘆之聲也。「於戲」一辭在古文中是「嗚虖」二字的古寫，愛讀古文者皆能知之。正如宗周大夫過故宗廟遺址，觸景生悲，詠出了〈黍離〉之篇。云：「彼黍離離，彼稷之苗，行邁靡靡，中心搖搖。知我者謂我心憂，不知我者謂我何求？悠悠蒼天，此何人哉！」（錄自王風）「豈歎」二字，正反映了這一歷史背景中士大夫階層的弔古傷時的淒愴感嘆！（附豈字在古漢語中的應用舉例：

豈

- 詩召南行露云：「豈不夙夜？謂行多露」。
- 尚書五子之歌云：「怨豈在明？不見是圖」
- 小雅出車云：「豈不懷歸？畏此簡書」。
- 論語云：「文王我師也，周公豈欺我哉！」
- 魯論云：「吾豈匏瓜也哉！焉能繫而不食？」
- 詩鄭風將仲子云：「豈敢愛之？畏我父母。」

然則豈字形、音、義，畢同，遠溯源于「豊」而非導源于「壴」（鼓樹）彰彰明矣。

「凱」、「愷」各有淵源。凱从鼓音，而豈祭器，未容混淆也。

醜 醜卜 醜金 醜篆 醜 〈說文〉：「可惡也」。按醜字含義極廣，非本文所能備述。因本著目的在于研究文字，故只就字論字，而不及其餘。

一、醜，此甲骨文醜字。從酉，從鬼。與今醜字同。酉是酒罈之象，鬼是跪地人形。事實上是一名奴隶。酉象酒從罈口噴出之象。先秦時代，貴族階層設宴饗客使用的服務人員，都屬于奴隶階層身份，被社會呼之為「醜類」。男子犯罪，被沒入「官奴」名曰「僮」，女子犯罪，被沒入官奴

者名曰婢。甲骨文童、婢二字頭上都有卩形符號的人形，都屬于犯罪份子。〈說見刑辭篇〉。戰爭中俘虜的戰犯家屬，名曰「媄」。甲骨文媄，象頭髮被人雙手揪住，兩臂被縛。在〈周禮·天官〉領導下的「酒人」機構中〈釀酒㿝〉就包括「奄人」〈宦刑〉十名，「女酒」〈女罪犯〉三十名，媄三百名。這些都屬于奴隶階層身份下賤，處于政治體制之下從事勞動。他們經常同酒打交道，受盡凌辱。造字者把他們寫上「酒鬼」。讀音為醜。許慎把他們說是「可惡」。也就看出他們的政治地位了。奴隶的來源渠道有二。一是觸刑律的犯罪份子；二是從戰場擄到的俘虜。這可從下邊就要提到的醜字得到說明。

二、□此字左上角之□是滴從嘴口吐出之舌，□是戎滴嘴的筐。特別是右側跪地人形的頭部，已出地表現了「西戎」民族部落的人物形像特徵。他們生長在青海廣大高原邊，游牧為生，古名「西戎」。他們至今還保存着古代的髮型。《康熙字典》云：「戎人身有三角。」《正字通》云：「西戎，其類有六：蠻夷、戎夷、老白、耆羌、鼻息、天剛。不剃戎人身有三角者。」張自烈氏對「角」字的含義顯然有所誤解。考《禮內則》有文：「剪髮為鬌，男角女羈。」注：「夾囟曰角，午達曰羈。三鬌也。」按《內則》之解與古篆□字造型吻合，究若符契。故知金文□字即西戎戰俘降為奴隸服賤役之夢于南周王室者，可從文獻實證其是。《詩小雅·出車》云：「赫赫南仲，薄伐西戎……執訊獲醜，薄言還歸。」先秦時代，西戎常為邊患。殷墟文字「戎」字也□。象戰士左手舉盾，又手執戈之態。這不僅揭示了西戎地望當于「四戰之地」的自然環境，而且也證實了□字造型確屬西戎人物形像的寫照可信性。同時更使吾人悟出西□國名命名取意之故。皆從文字得之。

然則「□」類，即戰爭俘虜，作為奴隸，奉滴供茶身執賤役之人矣。

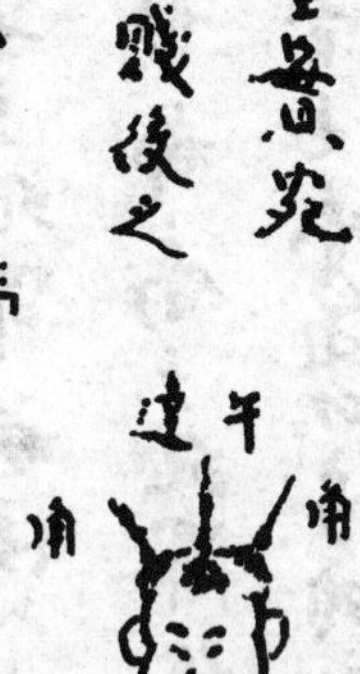

《戎人有三角》

侵 ⿰牛帚卜 ⿰亻帚金 侵等

《說文》云：「侵，漸進也。」按，許君以「慢慢地滲透」之義為訓，施之于「侵」字最宜，施之「侵」字，未見其有當也。說明之於下：

〈證明〉：考《穀梁傳．隱五年》云：「……苞人民，毆牛馬，曰侵。」按，苞之為言包也，字從艸從包。「苞苴」之義也。古者以白茅裹魚肉，上饋贈禮品，名曰「苞苴」。經文以「物象人化」義表示之：武夫把掠獲的俘虜，驅趕回國，上為對國君的獻禮，上為「評功」要賞之資。故⿰亻帚字從人，從帚〈帚〉。

又按，毆之為義，毆〈驅〉也。經文假毆為毆，所以示舉支毆擊，強迫之使之順從也。牛馬不諳人語，必以支擊之而後行。故⿰牛帚字從牛從支。支亦古帚字。帚字從手執帚，帚除之意，所以示侵略戰爭暴掠之殘如帚之掃地也。今軍事術語猶有「掃蕩戰」一辭，歷史語言也。

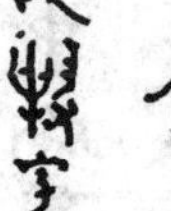

「苞人民，驅牛馬，曰侵」的定義，不僅見於經典，也見於諸子百家。

《淮南．本經訓》云：「……晚世務廣地侵壤，并兼無已。舉不義之兵，伐無罪之國，殺不辜之民，絕先聖之後。大國出攻，小國城守。驅人之牛馬，傒人之子女。……以澹貪主之慾。」侵略者不但搶走牛給他耕田稼穡，還要搶走人家的男女，給他當奴隸〈僕、婢、僕〉

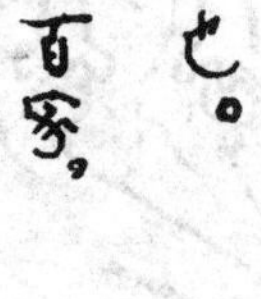

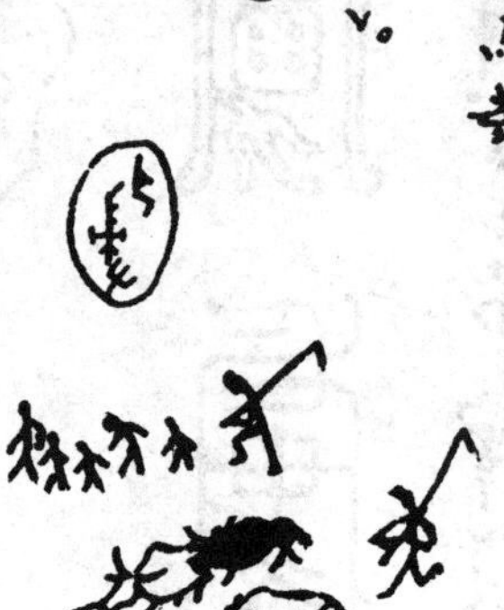

是男的象，孃是女的象，說詩刑四計》、《淮南子》、《殷契》、《敦煌文字》的遺型，不悉三者竟不約而同。可見東方文化百脈同宗千古一轍。諸博士好用歐座的解剖刀來研究中土的上古字，永久是找不到大門的。

虜虜《韻會》：「古書掠也」。《漢書》：「晉灼曰：生得曰虜，斬首曰獲」。《六書正譌》曰：「生得者則以繩索貫而拘之，故字從毌從力，俗從男，非。」此解極佳，不負《正譌》之名。下邊的種裔是我的回憶與。這就是我童年時見到的白俄戰俘。至今記憶猶新。他們本來都是威武雄姿的「虎男」，一旦鼻中腸貫，通上一根細鐵絲，就成爲俘「虜」了。故知「虜」亦「會意字也。其要則標誌全在田毌之辨。

鐸鐸《說文》：「大鐸也」。《軍灋》：「五人爲伍，五伍爲兩，兩司馬執鐸。」《玉篇》：「鐸所以宣教令也」。《釋名》：「鐸，度也」。《書·胤征》：「遒人以木鐸徇于路」。疏：「木鐸，金鈴木舌，所以振文教。」《周禮·天官·小宰》：「徇以木鐸」。注：「古者將有新令，必奮木鐸以警眾。木鐸，木舌也。文事奮木鐸」。

木者，東方之行，於時爲春，萬物生發之象也。故木鐸以宣教，所以通君民上下之情也。金者，西方之行，於時爲秋，萬物肅殺之象也。故金鐸以立威，所以用于戰爭殺敵也。

「武事奮金鐸。」《周礼·地官·封人》：「以金鐸通鼓」。所以壯軍威也。

筆者以為「木鐸宣教，金鐸宣威」這一想學思想淵源「五行」概念，五行概念是《河圖》《洛書》的產物。而河圖、洛書文与古天文、地輿知識攸關。故知東方文化自有他的自然科學背景。上至《周易》下及《周礼》旁及《月令》諸子百家之說，無一不是以「五行」學說上指導核心。雖然受到種種干擾，但本質終究還是本質。

克

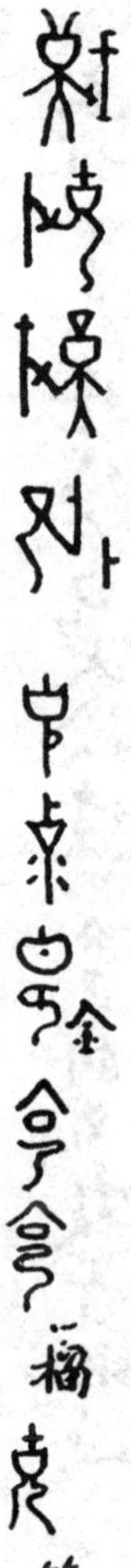

《說文》：「肩也。象屋下刻木之形。」許氏訓詁好上抽象之義，而後世金文「克」字造型又詭變百出。今人莫測。據筆者察之，唯有《公羊傳》之解与甲骨文「克」字造型為能咏得一致。據《公羊傳·隱元年》：「夏五月，鄭伯克段于鄢。克之者何？殺之也。……」《公羊傳》作者名高，公羊其姓氏也。乃孔門弟子夏門徒。生人時代距殷商千餘年之後。但他對經典文字所下的定義也能与殷商文字造型完全合拍。足証東方文化千古一系之迹。雖然，殺上有不容任意捏造者焉！下面例舉的甲骨文克字分明是一名手舉兵器頭戴甲冑的戰士。您怎會不知道他在准備殺伐呢？這是一個「指事字」。

〈殺〉

下邊朿、屮二文都像對物簿的克制。与前邊的戰爭殺伐的𢦏、

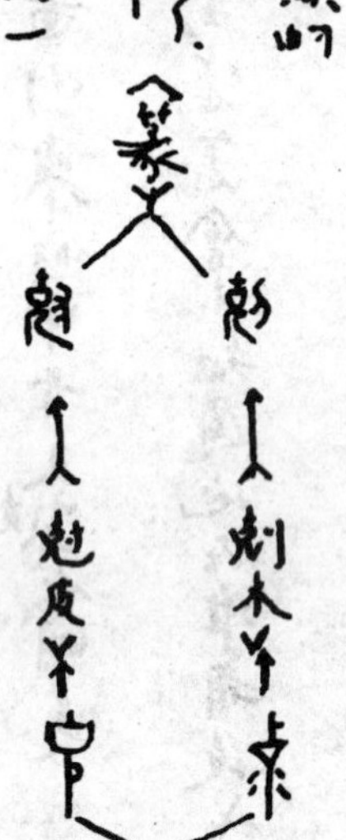

同源而異派。《文書》所謂「建類一首同義相授，是曰轉注者也。」皆以攻破為意。

殺伐人〈人形〉

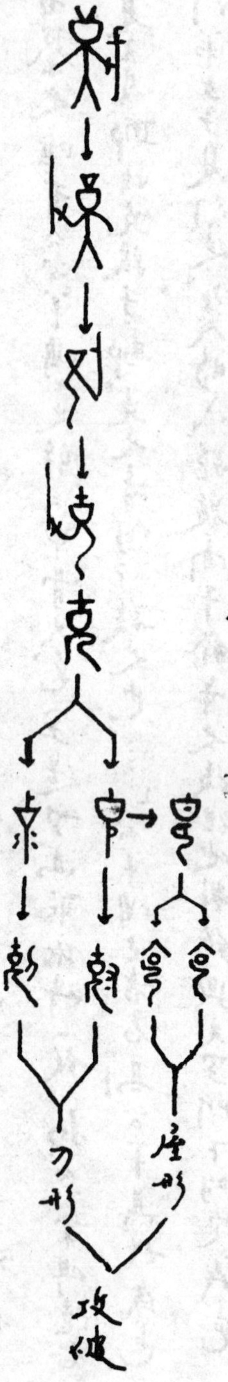

敹

甲 金 敹 篆

《說文》：「擇也」語義未明。《玉篇》：「簡也。」〈古簡、檢通〉。古謂「簡車馬利甲兵」，現代名曰「大檢修」。《正韻》：「敹，音聊。」

考《尚書·費誓》：「善敹乃甲冑」傳：「言當善簡汝甲冑」，疏：「敹謂穿徹之。謂甲繩有斷絕，當使敹理穿治之。」筆者按：敹字從宀、米、攴。宀者縢之媮。十

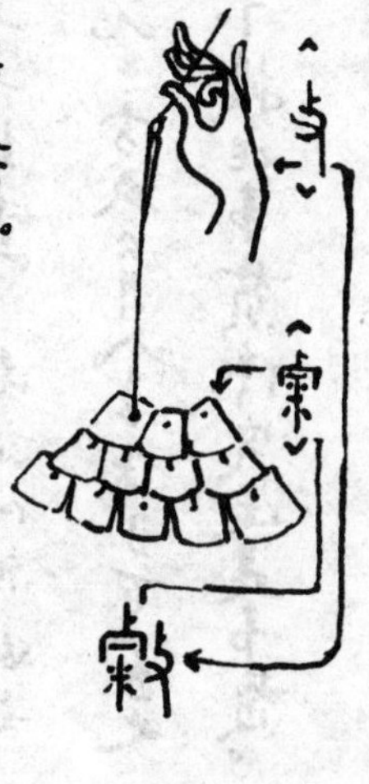

貴所以示片甲文理縱橫交錯之象也。丷者乱洞羅列之態也。攴者右手操針

紉線從事縫連補綴，操上活動也。鄉民衣服破裂，將針線而補縫之。曰「縫上兩針」，亦歷史文化語言也。

橐

橐 橐 《說文》：「車上大橐」。杜預曰：「橐，韜也。弓衣也。甲衣也。又受箭器也。」《春秋昭元年》：「伍舉請垂橐而入。」注：「示無弓。橐，弓衣也。」《左傳僖二十三年》：「晉文公對楚子曰：『若以君之靈，得反晉國，晉楚治兵，遇于中原，其避君三舍。若不獲命，其左執鞭弭，右屬櫜鞬，以與君周旋。』」注：「櫜以受箭，鞬以受弓。」謹按橐之爲字，從東從缶。東者囊之象，缶即古匋，容納之義也。許君訓曰：「車上大橐」，可知其物亦韝之類矣。惟革與竹之異耳！

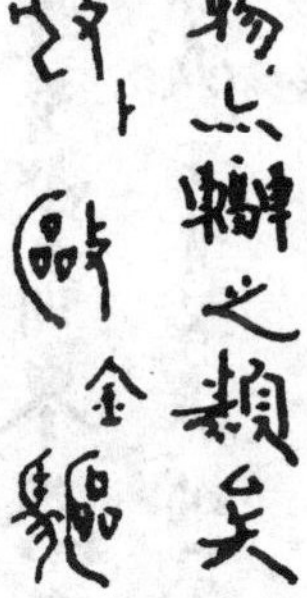

敺驅

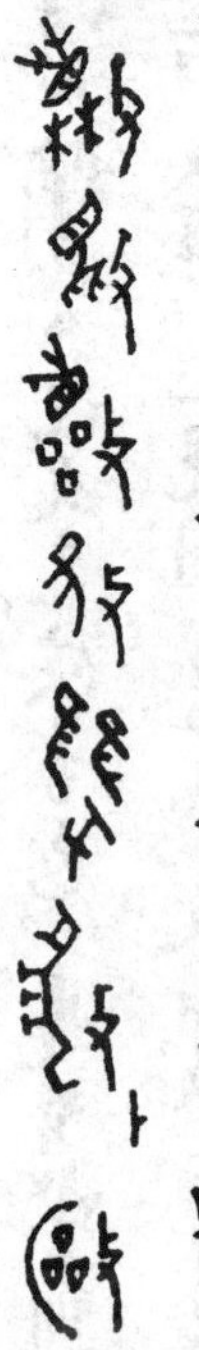

以上六個象形文字，出現于《甲骨文彙編》。其唯一共同象徵，皆是不同種類的四足獸形。遭到背後右手執∧的追趕。分明揭示出這些被追逐的動物並非家畜，而是野獸。可從字形得之。《說文·馬部》云：「敺，驅馬也。古文驅。」這一訓示顯然未能得到敺字真義。許君訓「驅」爲「驅馬」，則可。訓「敺」字爲驅馬，則顯然未盡其義。蓋

二七

敺之為字，實動詞也。非將定專用動詞也。《周禮·夏官·方相氏》：「索室以敺疫」。鬼之為物，非獸也。而名之曰「敺」。又按《孟子·離婁篇》：「為淵敺魚者獺也；為叢敺爵者鸇也。為湯武敺民者，桀與紂也。」魚、爵與民，皆非獸類，而經籍皆以「敺」名之。固知敺之為字乃廣義動詞，非專施之於獸也，彰彰明矣。綜此足證《甲骨文》中從攴、從由戈、從殳、從[illegible]諸文，咸宜定為敺逐野獸之「敺」字可斷言矣。

烽

[illegible] 㶿《說文》：「候表也。邊有警則舉火。」《人部·候字下》：「司望也。」段注：「凡覷伺皆曰候。」故知「候」實有等候、伺察、監視義。

烽之為字，從火，從夆。火者，燃燒之意，夆者峯之省，高而直立之象，此指事字也。古者邊防之地設置「烽火臺」，以備非常之患，所以為報警信號也。俗名「狼煙墩」。蓋以狼糞為燃料，雖以柴火而得名。其煙霧直線上升，遠望百里，使內地見之，早防敵準備也。《史記·司馬相如傳》：「烽舉燧燔」。注：「《索隱》曰：《纂要》云：烽見敵則舉，燧有難則焚。烽主晝，燧主夜。」《史記·魏公子傳》：「公子與魏王博，而北境傳舉烽……」《集解》引《文穎》曰：「作高木櫓，櫓上上桔槔。桔槔頭兜零，以薪置其中，謂之「烽」。常低之，有寇即火然舉之以相告」。

櫓 櫓《玉篇》：「城上守禦望樓」。《釋名》

《釋名》：「櫓，露也，露上無覆屋也。」《說文》訓「櫓，大盾也」，此另一義。

轈 轈《說文》：「兵高車加巢以望敵也。」《左傳成十六年》：「楚子登轈車以望晉軍。」轈字從車從巢，所以示巢之建於車上也。巢從木，從臼，從巛，巛象鳥形，臼象其居，木象其樹。造轈車者取象於鳥巢，造出瞭望塔而建於兵車之上，可以隨時移動以偵察敵情。

此象形兼指事字也。

武《玉篇》：「武，建也，威也，斷也。」《汲冢周書》曰：「剛彊直理曰武。威彊睿德曰武。克定禍亂曰武。刑民克服曰武。夸志日窮曰武」。按《汲冢周書》所云多屬《諡法》之義，非說字之書。考《春秋宣十二年》：「……楚子曰：于文止戈為武。」可見文字之學絕非始於漢代，縱來尚矣。此即《說文·六書》所謂「比類合誼，以見指撝，是曰會意。武信是也」之所本矣。所謂「止戈為武」，即：「以保衛和平的武裝力量來鎮服暴行的武裝」。此武字

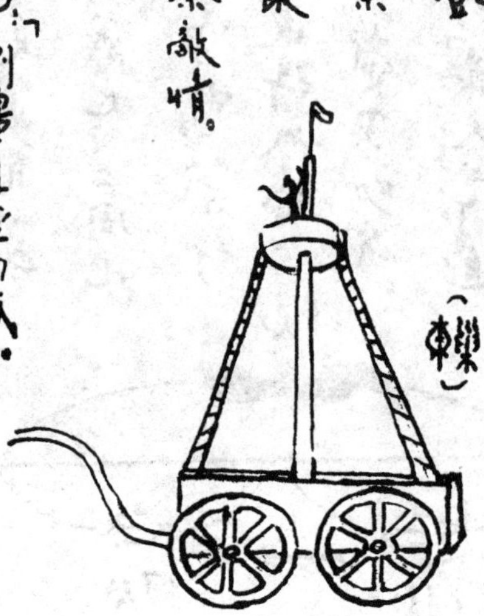

二八

的「昇華義」非「武」字原始義也。《說文止部》：「履帝武敏歆」，注云：「武，跡」。按跡之爲物，足之所止而成。故跡之爲文，從亦從足。所以示跡之形象亦足之態也。《現代名曰腳板》此指事字也。跡字讀音，足止合聲也。所以言足之與止，其形同也。古文止作屮，其義皆也。俗名「腳印兒」是矣。然則跡之象足，足之同止一義，貫通彰明矣。

武衛

從衛止甲骨文有從，從止之文，造型從行、從戈、從止。行者通衢之象，戈者兵器之形。止者足跡之態也。古者六尺爲步，半步爲武，故知武長三尺。步有二武，二武六尺，六尺爲步。故古文步字從二屮。然則武字從「止」，何義也？《周禮考工記》云：「戈柲六尺」，所以示步之長也。古漢語步、武二字合爲一辭，以示行軍列隊，行伍有序，步調嚴整之態。其義可從文獻語例求得證驗。《周語》有云：「夫目之察度也，不過步武尺寸之間。」然則「步」字初義宜訓「足跡」，從屮字應視爲「屮屮」與「步屮」兩箇不同長度的「最大公約值」已證據確鑿而無疑。二字固同中有異，雖乎自然生態所決定，左右兩足在行路中有不可分離的關係。因而屮屮、步屮二字就成了漢語中的雙聲聯綿詞。後世爲行而從屮廢，已爲世俗所不識。今民間諺語仍有「一步三个腳印兒」之說，當先秦文化語言之遺存也。

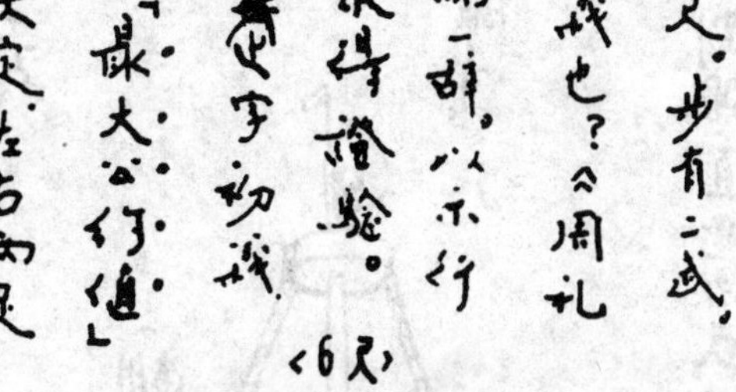

〈一步三腳印〉

⿴行戈

⿴行卝⿴行戈字《說文》不見。見于《卜辭》。造形是從戈從行。與人部「伐」字結構形似而異義。以義類求之，當為伐之同源字。《說文》訓：「伐，擊也。」⿴行戈亦從戈，自亦同具擊意。⿴行戈從戈從行。行者前進之象。戈有殺伐之用。此指事會意字也。《尚書·牧誓》云：「今日之事，不⿴行戈于六步七步，乃止齊焉！不⿴行戈于四伐五伐，乃止齊焉！夫子勖哉！！」意思為：「這是決定勝敗的關鍵時機，要爭分奪秒，寸土不讓。所謂六步七步，是空間義，所謂四伐五伐，是時間義。故知足行曰步，手刺曰伐。⿴行戈字兼備足行手刺之象。此複合動態辭也。今世仍存「步伐整齊」成語，蓋歷史語言也。自應以⿴行卝為初文，後世伐行而⿴行戈廢矣。亦猶「步⿴行戈」廢而「步武」行，其例同矣。所謂『不⿴行戈于四伐五伐，不⿴行戈于六步七步，乃止齊焉』，也就是說：『決定戰爭勝敗的關鍵，取多不超過手刺四至五次，足行六至七步的進度，也就解決問題了！』然則七步的行程，四十二尺也。五⿴行戈的平均進度，八尺一刺也。手長十二尺，則對距離八尺乃白刃交加之現場，昭然無疑矣。適過五次交兵，四十步的進退五攻，則生死存亡，勝負之勢，大致決矣。

〈五伐七步示意圖〉

燧

𤏙《說文》：「塞上亭，守烽火者也。」段註：「謂邊塞之上守望烽火之亭。故其字从𨺅，在阸隘之間也」。復考《說文》火部云：「烽燧，候表也。」段引李康曰：「烽如覆米䉛，懸著桔槔頭，有寇則舉之；燧積薪，有寇則燔然之也。」裴駰、顏師古取其說。張揖曰：「晝舉烽，夜燔燧。」

筆者按：「烽」之與「燧」，同是軍事警報信號。其不同之點，在于一則用于白晝，一則施于夜間。其原因是烽之為物，在于生煙；燧之特點，在于燃火發光。緣于白晝太陽當空，人目不見火光，故必以煙霧繚遶天空之法提供觀察目標。反之，若黑夜之間，雖有煙霧繚繞天空，然而目不能見，故必采用火光以提供觀察目標。故知「烽火」乃半燃燒物也；「𤏙火」乃完全燃燒物也。一則在于「生煙」，一則在于「發光」。故「烽」施于白晝，而「燧」施于夜晚。物理不同，各有攸宜。統以「視覺效應」為依皈。故不能着眼于「光學效應，因場境不同而異」的可變規律，則無以理解古文字之奧、賾。古人深解光速高于音速的科學物理，故采用以目代耳呼喚形式。蓋軍事危機，急不容緩，邊山路遠，人聲難于呼應。尤其是對于晝與黑夜，采取了鮮明對比的不同措施，以達到顯象功能，足見富有「光學」和「色彩」原理選擇運用技巧的。古代文字是一座知識寶庫，可惜已被那些「數典忘祖」者所不屑一顧了！

𤏙

彀彀〈說文〉：「張弩也。」〈孟子〉：「羿之教人射，必至于彀。學者亦必至于彀。」〈意思是：教射者一定要把弓拉滿，學射者也必須把弓拉滿。〉又云：「大匠不為拙工改廢繩墨，羿不為拙射變其彀率。」〈縱然遇不到高才的學生，但是認真負責的教師也決不會為了遷就低能蠢才的學生而輕易放棄自己教學業務中的「高標準，嚴要求」的教學原則。〉

〈闡述〉：按彀字造型，從㱿，從弓。弓者，所以繫弦也。弦者，所以發矢也。故引力強則弦伸而弓屈；引力失則弦縮而弓伸。此勢之所必然也。故弓弦之間時開張，與心引力成正比；與負引力成反比。故知古射術所謂「彀率」，即弓弦之間的漲縮指數而無疑。彀之為言夠也。足夠之意也。字從㱿者，所以示弓弦之間之容積，呈橢圓狀態，如鳥之卵殼也。此形聲兼指事字也。

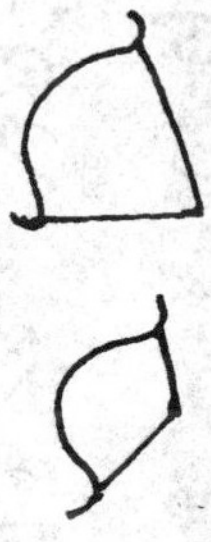
〈高彀率〉〈低彀率〉

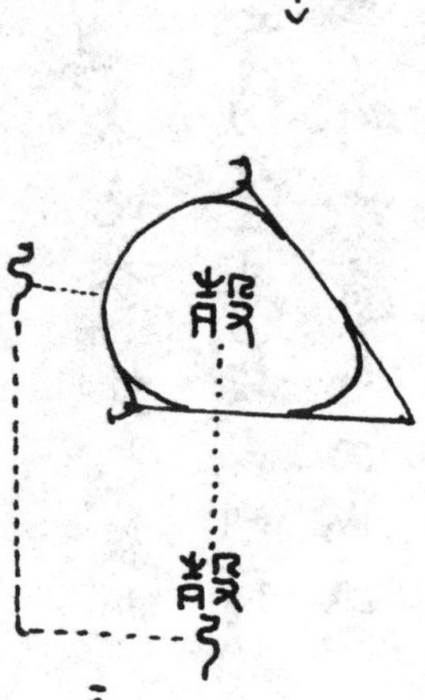

馬 [甲骨文字形] 卜 [字形] 金 [字形] 篆

《說文》：「怒也。武也。象馬頭髦尾四足之形。」古代以馬為軍事、農業、運輸之得力工具。故馬的種類亦因用途不同而異。《周礼》把馬分為六種，有：種馬、戎馬、齊馬、道馬、田馬、駑馬。並且設有專職的「馬醫」名曰「巫馬」。歷史上著名的伯樂，就是一位相馬專家。有關馬的知識廣泛已極，非本文所能備述。許君僅就戎馬及馬字造型而已。

馭御 [字形] 金 [字形] 篆 [字形] 卜 [字形] 金 [字形]

御 [字形] 篆

《說文》：「御，使馬也。」徐鍇曰：「卸，解車馬也。从彳，从卸，皆御者之事。」復考《周禮．夏官．馭夫》：「掌馭貳車、从車、使車，分公馬而駕治之」。又《夏官大馭》：「掌馭玉路以祀及犯軷」。《玉篇》：「馭與御同。」

《說明》筆者按：御之與馭乃異文而同字，皆象形字也。

[字形] 从人手持馬轡立于道旁。[字形] 从手執鞭驅馬之形象。雖一則有馬一文無馬，而示意固同。所謂「馭夫」即俗名「趕車的」。卸于古文上 [字形]。所以示解轡休馬之象也。卸字增彳而上「御」，所以示執轡牽馬、駕車就道，將欲遠行也。馭字从 [字形] 从又，所以明執手揚鞭驅馬之態也。

伍　𠄡

《說文》「參伍也」。

筆者按：「參伍」二字的內涵是一個廣闊、無垠的宏觀數據辭。請暫放在後邊談。該先言「伍」。什麼是「伍」？𠄡字从人、从五。人是人形，五是數辭。意，係上部五人小組。在先秦社會軍隊的編制，「伍」是基層組織結構。附參考資料於左：

《周禮．地官．小司徒之職》云：「……乃會萬民之卒伍而用之：五人為「伍」，五伍為「兩」，四兩為「卒」，五卒為「旅」，五旅為「師」，五師為「軍」。以起軍旅，以作田役，以比追胥，以令貢賦。」看來，這一龐大而有體系的人員組織，於社會活動需求上是多方面的，固不只是專為戰爭而已。該依據其人數名額規定表示如下：

〈軍事〉

組織稱謂	人員名額指數	負責領導者	政治級別
伍	五人	伍長	一命下士
兩	二十五人	閭胥	再命中士
卒	百人	族師	三命上士
旅	五百人	黨正	四命下大夫
師	二千五百人	州長	五命中大夫
軍	萬二千五百人	鄉大夫	六命公卿

從上表看出，西周王朝這一「六級制」的社會組織體系的編制特點，即：除外卒（族）級機構屬於「四進位法」，其餘的各級，一律屬于五進位的產物。同時揭示了一個「軍事」與「行政」管理的

成。位。一體。性。~~其實~~實質，是目的在于壓縮脫產人員，集中領導權力，節約人力物力，提高工作效能。屬于當時這種政治方針，是完全可以從《大司徒之職》的紀載中獲得說明的。其文云：「……乃會五家為比，使之相保。五比為閭，使之相受。四閭為族，使之相葬。五族為黨，使之相救。五黨為州，使之相賙。五州為鄉，使之相賓」。表示如下：

〈行政〉

行政區劃名稱	居民戶數	社會義務
比	五家	相保
閭	廿五家	相受
族	百家	相葬
黨	五百家	相救
州	二千五百家	相賙
鄉	萬二千五百家	相賓

此表與上表一望而知其為同一結構。惟業務不同而異。在這個組織法的每項條文中，還明確規定了互相扶持的責任。

像前邊提到的伍長、閭胥、族師、黨正、州長、鄉大夫這類人物，他們都是一些兼職不兼薪的領導班子中的成員。他們平時負責農業生產管理，如伍長這樣的身份還不能不荷鉏而耕，戰時還要身先士卒，執戈揚盾而禦敵。以今毛詩小雅之「四牡、采薇、出車」各篇可以觀其梗槩。

縣于古代勞動人民，在生產與戰鬥中，皆擅于把時間空間互相結合來選擇決
策。因而就產生了「參伍」這個複雜而繁枯的「數化動義辭」。「參伍」的含意、實質、稍稀
類似現代語的「邏輯學」一辭。

伍字的造型，的確：从亻，从X。X有四達自中之意。有黃、帝居中，四岳
為輔之義。延伸為伍長居中，四名戰士分列前後左右待機聽命之義。故曰「配伍」。
藥物處方，酸、苦、甘、辛、鹹五味相合，故曰「配伍」。佈陣對敵，步、馬、弩、工、輜，運籌
治勝，也是配伍。「伍」之時義大矣哉！

什 什《說文·人部》：「什，相十保也」。《地官·族師職》云：「五家為比」。「十家為聯」五人為伍」
十人為聯」。《天官·宮正》：「會其什，伍而教之道義」。注：「五人為伍，二伍為什」。人政治學
習小組》《詩·雅頌》以十篇為一什」。《唐韻》：「古者行師，二伍為什。凡食器之類必共之」。
看來，什之為字，應以軍事組織基本單元為本義，是比較合理。其餘盡通段例。

兩 从（金）网 稱 兩《說文》：「再也」。顯而易見，許氏已經把「兩」當作了數量辭。但「兩」訓
為「再」，與《小爾雅》：「五伍為兩」之數據，殊有未合。試探其義變軌跡如次：

考兩字，的文是从。象形字也。文從二人並列，似二輛比肩。知「从」即西

周駟馬車服為雙軛以肩並列之象。兩即車輛之輛字，初文也。《詩·鄭風》以「叔于田，兩服上襄」。如从字造型，取象於服為兩軛而無疑。故从其兩。「輛」之義，尤其是後起之㒳字。一象輈。冂象車衡。从象服馬雙軛。更覺妙肖酷似。然《小司徒》之文以「五伍為兩，四兩曰卒」，其義緣何而生？此為本文急欲探索之中心課題。

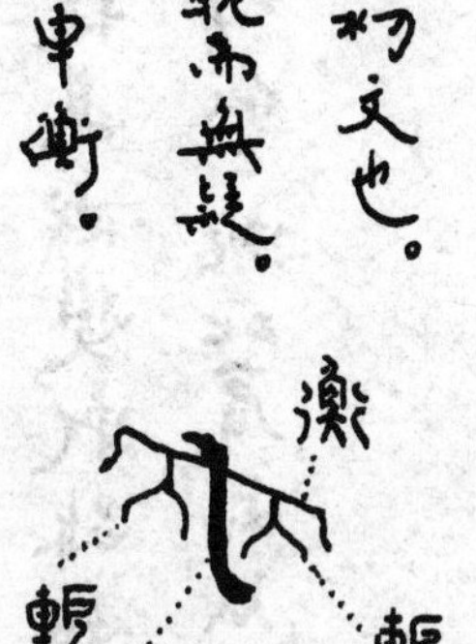

按先秦車戰之術，佈陣衝鋒，以戰車二十五乘為橫隊。其名曰「偏」。兩車之間的空隙，有步卒五人填補，跟隨戰車同步前進。名之曰「魚麗之陣」。《意思是陣容似魚網密佈，敵人無法漏脫》。魚麗之陣，懸廿五乘戰車橫、列而成。其間必有廿五個空隙，以五分法計之，可分為五組。每組有五個空隙，每一空隙有步卒五人填補。則一組戰車之中，必然要有五伍廿五名步兵配合作戰。此即《小司徒》「五伍為兩」的軍隊基本編制名稱之規定所由來歟？！明乎此意，則可推知「一偏」之戰車部隊中必配備執戈楊盾之步兵戰士百廿五名。而四兩為卒《百人》之義，可不言而喻矣。按《春秋桓五年》：「鄭原繁高渠彌以中軍奉公為「魚麗之陣，先偏後伍，伍承彌縫」，戰於繻葛，王卒大敗」。可見「五伍為兩」的珍貴說明資料。同時因一車有兩輪，故「兩」字增車而作輛《車的基本計量辭》

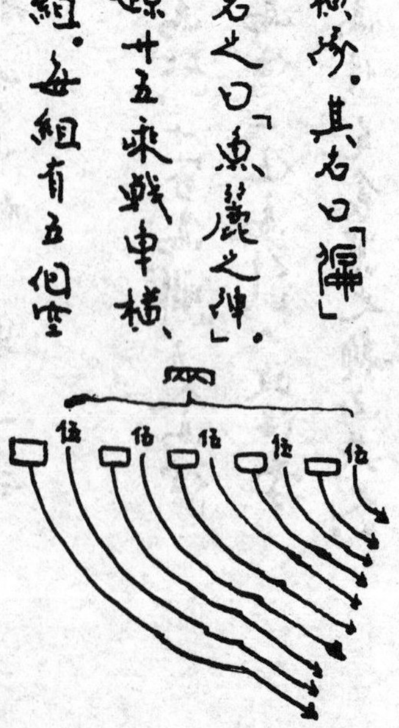

族　[古文字形]金　[古文字形]籀　[古文字形]篆　《說文》：「矢鏠也」，許氏據戰國器之矢而釋族為矢鋒。捨㫃字而不顧，智者千慮之一失歟？考㫃之為文，旌旗之象也。上古人類聚族而處，居必同地，出必同行。甲骨文[古文字形]字从㫃从大，一人執旗，于前眾人從之于後之形，其造形意示與旂、旅同例。字亦作[古文字形]。所以示原古族徽，嚮適于前，餘夫按步攜矢踪之于後，此上古漁獵生活之實影。西方史學界所謂「圖騰」者是矣！與東方古史「龍師」、「火帝」有不約而同者。此人類進化之統一軌跡，未足奇也。降及西周王朝，氏族之族字仍然是一個獨立軍事組織個體。不過隨著歷史發展使「氏族」的族字也孳乳了一些子系文字，表示如次。不過時至西周，「族」字事實上已經成了作戰

武裝部隊組織單元的名稱了。所以在《大司徒》中名之曰「族」。在《小司徒》中，使用的文字已是「卒」了。

三三

旅 □□卜 □□□□□□□□□□□□□ 金

□古 《說文》：「軍之五百人為旅。」按《周禮·小司徒之職》：「……五人為伍，五伍為兩，四兩為卒，五卒為旅……」此為許氏之所本。然許氏標榜之五百人為「旅」，周時之旅也。非殷墟文字之□也。殷商去古非遠。其時雖已文明大備，然而文字遺風猶有上古餘意。如卜辭文字，將「藝」為后。猶存原始母系社會面目。其顯例也。如□之為文，雖从□从㫃，而不从□。蓋上古行軍，無車馬之旅。唯時乃矢石啟。故如卜辭□字所反映之象形文字，往往帶有原始文化遺存。而商周銅器銘文之「旅」字，多从□，而表出車戰的特徵。況上古的師旅編制，本無明確人數。故如說文之所本乃依據《周禮》之義。而於卜辭之□、□，或从二人，或从三人。西周銅器之「旅」字皆从㫃，而鮮有从□者。亦所以示有「定制」也。

師 □卜 □金 □秦 □小 師 《說文》：「二千五百人為師。从𠂤、𠂤四帀，眾意。」按師字訓為「眾」意，當為本義。《易·師卦》：「地中有水，師。君子以容民畜眾。」此「師」訓為眾之「祖義」所緣起。古典哲學觀點把民眾視為政權的基礎。

因而《孟子》說："桀紂之失天下也，失其民也。湯武之得天下也，得其民也"。歷史上許多王朝統治者政權的崩潰，沒有一個不是起因于脫離了群衆。所以古籍文言中名之曰"喪師"。這一"師"字的定義，顯然是富有社會科學意義的。

不過，許氏《說文》中："二千五百人"的"師"，是指武裝部隊編制名額而言。《周禮·地官小司徒之職》云："五人為伍，五伍為兩，四兩為卒，五卒為旅，五旅為師"……此即許氏之所本。武裝部隊之設，是為戰鬥服務。師字的造型，反映了出師行軍，安營紮寨的生動畫景。師之為文，从𠂤从帀。𠂤，古文"堆"字。高阜之地也。軍事戰略，陸軍行營紮寨，必擇居高臨下之境據險而處。字从帀者，足跡內向之形，所以示出而復返，周而復始之意也。故有周圍設防之義，又有巡迴視察義。此指事兼會意字也。一師之衆，必有統帥。故師，帥二字形似而義通。師不能獨任其務，必有參謀，運籌帷幄，決勝千里。故名"軍師"。有師必有徒。徒者步卒也。徒字从彳从走。走者趨也。彳者行之省。故徒字為步卒之名。"徒"

徒

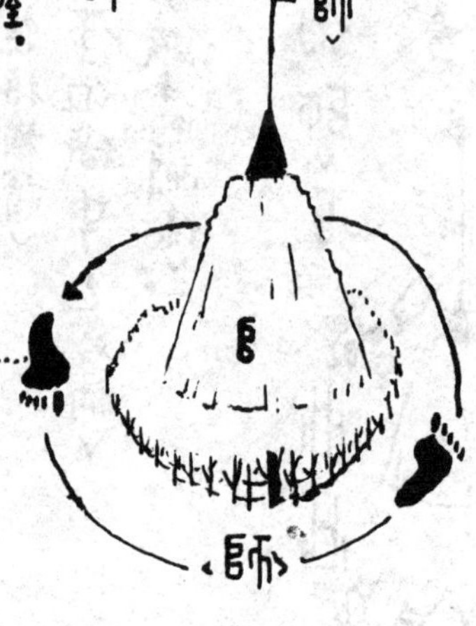

三四

與師為對待。師者教命之所由出也。徒也者，聽命而行者也。「師徒」二字本來是武裝部隊中參謀與戰鬥兵的人際關係，後來演變為技術傳授的師徒關係義。

師（自然義）（羣衆）（派生詞）
- 師（此指人軍隊架构稱謂）
- 師（人特定軍事組織單元名稱）
- 師（徒人參謀與戰士的關係）

軍 軍（稱） 軍（金） 軍 義《周禮·地官》：「萬二千五百人為軍」。

《說文》：「圜圍也。」按：軍之為文，遠古與師同例。師从𠂤，从帀，與軍从勹从車，皆有圜圍之態。勹，古之「勹」，象

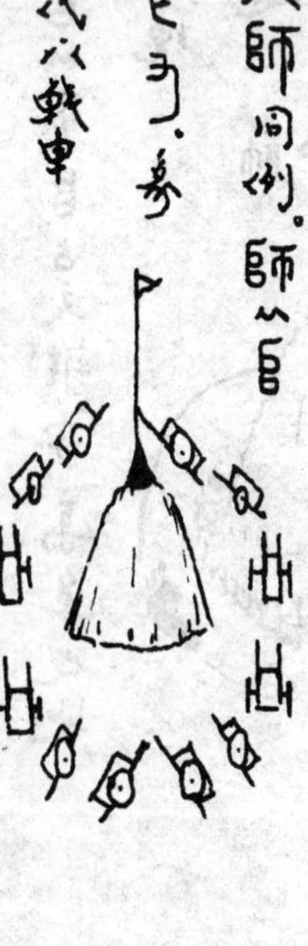

屯聚抱持之形。車者戰鬥運載之器也。先秦時代以戰車為衛鋒陷陣之工具。行軍紮營必擇高地而居，圍之以兵車，以示防衛。故軍之為文，亦指事字也，亦會意字也。軍者君也。以軍為部隊最高統帥，故有「君」之權威。不言「萬二千五百人為軍」而言「圜圍」者，蓋欲以形見義也。軍字造形从勹。甲骨之「勹」，金文之「勹」。皆有圜圍之意。燀、囘、渾，可為形例：

燀 

熉

囘

渾

燀，光暈也（光環），卜辭从㞢（火）从旬（昀）。

昀，十日。周而復始有循環意。此時空互化義。

渾然元氣，天地未分之大氣團也。故曰「渾沌」。

皆具圜體之象，亦軍之同義字。

渾 渾

師　𠂤　𠂤（金）　𦓃𦓃（籀）　師

《說文·帀部》云："師，二千五百人為師。从𠂤从帀。𠂤，四帀，眾意。"《釋名》："師，人也。"注："謂人眾為師。"

《說明》師的基礎概念是"羣眾"。這一思想概念首先導源於人類早期漁獵生活生產方式而來。上古人類集體從事狩獵，是以氏族部落為組織單位的。所用的武器，以弓箭為主。所以甲骨文的"師"字是"𠂤"（弓）而上為戰部隊的組織單元名稱的㫃（旅）㫃（旅）等文字，皆系跟隨着旗幟前進的隊形。因此，旅、旅這類文字一直沿記錄到文明禮樂雍容的西周王朝仍然被繼承使用為軍事組織名稱。因為軍隊是由羣眾組合而成的產物。所以《釋名》訓"師"曰："人也。"注曰："人眾為師"。這個定義和《易經》☷☵地水師卦中的彖辭所云："地水師，君子以容民畜眾"的解釋，是一致的。由於作戰行動的指揮必須要有參謀、運籌決勝。所以叫"軍師"。其後又延展為教師、工程師……。

許氏《說文》對師字的造型，所上出的解釋，是依據西周車戰時代背景的特徵而立說的。其說法同前邊所講過的軍字造型原則相同。

師。𠂤=𠂤+帀。𠂤，古堆字也，是𠂤的縮寫式。後世𠂤之阜，示十𠂤為阜之意。有居高臨下遠望敵情之象。這是合乎陸軍安營紮寨常規的。帀字是反止之形。止，古趾字也。《甲骨文》之止或之 ㄓ，似五趾之足。金文[足]。撇其一直，翻足跡矣。故知帀从反止[足]，有往而復返之象。往而復反，是帀。一週之義也。以示營砦外圍防衛佈署之態。《甲骨文》[衛]《衛》、[圍]《圍》二字造型，有如四止循迴之態。其帀字之義證也。

軍。軍=勹+車。勹，古包字也。車是戰車。古代野外宿營，必將戰車排成圍陣以自衛。名曰「車轍」。陣有門，以便主帥出入。名曰「轅門」。故師、軍二文同是標誌上戰佈陣的考古資料。屬于兩個相互印證的「轉注」實所謂「建類一首，同意相授」是也。

韉《說文》：車部云：「韉，鞥也」。鞥是西周駟馬戰車的「緧轅」。所謂「轅門」，就兩輛兵車左右對列，車桿朝天的營門口。

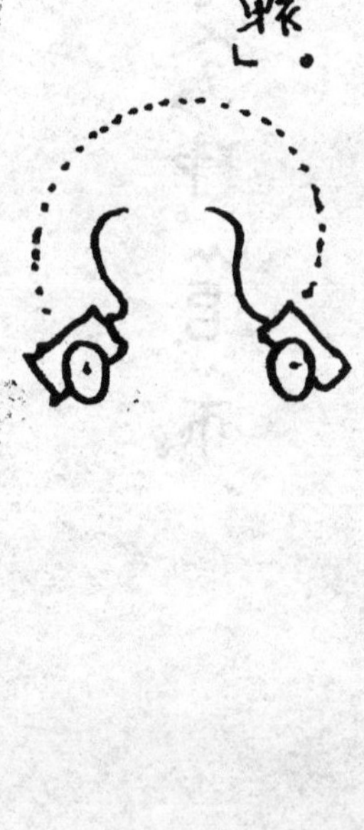

營

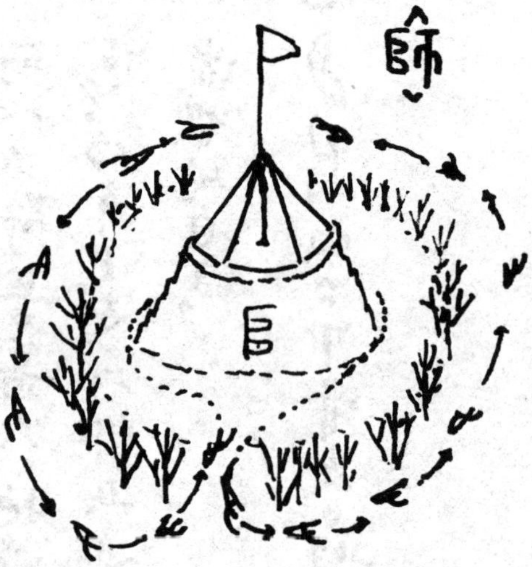
師

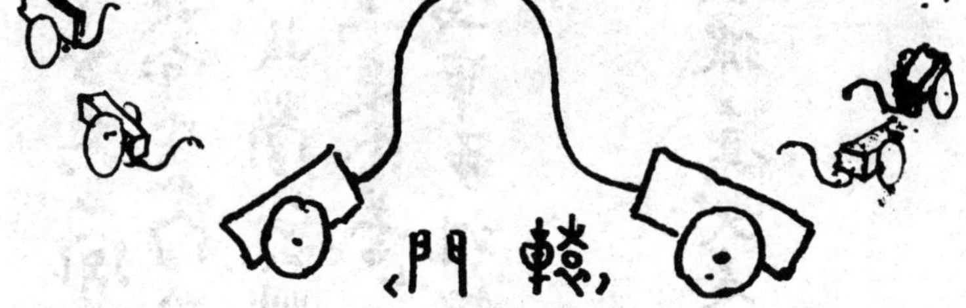
門 轅

營：《史記·黃帝紀》：「以師兵為營衛」。

筆者案：營之為字，《說文》置入「宮」部，确有科學根據。後世版本辞義曰「市居」。殊與營際未符。段氏以為正之為「市居」之誤，並舉軍壘營以止戕證。堪稱慧眼獨到。需啟指出了前代俗儒傳寫之誤，及還《說文》本來面目。可謂許氏之功臣矣。考「營」之為文，从炏，从宮。炏者，炏炏之備。火光也。所以示火光通地夜間照明防敵之需也。从宮者，所以示軍壘之有前後二戶可通，所以備出入進退之需也。故宮字从宀从呂。此与閭字為前後有口可通之巷故造字从門，从呂同義。故營字从炏，所以示野營篝火「地燭」之態也。現代在校學生暑期之「夏令營」活動，仍有上古「以師兵為營衛」的遺意。不過現代已經上為軍事訓練識、習項目了。

此《甲骨文》的師字。酷似  形。乃是戰鬪、興備之具。又是軍

系組織單位名稱。故知《卜辭》文字,以「𠂤」為師。是有上古歷史文化背景特徵的。求証如下:

孔門大賢子張,姓顓孫名「師」。《說文》弓部張字下云:「施弓弦也」。彌古篆是「張」,从弓、从長。長古「矩」字也。丨象「股」(高),一象「勾」(長),乛象弦施之斜「弦」。此即三角幾何之直觀畫像字。古名「勾、股、弦」定律。與小篆張─彌字从弓、从𢑚同意。故許氏訓為「施弓弦也」。故知彌、張二文,同是伸長謂張之義。這就看到了彌、師、弓三字的物理力學共性。及《甲骨文》假𠂤為師的理由完全堪从孔門弟子顓孫師取字子張這一命義求證之。師字文訓為「軍旅之名者」,可以《甲骨文》㫃《旅》《旂》等字形証之。蓋遠古人類以漁獵而生存。一切畋獵活動,必集體而行。故《易‧師卦》訓:「師為眾」。至西周時代,所用「旅」「師」為羣眾組織單位名。《周禮‧地官司徒》:「五人為伍,五伍為兩,四兩為卒,五卒為旅,五旅為師。五師為軍」。《甲骨文》旅字从㫃,象一人執旗于前,眾人从之于後。旅字从㫃,象一人執旗于前,眾人持弓矢从之于後,師字是𠂤。即《金文》[illegible]

張　張

字而訓為戰鬬之集,或群眾代號,皆𠂤字之義也。一師之中必有參謀,名曰「軍師」,厥後延伸為師徒、「醫師」等辭。皆𠂤之延伸義矣。

《百家姓考略》:張字注引《世本》云:「黃帝第五子青陽生揮,觀「弧星」始制弓矢。為「弓正」〈武庫官〉祀「弧」。〈弓矢之神〉「張」是星座名,位于西方「白虎參宿」之東南。以形似弓矢而得名。因而造弓者賜姓為張。此漢字以創造表明之器物為姓氏之例也。〈張星圖示于後〉。

《說文》訓𠂤為古「堆」字,形譌之誤也。篆𠂤字之譌變而然為《卜辭》之𠂤,乃異文而同字無疑也。張、張、𠂤皆弓之同源字。表示如左以見意:

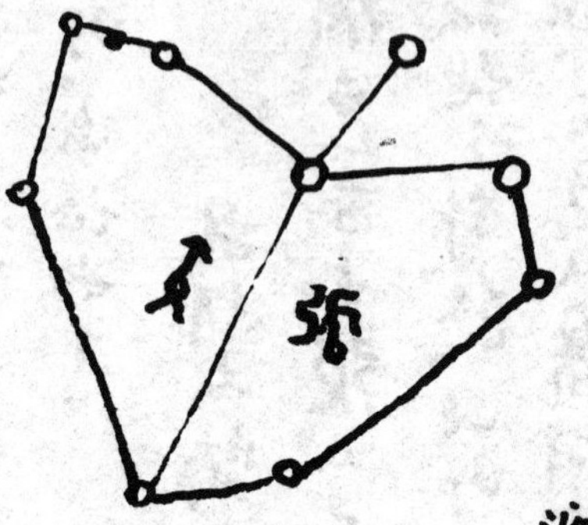

弓

→ 張人〈木弓星名〉

→ 張人弓所表明人的姓氏

→ 𠂤人師字初文。文為「軍隊個體單位名」

孔門弟子「顓孫師」之師,即「顓孫𠂤」。弓、張同源,𠂤即師字,與顏淵字回,淵、回異文而同義,其例也。

罝 ⿱网兔卜 罝籀 罝金 罝篆 《說文·网部》：「罝，兔網也。」《爾雅·釋器》：「兔罟謂之罝。」

筆者案：罝之為文，从网从且。网者，獸獵之器。且者，阻之省。樹阻之象也。此指事字也。尤其是《卜辭》⿱网兔字造型，顯示了特定動物之捕捉工具形態。《詩·周南》：「肅肅兔罝，椓之丁丁。」堪正義証。《卜辭》⿱网兔字其初文也。後世義變為罝字，而初義遂晦。愚少年時就讀南開，曾在津市南郊目擊韓國兒童暑假活動，得見其真相。示圖以見迹。

吾輩讀古籍往往識而不化。幸而於異邦外族事物中獲得啟示。豈非仲尼所謂「禮亡而求諸野」者歟!?

三八

獲馘從戳象隻（獲）等（說文云：「獵所獲也」。

案：獲之為文，从犬，从蒦。犬者，狩獵之工具。蒦者免隻也，猶禽也。（亦云）上鶴。似鴟鵂而小，古人用之與獵犬配合以逐野兔。此象形指事字，有狩獵之象，故訓義為「獵獲」。獲者擒捉之意。古文擒禽同義。（左傳·僖廿六年云：「齊孝公伐我北鄙。公使展喜犒師。受命于展禽。」疏云：「展禽即柳下惠，名獲」。古人命名擇字，文義互通。故知古文禽、獲二字同義。堪從（卜辭之文字造型證之。馘字，雙手提勝之形，馘字雙手捕鳥之態也。隻字右手提鳥之象也。

禽即古擒字。

俘之虜之物也。

古人把田獵活動視為人與禽獸相搏的戰場。古文戰字上「獸」。遺字從獸從戈，戈者武器也。獸野畜的畜字。野生動物之綜合名稱。人類把捉捕到手的俘虜視為勝利果實，故曰「獲」。獲與穫同義。農民五穀豐收曰「收穫」。獵人俘虜的動物曰「擒獲」。上為物資，財富之收入，其義同也。

関

関〈說文〉：「試力士錘也」。案：許氏此訓極確。可惜今人已不知其為何物矣。

此字从門从关。所以示戰鬥之兵器也。憶昔筆者幼年時，常游于安鄉梁氏之家，入其門，見有生鐵鑄成之大刀一柄。首柄渾然一體，刃厚半寸有奇。鐵柄直徑約一寸。置於門後。重量達八十斤。非大力士不能舉也。詢之，據云：此彼先人應試使用之武器。乃明代遺物也。今時過境遷，棄而不用，只好作為関門防盜之「関門杠」矣。彼時愚昧無知，未通「文物」，不諳歷史之學。今年逾八旬，偶讀〈許氏說文〉始恍然大悟，知東漢時代東方社會已有此物焉。

〈関〉

〈関〉字聲義考證：関讀音若「懸」，「懸」空之意也。

古代武舉考試，必以「関」為檢驗膂力之主要項目。

先將関横臥考場地上。舉子身立関前，左足踏着関柄中部，足內向後蹴運勁。繼則揪関柄之內向後動慣性推動関柄到達足背之際，及時舉足借力翻空高躍，使関高飛空際，再用右手高舉，攫捉関柄，揮舞盤旋，使関以輪狀的形式由左而背，由背而右，由右而前。

兵器運用藝語名之曰「背花」。故知関字讀懸，音與旋同。有懸空象，亦有旋轉

意。乃形聲字。可謂「象事為名，取譬相成」者是矣。

鬮 《說文》：「鬮，取也」。案原始社會，有以角力勝負為爭取物資、輸贏活動形式。古名曰「鬮」。此字从鬥从龜。讀音為「救」。龜者，筮卜之始。古「救」字也。救者，皆收之意也（見《尚書·盤庚》）。古代人民遇到於高貴之物，眾人爭取，互不相讓，只好采取武力角鬥以決雌雄，勝者皆收，敗者退讓。後世易為文明的「摸彩」形式。以文字書于帛向搏上帛球。另以白帛搏成無字之球。球的總數，與參加拈鬮之人數相等，拈得者魁罰。請者，其餘之人吃請。至今仍有此活動，名「拿大頭」。龜能決疑息爭，故字從龜。

轟 《說文》：「群車聲也」。案，群車者，言其車之眾也。故字从三車。取音于鬨所以示聲勢之加也。與鬮、鬨同意。形聲字矣。

鬨 《說文》：「鬭也」。按鬨字从鬥。戰場之聲，非一人之聲也。三軍士卒，與師旅眾，殺聲震野，取音於轟。其聲勢與轟同矣。此漢字同聲韻諧之例也。

罞(麋) [甲骨文](甲卜) 罞(篆) [甲骨文]字見於甲骨，說文所不載。清末大文字學家王國維曰：「爾雅釋器云：『麋罟謂之罞。』注云：『冒其頭也』。罞者，麋之卜辭[甲骨文]字，是對从[甲骨文]从[甲骨文]。[甲骨文]即網之初文，罞者，麋之網，文曰甲骨之罞字[甲骨文]，可為例證。故知[甲骨文]字乃捕捉麋鹿之工具。而取音於冒[甲骨文]，此帽字初文也。故知粵中亦有識。今粵南諺語，謂人作事不加考慮，遭致失敗後果者，名之曰「網請冒子雜事」。故至今仍有「冒犯」、「冒險」等詞。信乎民間語言，乃寶貴之「文字考古的『活化石』」也。

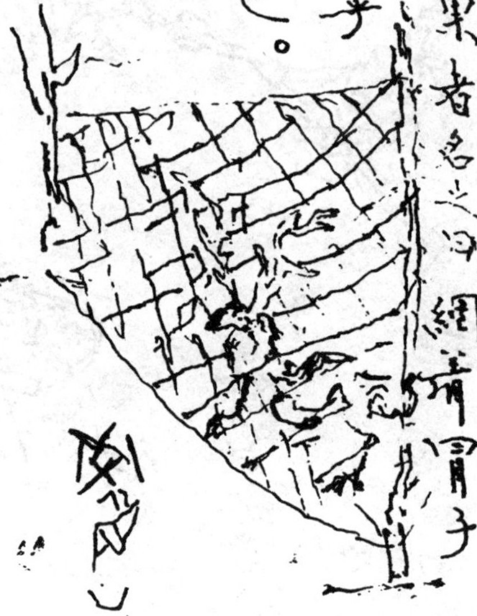

簁(篆) 籭 今讀(若)「斯」音。竹器。可取粗去細」。簁者，案，此物用細竹篾編織而成。今建築工程仍用為過濾沙子之工具。俗名「篩子」。古「簁」「篩」音同。今人讀若「腮」，時代演化使然也。

釃《集韻》音疏。以筐漉酒也」

筆者注：致「䍦」字造型从网从「䍦」與《卜辭》

𠔁字同意。

而「余」音同

「𥳑」、从「疏」、篆

作「𥳑」。从足

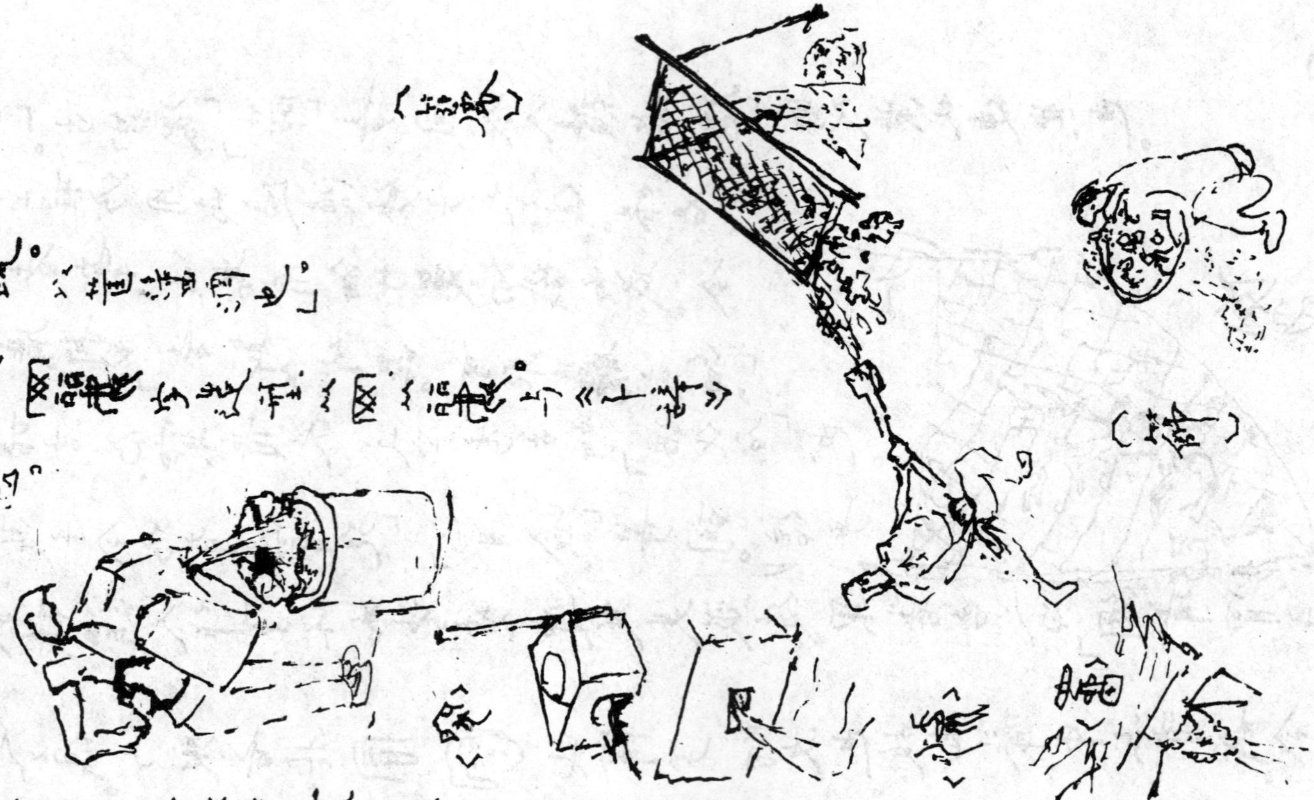

从㐬、㐬象倒形，此始兒降生，有離母體之態，体道本水，急流涉地。又讀

讀音若「突」。从大在穴，突入从水在穴中，故以音「㐬」嗅，其義皆譯也。流

字𣴲字皆从㐬。𤃬、𤁋聲同而音通。故知古文「䍦」、「疏」二字，經籍有

之相通段為用之例。何以證之？舉例說明如左：

考《左傳》桓五年繻葛之戰云：「……高渠彌以中軍奉公，為『魚麗』之陳，先偏後伍，伍承彌縫」《傳》。「司馬法」云：「車戰廿五乘為『偏』。車居前，以伍（五人步卒）次之。承『偏』之隙」。而彌縫闕漏也。五人為「伍」，此蓋「魚麗陣法」。 筆者案：西周車戰之法，知為表來。更有「戒右」之於車上右側。手執長柄武器。《卜辭》「戒」字是武士之。乃右手執戈，左手揚盾之態，是其形象也。兵車在戰場上活動與佈署，以廿五乘《偏》為基本之戰鬥單元；之橫向排，後方前進，對敵採取鐵壁合圍式的運動。為了保證不使敵兵漏脫，一個必要在戰車與戰車相比鄰之間的距離空隙中，又有與戰車緊連同步的步兵，執戈揚盾來填補漏洞，以達到殲敵全殲目的。因而我們有理由肯定經籍所古提之古陣附有三角形特點「魚麗之陣」的「麗」字，應該是讀成「罶」，或者是讀成「罶」，纔能符合語義。愚見若此，未知海內學人以為然否！ [illegible]

四面被围走投无路的意境。

纚 《说文》："冠织也。"又音"迤"。《释名》："纚以韬发也。"

笄者安纚。纚训"冠织也"。丽训"以丽著也"。罗训"丽罗"。字皆从

丽声，从系。故知诸文悉具通透义。《书》所谓"建铺"，"铺"同义

相接，是谓[illegible]注者欤!?

《纚丽》

文字起源圖典

經濟

十一

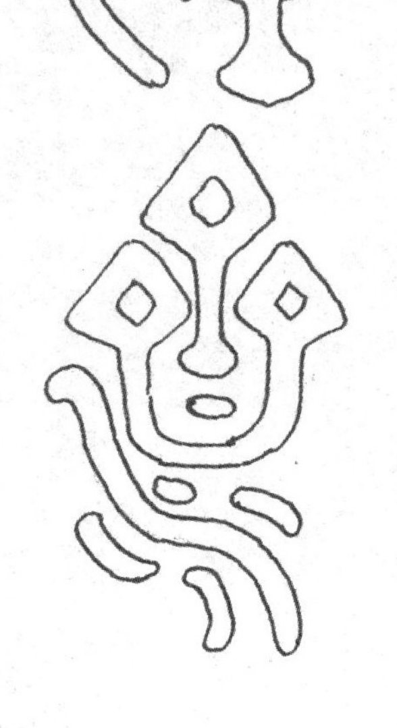

十二

貝貨 一

貟朋倗 二

錢布 三

巾幣帛 四

贄贄財 五

賣債瀆 六

嬻瀆犢贖 八

鬻鬻儥𧸘 九

讀讟竇 十

買賴賊賊 十一

賦稅 十二

[illegible] 十三

金貫賒 十四

寶 十五

錢賄貫贛 十六

賜錫易鐊 十七

賄賭負貳 十八

祈質契 十九

叅貸 二〇

貣忒貶損正 廿一

乏貶更貶 廿二

帑貰 廿二

賫商賫 廿三

責賜 廿三

衛判貿 廿四

差椮篸參 廿五

縺蕃 廿五

得 廿五

㝵 廿六

遽館鑿 廿七

貝  《說文》：「海介蟲也。古者貨貝而寶龜，周而有泉，取流通之義。至秦廢貝而用錢。」

上古人類以物易物，各求所需。鑒于交易兩方需求不相適應，於是有貨幣之興起。貝殼即當時之貨幣也。《埤雅》云：「貝以其背用，故謂之貝。」故貝之為文，形聲字也。貨幣的興起，為物資交流提供了方便。故讀音曰「備」。取「廣大悉備」之意。《易》為「廣大悉備之書」的原因，以其具備變化無窮之理。貝之為物，乃商品交易之萬能法寶。故取名曰「備」。「備者，百順之名。無所不順者之謂備」。《禮記》。恩克思說：「貨幣之為物，以隱蔽方式包含着其它一切商品。它可以任意變化為追逐所欲的東西的魔法手段。」其義與我國古諺語「無所不順之謂備」，旨趣相同。漢字之从貝者，皆與經濟有關，反映了中國文化的特色。和文字是分不開的。

貨 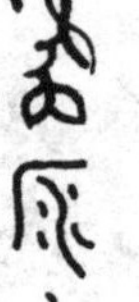 从人貨《說文》：「貨，財也。」《廣韻》引蔡氏《清經》曰：「貨者化也。變化反易之物。故字从化。」按以上諸貨字造型，各有歷史特定背景。試分別擬索於次：

：此象形兼會意字。从匕从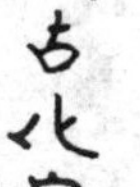。匕，古化字。象貝耳大尾之狀。示於性善

一

變之意。古人假為「貨」字。取貨幣之轉化功能同於狢狸之義。上古創造貨幣的人名化狢應以「𢓊」字為考證資料。（說見拙著《舟車篇》）。

泉从厂、从水。「厂」是巖之形。水出於崖岸有泉（泉水流動之義。古文段為「錢」字。見即《周禮》「泉府」字。「泉府」是當時的貨幣出納機構等於現代國立銀行。故泉字亦會意字。

𧶠、从貝从𧶠。貝者貨幣之形。𧶠是譺之省。《尚書‧堯典》：「平秩南訛」注：「訛（譌）化也」。故𧶠字與貨字从貝从化同例。

化（卜）——𧶠→譺→訛→化→貨

卜辭化从二人顛倒。金文「化」此古匕首字也。郎春秋時代之「齊法化」。早期工業產品可能與農產品交換其後行之既久約定俗成。遂縮小其形製而成為貨幣矣。今本《經籍尚書‧盤庚篇》之「懋遷有無化居」，猶以化為貨。皆歷史文化遺存也。刀可以斬除蠶路荊棘因而旅遊者把貨幣曰「斧資」。貨幣經常由我手到你手。由你手到他手。所以我們祖先又把它看成是川流不息的泉水。同時因為它可以變成任何物質。好象狢狸。所以古人又呼之為「𢓊」（化狢。）（說詳舟車篇）

（淄博考古出土物）

西方的經濟學家這樣說過：「貨幣之為物，是以總㪘方式包含著其他一切商品它是可以任意變化為任何適於所欲的東西的魔法手段」。其論述堪與商字造形示義之良好註腳。古人造字，把貨幣形容為善變的怪物，是富有哲學意義的。

員

〈卜〉〈金〉〈篆〉《說文》：「物數也。从貝口。」應上○，讀若元○，即方圓之圓的初文」。筆者按：許氏所云之「物數」未免籠統。實際上員之初義應該是貨幣計量基本單位。也許就是一個貝殼。現代之貨幣以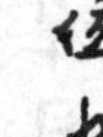為基礎單位。貨承此義而來。（按許將方形之口以代篆書之○。殊與初義不符。甚矣哉，文字之學去古愈遠而形義愈乖矣。

朋

非《說文》鳳字下：「鳳飛，羣鳥從以萬數，故以為朋黨字。」人部倗字訓：「輔也。」段注引《周禮》秋官士師之職文：「士師掌邦之八成……七曰邦朋」。注曰：朋黨相阿，使政不平。故書朋作傰。」經注把結邦拉伙違法亂紀的小集團看成是造成社會動盪的因素，所以造出朋遺的朋字。再施以予意，以示貶義。可惜這些有關的濟業務的知識，往昨治文字學者所需求，因為我們追求的是文字。

按：朋友之朋本無其字。許氏《說文》寄其義於鳥之離下。蓋有鑒於朋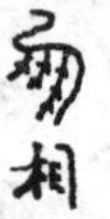相似之故，殊不知朋字之形，實緣於貨貝。古貨幣計量以朋為單位。以系貨貝。每系五貝，二系十貝。共結於橫木之兩端。故古篆朋字作。象形字也。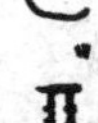的經濟價值數據，事實上屬於十進位的數理產物。也是契合運算需要的。因此後

二

未被采用為社會组織單元的「量辞」。《管子立政篇》曰「十家為什，五家為伍，各有長焉」。古代軍旅組織也是五人為「伍」，伍有「伍伯」，什有「什長」。此種軍事组織形態，筆者青年時代仍存於世。當時在北洋軍閥部隊中，皆以十人名一「朋」。朋有朋頭、副朋頭，即今之班長、伍長也。錄此觀之，「什、伍」的组織形態，皆來源於古代「部曲」的摹擬，可斷言矣。故知《詩小雅》五貝為朋之說〈見菁菁者莪，錫我百朋注〉，及蘇林二貝為朋之解〈見漢書食貨篇〉，皆非事實。自應以「五貝為系，二系為朋」之說為是。

朋字之義變觀：朋字讀了而止入朋。此朋字由自然義昇華為社會義。

倗　朋　㛝。

故从了而訓義為「輔」。輔助之義也。倗友有規過之責，通財之義，是其義也。朋是十貝所綜合量辞，從了而義變為輔何也？夫人之有友，猶手之有左右也。故有「二人同心，其利斷金」之語。所以示「孤掌難鳴，一木難支大廈」也。故朋友之友从二又〈文、𠬪〉二文者，左右二手也。所以示相輔相成也。故從㕛二文，皆具輔助之義。故兩手有十指，與一朋之有十貝同義。

《六書》所謂「建類一首，同義相授」者歟!?

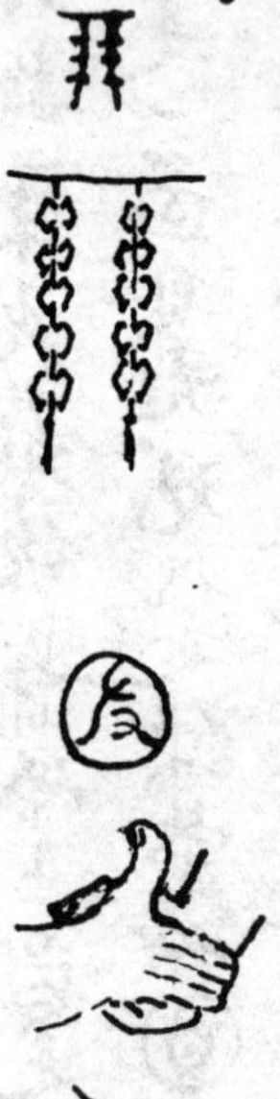

錢 錢《說文》金部錢字訓：「銚也。古田器。一曰貨也。」凡許氏所謂「一曰」，皆為二義也。

筆者考《詩周頌臣工》：「庤乃錢鎛」疏引《世本》云：「垂作銚。」宋仲子注曰：「銚，刈也。」然則銚刈物之器也。《釋文》：「銚，七遙反。」《莊子物外篇》：「銚鎒於是乎始修。」注：「銚，削也。能有所穿削也。」筆者竊以為銚之為器，考其形制，蓋即原始農具

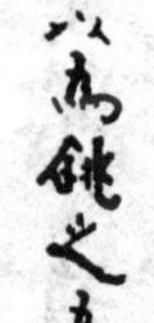

〈耒〉

〈耒〉之化身也。早期以木，易損，時易質為金。錢之為文，从金从二戈，所以示岐刃之形也。翻土鏟地工具也。古無貨幣，以物易物，工農之間，以銚易粟，行之既久，約定俗成。於是縮其形制而成貨幣。化農器而為錢。

早期之錢，尾部尚留農器遺迹。見於出土文物可證。及乎春秋戰國，已完全擺脫了農器形態，而成為平首岐頭鋼鏟（鎛）。故鏟、錢二字異、音異、文而同物。三晉出土之鏟幣，可資考證。蓋即「銚」的化身。今我國東北遼瀋地區呼「鏟」曰「鐵趟」（銚）。歷史及祖語言也。現代考古界名「錢」為「布幣」，洵矣！附「錢」的演化進程示意：

銚〈鏟鎛〉

公元三〇年代，我國鑄造之仿古紀念幣

三

布〔篆文〕《說文》:「枲織也。」筆者按:許氏之訓,是古時的布,非今日之布。古名麻織品曰「布」,絲織品曰「帛」。故《說文》訓布為枲織。但本條所欲討論的「布」,屬於金融貨幣,而不是作衣服的布。考《周禮·天官·外府》:「掌邦布之出入。」注:「布,泉也。其藏曰泉,其行曰布。」所古曰:「布亦錢耳。」怎麼會知道「布」就是錢?大槩西周時代,繇於當時工商業已臻高度發展,為了市場交易資金攜帶的方便,於是鑄行了幣制革新,開始由國家發行了一種布貨的鎛幣,流通於民間了。《周禮》注云:「其藏曰泉,其行曰布。」標示了當時的市場流動的貨幣都是「布」,而金屬貨幣都儲在府庫中。

「布」之為物事,屬上部「鎛幣」。等於現代的「鈔票」。《周禮·地官·載師》云:「宅不毛者有「里布」。鄭司農云:「宅不毛者謂不樹桑麻也。「里布」者,參〈三〉印書。廣二寸,長二尺。以為幣,貿易物。」並引《詩》云:「氓之蚩蚩,抱布貿絲。」抱此布也。」這裏所提到的「里布」,實際上就是對荒廢土地造成物資減產者的經濟制裁。這種罰金不僅限於農業,商業也不例外。如《地官·廛人》:「廛人斂市絘布、總布、質布、罰布,而入於泉府。」注:「布,泉也。」鄭司農云:「絘布,列肆之稅布。」杜子春云:「總布謂無肆立持者之稅也。質布,質人之所罰,犯質劑者之泉也。廛布者,貨賄諸物邸舍之稅。」可見〔篆文〕的分佈之廣,故後世增人而上〔篆文〕。延伸為分散動義辭。

關于布字的造型示意：布之為文，从父，从巾。右手持巾之象。《說文》云：「巾，佩巾也。」《禮·內則》云：「盥，卒授巾。」注：「

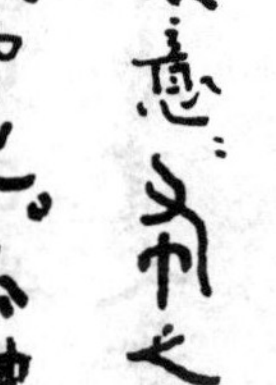

布

巾

巾以帨手。」《玉篇》云：「佩巾本以拭物，後人著之於頭。」正是說于布是麻織品，所以古代貴族不用為衣服，而用之揩拭污垢之巾。巾字在布字中，反映出布的政治階級性。所以古籍中謂庶民曰「布衣」。由於穿布衣的人佔領了土地面積百分之九十，而居住在不同環境。故布字施了而之分佈之「佈」。向廣大群衆之普遍宣傳的張貼文件，曰「佈告」。而假託鬼神，宣揚迷信，恫嚇多數愚民，謂之「恐怖」。《漢書·第五倫傳》：「其巫祝有依鬼神詐怖愚民，皆案論之」。可為義例。

布——本義——麻織——引伸義
- 佈——傳播消息
- 布——貨泉流通
- 怖——散播驚恐

——共義——分散。

幣

幣《說文·巾部·幣字》訓：「帛也。」《集韻》：「財也。」《周禮·天官·太宰》：「以九式均

四

節財用。……六曰幣帛之式。」注：「幣帛，所以贈勞賓客者。」周禮把幣帛規定為國府九類經濟開支的物質形式之一。經注更言明幣帛的用途偏于社交活動的禮品。顯而易見，幣是為政治服務的東西。古史經籍語例，言幣而必及于帛。故文字之研究亦不能例外。

帛 帛 帛 帛 《說文巾部帛字》訓：「繒也。」說文訓帛為繒，訓幣曰帛。然則，幣、帛、繒兼一物而多名無疑矣。考帛字造型，說文上帛，金文上帛（兼白簋）或上帛（今甲盤）帛，从白，从巾。白者色也，巾其形也。糸部縈（素）字訓：「白緻繒也。」《急就篇注》：「素，謂絹之精白者。」《禮記雜記》注：「素謂生帛也。」按縈从𠈌从糸。人字象蔡織文之細絹也。此古代士官夏衣上品。貴族用為饋贈禮物。帛中之王也。故知許氏訓幣為帛，訓帛為繒者，物質義也。《集韻》訓幣為財，金文帛字从貝，經濟義也。《周礼》之文，政治義也。然則何以明「幣帛」之多面義？是為本文趣待探索之課題。述之如次：

考文史經籍文字，多「幣」「帛」駢比並稱。故知幣之與帛，同而位而一體兼質，同气而連枝。蓋幣者禮之名，帛者禮之實。無禮則無以致敬，無財不足以備禮。礼之與財，財之與政，固不能各自離之而存在，政治之與經濟，經濟之與物質，從來息息相關，自古已然，非一代矣。從政者，多柔礼而輕財，所以止爭端之生也。然，棄財而存禮，必禮勝而情離，無以成上下相親之義。故唐虞之世，「幣帛之禮」已備，其

贄

名曰「贄」。贄从執从貝，執財為禮之意也。《玉篇》云：「贄，執玉帛也。」《春秋莊廿四年》：「男贄大者玉帛，小者禽鳥，以章其物也。女贄，不過榛栗，以告虔也。」《周禮大宗伯》：「以禽作六贄，禽見面禮。」按贄禮之興，其來甚古。《尚書堯典》云：「修「五礼，三帛，二生，一死。」注：「三帛：諸侯世子執纁，公之孤執玄，附庸之君執黃。……」復考《禮．六幣》：「圭以馬，璋以皮，璧以帛，琮以錦，琥以繡，璜以黼。」

看來幣的內涵之廣，及配套方式，是相當龐大而複雜的。無怪《橫渠理窟》說：「幣者金玉貨帛泉布之雜名。」了，但是本文所探索的限於「幣」字「本義」的追求，因而對「贄」字的提出，仍然是目的在於弄清「幣」的真相。

⿱執巾

⿱執巾、⿱贄巾《說文》有⿱贄巾而無贄。巾部⿱執巾下云：「禮巾也。从巾，執聲。」田吳炤曰：「⿱執巾，禮巾也。謂執巾以行禮也。」時賢張舜徽氏云：「許書無「贄」字，⿱執巾即贄也。執以相見之物也。許以礼巾釋⿱贄巾，乃見於時用以為礼之巾也。《左傳莊廿四……」已

五

見商」是古人相見以帛為贄之証。帛即巾也。今蒙族、藏族用以敬神或饋贈之禮物。有名為「哈達」者，蓋即中土所用「禮巾」之遺意。其物大者長丈餘，小者亦三四尺。蒙藏諸族今日衣冠文物，皆與中土古代習俗相符。此亦其一端矣」。按張氏所述，筆者曾在銀幕多次見到。我國政界官員入其境者，必隨風順俗用此禮與藏民相見，以示友好。實即古代「贄帛相見之礼」的再現。而時人不知，而息邊區乃能見之，豈非仲尼所謂「禮亡而求諸野」者乎？

贄之為物，所以備主客相見之儀式。帨帨互贈，用之既久，必致敝焉。此敝字从巾，从敝之意歟！《甲骨文》敝上「帗」。象棒撲破巾之形。《說文》巿部敝字訓：「敝，帗也。一舞端手持之彩綢，亦曰「敗衣也」。《論語》：「衣敝緼袍」。亦敗衣也」。

（執巾相見礼）

財合賠財《說文》：「人所寶也。」徐曰：「可入用者也。」《玉篇》：「納財，謂食穀也。貨也。賂也。」

按之為文，从貝，从才。貝者，貨幣之象，才者植物萌芽之態。一象其莖。一似地平綫。∨象雙手葉。故中之爲文，其造步生長之意。此象形示義字也。經營貿易之有資金，猶生物之有根基也。今商肆楹聯好以「根深葉茂」、「本固枝榮」爲選句，此以「財生財」之義，可謂現於商業貸款，銀行儲蓄「利息」說明之。此財字造形之旨，非財之自然意、實也。竊以爲財之爲義，非特定事物名詞，槩念詞也。凡有潤人生必需之物資，可統名之曰財。故許氏訓爲「人所寶也」。人生最寶、貴之需要品，莫如食品。故《玉篇》云：「納財，謂食穀也。」貨幣爲百物之代表，故後世以貨幣爲財，已非財之初義。蓋戰亂災荒，病危之境，雖有萬金之富，不能救生命於毫釐。只有處太平普收之年，纔能顯示財富的寶貴性。若時運否通，則富貴之家，將紀亡之不暇，又奚寶貴之有乎？《論語》云：「楚國無以爲寶，惟善以爲寶。」舅犯曰：「亡人無以爲寶，仁親以爲寶。」此無形之寶，勝於有形之寶。堪爲拜金主義者誡。

賣

𧶠（金） 儥 𧶠（籀） 贖 𧶠（篆）《說文·貝部》賣字訓：「衒也（沿街叫賣）。从貝𡕒聲，讀若育。」段注：「賣字不見經傳。《周禮》多言儥，儥訓賣，亦訓買。」《玉篇》：「賣與衒，衒鬻也。」筆者按：賣之爲字，見於《金文編》，其初文乍𧶠。亦乍儥。賣之初文也。考證於左：

六

儥 儥

一、關于𧶠字的演進歷史過程：考《周禮·地官·胥師》（市場商品質量檢查員）「察其詐偽飾行價慝者，誅罰之。」鄭司農云：「價，儥也。」《周禮·賈師》（物價管理員）「禁貴儥者」文義與《說文》同。故知《金文》之𧶠，《周禮》之儥，即秦篆之𧶠而無疑。後世簡化為賣而聲化為「邁」。雖形稍變而其義未改。此「賣」字沿革之大略也。

二、關於𧶠字形、音、義之論證：甲、辨形：𧶠之為字，从𡕒从貝。貝者，貨幣之象。𡕒之為文，古眚字也。小篆作眚，从生从目。籀文作[illegible]，或作[illegible]，鐘鼎作[illegible]。故知𧶠、儥、瀆、贖、犢等字，似宜定為从眚从貝，斷不宜定為从𡏳从貝，彰彰明甚。商周銅器銘文，多叚𡕒《眚》為省，可為有力參證。蓋𡏳之為文，古睦字也。睦者，敬順之義。眚者，災害之情。二者形聲不同，義意迥殊，當須分辨，未容魯魚亥豕也。

乙、證音：𧶠、瀆聲類而義通。瀆之為言，毒也，污濁之義、穢惡之質也。古名排除污水之溝渠曰瀆。《水部》瀆字訓「溝也」。《白虎通》云：「瀆者，濁也。中國垢濁，發源東注海，故曰瀆。」按古以江、淮、河、漢曰「四瀆」，皆取其水納天而沖盪

瀆 瀆

大陸污穢東注於海而得名。故𧶠瀆豐韻同具污濁穢惡之義，亦有貨財之
義。𧶠瀆與讀同居古韻第三部，故知許氏之訓「讀𧶠若育」確有卓
見。獨其「从貝，𡸁聲」之說，似於義欠允，智者千慮之一失歟?!

內論義：𧶠字从貝，从𠫓而非𡸁。已如前述。茲試言从眚之意：
目部眚字訓：「目生翳也。」羽部翳字訓：「華蓋也。」華蓋者，禽羽製成之傘
扇，可占炎夏行旅蔽日之具。許氏以
蔽光之器解釋人的視覺器官
障礙。可知「目翳」之為病，實即眼球角
膜潰瘍引起之「虹彩」（黑眼珠）細胞惡性增殖「膚」遮斷了瞳孔的對外視線。故
眚字从目，从生。指事字也。中醫學名曰「白外障」。由水晶體混濁引起之視覺
障礙，名曰「白內障」。古醫典統以「目翳」名之。七老發病動機多與肝臟有關。
有時表現為「綠內障」。患者視一切物體盡成青色。又名「青光眼」。故眚字形聲
又與「青」相近似。至如過濾毒引起之醒「紅熱」、「痳疹」，立克斯氏螺旋引起之「回歸
熱」、痢菌性腸炎、肝炎……一切傳染病，在《史記》中，皆「災眚」槩括之。故知「災眚」
七

一辭，適於一切病毒之總稱。病毒之為物，以變質、蛋白、脂肪、糖類為寄生溫床。因而毒字說必然具備毒穢的含義。然而病毒蓄積之所往往卻是物資蓄殖之境。正如古諺所云：「地之穢者多生物，水之清者唯無魚」。看問題不能刻舟求劍。《說文·屮部》毒字訓：「厚也。」注云：「『毒』兼善惡，猶『祥』兼吉凶、『臭』兼香臭也」。故訓義為「厚」也。《列子》云：「亨之毒之。」皆謂厚民也。」《尚書·微子》：「天毒降災」。此毒字雙重含義，反映出對同一事物的兩面觀，亦猶古文瀆、黷同文，寓惡治亂同趣。然則𧶠字之从毒、从貝，可得而知矣。尤其是籀文𧶠字造型从止、从网、从貝。生動地刻劃出一幅「漁人得利」的景象。《孟子》云：「數罟不入洿池，魚鱉不可勝食矣」，反映了洿池與生物的密切關係。只有在物源豐饒的基礎上，纔會有交易市場的出現。此𧶠字从毒、从貝而訓義為賣之義乎?!會意字也。

（𧶠）

毒—污穢
貝—財富
→ 𧶠 → 賣 —人商品交易>

嬻 𡣍 《說文》云：「媟嬻也」。《周語》云：「陳侯棄其伉儷，而嬻於夏氏。不亦嬻姓矣乎？」

按嬻之為文，从女，从𧶠聲。女者婦人也。𧶠者瀆之省。取聲於𧶠，而訓義為非禮之男女關係。則此字的實質，不僅標志為社會道德影響，自不能排除性疾患的含義。故嬻亦聲中兼義字。

黷 𪑵 《說文》云：「握持垢也」。《玉篇》云：「數也。蒙也。垢也」。《正字通》云：「黷貌」。

按黷之為字从黑从𧶠。有污染之意，自無庸疑。惜諸家之解未能觸及本義。愚補而出之：古者政苛刑繁之君，有墨黥之刑。庶民觸犯刑律，鐵刺犯人額上，塗以墨矣。今人目擊昭然，成為終身政治污點，永不滅迹。漢初名將英布又名黥布，即秦之囚徒也。

黷

犢 𤛩 《說文》云：「牛子也，从牛，𧶠聲。」考犢之為文，从牛从賣。牛，家畜也。賣者瀆之省，穢污之義也。犢之生也，胎漿水胞液，洋膿淋下，臭聞達乎鄰里，行人掩鼻而過。嗚呼！何其污耶？然而慈母愛之，引頸俛首，長廣舌而舐其背，施甘津以救其饑。嗚呼！可謂仁矣！及其長也，巍峩雄姿，適體炫金，犍角崢峙，昂首奮蹄，千鈞之車，游運乎四鄉，百頃南畝，耕畊於終朝。嗚呼！可謂壯矣！論其績也，翻山萬里，商賈恃之而致富哉。

八

月被星，林衣文軸之，以賠家。嗚呼，可謂忠矣。論其祿也，芻莧以為食，牢廄以為居。不喜膏粱，不衣錦綉，不處宮室。嗚呼，可謂廉矣。及其老也，御執鸞刀，送其終，庖人烹之於鼎鑊，宰夫割之於樽俎，王者獻之豆籩，神靈歆之，公族饗之。嗚呼，可謂榮矣。然則犢之為物，雖非至寶之品，出於至卑至污之地耶？則犢字从牛，从𧶠省，固其宜矣。

贖

𧷏《說文》：「貿也。」《玉篇》：「質也。」所謂「質」，質即物資抵押貸款合同。俗名「典當」《表贊》。述之如下：

按：贖之為文，从貝，从𧶠。貝者，貨幣也；賣者，償之猜。污損之態也。許氏訓義曰「貿」。貿者買也。將貨幣而買，取污損之惡物，非人之所欲也。此其中蓋有故焉。古有專業抵押貸款機構，名「當鋪」。典當者持物質款，必定期償本付息，取回原物，名曰「贖當」。往往贖回之物，因長期貯藏不能得到忠實保護而遭到蟲蝕霉爛、漫磨朽，成為廢品，則爭端涉訟，勢所必然。故後人必譎詐百出，當鋪基於逃避罪責的需要，采取了譎詐花招，在質物單據上不論事實，一律書寫「今收到〇〇人破爛皮衣一件」，典戶如有買、議，則當舖可以拒絕成交。質戶迫於貪、困，唯有自甘讓步，行之既久，約定俗成。以價逮償款而取得破損舊衣，已無法見證而真理泯滅矣。此𧶠字从[illegible]从𧶠貝之意矣。今民間謂受騙曰「上當」。可作贖字良好注腳。

儥 儥 先秦贖字作儥。从人而不从貝何義也？愚應之曰：奴隸社會，貴賤買、等，貧富懸殊。時逢歲饑，貧者無以為生，唯有賣子以求活命。當時人身被作為商品之一。是可以从文字得到化驗的。儥字从賣从人。賣人之義也。許氏訓儥為見。段氏以「覿」附會其說，吾未見其可也。試舉「𩰫」字為例以證之於次：

𩰫 𩰫 𩰫 𩰫 《說文》鬲部鬻字訓：「鍵也。」同部𩰫字訓：「鬻也。」《爾雅·釋言》：「鬻，糜也。」又鬲部𩰫字云：「𩰫同鬻。」然則鬻之為物，一物而多名可知矣。顧野王《玉篇》云：「鬻與儥通。讀若育。」則儥 𩰫 𩰫  𩰫 文買、聲同而義通，昭然可見矣。特別是𩰫字的造形、命音示義，為吾儕提供了蛛絲馬迹的導尋線索，試言之如下：

鬻之為文，从𩞁，从鬲。毓之為文，字之初文也。《卜辭》中之毓作𩛥，似婦人生子之象。《籀文》作𩛥，《秦篆》作字。此育字形變之軌迹也。鬻下从鬲。鬲者炊食之器，所以示以食為文之意也。毓者生男育女也。故亦有子女義。奴隸社會，貴賤、貧富、等級、富懸殊。凶荒饑饉，庶民無以維生。計無可施，唯有出賣兒女，既食別家。以全微命。此毓、鬻、賣三字互通之所由來也。故非「鬻」字無以證飲食之義。非「毓」字無以見老幼啼饑之情。非「賣」字無以示買賣人口之交易市場。唯三字推詳互訛，庶克觸類旁通矣。鬻與儥為賣，應以毓鬻為正字，鬻賣乃毓鬻之段，鬻其樂之段也。

櫝 櫝

《說文》：「書版也。」《前漢書·昌邑王傳》：「持櫝趨謁」。師古曰：「櫝，木簡也。」

筆者按：漢初尚無帋，記事皆用木版。但時在秦後，已有蒙恬之筆，故知當時木簡必是以筆蘸墨所寫，而非刀刻篆書之竹簡矣。故櫝字从片，木版之象也。从賣，賣之嬻，污染義。據《周禮》儥字从𧶠，𧶠者必是當時「質人」所掌握的「質劑」（交易合同）已經有毛筆書寫的文字，可斷言矣。看來毛筆的歷史絕非始於蒙恬秦。安陽小屯出土的「甲骨」骨片上的文字，已出現了毛筆的字跡。堪為殷時代已有毛筆之佐證。否則無以明儥字造型从𧶠之義。然書版為櫝，其來久矣。

櫝

櫝有墨跡，故亦有污染義。

讀 𧬄《說文》：「誦書也。」徐鍇曰：「讀，猶瀆也。若四瀆之引水也。」《詩·鄘風》：「中冓之言，不可讀也。」毛傳：「抽也」鄭箋：「抽猶出也。」

按：徐氏將讀書聲的「音練」同江河水流的一瀉千里，等量齊觀。這一時空互化例，可从曰部《沓》字獲得說明。曰部《沓》字下：「語多沓沓，若水之流。」今魯南方言，謂小兒背誦詩歌熟練形容語—「沓沓的叫」。其意與徐氏同。但這一以聽覺為門戶的想象義，卻不能說明「讀」字造形从𧶠之義。因為𧶠之為文，屬於視覺器官得來的形迹。

筆者曰：「𧶠者櫝也。木簡也。先秦時代，市場商品交易，以木簡為「質劑」（買賣合同。「質劑」由同一木版一分為二，由「質人」負責頒發。「質人」的身分，等於「交易所」長。買賣兩方各執一片。上書文字，寫明物品名稱，數量，價額，取貨，繳錢時間，地點。由質人中間立證。當場宣讀，兩方同意，便簽成交。故讀字从言，質人宣讀質劑之聲也。从𧶠者，賣者瀆之省，污染之迹，木簡之有文字之迹也。愚辭之曰：「讀之為義，文字見於目而識於腦，出於口而發為聲也。」」

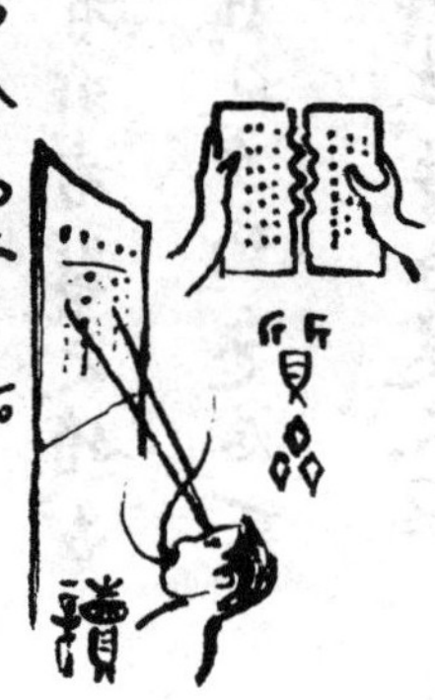

𧬄 ↓（商品交易）↓ 𧶠 ↓（合同記書）↓ 讀 ↓（合同宣佈生效）

十

讟《說文》：「痛怨也。」徐鍇曰：「衆衆怨也，从二言。」《廣韻》：「怨也。」《揚子方言》：「讟，咎謗也。」鄭注：「謗言噂讟也。」《左傳昭元言》：「民無謗讟。」杜注：「謗，誹也。」

按：讟之為文，从誩、𧶠之媾，所以示毒怨之聲也。从二言古誩《魄口字》，所以示非一人之聲也。又訓為謗者，所以示當面不言，背後亂談也。又訓為誹者，非者蜚之媾。古蜚、飛同義。散佈流言誹語中傷之意也。此類現象，多屬「訕上」之音。孔子云：「惡居下流而訕上者。」《史記孔子世家》云：「魯南宮敬叔與孔子適周，問禮，辭去。老子送之曰：「聰明深察而近於死者，好議人者也。博辯廣大危其身者，發人之惡者也。為人子者毋以有己。為人臣者毋以有己。」雖然這棒鴒告誡，要訓於人，但是歷史上仍然有不少名流死於「訛謗口出」。讟者怨言也，亦有汙穢義矣。

竇《說文》：「空也。」《左傳襄廿六年》：「齊烏餘襲我高魚。有大雨，自無竇入。」注：「竇，故水道洞。」《風俗通》：「夏后氏相遭有窮氏之難，后緡方妊，逃出自竇，而生少康。其後氏焉。」筆者按：竇之為文，从穴，孔洞之象，从𧶠，污穢之義也。故知「竇」字，初義乃排除污水之孔道。亦有污穢義。

〈竇〉

買（网貝的）（上）

网貝（篆），今《說文》貝部買字：「市也。」按此說雖確，殊未足以彰网貝的字从网之義。蓋買之為義，賣之對也。从网者何義也？愚曰：上古以貝為貨幣。繇於貝之為物，生於海域。因而水濱之民對貝的蒐捕富有高度熱情，是不是文奇的。因為它可以變成人們隨心所欲的任何東西。今卜辭之网貝字造形，正揭示出漁民對貝的蒐捕興趣。古人早已覺會到漁業的經濟效益，高於農業十倍。因而把海域視為豐收的富源，所謂「寶藏興焉，貨財殖焉。」諺語謂「漁人得利」、「竭澤而漁」，這些辭彙的創造，都不是偶然的。故買之為文，亦會意字歟？以海為藏，藏納珍之境，故貝生於海，可上貨幣，亦貢、藏珍、財富之義。凡从賣之字，皆有珍藏、財富之義。此列如下：

十一

賴〈卜〉〈金〉賴〈籀〉賴〈篆〉《說文》貝部賴字訓「贏也」。《類篇》「恃也」。

按《卜辭》賴上木，《金文》上。同是囊中貯幣之形。許文訓義曰贏。含滿之義。《類篇》訓義為恃。有財．豐．志滿．有恃．無恐之義。古諺云「錢是英雄膽」。「囊中黃金盡，壯士無顏色」於此見人們思潮升降，與經濟狀況變遷所密切關系。所謂「富貴不能淫，貧賤不能移，威武不能屈」也只有「大丈夫」能之。未可以律常人也。賴亦形聲、會意字。

賊〈卜〉〈金〉賊〈篆〉《玉篇》：「劫人也」。《集韻》：「盜也」。《說文》：「敗也」。段注「賊者毀也。毀者缺也。《左傳》：「周公上誓命曰：毀則為賊」。晉叔向曰：「殺人不忌為賊。」《書·舜典》：「寇賊姦宄」注：「殺人曰賊。」

按古文賊字，造型非一，各有象義。或从廾从戈，劫財之賊也。或从廾从貝，殺人之賊也。或从賊从虫，毒害植物之賊也。凡从賊之字，皆有破壞義。故許氏訓賊曰「敗」，段氏詳賊為「毀」、為「缺」，皆有破壞意。《論語》：「幼而不學，長而無術焉。老而不死是為賊。」《孟子》：「賊仁者謂之賊，賊義者謂之殘……」這已經是哲學領域所含義。涉及到社會科學。非吾輩所能知。

賦 [古文字形] 賦《說文》："斂也。"《唐韻》："責取也。"《尔疋釋言》："賦，量也。"《揚子方言》："賦，動也。"按：此解最覺接近事實。考賦之為字，从貝，从武。貝者，貨幣也。武者，戰爭之義也。古者寓兵於農。時當昇平，則各安田里，稼穡以貢稅。亂時則執戈而赴敵。是人民對國家有"繳稅納糧"和"從軍服役"的雙重義務，自古皆然。《周禮·天官·太宰》云："以八則治都鄙……五曰賦貢，以馭其用。"故知賦字之義，應包括納稅與兵役，可以文字形意知之。亦指事字也。

稅 稅《說文》："租也。"按稅訓為租，政治經濟學名辭也，非文字學造字原理也。許氏博學宏偉，不應有此膚言，殆後世淺人為之！是釋之如次：

古者秋季五穀豐登，農夫以糧代租，名曰"稅，熟貢新"。故言"稅"，而有穀之意已寓乎其中矣。"稅"字為什麼會成了五穀的代稱？是有其龐大廣淵而悠久歷史未能及詳學義據的。試以音義、形義分別求論之：

一、稅字的聲義觀：稅之為言歲也。稅、歲疊韻而義通。《春秋哀十六年》："國人望君如望歲焉。"杜注："歲，年穀也。"此稅、歲義通之例一。又《前漢武帝紀》："為歲事曲加禮，人為災荒減少，興禮經，贊闕文。"此稅、歲義通之例二。古漢語謂五穀不登曰"歉

十二

歲」，曰「歲饑」。《說文》欠部歉字訓：「食不滿也」。《穀梁傳》曰：「一穀不升謂之歉」。此穐歲義通之例三。

《小結》基上數例，皆「穐」有五穀之義的佐証。

二、穐字的形義觀：穐之為文，从禾从龜。禾者，五穀之象也。龜者《易卦》西方之位也。於時為秋。於十干為「庚辛」，十二支為「酉」。上古農夫稼穡，觀象定時。斗柄指酉，天下皆穐。仲秋既臨，五穀豐盈。林農夫獻穀代祖。其名曰「穐」。穐之興，始於春秋。故世言穐，而五穀之義已寓乎其中矣。《左傳·哀十三年》：「吳王夫差會諸侯於黃池。吳大夫申叔儀乞糧于魯。公孫有山氏答曰：「粮則無矣，麤則有之。若登首山以呼曰：庚、癸乎？則諾。」當其時，兵帥糧荒危饑，為了軍機保密，不得不以「隱語」示之。後世形容貧困告貸之門者曰「庚、癸頻呼」，典源於斯。庚者，西方之位，於時為秋。秋季五穀豐登，故以收為穀之代號。此隱語典源於「五行」「干支」，聚合而來，與「粟」字造形从西从米同例。「收癸」者糧水之意。非獨示少糧也。軍卒之命，繫於「糧、水」，無飲無食，三軍萎矣。故以「庚、癸」疾呼之。癸者北方之位，於「五行」為水。故申叔儀上「庚、癸」之呼，所以示軍中無糧無水也。明乎「五行」公式，則不僅可以明徹「穐」字造形、命音、示義之本，則所有漢字的研究都是極為重要的一把萬能鑰匙。

贏  〈金〉〈篆〉《說文·貝部》：「贏，有餘賈利也。」（賈音古）貝部賈下云：「市也。」《周禮·天官太宰》云：「商賈阜通貨賄。」注：「行曰商，處曰賈。」可知西周時代已有脫離農田的專業商人從事物資交流活動，來往於各地商業市場矣。當其時把從事販運的商人名之曰商。固定守肆者叫「賈」。所謂「賈」，即接機構把商人「賈」之為字，原為特定經營方式的商人職業名稱。但是許氏《說文》所謂之「有餘賈利」的「賈」字，實質上卻應該看成是價錢的「價」（《說見後賈字注》）。否則無以理解它的經濟意義。所謂「有餘賈利」即為馬克思說的「剩餘價值」。亦即從賣價中減去成本所剩餘的部份。古名曰「贏」，以數學公式來表達，即：

賣價－本價＝贏。現代名之曰「利潤」。

字形義之初擬：贏之為文，「贏」字以日易中的

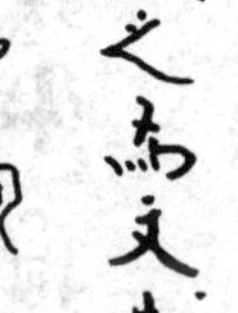

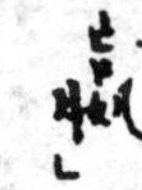

贏

置換式也。於《六書》為「轉注」。贏之為字，果蜂之名也。此昆蟲乃集體生物，出則成羣，居則同巢。善於采花釀蜜。有傳佈花粉促進果實蕃衍之功。古名之曰「黔贏」。《楚辭·屈原遠遊》云：「召黔贏而見之兮，為余先乎平路。」宋洪興祖補注：「天上造化神名。或曰水神。」

古人未太了解昆蟲傳播花粉對植物果實、蕃殖的科學真相，從現象上卻看到了凡是黑蜂常到之處的果樹，便都果實、纍纍，產量常皆收繁為人。因而以「造化之神」呼之。這是不足為怪的。同時由於黑蜂集體飛行，聲如雷，所以古人又贈與了它一個綽號，曰「黔雷」。這也是很貴際的。原始社會的某一部落基於對「黔嬴」的崇拜，因而把它上為「族徽」（現代史學家名曰「圖騰」）。這也許就是上古嬴氏氏族的起源。

嬴氏的歷史社會觀，早期嬴字造型上[illegible]只是一個單純的黑蜂圖形。也許這就是一幅「圖騰」的寫照。在青銅器上出現的[illegible]、[illegible]、[illegible]、[illegible]……這些字形中都加了女字，充分顯示了母系社會的遺迹。許氏《說文》謂嬴為帝少皞之姓，而未及嬴字的含義。唯《史記秦紀》云：「秦之先，帝顓頊之苗裔，其後人百翳佐舜調訓鳥獸，賜姓嬴氏」。《康熙字典》女部嬴字注：「秦祖柏翳為舜主畜，畜多息，賜姓嬴」。《管子四時篇》：「東方曰星，其時曰春，其德喜嬴，又曰：「春嬴（孕）育，夏長養」。以「柏翳主畜多息」及管子假嬴為「孕」等語例求證，可知嬴字含有蕃殖生毓之義，都是來源於「黔嬴造化之神」觀念的重現，是非常明顯的。

《有關點靈的深層科學知識，與古天文、地輿、五行、《易卦》、聲韻學……的多邊關系，愚另有專文論述。在此所言者，即「靈」字蘇生物蕃盛，義轉化為金融生息義的軌迹問題。古人將金融資財的「將本生息」與生物蕃殖的增長規律等量齊觀。所以造字者將造化之神的「靈」字，撤去而易以[illegible]字，以表示貸、帶生息與生物蕃息的共性。其省、「靈」是之姓氏字。真正的造化之神的名字應該是「點靈」。（音裸）裸、雷同聲。即「𩆜」也。表示況：

《靈字義變軌迹示意一覽》

靈 —— 號稱造化之神的昆蟲

↓

靈 —— 培育牲畜有功封賜的姓氏

↓

靈 —— 貨財貿易得利的生息

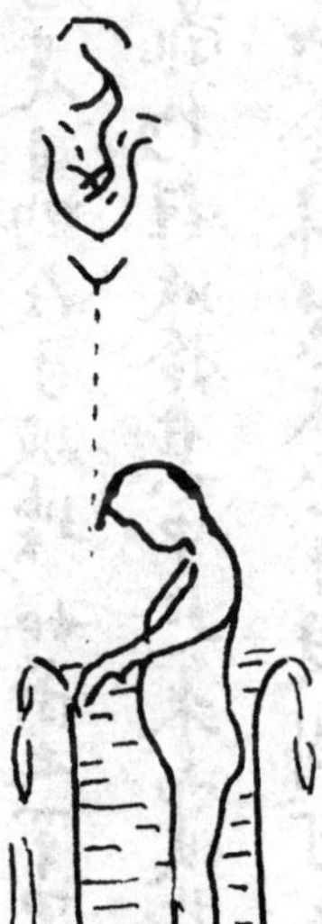

盈滿象

盈： ▸  稱盈 此象形字，似人入缸內，缸水漲滿之態。故《說文》云：「滿器也。」

盈與靈同聲而義通。後世以盈代靈。盈行而靈廢矣。

貫 毌 串 毌 串 串 串 串 貫 《說文》：「毌，穿物持之也。」「貫，錢貝之毌也。」《博雅》：「穿也。」《五經文字》：「抗穿曰貫。」

按毌之為文，象形字也，亦指事字也。許氏以穿釋毌，只言其通透之義，而不及「持」之義，略之也。蓋穿通之目的有二：一是目的在于破壞，如箭之穿甲，鼠之穿牆，打洞是也。二是目的在於以穿通為技巧，將散亂物體收拾集中起來，而便於掌握控制。譬喻、上等于變相的封鎖。小兒手握糖串，僧人手持念珠，農夫以一手提繩可牽制千斤之牛。此皆「執簡以御繁」之濃。不可不知也。《鄂君啟節》刻文中的關（關）字造形从串，正表現用於串連代替囊橐束裹的物理功能。尚示如下以見義。

串者箭矢穿盾之象也。串串者以索穿貝之象也。串者以木穿鼓之象也。毌者以繩穿錢之象也。雖取象不同，所以穿通之義則一也。

賒 余貝（卜）賒（篆）《說文·貝部賒》訓：「賒，貰買也。」貰字訓：「貸也。」《廣韻》：「貰，賒也。」筆者按：賒、貰二文，皆貝形罷、聲同而義通。形聲字也。余貝者貸財也。余與世古韻同居一部。古蛇等字同聲，可為例證。余貝取聲於余。

余者舍之省，具舍藏而未用以備不時之需，非永棄之意也。賒物償款，償還有期，猶器之舍于府庫，藏于匱中，待時而取用之義也。《康熙字典》人部「余」下云：「古文有余而無余。余之轉，音蛇」。楊慎曰：「今人姓有此，而妄寫上余。此不通曉《說文》，而自古聰明者。余从舍省，舍之聲與蛇近。則「禪遮切」為正音矣。五代宋初人自稱曰「沙家」，即余家之近似聲，可證。而賒字从「余」，亦可知也」。

筆者考：楊氏之說與《甲骨文》余的字造形若合符契。可謂學有淵源。抑義有未盡者，愚補而出之如次：

考余之為字，《說文》居於八部，而未處亼、入二部，何也？愚曰：「入之為義，自外入內之意也。亼之為文，古集字也。三合之象也。八之為文，古別字也。開張之形也。人、亼、八三者各有獨特形義，未容混淆也。《說文》余字訓：「余，語之舒也」。段注引《左傳．僖九年》文：「小白余敢貪天子之命，無下拜」。此正辭之舒。亏部曰：亏，於也。象气之舒亏〈呼〉。然則余、亏二字同音而義通。……」繇此可證余字，初義應有張口出气發音之意。其義甚明。故知余之為文，徼文聲字也。其讀若「予」，則宜訓「我」。讀若舍，則宜訓「貰」。

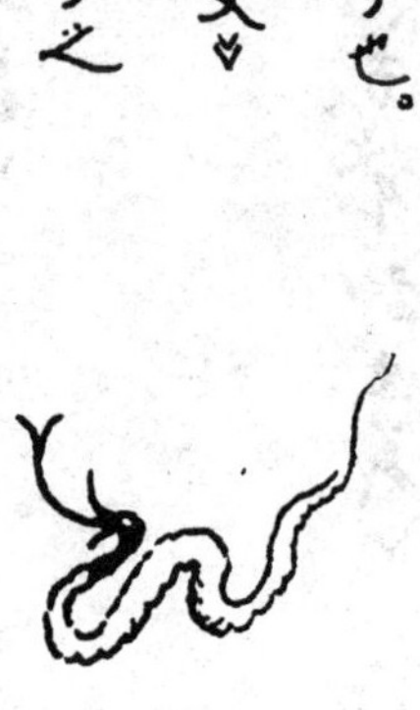

此漢字義從聲變之例。筆者以為余之處於八部而訓為「舒」，當取象於蛇之張口舒舌之形。故舒訓為舍。動物之舌端分岐者，唯有蛇類。故如余、舍、舌、舒諸文，皆取象于蛇而無疑。許氏列余字於八部者，古義也。字書止余而系止八者，形之譌也。

《余字形音義變示意》

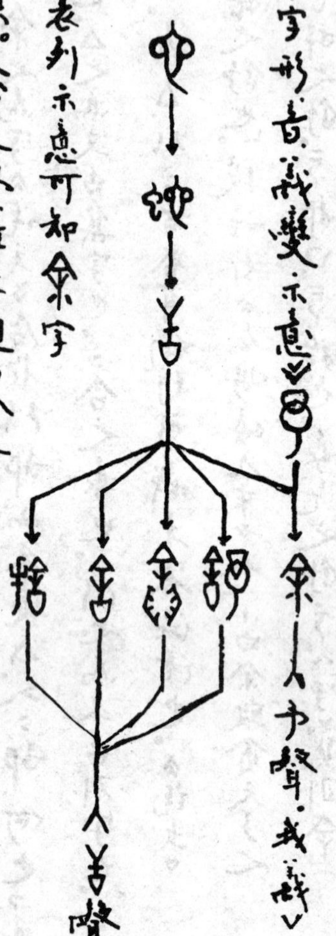

據上表列示意可知余字止余之為誤。文字之學，雖能通古今之變而無匡謬正俗之力。時使之然歟？唯「通古不非時，同今不流弊」為能得其正。

寶〈卜〉寶〈金〉寶〈篆〉《說文》云：「珍也。」《周禮春官天府》云：「凡國之玉鎮、大寶器藏焉。」《禮曲禮》云，注：「府謂寶財藏之處也。」按古文寶字造型千奇百怪。要而言之，不出〈宀〉、〈玉〉、〈缶〉、〈貝〉四文而成。〈宀〉者，府庫之象。〈貝〉者，貨幣之形。〈缶〉者，貯藏之器。此象形字以聲義字也。寶，取聲於𢀖慈母褓光之象也。故寶之為字有財富義，亦有子孫義。《易》云：「聖人之大寶曰位。」此以爵為寶、

〈寶〉

之義。《春秋》云：「楚國無以為寶，唯善以為寶。」晉舅犯曰：「亡人無以為寶，仁親以為寶。」此以德為寶之義矣。

錢

錢〈下〉錢〈篆〉《說文》：「銚也。」《書呂刑》：「其罰百鍰。」傳：「六兩曰鍰。鍰，黃鐵也。」《考工記》云：「戈重三鋝。」馬融云：「鋝，量名。當與呂刑鍰同。」鄭康成云：「鍰稱輕重之名。」蓋鍰，今之銅也。」筆者按：錢的重量，其貴賤當量等於今之多少，已不易換稱。從罰金的意義推之，必是貨幣量詞而無疑。但《卜辭》「錢」字从戔而不从金。則錢為之劍，究為金質，或為骨質？尚非專恃字形所能論斷。

賄

賄賄賄《說文》：「財也。」按《周禮天官太宰》：「商賈阜通貨賄。」注：「布帛曰賄。」《儀禮》：「賄用束紡。」

《賄字之面面觀》：賄之為物，貨財也。從政治觀點衡量之，賄字之義究竟為褒義辭乎？貶義辭乎？或有人曰，用之於正則為正，用之惡則為衰。正人用之可以濟貧救危，邪人用之，足以敗名喪身。又何關乎貨財之本身乎？世俗衡量，善於用財者日斟，不善於用財者日潰。而賄之為字遂降為貶義辭矣。古文賄字从賄。《詩》从每。每之為言晦也。月之盡期，黑暗之象也。晦之為言悔也。神鬼之義也。每之言嫩也。艷麗之姿也。然則踊之爲義，當易言哉！要在人之神證思義耳！

賈 賈 《說文》：「市也。」段注：「凡買賣皆曰市。」按之爲文，多音字也。一讀若估。《周礼·天下太宰九職》：「以商賈阜通貨賄。」注：「行曰商，處曰賈」是其義。

賈之爲文从襾从貝。所以示覆傾濟之意也。《說文》襾部訓「覆也」。後世增亻而之價。此漢字義从聲變之例。

〈處商〉賈〈價〈價值〉
賈〈姓氏〉〈是元和姓纂〉

贛 贛 貢 《說文·貝部》：「贛，賜也。」段云：「《釋詁》曰：『贛，賜也。』釋文本亡贛，後人改亡貢。端木賜字子贛，今作貢。皆後人所改。《淮南·道應、要略》二訓注》皆云：『贛，賜也』。」

《恩惜》：贛訓爲賜，頗費理解。但如果認真研究一下贛字造形示意，也就了如指掌了。按贛之爲文从章，从貝，从夅。章从音从十。《雅頌》之篇皆以「什」爲名。十者數之盈。十人爲「什」。所以示人數之衆也。音者歌聲也。音十爲章者所以昭頌聲之廣也。貝者，禮品也。夅，古篆亡，夅。象左右二足从高下降。〈夅即降字，古音同貢〉字形告訴我們，造字者把羣衆對國君的歌頌和獻禮說成是上帝的賜予。贛質上已經清晰地反映出「人民當家作主，國君是群衆公僕」這一意識形態。這和古典哲學文獻——《周易·☷☰卦》的爻象是不謀而合的。《周易》之為書當於上古時期許多革命家的集體智慧結晶。在《泰卦》中，把人民放在天上，把國君放在地的位置。這個異乎尋常的「主從關係」的規定，不是偶然的。這個顛倒位序的政治觀點，表現在戰國時代偉大思想家孟軻的學說中。他的論點是「民為貴，社稷次之，君為輕」。這一論點和《說文》的「辭」訓為「賜」，同樣都在閃爍着東方世界古老文化的燦爛光輝。是異常明顯的。

賜 賜 《說文》：「予也。」按：賜訓為予，通段字也。應以「與」為正字。予字初文上予，與予形似，其本義為「我」。《爾雅·釋詁》：「卬、予、台、吾、朕、身、甫、余、言，我也。」堪為義證。以予與同聲，後世遂段予為與矣。

賜之為文，从貝从易。此上「王者」以貝賞功字。厥後廢貝而用錢，而賜字遂將貝易金。此文隨時變例。「遂加九錫」即「九賜」。九命之職也。

錫 鍚 錫 《金》錫《篆》《說文》：「銀鉛之間，从金易聲。」徐曰：「銀色而鉛質也」。

十七

許氏所言者，錫字本義也。本文不言其自然義，目的在於發明「錫」、「賜」二文的演嬗、義變軌迹，與社會背景，故專言其第二義，而略其初義。

《錫賜互通舉例及其歷史背景》

錫於金文上易，在青銅銘文中，幾於每器可見，皆義同於「賜」。經籍中叚錫為賜之例亦所在多有。如：《易訟卦》：「上九，或錫之鞶帶，終朝三褫之」；《師卦》：「九二王三錫命」；《詩小雅菁菁者莪》：「錫我百朋」《春秋莊元年》：「王使榮叔錫桓公命」。皆叚錫為賜之例。叚錫為賜，反映了先秦時代幣制改革的社會背景。亦即由貝貨幣代之以金屬貨幣時歷史變遷投影。由於那時王者賜予的貨幣已經由貝幣而變為金幣，因而賜字也就由易字變成金旁之錫也是必然的。

《易字歷史淵源》 在《甲骨文編》中，展現着一系列易字演嬗軌迹……試序錄而補充之如次以明其義。

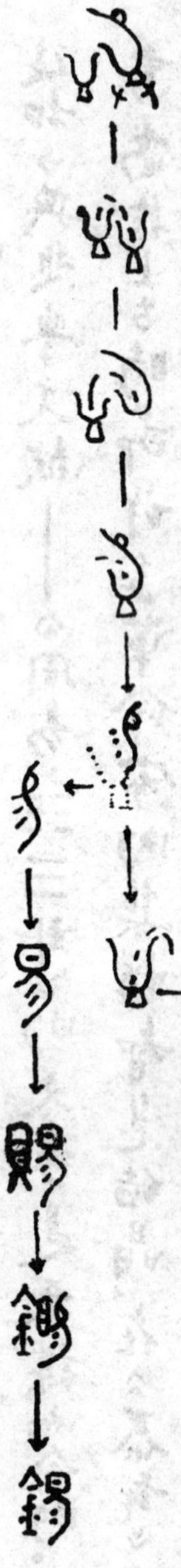

□字義變的表現：□字初文，由雙手捧酒向空盃傾注的「裒多益寡」，延伸為增益、謙溢、交易……等孳乳義。從理論上講，「王者對功臣的賞功報德」也是一種政治交易形式。故□字的槪念是具有等價、交換意義的。大功受大賜，小功受小賜，權利義務對等。此交易之義也。

賜 □《金》賜 此字《說文》未載。《玉篇》云：「廩給也。」金文□字即賜字之楷文。所謂「廩給」即由國家備糧械構按期發給任職官員的經濟待遇。《韓非子內儲》：「南郭處士請為王吹竽，齊宣王悅之，廩食以數百人。」可為義證。早期封建社會政府官員皆以糧代薪，名曰「食祿」。如漢王朝有二千石之職，皆「廩給」代祿之例。後世代之以貨幣。□字始具義矣。金文乃先秦文字，則□字釋賜，似與時代背景未合。要知食糧之為物，重而千里轉輸非易。應其時或已有以糧折幣的權宜措施。否則□字將很難得到圓滿解釋。

購 □《卜》購《篆》《說文》：「以財有所求也。」筆者按：《卜辭》有□字，从二□二手。象甲手授貝乙手受貝。交易既成，徵價收款之態。象形字也。小篆上購从貝从冓。冓，《卜辭》上□。象二魚交媾之態。有成交之義會意字矣。

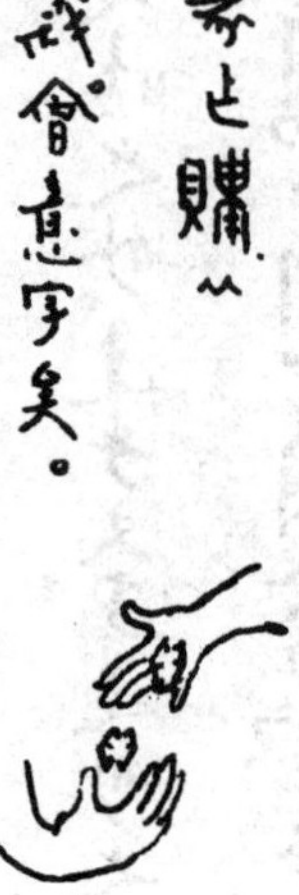

負負《說文》：「恃也。从人守貝，有所恃也。」許氏之訓，顯然是已將負字列為「賴」之同義字。因負、賴二文，皆从負成其「依賴」、「仗恃」之情。可謂深得人情之妙，達乎文字造形之指。然據筆者之見，負之為文，形聲字也。「从人，从貝聲」。斯為正訓。或問余曰：「子以負為形聲字，亦有「說」乎？請吾子言之。」愚曰：《埤雅》有云：「貝以其背用，故謂之貝。」《禮明堂位》：「天子負斧扆南鄉而立。」注：「負之言背也。」《釋名》：「負，背也。置項背也。」古謂負、背同聲。故知「負」與「背」聲同而義通。《玉篇》：「背，脊也。」《說文》：「背亦作偝。」《韻會》：「身北曰背。」《正字通》：「背，身之陰也。」古謂人背禮曰負義。數理以金數曰「負數」。可知負、背聲同而義通，乃形聲字矣。「背」者，名辭；「負」動辭。以其同中之異，故以背，取義於文與五行位置有關，不可不知。

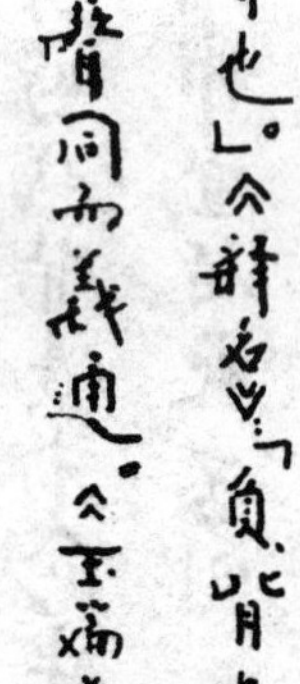
（負）

貳貳《說文》：「副益也。」徐鍇曰：「副，二者，裨益也。」戴侗曰：「儲以待遺之謂貳。」按，戴氏之解，最有價值。貳之為文，从貝，从弍。貝者，貨、幣也。弍，古文二字，倍比之義也。譬如企業經營之有固定資產、流動資金也。今有資金百萬，可謂富矣。然而老成持重之「財管」，必於流動資金之外，另備百萬資金，以待用，所以備風險而濟遺乏也。此貳字之本義也。其延伸義為：「官有貳，書有副本，器有副職。皆所以裨益事業而備置之也。」

質所質《說文》云：「以物相贅。从貝、从所。闕。」（闕謂闕其字之形義）。

考《周礼地官質人》云：「大市曰質，小市曰劑。」注：「質劑者，為之券藏之也。」時賢陸宗達氏對「所」字曾有精闢說明，云：「按所與質，同音。應是鑕之省。《廣韻》云：「鑕，斧也。」《九章算術》劉徽注：「張衡謂立方為質，立圓為渾。」所由斧鑕取義。……」章炳麟在《小學答問》中說：「立方為質，即所字也。斤為砍木之斧。乃砍柴所用。其形背厚而刃薄。乃五面立方體。依《九章數學》云：邪解立方體，得兩「塹堵」。兩塹堵顛倒相補，即成立方。斤字甲骨作ㄅ，石鼓作𠂆，彝器稍變作𠂆，小篆變作斤。形已訛變。故二斤為所，即立方之義。

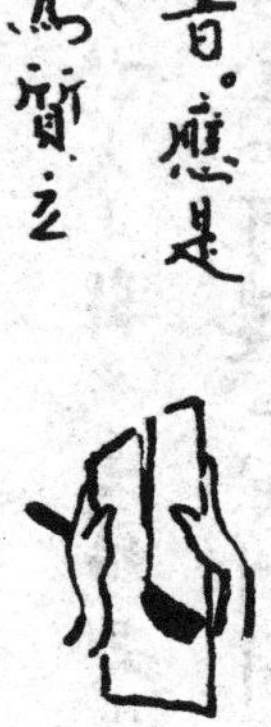

斲

邪解立方，是古代測量計算方程式之一。即一个立方體分成兩箇三角墻〈柱〉。現代數學名之為「解析幾何」。這樣的兩箇三角墻，名曰「塹堵」。塹堵是挖通溝時，將所挖的土方堆在溝渠兩岸上所形成的「自然安息角」。這就成了兩个直角三角形的立方體。以相背

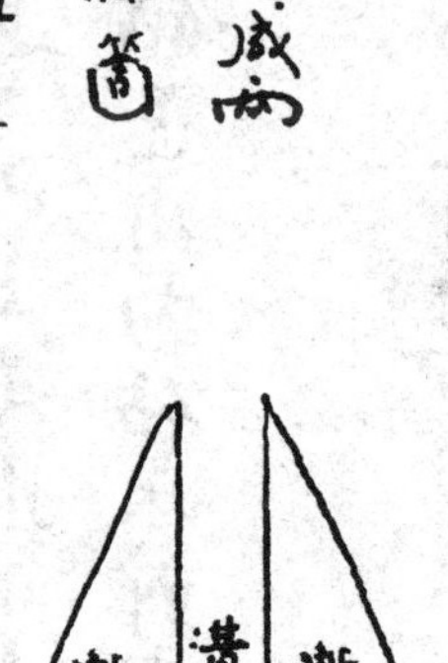

的形式交峙在溝渠兩岸。如果把這兩个三角立方鍥顛倒相補，就會化為正方形立方鍥。如果分開，使成了兩个直角三角形五面立方鍥。至于劈木斧的五面立方形，與五面立方鍥的「塹堵」，則是一樣的。古文的所字，實際上是表示了「析解立方」的原理。古代建築物的柱下石、門下限叫作礩，鐵匠用的砧床，叫作鑕，都是因立方鍥而得名。

筆者按：《周礼·地官·質人》所掌握的市場商品交易使用的「質、劑」，實際上也就是一分為二，或合二為一的合同證件。由買主、賣主各執一份，質人从中作證，定期當場交貨、付價。陸氏據古代數學文獻作突破口，結合了許多實物為形例，揭穿了「所」字的科學秘密，發前人所未發。不愧為許氏之功臣矣！

契扐

扐木扐契鍥《說文》大部契字云：「契，大約也。」考契之為字多義字也。或訓為刻，如《呂覽·察今篇》：「契舟求劍」。《淮南齊俗訓》：「越人契臂」。《詩大疋·緜》：「爰始爰謀，爰契我龜」。《荀子·勸學篇》：「鍥而舍之，朽木不朽；鍥而不舍，金石可鏤」。皆訓刻之例。或訓為文字。如《易·繫辭》：「上古結繩而治，後世易之以書契」是其例。或訓為證件。如《周禮·小宰》：「聽取予以書契」。大鄭云：「書契，符書也。」後鄭云：「書契謂出予受入之凡要。凡簿書之冣目，獄訟要辭，皆曰契。」是其例。或訓為分離。如《詩·邶風》：「死生契闊，與子成說」，是其例。或訓為合。如《司空表聖詩品》：「少與道契，終與俗違」。是其例。或訓為單據。如《禮·曲禮》：「獻粟者執右契」。

以上衆多義例，皆無以窺契字真相。推原其故，實誤於文字之訛變。試求諸如左：

契以為契之為文，實宜从廾，而非从大。大者正面人形，廾者古拱字。雙手奉（捧）物之象。古作[illegible]，[illegible]，[illegible]，皆从廾。大之與廾，固風馬牛不相及。李斯誤之於前，許氏因之。遂致「契」字形訛而義晦。先秦古文遭嬴秦而剗滅，祖龍統一宇內，罷黜百家，焚書坑儒，李斯假託倉史，肆情更改，文字混亂，實燼其端。漢初釐定古文，變本加厲，使古文繁畫變而實變，古文之學遂寢。六朝金粉，五代陵夷，魏碑唐楷，瑰麗百出。从光之[illegible]，从亏之[illegible]，从廾之[illegible]，从廾之[illegible]，咸以大字代之。則文字之訛變亦多，固比比皆是。契字其太空微塵，滄海之一粟矣。

實際上是一份騎縫信用合同。今影院自行車掛牌，實古鴻溝新用也。

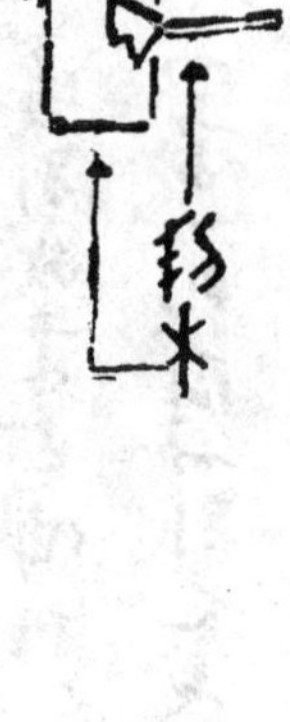

二○

券 [seal]《說文》刀部訓："券，契也。从刀，𢍏聲。券別之書，以刀判其旁，故曰書契。"《周禮·天官·小宰》云："以官府之八成經邦治。……四曰聽稱責以傅別。"〈傅〉云："傅別，故書作『傅辨』。"〈按：此義最古而确切〉。鄭大夫讀為符別。杜子春讀為傅別。……兩書一札，同而別之。長曰質，短曰劑。傅別、質、劑，皆今之券書也。因事而買，名耳！

筆者按：[seal]之為文，从刀，从𢍏，从米。刀者一分為二之象。𢍏者，雙手捧持之態。米之為文，辨字初文也。《說詳拙著狩獵篇》辨者，辨別審覈也。《少宰注》云："聽訟責〈債〉者，以券書決之。傅，傅著約束于文書。別，別為兩，兩家各執一也。"

復考《唐韻》云："券，契也。以木牘為要約之書。以刀剖之，屈曲犬牙。"此解明快鮮朗，勝於一切。茲示如下：

貸 [seal]〈卜〉貸《說文》："施也。从貝，代聲。"所謂"貸"，即以糧代貝的借款形式。民間名之曰"放參賬"，故字从代从貝。此類貸款多出現於春荒饑饉之際。斯時新麥未熟，陳穀已盡，青黃不接。貧苦農人告貸於富翁。往往以高價貸出，比及新麥登場，市價暴跌，造成貴糴賤糶。貧者得不償失，富人薄施厚斂。然則許君訓貸為施者，據仁人之心而言也。奈世末俗流於爭奪貪婪永休「施」之為義，空有其名矣。爾虞我詐，於是乎興。此種意態變遷，可從「貣」字義變軌道求證之。

貣

卜文貣〈篆〉《說文》：「貣，從人求物也。」段注云：「經史內貣、貸錯出。恐皆俗人增人旁。如蟘字，經典釋文《五經文字》皆作蟘。俗作蟘。亦其證也。《周禮注》中借者予者同用一字。釋文別其音，知本無二字矣。貣，他特切。」

貣字的相對義：貣之為文，从弋从貝。弋者，射鳥之矢也。《卜辭》作𢍜。象矰繳之形。《詩·鄭風·女曰雞鳴篇》：「弋鳧與雁。」注：「弋，以繩繫矢而射也。」可證貣字从弋从貝。有徼取財富之旨，此會意字也。

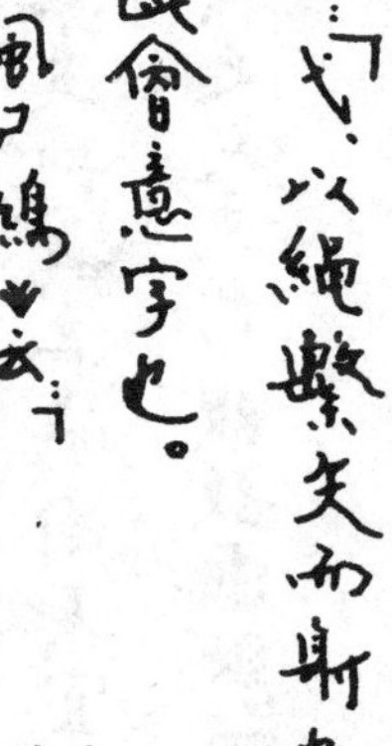

忒

貣之為字，與忒形似，音同而義通。《詩·曹風·鳲鳩》云：「淑人君子，其儀不忒。」正義云：「執義如一，無疑貳之心。」《說文·心部》：「忒，更也。」可知忒字有意志變更義。《詩·大雅·瞻卬》：「鞫人忮忒。」傳：「鞫，窮也。忒，變也。」詩人在這一語義中，揭示出貪苦群衆「窮則思變」的心情。忮者，伎倆也。忒與慝通。慝，其心也。「忮忒」二字，標志出蓄意詐騙財物的意態。俗云「誑騙揚貣」，即「貣」字本義矣。揚貣誑騙，固然可恥。但也是窮途末

廿一

路的人能會剝削的必然產物。戝字以原始的「施惠」義，衍化為「欺騙」義。
說明了人類由互助發展為互爭的事實。

貶 賍《說文·貝部》：「貶，損也。」手部損下云：「減也。」水部減下曰：「損也。」許書貶損減
三字輾轉遞訓，以示其共義。而同遞於損，請先明損字之義。

損 𢾶《說文》訓：「損，減也。」考損之為文，从員从手。員者隕之省，手者拾之省。隕者，物之失
墜也。拾者合手拾取之意也。物既失墜於地，必伸手而拾取之，此人情之常也。墜而復
拾之物必有毀破、污棄、遺失，此亦事之必然者也。其訓義為減，固其宜矣。請繼言貶字
之義。賍：貶字遺形，从貝从丏。丏之為字，正之反文也。故欲求「貶」字之義，必先言之。
欲究丏之義，必先言「正」。請先言正。

正《說文》正部曰：「正，是也。从一。一以止。」筆者按，許氏訓正曰「是」，取義於觀日定時之意。〈古文，時與是通〉
余以物理力學釋之。正之為字，从一从止。一者平衡之象也。止者，靜而不動、穩定之意
也。依物理力學定義言之：「一切物體重心落在支持面上，就能靜止穩定，重心脫了支持
面，物體就要傾倒。」故一止為正，說明了物體的靜止穩定，和「正」是
分不開的。特別是建築物，更是這樣。定字从宀从正，有力地揭示了

正　丏

「正則穩定，不正則傾」的真理。正字之義既明，請徒言之。

乏 《說文》正部乏字下：《春秋宣十五年》：「天反時為災，地反物為妖，民反德為亂。故文反正為乏。」《左傳》采用了客觀槩念解釋乏字範圍過廣，非本文所能備述。本文所討論的僅是文字問題，旨在提供有關乏字的例字：

筆者考，漢字中从乏之字，皆有傾覆之象。如乏增水為泛，增西為覂，古謂車翻曰「覂駕」，船翻曰「泛舟」……物之可傾覆者，皆以乏示義，所以示物體重心脫離了支持面之意也。造字設計者出一个與正字方向背離的「乏」字，以示傾覆之象，事實上，應該是[illegible]。這是一个足趾與天地平线在下的指事字，其義與上止「⊥」、下止「丅」同例。只是為了書寫方便，遂采用了平面的[illegible]。「易向」以代表垂直的[illegible]。「易向」了。不如此，便無以窺知造字之秘密。貶的同音共義字，遂反映在《周礼秋官哲蔟氏》的經文中。其文云：「

𡿺 哲蔟氏掌覆夭鳥之巢。」《說文》巢部𡿺字訓：「傾覆也。从寸臼覆之。寸，人手也。从巢省。杜林說，以為貶損之貶。」筆者按：

貶、𡿺、覂、泛，皆形聲兼會意字也。

表示如後，以見義，亦示以見形。

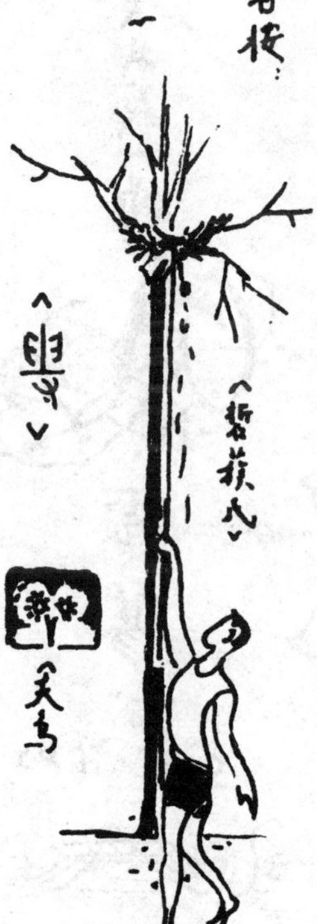

廿二

覂　泛

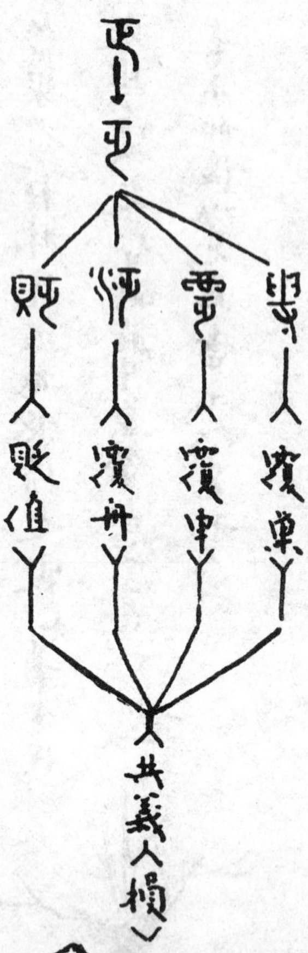

貶字初義應為貨幣貶值。其後延伸為官員謫貶。聲譽貶低義。

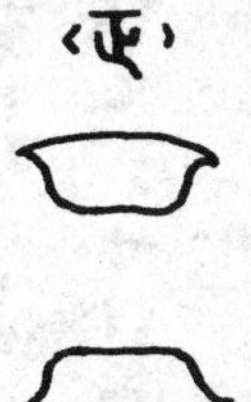

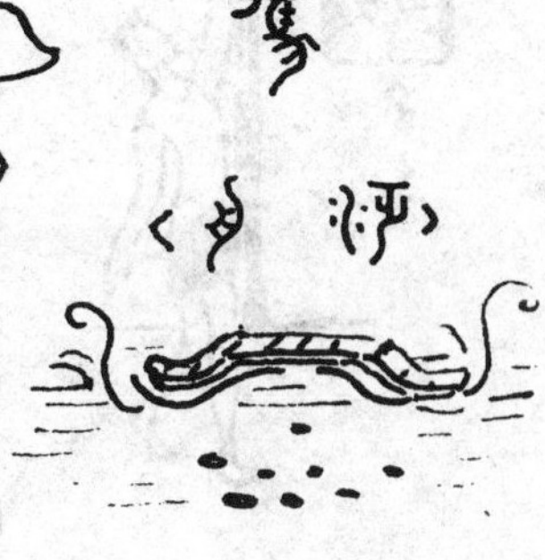

幣 幣 巾 《說文》:「金幣所藏也。〈使節憑用也〉从巾，敝聲。」段注:「此与府、庫、廥等律。帑之言藏也。以〈英蕩〉幣帛所藏，故从巾。」《周禮地官掌節》:「山國用虎節。土國用人節。澤國用龍節。以英蕩輔之。」杜子春曰:「蕩當為帑。謂以函器盛此節。或曰畫函。即英蕩。」愧筆者常聞老年談話謂國庫撥款的建設基金曰「淌銀」，帑即「蕩」之音變也。

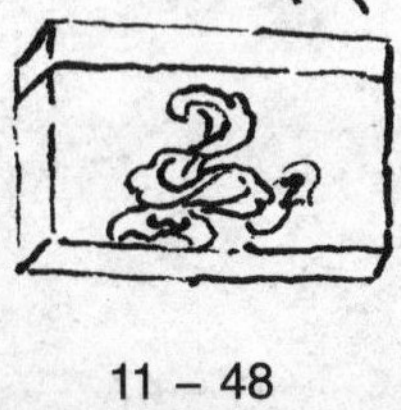

賞 賞 《說文》:「賜有功也。」同部賜字訓:「予也」。按賜之為字从貝，从易。交易之意。賞之為言償也。臣子有功「王者賞之以幣，賜之以爵」。幣、爵，上也，是一種交易。故知賞即償之初文。後世增亻為償。[illegible]猶「立」本位之初文，後世增亻而上位，而立位分立，其例相同。示例于下:

易〈賜　責〈債　立〈位　賞〈償　然〈燃　[illegible]

𧶠𧶠（ㄩˋ）說文云：「行賣也。」按此解乃經籍常規定義之抄錄。殊非𧶠字造型命意之旨。考內部商字云：「从外知內也。」（透過表象見實質）此義施於商品檢驗則可；用於闡明造字之意，則盲然失指矣。段注引白虎通之說：「商者章也。」尤覺玄虛。竊以為商之為文，从辛从㕯。辛古愆字。辠刑之人也。有罪必罰，理之常也。夫死者不可復生，刑者不可復贖。故良吏治獄，必審慎周詳，原情而定罪，據事以量刑。務使訴苦者寬伸而志得，服刑者心悅誠服，遭遣而無怨。庶幾得其平，故曰讞」。古者司讞之職，設有議罪量刑機構（說詳拙著刑罰篇）。所以示仁政也。故知商之為言讞也。矜哀之心也。故於處決定案，不惜旁徵博采，詢謀僉同。故𠷎字从辛从㕯。公諸之義也。造字者去日而施貝。轉注為商品交易字。所以示價之公允也。夫商品交易，買賣兩方各執己見，爭議不休。樸質、誠者居間析中而平之，以促其認同，故曰成交。然則商場貿易，必有賴乎商談，而商業之名所繇來歟！今之𠷎，即古之𧶠也。今商行而賣廢矣。

辛·㕯—𠷎

商·商情定罪

𧶠·按值取賣

廿三

齎 □□ 齎《說文》：「持遺（餽）也。从貝，齊聲。」《周禮天官掌皮》：「歲終則會其財齎。」
注：「予人以物曰齎」鄭司農云：「齎或為資」。按許書隸得漢字偏義於聲之指。竊以為□之為文，从□从貝。貝者貨財之總名。□者濟之省，調濟之義。此形聲字也。齎古文或作□、□、□、□，今資行而齎發。齎之為言濟也。助也。息也。言□貝而生息之意亦在其中矣！

賮 □□《說文》：「會禮也。」《蒼頡篇》：「賮，財貨也。」張載注《魏都賦》：「賮，礼贄也。」
《孟子》：「當是時也，余將有遠行，行者必以賮。辭曰餽賮。」
按賮之為文，从㶳从貝。㶳者，燃火餘木也。其用極廣。可供敺獸，可供炊爨，可以烘衣，可以禦寒。千山萬水，形隻影單，所需之物甚多，不能一一兼備。送行者唯有餽之以貝。㶳者盡也。應有盡有，貨幣萬能之義也。

賘 □□《金》賘《篆》此字惟見於金文，說文不載。《集韻》：「音綫。」《玉篇》：「踠賘，小有財也。」按賘之為文，从貝从耑。《說文》耑部訓：「物初生之題也。」《增韻》：「耑，物之首也。」考耑之為文，《卜辭》作□，篆作□。俱作植物幼芽之態。植物幼芽，其體甚微。《玉篇》以「晼（旦）喻」之，則其形之小可知矣。

《爾雅·釋魚》：「貝居陸曰贆。在水者曰魧。小者曰蟦。」注云：「大貝如車渠，細貝亦有紫色者。」由此觀之，可知用於貨幣之貝，自亦有大小之不同。其值必異等。此可得而推者也。如《毛公鼎》云：「取𧶜三十寽」堪爲說明佐証。

《說文》云：「寽，五指捋也。从𠬪，从一。一者物也。」用一大把爲計量單位，其貝之微，不待言而可知矣。

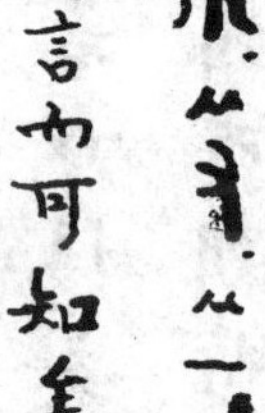

（寽）

衒 衒 衒 《說文》：「行且賣也。」《前漢東方朔傳》：「武帝初即位，四方士多上書言得失，自衒鬻者以千數。」師古注：「衒，行賣也。」故知衒、衒罵，文而同字。按「衒」之爲文，从行，从言。行者沿街遊巷之義也。言者呼聲也。或以口叫賣，或鳴器以示衆而招徠顧客，皆衒賣之義矣。

判 爿片〈卜〉 𣃚〈篆〉《周伯琦·六書正譌》：「判，木也。从半木。左半爲爿，右半爲片。」《說文》：「判，分也。」《增韻》：「判，半也。」

《周礼秋官朝士》：「凡有責（債）者，有判書以治，則聽。」注：「判，分半而合者，故書判為辨。」又《周礼地官媒氏掌萬民之判。》

大槩上古在沒有筆墨筆硯情況下，買賣契約、借款合同、結婚證書可能都是把木頭一劈兩開，各持一半，作為證件。否則不會《卜辭》中會有𠦂、𠦂字形的出現。而周伯琦氏附解說尤覺与《甲骨文》𠦂字造型若合符契。

《判》𠦂

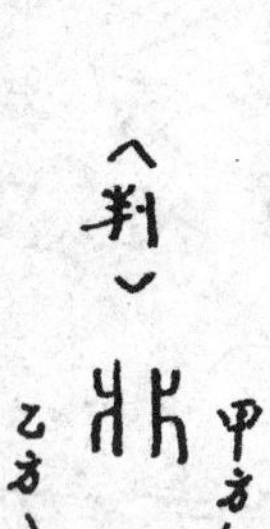

貿　貿《說文》：「易財也。」徐曰：「貿猶亂也。交互之義。」按所謂易財，物資交換之意。物資交換必有準定之時刻。故知卯貝之為文，从卯者，所以示交易有時也。从𡿺者，貨財之意也。卯者日出東方之時。古者市場交易，在於早晨。《周礼地官遺人》云：「五十里有市。」《地官司市》云：「朝市，朝時而市，商賈為主。」

朝　朝

《史記平準書》師古注曰：「古未有市，若朝聚井汲，便將貨物於井邊貨賣，曰市井。」可占貿字从卯从𡿺之義證。《朝讀若招，早晨之義也。朝市即「早市」朝讀潮，朝廷之議也。朝堂會議，必于早晨，故百官上朝，猶江漢之朝于東海，雖害也。此漢字義从聲變之例也。

朝——音格——〈早晨〉
　　——音潮——〈潮汐〉

差　𢀩　𢀩〈古文〉　縒　䊷〈篆〉　䡴　𠂹〈金〉　䡴〈篆〉

〈說文〉：「貳也。不相值也」。許氏采用了經濟價值觀點解釋差別性，是比較抽象的。這不及〈玉篇〉之訓「比較其殊」。顧氏云：「差，參差不齊也」。

槮　篸

考〈說文〉差部差字下段注云：「木部曰：槮，差也。竹部曰：篸，差也。糸部曰：縿，差也。車部䡴字云：連車也。」段氏的意圖是通過一系列的有關「差」意的「例字」，闡明差字的實質。尤其䡴字的形義，更覺複雜。試條如左：

按𢀩𢀩二文，似植物一垂一立對比之象。所以示生態盛衰之置也。

縒字从糸从䊷，所以示凡旗之縿等級高下之置也。〈說見本書儀仗〉

䊷字从𠂹从左，所以示花木之有高低也。

槮、篸二字从木从竹，皆与「差」為伍，所以示竹木之有高下不同也。竊以為

嵾　篸　縒　䡴

𢀩、𢀩、縒、䊷、槮、篸皆象形指事字也。獨車部䡴字，从車从䊷，而訓曰「連車」，為同中有異。此与「長短高下」之義，似有未合。然則如何求知其義乎？此為本文所欲闡明之問題。按：「連車」二字之意乃針對許多車輛縱列於同一路線狀態而言。〈段注說文辵部〉云：「連，負車也。〈或重車〉」注云：

廿五

「負車者，人輓車而行。車在後如負也。人與車相屬不絕，故引伸為連屬。」耳部曰：「聯，連也。」〈太宰注〉曰：「古書連作聯。」筆者按：古籍以聯為連者，適段例也。此本義也。聯，从耳从絲。器四橫聯之態，象形字也。連，从車从辵。車者載運之器，辵者，循道疾行之義也。聯為橫列位序，連為縱列位序。此其異也。故知聯為比肩平列，連為前後相接。車之相距，或五十步或距百步者，以其載有輕重，力有強弱，行有遲速也。此輦字从輦，从車从差之意歟!?

（聯）

（連）

古者「參差」二字相伍為用。參者奇數，古三字也。差偶數也，並比之象，故訓義為貳。今金融單據仍以參為三，以貳為二。猶有古義。三物並列，必有一物獨大。二木同生，必有一短一長。〈易〉曰：以「參天兩地」，以形容宇宙萬類之「參差不齊」。實來源於對自然之觀察。然則「差」之為義，雖欲言之，豈能盡乎?

得 㝵（篆） 㝵（古） 㝵（卜） 㝵（卜） 㝵（金）〈戲林大林鐘〉 㝵 得敦， 㝵 郘𪒠鐘， 㝵 克鼎，

㝵 井人鐘 㝵 師望鼎 㝵（金） 㝵 父乙觶 㝵 銘文尚棄

〈說文〉彳部：㝵字訓：「行有所得也。」段注：「㝵」，各本作「得」。今正。按引

《見部》曰：「㝵，取也。行而有所取，是曰得也」

《論證》考商代甲骨文字及兩周銅器銘文，得、㝵二文造型規律，咸从貝从手。彳者則或有或無，絕無从見之例。參看本條引舉字例可知無庸置辯。《部今有之，乃為筆勢誇張，導致形訛義乖，終不能以「見」字目之，可斷言也。蓋「得」之為字，當「从貝」而不从「見」之理由，自有其歷史經濟背景。得貝之為物，乃古代商品交易之流通貨幣。時至今日，東方文字之字典中，凡有關金融的字形，咸从「貝」。如：買、賣、貴、賤……此其形證。

貨幣之起源，發軔基于商品之交換。上古「日中而市，以物易物。」縱于甲乙兩方，需求各殊。甲之所有，非乙之所求；而乙之所有，非甲之所需。往往陷于成交困難。于是有識的先進者《共鼓、化狐》創造了貨幣。占為百貨的「價格代表」。突破了物貨交流的障礙。在這種經濟市場形成之下，凡是手中持有貨幣的人，就能得到自己需要的任何東西。這也許就是「得」字从手持貝的造字示意之端吧？後來緊着增「彳」，以示手持貨幣，沿街遊走，選擇購買之態。

戰國的經濟學家晏桔思說：「貨幣之為物，是以德義的方式包含着其他一切商品，它是可以任意變化為隨之可欺的東西的魔術手段」之不妨把這套理論上為解釋「𠭥」字的良好註腳。是恰當貼然的。于以見。《說文》訓𠭥為得之為誤。蓋𠭥从貝，从又，而覓从人，从目，从手。當須分辨，未宜混為一談焉！

㝵

或曰：「㝵之為字，亦有說乎？」愚曰：「㝵」之為字，與「德」同源，固與「得」無涉。蓋𠭥之為字，从貝，从又。㝵之為字，从見，从寸。見从乙，从目。目者視覺器官，所以察物窺情也。𠭥从貝，从又。貝者海介蟲也，古人用為貨幣，交易之媒介也。二者於類不同，用亦各異。㝵德皆从目。「德者㝵也」。心部悳字下云：「外得于人，內得于己也。」自應以「㝵」為正字而無疑。甲骨文德字作「𢔶」。从彳，从直。彳者道路之形，直者「正見」也。《說文》部所謂「正見」，即不曲不撓判斷正確之意。現代哲學術語曰「透過現象看本質」。彳字从行，亦通道路之上，行人來往，形形色色。事物紛紜，愚者走馬觀花，不識其情。智者觸景生情，思理見微，了如指掌。此「㝵」「德」二字皆从目而聲同義通之明徵歟？《論語》云：「視其所以，觀其所由，察其所安，人焉廋哉？」此于儒家曰「心㝵」。現代社會科學叫它「收穫」。古希臘偉大哲人亞里士多德云：「能使我們識別事物，强調那事物的個性，多差別，此于五官之中，以得于視覺者為多。」此語堪與㝵字造型命音的最好注腳。然則㝵字所獲者，物質財富也。㝵字所獲者，知識財富也。雖所得者不同，而「取獲」之義則一。此異中之同也。秦漢以後，以「得」去古愈遠，而「得」字形義遂晦。

从彳之㝵，所獲者——物質財富也。——人生命資本——彳十㝵
从目之㝵，所獲者——知識財富也。——人事業資本——德

德以循得，從［古文字形］德［古文字形］《說文·心部》德字訓：「外得于人，內得于己也。」案許氏此訓，擬諸東方美術理論之「外師造化，中得心源」之意有極為相似之處。但唐代大文豪韓愈在他的《原道》論文中說：「足乎己無待于外之謂德」，似乎是把知識來源看成是單純的「主觀想象」的產物，顯然已經不如西方的亞里士多德的論點，比較符合漢字造型矣。

缿

缿《說文》曰：「受錢器也。」段注：「易入難出器也。」《史記·酷吏列傳》：「忠少年投缿。」《漢書》趙廣漢為缿筩，蘇林曰：「缿如瓶，可受投書。」師古曰：「缿若今盛錢臧瓶，為小孔，可入，

二七

不可出」古以瓦，今以竹。」

罊 《說文》：「器中盡也。从缶，毄聲」

案：缿之為文，从缶从后。缶者，瓦器也。后者，司（同）之反文，以手維護口腔邊緣之態也。此種貯藏錢幣之陶器封閉型丸罐，形似中空之球體，而底部平，以便於置放。肩部有開口，長與錢之直徑相等，寬與錢之厚度相似，故錢可入而不可出。吾鄉名之曰「悶罐子」。此物被民間用為儲蓄貨幣之得力工具。蓋貨幣一經投入，即無法取出，所以助人控制濫取妄費之惡習也。比及器滿，則將器擊破，所以備急濟困也。《說文》缶部罊字訓義為「器中盡」，其字與缿字比鄰。故知罊字从毄，擊之省文也。从缶者，缿之省也。此以名擊缿之義，指事字矣。

說文云缿「古以瓦，今以竹」。此許氏據漢時情況而立說也。

竹製之錢筩，於本世紀即廿世紀初葉，於我國商場中仍到處可見。其形顯有活蓋，商賈將物售價，則隨手投入筩內，至晚則傾出一日之銷售數而計之，名曰「攢錢」。

閱於《史記》、歷史資料中所舉之「缿」、「筩」，等於現代司法機構所設置之「檢舉告密箱」，乃「缿」之另一用途。不可不知也。

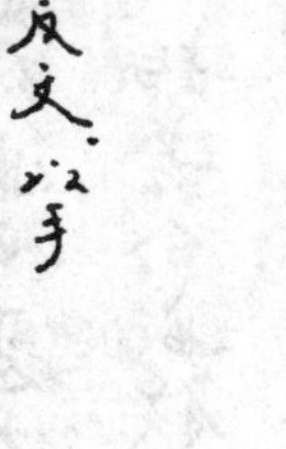

缿

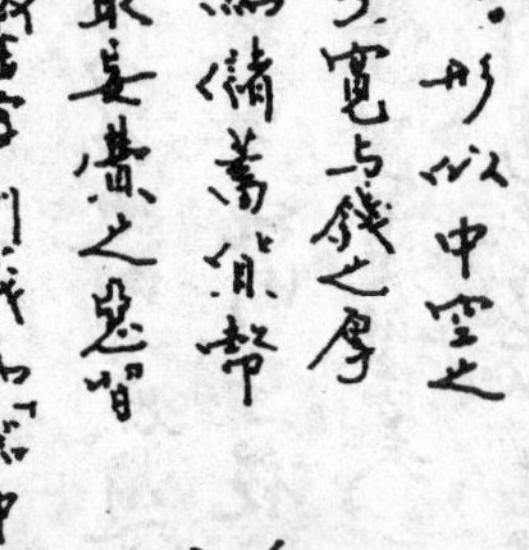

罊

（竹缿）

舟車

文字起源圖典

十二

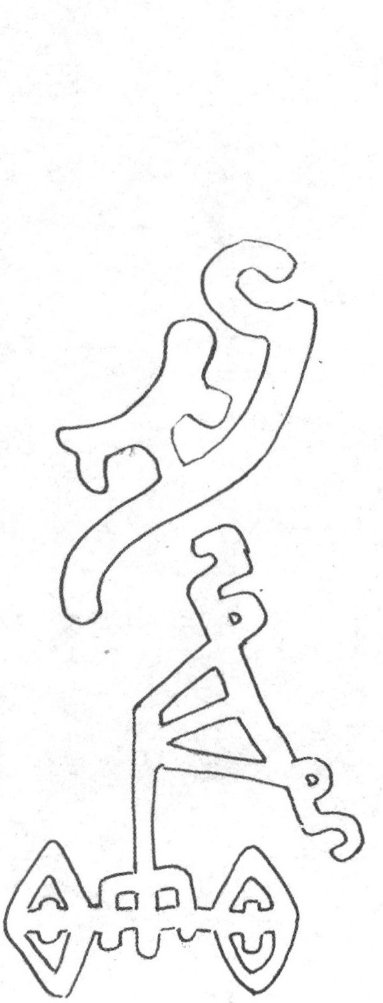

舟化受俞
窬偷逾踰
榆渝
櫼船箭
津彤
造歬前
車輪輞
輻轂釭
軫較
轐軾
輢軛軏
斬鞅輯軹
轄害軥軔

一 輗轙輈輿 九 〈兒倪麑𧼰寬〉九
二 轝軸鏒錫 十
二 軨轛鑾 十一
三 軜鋈 十一
三 鋚勒銜 十二
四 鑣幩鞧 十二
五 轑桯轙兩 十三
五 駕 十四
六 御馭卸輦 十五
七 輣樘棖定輦 十六
七 瞠 十六
八 連聯差 十七
八 縒𨏈槎 十七

舟 [古文字]〈卜〉 [古文字]〈金〉 [古文字]〈籀〉 [古文字]《說文》："船也。"段注：引《詩邶風》"方之舟之"之例，認為漢人言船，古人言舟。"按此說未必適當。何則？考《甲骨卜辭》中已有船字，其形是[古文字]或[古文字]，則殷商時代已有船名可知。未可以經文無船字而據為定論也。考《易繫辭》云："刳木為舟，剡木為楫"。臆上古之舟其形製之簡而易。船由舟改進而成，其形製之增而精。此科學漸進之原則，固無待論。值得探討者乃段引《世本》云："共鼓化狄造舟"之語。段君疑"化狄"即"化益"。化益即"伯益也"。此說不無可議之餘地。良以段君所處時代，不能廣睹鐘鼎遺物，未悉《殷墟》《金文》已有"[古文字]"字迹可考。此"化狄"二字，即"貨幣"之代號。蓋緊於貨幣之機動靈活特性，頗似狄之狡黠善變而得名。《書益稷》云："懋遷有無化居。烝民乃粒。萬邦作乂"。是以說明貨幣之興，給人類帶來了生活方便。舟之為物，屬於載運物資，時得力之倶。當然也就是商品交易任務的唯一法寶。因此吾人對"共鼓化狄造舟"六字，不能不產生新思悟。謹逐字推義以明之：

化[古文字]

共：古文是[古文字]。即"拱"之初文。象兩手同時拱舉之形。

鼓：古文是[古文字]。《廣雅》云："斛謂之鼓。"《禮曲禮》："獻米者操量鼓"。

化狄：[古文字] [古文字]〈說已見前〉。即貨幣。貨，即化的"交易物資"

造：[古文字] 即操之音假字。古音操（造）聲近。

舟：夕（𠂢）、舟者周也。周旋之義也。古文𠂢字象舟邊冂內有循迴運動之態。

尾語「共鼓化狐造舟」一語，生動地刻畫出了一幅：「雙手捧斛，以貨易粮，載舟而行，往返循周（環）各地，從事商品交易」的活動景象。《甲骨文》「𢍚」字可上典範說明例證。

受：𢍚，从舟，从爫又。舟是裝運貨船，上邊的爫表示在甲地裝貨，下邊的又表示船已到達乙地，正在卸貨之象。故𢍚字造形兼「授」、「受」二義。所以示商品出納之意也。「共鼓化狐造舟」一語為我們探討上古《商品交易史》提供了嶄新的研究資料。

俞：𠦝（卜）𠊛𠌫（金）《俞》《說文》：「空中木為舟也。」《淮南子·氾論訓》：「古者為窬木方版以為舟航。」高誘曰：「窬，空也……其始見本空之木，用為舟。後因刳木以為舟。」可見原始的舟，是利用天然枯樹的自浮於水的現象，借鑒泳漂而來，是毫無疑問的。當時使用的刳木工具，或者是石器。那時的人雖然不懂得浮懸比重原理，也能創造水上交通工具。

〈舟 燕 天〉

〈刳木象舟〉

窬　窬《說文》：「木戶也。一曰空中也。又鑿版為戶也。」《禮·儒行》：「篳門圭窬」，注：「圭窬，門旁窬也。穿牆為之，如圭矣。」按：木戶、鑿版為戶、圭窬皆「中空之象」。故知窬之為文，蓋俞之孳乳字也。

偷　偷《尔疋》：「佻也」。《廣韻》：「盜也」。按：偷之為文，从亻从俞，象形指事字也。亻者盜賊之形，俞有中空之意。《孟子》：「譬諸小人，其猶穿窬之盜也歟？」注：「穿，穿壁；窬，窬牆。」此類鑿壁數垣潛入人家行竊的「小偷兒」，吾鄉民間謂之「挖窟子的」。

逾　逾《玉篇》：「越也，遠也，進也。」按：逾之為文，从俞从辵。俞者剡木為舟也。辵者循道疾行之象。故訓義為越，為進。《廣韻》：「進前也」。《說文》走部：越，度也。故知逾有渡水過江之義。

踰　踰《詩·鄭風》：「將仲子兮，無踰我里。將仲子兮，無踰我牆，將仲子兮，無踰我園。」《說文》：「踰，越也。」《博雅》：「遠也，渡也。」故知踰字从俞从足，有渡水義，亦有越牆義，及一切超過義。

榆　〈金〉　〈卜〉　榆〈篆〉《說文》：「榆，白枌」。按許君釋樹名以辭榆，固於義與背，非逾字之旨也。考《禮·內則》：「芹、荁、枌、

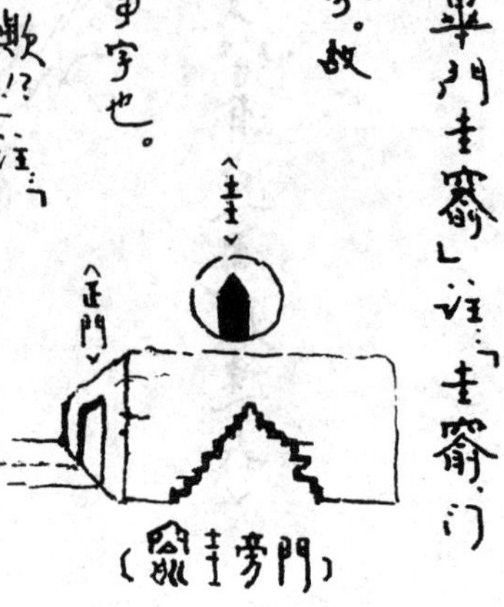

榆免、薧、滫、瀡以滑之」。這些滋潤多脂的食品之為優待高齡的食品的理由，也許是基於老年生理特點暗發食道狹窄、吞嚥困難。所以防止噎膈之患也。《禮記·檀弓》：「諸侯為榆沈設撥」。注：「以水澆榆白皮之汁，有急播地，引輴使滑」。可見古代生活經驗，所以將榆液用於老人食品及推動棺車之需者，全在於榆液的滑潤之功，流利之動能。此與「逾」字訓為「前進」、「踰」訓為「超越」、「渡過」，其義如出一轍。故知榆之為文，亦俞之孳乳字。

渝《文選》：《晉木玄虛海賦》：「跳踔湛濼，沸潰渝溢」。此小舟海上遇風波濤洶湧、泛濫顛簸之象。說明了浪潮的沖激力遠遠超過了小舟的承擔量。自然有「超越負荷」之義。亦「俞」之孳乳字。

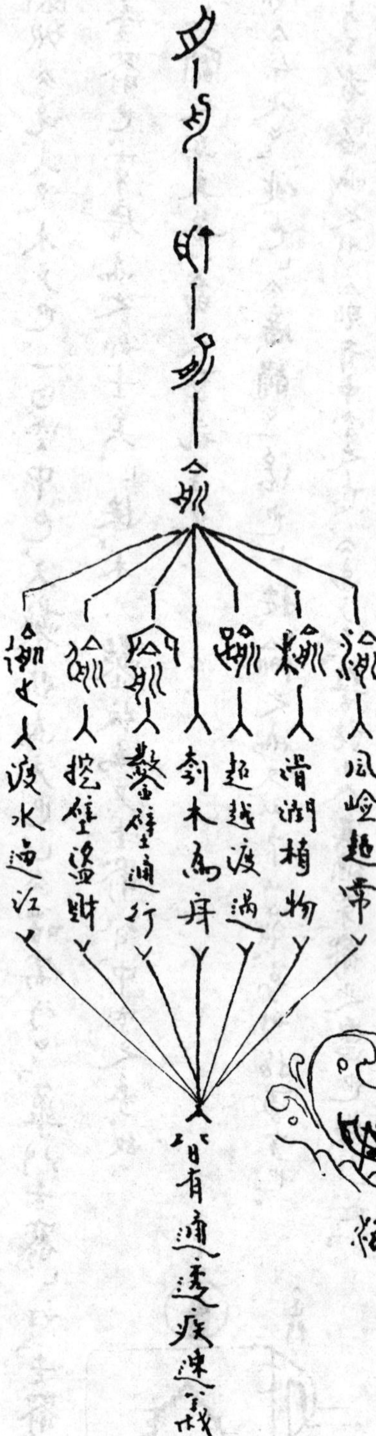

《榆沈》

楫　𣃘　檝　楫〈說文·木部〉：「楫，所以擢舟也。」此訓語焉而不詳，試考記如下：

考〈易·繫辭〉：「刳木為舟，剡木為楫。舟楫之利，以濟不通。」按「刳」之與「剡」字皆从刀。同其鍥刻之義，而同中有異者，以刳木者，掏木之中心而留其外層組織。目的在於取其容積，正如老子所云：「當其無有車之用」。所以取其空間之能容人、載物也。剡木者，變其本象而革新之，以適應撥水之用也。剡木為楫者，變其尾端以成扁。似鳧鴨之蹼，用於撥水而產生反作用，以助舟之前進也。變其首如雞卵，便於人手之握持操縱也。

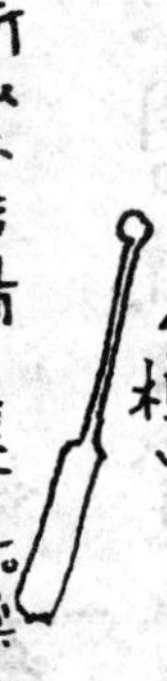
〈楫〉

一舟必具二楫，左右交叉，共聚於統一支點。故楫字从戢。所以示結構之態也。操舟者，兩手各持一楫之上端，同時並舉，上下起伏旋轉運動，如此輪出沒於水面上下。其物理力學與車之有輪，鴨之有蹼，異質、物而同功。

「以濟不通」何義耶？舟之為物，水上交通工具也。水之為物，蜿蜒曲折，無往不適。故能舟游大地，江淮河漢，百脈貫通。乘風破浪，一日千里。故〈釋名〉曰：「楫，捷也。撥水引舟，捷疾也。」亦聲中兼義矣。

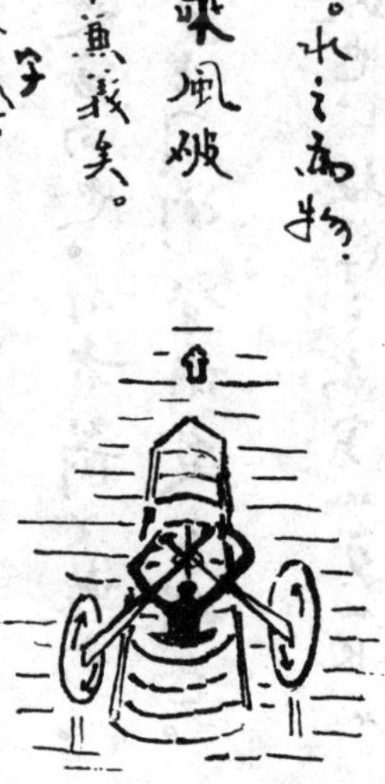

船　船　𦨶〈卜〉船〈篆〉〈說文〉：「舟也。」按船之為文，从舟，从八口。形聲字也。舟形也。八口者岸也。船之所以息之地也。乘客上下之碼頭也。船之為言，傳也，轉也。運轉載物之器也。舟之與船時代固有先後，形製亦繁簡有異。段注謂漢人曰船，古人曰舟。蓋未覩殷墟文字已有船字矣。

歬 [glyph] 《說文》云：「矢也。」《釋名》云：「箭，進也。」按：箭字从竹，从歬。止，古趾字。古文止作[glyph]。人之行動方向決定於足趾。故知止在舟前，所以示舟之方向也。竹者箭之躰也。張弓發矢，強推箭杆而行，故止在舟上為歬，與竹在止舟上同例，皆前進之義也。

津 [glyph]〈卜〉[glyph]〈金〉[glyph]〈籀〉[glyph]〈篆〉《說文》水部：「津，水渡也。」按津之為字从舟，从水，从進之省。進者前行也。故知「津」字本義，應訓為「渡河」。《卜辭》[glyph]字从船夫掌篙渡河之像。象形兼聲義字也。今名曰「擺渡船」，大河岸渡口亦曰「津」。

㣈 [glyph]《說文》舟部：「㣈，船行也。」按段注云：「夏曰復、祚，商曰㣈，周曰繹。」即此字。取舟行延長之意。其音以戎切，篆作[glyph]。筆者按《詩·大疋·絲衣》：「繹，賓尸也。」故知賓尸之禮，三代相同。此古制矣。然則㣈字訓為「明日之祭」，而取字於㣈，亦時空互化之義例也。商代青銅器尊、㣈日作「彡日」。《邲其卣》繹日作「[glyph]日」，字形與經籍異，附此供參考。

㣈，从舟，从彡。《康熙字典》列入肉部，非。㣈亦音丑林切。《甲骨文》作彡或三，彡、与《金文》同。彡者水文也。㣈字取光陰似流水以示意。《書論》云：「

子在川上曰：逝者如斯夫，不舍晝夜」。語義與彡字示意之指同。

造[illegible]艁[illegible]䞌鋯誥賠[illegible]䢾[illegible] 造之爲字，多義字也。形既不同，義亦各異。可从各類典籍求證之。《說文・辵部》：「造，就也。」譚長說：「造，上士也。」《王制》：「升于司徒者，不征

䢾于鄉，升于學者不征於司徒，曰造士。」注：「造，成也。能習禮則爲成士。」按許君所訓，乃知識造詣，精神財富之創造成就也。非物質財富之創造也。封建王朝能通與讀訓誥，則富貴可期，功名可就。此許氏之義矣。詩書之義、禮樂之節，即非諷誦訓詁無以明「聖賢」之訓。故「䢾」字从[illegible]从行，所以示「聖教」不外言行也。

《增韻》云：「造，建也，占也，爲也。」按增韻所訓，物質財富之創造也。故知[illegible]字从戈者，鑄兵之造也。鋯字从金、賠字从貝者，鑄幣之造也。

《詩・大雅・大明》：「親迎于渭，造舟爲梁。」注：「天子造舟。」李巡曰：造舟者，比其舟而渡。比船於水，加版於上。即今之浮橋。」

按「造舟」之造，似宜以[illegible]爲正字。[illegible]字見於《卜辭》。可知浮橋渡水之術，絕非始自西周。《金文》之[illegible]、賠、[illegible]。此種最高級級專用的浮橋，是爲了便於車馬行駛而設計的。其乘輅必有帷幕覆蓋。所謂「金輅」、「黃屋」等豪華旂旐之造，可从[illegible]形窺見之。

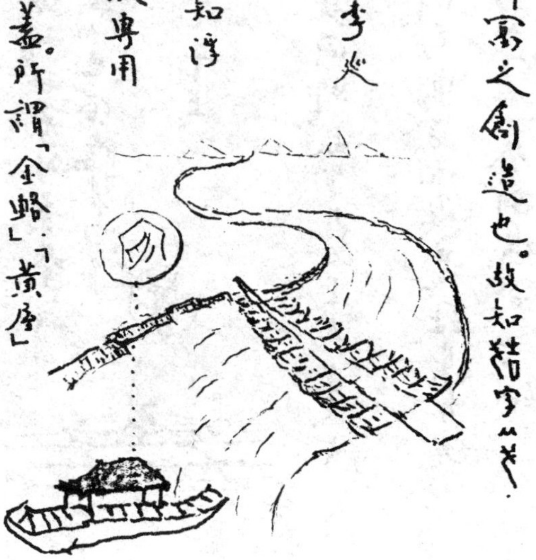

四

掌　𠬜舟　卜　𨑤　𦨶　橕《卜辭》：「𠬜舟」字《說文》不見。據形義審覈之，字從攴，从攴从舟。

𠬜舟者，以手操舟之象也。𦨶者，𠬜舟之變文，聲符也。故知𠬜舟即掌篙之掌字初文無疑也。按：𨑤之為文，難之跪。橕者，掌之柱。「日有抵抗之力相」。此象形兼聲義實。然則掌之為物，亦利用杠桿支點，附反上用，以推舟前進動工具而已，俗名「撐篙」。

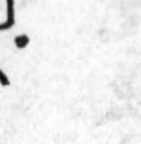

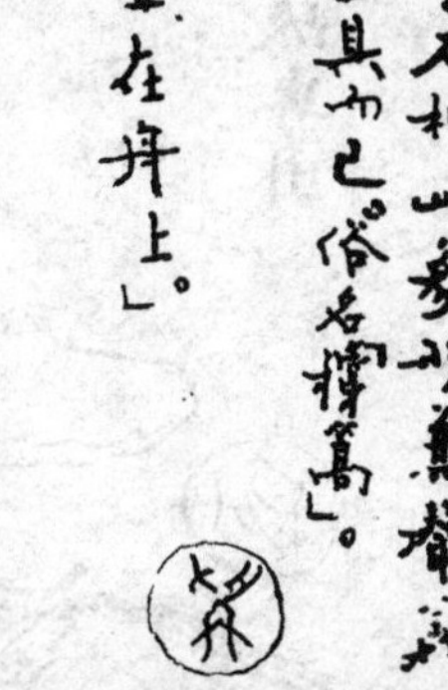

前

𣥂〔卜〕𣥂〔金〕𣥂〔篆〕《說文》：「不行而進謂之前，从止在舟上。」

《增韻》：「前，後之對。又進也。」《廣韻》：「先也。」

按：《廣韻》：「訓前為『先』。先之古文止在人上為𣥂。前字與𣥂同例，故止在人上為先，止在舟上為前。「止」者，方向符也。所以示人與舟之方向。因為人所行動方向與足趾具有統一性，因而👣在許多文字中，普遍上為進動方向指標。可以下例舉例求證之。如：登為之登，兩趾向上。外夾之癸，兩趾外對。陟字从阜而止𣥂。降字从阜而止夅。涉字从〜而𣥂在水之外，一止在水之內。圍字四止遶口，右旋而止韋。然則前字止在舟前，所以示舟之方向，彰彰明甚。亦指事字也。金文增ノ而象水文，甲骨文施行亦示道逢之意。則與𠂤〔卜〕衛字造形同例矣。許氏訓「不行而進謂之前」者，所以示人居舟上浮遊順流而下，段水力而行，不賴兩腿之勞而得以前進也。此「不行而進謂之前」之意斷之索非為文，十字通衢之象，陸上交通之路也。彳字从彳从ノ，所以示上古長途交通輸任重致遠唯步是賴。故古語有「舟車之利」，不云「車舟之利」者，予以見「畜力」之微，遠不如「水利」。來風破浪

車

卜辭

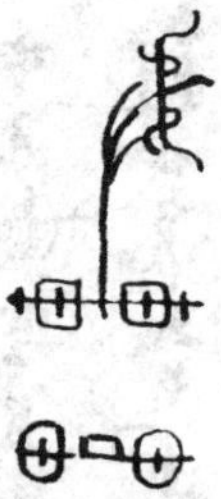

金文

石鼓

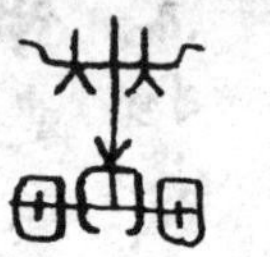

金文

古史考云：「黃帝作車。引重致遠。少昊時加牛。禹時奚仲加馬。」說文云：「車，輿輪之總名也。」段注云：「車之事配仲多矣。獨言輿輪者，以轂輻牙皆統於輪。軾較軫軹轛皆統於輿。輈與軸則所以行此輿輪者也。」夏后氏奚仲造車。左傳定元年云：「薛之皇祖奚仲居薛，以為夏車正。……」

考儀禮云：「車，輅也。」按車之名輅，周時之語。大輅之初，始于「椎輪」。其來尚矣，不知幾經改易而奚仲始有完備之駟馬車。今薛城之北部有奚村，居民皆奚姓，蓋奚仲之後裔也。故知古史紀載不虛。

輪

金　金

說文云：「有輻曰輪。」段注：「輪之言倫也，从侖，侖理也。三十輻兩兩相當而不迆，故曰輪。」

筆者以為侖之為文，从△从冊。此象形指事字也。△古集字。冊竹簡也。故知侖字以△从冊者，所以示集眾輻於轂軍的周圍也。侖者渾也，渾者圓也。變渾圓為主體，而成輪。故知輪之為音，乃「渾」之合聲也。車偏旁筆劃形似車輪。

（竹簡書）

此侖字造形取象之所繇來歟！！

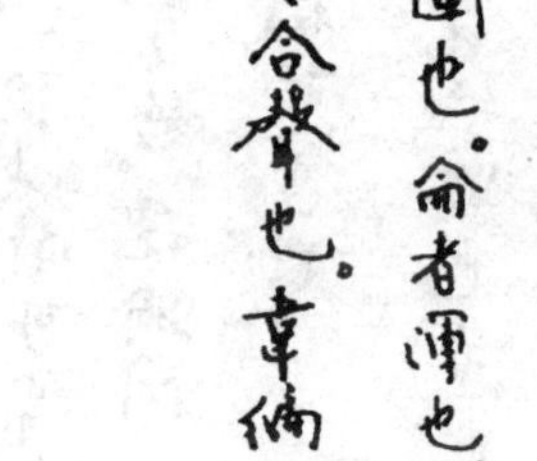

侖

五

輞 輞 ◎釋名曰：「輞也。謂罔羅周輪之外也。」按此說可謂深得造字之指。古人

把車輪看成為蛛網。視車輻如蛛網之「經」。視輪輞

如蛛網之絡緯。故名車輪之外圍曰輞。擬態字也。

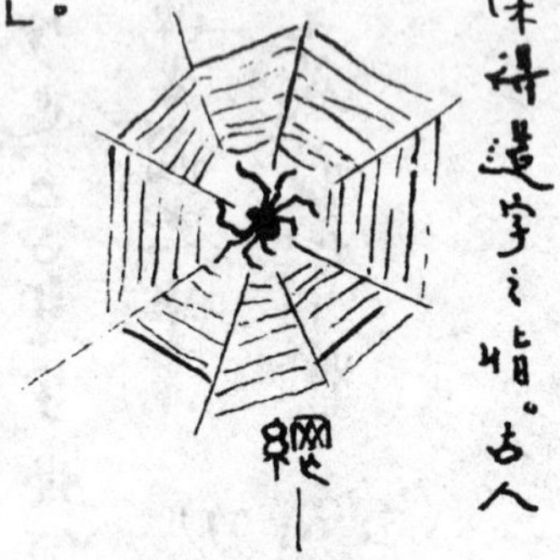

網—輞

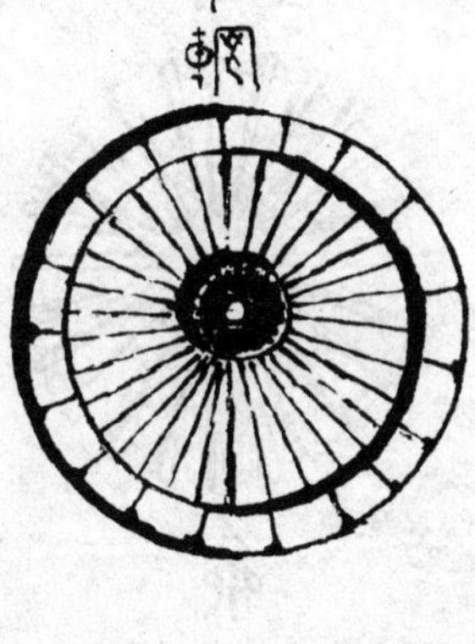

輻 輻 ◎說文曰：「輪轑也。」◎周礼冬官考工記曰：「輻也者

以為直指也。輪輻三十，以象日月。所以象其運行也。」

按輻之為物，在車的載重功能中，負質上起到了支點力學上用。故古訓為「直指」。

輻有科學含義。所謂「卅輻，以象日月運行」。也是有其數據概念的。因為太陽歷的一歲週期中

包括三百六十六日，行計值月球運動週期，中包括卅天。卅和三百六十六都是以「六」為「質因

數」的乘積。因而太陽的同月亮週期，及車輻的數目，在計算上是有「公倍數」的。

轂 轂 轂 轂 ◎說文曰：「輻所湊也。」◎六書故曰：「輪之正

中為轂。空其中，軸所貫也。輻湊其外。」

釭 釭 ◎說文曰：「車轂中鐵也。」◎釋名曰：「釭，空也。

其中空也。」按：釭之為物，嵌上，即鑲嵌在

車轂中的中空鐵管。所以容納車軸也。按轂

之為文，从殼之省。所以示中空之象也。釭字从杠之省。所以示其直而不屈。軸心之外衛也。皆形聲字。

釭

軨 [illegible] 軫

《說文》：「車後橫木也。」按此訓極確。惜語焉而不詳。試探討如左。

考先秦駟馬車、車輿，皆有後門。後門，登車之處，曰承車。承車距地四尺。人不易登，故要綏以供人手攀援。以及既登輿內，則御者驅馬而進。駟馬車，戰車也。車內無位可坐，只堪立乘。故駟馬飛馳，人立車上，必有左右搖擺、前傾後仰之患。故設「較」以供握持（把）。猶似公共汽車之攀環也。橫軨木於輿之後者，所以攔阻車門，以防失足墜車之禍也。則軨之為物，即橫臥於車尾之「攔門棍」無疑矣。《周禮·考工記》：「軨之圍尺有一寸」。復考《釋名》：「軨者櫳也。櫳橫在前，如臥牀之有橫，櫳也。軨有橫無直，則《輈人》：「軨方象地」之說非也。按《考工記》鄭氏注謂「軨為輿之四面之木」，已遭戴侗《六書故》之駁斥。尤其《韻會》軨字下引《詩·秦風·小戎》「俴收」注云：「大車前軨至後軨，其深八尺。兵車之軨四尺四寸。（按周禮應為六尺六寸。）比之為淺，故曰『俴收』。收者，車前後兩端橫木，所以收斂所載也。」此車輿收攬載物之橫木，後世發展變化為葦簿、竹簾時捲束結構形式矣。後來又標葦簿、竹簾旋繞纏束之義理而延伸為控制琴弦伸縮時「旋轉軸」的名稱。此軫字歷史大觀也。

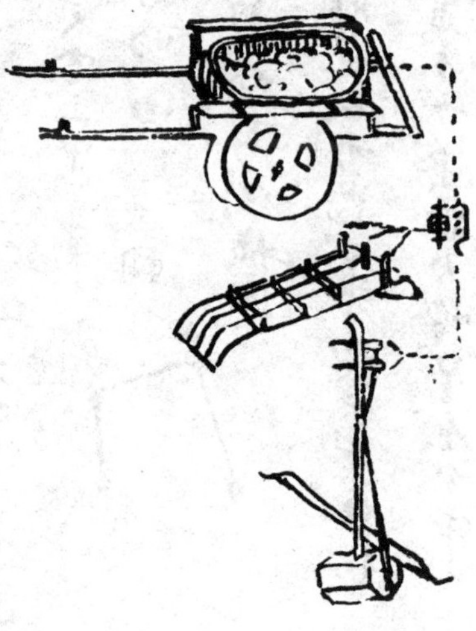

軫在天文知識中的用視：　軫是古天文學中「南方七宿」的終宿。泰西天文名之曰「烏鴉」星座〈C「V」〉當每歲農曆仲冬〈十一月份〉每天的早晨，它出現在天空正中。古老的天文學家，把這四顆星用三條直綫連在一起。下方開口的一面，

軫

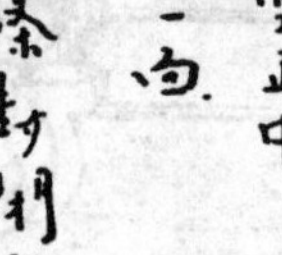

表示車輿的前方。左右兩側的直綫，代表車輿的兩廂。上邊的一條封閉橫綫，代表車軫。上者，古天文學之北方也。北者背也。古文之北，相背之人形也。華夏之區位於赤道之北。亞洲大陸之民，面南向陽而居。以古天文方向定位原則，蓋本乎宇宙天體星座分佈之格向及地輿方位規律而來。這一方位槩念，同時也表現於人體、器物結構中。古人繪製天文圖譜，必有意物為取象依據。徵諸軫宿星圖之形，知軫之為物，乃車輿後方之橫木，益覺信而有證。但許氏對軫的物理功能，略而未言，未若戴氏及《論會》之詳備焉。

較

較 較 較《說文》：「車輢上曲銅也。」《崔豹古今注》：「車較重耳也。在車箱上重起如兩角。較在軾上，若兩較然，故曰重較。」《詩衛風淇奧》：「依重較兮〈一出〉」注：「較高於軾。輢是兩旁植木，較橫輢上。蓋古者車皆立乘。平常立則凭較，若應為敬，乃俯凭軾。較在軾上」

按「較」之為物，實際上是為了在行車中保持人體直立之姿式所設定而設的扶

持把柄。其形製左右相對分立於車輿之兩廂。故有相對比較之義。本爲器名，而後延伸義行而初義晦，今人但知「比較」一辭，而莫能悉其原始義矣。

轐轐《說文》：「車伏兔也。」《考工記》注：「車軸圜。故加轐使平以安軫於輿也」。

按所謂「伏兔」，帶有半圓孔之方形之體木。其半圓孔可以容納車軸，而上爲車輿的支點。今人名曰「軸承」。以其形似伏兔而得名。

（伏兔）

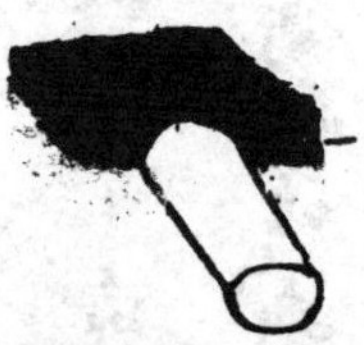

軾軾《說文》：「車前也」。《釋名》：「軾，式也。所伏以式敬者也」。《後漢張湛傳》：「軾輅馬」注：「乘車必正立。有所敬，則撫軾。謂小俛也。」古者乘車，路遇長者則俯軾俛首以致敬。以分秒急迫，未能下車。此乘車之禮也。

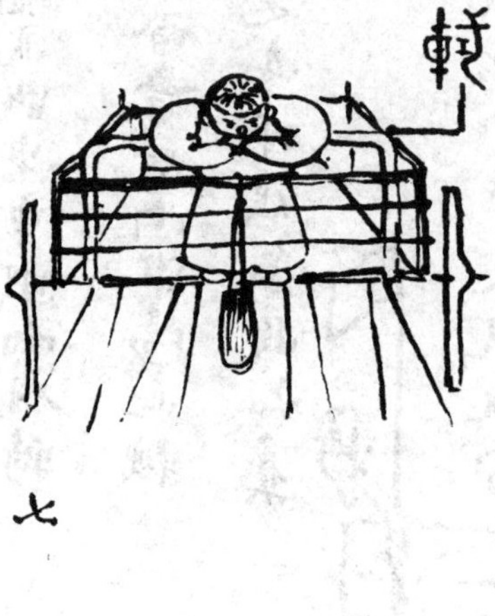

輢

輢輢《说文》：「車旁也。」《集韵》：「音倚。車旁兵所插處。」按古代驷马战車，車舆两厢，輢柱皆附有铜管，口径朝天，以备旗帜插放之需。此物已被现代考古界所谂觉。河南淮阳马鞍冢楚墓二号車马坑四号車左右两侧車輢处各有一筒状物，被鉴定为插旗筒。故知《集韵》之说确有依据。輢从車从倚之婧。所以示人身之所靠倚也。

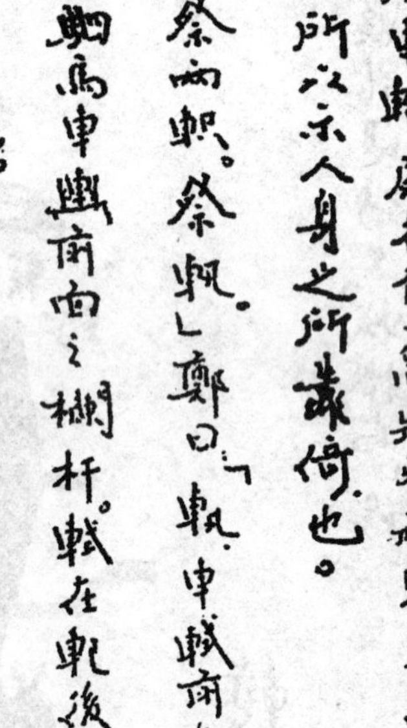

軌

軌軓《周禮·夏官·大馭》：「左執轡右祭两軹，祭軓。」郑曰：「軓，車軾前也。」杜子春曰：「軓當為軌。」按所谓軌，实际上应该是驷马車舆前面之栏杆。軾在軌後，軾前，軌後之空间為御者执辔御車之所，故亦名此空间之处曰軌。

軛

軛軶《周礼·冬官·考工记》：「輈人衡任。」注：「衡任，谓两軛之间也。」疏：「服马有二，一马有一軛。軛，马领不得出也。」又《庄子·马蹄》篇：「加之以衡軛。」按衡者横于輈下之物也。軛者困也。厄，从曲膂俯蜎于户下之人形。所以示空间狭窄不能挺身直立之意也。軛之为物，上当于衡，下乘马领。

厄

軛之为物，实际上是承担来自車衡的压力，令頭均嫁到两匹服马的脖项上的重力传递杠杆。其物理功能与牛梭头完全一致。《集韵》之所以训「枙」为「木部」者，揭示了早期的「牛梭头」是利用树木的枝叉交叉所製成的真相。其取材方式与农民槃紧之「拘绳」时选材原理如出一辙。

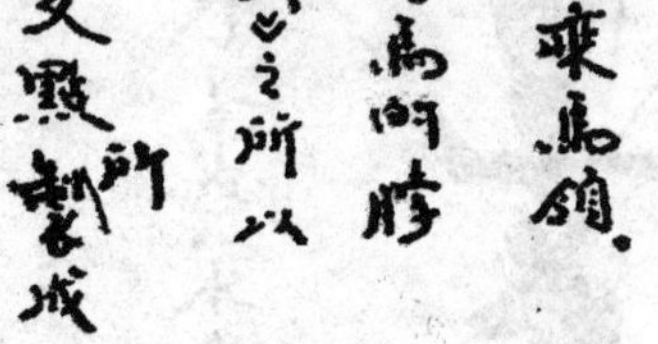
厄

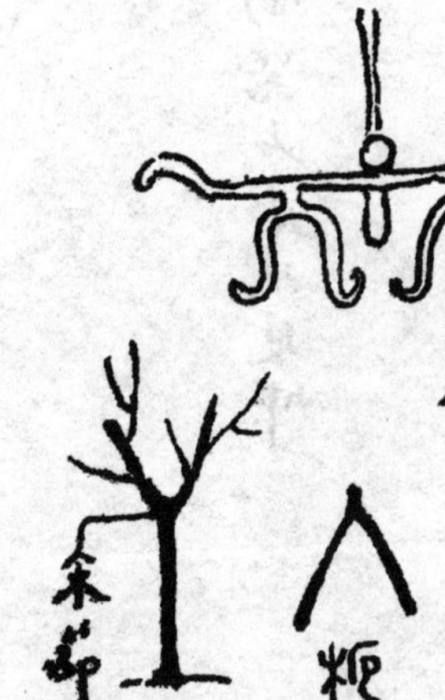

靳 〈金〉〈秦〉〈卜〉《說文》：「當膺也。」徐鍇曰：「靳，固也。靳制其行也。」《左傳·定九年》：「吾從子，如驂之靳。」注：「車中馬也。」疏：「靳是當胸之皮也。」

鞅 《玉篇》：「鞅，馬頸革。」按：靳之與鞅，自應有別。鞅者馬頸之皮，鞅之兩端結於軛之兩端，其成一環，套於馬頸，所以防馬之脫軛也。解纓繫於下，所以為飾也。靳之為物，結於軛之兩端，後端結於軸，所以牽車前進也。故又名曰「靷」。《說文·革部》：「靷，引軸也。」《詩·秦風》：「陰靷鋈續。」傳：「所以引也。」《左傳·哀二年》：「吾兩靷將絕，吾能止之。」疏：古之駕四馬車者，服馬夾轅，其頸負軛。兩驂在旁，挽靷助之。」《僖二十八年》注云：「在胸曰靷。」然則此皮行馬胸而引車軸也。」《釋文》：「說云，舊本靷皆作靳。」故知靳、靷乃異文而同字。前人不睹《甲骨》《鐘鼎》文字，故《說文》不見〈秦〉字形。

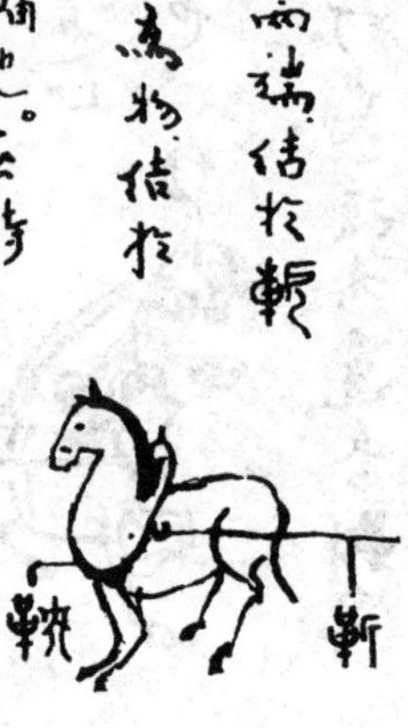

輡 《說文》：「車伏兔下革也。」按輡之為文，聲義字也。讀音若閔。段注謂「縛之綿密」義，精確。緣軸與伏兔二木相接，質地堅硬，粗糙而不易緊密結固之軸突此介質居間，以成緊密之功。其物理功能，與今日之高壓鍋使用橡皮突墊同。皆所以防伏兔與軸互相磨損也。

軹 《說文》：「車輪小穿。」《釋名》：「軹，指也。如指而見於轂頭也。」《周禮·夏官·大馭》：「祭兩軹」注：「軹，謂轊頭也。」復考《爾雅·釋地》：「北方有軹首蛇。」注：「岐首蛇也。」

八

轄

𨐅 鎋 筆者謹按，「軑」之与「轄」，異實異名而同物。《說文》：「轄，車聲也。一曰鍵也。」《訓會》：「車軸端鍵。」《釋名》：「轄，害也，車之禁害也。」由此可見，轄之与軑，似為一物。尤其是《爾雅·釋地》訓「軑」為「岐頭蛇」，對吾人之啟發極大。蓋軑之為物，其形製本為一鐵曲摺而成，馭人穿軑，納入轉孔之中，必將軑之短列雙頭，分離使之左右開張，以避車輪脫軸之患。此物於現代車輪安裝配件中，名曰「銷子」。圖示如下以見意：

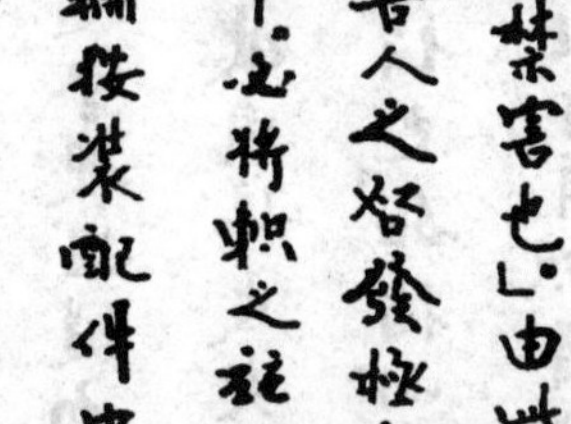

復考《左傳·襄三十一年》：「巾車脂轄。」注：「巾車，主車，主車之官。塗脂其轄，以利轉也。」由此察之，如轄之為物与軑稍異，緣軑之為物，所以防止車輪之脫軸，而轄之為物，乃輪轂容軸之空心。輪之与軸，磨擦生熱，必有鳴音。唯以脂膏，則軸潤而鳴息，故《說文》訓轄為「車聲」，非偶然矣。

害 𠳵 害 轊《說文》：「車軸頭也。」

軥 軥《說文》：「軶下曲者。」《訓會》：「車軶兩邊叉馬頸者。」《廣韻》：「軥，梢軶車也。」

按：軥之兩端下垂而復上揚，所以備繫「靳」，而成牽引之功也。

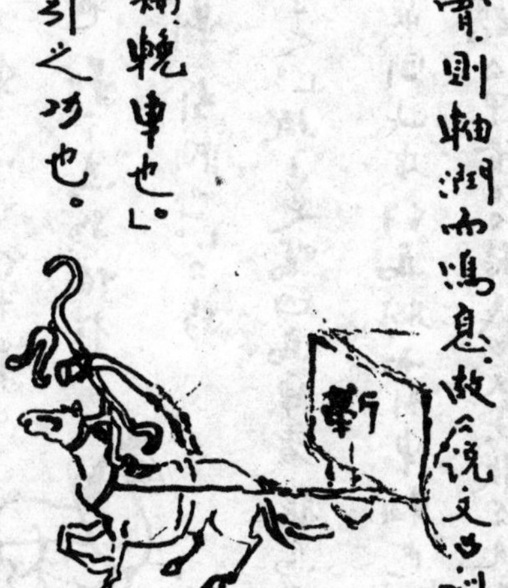

靷 靳《說文》：「當膺也。」徐鍇曰：「靳，固也。靳制其行也。」復考《說文》靷字訓：「引軸也。」《詩·秦風》：「陰靷鋈續。」傳：「所以引也。」《左傳·哀二年》：「我兩靷將絕，吾能止之。」……《辭文》《說文》：「靷，意本皆上靳。」故知「靳」即「靷」之初文。異實、文而同字矣。未宜強分也。

輗 輗 棿 《論語·為政》：「人而無信，不知其可也。大車無輗，小車無軏。」孔子把沒有信用的人比之缺少支點——輗的載重大車。這就迫使我們不能不對輗字之專題考證。

什麼是輗？《鄭注》：「大車，平地載任之車。」《說文》車部云：「輗，大車轅端持衡者也。」段注：「轅與衡相接之關鍵也。」《木部》云：「槅，大車枙。」段注：「枙，即軶。」《車部》曰：「軶，轅前也。」槅。《考工記》之鬲。鬲謂轅端壓牛領者。大車之軶曰槅」《釋名》：「槅，枙也。以枙牛頸也。」《皇疏》云：「古時之牛車，先取一橫木，縛著兩轅頭，又別取曲木為枙，縛著橫木，以駕牛脰。」案此物臨沂地區名曰「壓脖子牛車」。

兒
- 倪——幼兒
- 麑——幼鹿
- 齯——老人更生兒齒
- 霓——虹之外緣
- 輗——車之轅端曰輗

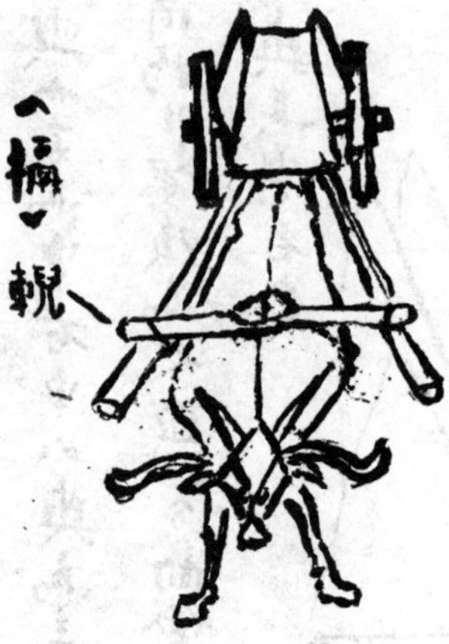

轙 轙 《說文》：「車衡三束也。」段氏正之曰：「當是車的衡五束。」筆者按：段說是矣。考《詩·秦風·小戎》：「小戎俴收，五楘梁輈。」毛曰：「小戎，兵車也。五，五束也。楘，歷錄也。梁輈，輈上句衡也。一輈五來。……」按：古駟馬兵車，所以供戰爭之衝鋒，需要其動搖而行疾。轐之爲物，所以傅轐與衡而爲一，故非以韋皮複纏繞，則無以成其鞏固而頗抗震之功，故《小戎》之注，自較許說爲優。

輈 稱 輈 《說文》：「車轅也。」按：輈之爲文，象形字也。从車从舟，以形似舟而得名。《詩·小戎》注：「梁輈，从輈以前，稍曲而上，至衡則稍下而句之。衡，橫居輈下，而輈形穹隆，如屋之梁，故曰『梁輈』。」

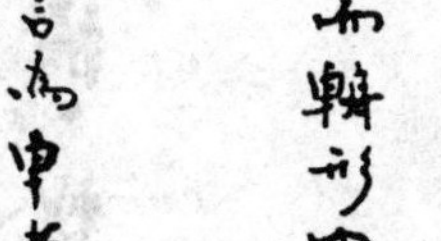

輿 稱 輿 篆《說文》：「車輿也。」《冬官考工記》：「輿人專上輿，而言爲車者，車以輿爲主也。」《後漢輿服制》：「上古聖人觀轉蓬始爲輪，輪行不可載，因物生智，復爲之輿。」《爾雅》引《詩詁》曰：「輈軸之上，加板以載物，軫、軾、轛、轂之所附植，輿其總名也。」

考輿之爲文，从車从舁。舁象四手抬舉，小篆上舁。《說文》訓：「共舉也」。按此字有四手共舉之象，而不示所舉之物。亦猶廾字象兩手捧物，而不示所捧何物同例。古代尚無畜力駕車之前，必先有二人用四手共舉之「肩輿」。我國泰山地區，乃上古東嶽文化中心。其地昔年尚有登山二人小轎，登山時前人雙手下垂，捧持轎桿前端，後者必用左右兩肩負荷轎桿之

後稱。下以刪改其兩足，以求乘客坐位平衡穩定。小篆「𨏥」字，上者兩手下垂，下者兩手高舉，忠實地刻劃出肩𨏥登山的真相。此即遠古無輪之車，故其字似𨏥而無車。此「𨏥」字造型特點是大有意義的。

後起之「獨輪輿」，由二人共駕。可以「𨏥」字造型从𨏥从車證得證實。此物筆者幼年恆見之，民間呼之為「二把手車子」（資料上是四隻手）西周時代的駟馬車，其結構雖已臻於相當複雜，然而「輿」字的造型上𨏥，仍有二人用四手共駕一車的遺意。依照文字即考古的活化石的原則來推論，筆者這一認識雖乏經籍證料說明，卻能合乎科學進化規律及後世民間事物真相的認同，印證。

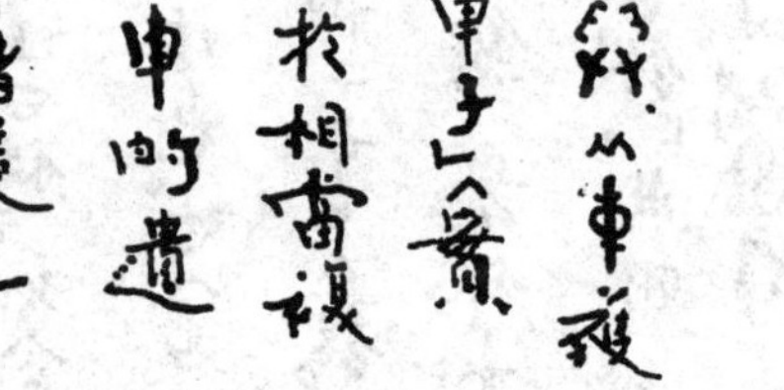
〈獨輪𨏥〉

韅 韅 韅

《說文》革部：「韅，著亦《腋》鞥也」。資，即附著馬腋之下的全護皮帶。

筆者考：亦之為字，古文之「𡗜」，象腋下滲液之形。資，即「腋」之初文。《左傳薛文》義引之皆指皮之韅非也。《史記禮書》之「鮫韅」，《徐曰：「韅者，當馬腹之革。若《釋名》云：「橫經腹下。」（今俗名「馬肚帶」是也。參閱後駟馬車畫自明）

十

䡛 軸《說文》："所以持輪者也。"按軸之為文从車从由。由字象木从田出。有貫通之義。軸貫通轂釭而上兩輪的支持橫柱。故从由。由示在下以見意。

鍐 鍐《蔡邕·獨斷》："金鍐者馬冠也。高廣各四寸。如玉華形。在馬鬃前。"

《晉書·輿服志》："金鍐方釳。金鍐以鐵為之，以金為文，花大三寸。中高兩頭低，如山形。貫中以翟尾而結著之。"舊，綜上說是馬頭上戴的鑄有圖案的金屬帽子。還要插上野雞尾。此古代貴族所乘的車馬裝飾。因為戴在馬鬃前頭，所以字形从"鬉"。舊"鬉"字以金易髟的置換式。

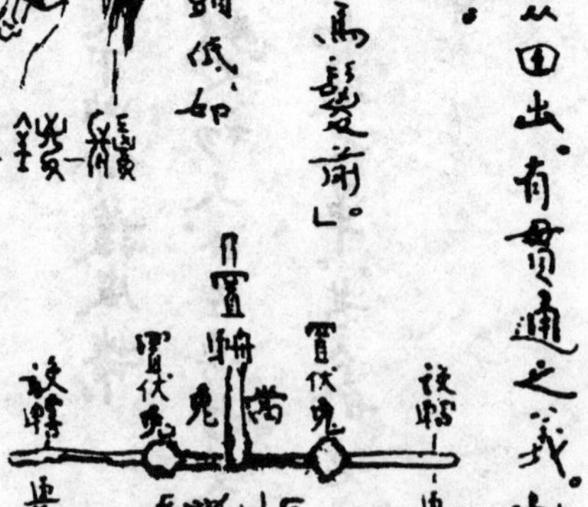

鍚 鍚《說文》："馬頭飾也。"《詩·大雅·韓奕》："鉤膺鏤鍚。"箋云："眉上曰鍚。刻金飾之。今當盧也。"

筆者按"當盧"即"當顱"。俗名"腦門"，文言名"額"、"顙"，即其位也。古人名眉目之間曰"清揚"。故"鍚"字从昜。意像鍚之所處面部位置而得名。復考《春秋·桓二年》云："鍚、鸞、和、鈴，昭其聲也。"注："鍚在馬額有鳴聲。"《說文·金部》"鑾"下云："人君乘車，四馬鑣八鑾。鈴象鸞鳥聲。"又考《詩·小雅·蓼蕭》："和鑾雝雝。"傳："在軾曰和，在鑣曰鑾，在旂曰鈴。"然則"鍚"之訓"聲"，則亦有鈴而無疑矣。綜上述這些鈴聲，都是被用之制路信號發音器使用的。不過因所處的位置不同而改換名稱而已。

附注："鍚"的位置在馬額，"鍐"的位置在馬之顛。皆固定于軛。

見"商車馬圖"。

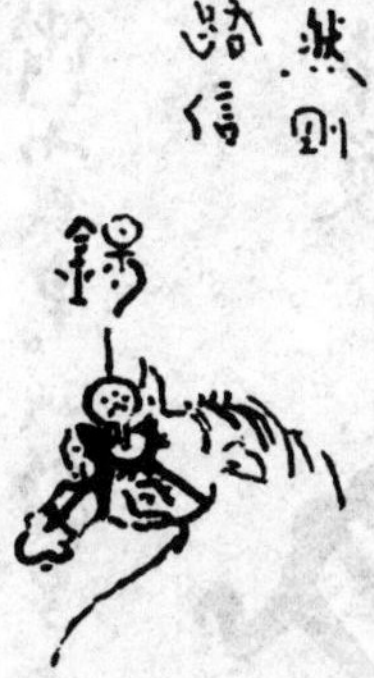

軨 軨 《說文》：「車轖間橫木。」《玉篇》：「車欄也。」

轛 轛 《說文》訓：「車橫軨也。」按此訓不確。考《正字通》云：「車前有軾，其兩旁之木，置軾其上。立者為轛。……」此說較許說為優，而應以張氏之說為可信。實際上軨之與轛，皆當車廂、欄杆。不過「轛」有左右對立之義，「軨」有周括之義，故訓為橫木之名。以其周中之置也。

轡 轡 轡 轡 《說文》：「馬轡也。」筆者按：轡之為文，象形字也。車居中間，𢆶居兩側。口象有舌之狀。〈韅〉所以總握之轡也。輈之左右二馬，各有左右二轡。共為四轡。名曰「兩服」。兩服夾轅，所以承擔壓力也。服為外緣，有左驂右驂。驂為處於衡外，但有一轡。與兩服四轡相合故曰「六轡」。統握於馭人之手。驂為專力牽引，而無承重之勞。然有改變方向之機制。因左驂與左服、右驂與右服各有「軜轡相繫」。故執轡者欲左旋（以左向右，面對前方而言）則收一、二、四轡而釋六、五、三轡。反之，欲車之右旋，則釋一、二、四轡，而收六、五、三轡。其理與現代汽車方向盤同。轡字古音讀若「背」。有「向背」之義。能掌握向背規律，則可以心可款矣。

軜

軜：廣韻：「奴荅切。音納。」說文：「驂馬內轡」。按：軜之曰轡，其實，繫上不在六轡範圍之內，其唯一作用，在於牽曳服驂兩馬之首，使之保持方向一致，收到互相制約的效果。正如小戎鄭箋所云：「四馬八轡，而經傳皆言六轡，明有二轡當繫之。馬之有轡者，所以制馬之左右，令之隨逆人意。驂馬欲入，則逼於脅驅，內轡不須牽挽，故知納者納驂內轡，繫於軾前也。」按鄭氏的解釋，與筆者的認識，竟完全一致，是證余說未謬。

鋈

鋈（沃）：說文：「白金也。从金，沃聲。」詩秦風小戎：「陰靷鋈續」。鄭云：「白金飾續靷之環。」又云：「游環脅驅」。所謂游環，雖不固定位置，但事實上確有約束車靷的作用，所以防止車靷凌亂，陷地絆馬足之患。今農村舊式牛車，仍用鐵環約束皮繩，可足證。孔疏云：「白金」謂之銀，其美者謂之鐐」。然「鋈」是加工動詞，其實等於今之「鍍金」、「鍍鋅」……而無疑矣。但古代尚無「電鍍」技巧，則「鋈」的操作方法，必然白色金屬熔液「澆潑法」是可以判定的。但是所用的「鋈劑」也不見得就是白銀。也許是錫、銅之類。居今之世，在缺乏實物的情況下，欲獲得確切結論，是比較艱難的。當時並無電鍍之法，也不過是金屬粉末和以膠汁的塗料而已。

鋚 鞗 鋚 鞗（說文）：「鐵也。一曰轡首銅也。」（詩小雅蓼蕭）：「既見君子，鞗革忡忡。」毛傳曰：「鞗，轡也。革，轡首也。」段謂：「鞗轡也。」當作「鞗轡首飾也」。段謂「鋚勒即以銅飾轡之近馬頭處。垂之忡忡然也」。筆者嘗讀青銅器銘文中，恆有「攸（鋚）勒……」故知西周王朝，經常以此物為賞功臣的禮品。則「鋚勒」為標誌政治榮譽的車馬裝飾，可以無疑。復考

勒（釋名）：「勒，絡也。絡其頭而引之。」（說文）勒字訓：「有銜曰勒，無銜曰羈。」又考（公羊傳昭二十五年）：「牛馬維婁」傳：「繫馬曰維，繫牛曰婁。」維者圍也。繇斯可證，「勒」之為物，當即維絡在馬面周圍的皮網。（玉篇）之「靮䩞」（說文）之「羈」，當是一物而多名也。不過「羈」則不包括「銜」（馬口銜，又名馬嚼環）。而「䩞」和「羈」則專指維絡馬頭的皮網而已。然則「鋚勒」之為物，即聯結於轡、靮之間的鍍銅環鍊矣。此與（蓼蕭）：「忡忡垂飾貌」之注意，若合符契矣。

勒 勒 勒 勒（說文）：「馬頭絡銜也」。按勒之為文，指事兼形聲字也。从革，轡之象也。从力，臂手之形。讀音「力厄」之合音。有強制服從意。故迄中為「過勒」哉。

十二

銜

銜（說文）：「馬勒口中。从金从行。銜，行馬者也。」徐曰：「馬銜，所以制之行也。」筆者按：銜之為言含也。銜環繫於口中，（類用為控制馬行方向之工具也。）故字从金从行。又延伸為「銜枚」、「銜恨」等辭。（今俗名馬嚼子）

銜

鑣

鑣 也 （金）鑣（說文）：「馬銜也。」（正韻）：「鑣，亦名扇汗，一名排沫。」（爾雅·釋器）：「鑣謂之钀。（音孽）」注：「馬勒旁鐵。」（詩·衛風·碩人）：「四牡有驕，朱幩鑣鑣。」傳：「

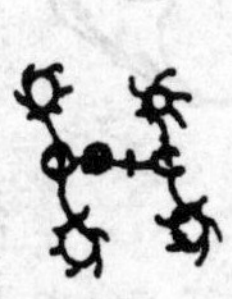

（鑣）

幩

幩，飾也。人君以朱纏鑣扇汗，且以為飾。」筆者按：所謂「朱幩」，即紅色彩綢帶，从賁从巾。賁从卉，花卉也。从貝，五色彩貝也。巾是絲織品也。故知「朱幩鑣鑣」者，即將彩綢纏繞於馬銜左右兩端，而垂在馬口之外的鐵環上，此馬口兩邊的裝飾物，在馬行急速時則迎風飄盪，馬之呼吸頻從口迸，从口角吹出。故古籍注曰「扇汗」。又曰「排沫」。此其意矣。

（朱幩鑣鑣）

鞧

鞧 緧 鞦 鞦 緧（廣韻）：「車鞧也。」按此訓粗略不詳。鞧之為物，佩於馬之臀部。尻下橫有革帶，挾馬之左右臀股而前，與頸帶相聯結。脊背後部，設橫帶以維繫之。駕馭者欲車之後退，

鞧

則駆馬却行。以成倒車之功。今農村驢車亦有此物，民間呼之曰「驢欄棍子」。（轒轄後之橫，帶阻力）（轄下或用橫木）

轑

轑轑《說文》引《考工記》曰：「輪人為蓋，蓋弓二十有八，以象恆星。（二十八宿）。

傘者，按古代之「蓋」，即今之傘。

傘之柄，古名「達常」。柄之外圍，可上可下之桯，套管古名曰「桯」。桯的周匝，有鑿孔廿八個。容納著二十八根傘支的基端。支的遠端連於蓋弓中部。轑的楗孔軸穿合以與蓋弓結為一體，以完成傘蓋伸展收合之運動。傘桯下降，則傘支、蓋弓同時向達常集中合攏，而傘蓋收束。若傘桯（音楹）上升，則傘支、蓋弓（橑）同時向上離心開張，而傘蓋伸展。在《考工記》中，把蓋的業務包括在「輪人」工作範疇。而居於冬官之首。也足證「圓」周律數學，在工藝中的地位。

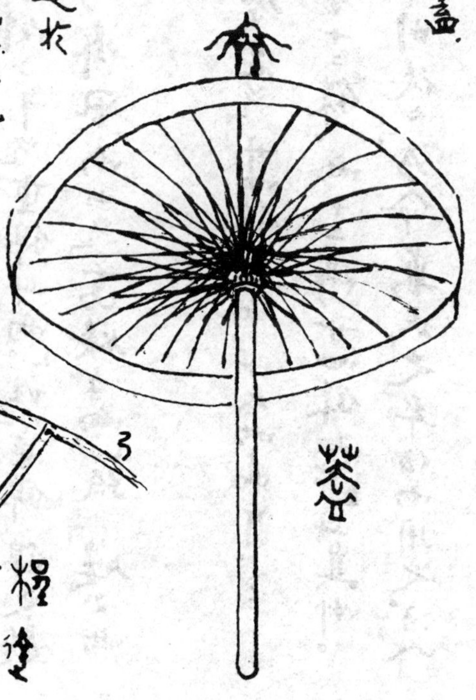

蓋

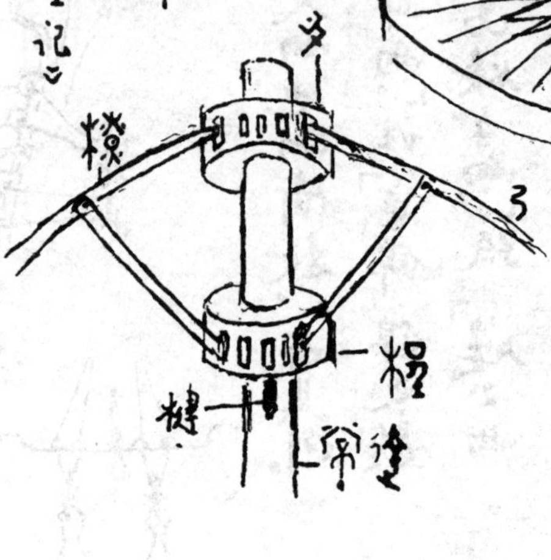

十三

轙𨏓《說文》：「車衡載轡者」《爾雅·釋器》：「軛上環，轡所貫也。」

按：轙之為物，乃附着於衡上之半環狀金屬器。所以供轡之通過，以防止轡之脫落墜地裏足絆馬也。詳參〈駟馬車圖〉

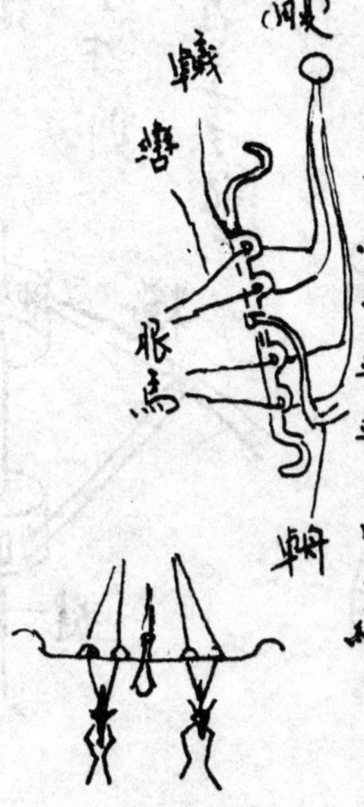

兩 从 㒳 兩 《槩論》：兩之為文，多義字也。其內含甚廣，非片言所能畢舉。僅就所知槩述如次：

一、數詞義：凡偶數皆可稱兩。與二同義。如《易·說》：「參天兩地而倚數。」即其例。

二、量詞義：用於布帛之計算。如《春秋閔二年》：「重錦卅兩。」注：「重錦，錦之熟細者。以二丈雙行，故曰兩。卅兩，卅匹也。」又如《詩·齊風·南山》：「葛屨五兩。」疏：「屨必兩隻相配。〈一雙〉，故以兩為物。」此其例。

三、重量單位義：十錢一兩。《漢書·律歷志》：「廿四銖為兩。十六兩為斤。……兩者黃鐘之重也。」注：李奇曰：「黃鐘之管重十二銖。兩十二，得廿四銖也。」此其例。

四、古軍隊編制單位義：《周禮·地官·小司徒》：「乃命萬民之卒，伍而用之。五人為卒。五伍為兩。」此其例。

五、技能義：《呂氏春秋·簡選》云：「晉文公造五兩之士五乘。」注：「兩，技也。」他如水神名「魍兩」，候風羽曰「五兩」。……諸如此類，皆以兩為名。堪稱豐富多彩。要而言之，皆非「兩」字本義。試申述之：

考許氏《說文》有「从」而無「兩」。入部「从」下云：「二入也。㒳从此。闕。」段注：「闕，謂音讀不傳也。」知段氏時代，从之為字已成不解之謎矣。惜乎段君未睹出土商周銅器，無以窺从字之迹。更不能精繹經文形徵義例，以追求之。遂致《說文》對从字含渾其辭於兩千年之前，段氏束手於後。吾輩下愚焉能窺見門牆耶？抑古俚有云：「愚者千慮，必有一得。」故不揣冒昧，敢獻芻蕘於高明而就教焉！

考《詩·召南·鵲巢》：「維鵲有巢，維鳩居之。之子于歸，百兩御之。」傳云：「百兩，百乘也。」復考《尚書·牧誓·序》云：「武王戎車三百兩，虎賁三千人。」《正義》云：「數車之法，一車謂之一兩。」疏引《詩》云：「百兩迓之。」是一車謂之一兩也。」緣此可證，兩之為字，即後世「輛」字，初文無疑矣，尤其是許氏所云：「从，二入也。㒳从此」。這一指示，為吾儕了解「从」字的遞嬗軌迹，提供了有力綫索。表示如次：

从 → 㒳 → 兩 → 輛。

十四

然則从之為文，造型取象於何物？此即本文咏詩討論之課題。說來令人感到今平全常，無奇可有。實即西周時代駟馬兵車衡下左右兩軛之形也。軛繫於衡，

軛 冂

衡繫於輈。古篆軛字作冂〈〉其从字之形論矣。兩冂加於左右「服馬」之

駕 [篆文]

頸〈服音配〉以承車輿之重量而前進。故駕字从加从[篆文]。〈詩云：「兩服上襄」〈鄭風·叔于田〉即語此也。〉而示于下：故知从字造型實〈冂冂〉

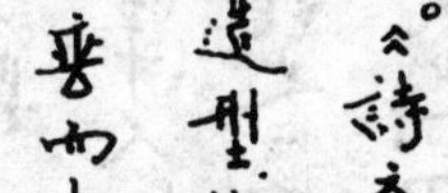

〈从〉

取于兩冂。後世从上增冂以象衡而作冂冂。冂之左右下垂而上屈，以象軛。其後又增丨於冂冂之中間而作冂冂。以象兩冂居於「輈」之左右。厥後又於冂冂上增一而作「兩」。此則从字逐步繁變之大舉也。後世創輛字而與兩分庭抗禮。而各具獨義矣。輛字从車从兩者，所以示車有兩輪也。甲骨文車作[甲骨文車字]。其形例也。兩所以示輈下繫衡，衡有兩冂之象也。

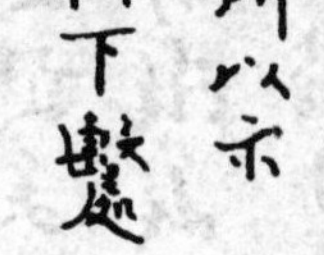

从—冂冂—兩—〈數辭〉

从—冂冂—輛—〈量辭〉

〈附注〉現代考古界，以〈卜辭〉之[卜辭字形]字為兩字初文，其誤已甚。斷不可從。〈說詳拙著冶金工藝〉。

御 [古文字]〈卜〉[古文字]〈金〉[古文字]〈篆〉

[古文字]〈金〉馭〈篆〉《說文》:「御,使馬也。从彳从卸。皆御者之職。

《玉篇》:「馭與御同。使馬也。」

筆者按:《周禮夏官司馬》設御「僕」、「大馭」、「馭夫」等職。皆駕駛車馬之人。經文或作御,或作馭。故知御之與馭、[古文字]、[古文字]、文而同字。其義一也。

[古文字]、[古文字]、[古文字]、[古文字],形義之比較:[古文字]从8,从[古文字],从彳。8者轡之象,[古文字]者馭夫之形。彳者,道路也。[古文字]从[古文字]从卸。卸讀若謝。徐鍇曰:「卸,解車馬也。从彳从卸。皆御者之職」。筆者按:[古文字]从[古文字]从[古文字]。[古文字]秦篆作[古文字]。隸定作辵,楷作辶。猶道疾行也。〈見《六書故》〉故知[古文字]者所以示車馬之出行,[古文字]者所以示車从外還,解轡息馬之意也。

[古文字]之為文,从[古文字],从攴,或从攵。馬者駕車之獸也。攴者馭者之右手也。攵者擧鞭驅馬之象也。故[古文字]、馭二文皆指事字也。

古漢語注:「駕馭」二字以示「王者領導群臣」。蓋取義於馭夫之御馬。此「御」字异華義,皆來自馭夫御馬之現場觀察和納有自然、依據。筆者經常見到老農趕馬車、對牛、

〈[古文字]〉

十五

馬使用之呼喚信號。每當起程之際，必高聲連呼「駕！駕！」尤其是當遇到上坡時，趕車者即「駕！駕！」之聲音很必須加強，有時還要使之鞭策，以刺激牛馬之動力。以及到達目的地後，老農則以徐徐緩慢之音——「馭……」而停止之。此即「駕馭」一辭之來龍也。則「駕馭」二字之讀音，實質上就是一個「象聲辭」。此「漢字造形來源於自然物象，漢字讀音來源於語言」之又一佐證。不能以大自然為師，永遠走不出黑暗之境的。

卸 卸《說文》：「舍車解馬也。」按：卸之為文，御字去彳之所識式也。彳者行之省，道路之形也。御者，駕車行道之象也。今御字無彳，所以示行程已盡，車馬解轡入庫，不在途中之景象也。腸胃空瀉得瀉而腹空。樹木枝葉凋謝而疏除。舟車卸載而重失，泥污排洩而溝通。謝、洩、瀉、卸聲同，皆含棄置求虛之情。知卸字之聲中有義矣。

輦 輦 輦《廣韵》：「步輓車也。」《詩小疋黍苗》：「我任我輦，我車我牛。」案輦之為字，从二夫在車輓車，指事字也。《六書》所謂「視而識，察而可見」者是矣！

艄〈撐〉从舟〈上〉撐〈篙〉《廣韻》：「撐也」。《說文》：「衺柱也」。

古《甲骨卜辭》从舟字从舟从止。舟古舟字，舟者，離心背地之力也。止者反舟之象，逆水行舟之義，此會意字矣。操舟者雙手握篙，尖端撐入水底，而足踏舷後端，利用反作用動力推動舟身逆流而上。是曰「艄篙」。故知「艄」即撐字初文也。故艄字具對抗意。

樘〈𣗳〉《說文》：「衺木也」。樘字从堂从木。堂者屋也。木者柱也。木之性本直，而必曰衺木者，所以見堂壁將傾，賴衺木以支持也。故樘字亦有抗拒義。

棖〈𣗳〉《漢・玉篇》：「棖，門兩旁長木」。案此即今俗云之「門框」是也。門棖之為物，上承楣宇，下乘大地，所以防室屋之圮替，避門戶之坍塌也。故棖字亦有抗拒義。

〈樘〉

〈舟篙艄〉

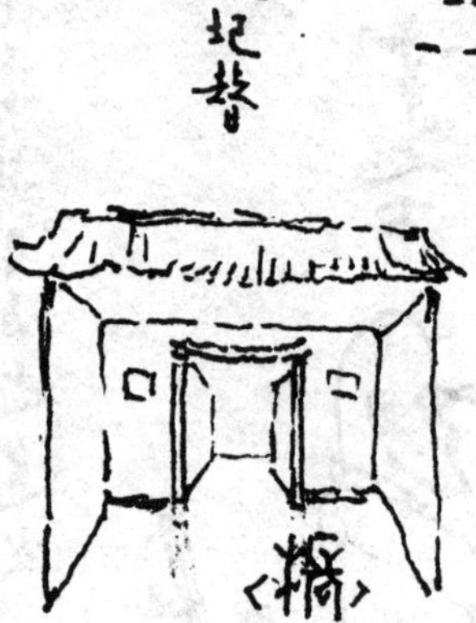

〈棖〉

堂 堂《说文·辵部》：「堂，距也。」案距者雞之後趾也，可抗拒來自背後之進攻。

故「堂」字亦含抗拒義。

瞠 瞠《蒼頡篇》：「直視也。」考甲骨文「直」乃象眼球凸出視線直射集中一點之態。故瞠字亦有對抗義。故吾謂爲「堂」之字咸具抗拒意。

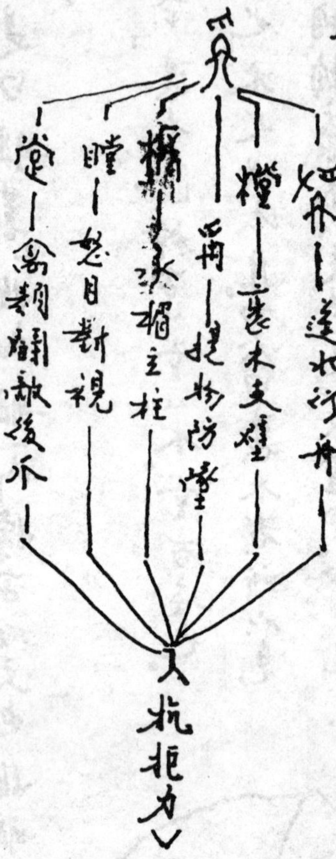

輩 輩《说文》：「若軍發車百兩爲輩。从車，非聲。」案非之爲言排也。兵車百輛曰「輩」，人生百歲爲一輩。此亦時空互化之例矣。

連 鏈《說文》：「員連也。」案氏此訓專指《員列》而先後相繼而言，非連字造

字造字之初意也。考連之為文從車從辵。車者，載負運之器；辵者，

循道疾行也。今明是車輛前後相從之象，故有連續之義，指事字矣。

聯 聯《說文》：「連也。從耳，耳連於頰。絲：相連不絕也。」

案：連之與聯，咸具結合之象，此界中之同也。聯字從耳，

從絲，謂耳相繫，平列橫比之象也。故知連字本義從兩間

系也。聯字本義平列兩系也。是其界矣。

差 差 差 𠂹 𠂹 差《說文·左部》：「差，貳也。不相值也。」徐鍇曰：「左于事，

不相值也。」考籀文差字从𠂹，从二，从后，象左手執繩為懸，而論千要，一

繼長一短之態。古文作 𠂹 𠂹《是之書適》，《說文·糸部》云：「繼下云：『續修也。』字

從糸從差。」皆指事例矣。以上例字，間有長短不同義。以數學定律表達

之，即：大繼－小繼＝差。是其意矣。

牽 差車 𨍭《說文》：「連車也。」案牽字從差從車，而訓為「連車」者，蓋取

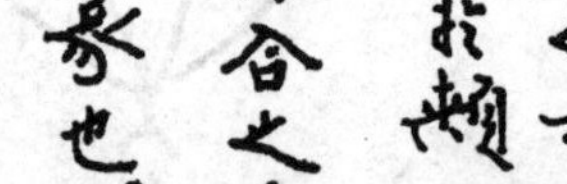

（聯）

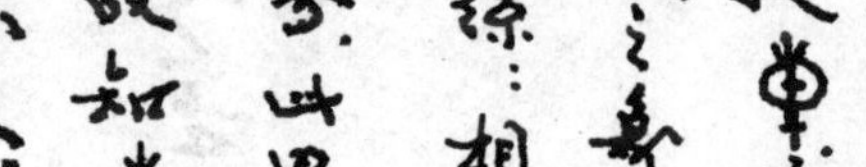

（連）

十七

意指同行之車，行有遲速，至有先後也。復考《說文》段引薛綜云：「差之言卻也。謂卻於東階下，天子未乘之時也。」然智曰：吾鄉農民方言謂將把車子停放在某處時，名曰「把車子差下」，乃先秦古漢語之遺存也。

槎 槎 《說文》曰：「衺斫也。」槎之為字，從木從差，自應有樹枝長短不齊之象。《魯語》上文：「且夫山不槎櫱，澤不伐夭。」知槎字是對幼芽的砍伐專用詞。又考宋蘇東坡詩曰：「南山槎牙忽變態」，知槎字有長短不齊之義，則槎為參差之義彰彰明矣。示識于下：

[illegible]——纏索長短不齊
縒——絲麻長短不齊
槎——樹枝長短不齊
[illegible]——車行遲速不齊
——《參差》

凡從差之字，皆有差別義

文字起源圖典

上

吉佐棠 著

齊魯書社

圖書在版編目（CIP）數據

文字起源圖典／吉佐棠著．—濟南：齊魯書社，2016.6
ISBN 978－7－5333－3482－6

Ⅰ．①文… Ⅱ．①吉… Ⅲ．①漢字—字源—研究 Ⅳ．① H12

中國版本圖書館 CIP 數據核字（2016）第 087100 號

文字起源圖典

吉佐棠　著

主管單位　山東出版傳媒股份有限公司
出版發行　齊魯書社
社　　址　濟南市英雄山路189號
郵　　編　250002
網　　址　www.qlss.com.cn
電子郵箱　qilupress@126.com
營銷中心　（0531）82098521　82098519
印　　刷　山東德州新華印務有限責任公司
開　　本　880mm×1230mm　1/16
印　　張　121
插　　頁　16
字　　數　1200千
版　　次　2016年6月第1版
印　　次　2016年6月第1次印刷
標準書號　ISBN 978-7-5333-3482-6
定　　價　**360.00** 圓（全三册）

出版説明

《文字起源圖典》是吉佐棠先生遺著。

吉佐棠（1915—2012年），字岩農，別號東海野叟，山東棗莊人，山東省文史研究館館員，肄業於天津南開大學中文系。晚年致力於古文字研究，對古文字的造字和演變頗多創見。

《文字起源圖典》總計一百多萬字，是吉佐棠晚年古文字研究成果的匯總，書中收3000餘字，是一部頗具規模的古漢字研究專著。作者功底扎實，治學有道，所以雖爲一家之言，且多有瑕疵（因是作者生前手稿，尚存體例不一、引文不確、目録與内文不一致、釋文中偶見錯誤等問題），但本書的出版，對古文字起源研究將大有裨益。

本書具有比較鮮明的特色：一、爲了形象地説明字形的起源，文中配有大量的插圖，這些插圖均爲作者手繪，雖略顯潦草，但饒有情趣，十分有助於讀者對造字的理解。二、按照古代社會的生産生活進行分類，共分爲人文、天象、山川風物、建築、農業、工藝、戰鬥狩獵、經濟、舟車、刑罰、喪葬、宗教、服飾、儀仗、動物、婚姻姓氏及方國等大類。三、根據古文字造字和演變的相關性，把文字歸類分組解析，特別有助於對文字起源的理解，如『天大夫』『亦液奕』等。

考慮到諸多因素，參考部分古文字研究類著作，本次出版采用手稿影印的形式，既可以保留書稿的原貌，又可以避免排印時大量造字帶來的問題。頁碼則既保留原稿頁碼，以

與卷後索引匹配，又根據卷數另編正式頁碼（標題頁、目録頁等均占碼），以便於讀者檢索。

關於原稿中明顯的問題，根據不同情況做不同處理：一、每卷目録中多有位置顛倒、衍字奪字、標錯頁碼和誤字等問題，爲方便讀者查找，予以調整，儘量使目録與内文相符。二、索引係作者生前手寫，未作規範整理，雖以筆畫歸類，但同一筆畫中排列無序，而且重出、遺漏的情況常見，因仍具備一定的檢索功能，故予以保留，祇對錯標的頁碼或錯字做挖改處理，以便於讀者使用。三、原稿每卷多爲獨立編頁，但第七卷農業和第八卷農業的頁碼爲連續頁碼，因牽涉到索引的編排，不做修改。四、原稿中重出的字條，多緣於不同歸類，故予以保留。五、釋文中出現的問題（包括引用文獻），因屬手稿影印，不做修改。

本書原名爲《先秦文字初探》，經多方協商，根據本書的特點，更改爲《文字起源圖典》。

齊魯書社

二〇一六年五月

目録

文字起源圖典

人文（一）

一

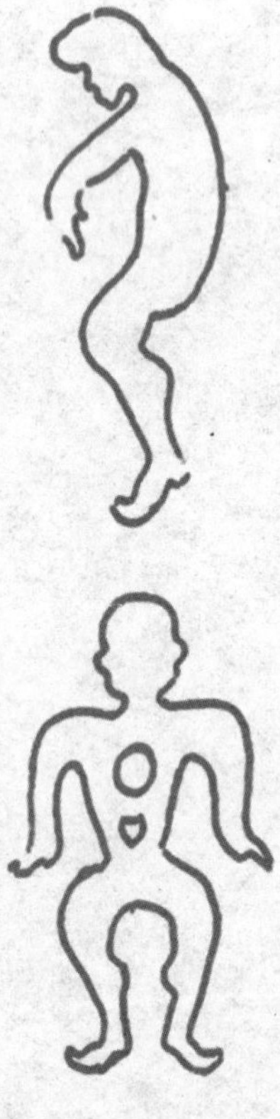

胹需濡 四二 置直覽見四八 嫚漫墁 五五 眨瞽睪 六一 奴壑叡叡七一
糯孺儒耍四二 監鑑鑒 四八 幔慢饅 五五 眹兆圻斥 六二 委矮痿餧七一
巠莖經 四三 罘遝沓四九 艮限退 五五 曳炬 六二 卒萃淬 七一
頸徑逕脛 四三 懷裹哀四九 眼俔儇 五六 騰藤滕 六三 猝碎瘁 七二
陘 四四 蠲鰥鯤 五〇 環鑺 五六 膝膡 六三 粹猝 七二
項賏瓔 四四 罽瘵壞寡五〇 職爽衛嚌五七 眹睪釋 六五 殪瘞噎翳 七二
櫻 四四 根覞閬 五一 觀視看睛五八 擇繹澤 六六 殔饐縊 七二
孆癭鸚四五 眀界貝 五一 瞳相 五八 繹敗 六七 蓼募嘆 七二
罌嬰蘡 四五 趯趯 五一 睘眚 五九 眷歺剮 六八 堇饉殣墐 七三
曹眉媚湄 四六 臞矍瞿五二 省惰懼醒 五九 冎骨骼 六八 殂薨薨 七三
楣夢蠓堳四六 躩攫钁五二 寤闇 五九 體額 六九 眞貼 七三
警苟敬驚四七 睽揆冒 五三 惸罘圓 六〇 髑 六九 尻兇 七四
儆蘉臨 四七 權氏 五四 寰蝶闠遝六〇 胃咼歺死七〇 宮〈居〉屋 七四
目睛直植四七 祇泜眡盲曼五四 德 六〇 髀列烈裂裂七〇 嬰皞擊七五

天  金 卜 卜 篆 適家天字

正面人形

天字的基本定義是自然的天，亦即時空概念的天。但是人類開始對廣闊的自然界的認識是一箇由點及面的發展過程。因而對有關時間、空間，特別是屬於空間的文字往往皆稍於自身為基點，為說明依據。天字其最具代表性者也。

《說文》云：「天，顛也。」案天字从大从一。大者直立人型也。大上施一，而訓義為顛，以示頭顱為天、人分界綫之意。顯而易見，這一認識方法屬于「三才」觀念的產物。所謂「三才者天地人」，的「才」字是很難理解的。考甲骨文「才」字止中。案即「在」的初文。故知「三中」一畫，即三箇不同環境所在之意。古人采用了垂直立體的觀測方式，把人頭以上劃為「天界」，把人足以下劃為「地界」，把中間止為「人界」。這是極易理解的。後來由于人類看到天空日月星辰、風雷雲雨的眾多驚異景象和大地生長萬物的美妙奇蹟，於是就把天、地、人共同視為宇宙間的三大「才能客體」，而名之曰「三才」。這樣一來，就使天地和人一樣，同時賦予了靈魂意識。最後到了「奴隸社會」，人類階級分化的結果，產生了貴賤之分。貴族人物死後升天成神，庶民死後入地為鬼。人間有「天子」，天上有「天帝」。這就使字的含義成了可怕的上帝。

然而造字者於有意無意中采用一箇人形，占了上帝的藝術形象。這是一箇發人深思的課題。實際上這也不是什麼秘密。因為人就是世界的主人，人就是真正的上帝。這一合理的科學答案，在上古歷史文獻《尚書·湯誓、泰誓》中的哲學名句中已經占了肯定。《湯誓》云：「天明威自我民明威，天聰明自我民聰明」。《泰誓》云：「天視自我民視，天聽自我民聽」。這就看出了漢字的價值與科學性。可惜筆者的筆太禿了，沒有能力闡發出祖先遺留的這部告終的文物精神，深引為憾。

大  《老子》云：「天大，地大，人亦大」，竊以為老子之所以訓天為大者，以其包容廣闊之故也。其

一

所以訓地為大者，以其負載萬物之故也。其所以訓人為大者，以人為萬之靈長，智慮周遍，能理萬物之故也。古希臘普魯泰古拉說：「人是萬物的尺度，是存在的事物存在的尺度，也是不存在的事物不存在的尺度。」（普氏此處所謂的不存在的尺度，即老氏之「道」也。）由此觀之，造字者以人形為大，是合乎老子及普魯泰古拉兩大哲人的統一認識的。夫大者，小之對也。大可以包括小，小固不可以包括大。故知大與小的區別關鍵，決定於容量之廣狹。故泰山不棄拳石，所以成其高，滄海不捐細流，所以成其大。

試以數學公式說明之：在同一筆數前提下，商的絕對值與除數成反比。故 $\frac{100}{10}=10$，$\frac{100}{2}=50$。若 $\frac{100}{[illegible]}=100$，至 $\frac{1}{[illegible]}=\infty$，而等於「無限大」。故一國之人民屬于一人則其人名曰「大人」。《孝經》云：「夙興夜寐，以事一人」。青銅銘文恆有「夙夕惟我一人」之句。所謂「一人」，即「大人」。此大字从一从人，即一人為大之義也。

夫

大（上） 夫《篆》《說文》：「丈夫也。从大一。」注：从一、大，則為天；从大一，則為夫。於此見人與天同也。天之一，冒大上，夫之一，簪大首。一以象簪也。」 案：簪，古笄字也。古男子二十而冠，冠必有簪，猶女子之十五而笄也。冠則以簪貫髮而為成年男子，故曰「丈夫」。按《周制》，八寸為咫，八尺為丈。男子身長八尺，故曰丈夫。故知「夫」是成年男子之稱。周代「井田」之法，一夫受田百畝。《孟子》：「百畝之田，勿奪其時，八口之家可以無饑矣」。故知「夫」是八口之家的家長。又曰「三夫為屋」、「九夫為井」，都在說明八口之家的土地分配量及兵役義務，都是由一名成年男子負承擔的。《禮記‧郊特牲》云：「夫有傅相之德，可倚丈，故曰丈夫。」都反映了成年男子在社會中的重要地位。簪除上夫也是象形字。

亦《說文》：「人之臂亦（腋）也。从大，象兩亦（腋）之形。」《玉篇》云：「掖」。一曰：臂下也。《禮記》：「深衣袼之高下」注云：袼，衣袂當腋之縫。臂兩垂，臂與身之間則謂之臂亦（腋）。臂与身有重疊之意，故引伸為重累之詞。

案《禮注》：「袼者腋下之衣縫」，故知「袼」字「胳」之置換式也（以衣易肉）。《說文》胳字訓「腋下也」。《博雅》：「胳謂之腋」。竊以為亦篆上，金文圖案上，象腋汗垂注之形。所謂「衣袼」，即腋窩之空隙也。今成衣工的術語名曰「台肩」。俗名「胳肢窩」。文言曰「腋下」。《禮儒行》：「丘少居魯，衣逢掖之衣」，注：大掖之衣（腋下肥潤）大袂禪衣也。

液《說文》：「盡（津）也」。盡，气液也。《字林》：「液，汁也」。依現代生理學術語即：汗腺分泌物。案「液」字古音應讀若「蝕」。《法經》經文皆段蝕上「也」。也，古它字，古匜字。以臂之与身有重疊之象義，故腋液居身臂之間，亦兼具重疊之意而取音於也。也，匜古通，皆有重疊義。《說文》也字訓：「女陰也」。女陰象偶，男陰象奇。今人凡重疊義語皆用也為副詞。如：山高，天也高。你好，我也好。雪白，玉也白。又可云：天高，山亦高。雪白，玉亦白。故知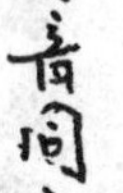也音同而義通。今人但知「人云亦云」而不知此語源之由來矣！

奕《博韻》：「奕，僕，累世之義」。《魏曹子建集王仲宣誄》：「伊君顯考，奕葉佐時」。《周語》：「奕世載德，

二

不忝前人」。後漢《楊震傳》附楊秉上疏：「臣奕世受恩，得備納言」。注：奕猶重也。《詩·小雅》：「憂心奕奕」（憂心重重意）。依上諸例，知「奕」也是亦的同源字。

掖

掖《說文》：「以手持人臂也。一曰臂下」。案此訓極確。《儒行》以腋下肥潤為逢掖之衣。考：唐代以「中書省」之「左省」名「左掖」，「右省」曰「右掖」。中書省之左右偏壁曰「掖垣」。故知掖亦「亦」之孳乳字。

總結：左右兩臂之下曰「腋」；腋下之汗曰「液」；腋下肥潤之衣曰「逢掖之衣」；中宮之旁門曰「掖門」；父子相繼居市曰「奕世」。皆有重疊義。所謂左掖、右掖，即跨院也。

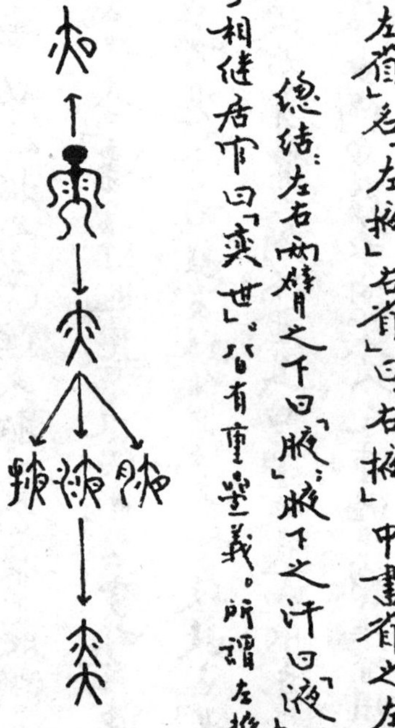

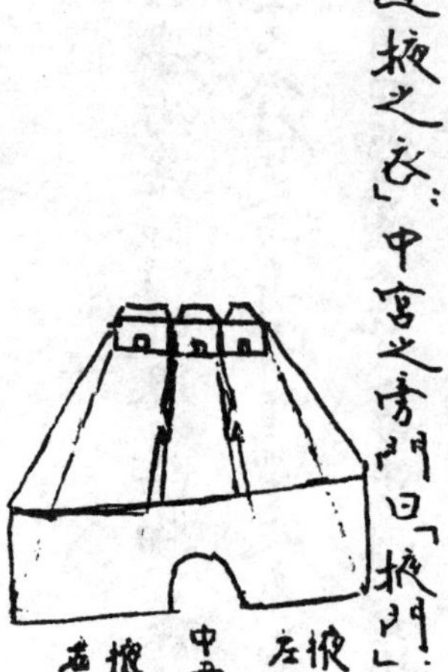

立 位

立 位《說文》立字訓：「住也」。《釋名》：「立，林也。如林木森然各駐其所也」。始未知古立、位同文。先秦銅器銘文有立而無位。可上確證。後考《說文》位字訓：「列中庭之左右曰位」。知漢時始有位、立之分，而成為兩字矣。考《古音》分類，位、胃、利同居一部。《中山王𰯼銅壺銘文》位上[胃立]。字从胃从立，故知立、位同源。審諸古音胃、利同部，可為參證。蓋立足之地，亦即其人所佔據的自然位置。後世將自然位置與社會政治地位相結合而制訂了「朝廷位」。其性質等于後世國家會議之「議員席位」。所謂「天子負扆，三公中階之前，諸侯之位阼階之東，諸伯之國西階之西，諸男之國門西……」此所以許君有「列中庭之左右曰位」之訓。其說蓋據經籍而立論。自有其歷史背景，未可厚非也。立从大，人形，从一，地也。故訓義為「位」。蓋，初義也。位者，延伸義也。

涖莅汏汏《詩小雅》：「方叔涖止」而訓涖為臨。《禮曲禮》：「班朝治軍，涖官行法」疏：涖，臨也。

考汏字从了、从大、从水。大者人形也，一地也，水水也。水處下而人立於高地，故訓義為「臨」。古臨字上象居高俯視下臨水之側面人形，与汏字形義同例。而取音於「俯」。有「蒞」「歷」義。亦象形諧聲字。所謂「以事為名，取譬相成」是也。

（汏）

泣汏《說文》訓：「無聲出涕」曰泣。固其宜也。竊以為未能盡造字之形義者。以「泣」字乃立式人形。且大有固定位置觀念之故。《詩邶風燕燕》：「瞻望弗及，佇立以泣」。大凡人的情感喜樂則手舞足蹈。哀痛悲感之感生，必氣降神凝而體靜。此自然生態規律也。故心律降底循環遲滯而產生「血液凝泣」。此生理現象之病態，完全可以字意窺之。故《內經素問靈樞》於足太陽經有「臨泣」之穴、其位置正當足趾外側近踝之處。人泪垂涕滴落之點。此殆泣字从水从大之意。水者泪也。大者位也。泪滴所着落之處也。故曰「臨泣」。故知泣字造形与汏同例。皆取頫首下視為形，而取音於感。是泣乃象形兼會義字矣。

（臨泣）

總結義，人立之地為「位」。人立於水崖曰「汏」。人垂首而泪滴於足上之地曰「臨泣」。同有俯首義。厥後异華為社會階級高下觀念，上級長官對達下屬地區視察，亦曰「蒞臨」。

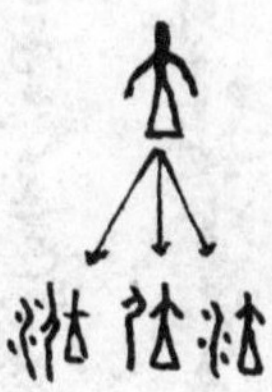

交《廣韻》：「共也，合也」。《易泰卦》：「上下交而其志同也」。

以上訓解辭皆立足於政治觀點而立說，非文字之物質形義也。

竊以爲文字乃兩股交叉之人形也。其證字甚多，今舉其明顯者數例以見義。

絞 《玉篇》：「縊也」。《廣韻》：「縛也」。《傳襄十年》：「絞縊以殺」。《魯論·泰伯》鄭注：「絞，急也」。

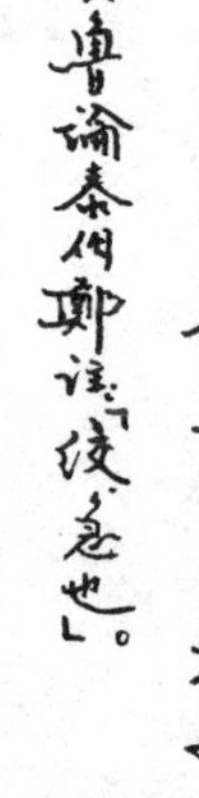
絞刑

郊 《周禮·地官》：「五十里爲近郊，百里爲遠郊」。案此乃據王都之距離上計標準。《爾雅·釋地》：「邑外之地謂之郊」。案西周王朝制度規定，以王都爲核心，對地域境界之劃分，共分五層次。邑外曰「郊」，郊外曰「埜」，埜外曰「林」，林外曰「坰」。坰，亦作駉。黄蹊上即「牧草區」。所謂邑外爲「郊」，即政治管理核心地區和廣大生產地區之連接地帶。故名曰「郊」。郊是交接之意。

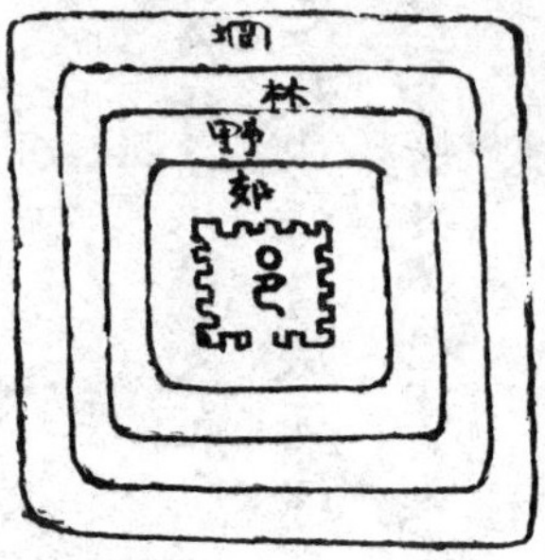

文  《說文》：「錯畫也」。《玉篇》：「文章也」。

案文交二字，於篆書中，其形似而有嚴格區別。不可不注意也。文字於形，凸出表現了胸腹的形像，而交字則重點凸出了人形兩股交叉之象。

《禮·樂記》：「五色成文而不亂」。《易·繫辭》：「物相雜，故曰文」。《釋名》：「文者，會集衆綵以成錦繡，合集衆字以成辭義」。《周禮·天官·典絲》：「供其絲纊組文之物」。注：「畫繪之事，青與赤之謂文」。

以上有關文字之定義，統而言之，即綵色藝術圖案之意，不過古人連同與圖畫無涉

的藝術寫作也都納入了「文」的範疇。然而這些解釋絕不能使我們認識文字的造字取象之來龍。唯有求之歷史資料，才能獲得真相。竊以為文字造形，乃正面立式胸腹畫有圖案的人形。蓋上古有裸體文身的生活風俗。此事見於古史。《禮王制》：「東方曰夷，被髮文身，有不火食者矣」疏：越俗斷髮文身，以辟蛟龍之害，故刻其肌，以丹青涅之。《史記周紀》：「古公曰吾世當有興者，其在昌乎？長子太伯虞仲知古公欲立季歷以傳昌，乃二人亡入荊蠻文身斷髮以讓季歷。」由此觀之，則文字之訓為彩色圖案之義，當來源於裸體文身之俗，核諸字形是不無蛛絲馬迹之可尋的。試以下列例字，尤覺順理而成章。

斑 斑 辬 《廣韻》：「駁文也」。《韻會》：「雜色曰斑」。案此解不合斑字形義。應訓玉之彩曰斑。

斒 斒 斒 《正韻》：「斒，色不純也」。此解亦誤。案辬從辡從文，並列之意也。斒從扁從文，排比之義也。應訓文理並列駢儷也。

奐 奐 煥 《集韻》：「煥斕文彩」。案此應訓色彩多變也，以奐是狐狸之象，狐性善變故也。

斴 斴 斕 《正韻》：「斒斕色雜也」。案此解亦未盡確。以斴從粦從文，文者綫條也，粦者燐之省。故知應為光彩閃灼也。斕從文從闌，闌者爛之省，故宜訓閃灼眩目，今世所謂亂反射也。

考玉之彩色曰「斑」。文理排比有條不紊曰「斒」。色彩多變曰「奐」。光耀灼閃奪目曰「斴」。皆有

色相變化之意，而字意從文。故知文字為色彩之義符。皆文的孳乳字。

文—斑—媥—燮—嫳—爕—辬—辮　考《古音》十三部：辨、文、斑、彣。

同居一部，故知上列諸字音同、形同而義通。皆文的孳乳字而無疑。

附注：裸體文身的生活習慣的產生絕非出於美的需要，而是特定自然環境的產物。以大陸東南乃水域之鄉，虫蛇毒蟲所在多有。故「文身」之目的在於增加防止危害的自衛「警戒保護色」，是非常明顯的。以避蛟龍之害，亦反映出這一事實。（文）

媺

美　媺《說文》：「甘也」。女部媄字訓：「色好也」。

每　《說文》：「艸盛上出也」。《僖傳廿八年》：「原田每每，舍其舊而新

畮　是謀」《廣韻》：「田美也」《周禮地官大司徒》注：「不易之地歲種之，地美故家百晦」。故知晦亦每的孳乳字。

竊以為美、每二文，皆以象于頭戴盛飾之女性。不過是一正面、一側面之分而已。其初義自應以純美為追尚。《說文》將美字編入「羊」部，宜乎有「甘也」之訓矣。至若《左傳》：「原田每每」之語，皆源於《易》理「牝為地類」「坤德」「妻道」之義。亦不是每字的初義。真能說明美字之義者，只有媺字。媺從女從𢼸。𢼸于古文也象長髮之少女形態。審此則美、每二形可不待辨而見其義矣。古文又把田晦、「敏」寫成一位美女形象。這一藝術，顯然屬於《周易》「父天母地」思想學說的產物。是極易看出的。

皇　第一字見甲骨文編附錄，前人未釋。筆者以為即皇字、初文。

《禮·王制》：「有虞氏皇而祭」。《周禮·春官》：「舞師掌皇舞而舞旱暵之事」。《周禮·樂師》鄭注：皇舞者，以羽覆頭冒上。《王制注》：「皇，冕屬也，畫羽飾焉」。羽王字其象也。

筆者幼時曾遇吾鄉兒童盛夏祈雨活動，皆頭戴柳枝，敲鑼鳴鼓。當時未悉經史，尚不能詰其即古「皇舞」之遺迹也。《釋言》：「皇，華也」。疏：草木之華亦名皇。準此則可知以植物花葉為頭飾從事祈舞活動，其歷史久矣。其藝術形態來源於皇是有極大可能的。《博雅》：「皇，美也」。《尚書序疏》：「皇是美大之名」。故知□□二字同源。

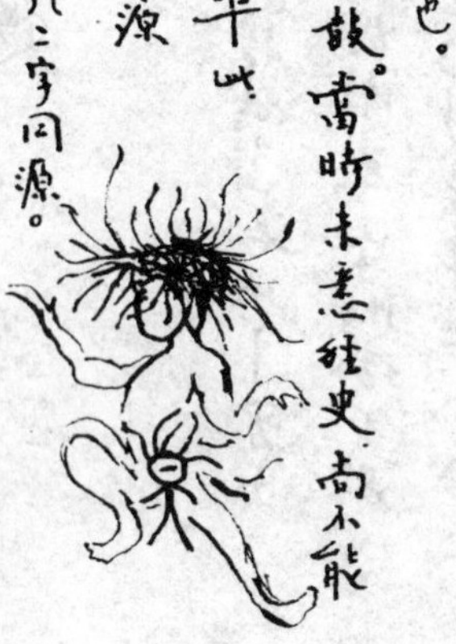

凰 凰 《爾雅·釋鳥》：「鶠鳳其雌凰」。《集韻》上「鶠」。《書·益稷》：「鳳皇來儀」。《詩·小雅》：「鳳皇鳴矣」。據以上經籍字例可知凰、皇、鶠三字同源。其所以名皇者，蓋取其頭上生有冠毛之故。竊以為凰之為鳥，近乎神話傳奇人所未見，殆即孔雀之類歟！所謂「皇舞」，即人類對鳳鳥舞姿的摹擬。

（凰舞）

煌 煌 《說文》：「煇也」。《玉篇》：「光明也」。《詩·陳風》：「東門之楊，明星煌煌」。《前漢地理志》敦煌。注：煌，盛也。在這裡詩人把鳳的羽毛光澤同星光並了等號。

（煌）

遑 遑 《玉篇》：「暇也」。《詩·小雅》：「莫敢或遑」、「不遑啓處」。《書·無逸》：「不遑暇食」。

惶 惶 《說文》：「恐也」。考皇之本義為「冠」名。故鳥之頭生毛冠者曰「凰」，帝王之冠曰「冠冕堂皇」。皇帝為最高權威，下民畏之曰「悚懼恐惶」。臣子奉皇命，奔赴四方，行色匆匆，曰「不遑寧處」。奉王命出征，執訊獲醜，勝利凱旋，「業業揮煌」。皆皇之孳乳字。又竹之叢生者曰「篁」。可知鳳凰的藝術形象，在文學領域應用之廣矣。

五

翼異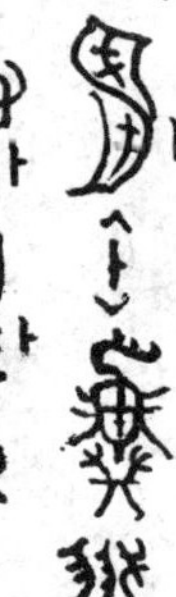《說文》：「翄也」《廣雅》：「飛也」。《玉篇》：「翅也」。

《說文》：「分也」。《博雅》：「分也」。

筆者以為古異、翼二字互通。以鳥之有兩翼，猶人之有兩臂也。又繇鳥之兩翼與鳥身之依存關系，移植於君主與左輔、右弼之依存關系——「翼戴」、「輔翼」。等義。又繇鳥翼之羽毛鱗次櫛比、排列有序而延伸為人的動態嚴肅形容語——「小心翼翼」。又繇人再延伸為馬的動態形如《詩小雅》：「四牡翼翼」。《石鼓文》之「」：皆其例證。又以人之兩手生理功能有異，而延伸為異、同之異。

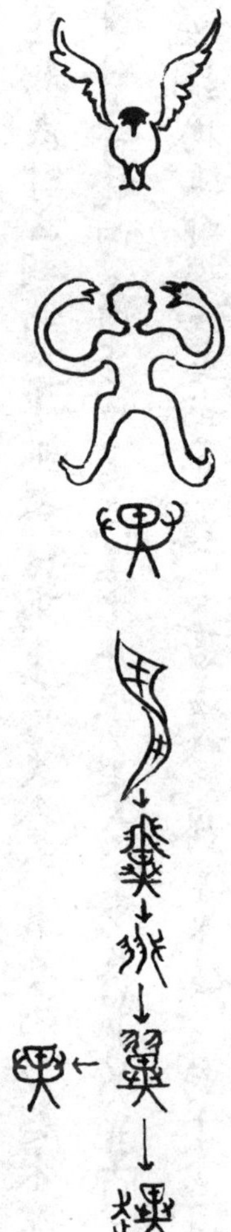

夲《說文》：「進趣也。从大从十。猶兼十人也」。這箇字由兩箇部份所組成。上頭的「大」提供了一名成年男子的形象。下邊的十、為十力的指数。夲與高同音。這箇標音的聲符特點，對理解夲字的含義是非常重要的。高字本身就具有上升槩念。造字者用高字之音魂來結合夲的形像，標志出了一條物理力學變化定律」。就是說明物體前進動力超過物體重量十倍的情況下，便能變為垂直

上升而與地心引力相背離。這簡單量變到質變的「力的變化規律」是可以用現代航空飛機的升降所需要的動力係數獲得證實的。值得疑問的，即「本」字標出的十倍於體重的力量，和航機升空的實需「力值」，似乎還有誤差。這就必須要求我們辨證的看待古典哲學數理中的「十」。譬如說「十足」、「十分」、「十全」，實際上這些「十」都不是正為物質具體「量值」詞，而是表示「飽和」、「盈滿」。古典數理哲學常用語「十者數之盈」，正可以足為「本」字含義實質的借鑒。本讀者滔。

皋

《說文》：「气皋白之進也」。段注引《禮士喪禮》：「復者（爲亡者招魂）一人升自東榮中屋北面，招以衣曰：「皋某復」！」三。並云古皋、嗥、告、號四字音義皆同。

謹案段氏所舉四例，嵩者嘆神「告廟」儀式也。號者，行軍發號施令之嘷也。嗥者，仰天呼叫之音也。諸字悉取皋為音者，以皋者「本」之本字，而取義於皋。

皋字从白者，色符也。以人之仰面朝天而呼者，必有气流升空。此伴隨音浪之呼气，其水份之遇冷而凝聚。此種白色气流尤其冬季最為明顯。此「气皋白之進」之意也。

槔

《莊子天地篇》：「子貢曰有械於此，一日浸百畦。用力甚寡而見功多。……鑿木為機，後重而前輕，挈水若抽，數如泆湯。其名為「槔」。

案，所謂「後重前輕」，當即「力臂」大于「重臂」之物理杠桿也。其字从木者，示樹莖的負重功能。从皋者，所以示上升之義。今人名之曰「吊桶」。又名「桔槔」。桔是下降，皋是上升。一升一降，以成汲灌之功。即其義也。

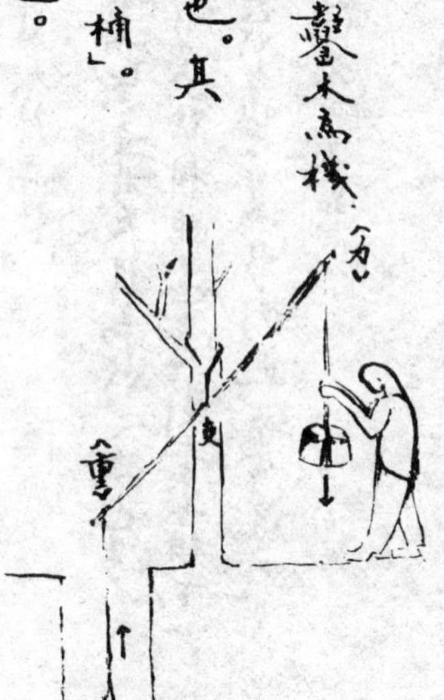

六

比 从从从《說文》：「密也。」注其本義謂相親密也。餘義謂俌也、及也、次也、校也、例也、類也、頻也、擇善而從之也、阿黨也，皆其所引伸。許書與篦字古祇是比。「二人為从，反从為比。」

考古文比象二人並立之形，故知「親密」、「比較」二義皆由比形而生。至於反从為比之說已涉想像含義。尤其是段注疑比為「篦」之說更覺可疑。以篦之為形與比相距甚遠，固杳不相干也。推緣其故，蓋未識从是偶蹏動物之兩足並列之形。豩、彖字其形例也。五家為比。朋比之比，皆由从字形意而生。至于匕首之匕，乃匕之變文，固與从無涉，不可不知。

並 𠀤𠀤《集韻》：「比也，皆也，偕也。」案並、并二文，一為正面式，一為側面式，二字音義皆同。

并 并并《說文》：「相從也。」《說文》注：并從从开聲。从持二干〈竿〉，猶又持二禾為兼也。籀以為《卜辭》并字象二人被繩索縛在一起之形，似有合併之意。其實，並并音同而義通，固莫需強辨而細分也。

伴 从伴《說文》：「並行也。」《廣韻》：「侶也，依也，陪也。」案比訓「密也」。並訓「偕也」。伴訓「侶也」。比、並、伴三字同一聲紐，皆是二人比肩並立之形。皆同源字也。

祇 祗禔《爾雅·釋詁》：「敬也。」《書·大禹謨》：「祇承於帝」《周禮·大司樂》：「以樂德教國子中和祇庸孝友。」考《說文》有祇而無……等文，以其時銅器出土尚少，故《說文》不具。籀以為此字屬人文哲學領域，乃意識形態字，非若形諸動植之易於取象也，而只能以形示其義。時賢張舜徽氏認為祇是聲義字，曰：「祇者止也，謂凝然無動，敬之意也。」其說值得重

皃。……等文，皆象蝴服端冕拱立之正面人形。有肅恭聽命之態。此象形兼指事字，且有會義之指存焉！

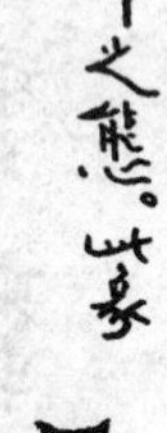

皃　爽

爽 卜 卜《說文》：「明也。从㸚大。」注：其孔㸚㸚，明之盛也。徐鍇曰：大，其中㸚隙縫也。案爽亦象形字。从大，人形也；㸚象窗壁櫺欞之形，亦通風透明之意。故訓義為爽快。《書牧誓》：「甲子昧爽」。疏：爽，明也。案「昧爽」一辭，即現代軍事術語之「拂曉」。《甲骨文彙編》誤將爽字混入𣄢部，殊為謬甚。〈按書𣄢字另有專文詳之「𣄢」字〉《金文》從日義，與爽字取象有異，而取為聲。乃形聲字矣！其取日為光符，較爽之取㸚上光符簡，異象而同功。卜辭爽又作，取為聲，取以示明。與金文字从从日同例。形聲字也。

𠦬《說文》：「疾也。」注：從本卉聲。拜从此。段注引《上林賦》：「藰莅卉歙，又卉然興道而遷義」。郭璞曰：卉，猶勃也。《西京賦》：「沸卉軿訇。」薛綜曰：奮迅也。

𠦬《金文》皆作𠦬，為卉有繪繡意。《毛公鼎》銘文：「錫女金車𠦬緐。」其與𠦬異文而同字。故知卉應為𠦬字初義，而訓「疾」應為延伸義。所𢷎文從此，似亦不無可議。夫𠦬之與𢷎雖形似而其實異。𠦬从屮而𢷎从𠂇。屮者花木上生之義。𠂇者躬身拱揖之義。以意別之，則𠦬為勃起上升之象，𢷎則虔敬下氣之態。故知《周禮九拜》之𢷎應與𢷎〈拜〉字同形。其區別關鍵，在於屮、𠂇之結構，一為上升，一則下垂。此其識別也。然則𠦬之从屮从本者，屮形符也，本力符也。亦生長之速也。

奏《說文》：「進也。从本从廾从屮。屮上進之義也」。考《卜辭》《金文》拜字之形極多，略舉如次：

𠦪與奏形似而不同。

奏 

拜 

古奏、𠦪同文，義通。𠦪者植物上生之速也。奏者下情上達，暢所欲言，廣開言路，不雍下聞之意。皆含急升之義。其乎盛世，民熱忱情，上之關心下民疾苦，唯恐知之不速，拯之未能及時焉。故如奏字从艸者衆多詳備之義也。从夲者迅速之義也。奏聞欵及時，情節貴詳備。此𠦪字之義也（會義）

乖 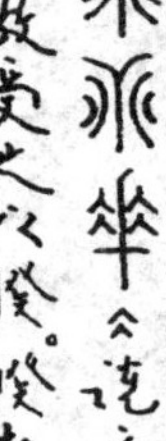《說文》：「背呂也。象脅肋形。」《玉篇》：「戾也，罔也，睽也，背也。」《易序卦傳》：「家道窮必乖。故受之以睽。睽者乖也」。案古所謂「背呂」，現代生理解剖學名曰「脊椎」。左右肋骨皆附於脊椎骨節。骨節上下連貫，形如竹節套管，內容脊髓。「呂」字其形象也（呂上脊）。以人體肋骨之形，左右相背。遂引伸為「乖離」、「乖背」、「乖張」、「乖剌」等義。又延伸為「乖巧」、「乖乖」等褒義辭。「脊椎」之與「背呂」，異名而同物。背呂兩側之肉曰「脊」。故脊字上（从乖、月）而與乖互訓。《說文》：「乖，背呂也」。脊字亦訓：「背呂也」。可為互證。

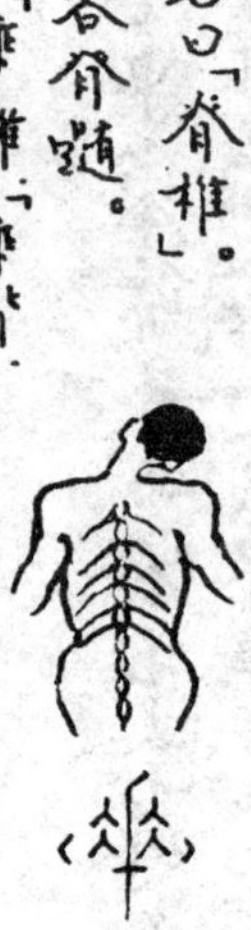

脊 

羊角

（背骨）——背離義

（背肉）——絕高義（山脊、屋脊、背脊）

乘 

考《說文》：乘也（桀）訓：「覆也」。从入、桀。桀，黠也。《軍法》：「入桀曰乘」。注：桀者以弱勝強。《書序》云：「周乘黎」。《左傳》：「車馳卒奔（桀）晉軍乘之記也」。乘《說文》解字往往詳於奧義而略於字形。實則乘之篆文乃人立樹上之形。雖經文有「乘舟」、「乘馬」、「乘車」等辭，皆延伸義。

黑 □ □ 《說文》：「北方之色也。火所熏之色也。從炎，上出𡆧。」

案《說文》之訓本其自然現象而立說，未容厚非。但此意施於北□字則宜，施之於□字殊未見其有當焉。竊以為□字乃人形也。甶者鬼頭也。應卽甶之變文。《說文》：「甶，鬼頭也。」故知□卽鬼的正面形。應為鬼類字。

《考周禮夏官方相氏》：「掌蒙熊皮，黃金四目，玄衣朱裳，執戈揚盾，率百隸而時難，以索室毆疫。」這個「鄉人儺」舊祭上就是一種帶有宗教色彩的防疫衛生文藝表演活動。所謂「方相」，卽今日之假面具「鬼臉」也。《荀子非相篇》：「仲尼之狀面如蒙倛。」注引韓侍郎云：「倛，方相也。四目為「方相」二目為倛。」於《卜辭》中□字與金文□字同，卽倛字。□字卽方相之形也。所謂「百隸」毆疫，皆「鬼隸」之徒。鬼，黑色也。皆身着黑衣之人。《周禮》：「玄衣朱裳」玄訓黑色。故後世延為黑色義。

倒置人形字例

屰 屰〈卜〉 屰〈金〉 屰〈金〉 屰《集韻》《類篇》《韻會》《正韻》：「逆本字」。《說文》：「不順也。从干下凵。逆之也。」注引「凶」下注：象地穿，交陷其中。方上干而下有陷之者。是為不順。

案《說文》說「干」為上犯之，說「凵」為下陷之，以喻運動方向之矛盾而訓義為「不順」。自有其科學槩念。竊以為屰字，卜文之屰，乃頭足顛倒之人形。以示違背常態之情。其示義方法自較《說文》之訓直觀而「指事」。僅舉數例以見義如次：

逆 逆〈卜〉 逆〈卜〉 逆〈卜〉 逆〈金〉 逆《增韻》：「逆也，拂也，不順也。」《釋名》：「遻也。不從其理則逆遻不順矣。」

《說文》：「迎也。」漢字以垂直為平行時示意例，可從屰字體現之。亦舉雜技表演為例以示意。（見下圖）

(1)〈逆〉

(2)〈迎〉

〈逆〉
(3)

第一式與第二式人的定位方式雖有垂直平行之異，但是正為運動方向的「正面衝突」，則是一致的。在民間語言中，統可以「顛倒」二字槩括之。《說文》之訓「逆」為「迎」，可以下列二圖理解之。這一義變規律，當來源於動物之觀察。愚名之曰「縱橫互化義」。《左傳·桓二年》：「宋華督見孔父之妻於路，目逆而送之……」又如「逆流」、「逆風」等辭，皆「逆」訓「迎」之例。

逆之相對義為「從」。迎之相對義為「送」。故「迎」、「逆」同諧而「送」、「從」同韻。此又音義規律也。

斥㡿《集韻》《韻會》《正韻》「裂也」。《周禮·春官》「史占墨卜占坼」。

案㡿坼二字同源。本為崖岸分裂之義。卜者故為龜甲裂痕字，嗣後延為排斥、驅逐等義。

《易·解卦》「雷雨作而百果草木皆甲坼」。

竊以為地理山湖崩塌，河流堤岸土壤流失，岩石風化，物質變遷，致裂橫生，其名曰㡿。㡿字从厂，从屰。厂是崖岸之形。屰者兩相對抗之力。由對抗而演變為分裂。此屰之義也。對抗為因，分離是果。故訓義為「裂」。

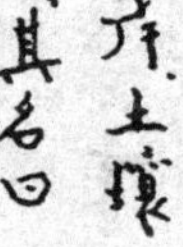
龜坼

坼裂

㡿

咢𠯑《詩·大雅·行葦》「或歌或咢」。注「徒擊鼓曰咢。」案左右兩手執枹擊鼓之動態，亦相對動力也。字從二口。二口並列則為吅，古讙字也。示兩聲並鳴，相尚不讓，所謂「爭鳴」之義也。

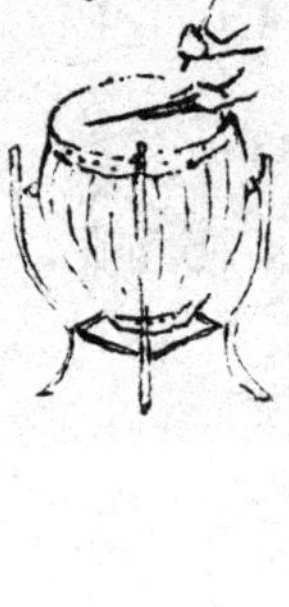
〈咢〉

諤䛩《玉篇》「正直之言也」。案此訓與《說文》「咢」字同，訓為「直言」。咢从屰，从口。「屰」古愕字。从口有直言敢竭之義。故知䛩字从言，从吅，从屰，同有直言觸罪之義。咢者口之音也，意之聲也。吅者二口爭辯也。屰者，觸撞對抗也。取音於噩者，聲色俱厲，態度惡劣之象也。此「忠言逆耳」，逢聖君則邀「忠良」之名，遇暴主則殺身可待。不過古代政治家也有非常重視「諤諤」之音时。所以《商君傳》：「千人之諾諾，不如一士之諤諤」的理論，仍然受到肯定。「湯武以諤諤而興」至今傳為歷史佳話，載在《家語》。

柝㯙榗櫄《說文》「判木也。夜行所擊者。」《易·繫辭》「重門擊柝，以待暴客」。

〈榗〉

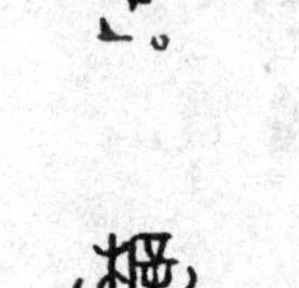

案：㪔字从丂从屮。所謂「判木」，即一分為二的木棒。這是古代安全防盜的發音器。後來進化為中空形態，文字又從欜。橐是兩端有口的「口袋」。从木，所以示木製中空之器。梆从木从邦，示二木互相撞擊，今名曰「梆子」。肩挑賣油者尚用之，緣劇猶以為節奏樂器。

朔、湖 朔 湖 《集韻》：「逆流而上曰溯」。《左傳·哀四年》：「吳將溯淮入郢」。

案：月牙觸上曰朔，舟停水上逆流而上曰溯，二字皆以屰之義符。

朔

鍔 鍔 《漢書·蕭望之傳》：「砥礪鋒鍔」。注：「鋒刃之端也」。

「鍔」

鍔从金从屰，金者兵刃之義。

屰是向上之意，故訓曰「鋒刃之端」。端古文作耑，甲骨文作𣎵，象植物幼芽。山者上生方向動義符也。𠃊者雨露之象也。一者地也。𠃊者根也。依植物本能有自然背地性，故訓義為「耑直」。周禮中用為帽名——「玄端」，亦取端正之義。故知史記以「鋒刃之端」釋「鍔」，為深得其義。故知鍔字是矢端向上之形意，亦屰屰之孳乳字。

萼 萼 《詩》：「棠棣之華，萼不韡韡」。

案：植物花冠底部周邊的圍護葉片皆尖端向上，名曰「萼跗」。字从艸，植物之義；从咢，花冠之態；从屰，方向趨上之象。亦屰之孳乳字無疑。

鰐 鰐 《正字通》：「鰐魚，扁形，濶腹，巨口，細鱗，皮厚，肉緊，味如豚，一名「水豚」。

竊以為《正字通》之解，尚未能指出鰐魚之生理特點，然造字者卻能明之。

（鰐）

十

考鱖字從魚、從𠩺、從欠。欠者艮口開張之象也。𠩺者背鰭針骨堅挺直立向上之態也。逆字者段「厂」為背脊之象，段「屰」為鰭針直立之態。因生動備全，惟有逆直而無遺。他如口之夬銳、蓋之鋒利……無一不包含於屰義之中。此鱖字從厥之意歟！

厥

𣄨、𠩺、𣄨《內經》：「血之并於上而不下，則為大厥」。所謂「大厥」，依現代醫理論之，即「休克」症象。患者突然昏倒，失去知覺。其發病機理多由循環系統障礙有關。其人平時素有高血壓基礎。或酗嗜飲酒，好吃厚味肥膩，辛辣刺激諸味，一旦疾病暴發，腦腔血量超容，血管爆裂，血液橫溢，成為不救之症。此症多以暴怒為誘因。古醫名曰「厥逆」。後世謂之「中風」。「𣄨」字从屰从欠。屰者逆之初文也。淤塞停滯之義也。血液停於膻腔，則為「大厥」。痰涎停塞於胸腔，則為「痰厥」。心肌功能衰竭，四肢冰冷「白戴陽」、則為「厥逆」。故知漢字一字一義，皆有牢固之基礎。表示如次：

屰 屰 屰 屰

《個別義》

屰〈逆手擊鼓〉 諎〈直言逆上〉 㭱〈二木擊撞〉 𣴑〈逆流直上〉 鏉〈兵刃朝天〉 𦬁〈花柄向上〉

𣐺〈直鋒長矛〉 鱖〈鰭棘向上〉 厥〈氣血上沖〉 朔〈月牙向上〉 𠩺〈排除離逆〉 㻂〈迎裂、地裂〉

屰 屰 𢓜 逆

《綜合義》

逆也。拂也。不順也。還也。不從其理，則逆還不順也。

（義撞顯）

{屰系文字示兼一覽}

厥 𠩆 厥 厥字溯源：《說文》：「發石也。」從厂，……《山海經》：「相柳之所抵厥。」郭注：「抵觸，厥掘也。」《孟子》：「若崩厥角，稽首。」趙云：

「厥角者叩頭，以額角犀撅地也。」晉灼注《漢書》曰：「厥猶豎也。叩頭則額角豎。」按，厥角者謂額角如有所發，角

郭𠩆下云：「角有所觸也。」筆者案，厥字與𠩆同源，其初意為以頭觸石。厂者石之首，屰者人頭觸

地形，古逆字也。欠者張口气息之象，蓋嘶力竭之情也。然則許訓「發石」者，顯揮之義，攻堅破固之意也。

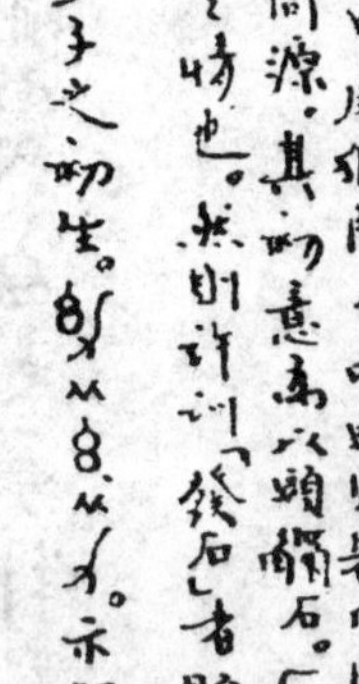

屰 字 郭

幺 8《說文》：「幺，小也。象子初生之形。」8象子之初生。𢆶從8從力。亦謂小力弱之義。

幼 𢆶 𢆶《尔疋·釋言》：「幼，稚也。」

𠫓 𠫓《說文》音突。訓云：「不順忽出也。从倒子。」案古文上𠫓。此字與8《幺》二字同源。咸取象於初生之胎

兒。8訓義為小，𠫓訓義為急速，此其區別也。《易·離卦》：「突如其來。」篤應以𠫓為正字。

考《六書精蘊》𠫓字訓：「凡字胎男背女向。臨產腹痛，子轉身，首向下，始分娩。」竊以為魯南民間

語言有「𠫓嘍」一辭，乃形容物體下墜疾速，滑溜流利的象聲辭。篤如「𠫓」字，故知𠫓字乃取象於胎兒之出生。

《甲骨文》毓字上著𠫓，小篆上𠫓。其有力而鑒瞪也。今文生育之「育」，小篆上「𠫓」，字从𠫓从肉。仍有初意。流水

流 㳅 之㳅字，《說文》訓云：「適也。」从㳅从𠫓。𠫓，突忽也。」又《正韻》疏字訓云：「疏，通也。」梳者所以令髮通透也。

疏 疏 梳 案：流、育、流、疏、梳皆取𠫓為義。故知諸字皆以「𠫓」為「義根」而無疑。胎兒足動則胞破，胞破則兒生，故字从足。

硫 硫 《淮南子》：「夏至流黃澤……」案硫字从石从𠫓。石者礦物也。𠫓者示遇熱日而熔解也。自應為𠫓的孳乳字。

毓 毓 毓 毓 𠫓《說文》：「養子使作善也。」《玉篇》「毓」字訓：「長也，養也，生也，撫也。」

案：毓从每，象婦之形也。从𠫓。𡿺古子字。𠫓象倒𡿺之形。說文讀音訓毓。毓者倒之古文。音与《精蘊》

《集韻》置，而義通。故知毓育亦「𠫓」之孳乳字。

居 𡰥 居 居《說文》：「處也。」

案：居字从尸从古。晉卜辭之「毓」字形，而音似。許居訓為「處也」。乃理有固然之解。

未可厚非。竊以為「居」字之初義乃源於生育。緣婦人育兒，必深居密室以避風寒，使煖。以便母子安養生

息，俗名「產房」。吾鄉謂之「坐月子」。此居字之初義，可從形音得之。《詩·召南》：「惟鵲有巢，惟鳩居之」。依

動物學分類，鳩之為鳥，屬於鳩鴿類。古名「鷙鳥」。以捕食小雀為食。苦於不善撫育幼雛，專恃侵佔

十一

鵲巢為育兒之所。民間謂之「欺窩下蛋兒」。《毛詩》上者之意旨在讚美貴族婦女嫁自天成之意，非本文所論之特定動物之特殊育雛方式也。竊以為鳩之所以侵鵲巢之目的，完全出於騙取異族之鳥，代替自己加以撫育幼雛。故知《召南·鵲巢》之詩，當應讀上「唯鵲有巢，唯鳩毓之」，庶幾合乎字義而應乎自然。《孟子》云「為叢驅雀者鸇也」。吾鄉民謠有「喜鵲窩裏抱鸇鸇子」的諺語。鸇，即《召南》所謂之「鳩」也。然鸇不善於撫育幼雛。專伺喜鵲外出離家之際，潛入鵲巢竊機產卵，混雜於鵲卵之中。待母鵲孵出幼雛，往往因發現鳩雛形態特異，不類於己，而引起驚疑，大叫不休。此吾所目見千真萬確之事實也。由此觀之，則可知《召南》之詩應讀「唯鵲有巢，唯鳩育之」而無疑也。然則「居」「毓」同源，可斷言矣。

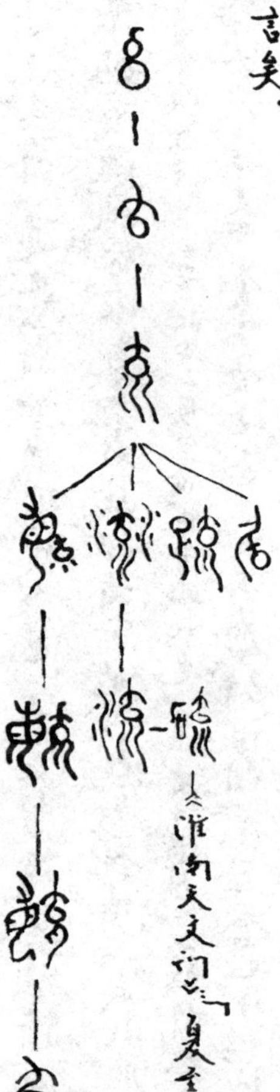

《淮南天文訓》：「夏至日流黃澤」（熔解液化，徒則無流）

幻  《說文》：「從反予，詐惑」。案：「反予」之意自身之倒影。故曰「幻像」。

予  《尔疋》：「卬、吾、予、朕、台、身、甫、余、言，我也」。案《論語》：「宰予晝寢」。又《論語·先進篇》：「言語：宰我、子貢」。皆「予」「我」同義之例。《尚書·湯誥》：「其尔萬方有罪，在予一人。予一人有罪，無以尔萬方」。皆予訓為我之義例。

實際上予字乃是人的直立側面式。幻是一个倒置式。皆象形字也。

眾 □□ 卜□□ 卜□□ □□ 金□ 《說文》：「多也。」徐曰：《國語》：「三人成眾。」數成于三也。

筆者竊以為「數成于三」之語，確具科學真理。何以不言「數成于二」？又何以不言「數成于四」？其所以然者，良以「二」之與「四」，皆偶數也，非奇數也。蓋奇數為陽，偶數為陰。孤陰不生，獨陽不長，故數不能成于一者，以其獨陽也。數之不能成于二者，以其孤陰也。唯奇偶相合，方能奏化育之功。尚書洪範稽疑以龜筮汝卿庶民五數註列，以卜順逆，而決吉凶。今世各國會議席位，咸以奇數為常規。所以防止兩類意見絕對均衡，臨于表決難題，無法取決選擇之境也。仲尼云：「三人行，必有我師焉！擇其善者而從之。」胡不云：「四人行，必有我師？」《洪範》不云乎？「三人占，則從二人之言。」胡不云「三人占，則從一人之言？」蓋「一人之言」是聽，必成為獨裁專橫，無以成集思廣益之效。而四人共議，則慮其正負相等，無以見優劣之差距。只有在奇數附表決下，才能真正顯示差距，而產生選優棄劣之機。嗚呼！「三人成眾」之義大矣哉！

㐺 □ 《說文》：「眾立也。」注：㐺讀如崟，魚音切。

筆者案：讀如崟之音，似有未確。「魚音切」是比較可靠。余以為㐺之為文，从三人，有眾之義。竊以為㐺之為字，當即「殷」字，初文也。考《周禮·春官·太宗伯》：「殷見曰同，殷覜曰視。」傳、注俱訓殷為眾。由此可見㐺即殷附正字無疑也。蓋殷之為字乃慇切之本字，後世經籍假「殷」為㐺之後，于是殷行而㐺廢。而另立「慇」字以代殷。此歷史通假語變之軌迹，可從下列表格示義中略見軌跡：

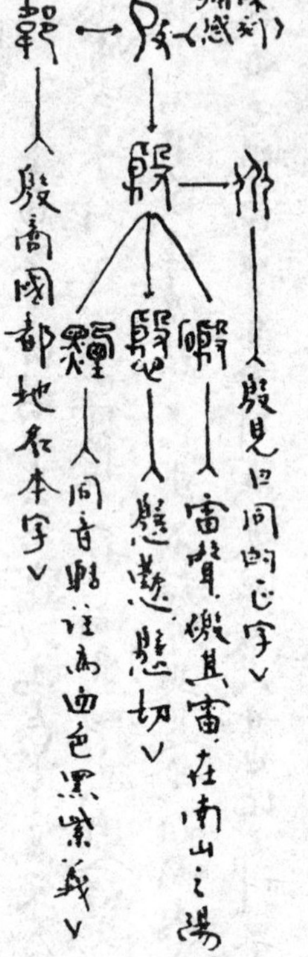

殷 [古文字形] 《說文》云：「作樂之盛曰殷」。殊與[古文字形]字形義未合。故知叔重先生之學源于五經，蓋許君之世甲骨卜辭尚未出土。竊以為[古文字形]之為文乃右手持針穿刺孕婦腹腔之象，有「心中」義，亦有痛感深刻義。後世「殷切」一詞，尚有此意。前人治文字之學者，多墨守經籍之定義，往往畧于文字之形音而唯箋註傳疏是求，不知歷史遷延，咱國文字蟬聯遞嬗，本義湮而延伸義顯，所在多有，比比皆是。故吾輩治學自宜別具隻眼，參以廿世紀之科學頭腦，庶使傳統文化有新的發展。

身 [古文字形] 《說文》云：「躬也，象人之身」。《爾雅·釋詁》：「我也」。筆者案：[古文字形]之為文與卜辭「孕」字極似。何以言之？《詩·大雅·大明》云：「大任有身，生此文王」。傳云：「身，重也」。箋云：「重，為懷孕也」。可為例証。

㐆 [古文字形] 《說文》云：「歸也。从反身」。案：[古文字形]之為文，象形兼會意字也。有拔識意，亦有棄却反正意。用現代語言即「立場改變」或「一百八十度大轉彎」。[古文字形]字形義與反止為𣥂，反正為乏，反木為朩同例。

冘 [古文字形] 《說文》云：「行貌」（音淫）。《前漢·揚雄傳》云：「窮冘閼與」。孟康曰：「冘，行也。」如曰：「冘，懈怠也。」古籍內「冘豫」義同「猶豫」。筆者案：[古文字形]之為文，象形字也。似肩荷擔儋之態。而訓義為「懈怠猶豫」者，良以荷儋致遠，疲勞倦怠，必生猶豫之心。此其義也。[古文字形]字造形取象與[古文字形]字同。竊以為[古文字形]之為字者，儋之初文也。《說文》古音部，淫、潭同居心部。故知[古文字形]乃雙聲字，猶[古文字形]字與[古文字形]字之有「潛、默」雙聲同例。而《尚書·無逸》云：「惟耽樂之從」的耽字，尤與[古文字形]字形同音同而義近。而《左傳·桓公二年》云：「衡紞紘綖」之紞字，與《詩·鄘風》云：「髧彼兩髦」之髧字，皆具下垂之象。其義皆源於[古文字形]字兩端下垂之象。故知[古文字形]之為字，當「儋」之初文也。《正韻》云：儋字訓「負荷也」。《前漢·武帝紀》應劭注云：「儋耳者，大耳種族也。」

還象人形字揭《史記·秦始皇紀》：陳涉起義，斬木為兵，揭竿為旗之「揭」字，甚疑上應讀作「何」。
「揭」字古音居「月」、「薛」二韻。可為力證。仍當解如上。

此直觀字《說文》：「天地之性最貴者也」。

何

何《說文》、《集韻》、《正韻》：「擔也」。「負也」。《易·噬嗑》：「何校滅耳」。《詩·曹風》：「何戈與祋」。《小疋》：「何蓑何笠」。諸字都是何戈而立的人形。《淮南》：「背荷負儋之勤也」。

案：「何」本肩負之義。可使字形知之。後世代之以「荷」。而何化為疑問辭矣。現代科學術語「負荷」、「電荷」皆用荷，而不用「何」。質疑上「荷」亦何的孳乳字。故「荷」與「負荷」與「荷花」二義，自有其歷史軌迹。「荷」是「像物化」字。

荷 荷

荷 荷

卩

卩《文書正譌》：「象骨節形」。案：卩字乃跪跽之人形，古人日常的生活靜態姿式仿此。字象體膝、股、脛折疊之形。亦出了各個骨關節的結構形狀。所謂「畫成其物，隨體詰詘」是象形者是也。後世節行而卩廢矣。

卬《玉篇》：「卬，君之德也」。《漢書·食貨志》師古注：卬亦讀曰「仰」。《說文》：「望也」。

昂 䫨《說文》：「舉也」。《楚辭·卜居》注：昂昂，馬行貌。

仰《說文》：「舉也」。

案：卬、昂、仰、䫨皆是仰面朝天之意。取音於陽、揚。故音中亦有義。

卬 人 昂 䫨 仰

何 荷

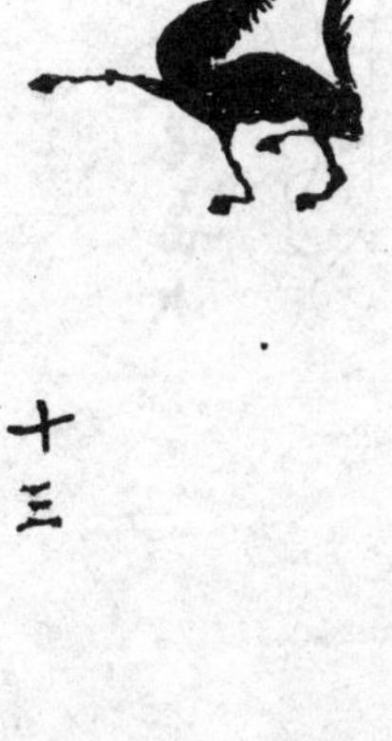

十三

盈〈上〉〈下〉〈父盤〉〈篆〉〈說文〉：「滿器也」。〈博雅〉：「滿也，充也」。此字象人入浴缶水往上升故溢之狀。乃指事字，所謂視而可識，察而可見者是。

永　〈說文〉：「水長也。象水巠理之長」。〈爾雅釋詁〉：「遠也，遐也」。〈揚子方言〉：「凡施于衆長謂之永」。案古文永字本游泳的形象字，似人浮於水上之狀。初訓為水流之長，繼則延為時間之長。此漢字義變時空互化例。〈詩周南〉：「江之永矣」。〈書大禹謨〉：「萬世永賴」。可為佐證。

昶　〈說文〉：「日長也」。〈玉篇〉：「明久也」。〈博雅〉：「通也」。〈廣韻〉：「舒也」。

案〈說文〉之訓「日長」與〈玉篇〉之訓「明久」，皆時空互化之例。唯〈博雅〉之訓「通也」與〈廣雅〉之訓「舒也」。蓋取川流不息，不息則久，久則通之義。其訓義為「舒」者，蓋源於水的素質「柔韌而靜，舒安以定」〈見淮南原道〉之意，已是再生義而非本義矣。

派　〈說文〉：「別水也，一曰水分流也」。

案「𠂢」是「永」字反文。漢字篆書結構位序，左右可以對調，此一般正常規律也。但對於某些字則必須遵守嚴格規定。如反正為乏、反止為少、反禾為禾，皆其例也。所謂「別水」即今日之所謂「支流」。造字者以反永之對比形象以示與「主流」相區別。

脈　〈說文〉：「血理分衺行體者」。〈玉篇〉：「血理也」。〈正字通〉：「五臟六腑之氣分流四肢也」。

案所謂「血理」即血液通道。今人名曰「大動脈、大靜脈、肢動脈、肢靜脈、微血管……」。古人造字以大地江河分支與人體循環系統等量齊觀，統名之曰「脈絡」，故則皆水之兄弟文字，而來源於永矣。

走

《說文》：「趨也。从夭从止。」徐鍇曰：「走則足屈，故从夭。」

竊以為徐君以「足屈」釋夭，似有未當。夫行路者足之屈，此固不待言。然此解尚無當於夭字之義與走字之真義。案人之行走運動之所以能推進全身之理由，究全依賴於「重心」位置之轉移。因而頭部向前傾，就成了導引重心向前移時方向動力。夭字是頭向前傾之象。這和機輪不靠偏心軸不能旋轉時的力學原理是一樣的。試看田徑賽運動員的起步式的姿態，他們頭項定位方向都和兩足成九十度以上的鈍角。古代漢語稱這一姿式名曰「磬折」。

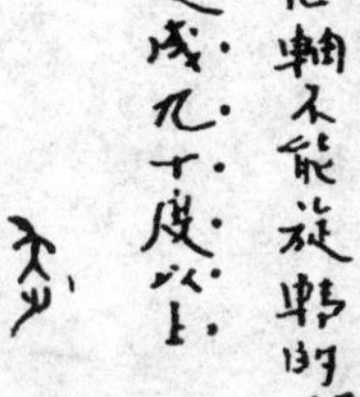

攸、汥 篆

《說文》：「行水也。」《孟子》：「攸然而逝。」案秦《嶧山刻石》文作「汥」，與《說文》之訓甚符。此字造形，似人遭背後持棒追逐，涉水回避之形。《孟子》趙岐注：攸，急走疾去也。

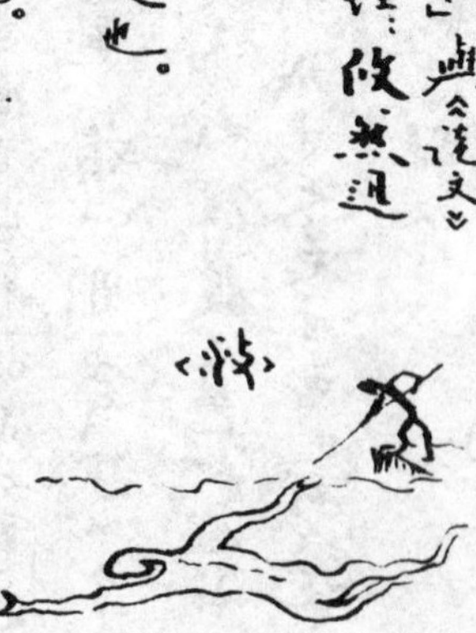

悠

《詩・鄘風》：「驅馬悠悠。」注：悠，遠貌。《詩・周頌》：「於乎悠哉。」傳：悠，遠也。《詩・王風》：「悠悠蒼天，此何人哉。」傳：悠，遠意。竊以為「悠」亦汥之同源字。

攸訓行水遠游，其義與「永」訓為「長」之旨同趣。《爾雅・釋詁》：「永，遠也，遐也。」永之與汥，同屬涸水活動。故永之訓義同樣亦適用於汥、悠。所謂連類而同義相授，是為轉注者是也。漢字時空之化例。

色 𦏲

《說文》：「顏气也。」顏者兩眉之間也。心達於气，气達於眉間，是之謂色。顏气與心若合符節，故其字从人从卩。竊以為《說文》之訓施之於𦏲文殊覺合拍。

字形析義：虁從𩠐，从夊，从彡。夔古疑字，有所疑，必察其言而觀其變。𩠐者面之形。彡者色之象也。如彩、彰等字皆從彡，可資例証。故虁字之相意，即通過面部顏色之變化尤其兩眉之間的開闔展現，顯出一人意識傾向判斷之標的。如《論語》：「未見顏色而言謂之瞽」。《詩·魯頌》：「載色載笑」。這類例子，都可視為體現虁字的參考依據。然而這些資料對「虁」字的造型則缺乏說明力。因人之「意相」並非單純表現於五官，而是同時也流露於四肢百體。雖千態萬姿，示意方式各異，要而言之，不外四類。即首挺胸、驕泉之態也；頭首屈躬、謙敬之態也；伏地稽顙、悚懼之態也。其所以形態各殊者，由骨節定位角度不一也。審此，則虁字从夊從足之義無庸贅言矣。嗚呼！虁字之義亦大矣！好色之色，色也，而以女為義；佛教之色，色也，而以物質為義；形色，色也，而以品類為義。物色之色，色也，而以尋求為義；成色之色，亦色也，而以質量純粹為義。然則文字之學豈易言哉！

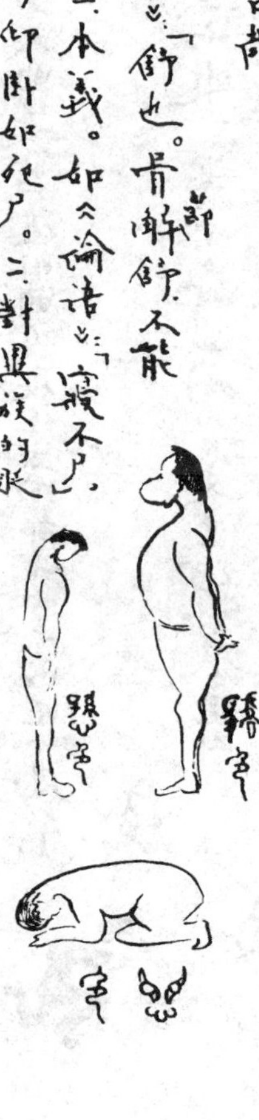

尸 尸《說文》：「陳也。象卧之形」。《釋名》：「節也。骨節解節，不能復自勝斂也」。案尸字含義有三：一、本義。如《論語》：「寢不尸」。儒家教人睡眠要講求姿態，表現不可仰卧如死尸。二、對異族的賤義代號。如青銅器《師寰敦》：「淮尸乃舊我員晦」。《尚書·費誓》：「徐尸並興」。皆以尸為「夷」之例。三、古封建王朝宗廟祭饗活動中扮演貴族祖先的女性「活偶像」。《詩·小雅》：「皇尸載起」。《大雅》：「公尸來燕來寧」。《召南》：「誰其尸之，有齊季女」。朱子曰：古人於祭祀必立尸。……」以上三例之第一例是本義，二、三例意叚借義而意有褒貶之別。

《周禮凌人》：「大喪共夷槃冰。」注：夷之言尸也。實冰於槃中，置之尸牀之下，所以寒尸。牀曰「夷牀」，
衾曰「夷衾」。皆古「夷」「尸」互通之證。

尻 凥 𡰥 凥 《說文》：「處也。尸得几謂之凥。」《孝經》：「仲尼凥，曾子侍。」後世皆作「居」。竊謂

案凥，从尸从几，象人坐几上。有支持人體之義。讀音為平。以現代物理力學論之，物體重心落
在支持面上，即能獲得平衡穩定。此即許氏「尸得几謂之凥」的科學定義。 凥

臀 𦞠 𡲎 《說文》：「髀也。从尸，下丌。」徐鉉曰：「丌、几，皆所以凥止也。」

凥 脾 考古本《說文》本是凥形，与凥似。《字彙》：「脽，臀也。」《博雅》：「臀謂之脽。」《易困卦》：「臀困
於株木。」注：「最處底下。」竊以為凥之所以訓義「最底下」者，而不云「足」為最下，何也？
以人之肉體皆居上體，故凡論人體位置之高下，皆以腰際主體軀幹為基礎，而四肢不與焉！

殿 𡱈 《廣雅》：「堂基也。」《禮燕記》：「人君為殿屋」疏：「漢時殿屋，四向流水。」

壂 𡱈 案壂字从凥从土。造字者以「物象人化」的形容技巧，以示「堂基」位於屋下之
意。堂基之基，上小底大，似立箕之形。故知東方文化對事物之命名，皆有象意可稽。
所謂顧名思義，循名見實，可以文字得之。

殳考：臀字从凥从月，凥髀之意也（俗名屁股）（臀）从殳，木棒也。故知「殿」
字之形，有木棒擊凥（打屁股）之意。《魯論》：「孟之反不伐，奔而殿，將入門，策其馬曰：
「非敢後也，馬不進也。」《論語》以故事的體裁敘述了魯國一位政治素質修養

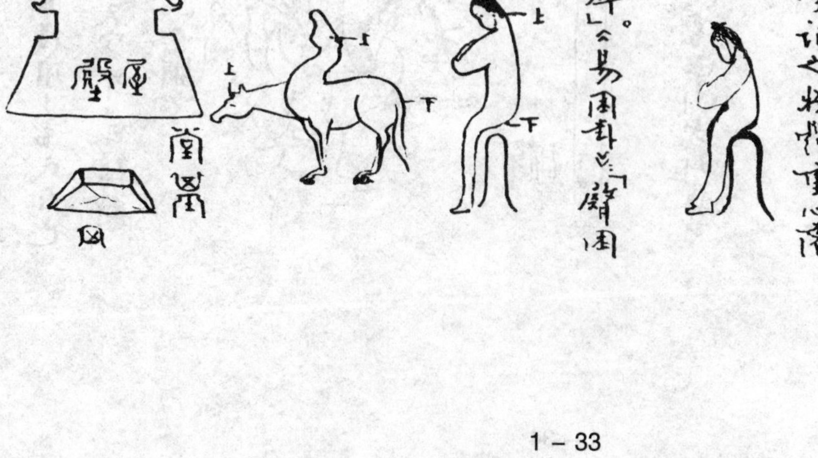

十五

高尚的人物風格。說他處在敗戰失利的情況下，能够鼓起勇氣，不避強敵追擊，還追跟在部隊尾後，從事掩護退卻的殿兵任務。而書之者，以「奔而殿」三字，來概括這一生動場面，並且援用了孟氏自己的語言說：「不是我具有超人的膽量啊，實在是由於我的坐騎太不濟事了。」在這段文字中最值得注意者就是「奔而殿」一語。所謂「殿」，即「落後」之義。孟氏在說這句話的同時，還使用手中握持的鞭子，不斷的向自己的坐騎「尻股」上鼓打。這就更生動地描繪出了「殿」字的具體意義、真相。殿者，「臀」之段借字，其訓義為後。（說見前）〈殿〉

澱

澱　澱《說文》：「滓垽也」。案物質沉降於器底部者曰「澱」，从水从殿，示水底之義。猶堂之底基曰「壂」，軀體之下部曰「臀」，皆源於「尻」為母字孳乳而來。

尻—㞘—殿（下）—殿　壂　澱（下部位置物）

澱

尾

尾　尾《說文》：「微也。从到（倒）毛，在尸後。古人或飾系尾，西南夷皆然。」段注引《後漢書·西南夷列傳》曰：「槃瓠之後，好五色衣服，製裁皆有尾。」以其字从尸，禽獸不得言尸也。

竊以為段氏對尾字之形義，其說頗有卓見。漢時去上古未遠，其紀載皆有根據。尤其是《卜辭》之尾字，更與許說契合。今文字中具有尾狀者唯「尾」字而已。餘則不見其遺矣！

案《後漢書·南蠻傳》云：「昔高辛氏有犬戎之寇，帝患其侵暴，而征伐不尅。乃訪募天下有能得犬戎之將吳將軍之頭者，購黃金千鎰，邑萬家，又妻以少女。帝有畜狗，毛五采，名曰槃瓠。下令之後，遂銜人頭造闕下，群臣怪而診之，乃吳將軍首也。帝大喜，而計槃瓠不可妻之以女，又無封爵之道，

意啟報而未知所宜，女聞之，以為帝皇下令不可違，請行。帝不得已，乃以女配槃瓠。槃瓠得女，負而走入南山止石室中，生六男六女，自相夫妻，織績木皮，染以草實，好五色衣，製裁皆有尾形。……」臆較商時代之奴隸或有來自槃瓠之族者歟？不然，《卜辭》之[glyph]字何其似也。

旨 [glyph] 《說文》：「[glyph]也」。《廣雅》：「嘗也」。案[glyph]字從尸，從匕旨。旨從匕從日，乃「甘」字也。甘者甜味也。《說文》訓「旨，美也」。故知今旨字從日者，蓋非義無當。而應從匕甘，庶非義允協。考《越人歌鶉難註》：「脾屬土，其味甘，其臭香」。《書·洪範·五行》：「稼穡作甘」。早在數千年前，我們祖先已明確認識到五穀種籽內部含有巨量澱粉、醣類物質。其訓義𦎫者，以香者油類、脂肪之揮發性物也。其訓味為甘者，以脂肪、油類皆有甜味。以生物有機化學知識論之，醣類與脂肪的物質分子結構式同屬碳氫氧的產物。故醣類、脂肪同屬有機生物的燃料，而可以互化。此旨字乃「脂」之初文也。其訓義為「香」為「甘美」，固其宜也。

旨字從匕者，甘之形也。《卜辭》旨字作[glyph][glyph]，與小篆旨字同形。蓋象於舌舐類，故旨吮（嘗）嚐適而意適。甘者嚐味之生理器官也。甘觸甘則知味，故訓義「美也」。此旨字形意之大筆也。

[glyph]從尸，尾之省也；從匕旨，臀之相也。一般動物之生理規律，其脂肪蓄積都多在於尾部，雞、鴨、羊、豬，其顯例也。

𡳐 [glyph] [glyph] [glyph] [glyph] [glyph] 《說文》：「橐也」。案[glyph]從尸，尾之省，從米，卜象形。《金文·師𣪕盤段》為[glyph]字，[glyph]本適之。《史記·廉頗傳》：「頃之三遺矢矣」。可為例證。

宿 [glyph] [glyph] [glyph] [glyph] [glyph] 《說文》：「止也」。《玉篇》：「夜止也」。《周禮·地官》：「三十里有宿，宿有路室」。案[glyph]從[glyph]從[glyph]。[glyph]古席字也，象人臥席上之形。或從宀，象居室。亦指事字。

休 [glyph] [glyph] 《說文》：「息止也」。《爾雅》：「休，依木則休」。

（休）

（宿）

（𡳐）

旨

十六

拯 [古文字]（卜）[篆] 此拯救字。象人陷入井內，上有雙手拯救之形。

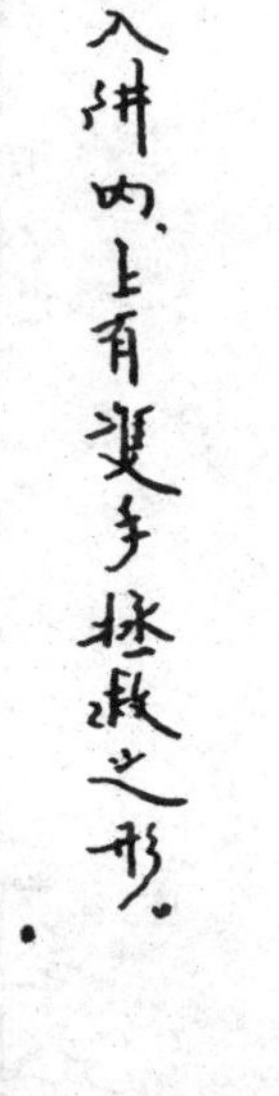

寒 [篆]《說文》：「凍也」。從人在宀下，以茻薦覆之。下有二仌（仌），冰也。《玉篇》：「冬時也」。

蔓 薦

愚曩於吾鄉，應邀為友人賀婚。晏罷，主人導余入來賓宿舍。入室之後，只見滿地厚積麥草，室之一隅尚餘麥草一堆。時當暮秋九月，夜寒已濃。既無爐火又乏衾裯。不得已，於是取麥草上敷下薦，不意安然入夢，遍體汗液浸淫。於此恍然大悟於[寒]字之形義實來源於原始人類樸素生活之寫照。《說文》：「蔓」字訓：「寢也」。此古人以草上衾之證。

孝子居喪之禮「寢苫枕凷」，遂以薦為正字。

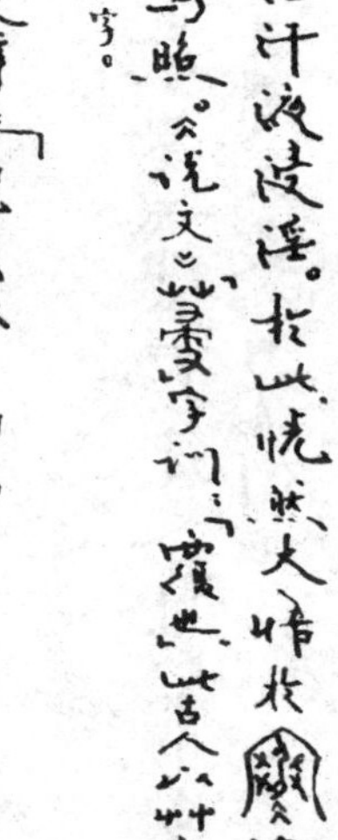

薦

抑 [古文字] [古文字] [篆]《說文》：「按也」。《楚辭》：「冤屈以自抑」。

抑者印之反文，今人名曰壓制，遂以[古文字]為抑文。

後世增手而上抑，猶[古文字]之增卜而上卬同例。畫蛇添足，庸人自擾非一世矣！

[古文字]→抑

[古文字]→卬

孟 [古文字]卜 [古文字]金 [古文字]篆《說文》：「長也」。《禮緯》：「嫡長曰伯，庶長曰孟」。案說文及禮緯之解皆延伸義，非初義。孟字本義宜訓「初也」。以[古文字]字乃浴兒之象，浴兒乃嬰兒出生後之第一項事務。後世用為時間之初始，如《月令》：「孟春、孟夏、孟秋、孟冬」。《玉篇》：「孟，始也。四時之首月曰孟月」。此解自覺較說文為勝。古名長女曰「孟姜」。然長曰孟，亦有始生意。孟者夢也。胎兒始生，無知無識，如在夢中，故孟中亦有識焉。

凸出頭形文字

首 〈卜〉〈金〉〈篆〉《說文》：「頭也」。案《甲骨彙編》有  文，當亦為首字。蓋

古文首字原無《畧之分》，故其文或似鳥或似獸。

頁 《說文》：「頭也。从𦣻，从儿。」《六書故》：「頁即首字。不當音纈。說文分部，分切，非。」案《六書故》之訓極確。今人

〈篆〉仍謂羊牛為「十頭牛，八頭羊」可見頁字本當用於一切動物的計量辭，於後延為書籍張數之辭不知始自何年。蓋

〈金〉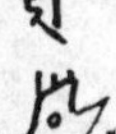上古無紙，或以簡編樹葉紀事，以葉頁同聲，而將頁代葉，未始非可能的事實。此同音假借之例，備成形義乖離，

原義晦而假義行。此歷史文化所恆有，未足為奇也。動物計數必曰「頭」者，因每一動物，只有一頭，故用歸，自無標志數字之意義。

元 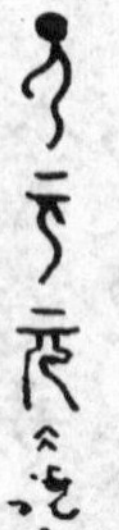《說文》：「始也。從一，兀聲」。考《金文》元字上 ，文象人形而頭部特大。亦指事字也。所謂說而可

識，察而可見者是也。故知「元」字初義應為：「元，首也」。元、圜同音。《易》有「天圜地方」之義。《說卦》以乾為首，乾

者天也。天之位址高，人之頭於周身為最高。《字彙》之「頭」字上「亠」，與古文上字同形。由此觀之，則「人頭為元」之義

益覺信而有據。復考《前漢班固敘傳》：「上正元服」，師古注：「元，首也，故謂冠為元服」。尤堪為「元」訓為首之有

力佐證。

發明，竊以為許氏「始也」之訓，與揚雄辭鼻〈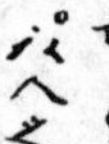〉之義可為互證。《方言》云：「鼻，始也。獸初生先

見鼻，人初生先見頭。梁益之間謂鼻為初，或謂之祖。」以人之胚胎，鼻先受形，故謂始祖為「鼻祖」。

復考《說文》始字訓：「女之始也。」《說詳拙著始字，此當从「呂」》。朱駿嘗曰：「裁衣之始為初，

艸木之始為中，人身之始為首，為 。築牆之始為基，開戶之始為啓，子孫之始為祖，形生之始為胎……」

朱氏以卓越的眼光，洞識了人、獸的生物界綫。打破了自然時空的限，找到了漢字異、同中的同中之異，異中之同。

十七

予後之學者，在思維辨証上以樹人啓發，可謂嘉人有獻，不愧為「學術星斗」。

頂 頂〈金文〉顯顧頊〈說文〉「顛也」。〈廣韻〉「頂輔頭上」。〈揚子方言〉「顛頂上也」。 案〈說文〉天、顛同訓曰「顛」。〈廣韻〉訓為「頭上」。〈方言〉訓為「頂上」。而〈說文〉又「顛」「頂」互訓「顛頂也」。

子 子子子子〈卜〉子子子子子子〈金〉子子〈說文〉「十一月陽气動，萬物滋，人以為稱。」 案十二支之字，與十干字同，皆段借例。緣時之為物，無聲無形，造字者計無可施，只好段物象以示義。亦無法之法耳。凡有關紀時字，皆同此。

巳 巳〈卜〉巳〈說文〉 案巳之與子，本屬一字。子者已有身有手有頭。巳則有頭有身而無手。據字形辨之，可知子是出生之兒形，而巳應是胎兒形。從包字之形可以見意。古曆法段為十二支第六位之名，亦非本義。適其各字書或与己相混，或雜亂而無定說。皆無足取。竊以為巳字固應以「胎兒」為本義，為近情。巳取音於似，以胎兒形體未備，似子而非子之意也。〈易革卦〉「巳日乃孚。革而信之……」彖云：夫民可與習常，難與適變。可与樂成，難与慮始。故革之為道，即日不孚〈信〉。巳日乃孚信也。這裏的「巳日」，即胎兒降生之日。無知的愚民對新興的革命勢力抱有懷疑、觀望態度，本不足怪。一旦革命成功，才會相信。經文把革命大業的起義、初期，比之嬰兒的懷胎期。把革命勝利、政權定鼎，比之胎兒誕生。說成「巳日」。這是子、巳互通見於經典的應用例証。与〈卜辭〉之子、巳通段互用雷同。

包 包〈說文〉「象懷妊。巳在中，象子未成形也。」 案〈說文〉訓「包，妊也」。竊以為即胞之初文也。後世別立「胞」字，亦猶然之增火，臽之增氵之淊也。謹舉例以見義：

胞 ↑ 包人包 胞

然 火人 燃

寶人寶

大人 漢字雜亂慣例一斑。

《張考包字訓》：「元气起于子。子人所生也。男左行三十，女右行二十，俱立於巳。巳為夫婦。褱於巳，巳為子。」此陰陽家之巧妙藝術，邏輯，頗饒興趣。圖示如次：

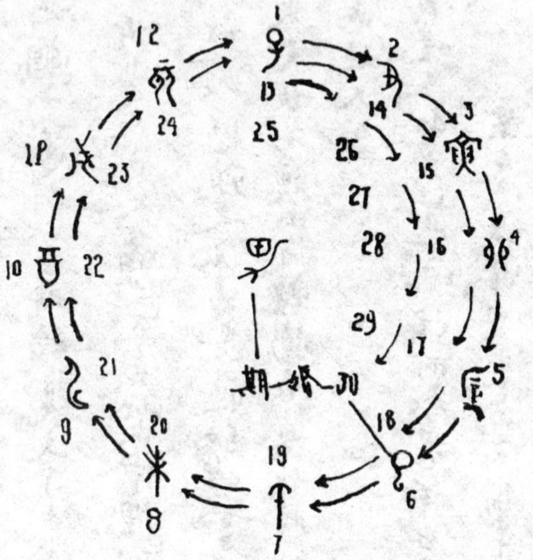

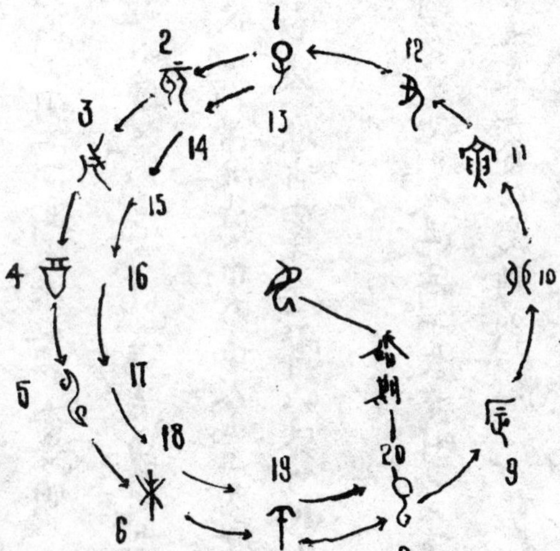

保 保《說文》：「養也。」《增韻》：「抱也。」《正韻》：「安也。」

此古人養兒之法，今鄰邦朝鮮仍在延用。古人勤勞精背。負兒於背，兩手不誤操作。

後世延伸為「保佑」、「保護」、「保管」等辭。永含于「寶」。有珍愛意。

十八

褓 緥 𦄂《玉篇》：「小兒衣也」。《前漢·宣帝紀》：「雖在襁褓，猶坐收繫郡邸獄」。
《史記·魯周公世家》：「成王在強葆之中。」《索隱》：「強葆即襁褓。」《正義》曰：「
襁褓，闊八寸，長八尺。用約小兒於背，以負行」。

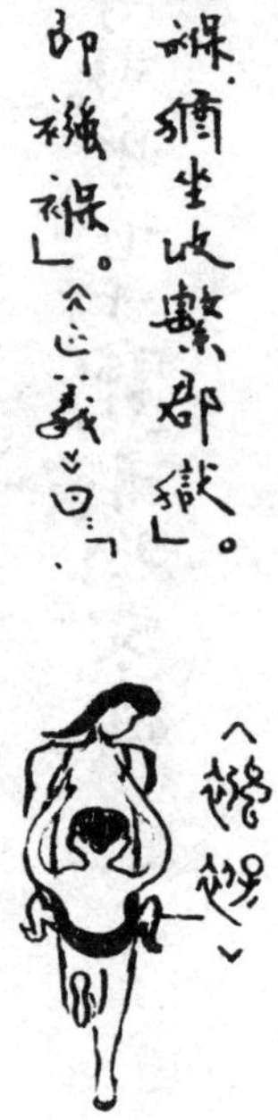

裒 抱 包《說文》：「裒，褱也」。段注引論語：「子生三年然後免於父母之褱」。馬融釋
褱 包「以褱抱，即褱裒也。今『抱』行而『裒』廢」。案「包」字與「包」、「褎」皆从衣从包或从保。
袍 包「包」訓「補」，而「褎」訓「衣博裾」。是文字古今訓義不同，而同具大衣之義。「褎」則今已化為褒貶字。

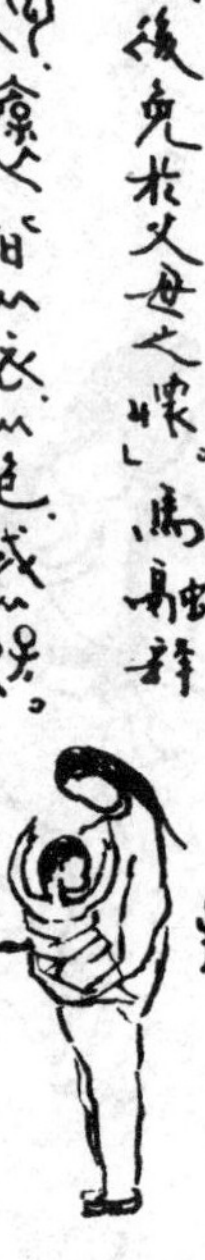

炰 包 炮《詩·小雅》：「炰之燔之」。「炰鱉膾鯉」。《禮記·禮運》：「以炰以燔」。注：「炰，裹燒之也」。《禮·內則》：「炮，取豚若將」。注：「以塗燒之為名也」。憶幼時嘗見民間以黃泥塗裹童犬為小兒療疳積。犬受熱而腹內氣體膨脹，導致腹腔之淋爆。故音容而急，聲似爆竹，故後世延為炮火義。

苞 包《儀禮》：「卽夕苞二」。注：「所以裹羊豕之肉」。《史記》：「成湯禱雨於桑林，以六事自責：……苞苴盛歟！」
案古代饋贈肉食，必裹以草葉。後延為貪污受賄義。
花之未開者曰「含苞」，筍之裹皮者曰苞筍，皆以包為義。

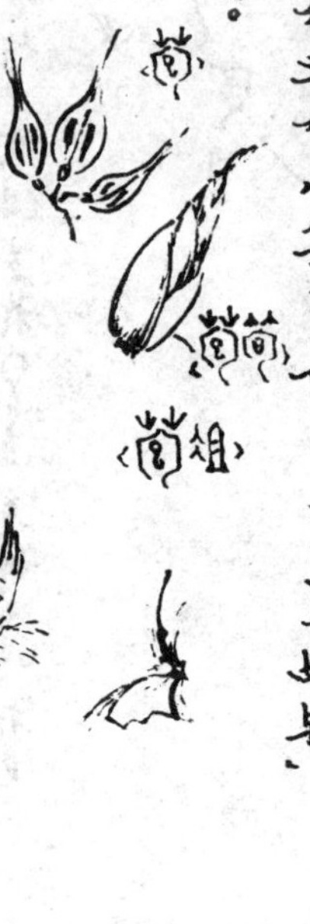

菢 菢《廣韻》：「鳥伏卵」。案「菢」从艸，寓蓐也；从手、爪之象也。
从包，卵殼中藏雛之象也。今魯南民間語言謂母雞育雛曰「雞菢窩」，
即此字。亦古文化語言也。

泡 泡《說文》：「水也」。作泡字，初義。《梵經》：「一切有為法，如夢幻泡影……」是其本義。泡之為物，由水分子組成之薄膜，受空氣之膨脹而成為封閉式球狀體。其比重甚低，可以凌空飛舞，其質極脆，可不觸自破。文學中以喻事物壽命之短暫。

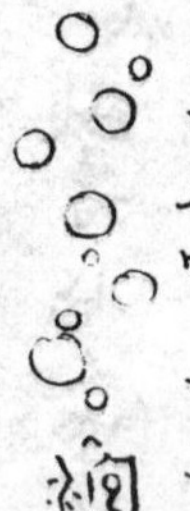

匏 匏 瓟《說文》：「瓠也。从夸，包聲。取其可包藏物也」。《詩·邶風》：「匏有苦葉，濟有深涉」。注：陸佃曰：「短頸大腹曰匏」。《嚴粲詩緝》：「匏經霜葉枯落，乾之，實以渡水」。

案：匏，从夸，大而彎曲之意也（从大、亏），从包，中虛而有子之象。即今之葫蘆。古今異名。有甘苦二種。甘者可食，苦者可止容器，可以為笙。古人將其列為八音之一。古人又以為渡川涸水之工具，其物理功能等於現代救生圈。以其體大中空，繫諸腰間，可使人體比重降低，便於浮水。

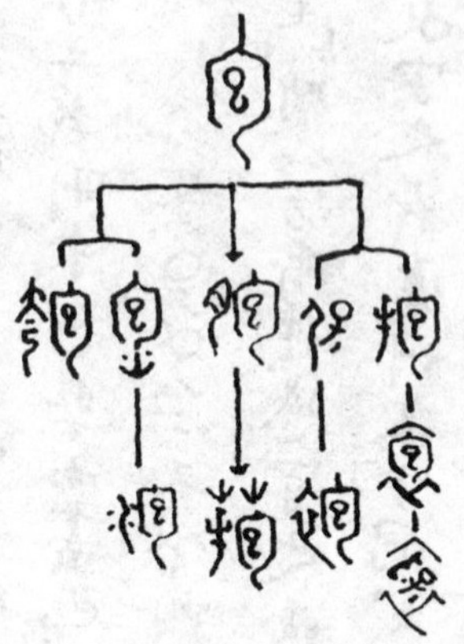

容納胎兒之臟器曰包。胎兒外衣曰胞。包護兒之巾布曰褓。以衣裹兒，雙手攬於懷中曰褱。衣之肥大者曰袌。以泥裹畜熟之以火曰炰。植物之外層護膜曰苞。母雞孵卵，幼雛破殼而出曰菢。中空之水膜曰泡。腹大中空之葫蘆曰匏。字皆有中空義，外覆義。皆包為義根之同源字。竊以為袌訓「懷抱」而褱訓「衣博裾」，實與字形未符。自應以袌訓「衣博裾」，而褱訓「懷抱」為確。特附此以待後之賢者鑒之。

十九

孔 《廣韻》：「殷湯之後，本自帝嚳妃簡狄吞乙卵而生契，賜姓子氏。至成湯以其祖吞乙卵而生，故名履，字太乙。後代以子加乙，始爲孔氏」。竊以爲此說，以解孔氏之姓氏源流則可，謂爲造字之取形立義，則未必一槩而盡也。

案二文，皆頭生辮髮之兜形，一生於前腦門，一生於後腦戶。此幼兒開呼之爲「顖門」，所以防衛撞感冒之設施也。以幼兒生理發育未熟，骨質柔軟，前後腦戶尚未封閉，故知孔字之義應訓爲「空洞」。《爾雅·釋詁》：「孔，間也」。疏：「謂間隙也」。《周禮·冬官·函人》：「眡其鑽而窓」。《史記·舜本紀》：「爲匿空旁出」。注：「空即孔」。《老子·道德經》：「孔德之容，惟道是從」。注：「謂空虛能容也」。《揚子太玄經》：「孔道夷如」。注：「孔道，通道也」。《說文》：「孔，通也」。特別是《六書通》收集之《鐘鼎》孔字上，象箭穿衝腹透過後背之人形，其義更爲明顯。然《說文》之解孔字從子从乙，仍訓爲請子之鳥，仍未能擺脫玄鳥高禖之古義。案孔之讀音，窟窿之合音也，故音中亦有義。

芤 芤《本草》：「蔥亦名芤」。《類篇》引徐氏脈訣云：「按之即無，舉之來至，旁實中空者曰芤」。

吼 吼

案芤之與孔，皆中空義。吼者獅鳴之音，與芤音似，獅鳴必口腔大開，音從喉出，故亦中空之義。

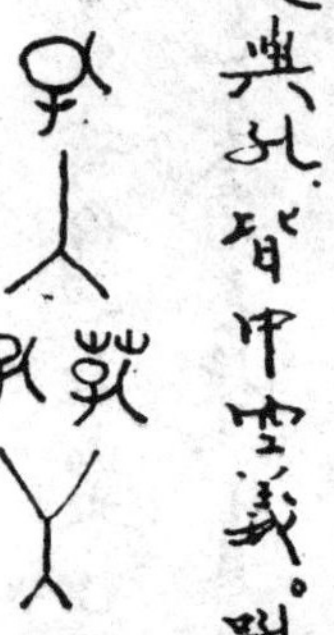

孔者腦之空，芤者葉之空，吼者口之空。

嗣 [illegible]〈卜〉 [illegible]〈金〉 嗣〈篆〉〈說文〉：「諸侯嗣國也。从冊从口，司聲。」

徐鍇曰：「冊必於廟，史讀其冊，故从口。」〈玉篇〉：「嗣，續也，繼也。」

筆者案：所謂「嗣」，即古代貴族繼承王位的接班人。其選定形式是相當隆重而嚴肅。必須嫡長身份爲合格。還要舉行「告廟」之禮。國君親臨而命，史官制冊宣讀，然後方爲合法後嗣。字从司，告廟的儀之人，从冊，簡書也〈文件〉，从口，告廟之聲。所謂「嫡後嗣續，祭祀烝嘗」，乃政權傳邦帝。

䭫 [illegible] 考〈說文〉有「稽」而無「䭫」，〈金文〉無「稽」而有「䭫」，〈康熙字典〉將「䭫」附「稽」下，而止異文同字，亦非也。蓋稽自稽而䭫自䭫。雖義有適連，而各有取象。未容魯魚亥豕爲後世段稽爲䭫。遂稽行而䭫廢矣。

稽 [illegible] 分述如下：

案：[illegible]从旨从首。頁者頭也，旨者稽之省文也。旨是義符。故說明䭫字之義必先言稽。〈說文〉[illegible]字訓：「留止也。」徐注：「稽，禾之曲止也。尤者異也，有所異處必稽考之。即遲留也。」袁應書引「留止曰稽。」高注〈戰國策〉曰：「留其日，稽留其日也。」凡稽留則有審慎求詳之意。故曰「稽考。」〈正韻〉：「稽，考也。計也。議也。合也。治也。」〈周禮天官小宰〉：「聽師田以簡稽。」注：「簡，閱也。稽，計也。合也。合計其士之卒伍，閱其兵器，爲之要簿也。」稽之初義來源於農夫對其物病疫檢查。

案：[illegible]从禾从尤从旨。禾者禾之反文。示禾頭頃垂萎之態。造字者以反禾之形表示植物病態之象，亦猶反正爲乏，反止爲㞢，同例。尤者特異之象。農夫發現五穀有特異反

常之態，不僅要察之以目，而且要嚐之以舌。此以旨之意也。「旨」，古作𠮛，象張口伸舌形，可證其義。詳審目察、口嚐緩之以深思，其時必延遲。故訓義為「稽留」。然則「稽」訓義為「考核、審察」乃初義也。訓義為「稽留」，衍生義也。故知「稽」之从「旨」者，「稽留」之意也。蓋「稽首」之禮，必頭觸於地，稽留片刻，遲遲而起，以示人臣孝子誠懇哀戚之情。故曰「稽首」。

〈稽〉

〈頓首〉

頃　𩑋《說文》：「頭不正也。」案：「頃」从「匕」从「頁」。「頁」者頭之形，「匕」者「人」之倒文也。象人首遭手壓抑之狀。《詩》：「采采卷耳，不盈頃筐。」以筐口橫側於地，故曰「頃筐」。

頃

〈頃筐〉

頌　𩒻《說文》：「貌也。」此訓極確。《韻會》：「徐曰：此容儀字。歌頌者美盛德之形容，故通作頌。後人因而亂之。」以此為歌頌字。

頌　頌

考證：考《周禮·地官·保氏》：「教國子以六儀：一曰祭祀之容，二曰賓客之容，三曰朝廷之容，四曰喪紀之容，五曰軍旅之容，六曰車馬之容。」在當時「禮教治國」的社會背景中，一舉一動都要合乎規定。近年於陝西扶風縣出土了一批西周史官微氏家族的青銅器。微氏本是殷商的封國，武王伐紂後，謁見武王，因精通「五十頌」而受封於周室王朝。世世掌教「威儀」。所謂「威儀」，就是合法的社會活動規範姿態。其內容很多。這在《經籍》中謂之「頌」。所謂「五十頌」，就是五十「容」，也就是五十種社會活動規範姿式，又名「威儀」。考《六書通》「頌」字作「𩒻」，故知古文「𩒻」字即今之「容貌」之「容」字。今「容」行而「頌」廢。而誦變為歌頌之「頌」，形易而義變矣。

考《禮冠義》：「禮文之始，在於正容體。」《射義》：「試之於澤宮，其容比於禮，其節比於樂。」《禮玉藻》：「君子之容舒遲，見所尊者齊遬。足容重，手容恭，目容端，口容止，聲容靜，頭容直，氣容肅，立容德，色容莊。」可見「容」的內涵並非專指五官形象或面部肌肉活動，而是包括周身活動姿式。古人經以透過現象看本質的眼光來作為衡量人的意志形態、檢驗指標，因而對容的表現非常重視。把「容」視為人的道德修養的外在表現。經籍中的這些「容」字，都應該以容為本字。是非常明顯的。附容字於次，以見文字發展軌迹。

容 

《說文》：「盛也。从宀、谷。」徐鉉曰：「屋與谷皆所以盛受也。」《增韻》：「受也，包函也。」案「谷」是兩山之間的空曠，宀者建築屋宇之形。造字者用宀、谷以示空間容積之象。其後引伸為五官面容義，今人謂之「輪廓」。又轉注為人體運動姿態義及形似美女面容之「芙蓉」字。

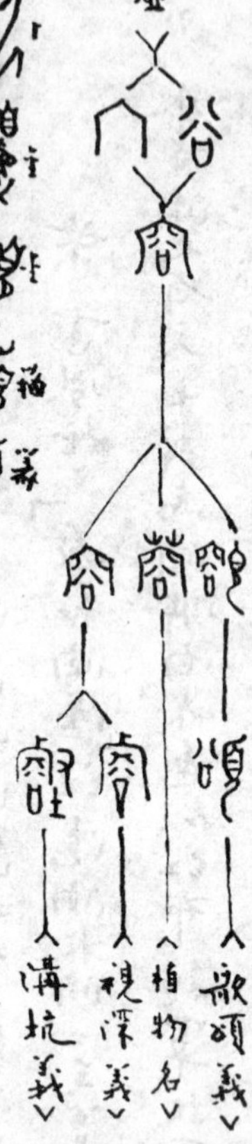

頮 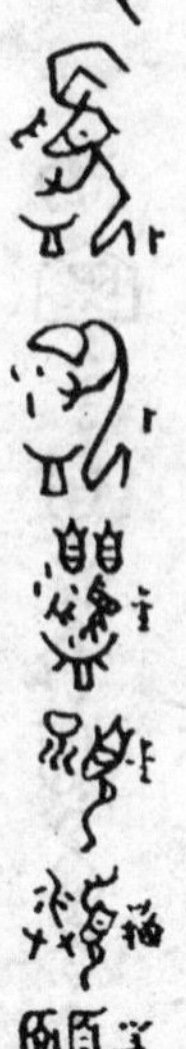

《禮內則》：「面垢，燂潘請靧。」案此字造形頗眾，應以《卜辭》之字形為初文，乃顯而易見之義。

頮者洗面之專用動辭也。古貴族洗面，以米泔水，其名曰「潘」。《說文》「潘」字訓：「淅米汁也。」可證。因米泔水含蛋白、醣類物質，有保護皮膚細胞作用。此與「足垢燂湯請洗」。在動辭的選擇上有區分，在

二一

物背上也不同。古代的「湯」，是指「白開水」而言。

面 〈卜〉〈卜〉〈金〉〈陶文〉〈篆〉《說文》：「顏前也」。案說文此訓，頗覺難解。應訓為「頭前也」。蓋顏字本義，只限於兩眉之間。無代表頭顱之涵指。許君以幾何眼光說頭為立方體，其意甚明。惜其用語遣辭未當也。所謂「顏前」，實即頭顱之前面。〈正面〉〈反面〉

湎 〈卜〉〈金〉〈篆〉《說文》：「湛（沈）於酒也」。注引《周易》所謂「飲酒濡首亦不知節也」，以說湎字之義。

案《書胤征》：「羲和湎淫」。注：沈湎於酒。《毛公鼎銘文》：「毋敢沈湎於酒」。竊以為湎从面从水。水者酒之省文。示義為酒醉面赤色，似紅布籠罩，故字亦作䤄。从酉从丏。《字彙》訓「丏」為「遮蔽短牆」，所以形容醉後厚顏無恥之態。經籍訓「濡首」（將頭投入酒缸）之義，皆藝術誇張義也。

偭 〈卜〉《說文》：「鄉也」。注：「鼻在面中，鄉人也」。《離騷》：「偭規矩而改錯」。《賈誼弔屈原》：「偭蟂獺以隱處」。

應劭曰：偭，背也。《惠氏定字左傳補注》：「偭傳之，謂反背而傳之」。

竊以為《說文》訓偭為[illegible]。鄉古向字。以二人向對進食。向字本義為室之北窗。後世段向為「鄉」。段借字行而本字廢。案偭字之有向、背二義，猶[illegible]之訓廢、亂之訓治同例。今民間語言，謂嬰兒畏懼生客，將頭投入母懷，名曰「偭覥」，亦歷史文化語言之遺存。〈卜辭〉[illegible]字，象低頭背人之態。

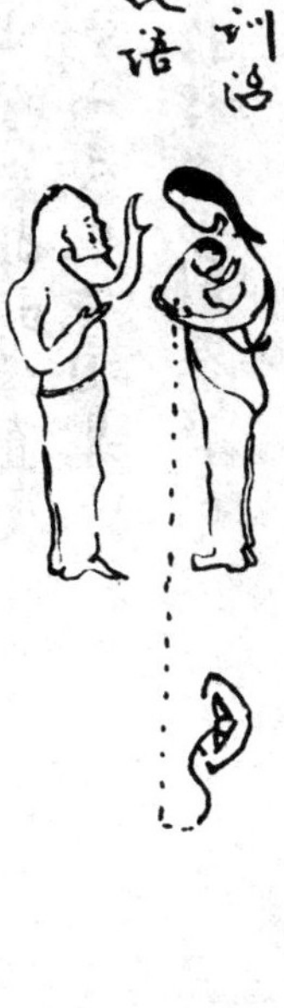

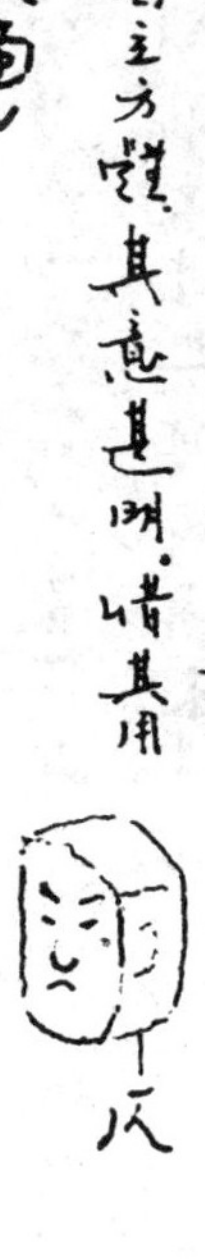

頤 𦣝 𩠐《說文·𦣝部》訓："頤也。"《正韵》："吉怡。"《禮·曲禮》："百歲曰期頤。"《易·序卦》：
"頤，養也。"上經☶☳卦云："艮上震下頤，君子以慎言語，節飲食。"

𦣝字形聲析義：考𦣝之為文，以人首兩向腮頰之象。·者口中含飴之形。𦣝，遂飴聲同而義通。飴者餳也。《穀梁》甘味也。遂者請遣世處安樂之情也。《漢書》："為太后曰：吾今後當含飴弄孫，不復關朝政矣。"此頤字之情矣。我國首都皇室貴族遊憩之地名"頤和園"，亦取怡養之義而命名。故知𦣝之為字，有美食安樂意，象形諧聲兼會意字也。試述𦣝字的自然科學意蘊：

《論述》按《說文》訓𦣝為𩠐。頤者頷之初文也。《通俗文》云："頷，含也。口含物之車也。"依《人體生理解剖知識》而言，所謂"頤"，即口腔外圍組織機構。其內涵包括：左右上下臼齒、犬齒、門齒。左右腮肌、口輪匝肌、顴肌、顳頜肌等，即全部食物咀嚼器官。《易》所謂"頤中有物曰噬嗑"者是也。

頤部取象與構思：食物的咀嚼，全憑下頜骨運動，以支配口户之啓閉。下頜骨之力學杠桿支點，建立於左右耳門之前的特定骨凹中。可以容納下頜骨端的球狀骨骺，有韌性腱膜相連，可以旋轉，形似軸承。口腔左右外側，有左右腮肌，上聯繫於

左右髁骨曰「髁颞肌」。乃下頜骨之杠桿力點也。腮肌下緣上內向伸展，左右相合而成為口腔之底。左右下頜骨的外緣連於髁颞肌束之下端，即力學杠桿的重點也。此上數處於髁颞下連於下頜骨之「咀嚼肌」，一縱一橫，而成飲食語言之功。形同織車，故名「頰車」。頰字从夾，从頁。頁者頭也。夾者左右相對也。故曰「頰車」。古人根據人的咀嚼器官的「功能示象」，昇華為哲學意識形態。於是把上頜骨看成是靜止的山。把下頜骨想象為震動的雷。采用了奇偶結合的筆劃，畫出了☶☳，上艮下震的「爻象」。這是古人治學皆循于「觀微觀事物為宏觀宇宙的備影，觀宏觀宇宙為微觀事物之引伸」的又一例證。學術界稱這一思維邏輯名之曰《天人合一論》。

嶄新的社會科學觀：從自然物理上講口的兩大基本功能，一是吃飯，二是說話。然而任何事物都必然要有兩種傾向。不吃飯當然不行。但是胡吃亂喝，也會生病。不

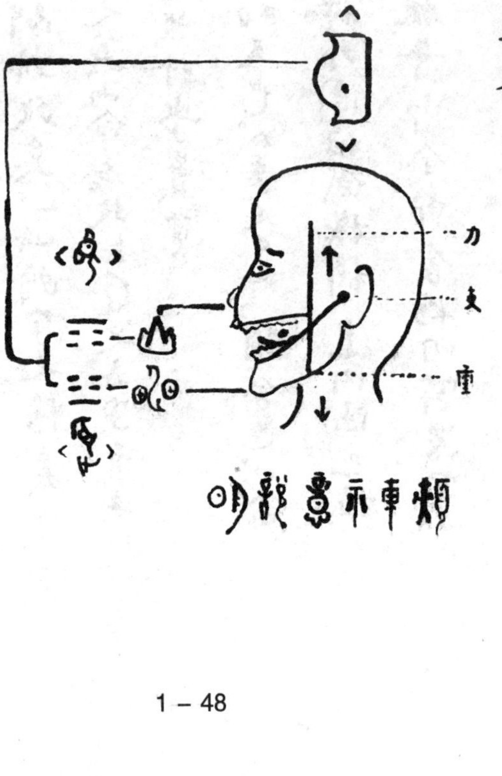

頰車示意說明

說話也不行，但是胡說八道也會傷人。所謂「病從口入，禍從口出」。絕非真言而是真理。因而經文告誡人們：「慎言語，節飲食」。也就是一個為人的補救法。古漢語百歲老人曰「期頤」。也就是說這種高齡老人已經無氣衰竭，只有吃飯休息的權利而沒有參加勞動的義務矣。

熙

熙《詩·周頌·昊天有成命》：「於緝熙，（經文上點誤）」傳：「緝，明。熙，廣」。按，熙與𦣞之同源字也。熙之本義，應為𦣞之廣（滿月而）。經文段借為德之廣。

段借例，延伸義也。《說文》熙字下「廣，頤也」。可為義證。

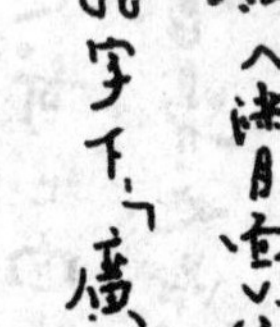

〈熙〉

宧

宧《說文》：「養也。室之東北隅，食所居。」李巡曰：「東北陽氣始起，育養萬物，故曰宧。宧，養也」。邵氏音涵云：「君子之居恆當戶，戶在東南，則東北為當戶，飲食之處在焉。」又曰：「日側之明是宧明也。」（孫炎）

筆者按：宧之為文，从宀，室之象也，从𦣞，頤內含飴之形也。而義訓養，飲食安樂之地也。古人居室背西向南方，尤其是時至日昃，太陽西邊，氣溫漸寒。

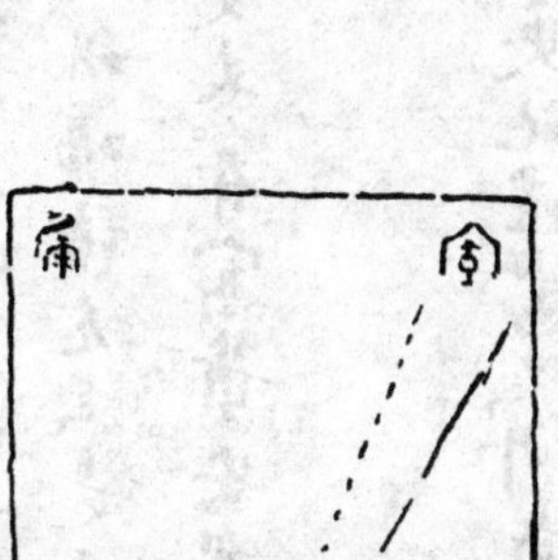

二三

舉室暗淡，唯有東北一隅，猶能保持光明。因而將老年飲食休憩之位，安排在室之東北，取其光明爽快而溫煖也。故金文往往用為對國君的祝禱語。尤其是《彝器》中的□字，从王从𦣝从亞。宧者《卜辭》以為「寶」字。亞者𦣝之變文。有富貴安樂長壽義。其音亦宧字也。後世頤行而𦣝廢矣。

芷 茝 茝 《玉篇》：「香草」。《說文》：「繭也」。《禮記·內則》：「佩帨茝蘭」。《史記·禮書》：「側載臭茝，所以養鼻也」。《韻會》：「茝通芷」。《前漢息夫躬傳》：「戰於藍田芷陽」，按《史記》作茝陽，註：茝芷音義同。故知茝即芷字，初文。《本草》云：「白芷一名芳香，一名澤芬。生河東川谷中。主長肌膚，潤澤顏色，可作面脂」。按茝之為文，从艸从𦣝。艸者植物也。𦣝者養也。《史記·禮書》謂為「養鼻之品」，以其芳香可以辟穢也。可知茝之為物，亦貴族人物應用之頤養物品。故字形从𦣝。可知其義。古音芷、茝、頤在同一韻部，則茝亦𦣝之同源字無疑矣。凡从𦣝之字，皆有安樂康福之義。

𦣝者頤養身心也

宧者居室頤養之地也

茝者養鼻之艸也

□者頤養康福之像也

皆有康樂幸福義

顏 顏 《說文》云：「眉目之間也。」《詩·鄘風·牆有茨》云：「子之清揚，揚且之顏也。」疏云：「清揚，眉目之間。眉之下為揚，目之上為清。」累所謂眉之下為揚，此動化「名」詞也。普、峪上應理解為「上眼臉」（俗名上眼皮）。所謂「清」乃「眼睛」是同性詳。古文學藝術用「清」字以形容女性眼睛之光澤若水，故清字从青者「虹彩」（黑眼珠）之象也。从水者，潤澤之義也。故觀一人之意態，不着眼於眉目之活動。世俗所謂「不看眉眼高低」，盲目發言。正如《論語》云：「未見顏色而言謂之瞽」同義。皆所以諷警愚人之義。古漢語「顏色」二字的含義，等於現代的「態度」。態度之特點表現於眉目之運動方向。顏从文，眉間之肌肉文理皺襞也。三者，紅、黃、藍三基色，所以表面部色彩之變化也。頁古象頭面之形也。「彥者音从彥也。」（文者彥聲也）故顏字的造形示意，說明了人的意識支配着生理變化，生理變化像徵表現於面部，特別是眉目之間的活動。此在我國古籍學文獻《內經》中具有系統的說明。茲簡介如下，於以見眉目之間的活動，是觀現意識形態的指標。

肝主怒，其色青。

心主喜，其色赤。

脾主思，其色黃。

肺主悲，其色白。

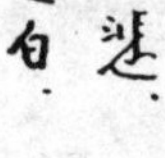
腎主恐，其色黑。

憂 上 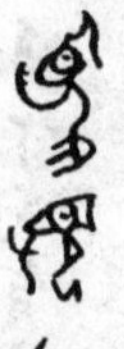 金  籀  篆 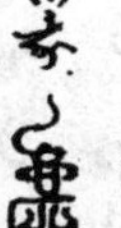 金。《說文》云：「愁也。」《爾雅》云：「思也。」憂字造形象人以食指中指並列按捺於眉頭，以事冥目沉思之態。古憂字與《金文》始增心為意符。《籀文》又增夊（降）於憂右側，以示心情低落之象。《禮記》云：「凡視，下于

二四

帶則憂」。注：「憂則低也。」可與籀文憂字之形義參照互證。

按照《曲禮》的說明：君子的正常生活姿態，兩目的視綫投射範圍，最高極限不宜高于直立時的視平綫；否則成為向上斜視而顯示出敖慢。如果向看，則兩目視綫的投射點也不宜低于同自己胸帶相等的水位，否則成為「內視」俯向而顯示出憂愁。此即憂字（見石鼓文）造型从𢝊从夊（降）之意。此指事象形兼會意字也。

《曲禮·下》云：「凡視：上于面則敖。下于帶則憂」。

憂《說文·夊部》憂下云：「和之行也。」段注：「《詩·商頌》：不剛不柔，敷政優優。」言人君德政和樂 敉

𢝊 也。心部𢝊字云：「愁也。从頁从心。」憂心形于顏面，故从頁。此會意字也。

器按案：人之憂勞多思者，必有憂思之績。故「𢝊」增夊而成「憂」，所以示勞苦之象也。憂文增人而成「優」，所以彰恩勞施惠可以得衆也。故優字从憂从人，而訓義為「和」，人和之意也。

𢝊人愁思」—「憂人勞苦」—「憂人虛心降氣」—「優人和得衆」

以上《𢝊字孳乳義變軌迹一覽表》據古籍資料而來，請讀者諒之。

然據筆者考證，商周銅器銘文諸例察之，知憂字之應用，皆含「慕對」意。如「以爲先王憂」此只金文常見語。

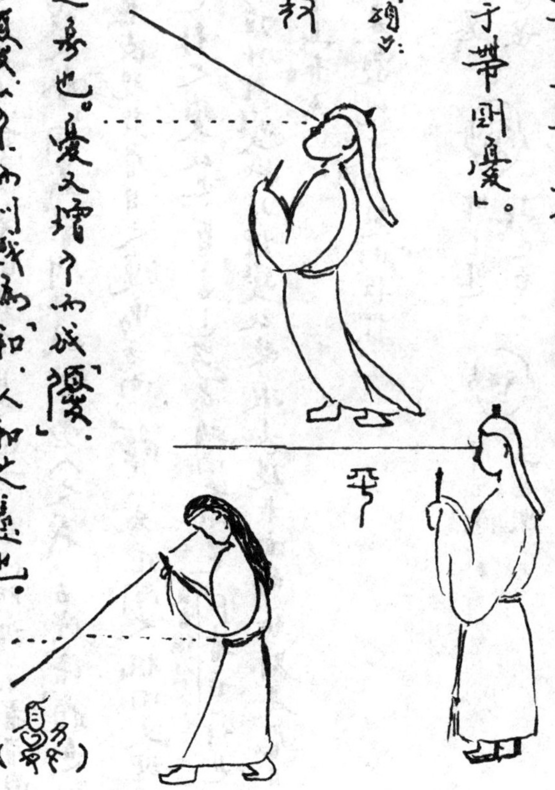

髮[illegible]蕕[illegible]猶[illegible]髮《玉篇》「首上毛也」。《說文》「根也」。

有關髮形的文字

考髮字造形，從首、從豕、或犬。以犬、豕之形以喻人髮，難免不倫不類，於情未協。此事理之常也。不知古人造字取象之旨，建立於生態屬性之統一，唯生理組織部位特點是求，固無「人」、「獸」觀點之分野。此種超物種的科學態度，可從許氏《說文》中獲得證據。考《說文》髮字訓「根也」。此以植物形態譯人之髮。其義何在？似乎不無困惑。然而能據科學資料衡量之，亦未嘗無理學觀念之存在。蓋植物之有根，猶人之有首也。樹之有根鬚，猶人之有髮。樹之有輸送導管，猶人之有腸腔血管。樹根斷必死，人斬首則亡。然則人之首、樹之根，固「異官而同功」。則許君之訓髮為「根」，自有其生理觀察之邏輯，未容詆為荒誕也。

道家者流云：「一魂者頭下生，二魂者頭橫生，三魂者頭上生。」所謂「一魂者」，乃只有感應本能、缺乏運動能力的植物。所謂「二魂者」，即只有運動功能而無大腦意識的動物。所謂「三魂者」，即靈長類之代表人類是也。中醫學派有「倒裝五臟」的生理學說，其生理系統之排列位序，以首為根，四肢為枝，軀幹為莖，與許氏之訓，若合符契。《莊子內篇註》：「下首唯有植物，上首唯有靈人者。但人頭在上，去上則死；木頭在下，去下則死。」是呼人為上首，木為下首。由此觀之，諸子百家之論，固有殊途而同歸者矣！古文髮字造形之意與許氏之訓，正標志着東方文化的辯證統一法則，《莊子》名之曰「齊物」。

禿 [禿]《說文》：「無髮也。从人，上象禾之形。取其聲。」

竊以為「象禾之形」，其訓極確，無可置疑。唯「从人，取其聲」之說，頗啓困惑。臆此五字，必後世傳學者推擬耳！蓋禾居「歌」部，禿居「屋」韻，固「風馬牛」不相及也。其所以鑄成千古之大錯者，良由未識「人」形之為何字，謹試辨之。

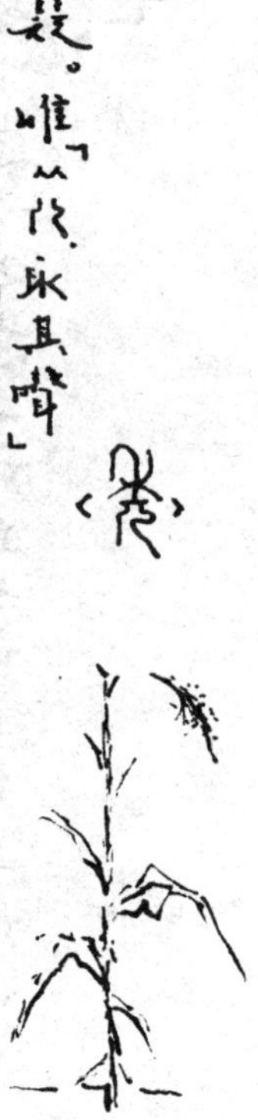

案 [禿] 之為字，既訓「無髮」，必有上半之象。此意可於「髡」字形義求之。《說文》髡字訓：「鬄髮也」。其字从髟从兀。髟者，髮也；兀者，上半之象也。[禿] 居古音「屋」部〈見《文書通》〉。愚謂 [禿] 字音義字也。實取於「頭兀」之合音，而與「髡」同義。夫禾之有穗，猶人之有頭。人鬄髮曰「髡」，禾去穗曰禿。其形則同，其義則一。賈思勰《齊民要術》：「種柳千樹足柴。歲可髡三百樹。」謂經髡之後，其樹頭則禿。故知髡、禿同是剃頭之義。謂之髡頭，人之髮長，禾之倒穗，其義一也。故知「[禿]」實从禾从人，而从人則於義無當也，彰彰明甚。然則「頹」字之形亦應从禾从人从頁，已不待辯而立見矣。《說文》引王育之說：「蒼頡出見禿人伏禾中，因以制字。」何無稽之甚耶？

頹 [頹]《六書故》：「首禿也」。此訓極確。《尔疋·釋訓》：「虺頹，病也。」

案所謂「虺頹」之病，當即外科傳染疾患之「吃髮癬」病。[頹] 字从禾从人，凡有禿之首文。生動地反映出禿髮癬原由是遺致頭禿的「病源體」。其古名曰「[頹]」（頹），後延伸為暴風自空而降「焚輪」、建築物傾頹，及《禮·檀弓》「拜而稽首，頹然而順〈遜〉」等義，皆非初義。自應以「首禿」為初義而無疑。禾去首曰禿，人首禿曰頹。其形相同，故頹禿同源而一聲之轉。字从頁从 [禿]，指事字也。

〈首禿曰頹〉

兀 𡯁《說文》：「高而上平也。从一在人上。」案許君只云「一在人上」，未見語涉抽象，寧人困惑。竊以為欲求

跀 跀「一」的真相，必須求助於𡯁的同門兄弟提供參證。《廣韻》跀字訓：「跀音刖（月）。」《類篇》「

跀 刖 刖 𧿹 跀或作跀。」《說文》刖（跀）字訓：「斷足也。」《莊子·德充符》：「魯有兀者叔山無趾，踵見仲尼。仲尼曰：無趾，兀者也。」

據上訓示，吾人可獲初步認識，即𡯁字之含義：一曰「高而上平，一在人上。」二曰「与跀、跀通」者。《說文》「一在人上」之「一」究為何物？許君未予闡明。而𡯁字又何以与跀、跀通？此則必有內在聯繫寓乎其中。竊以為所謂「一在人上」，以人體生理位置觀念推之，必是頭顱巾無疑。而必曰「一」者何也？蓋「一」之為文，乃直行橫綫。蓋其有「上平」之義，附直觀說明效果，故知所謂「上平」，必在顱頂位置，彰彰明甚。

古代男女皆蓄髮。皆除上頭顱絕非無物。由此可知所謂「上平」，必是「頭禿」之義無疑。不過這個「頭禿者」，並非出於疾病脫髮原因，而是社會制度。古代凡觸犯刑律者，必遭剃髮處分。其名曰「髡」。髡从髟从𡯁。此即「高而上平」之真相也。故跀字造形之从足从𡯁，正是「𡯁者」頭上無毛，股下無足的生動寫照。

值得進一步推敲的是，古籍中的文言語例，許多字的用法，實際上並不是以「兀」上為獨立單辭，而是經常和另外的文字相配伍而出現。如：

《易困卦上六》：「困于葛藟，于臲卼」。注：臲卼，不安也。《尚書秦誓》：「邦之杌隉」。注：杌隉，不安也。危也。《張衡南都賦》：「嵚巇屹巉」注：屹巉，山斷絕貌。《唐柳宗元晉問篇》：「湯突礧兀」注：危石也。《杜牧阿房宮賦》：「蜀山兀，阿房出」。注：兀，禿也。《陸機文賦》：「兀若枯木」。注：兀，屹立義。《後漢劉表与袁譚書》：「未有棄親即異，兀（斬斷）其根本，而能全於長世者也」。《韓昌黎贈劉師服詩》：「我今牙齒落者多，所存十餘皆兀臲（動搖）」。然則不安也。危也。動搖也，斬斷也。皆此兆，然象也。可从形義知之。

峊阢 峊阢《說文》：「峊，高危也」。《釋名》：「阢，危阢也。不固之義也」。

臲卼 臲卼《易困卦疏》：「臲卼，動搖不安貌」。

杌隉 杌隉《玉篇》：「杌，木無枝也」。《說文》：「隉，危也」。

巉矶 巉矶《文選注》：「巉，山斷絕貌」。《正韻》：「矶，石崖不穩貌」。

字形析義：案峊字从山从𠂤。山者石也，𠂤古堆字。石中有土之意也。石中兼土，故訓峊阢爲不固。臲从臬从危。「臬」門橛也，直立之象也。危从⺈从㔾，人在崖上之象也。从㔾，戒懼之情也。杌从

兀，樹也。从兀上平之象，枝葉伐盡之義也。隉，从阜从皇。阜，山之形也。皇，毀之省文也。所以示地裂山崩之象也。故訓義曰危。嵲，从山从執从遠。巖崖交錯之象也。阢，从阜从兀，山勢高而上大而根徑窄，欲傾之象也。凡此種種邊象，皆从地震運動得之而無疑焉。

有關兀隉諸文之形，或从山或从阜，或从阜，皆取象於山。這就看出了兀字在每次遞嬗過程中產生了離文混血的變質象徵。兀字衍化的過程，可分三段說明：

一、原始義：刖足斷足罪徒。

二、再生義：由人體形象轉入絕岩峪壁形而賦予了恐懼觀念。

三、昇華義：由自然環境的凶險象徵延伸為社會不安觀念。

隉〈嵲〉

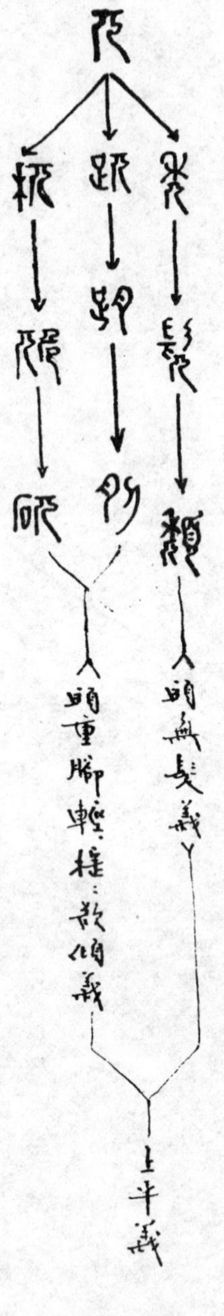

長 […]〈卜〉 […]〈金〉

案：歷代字典，皆無以見「長」字取象之源。《說文》訓為「久遠」，亦是引申義也。唯《增韻》訓為「短之對」，雖稍近情，然亦嫌茫茫虛泛之象可指，未足追蹤文字初形。考《說文》「髟」字訓「長髮猋猋也」。案「髮」字从髟、从犮，髟从镸从彡。《說文》訓為「彡，毛飾畫文」。《廣韻》訓「彡，髮長也」。是證「髟」之與「髮」，皆長的孳乳字。而「長」之造形取象，來源於披髮之女性而無疑。證之《甲骨》《金文》尤覺信而有據。蓋人類數理知識，實建立於「長度」「重量」「時間」三大基礎之上。而「時間」之為物，非有象可稽，造字者無計可施，只能據髮形以為「長久」之量詞。此理之淺而易見者也。故知物象之長短、之遠，在時間長短數據認識之先，故知「長」訓為「久」，應屬第二義，非初義也。「長」之取象於髮而延伸為「久」，猶「永」字取象於水而延伸為「長久」之義正同。

老 […]〈卜〉 […]〈金〉 […]〈籀〉 […]〈篆〉《說文》：「考也。从人毛匕。言須髮變白也。」

考老字从[…]，毛之象也。《禮·曲禮》：「八十九十曰耄」。古人觀毛髮之特徵以判斷人的年齡，可从文字形義見之。唯《說文》訓匕為「化」，於義固通，而未盡符「老」字初文——[…]之真相。或由漢時甲骨文字尚未出土之故。

發明：竊以為「耇」字从匕者，秦篆之訛變也。自宜據卜辭之[…][…]之形為初文較勝。故愚以為[…]之从人、从手形也。以手摸搽搜索之情也。《說文》「老」「叟」二字互訓：《說文》：「老，考也」。又訓「考，老也」。叟字亦訓「叟，老也」。朱駿聲謂：「叜，即搜之古文。从又持火，屋下索物也。」筆者案：甲骨文「叟」字作[…][…]，皆象洞內舉火之形。蓋後世「搜」字初文也。後世延為「[illegible]」之搜人[illegible]。蓋以老人目昏，朝暮之間，尤[illegible]

晴求取物，唯恃以手代目，摸尋觸摸，此考字从人之意歟！《說文》瞍字訓：「無目也」。《周禮春官瞽矇》注：「有目無眸子謂之瞍」。案《舜》之父名「瞽叟」，亦史家賦予之貶義。審此，可知叟之取義於𡨂，瞽瞍非老人視覺退化以手代目之義。準此，則考字从人之意可不辯而立見矣。故知考讀音同毛音義也。取形於人形義也。「手」「搜」同韻，「老」「耋」聲似。此正《六書》所謂「以事爲名，取譬相成」是爲形聲。

考 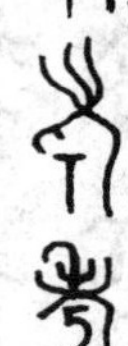 考《篆》《說文》：「老也。从老省，丂聲」。竊以爲考字从丂，聲符也；耂，亦形符也。丂，古巧字也。其形象轆轤柄。以其爲物理力學之變象杠桿，可以少量勞力成极大之功，故訓義爲「技巧」。《詩抉義·工藝丂字》：古巧，考同音。《玉篇》：「丂，古巧字」，可爲音証。

案：老者彎背駝背，頭頸脊骨變形，不能昂首直立。因軀體重心偏前，故必賴拐杖之支持，以維護體勢之平衡与穩定。故拐杖又名「扶老」。《晉陶淵明歸去來辭》：「策扶老以流憩」，即柱着拐杖散步。其所以名「拐杖」爲「丂」者，正以其上端具有屈柄而便於人手握持之故。古代之「鳩杖」与後世民間老太婆所柱之「龍頭拐」，造型藝巧与命名雖異，其爲曲柄杠桿則一。其利用方式雖与轆轤未同，然助人省力，取功則一。故知考字不僅似老人拄杖之形象，且有省力取功之義。故字

栲

栲《唐韻》《集韻》《正韻》《韻會》同訓：「栲，山樗也」。陸璣《草木疏》亦同。考《莊子·逍遙遊》：「吾有大樹，人謂之樗。其大本擁腫不中繩墨，其小枝卷曲不中規矩。立之塗上，匠人不顧」。可知栲字本爲「山樗」之名。其形之彎曲而無用，可从《莊子》紀述中知之。《元史·儀衛志》：「玉輅用栲栳輪，言其曲也」。然

从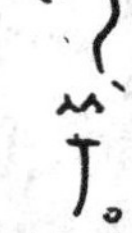、从丂。非偶然也。

則「枴杖」一辭，實導源於老人之枴杖，可從「枴杖」二字之形音得到體會，是非常明顯的。由此可知「枴杖」一辭之初義應為老人枴杖之名，然後延為「山枴」之名，是完全有迹象可尋的。所謂「枴杖」，即「扶老」之義。此又一義例也。

若  《說文》若字訓：「擇菜也」。段注引《晉語》：「秦穆公曰：夫晉國之亂，吾誰使先若（擇）

 二公子而立之，以為朝夕之急？」若字訓擇，乃「擇菜」之引伸義。从艸，从又。又，右手也。

案許君此訓，僅限於艸、又二文之剖析，而未涉及口形，於形義之說明似有未盡。近代文學家唐蘭先生謂《金文》中若字即若字之初文，認為應是《詩周南》：「采采芣苢，薄言有之」的有字。其釋若字之旨，似亦與《說文》同。此與《詩傳》訓「有」云「藏之也」頗有未符。但唐氏在承認若，即若的變態結構這一看法則是一致的。然二氏之排除了口字在「若」字中的類義上用這一態度上，也是相同的。問題是他們都已經將「若」字肯定為「若」的通段字，而將口形視為與意義隨毋改離之贅疣。因而二氏一致對「若」字中的口形均未加以可否。唯晚近張舜徽氏則具慧眼，看出卜辭若字是若字的初文，乃取象於屈膝跪地的人形。其訓義應為遜順。將若字釋為古諾字，可稱生面別開。

案若字訓「順從」之義，例於典籍中隨處可見。如《尚書湯誥》：「該乎欣與欽若天命」。傳：「循其典法，奉順天命。」即其例。唯張氏未言及若之為兩手理髮之象，豈智者千慮之一失歟？抑是仁見智之有異歟？竊以為若之取象於右手擇艸，與若之取象於雙手理髮，雖形音各殊，而義

類堪適。蓋擇菜之與理髮動態相似。擇菜者必求剔除枯葉整飭根莖。理髮者必求剔除朽毛調理疏達。其為順適之義則一也。唯𠬸之與屮形似義通而音殊。故欲求二字音義之內在聯繫，尚需借助於叒字為探討之津梁。

叒 𠬸 《說文》：「日出東方湯谷所登榑桑叒木也。」鄭何琦曰：「古人未嘗周行地球。故疑海上為日出之所。名曰暘谷。而《山海經》《淮南》《天問》穿鑿浩蕩，又借《堯典》暘谷之名。非真別有一地也。」王筠曰：「叒字不足象形。蓋本是屮。象木葉重疊生形。漢人猶多是屮，是以入今桑字是桒。《隸辨》引二文與是「叒」者。《集韻》古文《類篇》：「桑古是桒。」並足徵也。屮變為艹者，猶艸變廾，艸變卄而「者直之」的形變例也。

桑 𣎴 桒（插）屮（金）《師寰盤器蓋》若字皆是屮，則叒亦當是屮明矣。」鄭徽按：「榑桑」者，乃扶疏二音之語轉耳，言大木枝葉四佈之形容語，非特定木名之專號也。叒字本當是屮，亦象大木四佈。

筆者案：張氏之論桑字形變之沿革軌迹，極確。猶謂屮字為艸之形象，竊以為尚不無出入。蓋屮之字既象蹄地之人形，則字之顛部，自必為髮鬍無疑。此理之必然者，無庸深究也。然此裡文字取象之周，絕不影響形異而義通。蓋植物之有芽葉，猶人之有髮也。古文造字亦意之與旨，但求義理可通，不嫌異類同流。正如反爪為爪《掌》，爪者獸之手也。爪則人之手也。而形異而義通。鳥之乳从孚从乙，人之乳是乳。亦从孚从乙。則同中而有異。鳥字从爪从子，戰俘之俘亦从爪从子，然而戰俘之爪，人手也。鳥雛孚之爪，鳥爪也。大凡漢字同義相受，建類一首之文字，存大同而兼小異。故知若𠬸屮叒桑皆其柔順服從之共義。髮細而長，故能屈而柔。桑樹富纖維質，故皮可造紙，葉可育蠶而化絲，木可為弓檐，延柔而不折。於以見漢字建類一首同意相授之義。

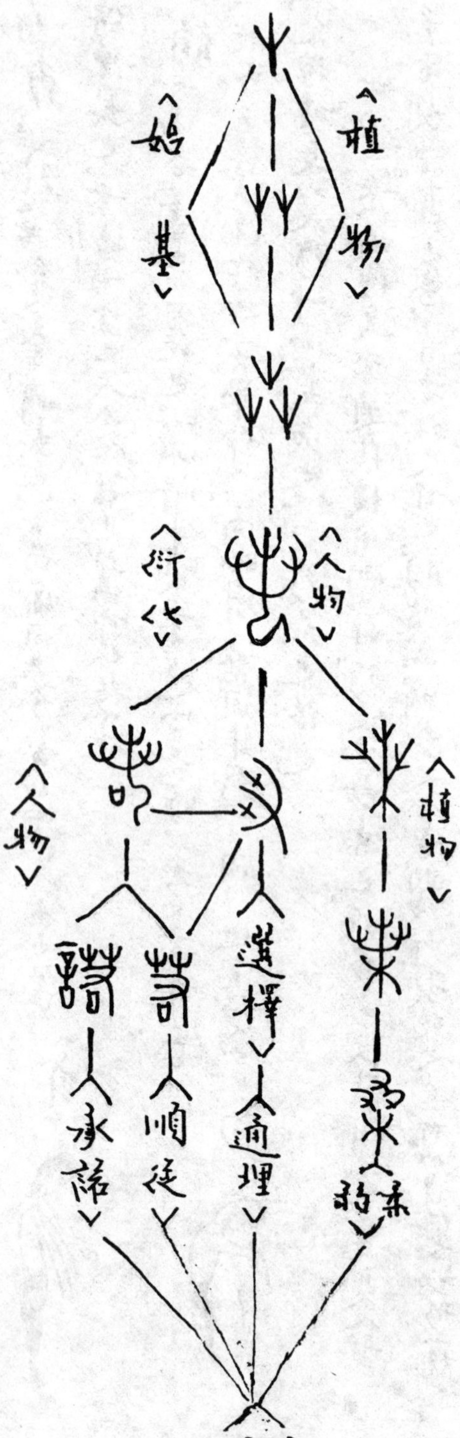

微

《說文》：「隱行也」。《尔疋·释詁》：「幽微也」。《易·繫辞》：「知微知彰」。

案：《說文》以「隱」释微，隱者藏也。尔疋以幽释微，幽者黑暗之象也。皆以目不能見為義，始未覩𢼸字造形之「瞽象」，未意。窃以為微字从彳、从攴。彳古足字也。𢼸之省也。攴从卜、从又，右手持棒之形也。《說文》訓為輕擊。實撲字也。金文𢼸《正韵》訓「与攴同」。《集韻》：「撲与擈同。擊也」。故知𢼸字有手持柄器擊髮之象。其不能發音，𢼸響乃必然之勢。故知微之初義，具「消聲匿迹」之意。蓋髮之為物，其體至柔，擊之無聲。其形至微而難見。「微」「维」同音。维者纖维也，細小之意也。其訓為「幽隱」，固其宜矣！

孝

《說文》：「善事父母者。从老省，从子，子承老也」。案：孝、效同音。儒以孝治天下。

三〇

孝教同音，教著之義也。「有事，弟子服其勞」之意也。聖賢以孝治天下，故教字亦从孝，从攴。子夏曰：「事父母能竭其力……行有餘力則以學文」。儒家把學習文化規定為「孝親」的內容。亦是基於「立身行道，揚名於後世，以顯其親」的目的。所謂抵家背遂是讀書。故「斆」字从學字从攴，而音義通「孝」。朱子云：「學之為言效也」。效與斆通。故效字有效勞義，亦有效忠義，又有效法賢能義。皆以「孝」為核心，可以音義記之。

耋 卜 《說文》：「八十曰耋」。《爾雅·釋言》：「耋，老也」。疏：「耋，鐵也。老人面如鐵。」筆者案：爾雅疏之訓耋據音求義者，然未合造字之情。竊以為耋之从老，高年之人也。从至者，垤之省也。《廣韻》曰垤字訓：「土之高也」。跌字《正韻》音「耋」。故知耋、跌、垤三字音同而義通。以老人下肢乏力，行不能舉步，故遇垤而傾跌。往往造成傷亡。《揚子方言》：「跌，蹶也」。《玉篇》：「跌，仆也」。此字从老从至之形義也。

跌

垤

今 卜 金 篆 《說文》：「稠髮也」。《詩·鄘風》：「今髮如雲」（今本作鬒）。
倳：黑髮也。象形字也。今本作「鬒」，乃後起字。

殄 卜 《說文》：「盡也。一曰絕也」。此解未能盡造字之情。考《書·舜典》：「朕堲（疾）讒說殄行」。《畢命》曰：「商俗靡靡，餘風未殄」。《周禮·地官·稻人》：「凡稼穡負以水殄草而芟夷之」。注：殄，病也，絕也。

案諸經文皆通段援用例。非「殄」字初意也。殄字初文乃㐱。象老髮人形。

彡者髮條垂於地之象。歹者殘之省也。殄讀為「剪殘」之合音。剪殘即髮絕之意。可以㐱之初形窺之。

與亢字訓為高而上平同例。皆髡髮為奴之人象也。後起之⿰女㐱字則形意較顯。⿰女㐱从女从㐱。㐱从人从彡。彡者長髮之形也。故㐱訓義為稠髮（說已見前）从彡者髮之省。故知⿰女㐱字从女从㐱。有黑髮遭剃或割之意。此字正可與「髡」字訓為鬄髮同義相受。《少牢饋食禮》：「主婦被鬄」。注文：古者鬄賤者、刑者之髮，以被婦人之紒為飾。因名「被鬄」焉。生動地揭示了貴婦頭上裝飾的「假髮」，是來自罪奴之首這一事實。其訓義絕者，蓋取斷髮之意。余謂⿰女㐱之讀音「鬄殘」之合音也。故音亦有義。

嗜

《說文》：「嗜，欲喜之也。」《詩·小雅》：「神嗜飲食，使君壽考。」

耆嗜字从老，高齡之人也。从甘或从食或从貝或从酉（酒）从旨。旨者肥甘也。或肉或食，皆所以示老人貪吃、好飲之意。讀音為「適」，有適口、適意之義。

〈嗜〉

䭲

鬠

《玉篇》：「九十曰䭲（音嗜）」。此老人記憶衰退之象徵，好說重（蟲）話，俗名「倍耆」。故字从老从口从嗜之省。

《集韻》：「青括」。《玉篇》：「同髺」。《儀禮·士喪禮》：「鬠笄用桑」。疏：以髺為鬠，取以髮會聚之義。

〈鬠〉

總

總《釋名》：「束髮也」。《說文》：「聚束也」。

是縣三股髮束合成的辮子形，今仍存於民間。此總字初文也。而總字从糸、囪也。何也？余

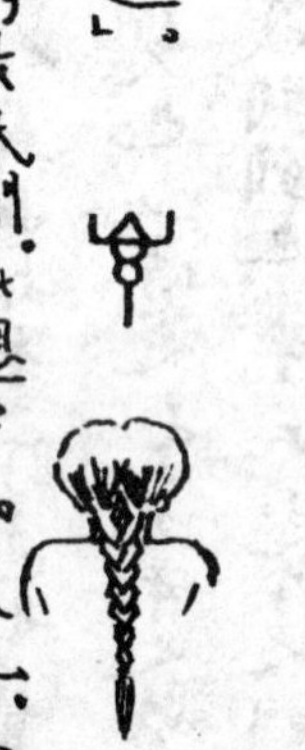

囪束髮之象也。囪、囟之省文。心者中心之位也。此「總角之好」的總字。又名「午達」。〈總〉

〈午達〉。

三一

髦𩬭冐鬕《廣韻》《集韻》《韻會》注音「冒」。案冒古之冃，从冂二。《說文》訓為「小兒頭衣」。《集韻》訓義為「覆也」。普係上部嬰兒之冬季「防寒帽」。其形製如桶狀囊袋，當目處留有視孔。套在頭上下及頸項，籠罩無遺。往往使嬰兒視野收縮，識辨產生障礙。故《禮曲禮》「八十九十曰耄」注：耄，昏妄也。昏妄，昏冒，有盲聾之義。故知耄字為形聲字，聲中亦有義。

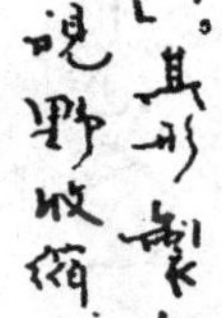

冒

髦𩬭《說文》「髦，髮也」。案兩條「髦」字，老者之白髮也。此條之髦，少年之髮也。《詩鄘風》「髧彼兩髦」注：髦者，髮至眉，子事父之飾也。《釋名》「髦，冒也。覆頭頸也」。案此髦字之訓冒，与兩條耄字訓冒，字同而指異。何則？耄字訓冒者示老人耳目昏聵之意也。髦字之訓冒者言少者之髮型也。一指生理功能衰減，一指髮色之美。《鄘風》但云「髮至眉」，而《釋名》但云「覆頭頸」，各述其一。《鄘風》述其前，《釋名》述其後。昭昭髦之全景，玆圖示如下：

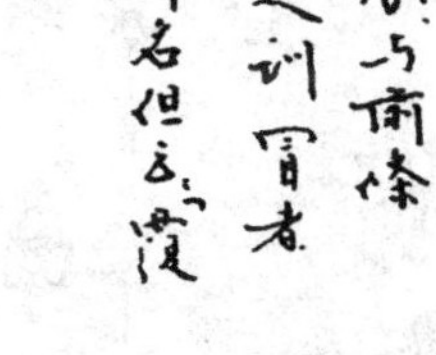

正面式　側面式

鬌鬋《正韻》「音朵」《說文》「髮墮也」。不好懂。《玉篇》「小兒翦髮為鬌」。此解稍精於許，然亦太嫌含渾籠統。唯《禮內則》言之較詳。云「翦：三月翦髮，所留不翦者為鬌」。小兒頭顱囟門骨未合，其母為之理髮，只去其周匝而留其顛頂，所以保護兒腦也。古鄉名之曰「大傳帽」。

（鬌）

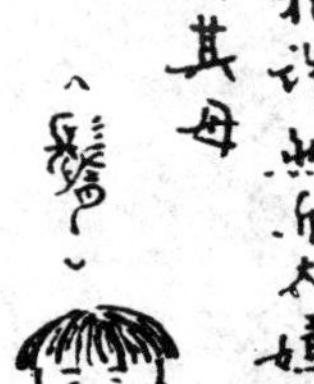

𩬊

𩬊亍《說文》《集韻》《韻會》注音「遷」，訓義「行貌」。

案此字之所以未能獲到真相之闡明，良緣前人未能深察亍字形義特徵而昧於音韻規律之故。千古以來，遂令人困惑者久矣。竊以為亍字从彳从一。彳者，行人之象也。一者橫工字，杠桿之形也。是亍字造形，有肩荷負重之象。徵諸金文[金文字形]字及卜辭亍字之形義，予以對照互比，可知亍之為字，即僊字初文而無疑。（重出）

〈[古文字形]〉

很考[古文字形]之為字乃雙聲字。此形音變化規律可獲求證綫索。[古文字形]、沈、枕同韻。字皆从冘。[古文字形]、眈、酖、紞同韻。字亦皆从冘。此冘字具雙聲之例，卓然可見者焉。

冘似倚杖而行之人。行遠負重者必思休憩緩勞。休憩不已，必流於淫情（耽時誤事。）此事理相生互化之義可从「冘族」文字音形見之。黕之訓污，沈訓下降，枕訓安眠，忱訓信服，髧訓垂髮，[illegible]訓[illegible]徒（耽訓耳垂，酖訓樂酒）此漢字建類一首同義相授之例。「髧彼兩髦」即左右鬢髮下垂之象。

賓 [古文字形][古文字形][古文字形]〈卜〉[古文字形]〈金〉[古文字形]〈篆〉《說文》：「所敬也」。《玉篇》：「客也」。

案：《說文》《玉篇》對賓字的訓義不同。一則着眼於精神意態之表情，一則着眼於客（主）賓方的定位方向。故語意不同。所謂「敬」是主人見客的和善態度。古文敬止[古文字形]是一副和藹（柔）的面孔（人物形像）。所謂[古文字形]是客人从[古文字形]外進入室內的象形字。[古文字形]字从宀从[古文字形]。宀是居室之形。[古文字形]从[古文字形]从口。[古文字形]是从外向內的足形。古止[古文字形]。口是主人居室的半面圖形。故[古文字形]字正是一個指事字。所謂「覘而可識，察而可見」者也。在前述的「[古文字形]」、「[古文字形]」二義的昭示下，同時使我們看到賓字的含義包括主、客兩方相見時禮貌活動在內的敬、禮。因而就使賓字具備了「相對」的意義。此可從賓的孳乳字群中，求得驗證。介紹如次：

嬪 [古文字形][古文字形]〈卜〉 嬪〈篆〉 古代帝王是一夫多妻制。天子有一后，三夫人，九嬪，二十七世婦，八十一女御。

王后是王宮內最高領導。其九嬪來當助手，从事宮內的婦女的領導工作。因此嬪也就具備了二級
領導人物的政治地位。而嬪字也產生「輔相」的含義。成了一個相對意義詞。

儐 𠑺《正韻》："導也，相也，介也，贊也"。儐是接待貴賓的主方助手。跟隨主人代表主人接觸客方人員進行外交活動。也就是「引贊」一類的人物。故儐字也含相對義。

殯 殯《說文》："人在棺，將遷在殯。賓遇之"。死者已經不能再繼續主持家政，雖然尸體還暫時寄留在家中，但事實上是已經形同客人，不久就要離開了。死者與後死的接班者已結成了賓主的相對意義。

鬢 鬢《說文》："頰髮也"。段注："髮之在面旁者也"。《釋名》："鬢，峭也。上連髮，而面頰崖岸也"。釋名把人的頭想象為山，將左右頰兩鬢說成是山的左右兩面。把兩頰角的頰髮看也是崖岸的兩面橫生植物。亦有相對義。

濱 瀕 顭 𩔰《集韻》、《韻會》、《正韻》並訓："水際也"。所謂「水際」即水的邊緣。江河海洋之水有左岸必有右岸。故濱字亦有相對義。巛象水，止止左右足迹，頁象人，有涉洄河岸之義。

擯 擯《正韻》："斥也，棄也"。案斥古作㡿，象屋岸於製形，詳本著〔屰字〕。擯字从手从賓。亦意為客人遭主人用手推出室外之象。故亦有相對義。

〈擯〉

蠙 蠙 蚍《玉篇》："珠名"。案「珠名」之訓未能道出「蠙」字之形意。

蠙的左右兩片殼狀中空的骨殼是外圍，護居其中。其內中藏有珠粒。

〈蚍〉

採珠者剖離其左右二殼而取之。蚍从虫从比。比之初義取象於偶歸動物的雙是註主。蚍字用為對比之義，與从賓之意同。

臏 《說文》：「膝耑也」。《增韻》：「膝蓋骨」。按人之下肢，左右兩腿，股之下，脛之上，其連接點處各有天然保護組織。形似半球體之空心骨殼。名曰「臏骨」。故臏亦有相對義。 膝

《討論》：賓和主是兩位相對人物，是建立在社會關係上的產物。人類社會關係的建立是以兩性的婚姻關係為起點發展而成的。誠如《易序卦》所云：「有天地而後有萬物，有萬物而後有男女，有男女然後有夫婦，有夫婦然後有父子，然後有君臣……」亞聖孟軻也說：「君子之道，造端乎夫婦，及其至也，察乎天地。」法蘭西哲人盧梭云：「家庭是政治社會的原始模型。首領就是父親的影子。人民就是孩子的影子。」看來，婚姻關係是一切社會關係的起點，已經是古今中外哲人所公認的問題。《卜辭》的賓字實已揭示了人類社會關係的實質、真實面貌。

作為維護兩性關係的正常而設的精神制約工具來說，那就是「至敬」。沒有至敬的精神是很難設想團結的。所以說文訓賓字曰：「所敬也」。《玉篇》曰：「客也」。看來，賓主的關係實質上卻夫婦關係，是非常明顯的。今贛南方言呼門婿曰「客」，與《玉篇》之訓不謀而合。

《賓主易位》：早期人類的賓主關係，是女性為主，男性為賓的社會關係。後來由於男性取代了女性的領導特權，於是就變成了男性為主女性為賓的社會關係。但是在商代甲骨文中的賓字上，只有處于室內的女性形象。卻看不到男性的影子。可見殷商文字仍然保留着原始文化

三三

遺存。是有跡可尋的。如《卜辭》文字之𡠩〈毓〉為后，雖代的姓字从女从生。皆其例證。

《字形析義》：安从宀，从女从一从匕。茲分別詳之如次：

宀者居室也。女者女性之形象也。一者捨兼，既專，得一為貞〈正〉之義也。所謂「得一為貞」即愛情專一之義。朝秦暮楚的愛是談不上「貞」的。匕即古牝字，取象於動[物]之雌性生殖器官。古「雌」字之「匕」，可為例證。匕文在安字中為聲符，也是義符。《老子》曰：「元牝之門，是為天下根」。註：「處卑不動，守靜不衰，無物不成，用而不勞也」。老子的這一哲學意態，同樣也可適用於母系社會女性的優越處境。安字的造型，不意正反映出女性處境的美滿擬態。因為有男性在外為她代勞。此有定居之義，這個定居之點也即民族核心，聲[政]權之雛形。

賓与主相對。在勢均力敵上賓不如主。因而儒家哲學強調了主人對客的「敬」。《說文》曰賓字訓：「所敬也」。不是偶然的。但是在安、賓等字上只能見到主人的形像，却看不到客人的影子。然而通過主人的謙敬姿態表現，却能說明室外確有賓客的存在。造字者的這一暗示極巧，吾名之為「隱像指事」。賓与主是客觀存在的相對體，因而从賓的字也都含有相對義。

賓〈賓主相對義〉、嬪〈后与妃相對義〉、殯〈死者与生者相對義〉、鬢〈左右頭鬢相對義〉、濱〈河海兩岸相對義〉、擯〈敵對義〉、儐〈主僕相對義〉、臏〈左右膝骨相對義〉、蠙〈比[illegible]甲殼左右相對義〉。

[illegible][illegible][illegible]鼄（上）[illegible]字《說文》：「蛛子也」。　考上列一二兩文與小篆[illegible]字酷肖，辨認無難，如下詳

鼄字與小篆黽字結構同例，亦字字畢肖。唯「鼄」字與[illegible]字之間，在東方古代神話中，牽涉為原始民族

鼄[illegible]及古代科學的複雜含義。試上條討此之說明。

黽鼄　案：此二字皆從黽從虫成鼄。兩者皆為蛙。虫者母性之意。黽者巨腹之昆虫，以象婦人（懷子之

形。古人造字取象示意，往往但求形義相適，不嫌複類畧同。兩條幾字與此同例。可類推而知。

[illegible]　此黑蛙象形，而字從虫。蓋古代母性民族之「圖騰」標志。即傳說中之天上造化之神「黔鼄」。

又名「黔雷」，以其集體蜓行，聲嘈如雷而得名。黔者黑色也，其義可知。以其有傳播花粉之功能，促進

植物果實之繁殖，故得「造化之神」的綽號，是不足為怪的。

案《史記》：「伯翳為帝來主畜，因畜類蕃息有功而賜姓為鼄氏。」

「黔雷」之名，見於《楚辭》：「召黔鼄而見之兮，為余先乎平途。」鼄字含義為「孳」，

見於《管子·四時篇》：「東方曰星，其時曰春，其德喜鼄（孳）。」又云：「春鼄（孳）育，夏長養。」皆指鼄

為孳之例。黔鼄的顏色及生物蕃育觀念與古代《周易》科學、《黃帝內經》的記述，以及古天文曆

法《五行學說》、生理……之複雜統一的科學有密切關連，可以下列資料獲得迹象。

《周易》☵為水，在位為北。《內經》：「腎屬水，其色黑，腎為作強之官，技巧出焉。」鼄秦先時伯翳之

後，以水德王，曆法建亥，色尚黑。故知「黔鼄」之名，當具有古代科學之思想觀念的說明，雖是非

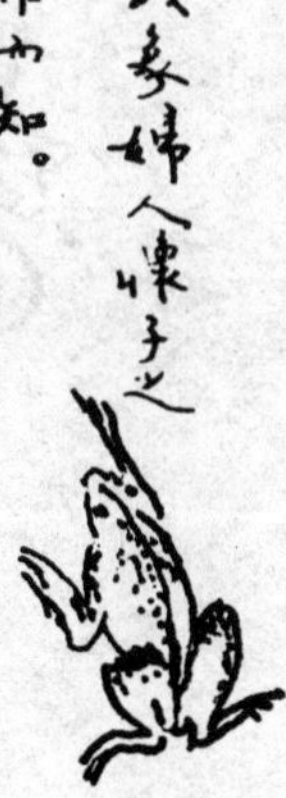

〈[illegible]〉

常明顯的。而名概字訓義「字育」，皆這一觀念的產物，也是因，常害觀的。

棄 [古文字形]〈上〉 [古文字形] 古 [古文字形]〈金〉 [古文字形]〈篆〉〈說文〉：「捐也」。〈爾雅·釋詁〉：「忘也」。此訓離捐，然未及這字之形意。考 [古文字形] 字从 [古文字形] 从廾，象置兒於凵中，雙手捧持之狀。當即姜嫄棄子之寫照。此「棄」字產生之所緣來也。〈詩·大雅·生民〉：「厥初生民，時維姜嫄……誕置之隘巷，牛羊腓字之。誕寘之平林，會伐平林。誕寘之寒冰，鳥覆翼之。……」這位嬰兒長像怪異，遭到母親的拋棄，乡窮動物照顧，徼倖未死。又被母親收回，他就是堯時的農業之官，亦即西周王朝的始祖。其名曰「棄」。

孤 [古文字形]〈說文〉：「無父也」。徐鍇曰：「子不見其父，則注啼也」。案此說自成一義。然愚竊以為「孤」之為字乃是株上育種而來。以老圃種瓜，必求培育良種。必選同株中發育最佳者作為育種目標。為了「子瓜」的發育龐大，必剪除其餘劣種，使於良種營養獨享，此子瓜即為獨之瓜也。故子瓜為孤，此其義也。古人以「幼而無父」曰「孤」者，當借瓜秧萎枯之後，子瓜獨存之義延伸而來。蓋以秧為子瓜之本源，有父之象。秧死則子瓜失去營養，故父死曰「棄養」。此漢字物像人比例。

〈孤〉

女 [古文字形]〈說文〉：「婦人也」。〈易·繫辭〉：「乾道成男，坤道成女」。案 [古文字形] 象形字也。古籍段為「汝」。

母 [古文字形] 字。「女」与「[古文字形]」同源，亦象形字。从 [古文字形]，象女之形，从：象兩乳。女，在家為女，出嫁曰婦。婦生子而

有乳。故曰[illegible]。胎兒降生之後，賴母乳而生存。其意識未廣，自身之外，唯知有母。故[illegible]字之段為第二人稱，實由嬰兒意境而生，其義全明。嬰兒與慈母之間關係，建立於生活物資基礎上。故知「[illegible]」字从氵从[illegible]，音「乳」之初文也。後世就衍而[illegible]以為第二人稱義矣。其錯綜變化表示如下：

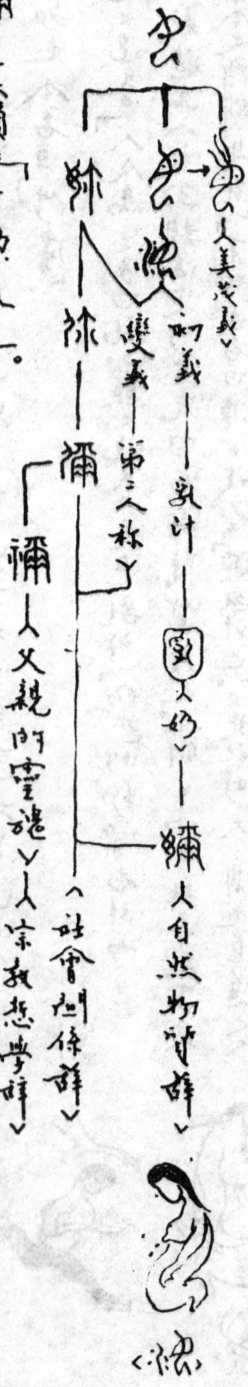

妳 妳 嬭《集韻》：「音奶，乳也」。

你 伱 儞《廣韻》：「汝也」。《適庄》：「而、汝、尔、若、乃一聲之轉。尔又作你」。

發明：從「[illegible]」字由奶水義化為第二人稱義，這一文字義變過程，反映出一條人類歷史進化軌迹。從「[illegible]」字由原始的「乳汁義」，衍化為母子之間的「妳、我」關係的「妳」。更由母子關係的「妳、我」而變為父子關係的「你、我」之「伱（儞）」。從文字結構類象（女、子）中，可以取得認定。這一系列變化，使我們清晰地看到：[illegible]字由原始的「乳汁義」，衍化為「第二人稱」義，亦即[illegible]字由物質領域躍入社會領域的轉化過程。更由「妳」轉注為「伱（儞）」，這標志着人類已從母系社會進入了父系社會。因為人類早期也和野生動物一樣，只知有母，不知有父，這是不足為奇的。比及神權宗法社會之中，於是才有「禰」字的應運而生。

禰

禰《說文》：「親廟也。」《增韻》：「父廟曰禰」。《公羊傳隱元年秋七月注》：「生稱父，死稱考，入廟稱禰。」貴族上「禰」是特定政治身份的貴族人物死後的稱號，由於他們也是當時社會的最高統治者，因而死後必須做出「木主」（神〈龕〉）供奉在特定的「宗廟」中，名之曰「禰」。

孚

孚〈金〉 孵〈篆〉《說文》：「卵孚也。一曰信也。」徐鍇曰：「鳥之孚卵，皆如其期，不失信也。」

案：孚从爪从子，孵之初文也。訓義信者延伸義也。後世分化為孵、孚二字，猶莽之增、然之增火同例。

孚 ─ 孚〈信孚〉
孚 ─ 孵〈孵育〉

俘

𠬝 俘《說文》：「軍所獲也。」《傳成三年》：「以為俘馘。」案：卜辭𠬝字与小篆俘字形異而義同。

𠬝 从彳、从又从子。彳者適跡追捕之義。又者人手也，非鳥爪也，与「孚」之卵孚義異，不可不知。子者被俘者之象也，与卵孚之「子」示義為「幼雛」者異。此亦不可不知也。今名曰「俘虜」。

乳

乳 乳《說文》：「人及鳥生子曰乳。」照《說文》意思，乳非「奶水」的物質名詞，而本義應為人和禽類決定的生兒的動義詞。此古義也。今則已為牛乳、羊乳字矣。案今之所謂「牛乳」「羊乳」古名曰「湩」。《說文》：「湩，乳汁也。」《史記・匈奴傳》：「包蓄之人具牛馬之湩」，以《說文》之是，可為例證。竊以為「乳」字，初義皆与「孚」同，不過「孚」字則專用於鳥，而「乳」則兼人、鳥兩類皆能適用。此古義也。然據筆者之考證，人之「乳」与鳥之乳皆有「專字」，未宜渾謂不分也。茲證之如下：字，本形。乙，玄鳥也。古以玄鳥為造化之神，貴族上燕子是春使鳥，逢春而至，所到之處萬物萌生，蓋言使牧閩非玄鳥之力也。

乳 字是真正的乳字，而今世不見用矣。

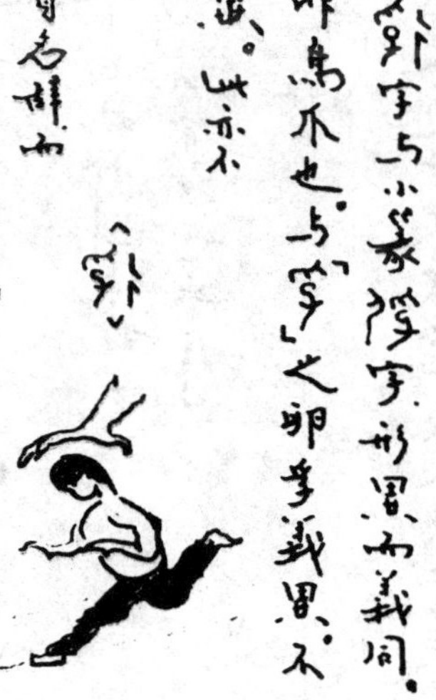

〈乳〉

殍 殍《集韻》：「餓死曰殍。」《孟子·梁惠王上》：「塗有餓殍而不發」。〈殍，音瞟，中空之象〉

案：殍字从歺从孚。歺者死之省也。孚，古孵字，禽類孚雛，幼雛孵出，卵殼空虛。故「孚」之為文有中空之象。餓民死後，腸胃空虛無物，空餘軀殼獨存。故殍字从歺从孚，所以示中空之象也。此漢字態象移植之形例。《文書》名之曰「建類一首，同義相授」。亦「孚」的孳乳字。

脬 脬《廣韻》：「水府也」。案：脬之為物，乃動物之排水臟器也。俗名「尿脬」，學名「膀胱」。「膀胱者州都之官，水道出焉」（見《內經》）。蓋謂上脬的物理性能等於水囊。亦中空結構物體也。故从肉从孚。亦孚的孳乳字。

〈脬〉

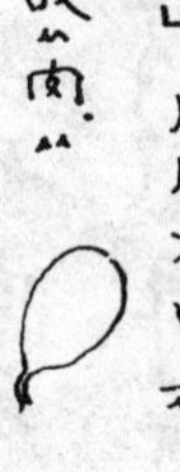

桴 桴《論語·公冶長》：「子曰：道不行，乘桴浮於海」。注：「編竹木為筏，大曰筏，小曰桴」。竹之為物，外堅而中空之體也。以其物體比重較低，故能浮於水上。古人用以製作水上交通工具，蓋有鑒於其具有「輕能上浮」的物理特點。故桴字从木从孚，所以表示中空之義。亦孚之孳乳字。

〈桴〉

泘 泘《淮南·說山》：「百人抗浮」。注：「浮，瓠也」。古浮、壺、瓠三字同音，而義通。瓠之為字與「匏」同物而異名，乃攀援莖植物，其果實大而中空，即今人所謂之「葫蘆」也。古人將其縛諸背間，用為渡水之工具，當等於今之「救生圈」。因其中空容積較廣，古人又用為盛水、沽酒之器。故壺、瓠、葫、浮同音而義通。故桴字从孚，亦所以表示中空之象，亦孚的孳乳字也。

〈泘〉

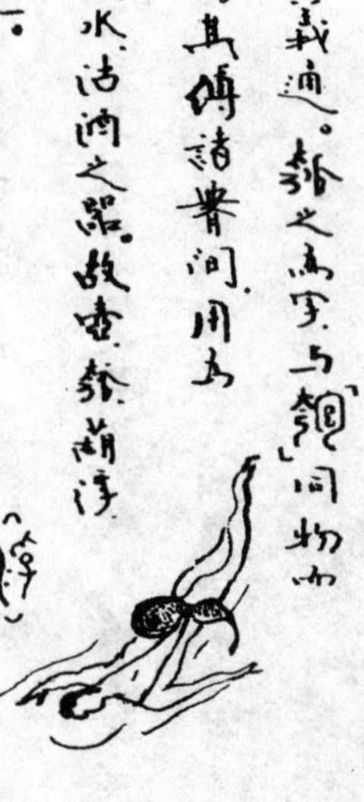

莩 莩《漢書·中山靖王傳》：「非有葭莩之親」。注：「葭，蘆也。莩者，其筩中白皮至薄者也」。案：莩之為物，生於葦莖內部，管腔周匝，薄如蟬翼，其質極輕而振動頻率甚高，故羌笛適用之為音

萬。故亦有中空輕浮而大特徵。因其屬於植物，故莩字从艸，物象也，从孚，中空之義也，亦孚所孳乳字。

孚——桴——莩
　　浮〈
　　　稃——蜉〉（以上諸字，皆取中空、輕漂為義，乃孚所本義字）
　俘——俘——（以上二字，从以為義，有捕捉義，此孚之變義字）

〈孚字於哲學領域中為「信用」義。此與禽類孵雛皆有定期現象而生之昇華義。民諺有云：「雞孵小雛三七廿一，鴨孵小鴨四七二十八，鵝孵小鵝四十五天，俗伸孵」，故知漢字之造型、賦音主義，皆有真實的自然科學根基，非拼音文字所能取代者焉。〉

兒  《說文》：「孺子也。象小兒頭囟未合」。

考古文兒字之形，从儿从囟或从凶或从臼。儿古人字也。囟古囟字也。臼古齒字也。

古籀兒字，或似揚手求抱之姿，或象張口乞食之態，而囟字之頭囟未合之象，尤為嬰兒之最大生理特徵。故知古代文字，皆有鮮明的意態，雖文無定型，要之皆能瞭如指掌，一目了然。

倪 《說文》：「俾也」。難懂。不足為訓。案倪之為字於古漢語中之應用例數見不尠。如《莊子大宗師》：「反覆終始，不知端倪」。《文選謝靈運詩》：「溟漲無端倪」。《韓昌黎集南海神廟碑》：「乾端坤倪」。《莊子齊物論》：「何謂和之以天倪？」注：「天倪者自然之分也」。案：以上徵引古籍文言義例，或訓倪為「自然之分」，或訓為「端緒」，要而論之，皆未能頗示出倪字之真義。唯《孟子梁惠王章》：「反其

旄倪」注：「倪，弱小繄者也。」此解為能得「倪」字之真諦。故知「倪」字本義，即幼兒無疑矣。

考：「𠀤」字，象形，从了，从𦥑。幼兒之象也。此指事字，固無庸歧義。然何以後世雖之以「端」字而代為「頭緒」之義？此則甚有研究價值之課題。蓋人即嬰兒，該段為人生終身之開端。開者日出啟戶之意也。古開字之闢，从門，从一，从𠬞。門，门也。一，门栓也。𠬞者，雙手撥栓啟戶之象也。開字形義與啟同規。啟古之𢼄。象古手啟戶，開门見日之形。端字古之「耑」。似植物冒地而出直立之態。古人據植物正直之象，取為頭緒之名。而周王朝禮服所謂「玄端、黃裳」，皆取象於天玄地黃之義。故知端字之延為頭緒之名者，蓋取象於植物之顯點位置觀念而來，無疑也。古漢語以「端倪」一辭為一切事物之肇始，乃漢字「物象時化」之變義。如「兆端」、「肇端」、「端緒」、「端倪」，皆其義例。儒門大賢漆刁開，往亦之漆刁啟，殷微子啟（尚書之微子開）。是「開」之同「啟」，與「端」之同「始」之義變規律，異例而同規。

明乎此，則「端倪」一辭之訓為「開始」之意，可思過半矣。故知「𠀤」、「𦥑」二文之象意同是幼弱之義。而「𠀤」則較「𦥑」字更賦予了鮮明的「時」義特色。這一特色，顯然是着眼於年齡特徵的產物。而「𦥑」字單純表示幼弱之義不同。此其同中之異，不可不察也。嬰兒為一生之始，叔為一日之始，頭為周身之始。延伸為事業之開始，故曰「端倪」。俗名事業剛見成效曰「有點頭緒」。即「端倪」之義。其義蓋源於「幼兒」為一生之始。

鯢

鯢《說文》：「剌魚也。」段注：「剌魚者，乖剌之魚。謂其如小兒能緣木。」《亦又辭典》：「鯢似鮎，有四腳。前似獼猴，後似狗。聲似小兒啼。故曰「鯢魚」。

《本草》：「鯢魚一名王鮪。在山溪中，似鮎有四腳，長尾，能上樹。天旱則含水上葉覆身，鳥來飲水

因而取之。伊洛間亦有聲如小兒，故曰「鯢」。案此物土人呼之為「娃娃魚」，造字从兒从魚之義可知。亦兒之孳乳字。

麑 卜辭 篆 《禮玉藻》：「麑裘青豻……」《魯論鄉黨》：「素衣麑裘」。疏：麑子皮以為裘也。

案《卜辭》麑字，似鹿無角，當是寫真文字。小篆从鹿从兒，已成指事之例矣。

齯 《說文》：「老人齒也」。《詩閟宮》：「黃髮兒齒」。《爾雅釋詁》：「兒齒壽也」。

《釋名》：「九十曰鮐背，或曰『兒齒』。大齒落盡，更生細者，如小兒也」。

案此種老人再生之新齒，偶曾有之，故古人以此為長壽之徵，而用為祝禱之語，皆倪所同源字。

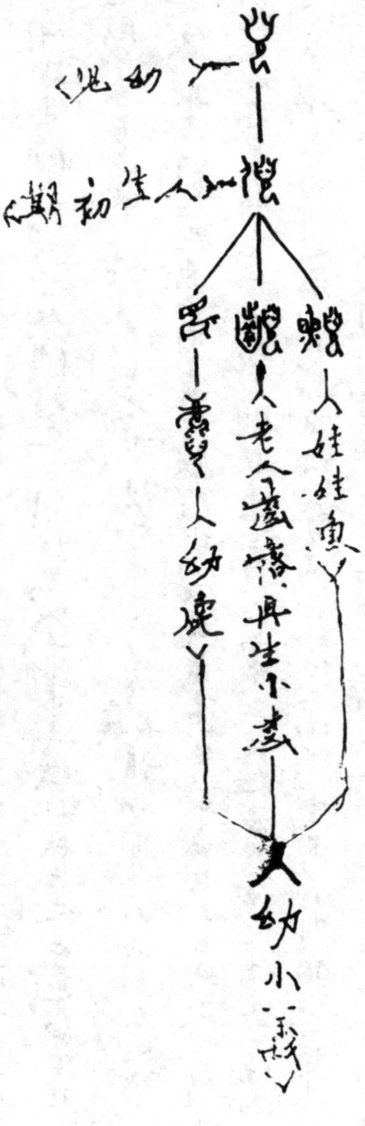

字𡦁字：《說文》：「乳也。又愛也」。竊以為乳者，生兒之義也。愛者，兩性之情也。愛為乳之因，乳為愛之果，故二義互通。古代婚姻制度有「納采」「問名」之禮。女家受禮許諾，將名字告之於男家，謂之「字人」。現代名曰「訂婚」。

一、要字从宀从子。宀，屋也。男以女為室，女以男為家。字从宀者，男有室，女有家之義也。室家二字皆从宀。故男婚女嫁曰「室家之好」。男女同室而生子，故宀子為字。此字之初義也。

二、《尚書‧康誥》：「父不能字厥子，乃疾厥子」。《周禮‧地官》鄭注：「小國貢輕，字之也」。《傳成四年》：「楚雖大，非吾族也，豈肯字我乎？」此皆「字」訓為「愛」之義例。

三、文字義：文字之為物，遂物質文明發展而孳多。猶生物之蕃衍進化也。猶母之生子，子之生孫也。故曰「字」。字有孳乳之義也。

牸𤚽

四、牲畜義：《廣韻》：「牸，牝牛也」。《孔叢子‧陳士義》：「子欲速富，當畜五牸」。《說苑》：「愚公生牸牛，生子而大，賣之而買駒」。《廣文》：「牸，雌也」。《史記‧封禪書》：「天下專其有高牸馬，歲課息」。此皆「牸」訓義為牝畜之例。

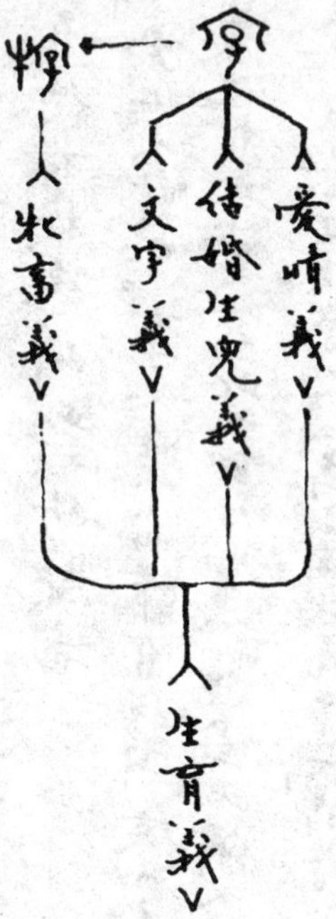

孜 [篆文] 《說文》:「人姓也」。《廣韻》《玉篇》皆曰:「姓也」。考商代銅器有[篆文]方鼎,是否即孜字為姓氏之遺,從女性尚有待於稽考。附此以待賢者。

好 [篆文] 《說文》:「愛而不釋也」。女子之性柔而滯,有好則愛而不釋也。[篆文]字象婦人懷抱嬰兒之狀。故知宇宙間一切愛情莫過於母子之愛。此一切生物本能,固不獨人類為然也。

㝅 [篆文] 《說文》:「乳也。一曰㝅瞀也」。《荀子·儒效篇》作「溝瞀」,《漢書·五行志》作「傋霿」,《楚辭·九辯》作「怐瞀」,《廣韻·五十候》作「怐愗」,又作「嫯愗」。案諸書皆同音段借字。自應以㝅為正字。諸字皆宜上讀「㝅」下讀「瞀」。同訓「愚蒙」。試述之如次:一、字形分析:考㝅从[篆文]从子从㱿。而說文訓義為「乳」。乳是生育之義。[篆文]者卵殼也。子者幼雛也。㱿者敲擊之義。凡鳥之短尾也(說文凡部)。从又(人手也)。手持幼雛之象也。意是母雞育雛晝夜不息,以腹孵卵,歷廿一日幼雛成長,行將破殼而出之前,先以喙啄穿卵殼周匝,呈三百六十度圓周穿孔後,然後奮翼而出。此㝅字造形之義也。《左傳》:「楚有鬬㝅烏菟」。鬬,姓也。「烏菟」楚方言名「虎」曰「烏菟」。㝅者,初生未久之意。即「小老虎」之意。「㝅」字延伸為「愚蒙」者,因出生之始,方離蛋殼,見聞不廣,缺乏知識之故也。

〈㝅〉

孫 [篆文] 《說文》:「从子从系。系,續也」。案說據形釋義,而未及尊卑之義。竊以為「孫」之含義與「祖」為對應。祖者尊嚴之象也。孫者謙遜之姿也。往籍往往段為「遜」字。《正韻》:「遜,順也,遁也,恭也」。孫、遜順音似而義通。小孫意智未明,行動不敢自主,故必聽從長者所指揮,故「遜」从「孫」从辵而訓義為順從。

孫——遜——[篆文]——[篆文](皆音似義同。)

啟（篆）（篆）《說文》訓：「遠取也」。措未盡造字之情。案啟字從攴、從子。《詩》曰：「摽有梅」之摽字古受字，訓義為「飄落」。字象雙手一覆一仰。有拾取之義。然則古者倒子之形，有從空墜落之象。然則古者陆之省文也。（陆卜辞作受字）。然則啟字乃雙手承接空降的幼兒之形，有搶救之意。其訓義為勇敢，不亦宜乎？　筆者竊以為，啟嚴二字，皆音似形近而意通，應為同源字，故併此以見義。

嚴（篆）（篆）《說文》：「教命急也」。此訓極生動。《玉篇》：「威也」。尤為近情。蓋據遇險者而言則為「教命急」。據搶救者而言則為「嚴毅仁勇」。此象形兼會義字也。不諳古文之義，未易明也。

吅者古（篆）字也。（篆）者，搶救者之雙手也。古者遇險之幼兒也。當此之際千鈞一髮，迫不容緩。其呼救之急，自不待言，而非有發強剛毅之仁勇，又豈能勝此偉任乎？古訓本簡，愚繪圖以明之。幸勿以「畫蛇添足」相譏，有厚幸焉！今則用之「威嚴令」字，實源于搶救危機之義。此象形會意字也。

仁（篆）《說文》：「親也」。此訓甚覺抽象。此字前人皆以哲學觀念辯釋之，殊失仁字造形之情。惟宋謝顯曰：「心如穀種，生之性便是仁」。其說極具科學價值。愚以為「仁」之為字，乃生物生命起源的基礎物質。如桃仁、杏仁、花生仁、芝麻仁……愚所欲闡明者，即「仁」字從人、從二之義。今舉植物種子為例，豆類其顯著者也。（不僅豆類，一切生物種子，皆同）。豆的種子，大體分為兩部：一曰「胚芽」，乃來自父性遺傳，二曰「胚乳」，來自母性遺傳。前者屬於雄蕊花粉的成長物，後者屬雌蕊子房的營養基。

仁

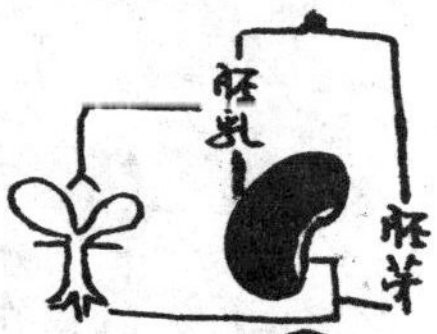

同理，人類胎兒也和植物一樣，屬於兩性結合的產物，在醫學中叫「父精、母血」。所以亞聖孟軻說：「仁者人也」。「仁」字的自然義本來包括動植物而言。因儒家觀點以人為「萬物之靈」，故將人類的政治地位，提高到一切生物的「總代表」的席位。因而就把「仁」字從人、從二。此即仁字造字之義是非常明顯的。

〈仁〉

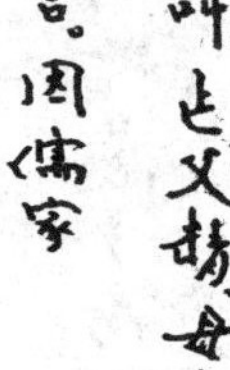

仁字在自然領域中就是一個有機生命體。是兩性結合的產物。在這一原理上，人和其他生物本無區別。幼兒是父母的愛護對象，儒家因而就把仁字，從「生物本能」的現象，昇華為社會科學領域中的人文哲學的道德規範。所以孟子又說：「惻隱之心，仁之端也」。儒家很清楚的認識到「仁」是自然賦與的內在物，所以又說：「人之所不學而知者，其良知也。所不學而能者，其良能也」。假若一旦喪失了這種「良知」，就缺乏了人的「同情感」。儒家呼之為「不仁」。中醫學對於因患風寒濕病而偏於神經壞死，知覺喪失狀態者，謂之「麻木不仁」。關於仁字的廣闊內涵，非本文所能備述，從略。

巽

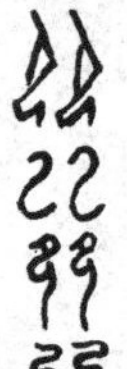《說文》上巺，訓：「具也」。徐鉉曰：庋物皆具，丌以薦之。

竊以為此解施於解字，識義先而形，當施之於卪字，則形、聲而義非。（見下）

考卪之為字從二卪。卪古文節字也。象二女屈膝比肩跪地而讀，音從遜。可望形而知義也。可聞聲以見情也。《易·巽卦疏》：「巽者卑順之名」。卑者低下之意。順是服從之義。案《易新文象》上☴，上二直劃，示二人上體直立之象。下一兩短橫，示下肢折疊之意。而《周易》提定為「風」的代號，良以風之為物柔而善動。有高度可變性。《周易》把「風」和柔順的女性等量齊觀，乃「人性物化」的擬態技巧，現代文學術語謂之「昇華」。

選

䉵《玉篇》：「擇也」。《說文》：「遣也」。段注：選从辵从巽，巽為風，故又遣之。

筆者案：巽在此字中的義素應該是已為「風」的同位詞。《玉篇》訓「擇」，而《說文》訓遣者，語異而義同。擇者，選取也，有所選必有所棄。遣字古作[illegible]。象兩手排除多餘，有寬縱之義。有所縱必有所抑留。然則所擇者，有用之物也；所棄者，無用之廢物也；所縱者，無用之廢物也；所留者，有用之物也。選字从巽，巽，風也；从辵，動力也。此字常見於農業「揚場」。實際上是以風為動力促使比重不同之「糠」與「粮」趨向兩極分化的科學措施。科學術語名之曰「風選法」。哲學中則名之曰「揚棄」。

潠

䉵《集韻》：「音選，義同」。此字从水从巽。水者，介質也；巽者，選擇之義。此字常見於澱粉製造工序。其法將施工破碎之粉狀物質置於同一容器之內，注之以水，施工攪拌，使之自動沉澱清升。及時濾取，分別處理，取精棄粗。科學術語名之曰「水選法」。

撰

䉵《玉篇》：「造也，擇也」。《周禮·大司馬》：「撰車徒」。《前漢·食貨志》：「白金三品，其一曰『重』，八兩，圜之，名曰『選』」。案即成語所謂之「萬選青錢」。案䉵又是撰寫文章字，蓋取義於文章之撰寫，亦有斟酌、討論、修飾、潤色……多次精選過程，而具有審慎選擇之義。如秘書之撰文，起草工上、稾成之後，必須進行二次修改，有用之文字予以保留，無用之文字予以刪除，亦選擇之義也。

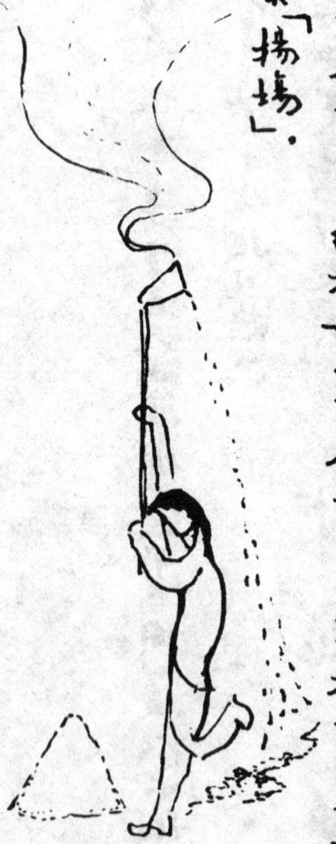

〈選〉

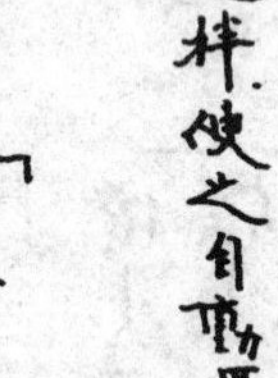

〈潠〉

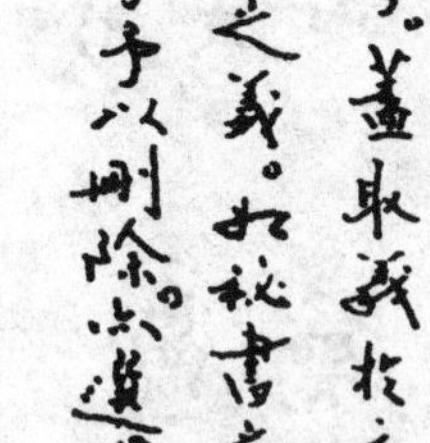

饌巽籑顨饌　遂饋是真也「具食」的「巽」字。字从丌（几），桌案之形。字或从廾，象兩手捧獻食物。或从食，含有飲菜之義。案《說文》訓「巽」為「具」。其古文是 鼎廾，象双手捧鼎之形。鼎者煮肉之器，故雙手捧鼎有貢獻食品之義。古饗祭之饗字皆从食。於文是 䜌。故知巽字乃以下對上之動詞。又《魯論》云：「有酒食，先生饌」可為例證。故饌字亦有選擇的內含。如饌亦𢀖的同源字。

（鼎廾）

（巽）

𢀖字義變示意圖

𢀖
〈選求義化為風的代號又由風化為選擇動力
　選〈風選〉
　潠〈水選〉
　撰〈手選〉
〈貢獻食的巽顨籑饌

從　从从从从是文也：「相聽也」。所謂「相聽」，即聽從領導之意。從字者以兩個前向人形一前一後，以示跟隨追隨之義，所謂指事字也。从，長者前行，幼者隨之于後，故曰「聽从」。

蹤　跡《玉篇》云：「跡也」。从从从足。案从者跟蹤之意，足是腳印之義。

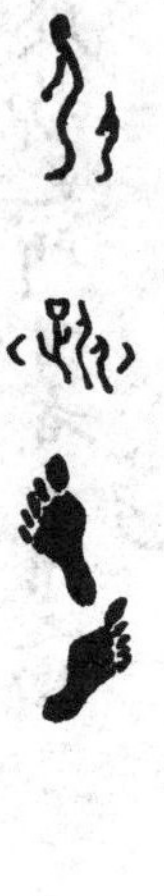

〈跡〉

轍　轍《玉篇》云：「車迹也」。案所謂車迹，即車轍也。　案二人一前一後曰从，人之

〈轍〉

縱　足跡曰蹤，車之輪迹曰轍，發矢曰縱，皆有追隨之義，而應以「从」為「母字」。

縱字从糸，糸絲之象也。从者箭隨弦進也。射者放手離弦，而箭則從逸升空矣。

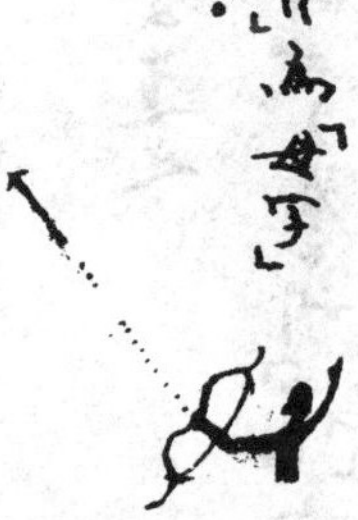

縱

四 出須眉形文字

須《金》《說文》：「面毛也」。《易·賁卦》：「賁其須」。注：「須之為物，上附於面」。《通俗文》：「頤下曰須」。《說文》徐注：「此本須髯之須。首也，多毛飾也。後借為必須之須。橥須之借為需者，同音段借之例也。今人亡鬚皆繁變例。須之合理位置應居唇上，所以隄防鼻液之入口也，與眉之位於目上同理。

而 卜《說文》：「頰毛也」。段本訓「須也」。橥而字肖須之正面形，而須則肖側面形也。二字互訓，固其宜焉。篆而字逸形，首畫一，鼻端也；次畫丨，人中也；三畫（口上之髭也）。四‖，象唇下承漿下垂之鬚。鬚之為物，本當柔軟之質，故有關而字之字多有柔弱義，見下。橥「而」字用於頰毛之意，世已不見。然「而」字需、儒，此尚存於从而之孳乳字中，於以見漢字遞嬗之軌跡。

《玉篇》：「柔也」。《類篇》：「弱也」。《說文》：「稍前大也」。

《稍前大》

橥柔弱之訓，淺顯易懂。惟「稍前大」之意，語義晦澀難知。考稍字从禾，从肖。禾，嘉穀也（見《說文》）。肖，小也（見《揚子方言》）。然則《說文》訓「稍」為「出物有漸」，竅諸字形，顯非初義。蓋許君所謂「出物有漸」，實源於《儀禮·聘禮》注：「稍，廩食也」之義（國家庫存戶口供應糧），非稍字初義也。然則應如何認識稍字？余曰：稍、杪同音而義通。《說文》：「杪，木標末也」。《方言》曰：「杪，小也。木細枝謂之杪」。

然則木之末端曰杪，米之末端曰穮，其意明矣。然則許君之以「稍前大」訓𡗜，蓋取象於穀穗豐碩，本輕而末重，以致穗垂而莖曲，形似人之頭垂頸曲之象，故曰「稍前大」，此其義歟？亦「𡗜」之義也。

竊以為𡗜訓義為「柔弱」，當取象於面毛。字从𡗜从大，大，人形也。大字（𡗜）上施𡗜，儼然一面上五絡長髯的老人像也。此以毛示弱，亦指事字，而字示其毛之形，𡗜字示其質。此其別也。

冄 《甲》 《金》 《說文》：「毛冄冄也」。徐曰冄弱也。

案冄、𡗜音近，形似，而義通。當即後世髯字初文也。《前漢高帝紀》師古註：「在頤曰須，在頰曰髯」。後考《說文》而字訓：「頰毛也」。準此而觀，則而、𡗜、冄同源無疑。《魏曹子建集美女篇》：「柔條紛冄冄，落葉何翩翩」。此漢字名詞與形容詞互化之例。

𦳝 《藝文類聚王粲迷迭賦》：「佈萋萋之茂葉，挺𦳝𦳝之柔莖」。《晉王嘉拾遺記》：「花條𦳝弱，狀似金莖」。皆以人須喻植物枝葉柔𡗜之形容詞。此文學藝術之假借例也。

䎡 《甲》 《類篇》：「鳥翼下柔毛」。案䎡从羽从冄，下諸形从羽本「𦐇」字，此羽字應與冊同。

耎 《說文》：「木耳也」。案木耳為菌類植物，質柔嫩，故字从𡗜从艸。

案：頰毛曰𡗜，毛柔曰𡗜曰冄，艸木柔弱曰𦳝，鳥柔毛曰䎡，木耳曰耎，皆冄之孳乳字。同有柔弱義。

冄 { 𡗜 𡗜 耎 } { 冄 𦳝 䎡 }

胹 腝 《說文》：「爛也。」《玉篇》：「煮熟也。」《揚子方言》：「胹，熟也。」《左傳宣二年》：「宰夫胹熊蹯不熟，殺之。」疏：「過熟曰胹。自關而西秦晉之郊曰胹。」案腝从月，从而，而者頰毛之形也，引義爲耎。肉之熟爛其質必耎。此胹字之義也。

需 需 耎 《集韻》、《正韻》並音乳兗切，音耎。」《集韻》：「本作㼱，柔也。或作輭、軟、需，通作耎。又音儒。柔滑貌。」《周禮冬官考工記》：「鮑、鞄人欲其柔滑而腥脂之，則需。」鄭司農云：「腥讀如沾渥之渥。需讀爲柔需之需，耎也。謂厚脂之韋革柔需（耎）。」鞄人是製鼓的技師。利用脂肪改變皮革的乾枯狀態，故知「需讀爲耎」是合理的。

考需字从雨从而。而者，所以示天將大雨，空氣濕度飽和之意也。宇宙間一切有機物體皆有遇水份浸漬而耎化之通性。故知需字从而者，耎化之義也。《說文》：「需，人兗反」。此需字初音應爲耎之又一力證。《周易》需卦之讀音爲須者，變音也，非本音也。

濡 濡 《詩邶風匏有苦葉》：「濟盈不濡軌。」傳：「濡，漬也。」按漬取聲於滋，滋是高植的黑色黏土。故知浸漬之漬實有柔耎義，是詩傳以漬訓濡，亦含浸潤黏滯意。復考《禮內則》：「濡豚濡雞」，注：謂烹之，以汁和也。

案我國現代書（養館）有「龍酥魚」的名字出現於名菜譜中。其炮炙之法，先以鮮魚敷以糊漿，再投入熱油烹之，至於外焦內熟，盛之於餐器之內，終則以澱粉水調加入調味佐料攪拌均勻，成汁，投入鍋內熱之，成爲濃縮滑潤之流質，而澆於魚上。令人食之有甘香之味兼焦柔之質，此即古烹飪術中所云「濡豚濡雞」之遺法也。此濡字含浸潤、滑柔義之例證也。故濡字亦「而」的孳乳字而有柔耎義。

糯 穤 稬 《增韻》：「糯，稻之黏者。」案糯米之質，黏而柔潤，其字从需，亦而之孳乳字。

孺 𡢨 《六書故》：「子幼弱也」。小兒之骨肉未堅，筋肉未實，故知《六書故》訓孺子為幼弱乃深得物理之情。所謂「幼弱」亦柔耎之意也。故孺亦需之孳乳字。

儒 𠏉 《集韻》：《韻會》：皆訓儒為「學者之稱」。《揚子法言》：「通天、地、人曰儒」。皆未得儒字之真義。《隸釋·魯峻碑》也「儒」字上「需」為能儒者之真相。證以《說文》之訓：「儒，柔也」。注云：「儒之言優也。柔也。能安人，

侒 能服人」。此解深合《孟郁碑》侒字之形意。故知孺字有柔弱之義。又《左傳·襄公四年》：「臧紇救鄫侵邾，敗於狐駘……國人誦之曰：「我君小子，侏儒是使。侏儒侏儒，使我敗於邾」。注：臧紇短小，故曰「侏儒」。

筆者案：依生理學考證，人之短小者多與「軟骨病」有關。故知「侏儒」亦有柔耎義。

綜合論證：肉之熟、爛曰臑。物質受溫度變化變態者曰需。物體接觸黏滯液質、浸漬曰濡。稻之黏者曰糯。人之幼弱者曰孺。尚柔戒剛的學者曰儒。皆从需具柔耎義。推而言之，細密之絲羅曰繻。枝細葉柔之香草曰薷。皆據耎為義，據需以造形，皆需的孳乳字也。

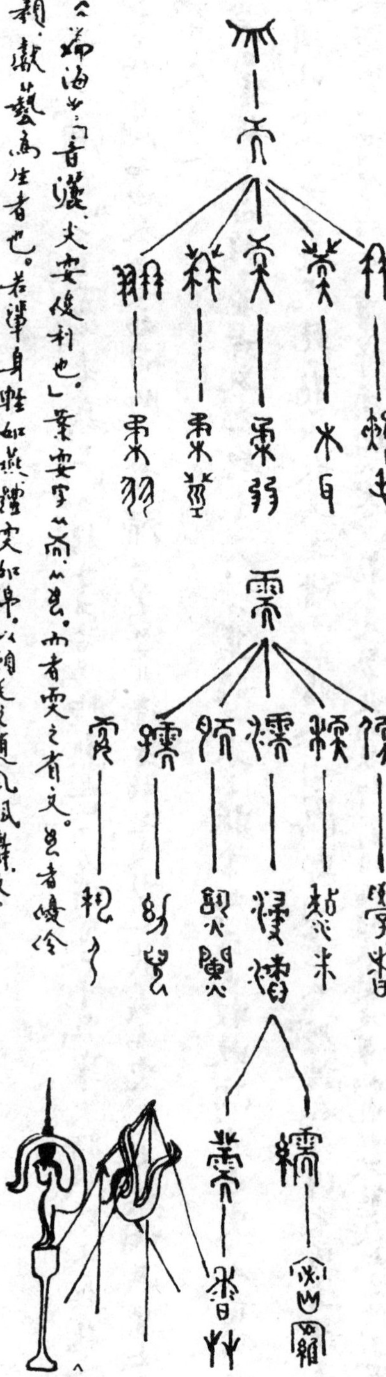

〈需也〉

耎 𦓎 《辭海》：「音輭，柔耎便利也」。案耎字从而从大。而者耎之省文。大者像人之類，顙从髮為生者也。若準身輕如燕，體柔如綿，似頰毛之隨風飄舞，故字从而从大。為形兼意字也。

〈从巠之字〉

巠 巠《說文》：「水脈也。从巛在一下。一，地也。」《廣韻》：「直波為巠」。照《說文》意見，以巠為地下潛流，依《廣韻》則訓為波文之象。但說文只言「工聲」，而未及工形之義。韻會雖訓為「直波」，亦未嘗及「工」字之義。

考工字古「杠」字也，意與「扛」同。有挺直意。然以水為物，乃液態物質，竟以工释水，揆諸物理，似有未洽。竊以為巠字之所以从工之義，當寓意於河漕之功能。《俗名河林》言：水之有漕，猶燈之有囱也。燈無囱則淋漫而不能直升，水無漕必橫衍而不能直行。故河漕之用，雖無杠桿之形，而有杠桿之功。試如老子云：「卅輻共一轂，當其無，有車之用。」「江」字从「工」从「氵」，正生動地說明了「三峽」陡壁控制江水保証長江直趨大海的物理上用。此巠字从工之義歟！

莖 莖《說文》：「艸木幹也。」《字林》：「枝柱也。」《類篇》：「艸曰莖，竹曰箇，木曰枚。」

案：莖从艸从巠。艸者植物之象也。巛者，樹木皮層纖維之形也。工者直立之意也。皮層內部木本也。蓋木無本不能固定直立。樹無皮層纖維無以成輸液之功。非葉片無以成光合上用。古人造字之意至廣大而盡精微於此可見一斑。

經 經經《說文》：「織也。」考說文之訓，乃指紡織而言。以愚察之經亦象形字也。从糸，纖維之象也。从巛者合三股而為繩也。工者經繩之屋栅也。

在經繩工藝中，只有「縱向」纖維而無「橫向」纖維。在織布工藝中則必須有縱有橫。縱橫交織而後始能成布。故縱曰經而橫曰緯。嗣後延展為天文學術語地興學術語。南北線曰「經度」，東西線曰「緯度」。又再延伸為意識結構之「經綸」「經營」「經略」「經

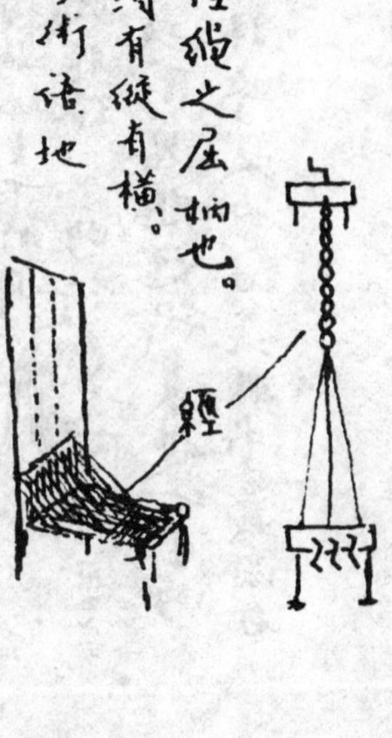

四三

「巠」……辭義，皆再具本義也。

頸

頸頸《說文》：「頭頸也。」《釋名》：「頸，徑也，挺而長也。」《廣韻》：「頸在前，項在後。」案頸字从頁从巠。下詳頁也。頁象人頭。从巠者，莖之所需故也。造字者將植物的從貫樹本上下的幹狀纖維導管散，和動物軀幹與顱腔互相銜接之食道、氣管、神經、脈絡……的連通總路通了等號。是無疑問，這一看法是建立在生物學「異官同功」的思想認識基礎之上的產物。這在《莊子》中名之曰《齊物》，《淮南子》中名之曰《說林》。現代西方科學者名之曰《比較學》，我國名之曰「邏輯」，東方古人謂之為「辨證」。

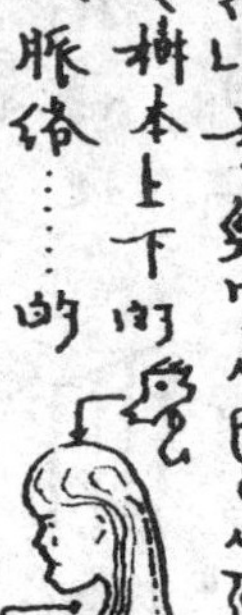

徑

徑《說文》：「步道也。」《玉篇》：「小路也。」案說文所謂「步道」與「車馬之道」相對而言也。今則曰「人行道」。玉篇所云「小道」，與大道相對而言也。大道古名「周行」。周行即車馬之道。車馬需避險而就坦。行必迴繞山川，故曰「周行」。周者繞逶之義。徑者直路也。其距離必短。《幾何學》中之「周三徑一」的定律，實來源於樹莖的「橫斷面」之觀測。可从徑字造型見之。彳者行之省也。巠者直綫之義也。

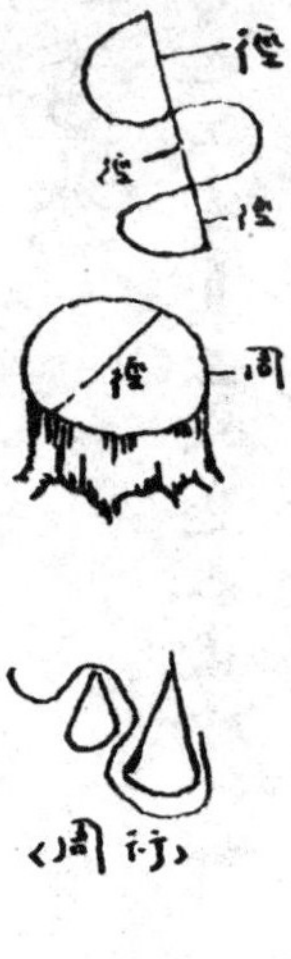

逕

逕巠也徑也《集韻》：「步道也。直也。」《玉篇》：「近也。」案徑、逕同義。唯巠从彳字書从為田，从古足—（足跡形）。故知「徑」是路名，「逕」是動義辭。今名「捷徑」，直而近，必捷而速矣。

脛

脛脛《說文》：「胻也。」《釋名》：「脚莖也。」《辭名》：「脛，莖也。直而長，似物莖也。」《史記南漢趙充國傳》注：「脛，膝以下骨也。」案以上諸解的共同特點，都是站在以人體軀幹為基點，以四肢為末梢的觀察角度而得出的座標方式，是異常明朗的。古人這一認識，是完全符合動植物生態發展自然規律的。無脛骨則人體不能直立，與艸木無莖則不能直立，其勢相同。故脛字从巠从肉，所以示人與艸木之別也。

陘 陘《說文》：「山絕坎也」。《玉篇》：「限也」。案以上二訓頗與地形皆說未合。唯《釋名》疏：「山形連延中忽斷絕者」。此解尚較近是。愚謂陘从阜，山崖之象也。巠者經過通行之義也。嘗考地理位於我國京漢鐵路石家莊以西，有太行山脈，南北縱貫綿亘千里，中有關口，名「娘子關」。有橫貫東西直達太原之鐵路。名曰「井陘」。《說文》：阝字訓：「兩阜之間也」。䦎字訓：「阜間空洞處也」。

案《說文》中之阝、䦎二字，其從形象地文代了陘字的地貌真相。我在余鄉民間呼之為「山口」。故余認為陘字的合理解釋應該是「山口的小道」。

〈陘 䦎〉

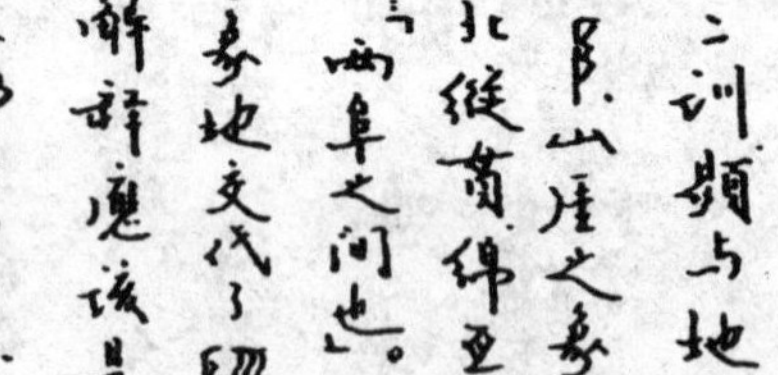

綜合論述：水的直渡曰巠，樹立直立部份曰莖，山澗之通道曰陘，路之短而直者曰徑，行近路而早到者曰逕，動物頭胸相連之支柱曰頸，水載體重之骨柱曰脛，紡織的縱線曰經。諸从巠之字，同有「縱直」「貫通」雙重含義。

{巠族文字示意}

〈圖說〉

（ ）個別義

□ 共義

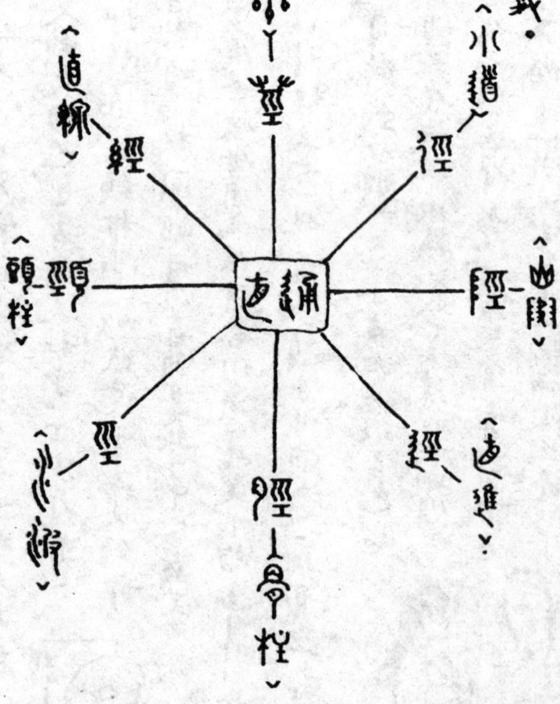

項 項《說文》：「頭後也」。案「頭後」二字只能表達「項」的生理部位特點，而不能明確指出「項」字造字的形、音、意義。考「項」字从頁从工。頁者人頭之形也。工者古文杠字。工字在項字中，表現人頭軀體中的一個組成部份，應理解為「大頸椎骨」的代號。因為大頸椎骨在保證頭顱之直定位上起着支柱作用。「項」「杠」同韻，可以看到其聲中之義矣！頸背位置居於腦後，故《說文》訓為頭後。項字後世被借用為法律、合同、同一條文下的子目時，皆取義於項椎骨之多節義。故日第一項、第二項……法律條文之一條有多項子目，猶人之一頭有多節項骨也。

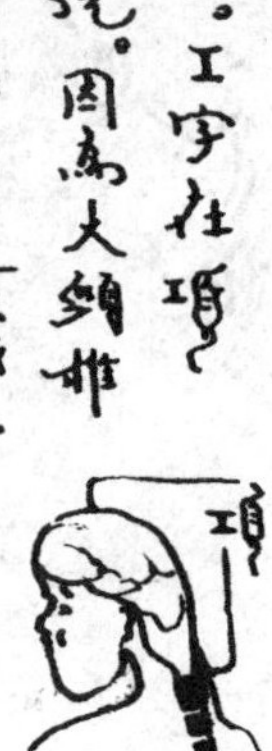

賏 賏賏 賏（卜） 賏（金） 《說文》：「頸飾也」。《蒼海》：「用飾頸曰賏」。上古女性以五色貝殼為「絡瓔」，戴於頸間，如今日之「項鍊」。貝殼後以金玉珠翠珊瑚……

《卜辭》「瓔」上賏从非从貝。非古朋字。古代以貝為貨幣。「非」是貨幣計量單位。《詩小雅》：「錫我百朋」。傳：五貝為朋。實際上非亦象形字，似兩條絲繩串連着許多貝殼之形，上端橫以木條。賏字即以手抚安項鍊之女性圖像。

琦瓔

瓔 瓔《玉篇》引《埤蒼》：「瓔石似玉者」。案《廣韻》：「瓔珞，頸飾」。案珞者絡之也，絡玉而成鍊也。

櫻 櫻《說文》：「果名也」。《禮月令仲春》：「以含桃先薦寢廟」。《呂氏春秋》高誘注：「以鸎所含食，故曰含桃」。竊以為櫻桃之得名皆以其形似瓔珞而得名，雖此互證，則瓔珞之為石，皆似櫻桃之色可知矣！

櫻

鳥之嗜食櫻桃者甚多。櫻桃是依賴鳥類傳播種籽的植物。故知食櫻者固不限於鸎類。而櫻桃之得名源於珞瓔之形象。尽信古書則不如無書矣！然則櫻桃以形似珞瓔而得名無疑矣。

癭 𤺋 《說文》：「頸瘤也」。《張華博物志》：「山居多癭，飲泉水之不流者也」。《方書》：「癭有五種：[illegible][illegible]肉色不變為肉癭，筋脈現露為筋癭，赤脈交絡為血癭，隨憂惱消長為氣癭，堅硬不移為石癭」。按《方書》之所謂「五癭」，皆包括多種性質之頸淋巴節腫脹，茲非專指因缺碘而發之「副甲狀腺腫脹」疾患。蓋古代醫學之病名，皆以發病位置而取義。𤺋从疒病之象也。從嬰，癭之省文也。故造字者視癭瘤之在頸，與瓔之在頸酷似。此物象類比之義，現代名之曰「擬態」。尤其是「𤺋」字从頁，更生動地凸出了頸的位置特點。

鸚 𪂹 《說文》：「能言鳥也」。按此解，只介紹了鸚鵡的特點、功能，非文字之形意也。可見當時學者對文字僅視為說明事物之工具，尚未將文字上升為獨立的研究對象，是非常明顯的。事實上鸚鵡之為鳥，頸短而肥，其鳴時，气咽膨隆脹起，酷似癭病患者之象，又如小口巨腹之罌。造字者以象形比類，故从嬰，从鳥。亦瓔之「再孳乳」字也。

罌 罌 《說文》：「缶也」。《廣雅》：「瓶也」。《玉篇》：「瓦器也」。《前漢》：「以木罌缶渡軍，襲安邑」。師古曰：「罌缶謂瓶之小口大腹者也」。按「罌」亦「物象人化」字，乃取象於「頸癭」患者之形。亦「瓔」之再孳乳字也。古人於戰爭中用為浮水渡河工具，與上古人以匏濟水之物理相同。

嬰 《釋名》：「人始生曰『嬰兒』，抱之『嬰』前，乳養之，故曰嬰兒。

案：賏懸於頸曰嬰。玉、貝之項練曰瓔。幼兒依於瓔前曰嬰兒。植物果實形似玉瓔者曰櫻桃。頸部腫瘤曰癭。鳥頸彩色似瓔者曰鸚鵡。容器之小口巨腹似瓔者曰罌。皆以賏為母體，木、疒、缶、王則但別系也。

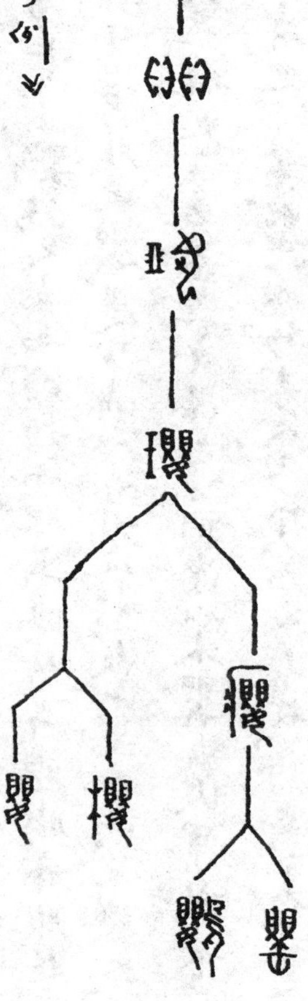

蔑 甲骨 卜辭 金文 篆 《說文》：「勞目無精也。」謂目勞則精光茫然，通作眜。

《有關眉目的義例字例》

如《左傳》：「公及邾儀父盟于蔑。」晉先蔑，《公羊》《穀梁》皆作眜是也。

筆者以為蔑者輕蔑也，鄙視之意也。字从苜从目从戍，苜者眉梢下垂無精打睬之象。戍古戍字也。非伐字也。伐从人从戈，戍字亦从人从戈。《留青日札》：「人坐則為戍字，人立行則為征伐」。此所以明戍、伐二文之有別也。蔑字之戍似之。戍者守邊也。《爾雅·釋言》：「戍，遏也」。注：「所以止寇賊」。蔑之為文，象手柱金戈，戰場邊來的有功戰士。這種神氣不足、驕傲有餘的姿態，十足的表現了功高自居的思想。是非常明顯的。青銅器銘文中，往常使用「蔑曆」一辭，是為褒揚功臣的嘉勉語。可為義證。

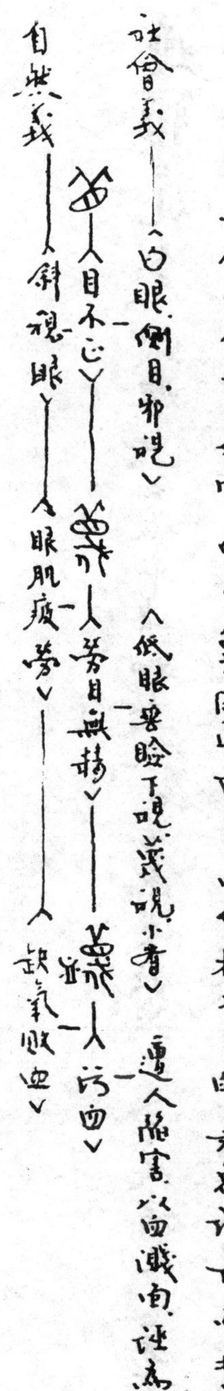

瞢 《說文》：「目不明也。从苜，从旬。旬，目數搖也。」段注：「苜、旬皆不明之意。」木空切。筆者案：蔑、蒙、夢諸字皆从苜，同具視力衰竭之意。人之智力分辨機能，唯兩目是賴。造字者把愚昧無知的人比之無眼的盲者，此象形兼會意字也。魯西民諺謂年少無知者呼之曰「懞頭瞢子」，即此字。

眉 〈卜〉 《說文》：「目上毛也」。此象形字，斯篆變而為，其形稍異而已矣。

媚 《說文》訓：「說〈悅〉也，諂也，諂也，蠱也」。案《說文》之訓：「說，喜也。諂，諂也。諂，諛也。蠱者，惑也」。

以筆者之見，應認說、諂，皆是「媚」的技巧。諂與蠱是「媚」效能。「媚」的任務是必須具備口辯天才的。从說、諂、論諸字皆从「言」這一點着眼，可以看到「媚」的工作是離不開「巧言令色」的。這種社會科學戰術，當非近權貴者身邊人物的特長。他們在掌握了「尊者」的心理活動規律與特點的基礎上，尋找契機，以開展具有政治目的之欺蒙工作。因而《說文》訓「媚」為蠱惑。不過這種取悅「尊者」意志的思想工作，是要靠兩大條件生效的。一、要善觀氣色。二、要通過眉飛目舞的精神表演，以贏得尊者的懽心。實際上這是一種精神賄賂。古漢語「媚嫵」的嫵字，从女从無，無是舞的簡寫式。看來，所謂「嫵媚」，是不僅要有美妙的聲音，而且要有婀娜的姿態。如果把「媚」字看成是對女性的侮辱，那是錯誤的。因為媚字的哲學定義，是排除了男女性別以外的道德品質形象。必是因為女子中也有巾幗英豪，男性也有小人。

湄 《爾雅·釋水》：「水草交為湄」。《釋名》：「湄，眉也。臨水如眉也。」

《詩·秦風》：「在水之湄」。傳：「水隒也」。《正義》曰：「隒是山岸，湄是水岸，故曰水隒。」隒者，《說文》隒字訓：「崖也」。《爾雅·釋山》：「重甗，隒」注：山形如累兩甗。甗，甑也。山形似之。因以名云。孫炎曰：「隒有重岸也」。

案：「湄」亦「人緣物化」義，字从水从眉。人之有眉，猶山之有隒，水之有湄也。眉生於額下，目上，是一種保護眼睛的設備，所以防止頭汗流入眼內

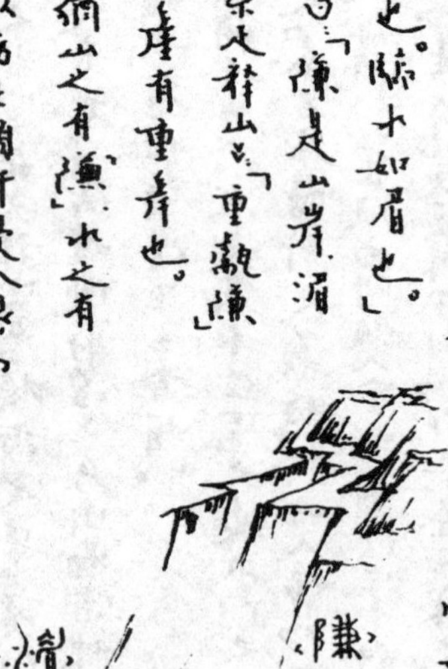

的橫堤。河之有湄也是防止洪汜溢的屏障。造字者對字形設計是具有自然物理想像的。

楣 □ 楣 《說文》：「秦名屋櫋聯也。齊謂之檐，楚謂之梠。」《爾雅·釋宮》：「楣謂之梁。」謂門上橫梁也。眉猶咎也。《釋名》：「楣，眉也。近前各兩，若面之有眉。」《儀禮·鄉射禮》：「序則物當棟，堂則物當楣。」注：五架之屋，正中曰棟，次曰楣。《鄉飲酒禮》：「賓升，阼階上主當楣。」

案古今之建築形式因時而異，故楣之所指亦稍有出入。然其基本位置之處於門之上橫木則固無二致。現代建築多有木做橫，聯於檐下者。與《說文》所引之「秦名屋櫋聯」之義相似。古人像物化字。人之眉居目上，河之湄處水上，屋之楣居門上，其意一也。故楣居檐邊之地，亦所以防止風雨斜侵入室也。則漢字之科學性可見一斑矣。

夢 □ □ □ □ 《說文》：「寐中所見事形也。」考《說文》寐字訓：「臥也。」徐曰：「寐之言迷也，不明之意。」《廣韻》：「寢也，息也。」凡此諸訓於夢字之嘆，似均有未契。唯《增韻》之解云：「寐，昧也。目閉神藏。」其說具有相當科學價值。大凡人的夢景都屬於一種偽意識神經活動，非真正之入睡。《卜辭》夢字作□。從□从爿。□与□形似音近而意通。《說文》訓蔑為「勞目無精」。爿是床形之象，古文字往往將牀式文字寫立式，夢即其例也。《周禮》有占夢之官。是見古人對夢的重視。（此亦形旁指事字也。）

蔑 □ □ □ 《說文》：「勞目無精也。」考□从□从戈。□象無睨之意，從有時功驕矜之態。《金文》中恒用為讚頌功績之褒獎語。如「王蔑曆」。今魯南民間謂人之輕佻傲慢為「蔑蔑瞪瞪的」。與《說文》之訓相符。此種歷史文化語言以魯省為獨多。始與古邦地望有關。（重出）

蠛 □ 《說文》：「污血也。」《前漢書·文五王傳》：「汙蠛宗室。」師古注：蠛謂汙染也。《列女傳》：「晝蠛蠛面。」

筆者竊以為蠛字从血从蔑本屬「污染血跡」之意。後世延為「侮辱」「誣告」之義。今民間尚有「血口噴人」之語。

堳 □ 《集韻》：「壇坫也。」

眉—人目上邊
- 媚—人獻媚姿態
- 楣—屋之邊
- 湄—水之邊
- 堳—壇之周邊

警 《說文》：「戒也」。《玉篇》：「敕也」。《傳宣十二年》：「諸侯相見，軍衛不徹，警也」。疏：「戒之守也」。從警之為文，从苟、从言、从攴。苟古字。自我急敕也。从攴，手執支之象，从口者，呵斥之聲也。故曰「警蹕」，今名「戒嚴」。是其義矣。凡防患於未然者，皆為「警惕」，再者緝私查姦者曰「警察」。

苟 金 篆：音亟。《說文》訓：「自急敕也。从勹口，猶慎言也。从羊，与善美同義。」

篆苟字象虎眉善目的人形，有祥和安靜之態。凡从苟之文字皆有肅敬之義。可惜此字与苟字酷似，遂使後世苟、苟難辨。在篆文中尚易區別，至楷書文字則已羊、艸莫辨，無从鑒別矣。竊以為《大學》商車「湯之盤銘曰：苟日新，日日新，又日新」之文，當應以「苟」字為初文，廣義註合經義。若讀上「苟」字音，今人有「南轅北轍」之感矣。千古以來以錯謬相承，無人言及此義，愚於此表而出之，尚望海內賢者有以察而教之。

敬 《說文》：「肅也」。

驚 《說文》：「馬駭也」。《老子》：「寵辱若驚」。馬遇敵而恐懼奔騰乃本義。延伸為人心驚恐義。

儆 《韻會》：「戒也」。《書大禹謨》：「儆戒無虞」。《傳宣十二年》：「在軍無日不討軍實而申儆之」。

篆嚴肅曰敬，馬駭曰驚，戒備曰儆。同有自急敕義，皆苟之同源字。

蘉 《唐韻》：「音茫，勉也」。《尚書洛誥》：「汝乃是不蘉，乃時惟不永哉！」

篆蘉字從䒑从瞢而訓義為勉。有夢寐以求之意。《論語》：「甚矣吾衰也。久矣吾不復夢見周公。」是其義也。大凡人之努力於事業之成就者，必然有思想高度集中，晝思夜夢之情。其訓為勉者，以黽勉之情，乃朝夕勤奮之觀念，造字者計無可施之情況下，只好以夢寐之形義象徵之。

臨 〈象形兼指事〉《尔雅釋詁》：「臨，視也」。

篆會義字也。

《 》

《地澤臨》

《詩·衛風》：「日居月諸，照臨下土。」《詩·大雅》：「上帝臨汝。」《爾雅》：「臨，視也。」《禮·檀弓》：「臨諸侯，畛於鬼神。」疏：以尊適卑曰「臨」。

字形探索：　累以上義例，「臨」之為字，或訓日月照地，或訓以尊臨卑，皆「居高臨下」之意。□从□，象俯首下視之頭形。在此頭形中，特別重點地畫出了眼睛，以示觀察之意。□象側面人體之形。□在□下，□即古「見」字。□是流水，品是水中的小渚，即古□（洲）字也。□字綜合示義是「居高臨下」。以現代語言，即站在特定位置進行特定方向的觀察。《易》☷☱地澤臨。地居上，水（澤）在下。□是居高下視的人形。品是臨字的生動寫照。

□ 晴 睛

目 □卜□□□ 猶目。

此直觀象形字而讀音為「米」。其音中之義，蓋來源《內經》「五行」學說。《春秋元命包》：「目，肝之使也。」中醫學以眼睛為人的肝臟生態外在表現。語以越人扁鵲《難經》之論證。藉資參考：

《難經》云：「肝開竅於目，其色青（虹彩）……」《五常政大論》：「木曰敷和，敷和之紀，木德周行。……其臟肝，其主目，其味酸……其色蒼，其音角……」古人將植物、動物之間的生化屬性作了滋味、顏色、聲音、氣息多个方面的推求，終于找到了一切生態的統一規律。本條討論的□字的命義標音即其一例。中醫治療眼疾，以羊肝代替作為素甲，以及消液的化學屬性與「酸酸」的同一屬性而得出了「肝屬木，其味酸，其色青，開竅於目」的理論，並非偶然的。審此，則「□」讀音為「木」也就不足為怪了。而睛字从目从青之義可思過半矣。

直 □（直）篆。《說文》：「正見也。」依現代「幾何」定義言之，連接於兩點之間者口、有一條直線。造字者據此設想出一條從眼睛引出的視線而訓義為直，是符合光學原理的。

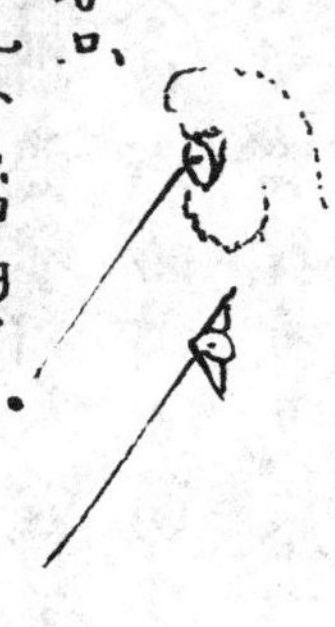

植 《玉篇》：「根生之物曰植。」現代《植物學》謂植物之所以能夠保持直立狀態，決定於莖部之「背地性」。筆者案：植物這一「自然本能」可以從植物遭到外力衝擊中復得證實。筆者嘗於暴風雨夜之

之後，清晨披蓑戴笠親赴田間觀察禾稼，見禾苗倒卧溝泥之中，橫三豎四，形狀極慘，良用嗟歎。詎意三日之後，月出而霽，雲斂風息，比及筆者再赴田間，則見禾稼皆已自動昂首朝天矣。然則此植物之「適應本能」，殆《孟子》所謂「莫之為而為者，天也」。不學而能者其「良能」也。考：看來自然界之進化秘密，有一言難盡者焉！《玉篇》云：「根生之物曰植」，可稱要言不繁者矣！以現象現代植物生態學術語名之曰「植物本能背地性」。

植

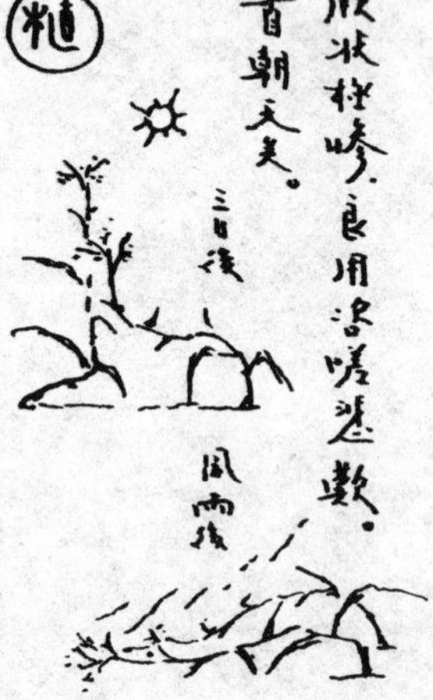

置 𦊘 《玉篇》云：「置，植也」。案「置」从网从直。网者，羅獸之工具也。直者，樹木之象也。故知「置」字造型之意是以樹木之支點，張網於二樹之間。此獵戶常用之伎倆，所以捕禽獸也。圖示如下：

〈置〉

直 𨓍 《廣韻》云：「直也」。案《廣韻》訓𨓍為直，義本無誤。竊以為漢字之數義規律，凡三文同形者，皆有眾多之義。三石為磊，三木為森，此例不勝枚舉者也。故知𨓍字有眾山疊肩聳立之象。故《玉篇》亦訓𨓍為：「齊也」。（現代名曰「石林」，古曰「𨓍」。此其義也。

𨓍

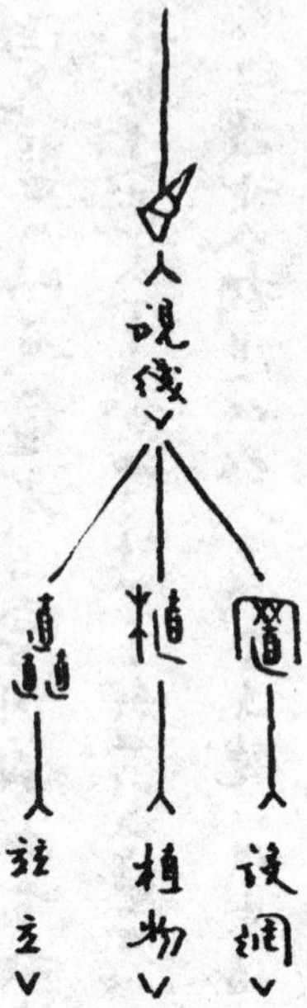

覽 𥌣 《說文》云：「觀也」。《史記·秦皇紀》云：「登茲泰山，周覽東極」。案「覽」从臨从見，亦自高視下之意。

見 金 《說文》云：「視也，从目从人」。案先秦經籍有「見」而無「現」。故知古「見現」同文。如《魯論》云：「見其二子焉」，應讀作現。故知見現分工乃（學者）秦漢以後。凡从見之字，皆有「發現」義，

四八

監 ⟨glyph⟩ 卜，⟨glyph⟩ 篆，⟨glyph⟩ 金，說文：「臨下也」（意思是由向下方）。實際上這是一个跪地俯首向臨水盆之人形。古代尚無玻璃鏡子之前，皆以水照面，可以字形窺之。

監字演變過程是和歷史發展分不開的。⟨glyph⟩以ㅂ以⟨glyph⟩，乃以水自見其面意。

後世於ㅂ中增・而為ㅂ（血）用為「歃血訂盟」字，而形義遂變，而附加了宗教色彩。

監 ⟨glyph⟩ 金文書正寫也。「監从臨省，从ㅂ者，与⟨glyph⟩同義。古者歃血訂盟。」春秋時代諸侯會盟為誓，築壇設祭殺牲，達為太宰饗神珠盤玉盌，以血塗口，以示言出必行，詞書為誓，「有渝此盟明神監殛……」。後世人類進化以人工鑄金為鏡，以代原始之水盆。而是出「鑑」字。

鑑 ⟨glyph⟩ 廣韻曰：「鏡也」。說文曰訓：「大盆也」。則說文与廣韻之訓顯為二義可知。

鑒 ⟨glyph⟩ 周禮司烜云：「以鑒取明水於月」。又詩云：「我心匪鑒」，傳：「鑒所以察形」。古籍用字慣例，多以「鑑」訓「大盆」，而以「鑒」訓「鏡」。皆則二字互通。自有「鏡」字後，而「鑒」字之原義已廢，今則「鑒」化為鑒定，識別義。而鑑則成為書名，《通鑑》、《綱鑑》，但仍保留着「鑒古知今」的「監」字初義。此漢字同中之異，異中之同也。

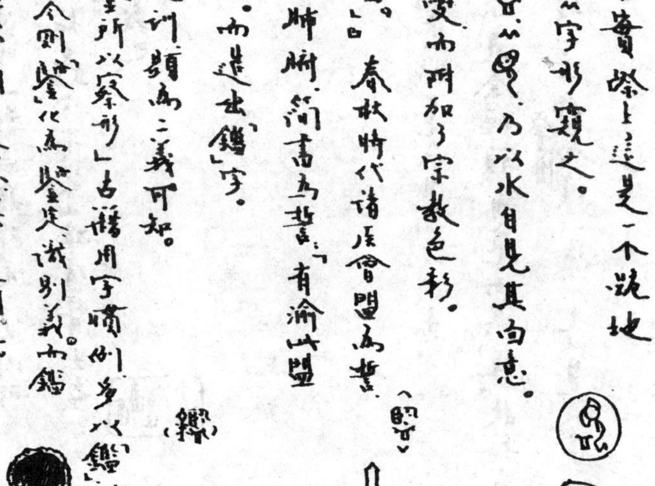

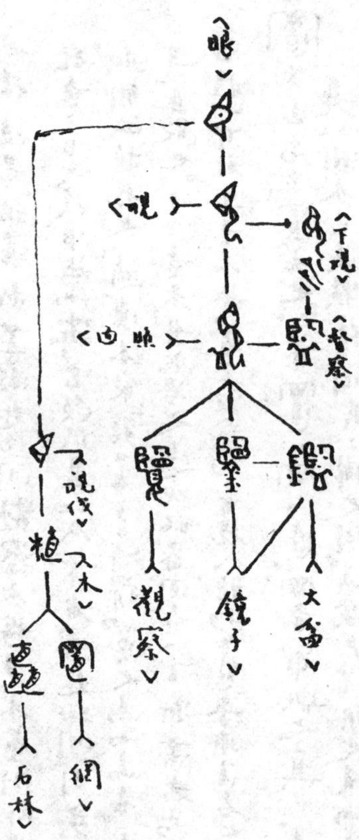

眔　眔眔（卜）眔眔眔眔眔（金）眔（篆）《說文》：「目相及也。」凡𦋐、褱等字皆从此。

《辨記》：案說文舉例謂𦋐、褱等字皆从眔所孳乳字，其說極確。惜「目相及」一語，其說與字形頗然不符。良以說文之為書，時歷千載，注經百家，輾轉抄錄，譌誤百出。而今幸賴出土甲骨、鐘鼎、傳示博記，得辨其窮形，亦云幸事。考《卜辭》之眔字作眔，金文作眔，皆象灑泪之形。造字者取泪液不止之象，以示「相繼不絕」之義。其意顯然。故知眔字原訓應為「泪相及」而無疑也。今本說文訓為「目相及」，蓋傳抄沿襲之譌誤也。是謂眔取音於滂（沱）。有「大雨滂沱」連綿不絕義。故「眔」字音中亦有義，實形聲字也。《易·離卦·六五》：「出涕沱若」。古文言訴大雨連綿以喻人之涕泪不止。此種省用語例可以經典闡之。《詩·陳風·澤陂》：「寤寐無為，涕泗滂沱」。故知古文言以天雨不止之象以喻人之泪流不止。此種擬態意相近，可以上為「眔」字形義特點的良好注腳。同而眔字含有繼續不斷義，不僅是可以見形知意，而且是可以聞聲識意的。所以凡是取形於眔的文字，都具有持續不絕義。可以下舉例字證之。

遝　遝（金）遝（篆）《說文》：「迨也」。案所謂「迨也」，即聚集之義。迨，从合从辵。合者會集之辭。《論語·憲問》：「桓公九合諸侯」。即聚集諸侯。从辵者，行走之象也。辵於《卜辭》作𢓊，从彳从止。彳是行之省，道路之形也。止者足之象也。《說文》訓：「辵，乍行乍止也」。《六書故》：「猶適疾行也」。《唐韻》：「音丑略切」。《玉篇》迨字訓：「行相及也」。《說文》：「迨，遝也」。按許氏《說文》迨、遝二文互訓。則迨之與遝二字同有聚集之義可知矣。大凡聚眾結群的活動，絕不可能同時到達，必有先來後到。故《廣韻》訓「遝」為「行相及也」。自較許說更覺明當而確切。《古詩》：「迨遝高飛莫安宿」。《王褒·洞

蕭綱曰：「邀逸遲以詭譎」。「沓」本鳥行空條偉不絕之象。西方法學定義「聚衆」的形式是「隨時可以增添之數」。

沓

□曰《說文》曰：「語多沓沓若流水。」案沓字从水从曰。《說文》曰：「曰，詞也。从口乙聲，亦象口出气也。」徐鍇曰：「今試言曰，則口開而出也。」故知沓字从曰語聲之義也。从水者，川流不息之象也。魯南方言謂學生背誦詩詞語氣流暢不斷，往往不輟曰「沓沓地叫」。蓋歷史文化語言之遺存也。

後考古漢語成辭：行人紛聚曰「沓追」。摟踵而來曰「沓至」。貪污無厭曰「沓墨」。海潮起曰「沓潮」。行路響鼓曰「沓響」。行動拖拉曰「沓拖」。皆有連接不斷之義。故沓之與遝、譅之與眔，皆聲同而義通。

懷

□《卜》□《金》□□《璽》□《篆》《說文》曰：「念思也。」《詩·小疋》曰：「懷允不忘。」

案卜辭懷字从□、从□、从□、从氺。□者母之象也。□者藏神之所也（說見《內經》）。□者目之形，氺者泪滴之象，涕泪交流之態也。此慈母念兒時象意字。諺所謂「兒行千里母擔憂」之情，可以此文窺之。故知從眔之字，皆含悲切之情。可斷言也。

（□）

褢

□ 褢字从衣从鬼。衣者包裹之象。鬼者幼兒之形。今江南仍呼幼兒曰「小鬼」。蓋亦古漢語也。古代婦女衣襟肥大，幼兒居家則置諸膝上，出行則以襟裹之，承之以雙手。

褱

□ 从衣、从□。□者縈回之物也。與□同意，「內動辭」也。□者抱兒之形，「外動辭」也。同出於慈母愛兒之情，故諸文形異而義通。

（□）

眔鰥 眔 鰥 〈說文〉：「魚也」。〈詩·齊風〉：「敝笱在梁，其魚鰥魴」，傳：「鰥，大魚」。〈孔叢子·抗志篇〉：「衛人釣於河，得鰥魚，其大盈車。子思問曰：如何得之？對曰：吾垂一魴之餌，魚過而不視，更以豚之半則吞矣。」可見鰥魚之大，非等尋常。造字者若非無法形容其身軀之大，以何來取重點？凸出特別誇張了魚目之形，以示意。此亦與[illegible]之凸出其形，寄字凸出本形同例。生物中目睡不閉者唯有魚類為然。故眔字又延伸為無妻之男子之名稱，取鰥夫悲悒不寐之象。見晉左思魏都賦注引〈釋名〉云：「無妻曰鰥，愁悒不寐目恒鰥鰥然，故其字从魚，从目，魚目不閉也。」

〈眔〉

鯤 鯤 〈莊子·逍遙遊〉：「北冥有魚，其名為鯤。鯤之大不知其千里也。」考〈說文〉「鰥」「昆」二字同居古音十三部，故知此二字諧聲同源。故鰥鯤二字又因聲同而義通，皆訓義為「大」。後世據此意而別立罤字。

罤 罤 〈六書本義〉：「罤从眔及也。眔在弟上，兄之義也。」弟〈說文〉：「弟，韋束之次弟也」。「韋」是經過揉製加工而成的柔韌獸皮。篆文上[illegible]，从[illegible]从〇。〇是木桿之橫斷面形。[illegible]古步字也。象左右兩足緣同一方向旋轉，有圍繞之義。古代戰鬪使用之長柄兵器，為了牢固器柄，防止折斷，采用柔韌皮綫旋加纏繞，塗以漆膠，名曰「朿[illegible]」。造字者段朿[illegible]之象形，以示纏繞次第之義，而上兄弟之意。此漢字物象人化之例。

「眔」訓「前後相及」，有依次緊跟前導後隨之象。兄弟之位序按年齡等級為標準。古禮所謂「少長有序」。此種社會規範無疑取法於自然法則而來。動物之有集體生活習性者（羊、鴨、鵞……），其出行之列隊形式皆齡長

〈朿[illegible]〉

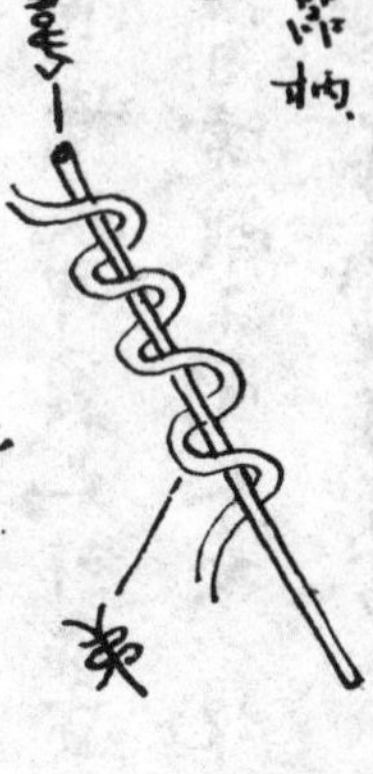

弟

〈弟〉

〈罤〉

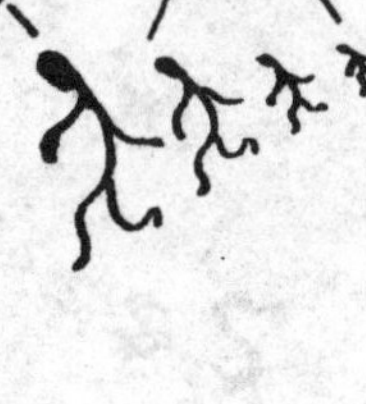

體高者居首為排頭。次者居中，少者居後為排尾。以長者身高而步闊，少者身矮而步小，此必然之勢也。人亦象之。古文徒止行，衆止眔，其造字形義，皆有鮮明的秩序觀念，固不獨「眔」義字為然耳！故漢字之研學，惟有通達，非泰西文化所能知者焉。

〈挾序〉

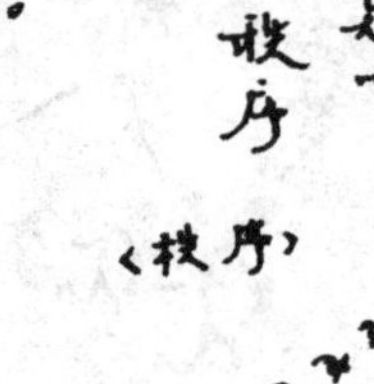

瘝

瘝《書召誥》：「厥終智藏瘝在」。意思是聰明者都隱藏了，不善良者掌管了事權。《爾疋》釋詁：「鰥，病也」，乃假眔字為瘝。而《召誥》訓「瘝」為不良之性，皆延伸義也，非瘝字初義也。考瘝字从疒从眔，「疒」者病義也。眔者鰥之省文，有魚目常醒不閉之象。以覘貲之意察之，似有深思慮憂，長夜不寐之象。今人名之曰「失眠症」是也。《唐李商隱宿晋昌亭聞驚禽詩》：「寄宿鰥鰥夜景侵，高窗不掩聞驚禽」，可見瘝字的神經敏感的病象的真實說明。

𡒊

𡒊褱壞《說文》：「敗也」。筆者按：此會義字也。𡒊褱壞皆从褱，實「褱」之省，土易田之「置換式也」。土者建築物也。攴者干戈動亂之義也。眔者目覩斷垣殘壁野草叢塚，凄涼之情，憑弔戰場之義也。此等文字非亂世之民，莫能識其真意焉。

寡

寡《頁》《金》寡《說文》訓：「少也。从宀从頒，頒分賦也。〈學〉貧，故為少也」。愚則曰：宀者室也。眔者涕泣惡涃寡婦之象也。《禮記》：「寡婦不夜哭」之吟，正道出了寡婦時內心幽室。此種哭聲之哀令人慘不忍聞。滿淚燈殘之際，是曾親聞，非妄言也。故知寡字應為眔之變乃義字而無疑，非敢故違前賢，標新立異焉。

〈土眔〉

根

𣎳根《說文》：「木株也。」太含渾。《六書故》：「木託於地，以自固者。从木。中根於地，二，地形也。半在
地上枝榦也，半在地下根也。」六書故之解𣎳字，堪稱已盡微妙，唯有之能
事。然以之解釋根字，則殊有未融。案根之為文，會義源於《易》。其字从木从艮。木者樹之本
也，艮者「止」之義也，固定不移之意也。樹之直立，必賴根部深入土壤以為基，所以防風力之動搖
也。「根」之取聲於「艮」，猶「眼」之取聲於「限」同例，皆以聲示義之例。《易》：「艮為山」，山者靜止之物，故訓艮為止。

〈𣎳〉

䀠、闃

閴篆 《說文》䀠字訓：「左右視也。」《元包經》：「晉䀠于魄。」傳曰：觀夫衆也。〈戰學
接受於閴，或可詳參〈羅字條〉《類篇》上「䀠」。《集韻》：「普視貌。」《說文》閴字注引《周禮夏官大司
馬》文：「仲冬教大閱。」注：大閱，軍實。《左傳桓六年》：「秋八月壬午大閱。」注：閱，車馬也。《正字通》：「
䀠同閴。」《六書統》：「䀠，許氏訓左右視。左右視從以目，其視加詳。或从口，上䀠，教之以口也。」

《討論》：大凡古篆之具有雙目結構者，皆含左顧右盼之義。如䀠、瞏等字，皆其
例也。《卜辭》䀠字从兩目左右顧盼，下象人體。字形結構特點與《尚書》「睪」字形从睪从夰同例。
長期以來未能識辨究為何字。近从古今字書對校互證，始悟其即今之閴字也。謹書示於此以見義：

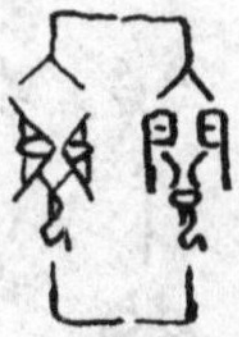

文字之譌變沿襲，非一朝一夕之故，其所由來漸，固不獨一閴字為然焉。蓋《說文》之書，已時
歷千古，注經百家。文人學士各據所見，輾轉更易，遂致「䀠」「閴」分部斯居。良由未獲初文之

五一

號及鴞聲之軌迹。試列表以擬其遞嬗之態。

□—□—□—□考，現代出土銅器、甲骨、璽、帛、陶文……尚未發現「瞿」字，則此字之演變必出於李斯也明矣。夫瞿者無目，又安能「具鼓於門中」乎？此不待辨而可知也。謹抒管窺，尚望海內大雅有以教之。

䀠 □□□ 懼 ⿰䀠句 ⿰目相

《說文》：䀠字訓：「左右視也。或上眮。」《集韻》：「⿰目相與䀠通。」案：「左右視」是動態，非字義。應訓爲懼。許公將䀠、懼分爲二字，本乎古義之訓也。顧野王《玉篇》與瞿通。《六書故》上

⿱䀠夰

⿱䀠夰《說文》訓：「⿱䀠夰，舉目驚⿱䀠夰然也。」《玉篇》：「⿱䀠夰，愳貌。」故知䀠、⿱䀠夰義通。

⿱䀠火

⿱䀠火《集韻》：「音冏。大目也。」《六書統》：「目光也。」案《說文》訓：「冏，窗牖麗廔也。」冏古作□，乃窗櫺之形。所以示透明之義。⿱䀠火字取冏爲音義。以示目光明亮。後世「二目烱烱」，一時皆應以⿱䀠火爲本字。《集韻》訓「烱」爲「光熱」，光之與熱，理有可通。漢字之从「火」之字，皆有燃燒義，从「火」之字多有光明義。

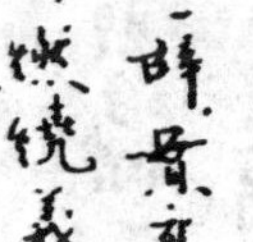

⿱䀠火

⿺走瞿 趜 ⿺走⿱䀠隹 ⿺走□

《說文》：「⿺走瞿，走顧貌。」《玉篇》：「趜，同⿺走瞿。讀若章句之句。」所謂「走顧」，實即⿺走瞿

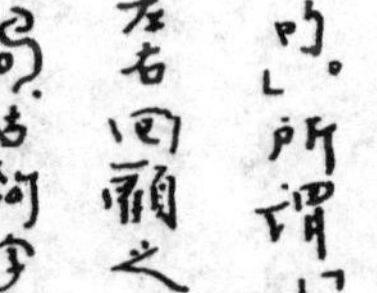

⿺走瞿

⿺走瞿 ⿺走□

逃跑回顧之態。逃跑者必有防備追捕攔阻之憂。故不能不有左右回顧之姿，同時還要注意縮小自己形象目標，故不得不屈身而行。故趜字从句。句，古鉤字也。佳集越王句踐字皆作「句」，可爲例證。所以示屈躬而行之意。心驚恐懼之人，必有四面張顧之態。故衢字訓爲「四達」之道，實與⿺走瞿訓「走顧」之義相呼應。《說文》許後「衢」字

臞

臞《說文》：「肉少也」。《爾雅·釋言》：「瘠也」。

案《爾雅》訓「肉少」曰「瘠」，與《說文》之訓語異而義同。「瘠」从「疒」从「𠂹」从「肉」。肉者背脊也。「疒」者病象也。「疒」是病牀之形，取音於「餒」，有餓餓氣虛、力衰義。𠂹者背肋骨文理凸現之象也。民間語言謂「肋排骨顯，皮色蒼黃」，即瘦人之形象語。覈與「瘠」字形意不謀而合。

臞字造形从「月」从「䀠」从「隹」。月者背脊也。䀠隹者鳥目驚視之態也。人之久病者，必甚蒼悉，此肌肉萎枯，面容必瘦削而狹小。故面龐之與五官比例失衡，頭亦為而眼獨大，形似驚駭䀠隹之態。此種視覺觀感，循此定律，並與平面幾何比例有關！（胖人）（瘦人），五官之顯象效果之強弱，與面容廣度成反比。這一科學知識，可以「臞」字悟得之。

瞿

瞿《說文》：「雁隼之視也」。大凡鷹、隼、鷲、鶚、鵰、鴟為猛禽（古名「鷙鳥」）之類，皆具下列生態特點：一曰凶悍，二曰利爪，三曰長翼，四曰短尾，五曰睿目。而睿目與短尾尤為猛禽之最大資本。蓋非短尾無以保飛行之敏捷，非睿目無以眺察叢藪之雀鳥。故瞿字造形从「䀠」从「隹」，是符合特定生物生態特徵的。（鳥之短尾者曰隹）

矍

矍《說文》：「隹欲逸走也。从又持之，矍矍然也」。段注：「隹」應作「隼」。引《易·震卦上六》：「視矍矍」，為「中未得」之貌。震卦把「視矍矍」一辭，亦義為「視綫不穩定」，「中未得」亦義為「意態不穩定」，以說明猛禽

〈矍〉

五二

正在考慮行動方向的生動姿態。矍从䀠，兩眼巡視周圍環境之象也。从隻，古獲字也。所以示猛禽的追求慾念方興，意在捕獲鳥雀之情。「矍矍然」之意，正是鷹隼目光炯炯振翅欲飛之象。

躩

躩《說文》：「大步也。」《莊子·山木》：「蹇裳躩步。」《淮南·精神訓》：「息浴蝯躩。」

躩从足，下肢運動之意也。从䀠，目光視綫之移動也。从隻，追逐捕獲之態也。躩字造形反映出大自然原野遼闊的自然環境中，動物追尋食物，或亂求偶的生動姿態。故曰「大步」。大步者，興奮活躍之義歟！

攫

攫《說文》：「爪持也。」攫，「扟也。」扟字訓「上挹也。」《廣韻》：「扟，自上擇取物也。」《攫，厥縛反。扟音莘》。考攫从矍，从隼，鷹隼捕鳥之象也。执从手，从丸。攫手取物之姿也。皆是垂直力向，从空投降提取之義。

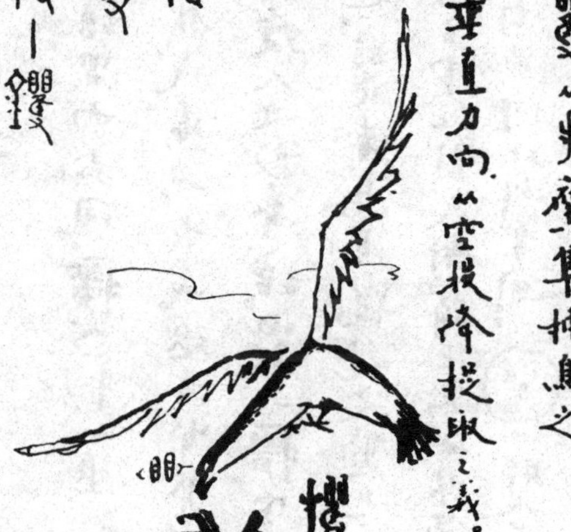

钁

钁《說文》：「大鉏也。」大鉏與鷹爪同形，亦與攫同義同功。

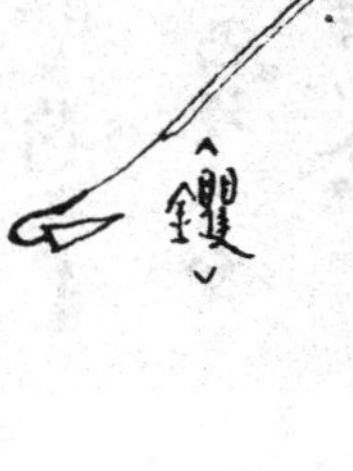

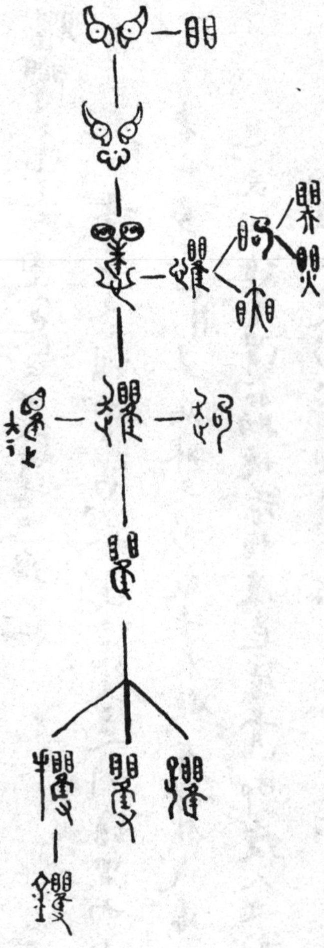

睽

睽《說文》：「目不相聽也」。目部眼。聽是服從之意。說文中所提的「目」、事實上是兩個人的眼睛，非一人之目。因為一個人的兩隻眼睛絕不可能在同一時間向左右方射。《易》☲☱火澤睽。《彖辭》曰：「二女同居，其志不同行」。說明了姐妹二人各有獨自的鄉往目標。《易序卦》：「家道窮必乖，故受之以睽」，睽者乖也。《玉篇》：「乖，背也。睽也，異也，戾也」。這些解釋，都沒有睽字造形的說明能力。試採尋之於下：

（睽）

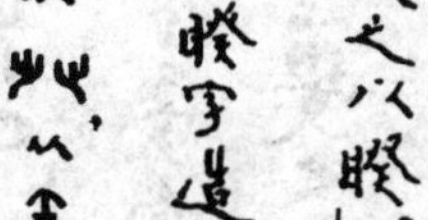

二女

篆睽字从目从癸。癸从癶从矢。矢者射線之義。癶者左右背離之足形也。古止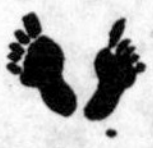。卜辭止癶。小篆止癶。故知目者形也。癶者方向符也。此指事字也。故令人義素相使謂長期極別，仍有「睽違經年」之習用語，即其義例。此「癸」字之第一義。癸字另一寫法止癸戣癸。《六書正譌》：「交錯二木，以癸、癸、癸以取平也。」《正譌》把癸解釋為古代建築工程使用的測量儀器，施步於癸左，訓義「揆度」。《詩‧鄘風》：「揆之以日」。傳：「揆，度也」。看來癸字造形，當於一個四乘九十度的「方向儀」，是有所參依標的。其構造形式，實等於後世的「磁針羅盤」。以《經文》中「揆之以日」一語中來理解，可以知道當時的「方向儀」的運用，是必須依靠標桿投影為依據的。

揆

癸

（癸）

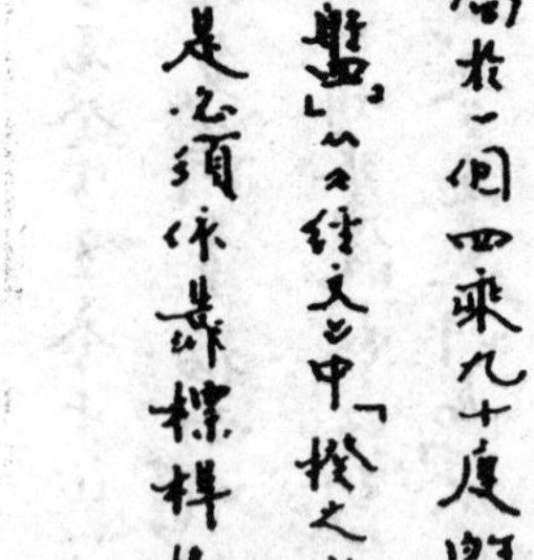

五三

此癸字之第二義，可与《本著「天象篇」癸字互參求証以見義》

癸字另一寫式也，[古形]。象四隻箭[古形]指向中心（十字）。音卽

古代農業水利灌溉之「陂澤」，今人名曰「蓄水庫」。故「五行」觀念「壬癸水」之義，當源於此。其水蓄來自四方河流之匯集。故《說文》訓爲「水從四方流入地中」之象也。是事嘗，今文學成語仍有「萬目睽睽」之句。以形容衆目集視之焦點。此癸字之變義也。表示如次：

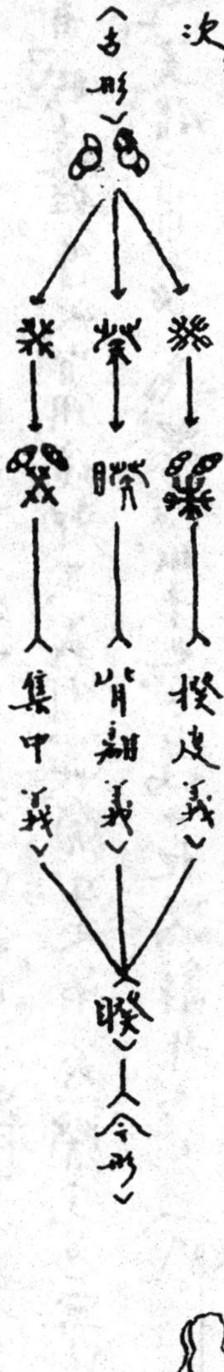

「罒目」之字彙：「音彌邪切音咩。目小也。」此字各書罕見。卜辭有此字。依字形推之，从网从目。乃指事字。以網狀物當蔽視野之象。依《字彙》之訓臆之，似亦有眼球萎縮之象。考《說文》有「瞐」而無「罒目」。依古篆「目」繇、然、燃、繁、變之例推之，則网目或卽罒目之初文。《說文》訓瞐爲「小視也，音麻」。則可知《字彙》訓罒目曰「目小」，亦是小視之義。蓋古漢語名辭有化動辭之例。如「未可等閒視之」，亦可上「未可等閒目之」，是其証也。今魯南方言，謂瞇目一瞥，未能上詳細觀察曰「一罒目撒」。此類古老文化遺存，以魯南爲最多。當與地望環境有關。附此，以待後之賢者之考証焉。

權

權《玉篇》：「秤錘也」。《廣雅·釋詁》：「重也」。皆未能得權字之情。《莊子·胠篋篇》：「為之權衡以稱之」。其說近似而意有未盡。考權字从木、衡也。从雚，觀之省文。觀察之義也。秤物者必視秤桿之平衡為標準。視衡端秤錘之升降而以手左右移動其秤錘之忌數，總期歸於平衡為止。頭高則退其權於左，頭低則進其權於右。全憑兩眼觀機，適時應變。所謂「通權達變」之語，蓋從杠桿力學觀念得之。

民

民《說文》：「眾萌也。言萌而無識也」。古文民訓氓，盲，瞎，同聲而義通。蓋文字之興，起於語源。古文以聲會義，有繇來焉。《書·呂刑》：「泯泯紛紛」。注：泯猶茫也。《說文》：盲字訓「目無眸子也」。《釋名》：「盲，茫也。目無所見也」。以形聲義類推之，則民亦「目」之同根字無疑也。

竊以為「民」字訓為「萌而無知」之義者，良以人類自進入文明社會之後，即開始了智力與體力分工。所謂勞心者治人，勞力者治於人。智者欺愚，巧能勝拙，由此而興。芸芸蒼生與草木共生而同腐。「不識不知，順帝之則」。生既無聞，歿則已焉。生時寄迹田野草廬之間，死則委身土壤之下。「甿」字从田、从民。「[illegible]」字从死、从土。寫照出田民的畢生景象。《說文》：「甿，田民也」。《詩·衛風》：「氓之蚩蚩」。民部，氓下云：「民也」。氓从民，故曰民。甿从田，故曰田民。《玉篇》：「甿與氓同」。《六書故》：「

甽，耕夫也。又《周官》六遂之民謂之甿。謂其皆農也。

造字者創甽、甿二字以示農民家無恆產，居無定處。造氓字以寄托農民之同情。造泯滅字以示農民之命運，造盲字以示農民之無識。這些文字都是具有歷史背景的。

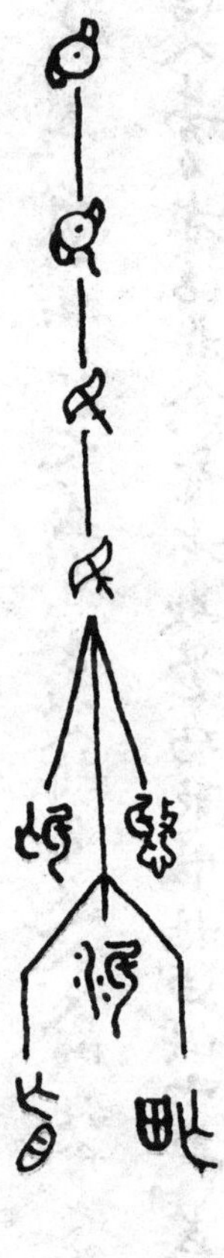

曼

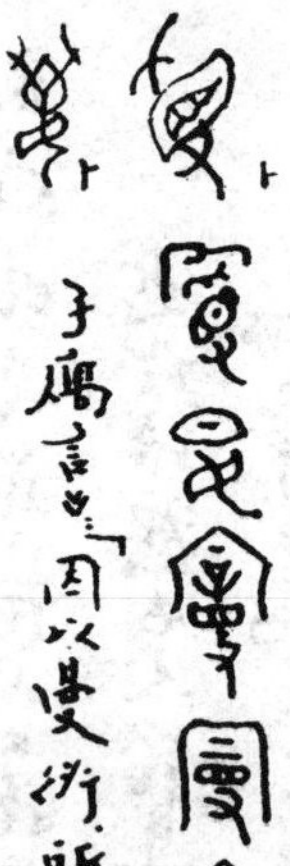

《說文》：「引也。」《詩·魯頌》：「孔曼且碩」，傳：「曼，長也。」《離騷》：「路曼曼其修遠兮」。《莊子·寓言》：「因以曼衍，所以窮年」。《爾雅·釋親》：「王父之考曰曼祖，孫之子曰曼孫」。《楚辭·宋玉·招魂》：「長髮曼鬋」。

案：文史評朱駿聲元棟，均如「曼」之訓長。而未言其所以為長之義。譬如執重者，尚不能識此。餘則可知矣。夫《說文》以「引」訓曼，引字从弓从丨。弓者發射器也，丨者弓弦之象也。射者左手將弓右手牽弦引而伸之。伸之則弦之長也明矣。蓋許君此解之說，亦假借物理現象而立義，非「曼」字初義也。

考《金文》之曼上𡚁，从目或从罒，橫目之形也。目上施冖而下施又者，左顧右盼之義。眥、流眄之「眄」字初文也。𡚁、曼同音。諸源辭聯，亦聲中之義也。字从冃者，身材高大之象也。或从女从又者，亦女性四肢體態頎長而柔順之嫵媚也。故知𡚁、曼之文乃象形指事字。

《爾雅·釋親》以遠祖為「曼祖」，遠孫曰「曼孫」，乃時空互化義也。「遊𥉻」、「漫遊」皆有長義。故知「曼」、「𥉻」同義。

然則曼字初義當爲身材高大窈窕少女之象。《詩》所謂「窈窕淑女」，《古樂府》「女有第三郎，窈窕世無雙」，《喬知之詩》「窈窕九重閨」。這類詩文都可以說爲曼字的良好註腳。今山東半島地區民間語言，仍謂大姑娘曰「大嫚」，蓋先秦語言之遺存也。世人但能言之，但能聞之，而莫能知其究竟矣。

嫚

[古文] 嫚 《說文》「侮易也」。此訓當有褻瀆女性人格之嫌，蓋與嬾之上嬾，肯字上贈，出於同一意識。此帶有蔑視女性之意識形態，當然不能代表古代文字的初義。

考《卜辭》[古文]字，从女从[古文]。循《石鼓文》段[古文]之「[古文]」之例，知「[古文]」應是嫚字。這是上古母系社會中的著名氏族，她的後裔世代繁衍。商武丁時有叔曼季封於鄧，後以國爲氏。（見俞敏衡主編之《百家姓》）《說文》鄧字注：「曼姓之國。」《潛夫論》：「嫚姓鄧侯。」《左傳·桓十三年》：「入告夫人鄧曼。」又《左傳·莊四年》：「鄧曼嘆曰：王祿盡矣。」故知曼之爲字，正爲長大美麗女性之人物形象之義，乃初義也。其正爲特定氏族姓氏者，繼生義也。正爲「侮易」貶義詞，乃再延伸義也。曼字正爲美麗面容特徵而言，表現爲長眉秀目，从[古文]字造型可以見之。其讀爲「眉彎」「目艷」之合音，於語聲可以聆之。

綜合論說，女子體態修長曰「嫚」，水深而廣曰「漫」，時日推遲曰「慢」，草蔓延伸曰「蔓」，牆飾面積廣長曰「墁」，絲帛幅匹廣長曰「縵」。（時之延長曰慢，幕之長者曰幔，水面擴張曰漫等）皆「曼」的孳乳字。所謂同源異派者也。諸字皆有長義。此其證也。《晉束皙餅賦》：「三春之交，陰陽交際，寒氣既消，溫不至熱，於時享宴，則「曼頭」宜設。」

漫 [古文]
墁 [古文]
幔 [古文]
慢 [古文]

按此種古代著名佳膳於現代我國境內，唯魯南棗莊市尚有之。其形如圓柱，細而直立。其狀

《曼頭》

饅饅 柔而韌，耑勁人民最喜食之。▯土名為饅子。學名「曼頭」。即長頭之義。此即擬上古少女之髮式而得名也。今字則上「饅」，已無人能知此義矣。

艮 艮 艮 艮 《說文》：「很也」。難懂。《辭名》：「艮，限也」。此義極確。《易艮卦彖辭》：「艮止也，時止則止，時行則行。」可謂深契艮字之情。艮字見之反文也。象行人旋踵回顧之態。亦指事字也。示進而路遇絕境，不能不急流勇退。故艮字有止義，亦有限制義，有受阻義，亦有後退義。魯南民間語言謂小兒說話忽然中止曰「打艮」。黃曆史傳佚語言也。

限 限 《玉篇》：「界也，度也，齊也」。《說文》：「阻也」。《廣韻》：「限與閾通，閾也」。

案：限从阝从艮。阝者崖岸之形，側壁之象。艮是行人遇險旋踵回顧之態。與艮字同源而共義。

《絕境入限》

退 《上》衲《補》《金》復《篆》《玉篇》《說文》同訓：「卻也」。案退字古篆皆从內从止，或从彳从冂。冂者家室之象也。古以自外退家曰「入內」。朝自退食自公亦曰「入內」，故卜辭、稱文皆从內而不从艮。然艮字亦後退之義，但艮是遇險而知難之退，內是功成而身退。雖同有不同，而退則一也。

字形析義：冂者居室之象，止者足之方向，人古入字。人者背面人形也，與大字為正面人形有別，不可不知。文字與圖畫不同，圖畫可用五官以識向背，文字唯賴察理以會義。此識字之妙諦也。

眼 𥃩 《說文》：「目也」。《釋名》：「眼，限也」。案《釋名》訓眼為限，自較許說為優。眼从目从艮。目者，視覺器官也；艮者，限之省也。人眼洞戶北面，其「視野」只限於南面而不能瞻及身後。故人們的諺語把做不到的事說成是「好像一個人能够看到自己的耳朵」。其含義與《釋名》之意有不謀而合之處。

根 ← 艮 → 限 → 眼

復 ← 退 ← 納 ← 內 ← 內

俔 𢔶（上） 𥇛 《爾雅·釋言》：「閒，俔也」。注：「《左傳》謂之諜。即今之細作也」。考俔字从人从見，觀察之意也。《左傳》謂之「諜」，現代名曰「間諜」，又名「特務」。最明白的說是偵察工作人員。他們的視覺功能異常敏感。故字形从見从人。因為他們觀察的對象就是人了。故字从見从人，不是偶然的。古人把間諜人員的「敏感」特性延伸為「風向儀」的名稱。例如唐王維詩：「畏說南風五兩輕」，亦謂之「俔」。《淮南子·齊俗訓》：「譬俔之見風，無須臾之間定矣」！《康熙字典》：「船上候風羽，謂之綄。楚人謂之『五兩』」。

筆者案：俔字訓為「候風羽」者，延伸義也。其訓為「間諜」，本義也。

儇 𢔶

「儇」字从睘从人，乃表示偵察人員目光炯炯，四面八方周币環視，無微不至之情。考《周禮·夏官》：「環人，掌致師，察軍慝，環四方，持諜賊……」。注：「慝，陰私也」。敵陰私為姦，故察而執之。看來「環人」之職，是帶有反間諜性質的偵探人員。其任務職司，固與儇異名而同類。儇、俔同韻，形从人睘俔而義通。於以見漢字形音義

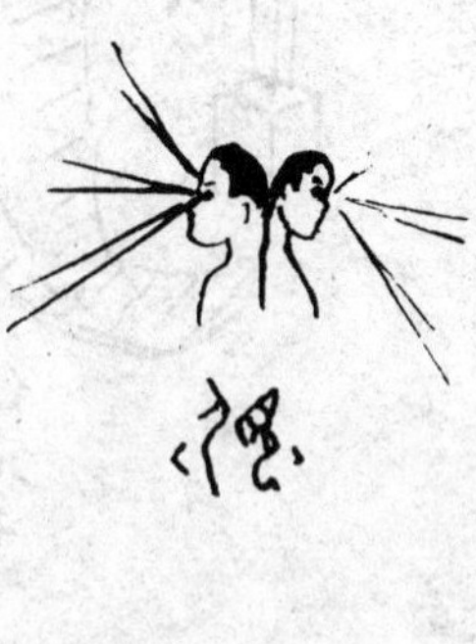

之建鍇澗繫。考《廣韻》《集韻》同訓「儀，甚利也」。《揚子方言》「儀，疾也」。故如《周禮》「儀人」所用之「㩁」字亦適。故字當是𠷎子為允當。示意如次：

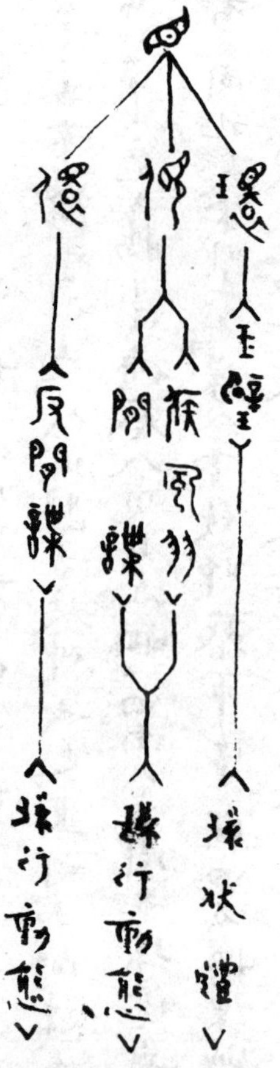

使風帆

鑺 鑺

此字古本《說文》未見，惟《說文新附》中有之，而訓為兵器。竊以為凡兵器之名不从戈，即从弋。此漢字之通例也。古之兵器名字之从瞿者，始見於《尚書·顧命》，後世見于《廣韻》，其字亦作戵（詳後戵字下）。而《說文新附》訓為兵器之「鑺」字不从戈、弋，未見其為兵器之名也。考《明徐光啓農政全書圖》有四齒農具，形如鐵杷，名曰「鐵搭」。竊以為此即《說文新附》之「鑺」其物也。蓋《農政全書》著者未睹《說文新附》鑺字形義，而僅以當代俗名記之，而徐鉉又未能詳辨「戵」「鑺」二字形義之區分，而視鑺戵為一字。不知鑺从瞿音，衢之省文也。四達之意也。从金者，所以示其為金屬品也。

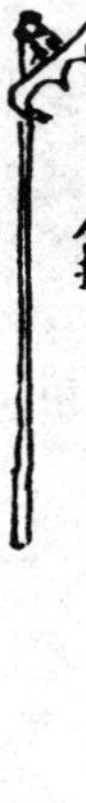

〈鑺〉

故以建字形義及《農政全書》之繪圖物參照察之，可知鑺即「鐵搭」，鐵搭即鑺矣。蓋物名古今因時而異，字或因人之觀點而不同。故文字之學者不能結合實際，係鮮不陷入五里霧中而成為迷途之羔羊焉！

戵

戵《說文新附》：「兵器也」。《廣韻》上戵，訓：「戟屬」。此字經籍不見，史亦無聞。戵《尚書顧命》中器有戵，行近象可稽。其文曰：「……一人冕，執瞿，立西垂下。」《傳》：「戣、瞿，皆戟屬。」據文義覈之，自應以戵字為允協。知今本《尚書》已失還貌。我國「武術表演」至今尚有此物。

考此種兵器乃先秦之物，後世不見，而現代出土文物中尚未發現，故無法考證。然據《爾雅·釋宮》：「四達曰衢」之義推之，則「戵」之為器，殆四鋒之兵器也，未可知。《西遊記》豬八戒肩荷之四齒釘耙，或者似之。有當與否，尚待今後證實。《西遊記》豬八戒所用之武器歟？

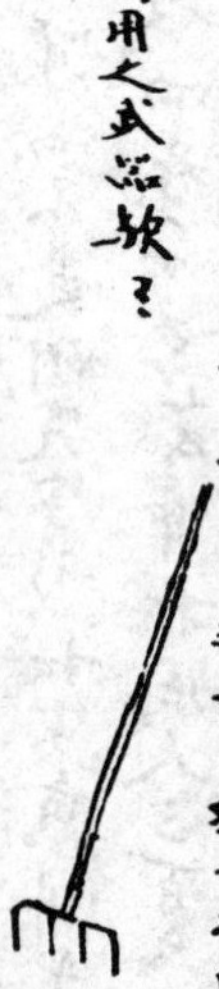

〈戵〉

欋

〈金文〉𣡽《說文》：「茉臿也」。茉《說文》據米文形例而訓𣡽為兩刃臿。按與从朋之意頗有未符。況《說文》已有兩刃臿之米，詎容再另立𣡽字以分庭抗禮？此理之必無者焉。即使異文而同字，亦僅能於同條下署明：「亦上○」或「古文上○」。此《說文》常規體例，無待辯而可證者也。然則𣡽為異物？是曰：𣡽，四刃臿也。何以知之？曰：米者柄也，一者橫擊也，朋者衢之省，四達之意也。故知𣡽之為物，實四股之木臿也。金文中之字即小篆之𣡽所，初文無疑也。今農村所用之曬場工具俗名杈子，即此物也。

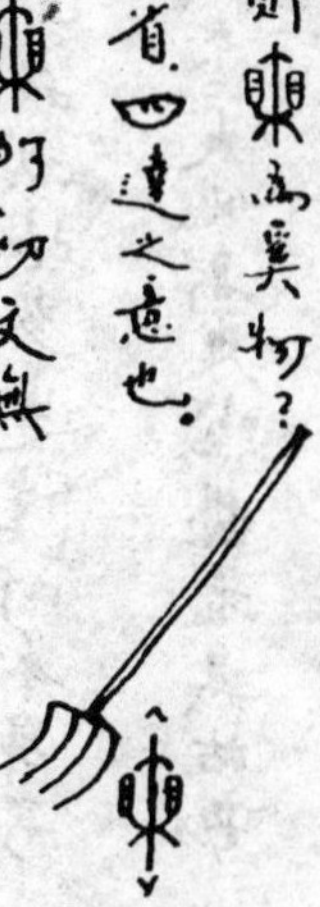

〈𣡽〉

衢

衢 𨘢 衢《爾雅·釋宮》：「四達謂之衢」。《釋名》：「道四達曰衢」。《玉篇》：「衢，四達道也」。《楚辭·天問》：「靡蓱九衢」，注：九交之道曰衢。

說明：考𨘢字从行，从瞿。行者十字大街之形，瞿者鷙隼瞻望之象。會、際上

十字通衢，非山林之匹。不適於鷙隼棲息。故知此卄中之瞿，乃是一名亡命之徒。故知瞿字之形有瞻望之亦有恐懼之義。是非常明顯的。特别是《易·震卦上文》把「視矍矍」中未得」的猶豫視態，同呈是於通衢心情緊張的亡命之徒，畫了等號。這就使瞿字產生了「四達自中」的觀念。故「瞿」字除了具備「四」的數據觀念之外，還有內在的「恐懼」含義。是非常明顯的。然而《楚辭·天問》之文，何以訓「衢」為九達之道」呢？

案「九」者，數之極。於東方數理哲學觀念中有「無限多」義。「無限多」邊「體」的本身等三百六十度。360÷4=90。90×4=360。這就有了九與四的互比關係。大凡高度警惕者其活動方向是絕無定規的。造字者為了以簡就繁，只好取卄下的四達之道，以代表無限方向，是完全可以理解的。如成語中「四分五裂」，事實上絕不止於四分五裂。「九牛二毛」也不是只有九牛二毛。吾輩探討古代文字的靈魂，須着眼於文字的音、韻，而不是研究字形、和字音。明乎此，方見與議文字之學焉！《易經》以「九為數之極」。古天文以「四象（四方）」分佈於周天三百六十度，知「衢」有環視意。

⿰目爵

⿰目爵《山海經》：「小侯之山，有鳥，其狀如烏而白文，名曰鴣鸐，食之不⿰目爵」。

按⿰目爵字從目從爵。爵，雀古通。此症吾鄉民間呼之曰「雀盲眼」，亦即現代醫學之「夜盲症」。患此病者，每入日暮黃昏，二目視覺茫茫。此症屬病機理與缺乏維生素A有關。故中西醫學皆以肝臟製劑療法。《山海經》介紹之鴣鸐為療法，當是古之民間經驗也。可惜我們未曾見過。

觀  《說文》「諦視也」。

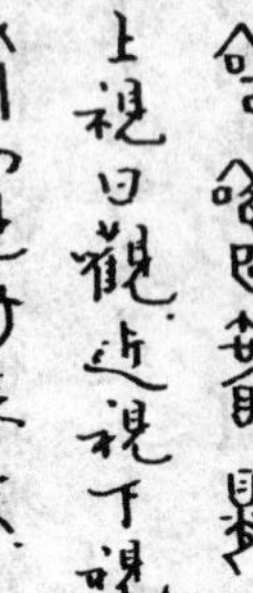

〈鷟〉

《穀梁隱五年》：「常視曰視，非常曰觀」。《正字通》：「遠視上視曰觀，近視下視曰臨」。

案，觀之為字的含義是非常複雜的。或訓為諦視，或訓為視野深廣，或訓為建築物名，如觀臺、寺觀、宮闕兩觀……。觀字的寫法雖多，要之皆不離雙目之形象，或近獸形，或近鳥形。

視 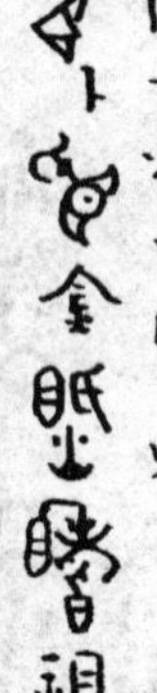 視《說文》「瞻也」。案，視示二字古通，故有「暗示」、「視瞻」二義。如《孟子》：「心不在焉視而不見」，此瞻視之義例也。如《小雅·鹿鳴》：「視民不恌，君子是則是效」，此訓示之義例也。

看 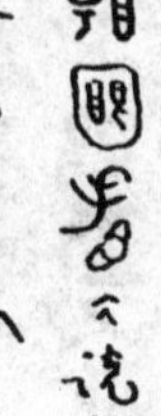 《說文》：「視也」。案，三個看字的造型命意各有特點。𥄉从𡕒从目。𡕒是日光高照之象，目在𡕒下，所以示視覺功能之發揮，必賴物體之顯像，而物體之顯像，則必賴日光之投射。也就是說，沒有太陽是看不到一切的。此𥄉字之形義也。眼从□，象口之形也，眼必通過窗孔才能看到外界景物，此眼字之形義也。看从手从目，象以掌遮護於眼瞼之上，所以防烈日之刺瞳孔之刺戟，故知看有圖畫指事字。

〈看〉

睛 睛《玉篇》：「目珠子也」。案，此解雖簡，惜未能盡造字之意。

案，睛从目形符也，从青，黑色也。現代生理學名之曰「虹彩」。《內經》所謂「肝開竅於目，其色蒼」。現代生理學派，以照像機原理解釋眼球之構造，認為「虹彩」屬於視覺器官之自然防光設備。固有其光學上的理論根據。但這一理論還不能代替「皇漢醫學」之科學素質。因為它為漢學文化的睛字从青之意，還有它更高層次的科學內容。這個以特定顏色為目標的有機生物化學功能

「爲研究文字而研究文字」也。應該有些文字以外的「普、賢」，庶能有所收益也。

瞳

瞳 《玉篇》："目珠子也"。案前人對瞳字之解釋，皆未能令人滿意者，原因是好爲捨近而求遠之論。普、賢上瞳之爲物，乃是一個位於眼球表論的空心液罩，前有「角膜」，後連「晶體」，普、賢上是一條透光通像的渠道。既有取景之用，也能反映物像。假若二人面對面的互視，便能各在對方的瞳孔中看到自己的形像。以其映像偏度極微，故所顯之像亦極小，如童子。故字从目，从童。此本淺鮮易知，而前人未盡其辭。亦云迷矣。

瞳

相

相相 《說文》："省視也"。疏引《易緯文》："地之可觀者莫可觀於木。故相从木，从目"。目是眼睛，木是植物。古人通過對特定植物成長現象的觀察，可以掌握特定環境對某類植物的適應性。這是古代農業選擇土物種植環境的探測技巧。名之曰「相土之宜」。《周禮·地官·載師》："載師任土地之法，以物地事，授地職"。疏："任土之法，謂任其力勢所能生育而物色之。知其種植所宜何種……五土出利，以給天下。黃白宜種禾，黑墳宜種麥，赤宜種菽，汙泉宜種稻……"《周禮·草人》："草人掌土化之法，以物地，相其宜而爲之種"。《論語》："夏后氏以松，殷人以柏，周人以栗"

我們知道，「三代」定都的地理位置是不同的。因而也就可以判斷當時之爲土神（社）的偶像的松、柏、栗，也必定是根據土壤的適應性選定的。如《前漢·郊祀志》："高祖禱於豐枌榆社"，這些不同品種的樹木，用來作爲特定地區的土神偶像，也標志着不同地質特點。人類把從觀察自然現象得來的知識，再用之於指導生產，這一行動普、賢上就是「知識反饋」。《周易·風地觀》的卦名，是具有「相土之宜」的含義的。《家語文本》云："不識其地，視其草木"。可是相字造字之始的良好註腳。

〈槷〉

巽　坤

☴☷風是木的代號，地即土壤。觀是用眼觀察，通過觀察樹木可以了解土壤性質，這就是相字造形從目从木的示意。也就是給「木」相面。○○○所謂漢字與《周易》無關之說，是不值一駁的。

臩

臩　䀠　臩《說文》臩字訓「驚走也。一曰往來貌」。同書⿱䀠夰字訓「舉目⿱䀠夰然也」。

案：臩、⿱䀠夰本屬異文而同字。許以疏於目互通之形，例遂分臩、⿱䀠夰為二字，智者千慮之一失也。考《玉篇》⿱䀠夰字訓「懼也」。《集韻》：「目驚也。音煚」。⿱䀠夰、䀠《說文》音懼為近。考臩字从䀠从夰。夰人形也。䀠同冏，冏同義，目光閃爍之象。二目相背，有左顧右盼之義。周穆王時有太僕正名伯臩，見於《尚書·冏命》。其命語曰：「爾無昵於憸人，充耳目之官……」可見伯臩的政治身份是代理君主司察群僚，為百僚所怖懼的權威人物，是異常明顯的。用今天的語言說，就是紀律檢查工作者。故知臩之為字，當具有「明察」、「悲懼」二義。蓋自群僚而言則為「悲懼」，立足於君主而言則為「明察」。後世「炯戒」一辭實緣此而生。尤其是《說文》「往來貌」之解，十足生動地刻畫出了監督者馳騁往返巡視的現場活動景象。

字形剖析：䀠，冏文異而義通。冏是窗牖之形，䀠是目光左顧右盼之象。古代居室以窗牖為窗，故冏有通音，透明之意。卜辭明字从月从囧，其形義也。字从，从。者，坐騎之平面鳥瞰形。是五個目形。所以示左、右、前、後、中五方巡視之象。从，从、。象頭戴鳥紗之人形。象帽翼，又象左右兩耳。蓋隱上是兩個囧形，「有兼聽則明」義。亦象形兼會義字也。

（臩）

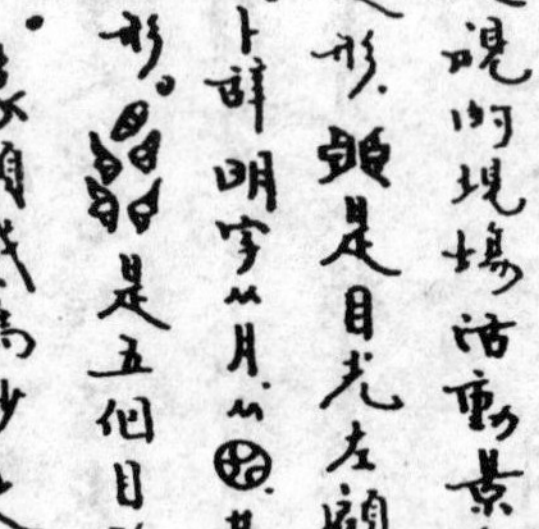

青

青《說文》：「目生翳也」。案說文以「翳」釋眚，實構造者視覺障礙之意，如

飛鳥之翼，蔽日（地面必有陰影）、葆羽、翣扇之隔光。《說文》說「翳」字：「華蓋也」。《廣韻》：「羽葆也」。《急就篇》注：「翳，謂凡鳥羽之可隱翳者也」。翳者所持以翳身以自隱翳，因名為翳。一曰翳，蔽也。《揚子方言》：「翳，掩翳也」。《說文》以鳥羽蔽日之象以喻視覺障蔽，亦段借義。此種眼疾，現代醫學名曰「角膜翳」。患者多是角膜增生、逐漸形成肥厚隆起之不透明皮層，將瞳孔蔽覆，使患者喪失視覺。以目為感覺系統之主要器官，視覺既失，則百事皆廢。後世遂延伸為一切災害之總名。如「眚災」、「眚沴」……

省 甲、眚 金、省 《爾雅·釋詁》：「察也」。《廣韻》：「審也」。《易·觀卦》：「先王以省方觀民」。按所謂「省方觀民」即社會調查研究工作。《魯論》曾子曰：「吾日三省吾身」。此「省」字有自我檢查義。《同文舉要》：「瞰于目者省于事」。此「省」字有透過現象見本質義。

考先秦文字有「眚」而無「醒」。後世同音轉注而造出醒、寤、省、惺、媘諸字，皆出于其祖字「眚」字之門。眚从目从↓，↓者古生字也。本屬目病義。後段為閉目深思義，又延為視察、覺悟義。表示如次，以見遞嬗演變之跡。

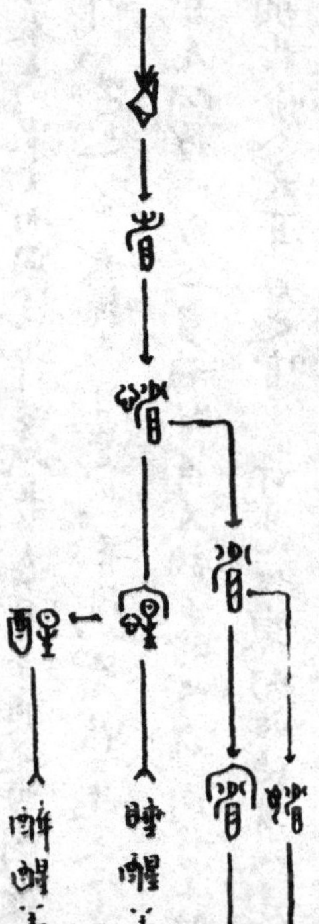

省字初義為審察。由自我審察義而化為審察國政的辦公廳義。如唐之「中書省」、「尚書省」、「門下省」，今日本尚有「大藏省」、「樞密省」，皆我國古文化之遺緒也。今我國則用為國家劃分之行政地區名矣。其「署」省政府也，是考察全省民政的機構。省府機關是必須要有辦公廳的。所以古文省字或在「冂」中或在「門」中，都在頭示出辦公廳的象徵。《六書》所謂「視而可識，察而可見」，是曰「指事」者也。

惸睘

家不造，嬛嬛在疚」。考睘字從罒從袁，罒者眼也。袁從○從衣，○者中心之意，袁者周匝之義。亦意爲處境險惡，孤立無援，心懷警惕，環顧四周，命運堪悲之情。《孟子》：「哀此惸獨」之惸字，從心從旬，從勹，旬有循環之義，旋視之態，與睘乃異文而同義。《李密·陳情表》：「煢煢孑立，形影相弔」，皆同音通假例。自應以「嬛」爲正字。《周頌》：「嬛嬛在疚」之嬛字從女，所以示婚姻之義。其字與「睘」字無殊。字取音於窮，有貧苦之意。故音中亦有意存焉。《內經》：「少陽絕者百節皆縱，目睘睘絕系」注：直視如驚貌。案此類病症，西醫名曰「接西篤氏病」，又名「凸眼病」。審此則所謂「睘睘」之神經緊張、恐怖狀態已可想見。故知睘字之造型亦意在與懼字略同。《說文》還字訓：「從目，袁聲」，固知睘有環音，蓋變聲字也。復考《周禮·考工記》：「輿人爲車，圜者中規，方者中矩」之「圜」字，亦取袁爲聲。後世作「圓」，義並無異。

《說文》：「目驚視也」。《詩·唐風》：「獨行睘睘」。《周頌》：「閔予小子，遭

圜 圓

夫圜字從囗從睘，囗者圜之省也。睘古「瞏」字也，從睘，遠背也。《廣雅》：「䞃貝，貨也」，故後世用爲貨幣單位字。又改爲狀圜幅圓（圜境幾）字。又如天子宮垣曰寰。玉之邊孔相等者曰環。周遭復返曰還。皆以袁爲聲，以睘爲形。他如旋風之旋，彈丸之丸，鑾鈴之鑾，圜聚之圜，元首之元，皆取袁爲聲，而有圜之義。諸如此例，推不勝枚舉。然則音韻之學之重要，槩可知矣！

〈返還〉還　〈天子宮垣〉寰

睘

〈車裂〉轘　〈市垣〉闤　〈天圜〉圜　玉環

《說文》訓：「升也。」注：「升當作登。……登德雙聲。」說文對德字的音源作了扼要介紹。而訓義為升，究竟此「升」字應理解為物質性的升高乎？或意識境界的升高乎？筆者竊以為所謂「德」之為字的實質，即「精神財富」。簡言之，就是「知識」。

《尚書洪範》篇把「正直」列為「三德」之首。這是值得注意研究的課題。正是因為人們對一切事物的觀察沒有一個端正的姿態和正直的視線之前提，是不可能設想正確的認識。在認識事物現象的基礎上才能進一步了解事物的本質，而成為「知識」。

「知識」從何而來？「知識」不可能無端自生。必有渠道。「道者，導也。」古篆道作衟或衜字象人立於「四達之衢（十字路口）」之形。這個字形予吾人以極大的啟示。揭示了人類知識的產生是建立在旅遊活動之上的。這一意識結構早就成為《易》學「四達自中」的理論基石，是顯而易見的。同時也為我們研究「德」字，提供了依據。

倘若筆者尚未想錯的話，那麼人類「智識」的來源也許就是對大自然的觀察。《鳳洲綱鑑》：「庖羲氏之王天下也，文應以鳥獸文章，地應以河圖洛書。於是仰觀法於天，俯察法於地，中觀萬物與人，以通神明之德，以類萬物之情。始造八卦，造書契以代結繩之政，由是文字興焉。」

看來所謂「思師聞、賢師聖、望師萬物」的說法，顯然不是空談。那麼人類所持為觀察自然的唯一得力工具為何物？其必「眼睛」乎？歐人亞里士多德云：「能使我們認識事物並闡明事物的許多差別，此於五官中，得力於視覺者為多。」這一論點使吾輩理解古文術字產生了照明作用。

甲骨文術字，从彳从直。彳是「四達通衢（十字路）」，直古直字。是目光直射之象。

「德」字的造形，正映現了人類在旅途中觀察自然的生動迹象。人類在反復觀察的經驗積累中，發現了自然變化規律，把現象昇華為「知識」，而儲藏於心中，因而又在德下增心而上德。最後又把積累的許多「知識」，通過邏輯歸納，成為「理論」。理論的傳播是要靠語言的，所以又產生了从「言」的「譓」字。德字演化的軌迹，標志着人類「知識」從「量變」到「質變」的升級過程。古人把這一情況名之曰「心得」。所謂「心得」，實際上就是腦力勞動收穫。不過「得」字造形表現為「物質財富」（古貝為貨幣之故），而「德」字从直从心則表現為「精神財富」。得與德是有本質區分的。物質可取捉摸，故得字从貝从又（手）。知識是通過眼和心的合一而得到的。所以德字从直从心。唐韓愈在《原道》中云：「存乎心無待於外之謂德」。韓文公是一代文宗，他深刻了解在人的腦海中有一個「知識貯存庫」。現代生理學已經不把它叫做心而名曰「記憶神經中樞」。而釋家則名之為「阿賴耶識」（又名第八識）。

但是我們祖先，並未把這份財富停留於認識的階層為止，而是將其上為「政治資金」來用為開展社會事業的動力來使用了。用現代哲學術語講，就是「知識反饋」。知識反饋的社會效益表現為經濟建設、精神文明。古漢語名之為「德化」。《尚書大禹謨》：「皋陶九德：寬而栗、柔而立、愿而恭、亂而敬、擾而毅、直而溫、剛而塞、彊而義。」我們祖先在五千年前就已經把「知識」化為處理問題的樸上技術來應用了。

儒家之所以把「德」字提高到天經地義的位置，正是由於「德」之為物具有支配社會動態的威力。這個威力是直接上用於人際關係而顯示社會效果的。這就看到了儒家對人權的無比

六一

尊重態度。儒家把「知識」用於「勝己」（修身），霸者把「知識」用於「勝人」（使爭）。所以德有「吉凶」兩類。（見李佳）

瞬 □ 眣 眴 □《玉篇》：「目動也」。《說文》作瞚，訓「開闔目數搖也」。案□从矢从目。矢者疾（速）之意。

眨 □ 目者眼也。《說文新附》有「眨」字，訓「動目也」。音側洽切。與□同義。故知□字訓為「目動」，即眨眼之意。其為時之短暫可知。俗名「一眨眼」言其速也。

瞽 □（金）□（籀）□ 《說文》：「目但有眹也」。案說文之訓，與旨趣有未符。考《說文新附》：「眹，目精也」。貴，即俗云之目瞳子。考《周禮春官瞽矇》注：「無目眹謂之瞽，有目眹而無見謂之矇」。自應以鄭眾之訓為确。證以金文□字籀文□字之形，皆是空心無眹之象，篤覺信而可徵。故知無眼球者曰「瞽」，有眼球而角膜有雲翳遮蔽或「內障失明者曰「矇」。此合理之定義也。

□字象形也。瞽字从目从鼓之文，職稱之義也。瞽人是樂隊掌鼓之官。《書胤征》：「瞽奏鼓」。《詩周頌》：「有瞽有瞽，在周之庭」。註：目無明則耳聰，使為樂官，名之曰瞽。因所掌而命名也。然則□之讀音，取音於「鼓」可見矣。

（□）

（瞽）

睪 □《說文》：「伺視也。令吏將目捕罪人也」。案睪字从目从□。□者刑具之形也。卜辭作□，今名曰手銬。所謂「吏將目捕人」，即今日司法界之「偵緝員」。俗名「便衣」，土名「眼綫」。能於人群中識別犯罪份子的面貌而及時予以逮捕。故字從目，偵察之象也。从□，逮捕之後，施以刑具之意也。

喆注：□字讀音有三：曰執，曰□，曰籥。執者縶也，縶縶之義也。□者攫也，俘虜之義也。籥者綁捆之意，有綑縛之意。□字卜辭作□，「幸」作□，執作□，圉作□。皆其形例也。

朕 䑢 《莊子·應帝王》注云：「朕，兆也。」《說文》兆字訓：「灼龜坼也。」《周禮·春官·太卜》云：「掌三兆之灋：一曰玉兆，二曰瓦兆，三曰原兆。」

兆 兆 筆者考古文兆字上兆。从八从乚。八者古分別之別字。分別之象也。乚者裂痕之象也。故知《周禮》所謂「玉兆」「瓦兆」「原兆」都是裂痕之義。尤其是《說文》「灼龜坼」三字之解，更覺語意鮮明。茲分別詳解如左：

坼 坼 《說文》云：「裂也。」《正韻》《韻會》《集韻》同。案坼字从土从斥。土者地也。「厂者厓岸之形也。屰古逆字。對兆之義也。厓岸分離破裂之象也。」所謂「玉兆」，即玉石的裂痕。「瓦兆」，即瓦片的裂痕。「原（邍）兆」，即大地的裂痕。「龜坼」，即龜甲的裂痕。「龜兆」的裂痕是藉由「卜」（燃火灼燒加熱膨脹爆炸而成的。在「兆」字之義說明的基礎上，然後可以言「解」。

弅 𢍏 䑢。从舟从火从廾。舟者水上交通之具也。火者古火字。廾者左右兩手之形也。𢍏者兩手捧舉火炬之形

叏 𦘒 字。

炬 𤎩 象也。照明之義也。𦘒即甲骨文中的𤎩字之正向或。《五音集韻》云：「音饋。大裡也。」《正字通》云：「同叏。」《古本管子》云：「櫛上𢍏。」譚苑曰：「櫛，段借字，正上𢍏。」从火从廾。音燼。」可知𢍏是「火把照明之意」。

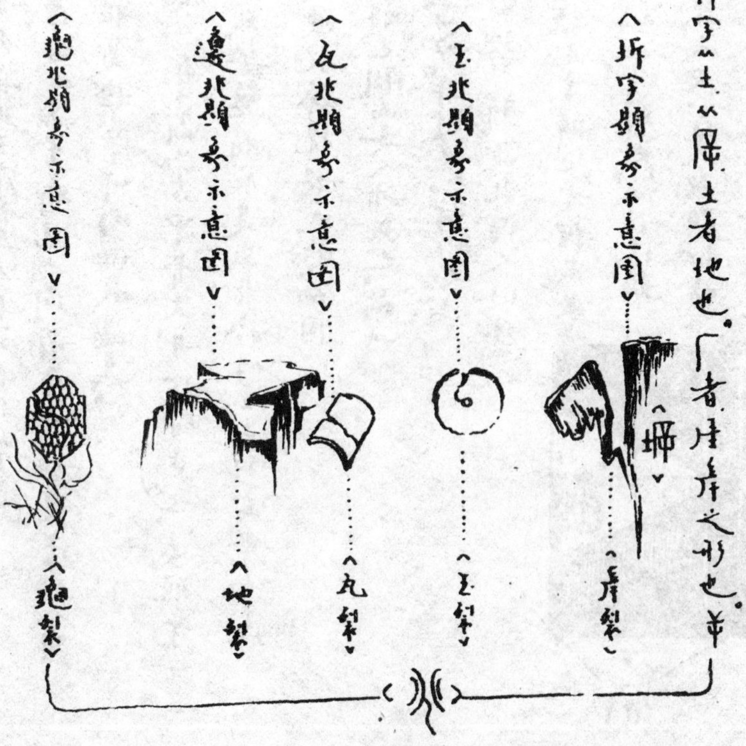

炬 焱

《禮月令》：「季春之月，……命舟牧五覆五反，乃告舟備於天子焉。」這是當時國家法制在每年兩季將臨之前，對負責船隻管理人員規定的「船隻檢修」任務。所謂「五覆五反」是說明對船隻檢查工作的細緻認真。

⿰舟焱

現在應該接觸到⿰舟焱字的探討了。⿰舟焱字从「舟」从〈焱〉。古甲骨文「舟」字作[glyph]，象船平行於水面之態。⿰舟焱字將舟直立於焱之左側。這種置放姿態，顯然是出於檢修工匠的需要。而焱字當於舟的右側，顯然也是為了利用焱的照明，亦用以便於發現船底的漏洞，是真無疑問的。《說文》朕字訓：「我也」。「解闕」。段注：「此說解已闕，而妄人補我也。補此二字者，蓋未知許氏說字之例也。按朕字居舟部，其解當曰：『舟縫也』。何以知為舟縫？《考工記·函人》曰：『視其朕，欲其直也。』戴先生曰：『舟之縫理曰朕，故札續之縫亦曰朕。』所以補許書之佚文也。本訓舟縫，引伸為凡縫之稱。凡言『朕兆』者，謂其幾甚微，如舟之縫，如龜之坼也。目部瞽字下云：『目但有朕也』，謂但有縫也。」此注堪稱真知卓見。筆者考：「⿰舟焱」訛變為「朕」，將「月」代「舟」。其誤之由來久矣。唐人歐、顏、柳、褚皆作「朕」。可知此字之錯誤，在五代之前。後世因循錯謬，相承遺害千古，誰之咎歟？但據筆者蔡探之結果，發現古文「⿰舟焱」字不僅是訓義為「舟縫」，而且還潛藏着一個「小孔透像的光學原理」。試圖解示意如下：

焱

焱 是人雙手高舉火把之象。《說文》：「焰也」。《廣韻》：五焰字訓：「光也」。引《音譜》：「如龜焉，灼其中必文于外」。《集韻長箋》：「弁〈焱〉，火種也」。《正字通》：「焱同炎〈焱〉」，即炬字，乃燃光火不盡的活性焱。

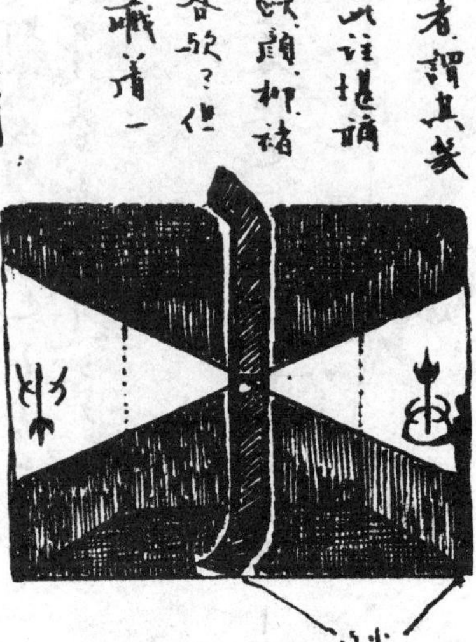

騰

騰《玉篇》云：「上躍也。奔也。」《說文》云：「傳也」〈訓義欠明〉。案「騰」字楷作月，非也。漢字自進入唐代已失真貌。故欲求漢字真義，自不能不以篆書之形態爲依據。考古文「騰」字，皆从舟，从炎，从馬。𦥑者，「輿」之省略式也。其義爲「兩個馭馬車之御，軿車轅，以形似木舟而得名。从炎者，兩手高舉火把之象。取火性炎上之義。从馬者，形符也。駟馬車的車種本屬古戰之需，戰鼓一響，四馬奮力奔進，車轅上下顛簸，形似波浪。進字者，取「火炬」燃燒之象，以示車轅上揚，顛顛波動之態。故字从炎。此現象乃緣於四馬動力之高度統一，因而使戰車由平行動向化爲垂直動向，這是動力飽和時之必然物理規律。現代哲學術語叫之「飛躍」。古漢語謂之曰「騰達」。然升、烝、興、陞、騰諸字，皆以升爲韻，同有上行之義。於以見漢字屬義於音之規律性。

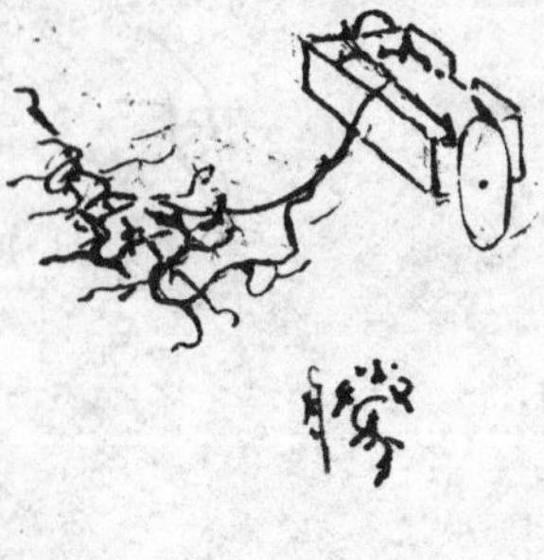

勝

勝《廣韻》云：「舉也。」又婦人首飾曰勝。《說文》云：「任也」。段注：「任者保也。保者當也。凡能舉之、克之之皆曰勝」。考，勝字从舟，从炎，从力。許氏訓義爲「任」，大有深義。考甲骨文「任」从工，此杠桿形象也。杠桿是起重工具，有舉重之功。功字从工从力。普除上部人臂操上杠杆之形，義實〈示意如下〉力字，人臂之形也。工者杠杆也。人類从勞動中取得了「省支距大於重支距的原理」可以用微量之力舉起極重之物體的經驗知識。故知勝字从力，是具有「力學觀念」的。勝之从炎者，上升之義也。上升力本身就是一種「背地心力」。勝字从舟，舟者載重水物之運輸工具也。有承托物體、防止下沉之力。故知勝字之造型从舟，从炎，从力，揭示了船的「載重能量」的含義。用現代科學術語即「負荷量」。不等級別的船有不同的負荷量，不超越負荷量」便能保證順利完成任務，所以叫之「勝任」。超過了「負荷量」就不能保證任務之完成，所以叫之「不勝任」。《易·繫辭》云：「九四，鼎折足，覆公餗」注：「智小謀大，不堪其任」。此段意煮器以闡明「能量」之義例也。故知「勝」字乃指事兼會義字也。故許氏訓義爲任，《廣韻》訓義爲「舉」，皆有上升之意。皆炎之同源字也。炎者，雙手高舉火把之形，火之爲物，乃宇宙間一切動力之能源。故勝字从炎从力，與其訓義爲任爲保爲舉，反不如詳曰「能量」更爲適宜。

鼎折足，覆公餗，故曰「不勝任」。

乘長風，破萬里浪，故曰「勝任」。

「勝」字又是鳥名《戴勝》，亦上升義，与是婦人首飾名同意。亦𤆍的同源字。勝字的變義例見於《周禮·地官·媒氏》：「凡男女之陰訟（兩性間糾紛案件）聽之於勝國之社」。所謂勝國即「亡國」也。此漢字之變義例与治亂、滄廢同。然則勝之為文亦上升之義，亦𤆍之同根字也。

〈戴勝〉

〈勝〉

滕 □

□ □《說文》：「水超涌也」。《詩·小雅》：「百川沸騰」。案滕字从舟从𤆍从水，乃𦨡的以水易舟的「置換式」。有波濤汹涌沖擊小舟上下顛簸之象。我國魯南「滕縣」位於沂蒙山區邊緣。其境內有滕水，來自蒙山而西流入微山湖。每值夏季山洪暴發，河水氾濫衝激洶湧，不敢行舟。其水土人名曰衛河。即古之滕水也。故知其縣以河水而得名。其「滕」字造型亦有水位升高義，亦𤆍之同根字。

〈𦨡〉

縢

縢《篆》 □《金文》 □《金文》 案縢字从舟从𤆍从糸。有以繩約束之象。

《說文》訓：「緘也」。此據《尚書》「金縢」之義而立說。然此義無由以明从𤆍之義。後考《國策》：「蘇秦書十上而說不行。羸縢履蹻，負書擔橐，形容枯槁，面目黧黑……」又考《詩·小雅》：「邪幅在下」。注：「邪幅，如今行縢也。偪束其脛，自足至膝，故曰在下」。案即今日軍人所禁之「裹腿」也。其纏繞方式，每繞脛之一币，必將布反折，如此從足跟而起點，纏至膝下結束。則出現層疊相接之人字花文。故曰「邪幅」。今軍人之纏「裹腿」者仍用此法。其由來古矣。後考金文《衛鼎》銘文縢之□。字从□从□。□者存繩之意。□者人升木之象。故知縢之為物，其原始用途，乃纏人緣木攀樹時為保護下肢避免木東傷害之維護設備也。故知縢字亦有升高義，亦𤆍之同根字也。

〈邪幅〉

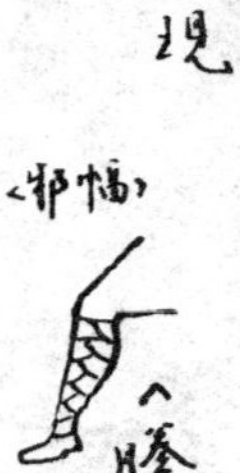

〈縢〉

（縢）
（□）

謄

謄《說文》：「迻書也」。《玉篇》：「傳也」。《正韻》：「傳錄也」。案書籍著述由艸創而修訂，由修訂而謄清，每次錄寫，必有提高，故知謄字从𤆍亦有升高義。文如上行文件，每經一級，必謄寫副本存檔備案。此本呈徼上遞之上升義。故知謄亦𤆍的同源字。

桊、𤇾之為文本應列為部首。而今說文已不見，而今只能从『𤇾』之字群中證之如次：

炏—點火燒燃物

- 送—𤇾火照明，夜晚送客送家人（見三·四五）
- 奔騰—車馬速率超快，由平行動向化為上下動向。
- 戴勝—有冠毛之鳥，又是婦人首飾名。
- 滕水—波濤洶湧的河流。
- 縢—纏脛裹腿布。用為升高爬樹的保護設備。
- 謄—轉底稿抄入正冊。

背上井義

戴勝

勝

騰

〈以上皆有上升義〉

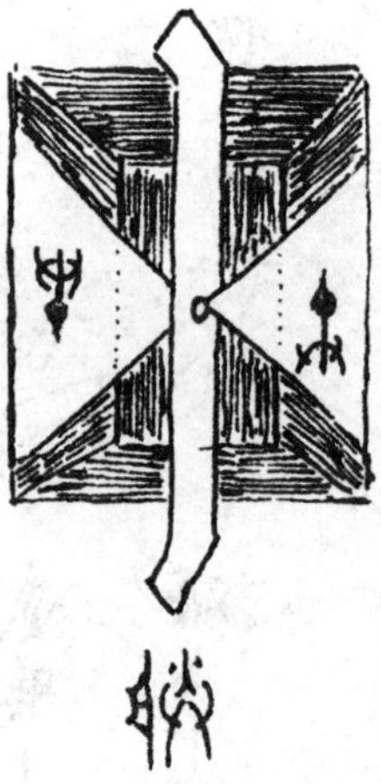

〈以上皆光學小孔透像原理說明。

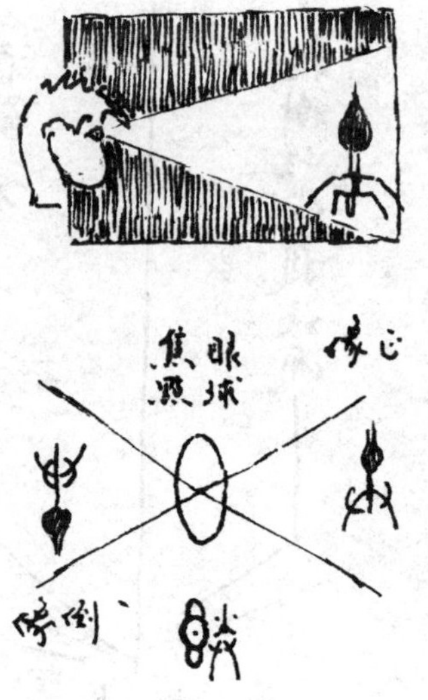

眣

䀿 《說文新附》：「目精也」。俗謂目瞳子。考瞳孔之為物，於人類眼球組織中實於視像孔道。乃視覺器官的重要組成部份。視覺苟能不賴外界光源之存在，否則無以成物體反射之功。故眣字从目从䀿。䀿是火炬有照明之用。《說文》見《卷》。謹按圖以示意。人眼瞳孔透像與凸透鏡透像光學原理相同。凸透鏡可以準出影，人的視覺不見倒影者，賴有大腦之意識糾正，故能使物像復原。此非簡單的光學知識所能解釋焉！

二人面對相視，可以攝此互見個人形像於對方之瞳孔中。故「眣」字遂延伸為第一人稱而訓義為「我」。金文與經籍假「䀿」為「眣」，殊於義無當。按諸科學物理者，應以䀿字為正文。而青銅器銘文之假䀿與䀿者，緣聲傳統習慣，所謂約定俗成行之既久，不復詳究初義矣。冰首之䀿字於金文中普遍假為朕字，具有力之說明也。謝此以見文字進化之跡。

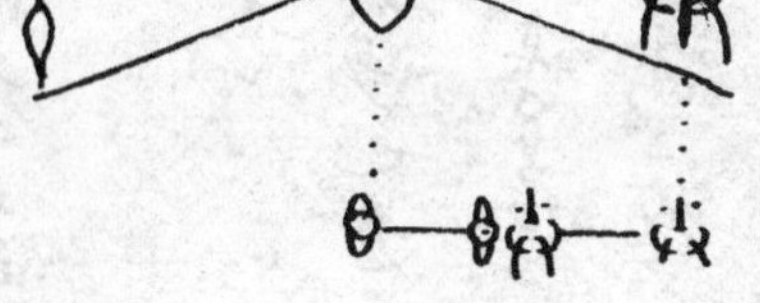

斁

殬 《說文》：斁，解也。一曰終也。《詩》曰：「服之無斁」。斁，厭也。一曰終也。厭同斁，亦段為射。《爾雅·釋言》：「斁，明也」。《詩·商頌·那》：「庸鏞鼓有斁（繹）」注：斁，盛也。按此皆段「斁」為「繹」之例。《書·洪範》：「彝倫攸斁」。《漢書·薛宣傳》：「不得其人則大職墮斁」。此皆段斁為「殬」之例。《周書》：「斁丹雘」。今《尚書·梓材》：「唯其斁塈茨，唯其斁丹雘」二字皆云。斁部古漢字。《說文》引《書》之斁。蓋斁誤為斁也。

斁之為字具有雙義。一曰厭，而訓猒。斁者憎惡之意。二曰殬《盾》，而訓義為敗。《左傳·文十年》

司敗注曰：「陳楚名司寇為司敗」。《論語》：「陳司敗問昭公知禮乎？」經文已明確地指出「敗」就是犯罪份子的代稱而無疑矣。證以罬、斁二文之形音義，覺信而有據。考斁字从罒伺，視監督之義也。从攴，擊戮之意也。《說文》：「𤞞」字訓：「司空也」从犾臣聲。《玉篇》：「辨獄官也，察也」。《廣韻》：「辨獄相察」。《集韻》：「𤞞音笥，義同覗」。《玉篇》也「伺」。辭此言之，「敗」為罪犯之名，「司敗」為監視罪犯的獄吏職稱，彰彰明甚矣。此與《說文》罬字訓義為「伺視」竟不謀而合。復考《說文》「斁」字从歺，《俗書正誤》：歺音遏。今讀若在反，為好之反（壞份子）。斁讀為「屠」。《廣韻》：「屠，殺也」。看來罪犯是已經喪失法律保護的動物，而斁字訓義為「賊」。則罬、斁二字已徹底暴露了人類「階級專政」真相，是不需考證的。（本文可與本書《刑罰》獄字互參考證）

考「斁」之與「釋」，皆罬之孳乳字。而罬族的文字頗繁，茲選其具有說明力者，臚列於左。以見漢字嬗遞之迹。

釋

釋《說文》：「解也。从釆，取其分別物也」。《廣韻》：「捨也」（捨有棄意，語略而未詳）。

《書多方》：「釋無辜，亦克用勸」。意思是：釋放無罪的被迫協從的人，能促進敵對陣營的分化瓦解。

《爾雅釋詁》：「釋，服也」。意思是：只要敵人能表現服从態度，就可以得到釋放，恢復自由。

《禮王制》：「出征執有罪，反，釋奠于學，以訊馘（聝）告」。（此解內容雖大詳，下擇字，此从略）。

案：《說文》以「解」訓釋，殊借義也。解字从刀、从牛、从角，乃刀判牛角之意。固與釋字無涉也。愚竊以為釋字从目、从釆、从幸。目者，伺察之象也。幸者，辠徒配繫之刑具也（說詳本著《刑罰集》幸字）。釆古辨字，初文也。本屬狩獵文字，後世據語音同聲轉注而制出辨字。字從辡，从刀。有一分為二，或

具體分析、區別對待義。（詳本著刑罰集）

古代軍法制度，戰勝國旋師奏凱必携回俘虜，馘入「澤宮」。澤宮是神權社會的專政機構。其建造形式与命名意義因階級而異。於天子曰「璧邕」，在諸侯曰「泮宮」（詳本著建築集）。從「澤宮」的意義中我們可以看到繹、澤、釋、驛……許多文字的連鎖關繫。如《毛詩・小疋・出車》云：「執（執）訊（訊）獲（獲）醜（醜）薄言還歸」。這是詩人紀述戰勝者驅趕着大批戰俘回國的事。戰俘被戴上手銬送進「澤宮」受「審訊」，就是為了要分清類型、區別對待，亦即：「首惡必懲，協從不究，立功者受獎，有才能者還要選拔重用」的方針。

在《毛詩・魯頌・泮水篇》云：「矯矯虎臣，在泮獻馘，淑問如皋陶，在泮獻囚」。詩人把魯國泮宮中的戰俘審判員看成是帝堯時代的法官，顯然是一種歌頌。

《禮記・射義》云：「天子將祭，必先習射於「澤宮」。澤者所以擇士也。」這段經文除了介紹當時以「射術」選才的制度外，還着重提出「澤」「擇」二字的「同氣連枝」的含義。

應該看到歷史車輪滾進，有用的人才往往會發現對立的陣營的下層中。因而在遇到賢能時也會打破常規，予以拔擢。殷之傅說、齊之管仲、秦之百里奚都是實例。在領畧到這一社會意識的基礎上，對古人探求睪、睪、繹、驛、釋、澤這一系列文字是有絕大助益的。試言之如下：

睪，《說文》訓為「目捕罪人之命吏」（已是商以後意），實上睪字的屬性是應該包括司法審判官在內的。這是合乎常規的邏輯，因為法官是司法審判者，屬於司法界的主要人物。古代名之曰「仕」。《尚書・舜典》云：「帝曰：皋陶，蠻夷猾夏，寇賊姦宄，汝作仕。五刑有服」，《傳》云：

理官、五刑：罘、劓、刖、宮、大辟。倃之北《詩·魯頌·泮水》章曰：「矯矯虎臣，在泮獻馘；淑問如皋陶，在泮獻囚」。則可證睪在審訊戰俘中司法官的重要地位。此从「釋」字造形主義中可以得到說明。睪是司寇的形像。又名「司獸」，亦即《尚書》中的「士」。釆与辨通，即審查意。經過睪的審核批准便可以宣告無罪釋放。故《說文》訓釋曰「解也」。是乎合眾、隊的。

擇

擇《說文》：「柬選也」。「柬選」二字的含義極端籠統、廣泛。文字之學貴能發現原始、初義。竊以為擇字初義應該是从戰俘中揀選人才提拔重用為宜。許君以槩括之辭釋擇，顯然是未曾注意擇字的造形特點，是需要經過分析的。

繹

繹

《說文》系部「繹」字訓「抽絲也」。《方言》：「繹，理也」。其意可知。

澤

澤《周語》：「澤，水之鍾也」。又曰「水艸居謂之澤」。澤之所以訓為「恩澤」之義，正是雖於水能生長萬物。王者之大柄曰賞与罰，賞罰之措施曰生与殺。生殺之權操之於司寇。司寇之所以名「司獸」者，是真基於「勝者為王，敗者為寇」社會觀念產物。因而戰敗的俘虜呼之為「寇」、為「獸」，而「司寇」又名「司獸」，自然也就是極易理解的問題。《射義》中「澤者，所以擇士也」一語，恰恰說明「澤宮」之為地不僅是「王者」以射術取才的「考場」，而且是處理戰俘的「審查站」。這从《詩經·小疋·康頌》中可以獲得考證。八是商以而「擇」、「澤」二字的內涵也必然會包括「元兇必懲、協从赦宥、賢能擇用」。這已經是不需辭費的。「擇」、「澤」二字正體現「王者」生殺大柄的運用，也是勿庸諱言的。「擇」字標志着「司獸」用手進行「柬選」戰俘。故字从睪从手。「睪」是「司獸」的形象。「釋」字標志為經過「司獸」審核鑒定批准可以宣告無罪釋放的協从者。故《說文》訓義為「解也」。解

是解脫刑具之義。釋字从睪从采，采古辨字，說明了戰俘們得到釋放還家是必須經過「睪」（司敗）鑒定審問數多俘虜的。「擇」字標志為戰俘中被選拔錄用的「賢能」。他已經由「臧獲」搖身一變化為「王良」，而受到了「王者」的灌溉。所以「擇」字从手，也不是無意義的。不過他也不能例外，也要經過「睪」（司敗）的鑒定，所以「擇」字也从睪。而「斁」字則屬於罪無可赦的元凶了。

斁 斁 《說文》：「敗也」。此訓極確。惜乎語焉而不詳。故欲求「斁」字真義，必从「敗」字始。

敗 䵻（卜）此《甲骨文》「敗」字，乃右手操攴（殳）碎鼎之象。字从攴从鼎。鼎，是政權的象徵。古史名新興政權的建立曰「定鼎」。《史記》：「成王定鼎於郟鄏」，即西周王朝奠定東都之始。《春秋宣三年》：「楚子伐陸渾之戎，遂至於雒，觀兵於周疆。王使王孫滿勞楚子。楚子問鼎之大小輕重焉。對曰：在德不在鼎。昔夏之方有德也，遠方圖物，貢金九牧，鑄鼎象物……能協於上下，以承天休。桀有昏德，鼎遷於商，載祀六百。商紂暴虐，鼎遷於周。成王定鼎於郟鄏，天所命也。周德雖衰，天命未改，鼎之輕重，未可問也。」三代（夏商周）以九鼎為傳國之寶。楚子當時問鼎，表現了有取代周室「王權」之意。後世遂稱圖謀王位曰「問鼎」。《晉書·赫連勃勃載記》：「自皇晉失統，神器南遷，羣雄岳峙，人懷問鼎」。看來「鼎」字已為政權的代號，乃歷史語言學家所習用，是有例可查的。

考《史記·封禪書》：「黃帝鑄鼎於荊山，後世因名其湖曰『鼎湖』。」「封禪」是古老的「政權定鼎」的宗教儀式。這個具有開國大典性質的隆重儀式，要通過建壇告天，設醮封山，鑄鼎為「神器」多種活動完成的。而「鼎」則是標志政權的唯一物質特徵。緣此觀之，鼎之已為政權的象徵是有久

遠歷史的。《易序卦》：「革物者莫若鼎，故受之以鼎。主器者莫長子，故受之以震。……」鼎是「王者」的祭器。是烹煮「太牢」（牛）的炊具。這種太廟祭祖大典是應該由「王者」親自主持的。故天子為「主祭」。鼎曰「神器」。這就給煮肉的炊具賦予了鮮明的政治色彩。仲尼將在《易序卦》的六十四卦目次中將「震」卦（長男的代稱）排列在「鼎卦」（神器）之後，就是說：唯有「王者」嫡出的長男才有資格接管這個「神器」——鼎。這是封建社會的「法制文明」。我們學術界從事研究先秦文化，自不能迴避這些歷史資料的探索。事實上鼎之為物乃是貴族專用的日常生活餐具。一旦國破家亡，這個貴族人物專用的餐具，被人砸爛了，也就無法繼續享用了。所謂「血食已絕」，正是針對這一情況而言的。「[鼎攴]」字造形从鼎从攴。這個「神器」遭到錢受砸爛的生動照片的背後，卻隱藏着一幕「國破家亡」的人間悲劇，是完全可以推想的。造字者把「[鼎攴]」規定為「失敗」的敗字，不是偶然的。《說文》敗字訓：「毀也。」《爾雅·釋言》：「敗，覆也。」《釋名》：「敗，潰也。又壞也。」《增韻》：「敗，損也。又頹也。」這些訓注本來都不誤，尤其是《博雅》的訓示：「敗，傲婁也。」已徹底揭示出失敗命運產生的原因。更覺令人清醒。可惜這些解釋都已經和今天的文字不能對號入座了。原因是漢字自李斯小篆年代起，就喪失了原始面目。本條所討論的[鼎攴]字，即其一例。「敗」字左側本來是鼎，後世訛變為貝。使人已喪失了探索依據。在弄清「敗」字的基礎上，我們才有條件展開對斁字的剖視：

斁

《說文》：「敗也。从攴，睪聲。」注：當故切。《商書》曰：「彝倫攸斁。」注：今《洪範》作「斁」。蓋漢人以今字

改之。案此字古籀与「殿」通。詩書多用「殿」而「𦟝」字不見。「殿」有双聲二義。讀亦則訓「殿」。讀屠則訓「敗」。前例見於《高宗》，後例見於《洪範》。今出土青銅銘文中，有「𦟝」字，皆用為「擇」義，如「擇其吉金」。其義例恐未能与「睪」的初義相合。然是籀以為「𦟝」之，取聲音源於「屠」。

屠 𡰪 《史記·信陵君列傳》：「朱亥曰：臣乃市井之人，鼓刀以屠。」《說文》屠字訓：「刳也。」《廣韻》：「殺也。裂也。」《周礼·地官》：「凡屠者斂其皮角筋入於玉府。」考𡰪字从尸从𣦵。此係古緒字，尸者死之象也。知屠字乃殺緒者。民間名「屠戶」。然則𦟝字取聲於屠，亦死亡之義。《說文》訓𦟝為「敗」，固其宜矣。

歺 𣦼 𦟝从睪从歺。歺者骨之殘也。从「冎省」。

別 冎 冎者分也。从冎从刀。

冎 冎 「冎者剔人肉而置骨也」。

骨 骨 骨者肉之覈（核）也。案《說文》訓「骨為肉之核」自有其高深含義。然是籀以為骨之為文，（體之象也）體之初文也。冖者顱也。冂者肩臂胸廓也。月者臓腑也。具者骨之初文也。

顱，肩，胸廓之象也。別者後俘之刑也。骨過歺而肉亡之象也。

明乎字形之意，可見千古之迹。

有肉無腹故曰殘餘

歺者，冎亡冂之象也。

睪（偵楕）—— 𢧐（人戰俘）—— 𦟝（整類物人 分画）

斷情處理

𦟝——（有罪者殺）
釋——（無罪者赦）
澤——（有功者賞）
擇——（有能者用）

（戰敗俘虜）

《附加說明》：在上列表格中明顯的揭示了在處理戰俘中具體分析、區別對待的軍法政策

六八

爲了便於閱讀前條外舉之文字的音質，特附加《[illegible]頁、體、骨、𠛱、𩪻、疈、剖、冎、死、[illegible]、殘、歺、骼》十文但有關文字綜合論述考證》。幸讀者見予「好事」之譏焉。

1.《古義一覽》體：「總十二屬也」（見說文）。頁：「頭也」（見說文）。骨：「肉之覈（核也）」（見說文）。𠛱：「分解也」（見說文）。𩪻：「別也」（見說文）。疈：「疈牲胸也。疈而磔之」（見周禮春官）。剖：「裂（破）也」（見玉篇）。「斷也」（見廣韻）。「分也」（見集韻）。冎：「剔肉而置其骨也」（見說文）。歺「列骨之殘也，从半冎」（見說文）。死「死者澌也」（見釋名）。殘「殘也，壞也」（見釋名）。骼「罪也。枯也」（見說文及周禮掌戮鄭注）。

2.《骨系文字形義參究體系觀》

骵

《說文》曰：「總十二屬也。」十二屬的總和就是一個人身整體。這一詞亦首源於《內經》「手足三陰三陽之說」（見後）。

考《說文》段注曰：「十二屬」許未詳言。今以人體及許書覈之：首之屬三，曰顛，曰面，曰頤。身之屬三，曰肩，曰脊，曰臀。手之屬三，曰肱，曰臂，曰手。足之屬三，曰股，曰脛，曰足。」然段氏此說不過勉強湊數，事實上僅能言及體表，而未涉及內臟，殊不能概括人之真正全體也。遠不及愚之「手足三陰三陽之說」合於《內經靈樞》之紀載而能得許氏之真意也。蓋許氏之所謂「十二屬」者，即中醫學中的「十二經絡」。其分佈位置，外及四肢頭面，內及五臟六腑，是一個表裏相通的完整自然體系。「十二經絡」之統轄乾坤，以方位而言，可包括東（左）西（右）南（前）北（後）中（內）。據剖面而言，可包括皮、肉、血

筋、骨，以物質屬性而言可包括木、火、土、金、水。故「十二經絡」之說，實質上即「五行入素」宇宙觀念與人體自然結構之統一。故知吾之論點視段氏之說較有歷史背景的依據，可以下表證得認識。

十二經絡
- 手太陽（小腸）手少陰（心） 足太陽（膀胱）足少陰（腎）
- 手少陽（三焦）手厥陰（心包）足少陽（膽）足厥陰（肝）
- 手陽明（大腸）手太陰（肺）足陽明（胃）足太陰（脾）

案骼字从骨从本，本者樹之莖也。骨者肉之核也。樹非本無以立，人之有骨，猶樹之有本也。此指事兼會義字也。

體，从骨，从豊。骨者軀體也，豊古禮字。故體字从骨从豊，有「以禮制身」之指。此會義字也。「禮」有吉、凶、軍、賓、嘉。儒家主張以禮治國。《論語》：「能以禮讓為國乎？不能以禮讓為國，如禮何？」可見「禮」的社會應用價值。此从《周禮地官保氏》經文中可以得到啟示。經文云：「保氏以六儀教國子。一曰祭祀之容，二曰賓客之容，三曰朝廷之容，四曰喪祭之容，五曰軍旅之容，六曰車馬之容」所謂「容」，實質上就是社會活動形式的表演。如：怎樣止揖叩頭，怎樣說話，怎樣升堂……這一切一切動止統名之曰「六儀」。「禮儀三百，威儀三千」。這些名目，都在說明「禮貌」的社會意義。吾人今日讀到的先秦經典著作，皆秦火以後的漢初整定本的翻版，文字久已失真。《保氏六容》的容字已不能說明問題。求諸古義，自宜以「[illegible]」文為正字。此字不獨今世難見

漢代已不覩其造矣。許氏《說文》頁部有「頌」字，訓曰：「頌，皃（貌）也」。同書「皃」字訓：「頌儀也」。

仍未喪失古義。惟字形已面目失真，令人難以按圖索驥矣。唯《六書通》、《述韻》尚存此字。餘書

不見。信乎海曲畢公之學識，源遠而流長矣。「皃」字从宀从白，宀象意眉目之向形，白象

跪地謙恭之態。亦象形字也。古代禮法，對人的一言一行，都有嚴格規定。故曰「禮者履也」。說明

「禮貌」是通過周身活動姿態表現而取得社會效益的。故曰「禮貌」。現代語言仍有「禮貌」一辭。

皆源于此義而來。古哲學術語對國家隆重典禮儀式現場，須向合理評價叫它「得體」。得體

即合情合理合法合度之義。揭示了禮式與法制的統一。近年我國陝西出土的一批西周史官微氏

家族的殉葬銅器。銘文反映了該氏族是精於「禮」之家。於武王克商後同「五十頌」而就封於周。世

世掌威儀之職。所謂「五十頌」即「五十貌」。亦即五十類禮貌活動。據此可見體與禮的密切

關系。這也許就是「體」字从「骨」从「豊」的真義吧。

體

髗从二骨並列。與同體一分為二，二體合一之義。也就是同一軀體表現為不同性質的兩

（一切動物皆體借構，皆左右對稱。此髗从二骨之生理義也。此外還有政治哲學中）

個方面。《左傳·昭廿年》齊侯同相國晏子席間談話中，他們君臣二人把調味烹飪術、樂理、

儀禮活動三門科學知識互相對比，上了統一性的探討。說：「先王之濟五味，和五聲也，以平

其心，成其政也。」聲亦如之。「一氣，二體（髗）」。傳：「舞有文武。」《疏》《正義》曰：「樂之動身體者唯

有舞耳。文舞執羽籥，武舞執干戚。」孔穎達氏在此上了透闢性的解釋。就是說：

作爲「君子」一級的人物，既要能文也要能武。兩者兼備方是濟世之才。體从二骨，亡是左文右武的象形會義字也。其體的說，既能執筆也能舞劍。此之謂「一文二體」。

骨 骨《說文》訓：「肉之覈也」。余則曰：「體之本也。體之脊也」。冂者顱骨之形也。冂者肩胛、胸廓、腹腔，當骨總括外圍也。卜者頸椎也。冃者臟腑之胥也。人的十大生理組織系統均分別隱藏于顱、胸、腹，當容積之內。故《內經》云：「臟者藏也」。則冎是臟腑之儲庫，可一目了然。

冎 冎《說文》：「剔人肉而置其骨也」。余則曰：「骨廓也」。案冎括廓，郭諧同而義通。括包括也。《見增韻》。廓者空也。《見說文》。郭廓也。《見釋名》。古郭字作[glyph]。亦內空外固之象。郭是外圍保護設施，與冎之保護臟腑固，異物而同功。今國畫美工術語，所謂無輪廓畫曰「沒骨畫」。音、部「沒冎畫」。後世之訛誤也。自應以冎爲正字。城郭與骨冎諧同形，類而用同。

歺 歺《說文》：「𣦼，列骨之殘也」。考歺字，冎之𣦼文也。冎失冂而成歺，示顱骨已亡，空餘骨歺之象。故歺有碎破之義，有剩餘之義，有死亡之義，有悲殘之意。殘、慘同聲而意通。

死 死从卜 死《釋名》：「澌也」。案死从歺，人骨之形也；从𠤎，人形也。取意于澌。水索曰澌，聲〔誤〕口嘶，肉裂曰斯。故〔死〕爲形聲字。

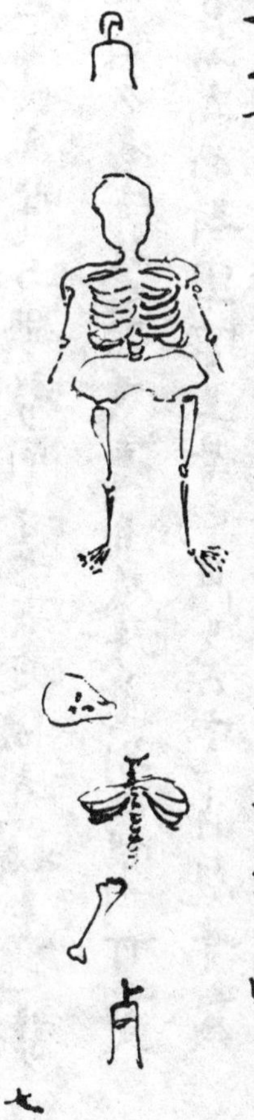

髀髎《說文》：「別也」。髀从冎，死者之殘骨也。卑以爲嘴。与髑、髎同音而義通。髑者「髑卑」也。髎从辟，人頭落地之形。辛古辭字，罪徒之意。刀者屠殺之器也。古代有陵庠萬剮之酷刑。可从文字說明之。故骨者人體之形也。冎失肉而爲冎，剮肉而置其骨也。冎失ㄇ而爲歺，裂骨之殘也。歺施肉而爲腐，死亡之義也。尤施古而爲骷。骷者古也。古者舊也。舊者久也。死亡已久，暴骨荒野之意也。明乎字形，識乎字音，察其字義，究如庖丁解牛矣。要在觸類旁通，不必一一舉羣。此求學之要也。今魯南方言對小兒之哄戾語「髀了你」。又謂因行路滑跌，釀成髖骨脫臼，下肢廢弛曰「髀腿」。然「髀別」之爲義，分離之意也。骨骼零散之象也。故引義爲「別」。

列 𠛱 𠛱 《說文》：「分解也」。《廣韻》：「行次也」。案「行次」之解乃延伸義。《說文》釋爲分解，亦未盡造字之情。考𠛱字从歺从刀，操刀剖割，骨肉分離之象也。

烈 𠛱火 歺灬〈卜〉 𠛱火《說文》：「火猛也」。《玉篇》：「熱也」。竊以爲歺灬从歺从灬。歺者骨之象也。灬者燃燒之意。骨遇火必熱，熱則漲，漲之不已，必爆炸而分列。此物理常規，故知烈字亦有分裂之意。

裂 𠛱衣《說文》：「繒餘」。徐曰：「裁剪之餘也」。《廣韻》：「擘裂破也」。《禮·內則》：「衣裳綻裂，紉箴請補」。

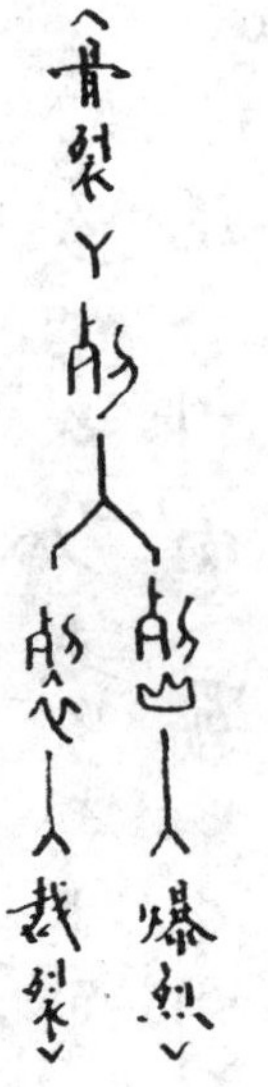

〈髎〉

〈𠛱〉

〈歺灬〉

〈裂〉

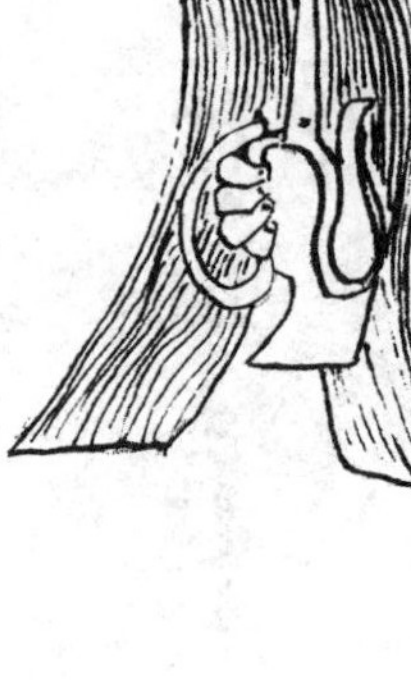

奴殸《說文》：「奴，殘穿也。」筆者案：殸，从卢从又。右手握持殘骨之象。據筆者田野考古所見，原始人類遺址無不有大量鹿角埋藏于土層之內。蓋彼時人類尚無金屬工具可用，唯持鹿角為挖掘工具。殸字正是右手握持鹿角之形，故知上古人類以鹿角為挖掘之具。可從下列字例獲得遠視：

壑叡䜭《說文》：「溝也。从叡从谷。呼各切。」叡，或从土。徐鍇曰：「殘穿地為叡也。」王筠曰：經典多溝壑連文，故以溝釋壑。

筆者案：䜭，从卢，殘骨之象也；从又，右手也。从土者，地也。無類之殘骨適于掘土穿溝之用者唯有鹿角。《說文》不詳其時，然以筆者發殘目睹可以悟之。

叡睿《說文》：叡，奴探堅意也。从奴从貝。貝，堅寶（小徐：寶上貴）也。讀若榮。

筆者案：壑、叡二字，生動地揭示了古人穿土挖溝活動景象。殘骨可以穿地，貝殼可以挖土。二者互相為用，固相輔相成，共成掘穿之功。故字从殸从貝。殸者右手持鹿角之象，貝者蚌殼之形，以象形指事字也。

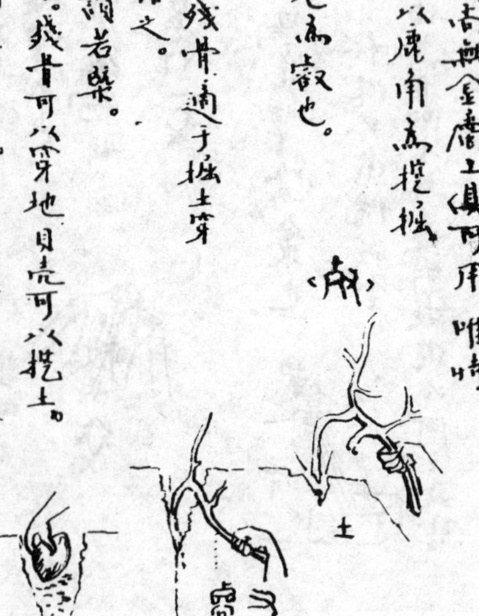

㲻𡏹《說文》：「坑也。从奴从井。」徐鍇曰：「陷穽也。」案：㲻字形、義與壑、叡同。奴土為叡，奴地穿穽叡土奴堅，其義一也。

委痿萎

𥿋殨殬《說文》：「痹也。」段玉裁曰：「艸部萎，一曰餧也。萎、餧雙聲。」《廣韻》云：「萎，枯死也。」「萎蔫也。」

筆者案：殨从卢从委。《說文》：「委，隨也。从女从禾。」徐鍇曰：「曲也。从禾垂穗。委曲之貌。」復考《說文·疒部》：「痿，痹疾。」《正韻》：「痿，濕病。一曰兩足不能相及。」《史記·韓王信傳》：「僕之思歸，如痿人不忘起。」注：「不能行。」竊以為委、痿、殨字皆从委。委者禾穗曲而不伸，萎而不舉之象也。痿从疒从委。風寒濕痺，肌肉疲的癱瘓，拘攣收縮，手足屈而不伸，或廢弛不用也。殨从卢从委。骨組織疾患不利于行也。

其義雖異，其本則同。示意如下：

𥿋——（植物曲萎）
　殨——（手足曲萎）
　殬——（骨骼軟化）

七一

婚婚 《說文》：「婚，習也。」王筠曰：婚婚即昏眊，謂病人無知也。書：《說文》頁部「䫉」，繫頭殟也。女部「婚」，不憭也。」復書《詩大雅蕩之什·桑柔》：「多我覯痻」。疏：「字从疒而以昏為聲，是昏忽之病。

筆者案：昏字，初文是日。象日沒地下之形，故从昏之字皆从日。昏、惛、痻、婚、婚、䫉諸文同具黑暗與光之義。日者，夕陽沉沒大地昏暗之象也。婚者，古代婚禮例于黃昏行之，故从女从昏。䫉者，腦病也。古作「頭殟」，故从頁从昏。惛者，理智衰退，思維不審是非也。痻者，素質愚昧之義也。我鄉名曰「丰熟」。婚者，病勢垂危，進入昏迷狀態之象也。此間中有罝，而罝中有洞也。今俗語謂病人失去知覺曰「發婚」，應以「婚」為正字。

日—昏—婚—惛—䫉—婚—痻

卒 衣 《爾雅·釋詁》：「盡也。」疏：終盡也。筆者案：卒之為文从衣从乂。衣者，縫紉之事也。乂者，鐵蒲線紋與衣縫夫織之象也。七字位於衣尾，所以示衣服已成，最後之一針也。故訓義為盡，為終了。服後延伸為行伍最下一級職稱——士卒義。人之壽命終了亦云卒，皆延伸義也。

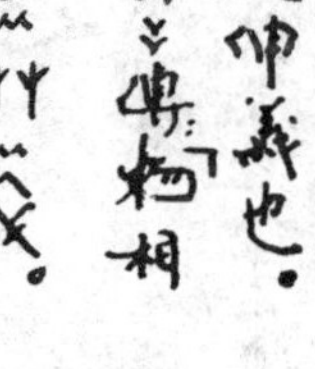

卒

萃 艸卒 萃 《說文》：「艸貌。」《易·萃卦》：「萃，聚也。」《序卦》：「物相遇而後聚。」故知萃字从艸从卒，有艸木叢生之象。筆者案：萃字从艸从卒。

艸者，植物之象，卒有終結之義，故訓義為聚。

淬焠 淬焠 《說文》：「堅刃也。」《玉篇》：「火入水也。」《說文》：「滅火器也。」徐曰：「淬，劍燒而入水也。」

筆者案：焠从火从卒，或从水从卒。依物理量變規律，一切物皆有熱脹冷縮屬性。金屬器物自不能例外。故知鑄造兵器加熱之後徒而投之於水之裡面，其目的不外達到凝縮冷固之效能。

故知淬之為字有凝聚之意，與萃訓為艸之聚同例。

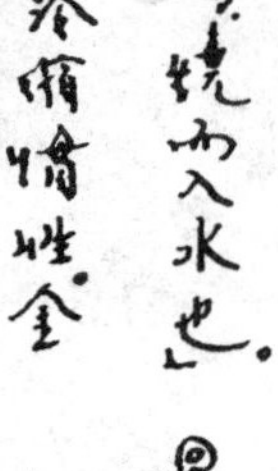

淬

𣦸 《禮記·曲禮》云：「大夫死曰𣦸。」此許君《說文》所引之義。後世經籍版本皆假「卒」爲「𣦸」，蹟非初文矣。

漢時經籍或仍有此「𣦸」字，而今只能於《說文》中窺見之。案：𣦸之爲文，从歺从卒。歺者死之省文。卒是終了之義。考大夫之職，子男之位也，於周制居公侯伯之下。故知「大夫死曰𣦸」，有身份卑下之意，而与天子死曰「崩」、諸侯死曰「薨」，自有族級尊卑之殊，不可不知。

碎 《說文》云：「䃺也。」又「㪔也。細破也。」考碎之爲文，从石从卒。卒字本義爲「終盡」。故知碎字从石从卒，而訓義爲細破，与㪔、与䃺，皆以石爲器破擊體爲細小之意。此「卒」之轉注互訓之義例。

瘁 《廣韻》云：「病也。」《韻會》云：「勞也。」《陸機·歎逝賦》注云：「瘁猶毀也。」《前漢·刑法志》云：「是以纖維憔瘁之音作，而民思憂。」

案：瘁之爲字，从疒从卒。疒者病之象，卒者碎之省也。有破碎之義。蓋病體衰憊之人，皆毛髮枯槁，面容皮膚皺紋重疊，如碎[illegible]。故曰憔瘁，亦作「顦顇」。顦从焦从頁，頁古「頭」字。焦者毛髮乾燥無澤之象也，顇者面容皺裂之形也。

粹 《說文》云：「不雜也。」《屈原·離騷賦》注云：「齊同曰粹。」《荀子·霸王篇》云：「粹而王，駁而霸。」注：粹，全也。

案：粹字从卒从米，而訓義爲「齊同」、爲「全」。與「碎」字从石从卒而訓義爲「破、散」之義，適成顯明對比。故知碎字，初意應是破碎之米，而粹字，初義應爲完整之米。碎字，初義應爲破碎之米。是以知粹之爲文，實碎之反義字也。

猝 《說文》云：「犬從艸中暴出逐人也。」《玉篇》云：「猝言倉猝暴疾也。」

案：猝从犬从卒。卒者卑小之義，犬者猶獵之獸也。其潛伏艸叢之中，待機而動，突然襲擊，令人難以提防。故知「猝」字从卒，有時間短小之

意。此漢字時空互化之義例。不可不知。造字者於細微類推與極小時間同觀，特注例也。

殪

殪 (seal form)《說文》：「死也。」(seal form)古文殪从死。段玉裁曰：「《詩·小雅·毛傳》、《文選·注》、《上林賦》：『壹發而死』之義，特說射獵言之。因文立訓耳。」殪又可通於翳。《釋名·釋喪制》：「殪，翳也。就隱翳也。」《詩·大雅·皇矣》篇：「其菑其翳。」毛傳：「木立死曰菑，自斃爲翳。」《釋文》：「韓詩作殪。」是殪翳聲義俱通也。蓋，初生之木，爲大雨所壞敝，不能得日光而萎者，皆仆倒地而死。因亦謂之殪也。故殪亦有隱蔽義。與瘞聲義互通矣。

瘞 瘞 瘞

筆者案：殪字訓義爲死，同音轉注例也。《說文》瘞字訓：「幽薶也。」《爾雅·釋言》：「瘞，幽也。」疏謂：「埋藏。」《釋名》：「祭地曰瘞薶。」注：「祭埋藏之。」《詩·大雅》：「上下奠瘞。」《釋文》：「瘞，埋也。」《禮·禮運》：「埋牲曰瘞。」《儀禮·覲禮》：「祭川沈，祭地瘞。」注：「古文瘞作殪。」筆者案：埋棺之坎曰肂，祭地幽薶曰瘞。死下日「殪」，陰中風曰「曀」，羽葆蔽日曰「翳」，物斃死曰「殪」，人自經曰「縊」。諸字聲同而義通。咸具「死亡」「掩藏」之意。蓋上古無文字，人類唯恃語言以達意。厥後文字產生，始能筆之於書，以示後世。故知「文字」者，語言之庫物也。西方學者謂爲中國文字乃象形文字。殆此知東方人類有目，而不知東方民族之有耳也。

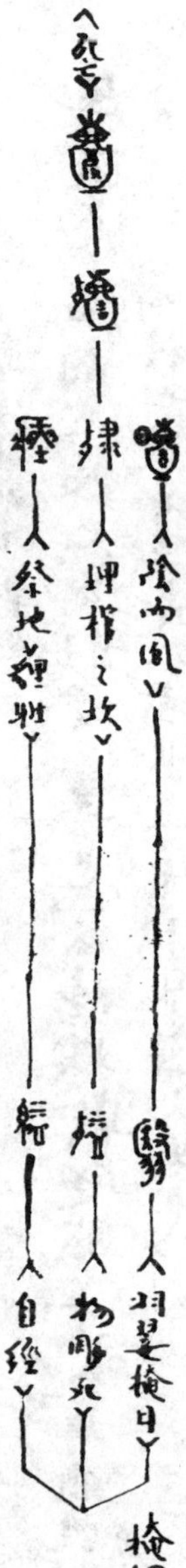

掩埋、死亡同義。皆讀音爲瘞。此漢字以聲系義例。

𡖊

𡖊《說文》：「死宗寞也。从夕，茻聲。」筆者案：𡖊之爲文，亦聲義字也。《說文》口部噩字訓：「[illegible]嘆也。」此閉口無聲之義也。夕部𡖊字訓：「寞也。」此夜靜就寢，默不出聲之義也。故知𡖊字从夕从茻，死後無聲之義也。雖同訓無聲，而同中有異。皆以茻爲聲。茻，古暮字，夕陽下沉，目不能見之意也。莫、夕聲同而意通。然則音韻乃文字「三大因素」之一，不可不重視焉！

殣 殣《說文》云：「道中死人，人所覆也。从歺，堇聲。」《詩·小雅·小弁》：「行有死人，尚或殣之。」段玉裁曰：《詩·小雅》墐，傳云：「墐，路塚也。」筆者考《左傳·昭公三年》：「道殣相望」。杜云：「餓死為殣。」

筆者案：殣之為文，从歺、从堇。歺音歹之省，堇者饉之省文。穀不熟曰饑，菜不熟曰饉。饉从食、从堇。堇，堇菜也。《詩·大雅·緜》：「周原膴膴，堇荼如飴。」故知堇者野菜也。饉者，民有菜色之象也。災荒饑民面黃而浮腫，古名「菜色」，此營養不良象，為見所親歷。故知「殣」字从歺、从堇，乃餓死之人。其義完全可从字形得之。然則「墐」字訓為「路塚」何也？「墐」从堇、从土。土者塚之省文，堇者所以示掩埋之人，乃餓死之人也，非病死之人也。然何以訓為「路塚」？蓋病死之人，皆居家而死，死有定所。若饑餓之民，皆鄉鄰共四出奔走，覓食異方，往往食盡力竭，死于中途。所謂「餓殍載道」。後死者不忍見其暴尸田野，極故而埋之於道旁。此「路塚」之義也。

堇（野菜）—饉—（菜色）—殣—（餓死者）
　　　　　　　　　　　└墐—（路塚）

殂 殂 殂《說文》云：「往死也。从歺，且聲。」《虞書》曰：「放勳乃殂落。」筆者案：凡許氏言「从歺」者，往也，義在其中，如本條且聲，即徂之省。徂訓往，古人謂死為往，猶今人之言逝也。「殂落」之詳見于《孟子·萬章篇》。

薨 薨《說文》云：「公侯殍也。从死，瞢省聲。」筆者案：天子死曰崩，諸侯死曰薨，大夫死曰卒，庶人曰死。《曲禮》文云：「壽考曰卒，短折曰不祿。」又未成人而死者曰殤：年十六至十九為「長殤」，十二至十五曰「中殤」，八歲至十一曰「下殤」。以下殺上曰弑。同一死亡也，而名目之不同者是其多。此漢語之特點也。本條薨實乃先秦時代公侯一般人物死亡之專用辭，固無疑問。然非造字之意。考《釋名·釋喪制》云：「諸侯死曰薨。薨，壞之聲也。」《禮·曲禮》鄭注云：「薨，顛壞之聲。」正義中之曰：「薨者崩之餘聲也。」看來，古人把住居萬民之上的尊嚴人物和

七三

高山的形象劃了等號，是非常明顯的。「脩」與「羸」皆取聲於山嶽之傾頹，惟聲勢之大小有異。故《公羊傳‧僖公三年》何休注云：「羸，小數擾之辭」。雖此可見《左傳》《公羊》《穀梁》三書，記事用語選字之精，許慎《說文》迥非他書所能比。所謂「微言大義」信不誣焉！然則羸者，瘠也，多瘠訃也。从羸从死，亡之義也。

薧 薧《說文》：「死人里也」。案：「薤露蒿里」，出於田橫門人。此漢義也，頗非古訓。《周禮‧天官‧庖人》：「辨魚物為鱻薧」。此薧字見於古籍記載者。考薧字从蒿从死。《禮記‧內則》注：「薧，乾也」。故知薧是乾死之魚。《周禮》鱻薧對舉，註補可知其義。魯南民間謂生活艱苦吃飯不見葷腥曰「乾薧簍魚」。民間歷史語言之遺存也。所謂「簍魚」，曹縣土即小型乾魚，市場商販習慣於竹籍席簍之內而出售于消費者，因而有「簍魚」之名。正合《周禮》「鱻薧」之義。民間諺語即考古之「活化石」，為治學者所不容忽視者焉！

𢀜 踞 𢀜卜 𢀜 𢀜金 𢀜篆《說文‧己部》：𢀜其下云：「長居也」。段注：「各本上踞，俗字𢀜也。」《尸部》曰：「居者，蹲也。」長踞謂箕股而坐。許云𢀜居者，即他書之箕踞也。《玉篇》云：「𢀜即踞字。長跪也」，非許意。許于「足」部踞下云：「長跪也」。與𢀜別。衛宏以𢀜為杞宋之杞，「杞宋之杞字，此出唐衛宏官書，多不可信。」

《討論》：若衆謹案𢀜之為文，從己、從𠀠。己者側視屈膝人形也。𠀠與丌通。此篆文書寫慣例。《說文‧丌部》云：「下基也」。丌與几同字。凥字從此。《孝經‧開宗明義章》云：「仲尼居，曾子侍」，《說文‧尸部》居字下：「蹲也」。經籍多段凥為居。不知凥字從尸、從几，象人坐几上，舊凥字初文。凥、[illegible]、[illegible]

字皆從此，同具「下基」之義，故知「𠀠」「凭」「凥」「𡱁」皆「几」所同根字無疑。

〈凥〉《几部·凭下》文：「依几也。」讀者爲〈平〉。同部凥字訓：「処也。从尸、几。尸得

〈凭〉几而止也。凥，謂閒居如此。孝經之凥謂閒処，但閒処之時，

實，凭几而坐，故直曰仲尼凥也。〈見段注〉凥、凭、𡱁、𡱁一

韻相承而義通。故知凥爲凭之初文。此形聲字也。今人用爲居字，非初義也。

居 今塊之以風而爲畜避之説。古稱居字上[illegible]爲胎兒臨地之形。《論語》居字

《[illegible][illegible]》蓋未察居之爲文，乃毓〈育〉字。後世延伸爲凥処義者，或以婦人

从[illegible]从[illegible]〈土〉非原始嬌婦窋藏山峒之義乎？今或謂名曰「坐月子」。此居字初

義矣。今從本《說文》槼訓𠀠爲踞。段氏正之以居。可

謂獨具卓識。其說實得力于對凥字之精湖真相之理

解。所謂「長凥」即屈膝跪坐。這是古代禮教制度賓主

對話時姿式。《戰國策》：「秦王跽〈跪〉曰：『先生不幸〈故〉教寡人

乎？』」𠀠从己从兀。古者屈膝而坐之側視人形也。甲骨

文中[illegible]、[illegible]、[illegible]、[illegible]皆屈膝而坐之人像。蓋即先秦

[illegible]〈1〉

乙·四六十一·四六

〈2〉

七四

貴族人物的社會活動之生動剪影。古文箕與丌通。此古篆書通借例。如：䢋可作祈。碁可作丌。斷可作麒例。丌即几也。《說文》丌部下：「下基也。」几部云：「尻几也。」徐曰：「人所凭坐也。」故知丌几同物而無疑。《唐王勃滕王閣序》云：「徐孺下陳蕃之榻。」徐穉字孺子，洪州高士也。陳蕃為豫章太守，特設一榻以待，去則縣之。《釋名·釋牀帳》云：「人所坐卧曰牀，長狹而卑曰榻。」則丌其物矣！

〈㞐〉

《已見前篆》若俗本《說文》釋己四為踞，殊于義未合。踞篆《說文》未見。尸部有㞐字，給踞之古體也。《大戴禮》釋踞為蹲，與說文同聲，亦語焉而未詳。唯《漢書》為能見其真意。《前漢高帝紀》云：「沛公方踞牀。」注云：「踞，反企也。」《陳餘傳》云：「高祖箕踞罵詈，甚慢之。」注云：「箕踞者，謂伸兩腳如箕。」是真踞箕之形矣。《類篇》作㞐。尸部文俗居从足，當作㞐。作「踞」非。

此騎姿散慢之態也。

跽《說文》云：「長跪也。」而不訓為長居者，以忌跽之為辭，憎惡也，嫉恨之意也。故知跽字从忌，亦曲膝下跪之象。故从足。

此心懷忌怨之情，外示畏懼之態，故字从忌而訓長跪。

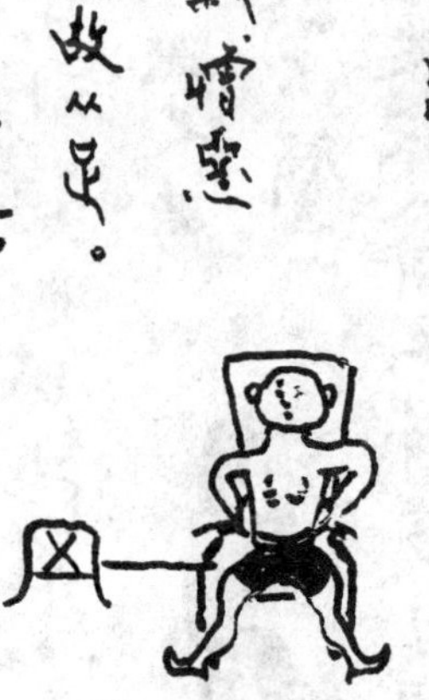

〈㞐 箕〉

屈服于强暴壓力，乞饒求赦之情，故無憎惡之心，其可得乎？

己人屈膝跪坐形
異〈八、八〉坐榻形
→ 㠯異
　䫂人伏首畏罪式
　爪人高位端坐式〈注几〉
　人〈憑〉幾對坐式
　〈足〉傲慢騎姿式
　居人座房之〈宮〉〈穴〉

𢓊卜𢑚〈金〉以上二文古籍不載，今文不見。字從目從☐，从𠀍字觀〈金〉考慮之得難以文字推論。長期以來未能獲得其蛛絲馬跡。〈卜辭之𠈌〉字體迹涉形似，而其中𠀍𠀍截然有别，故不宜曲𧰼字與目混誅。不嫌固哉有意有年矣。不意乙亥之秋，忽覺𢑚字造型不意與許氏〈說文〉手部𢑚、𢑚二文之造型不幾同例。爰論證如次：

𢑚𢑚：考𢑚之爲文，从臨，从手。臨古篆也，从人，从目。考人之封〈金文〉自照之態。故知𢑚字有觀察之義。〈說文解字〉：「𢑚，普故切，音陛。」

七五

《蜀志·諸葛亮傳注》云：「夙興、夜寐，罰廿以上者，皆親覽焉。」知覽之為字，即覽之初文也。《見部·覽字下》云：「觀也。」知覽字有「觀察」之義。《管子·弟子職》云：「飯必奉覽。」《屈原·離騷》云：「夕覽洲之宿莽。」注云：「覽，采也。」知覽字又與「攬」通。《說文·手部》擥篆下：「撮持也。」蓋覽从臨、从見。而擥从臨、从手。故覽訓「觀」，而擥兼「觀察」「撮取」之義。理有甚也。

掔

掔擥《說文》云：「固也。」《唐韻》《正韻》云：「苦堅也。」音牽。古牽堪聲同。即看之入聲。此乃聲中兼義字也。今群眾俗語，謂嚴密監視犯罪份子，不准自由行動，曰「看《讀堪》起來啦」。故知許氏訓掔為「固」，有「禁錮」之義。

掔之為文，从臣、从又、从手。臣，古目字。《卜辭》目作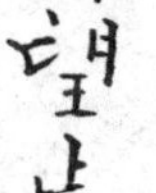，漢初隸定為臣。堪為形例。从又、从手者，例與𦥑同，亦左右兩手之象也。故知掔即掔，即字之變態無疑。畜示如次：

掔。擥字从監从手。與掔為一母雙胎孿生兄弟。皆

「監」之孳乳字，不待辨而意見矣。所異者，掔從覽而掔從文，掔讀「覽」而訓「觀」。掔讀「牽」而訓「固」。《史記·鄭世家》：「鄭伯肉袒掔羊以迎」，是其義例。亦示於此以見意：

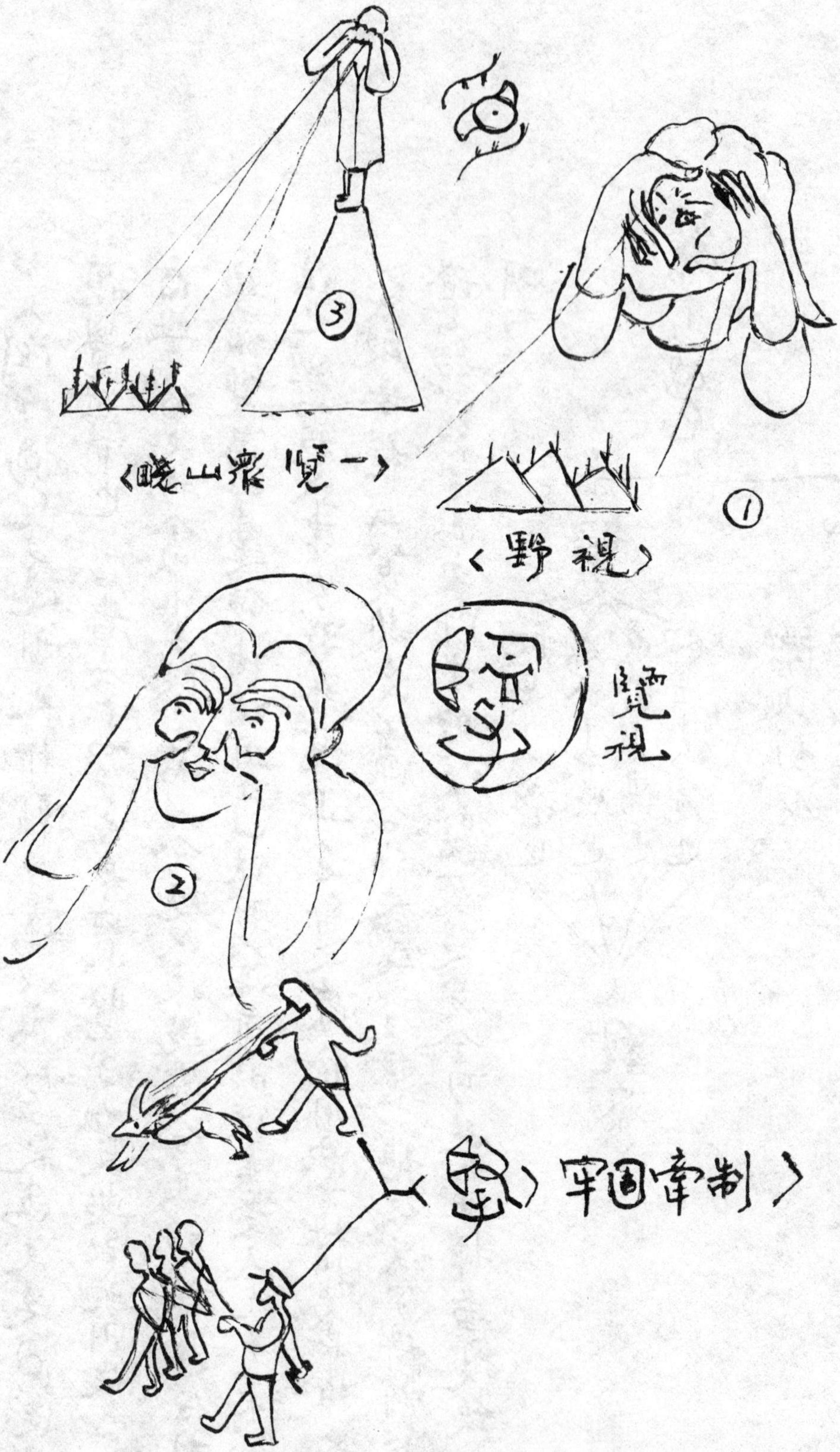

〈關于□字造型之推敲〉竊以為□之為文，從目，從□。目者視覺器官也。□者左右兩手之象，覺、覽字初文歟?!然則從□何義耶?治學者必據今以求古，驗古而知今。現代旅遊家登高望遠，往往利用兩手變成雙筒望遠鏡，施諸目上。此法可以保護眼球不受天光干擾。乃古之遺法也。又如現代畫家野外寫真，倉猝之際，恆用兩手拇指、食指交互相接，以代取景框。此皆人類古代手眼合作之遠望技巧，遇造文字得到啟示。以此證之，如□之為文，即瀏矚之「矚」字，是完全可從以上插畫獲致印證說明的。

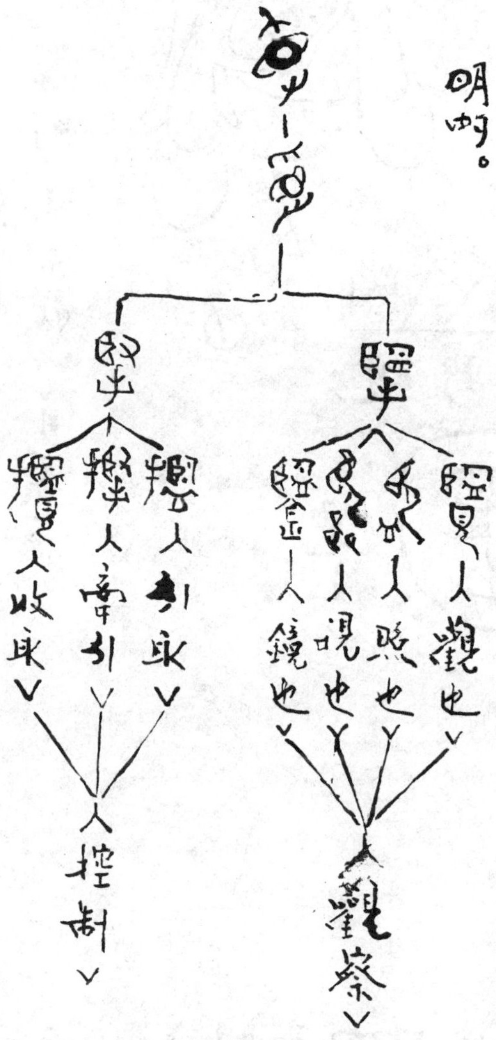

文字起源圖典

人文（二）

二

齾齹齧 三三
旨脂美 三三
嘗指趣 三三
甘丹彤 三四
活話甜餂 三四
甛咠諿 三四
古余舍 三五
舒酉 三五
昏括 三六
桰聒湣 三六
耳聽聖 三六
聲聰聞 三六
昏婚 三六
耿聾 三七
取聝緝 三七
輯戢揖緝 三八
最聚堅 三八
聶懾 三九
躡攝 三九
聳 三九
惱恩 四〇
慮囟 四一
納心意 四一
悊判志 四二
愿恭 四三
恖愧 四三
憲魏 四四
怒悤疑 四四
懿 四五
衢懷 四五
衢譽慎 四五
泄也 四六
芭 四七
書 四八
著著 四九

談鼻的文字

鼻  《說文》：「鼻，引气自畀也」。《釋名》：「鼻，嘒也。出气嘒嘒也」。

案《說文》與《釋名》所言者，皆鼻之生理上用，而非文字之學也。試補述之：

早期鼻字是自，象形字也。殷後鼻字以代自。而原始之自，遂化為第一人稱義。今人仍有以手自指其鼻，以答後對方之詢問的習慣。可見此種「信號」語言蘇來久矣。（見下圖）

鼻《白虎通》：「鼻者肺之使」。鼻是呼吸系統的下屬組織機構。白虎通認為鼻是肺的「使者」，揆諸生理功能，是符合事實的。

《管子水地篇》：「脾發為鼻」。管子認為「肺」是「脾」的產物。不僅意味着「肺」「脾」之間在生理上的「從屬關係」；而且揭示了《管子》學術的意識來源，導源於道家黃老之學的真相。道家「气功」以「脾」為土臟，「肺」為金臟。依照「五行」相生規律，肺為脾之子，脾是肺之母。這一理論正是「鼻」字造型的依據，是非常明顯而有蹟可尋的。（見下）

鼻丫脾（脾發為鼻）

討論：鼻从自（象形）从畀。畀之省（示義）。「鼻為肺之竅」（內經）肺主聲而能發音。古人認為「金臟」。「脾為倉廩之官」能供應營養滋源以生肺。脾屬土，土能生金。《管子》「脾發為鼻」的學說正是解釋鼻字的良好註腳。長期以來，郭氏倡「漢字與五行八卦無關」之說，愚特識於此以昭其謬。

息 《說文》：「喘也。」《釋名》：「一呼一吸為一息。」以上二說極確。惜語焉而不詳，未能達造字之旨。

案：息字从自从心。自者鼻字初文也。心主脈（血管），乃推動血液運轉之中樞機構也。

考越人扁鵲《難經》云：「一呼一吸，脈來四至，是為一息」，此識息字之真正定義。然究何以「四至」？又如何「一呼一吸」？則前人之所未言。請試述以明之：

依廿世紀時《生理解剖》知識求證：人體循環系統中的紅色血輪，專司搬運氧氣之工。其延行軌迹，圖示如次。

{頤部從略}

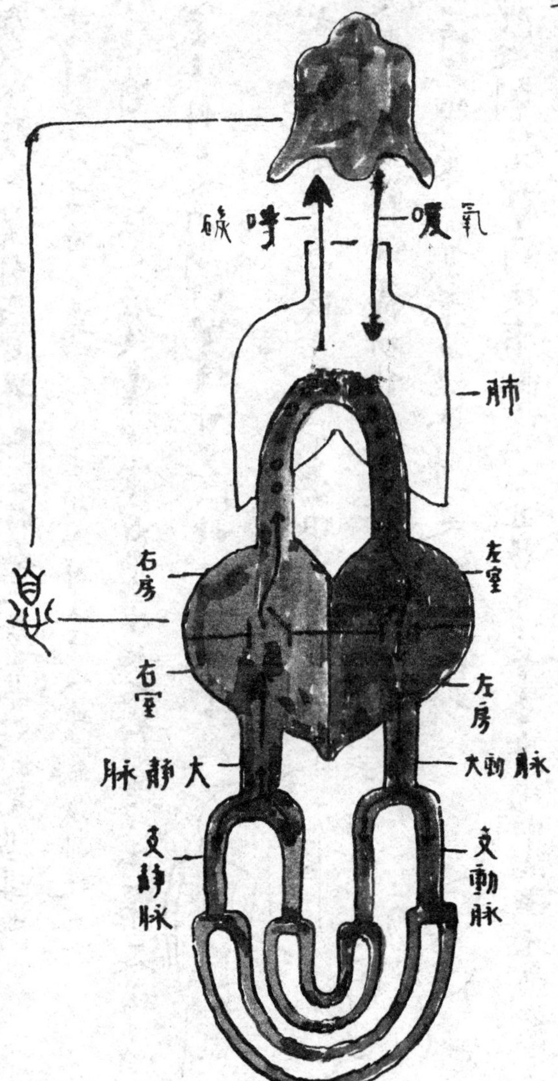

紅血輪由左心房—大動脈—支動脈—微脈網—支靜脈—大靜脈—右心室

右心房—肺動脈—肺靜脈—左心室—左心房，是為循環周期。紅血輪於微脈過程中，从事釋氧受碳；於肺脈網過程中，則排碳吸氧。紅血輪在通過心臟內部時，必須經歷四個領域（左右房、室）。紅血輪每次觸邊境，必賴心肌的縱縮動力，而呼吸運動更需要肺葉的伸縮。這樣就決定了心肺兩臟的巧妙配合，共成吐故納新之功。《難經》的作者與心字的造形示意，正揭示一個♡肺兩臟「生理活動的公倍周期」是異常明顯的。其公式如下：1息周期＝1呼吸＋脈動4次。

擤　擤《辭海》：「手捻鼻膿曰擤，音呼梗切」。

按《甲骨文編》有字，从自（古鼻字），从，象雙手擤鼻之動態。以形義審之，應為「擤」字古體。此字《說文》所無，《正字通》：「音省，應讀若三省吾身之省」。我國民間語言普遍用之。則《說文》為遺漏，堪知矣。

憩　《詩·召南》：「蔽芾甘棠，勿剪勿敗，召伯所憩」。《唐杜工部詩》：「平生憩息地，必種數竿竹」。案：憩字从舌，从自，从心。舌加心而為恬靜之義，自加心則為安息義，均靜默之意也。

故知「𪖐」字當應為鼻之同根字，未容以「自己」之義目之焉。因其与「息」同類，故知之。

𦣻 𩠐 𪖐 𪖐

𩠐（《揚子方言》：「獸之初生先見鼻，故夫之首子曰𩠐。」〈之始祖曰鼻祖〉

按：《方言》提供之「𩠐」字，獸類之鼻也。字从自从頁。頁，古頭字。卜辭止，可證。自，古鼻字。揚雄凝察事物初生脫離母體部位之時間先後順序而立義，以求證「鼻祖」一詞之含義所來由。其說極确。故知自、鼻、𩠐三文皆取象於面部之中央器官，具共義也。而三字本身又各具獨立之本質，此其特點也。故自者鼻之初文也；鼻者五行物理觀念之象徵也；𩠐者狀態時空槩念之標志也。

〈面部器官〉自 —— 自 ——〈第一人稱〉
　　　　　　　 —— 鼻 ——〈呼吸器官〉
　　　　　　　 —— 𩠐 ——〈特定獸名又𪖐〉

臭 嗅 齅

臭嗅卜 臭 嗅 齅《說文》：「禽走而知其迹者犬也」《集韻》：「齅，以鼻就臭。」

《廣韻》：「以鼻取气。」　按：許氏據犬類的特異功能以释臭字之形義，可謂獨得造字者之心。而《廣韻》訓為「以鼻取气」，更覺契合物理。《易說卦》：「巽，風也，為臭。」可見气味的傳散是必須依靠空气的流動為媒介的。廣韻的解释是極端符合卜辭字造形的。从自从夕。自者鼻之象，夕，古「肉」字也。以象味覺分子随風傳散飄盪之態。

故知宜释為臭字。此字前人未释，王國維氏疑為「𤕤」字，蓋未識夕即「肉」字之故，遂誤會以形為𤕤歟。愚表而出之，以夕之為肉，可以卜辭肉字夕，音止證之。

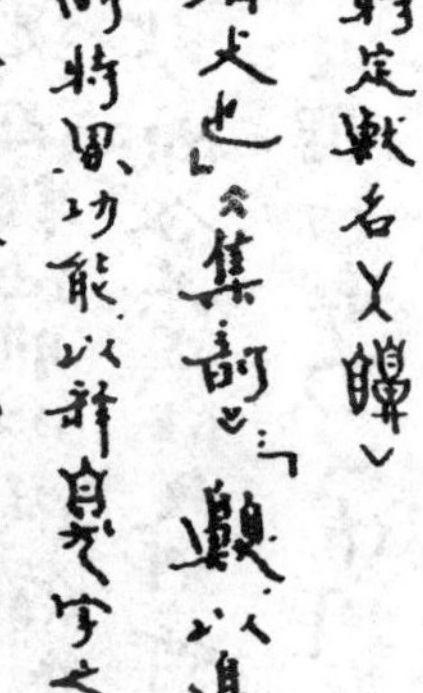

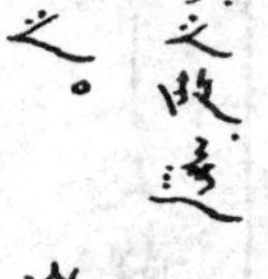

腥 □□ 鮏 □ 鮏 □《說文》「魚臭也」。案腥字今世寫法皆从肉而不从魚旁，失本義。

自臭，从魚為正字。其遺形亦義与□同例。亦指事例。

□

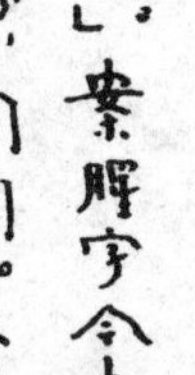

洟 □ □ □ □（卜）□（卜）洟（隸）《說文》「鼻液也」。注引《易萃卦上六》疏云：「齎咨涕洟」鄭注：

「自目出者曰涕，自鼻出者曰洟」。

涕 洟 □ □《說文》「泣也」。注：當是「目液也」。

案：洟涕二字雖形似而聲近，然各有獨立所含義。先賢鄭玄已於《周易萃卦》明示其指。考《說文》之訓：「涕，泣也」「洟，鼻液也」。是洟之与涕，實、崎上同屬感官系統門，分泌物雖於所出門戶不同而立名各異。此儒者所謂「名正而後言順」者歟！然敦諸經籍語例，往往涕洟連用。何也？此則有待於科學之求證焉。竊以為人之左右目眥（內眼角）皆有連通鼻腔之通路（鼻泪管）。嗅覺器官有時而遭烈性刺激之侵襲，則不僅鼻腔粘膜分泌增加，而兩目淚腺亦同氣相感，泪液俱流。反之，內在意態失常，則不僅泪液氾濫，而鼻道亦必有連鎖反應形成。吾人本此生理現象規律以求證，可識《卜辭》□（隸）□ □ □ 皆「洟」字之古體而無疑。何以言之？愚曰：□者鼻之形，八之与八鼻液之象也。□者鼻液傾注，繼之以中抵之象也。□字从□从□从水。□亦鼻也。□者矢鏑之形，与□形似而義同。矢鏑向上有刺激義。水則鼻液也。故知「□」之為文，亦洟字也。後世據洟液不止之象，引申為「相續而及」義。此「物象時化」之義例可於下述文章見之。《莊子寓言》：「吾及親仕，三釜而心樂；後仕，三千鍾而不泊（洎），吾心悲」。《漢張衡東京賦》：「百僚師師，於斯齊泊（洎）」。注：言百官於此相連及而來朝賀也。此漢字「物象時化」之義与目部「□」字訓義為「及」同例。

洎 泊

淚眾涕沓思派同宗義緒瀏覽

本義
淚——鼻液
眾——泪液
涕——泪液
沓——流水

昇華義
鼻液相及
泪液相及
泪液相及
流水相及

統一義人行相及

淚眾涕沓由緣造體形變軌迹

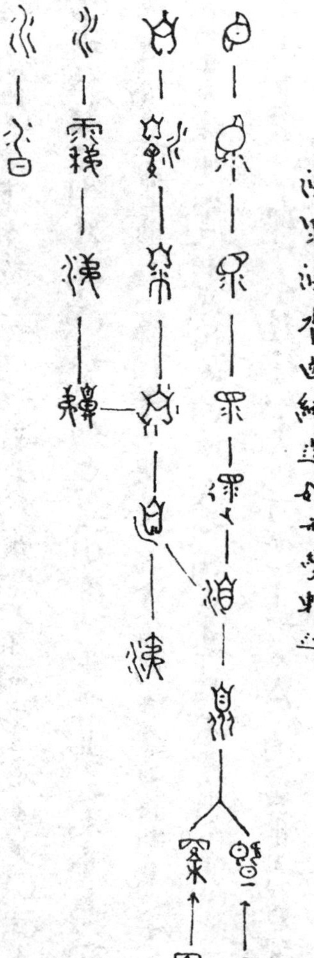

《張衡·東京賦》：「百僚師師於斯胥洎」注：「言百官於此相逮及而來」。此洎《湯》之本義也，已音變為系而意同如「及」矣。

臬 [illegible] 臬 《說文》：「射的。从木，自聲。」徐曰：「射之高下準的。」《廣韻》：「門橜也。」《爾雅·釋宮》：「樴謂之杙，在地者謂之臬。」案說文訓臬為「射的」，甚确。惟訓「自」聲，則未當。蓋臬字从木者，杆之象也。从[illegible]者，中心之義也。自，古鼻字也。鼻居面之中，顙之下，口之上，居乎兩眉之間，不左不右，不偏不倚，故有至中至正之義。故臬字从自乃標義符也，非聲符也。古代以射取士，故《周禮》有「射人」掌其儀。「服不氏」張其侯，「司裘」設其鵠。鵠又曰「[illegible]」《準》，漢時名臬。後世曰「的」，今則曰「靶」。因時代不同而異其形制，故一物而多名。

〈臬〉

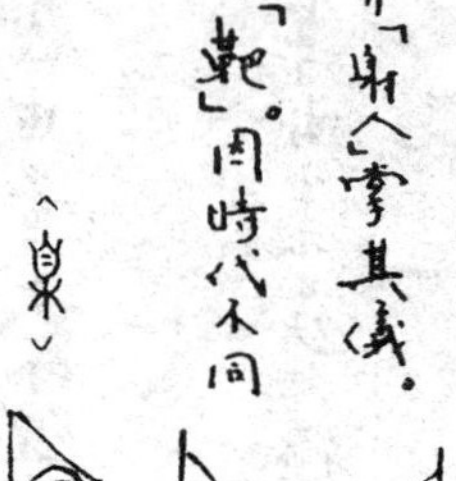

臬的多面義：一、測日影的標杆名。《周禮・考工記》：「匠人置臬，以縣，視以為規，識日出之影與日入之影……」

鄭玄注：「槷，古文臬，段借字。於所平之地中央樹八尺之臬，以縣正之。」

二、門橜義。《爾雅・釋宮》：「樴謂之杙。在地者謂之臬。」郭〈槷〉〈臬〉

門橜也。」

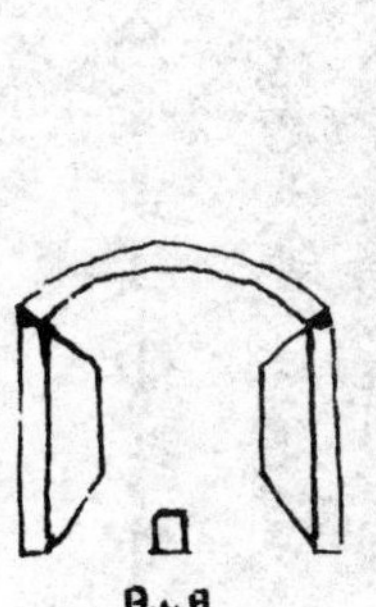

〈闑〉

三、法度。《書・康誥》：「外事汝陳時臬。」疏：臬為準限之義，故為法也。

案：臬訓「射的」者本義也。訓「門橜」者孳乳義也。訓「法度」者引申義也。蓋法貴正直中平，故取科學儀器以名之。固其宜也。

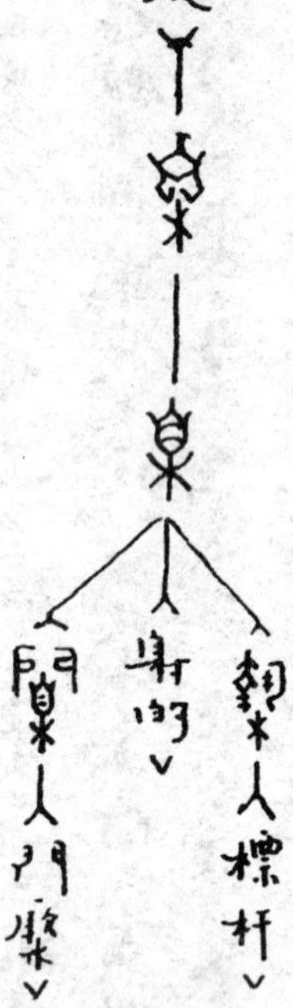

案：射的者，侯之中心也。闑者，門戶中間之木橜也。槷者，子午中綫投影之標杆也。皆以中正為準則，而取臬〈自、果〉為義。此會義字也。

嚏

嚏　嚔《甲骨彙編》部　字說文不見。筆者釋為嚏字。試探討如次：

从　从　从八。　鼻也。　象矢鏑刺鼻出血之形。《說文》：「嚏，悟解气也。」同書悟字訓：「覺也。从吾，心。」《國故記》：「無所覺謂之迷，有所覺謂之悟。」《國學記》對悟字的解釋，堪稱了如指掌。唯「气」字之義，尚有待於進一步的剖析。案：「气」的含義極廣。有五穀之「氣」，有气滿之

□，有水汽之氣，有呼吸之氣。雖氣有多種，皆非人身之元「氣」（以下迄氣）也。在中醫學內「氣」的實質，是指人體神經功能而言。古醫典《內經》有「壯火食氣」的學說，可以臨牀經驗得到說明。當流行性感染疾病高熱不退，病人常有「神昏譫語」狀態。仲景《傷寒論》有「奪血者無汗，奪汗者無血」的病理知識。實質上這是人身自然抗病功能的代償形式轉化規律。因而在中國針灸學中有刺鼻取血的療法，以緩解大腦血量負荷超壓，而促進病者精神清醒。此即《說文》所謂「悟解气」的醫學含義。有時采取「人中穴位」刺法。故在手術選擇上亦存在「刺血療法」與「非出血刺法」。故甲骨文字或作□□，或作□。可見其義。嚏（从口从疐），「疐」本為植物根蒂（蔕）字。《卜辭》之作□或□。亦象枝葉。田象土地。中象根。小篆之疐，《說文》訓曰：「礙不行也」。音變為「窒」，而訓為跲躓蹲礙義。《詩·豳風》：「狼跋其胡，載疐其尾」。皆段疐為躓之義例。故知疐字增口而成嚏，有氣機流動障礙解除之義。故《爾雅》替字云：「滅也」。《玉篇》：「替，廢也」。替嚏同音而義通。皆以見漢字以音統義之規律。故疐者氣機阻礙之義也，嚏者通透之義也。針入鼻內，針見血而病者醒寤矣。此會義之例也。

芬□《甲骨文彙編》□部□字，前人未詳。筆者以為即「蕙」字。此字从□从□。□古鼻字。□者□之省。（若以寫字論處，則無以見與□為伍之意）。《離騷》：「蘭芷變而不芳兮，荃蕙化而為茅」。王逸注：「葉曰蕙，根曰薰」。《爾雅·釋草》：「薰，艸也」。《周禮·鬱人》疏：天子以鬯，諸侯以薰，大夫以蘭芷。此用其葉也」。《淮南說林》：「腐鼠在壇，燒薰於宮」。《漢書·龔勝傳》：「薰以香自燒，用其根也」。是蕙之與薰，一物而二名無疑矣。案：薰的同聲而義通之字可資參證者，如韓考……皆與□字

同類，謹列舉以見義：《廣韻》馩字訓：「馩馧，香氣。」《集韻》上：「蕡，亦上馚。」《說文》苾字訓：「艸初生，其香分佈也。」《詩大雅鳧鷖》：「旨酒欣欣，燔炙芬芬。」傳：「芬芬，香也。」《詩小雅楚茨》：「苾芬孝祀，神嗜飲食。」則古代祭禮，必焚香艸以降神，可以經文見之。

以文字聲類義例求之，則馩、蕡、馚、芬，聲同義通，而與薰同韻。以文字形例求之，則叀、[illegible]、艸、馩、[illegible]、[illegible]、[illegible]形似，而與叀為伍。故知[illegible]字[illegible]下之「叀」，卽蕙字也。[illegible]居叀上，自應說為「以鼻嗅香」之意。按照蕙根附香質，含量優於枝葉，思之，則[illegible]下之「叀」，似以[illegible][illegible]為合情。薰、芬古音相同，而義通。故[illegible]下之「叀」，絕不宜割法[illegible]文而孤立以標義。否則莫由見[illegible]字造形附[illegible]禮觀念崇尚。此亦猶[illegible]字排除[illegible]文則莫能示「鮏」之義。[illegible]字排除了[illegible]形，則莫由示「臭」之義，其例相同。故「[illegible]」之為字，只有釋為氣味芬芳附「[illegible]」，廣義是義而合情。考《禮內則》：「男女未冠笄者，咸佩『容臭』。」注：「容臭者，香物也。以纓佩之，為迫尊者。」所謂「容臭」即香囊是也。這是古代少年男女之佩之物，目的在於改善空氣氣味。我國民間每年五月端陽尚有此習俗，蓋古風也。又如《史記》：「側載臭茝，所以養鼻也。」

這些記載都是研究[illegible]字的良好佐證。

邊 [illegible]《卜辭》[illegible]字[illegible]，稱[illegible]。考《卜辭》[illegible]字从[illegible]从冂。[illegible]者[illegible]之省，中心之象也（見[illegible]字）。

[illegible]

「內」古穴字。室戶之象也。《詩大雅緜》：「陶復陶穴，未有家室」。此古代人民之居室，今我國陝北之地仍有之。古代生活制度，男女異路，各自專道而行。《禮內則》：「男子由右，女子由左」。載在社會規範。《論語鄉黨》：「立不中門，行不履閾」。可見中道而行，是當時社會所不容許的。後起之「邊」字於[illegible]下增彳、亍之省也。左側增彳，道路之形也。亍下增止，古足字也。至此而邊字之形義更加明顯。《玉篇》曰：「邊，畔也」。《正韻》：「旁近也」。復考：古篆路字足路。從足、從各。左「足」字古作代之征字。外出之義也。右各字，從夂、從口。口者建築物之平面圖形也。夂者內向足跡也。故訓義為入內。左邊之[illegible]字從口，象方建築之平面圖形，廾者外向之足跡也。如《金文》中常用語：「王出于〇〇方」，皆外出之義。「王各于大室」，皆自外入內義。[illegible]的造形亦應較邊字的「自道而行」的說明力更強，是異常鮮明的。

〈[illegible]〉

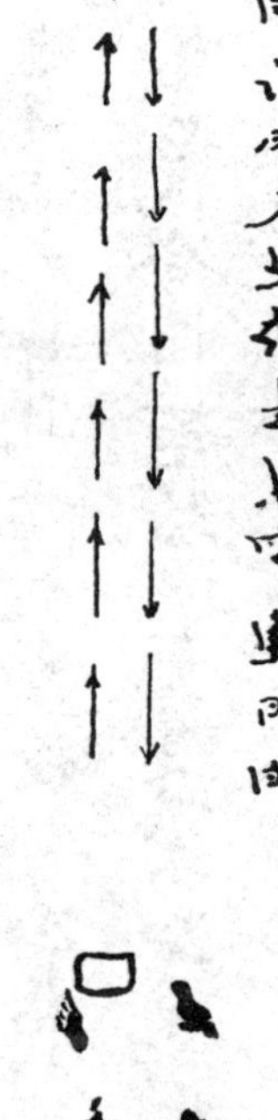

〈[illegible]述〉：[illegible]、[illegible]、[illegible]、[illegible]、[illegible]諸字皆從「[illegible]」。而義各有別者，蓋取決於配伍結構之特點。[illegible]嗅[illegible]而如鯉。[illegible]嗅[illegible]而如蒸。[illegible]嗅身而如臭。[illegible]受[illegible]而乞悟。之直視見義之例也。[illegible]從[illegible]亦為[illegible]之省。從四示適適之象，而訓義為邊。此間接會義之例也。「路」、「邊」二字反映了古代「交通規則」的一個側面。

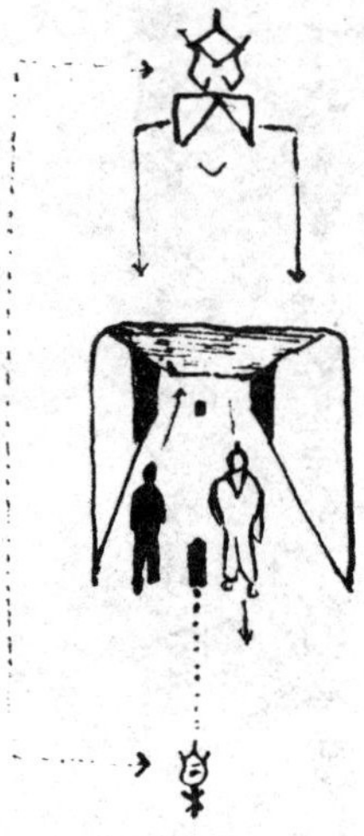

從口形的文字

口 ㅂ《說文》：「人所以言、食也。」言是說話。食可舉指吃飯、飲水。止爲自然界中的每一個有機物，都不會能夠離之而存在。而是必須有外來的物質營養，以延續生命。《說文》的訓義，揭示了口的兩大功能。除了吃飯之外，還能說話。吃飯是爲了活命。說話是爲了表達思想，建立人際關係。於以見口的重大作用。但是中華民族的聰明過人之處，卻表現了對口的政治態度，不是無限放任，而是嚴格限制。周公在《周易》經文中，提出了「慎言語、節飲食」的名言。因此，「言、食」二字的含義，也是大有深思餘地的。（說詳本著「口」字）

曰 ㅂ《說文》：「詞 口吐舌謂之曰。」案「ㅂ」字於古漢語中等於現代語的「說」。說話必然要發音，發音就要張口，舌頭必然要動。ㅂ字中心的「∟」代表舌，ㅂ代表開張的口形。這是一個非常生動的指事字。今人往往將ㅂ封閉而寫成「曰」，是極端錯誤的。曰者越也。有越過封閉線而出之義。今人名之爲「表達思想」。

吅 ㅂㅂ《說文》：「驚呼也。」《集韻》上「讙」。似較說文爲優。案ㅂㅂ字造形从二ㅂ。所以示兩種不同的聲音，互相干擾。若據《集韻》之訓釋之，則左ㅂ字，原是吾之口也。右ㅂ字，彼是人之口也。ㅂㅂ从二口並列，爭辯之聲也。故又用爲喧譁之「喧」字。爭辯之音必高，愈是情激而理曲，則欲以聲勢之盛以求勝。此必然之規律也。

品 𠙵 品《說文》：「衆庶也」。《廣韻》：「類也」。此二訓皆無以見品字取象之來龍。竊以爲品字从三口。口者孔也。孔字讀音乃「窟窿」之合聲。故知品字乃衆多透孔之象。意品字之造形必取象於鼓吹樂器

龠 龠 之形。古文龠字，可止有力形證。龠是多管樂器。後世名曰「排簫」。共有十二管，能發十二音。古

漢語名曰「吹笛品簫」，謂為語詞。後世據音律高低等差觀念而延伸為等級義。古代國家官員有三品、四品……七品、九品之分。現代商品價值亦有上、中、下品之分。皆源於樂理之音階。

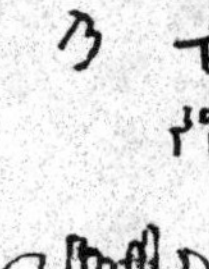
〈龠〉

㗊 《廣韻》：「鳥聲也」。案此㗊字與「霝」字之从㗊之示意不同。霝字雨下之「㗊」乃量雨儀器。此㗊字乃多音聲符，與龠之為雜色同例。「百㗊」鳥因其能摹仿許多鳥聲而得名。蓋據此義而生。品字在於明等次，故口有高下。㗊字在於示衆多，故三口平列。

喿 
喿 《說文》：「鳥群鳴也。从品在木上。」段注：此與雧同意。案木者樹之象，品者聲之多也。雖無鳥形，亦可一望而知其為鳥聲矣。余名之曰「間接示意」或「隱象示意」法。蓋雧字義在示形，故从三隹。喿字在於示音，故从三口。此同中有異，異中之同，不可不察。

綜合論證：一口曰口，二口曰吅，三口曰品，四口曰㗊，曰喿。皆以數標勢之造字形例。與聲生之血液化脈串中附「十」「一」號之以數標勢同例。明乎造字之形、音、義所變化規律，方能望文知意，聞聲洞情，察義見賾。否則必成盲人。

喚
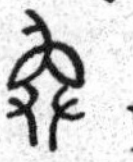 《說文新附》：「評也。古通作喚。」案喚字从𠃊从非从口。𠃊者，俗作度之形。古謂奸佞之人曰「九度針」。以針性多彎而善變，故用之以喻險惡之人。非者引之反。象「引物于外」。又為緋之省。《說文》「緋」字訓「係也」。《玉篇》：「緋與縶同。」又《說文》：「縶字訓：馬不行也」。《莊子》：「澤雉畜乎樊中」。樊，籬也。緋縶二文皆从非。或訓義為䌁〈縶〉或訓義為「引物於外」。故知非字具

獵獲捕捉之義亦無疑。非字象左右雙手反張取物之態，形意可知。

竊以為豩之為獸乃靈長類動物，意識睿敏，善變而多詐。其形（[古文字形]）

體弱小而無力，唯恃運用權謀術數以誘捕家禽雞鴨之類以資生。能巧妙摹擬家禽聲音，全恁彼豩伎倆以喚起家禽之共鳴，而使循遁聞音而獵食之。竊察上述是一種迷惑幻術。故喚非字从口，以豩尾為形而以幻為音。《說文》[古文字形]字訓：「詐惑也」。大凡詐惑之術，貴乎追求花招翻新，方式眾多，此不易之理也。否則無以隨機應變，成其剽掠之功。故知幻、奐、喚、換諸字音同，形似而義通。故知喚非字之為非，豩狸形象也。从非捕捉之態也。从口，評喚之聲也。後世延伸為「評喚」、「召喚」義。故許氏之訓固非義與謬，惜未能究索造字形義之初基。愚補述如右。

幻 [古文字形] [古文字形] 上《集韻》「胡慣切，音患」。《說文》：「从反[古文字形]。詐惑也」。《書無逸》：「民無或胥譸張為幻」。《廣韻》：「幻，化也」。《金剛經》：「一切有為法，如夢幻泡影」。《增韻》：「幻，妖術也，或止眩」。《前漢張騫傳》：「犛靬眩人」。注：「眩讀與幻同。即今：吞刀、吐火、植瓜、種樹、屠人、截馬之類皆是也」。

案：以上徵引古籍資料之訓，雖皆能契合「虛幻」之義，但殊非「幻」字造形取象之實況。竊以為幻字古文作[古文字形]，其造字實取象於人立水邊之投影「倒像」。此「光學」物理現象也。（[古文字形]）非人體實像也。造字者用為「幻」字，亦象形兼會意字也。幻、喚同聲而義通。此漢字同音轉注之例也。「幻」本非「口」部文字，以其與喚字音義互通，故連類於此。

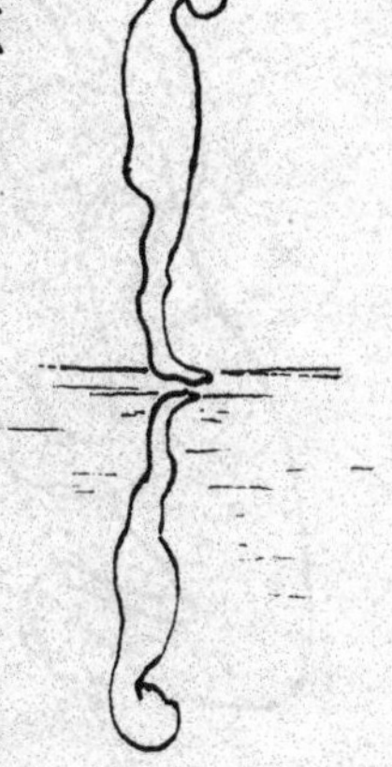

呼 □ 乎（上）□（金）□□（籀）□（延陵季子碑）呼（篆）《說文》：「外息也」。《韻會》：「出息為呼，入息為吸」。《集韻》：「嗚呼，歎辭」。《廣韻》：「喚也」。

《卜辭》□字，□者張口之形，⺀者聲波。

□左手輔口加強音量之態，與□（司）同義。取聲於乎，所以示聲之弘也。

后 后《說文》：「繼體君也。象人之形。施令以告四方，故厂之。从一口。發號者，君后也」。（司）

司 □ 司《說文》：「臣司事於外者」。案：古代以服務於「王家」之辭事曰「有司」。

司古上□。从□，象雙手理絲之象也。古「治」字也。从司者，發號施令之象也。

其造字取形實與□后同例。古代君呼臣亦曰「后」。《書舜典》：「領瑞於群后」。《畢命》之「三后協心」皆其義例。

吹 □（卜）□《說文》：「嘘也」。《玉篇》：「出气也」。《莊子逍遙遊》：「野馬也，塵埃也，生物依息相吹也」。

照莊子所說法，凡空氣流動皆可名之曰「吹」。从「生物依息相吹」一語察之，似乎莊周已經發現了植物所呼吸生理功能。但是从文字造形觀之，則似乎是取象於人的張口噓气之形。□字其有力當證也。□所同族字甚多，凡从□之字多與呼吸有關。難以畢舉。謹舉一、二為例如次：

□（口）人 □ —— 气流振動管籥（□）

□ —— 氣气助燃（□）

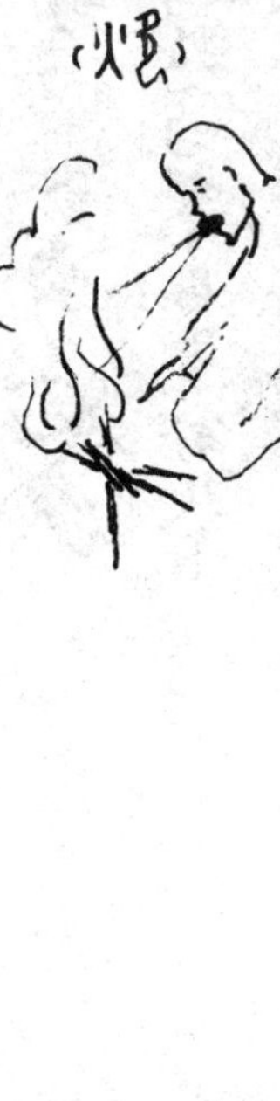

欠 〈卜〉〈篆〉《說文》：「張口气悟也」。

案：魯南方言有「張牛欠口」、「欠邊」等語，此民間歷史語言，皆可正欠字形義之良好註腳。蓋欠字造形，為張口之人形。口唇洞張，而口腔空虛。故延伸為腹餓欲食之意。故曰「虧欠」。而許君訓欠為「張口悟气」，實亦與生理攸關。人之寓於靜態既久者，必適致腦場降低氣供缺之。出現萎靡不振。故必張口伸腰上深度呼吸，以振奮生理代謝功能。名曰「欠伸」〈俗文伸懶腰〉〈又名打哈哈〉此許君所謂之「張口悟气」歟！

〈欠〉

歌 〈卜〉歌。謌《說文》曰：「咏也」。案：咏从口从永，口者聲也，永者長也。有「長聲為歌」之意。此解最與、歌二字之形甚覺扞格難入。竊以為，卜辭字象形也。小篆歌字形聲也。何以知之？余曰：歌字从哥，實中有義也。欠者形也。張口人形也。「哥」从二「可」重疊。可古「坷」字也。厓、序等字皆从厂。故知哥从二可，有厓岸重疊象。造字者以丁示等差級次，以口為聲符。故知哥者

等差級數之象也。可以示伯仲叔季身材高低之規律也。今我國北京方言仍謂「兄弟」曰「哥兒們」。兄弟幾人曰「哥兒幾個」？因不同年齡有不同之音級。此曲者可利用這個音差個成高、中、低多部音階之大合唱。此歌字从哥从欠之意歟！然則歌字从哥有天律之義明矣。〈附古音律表於後〉

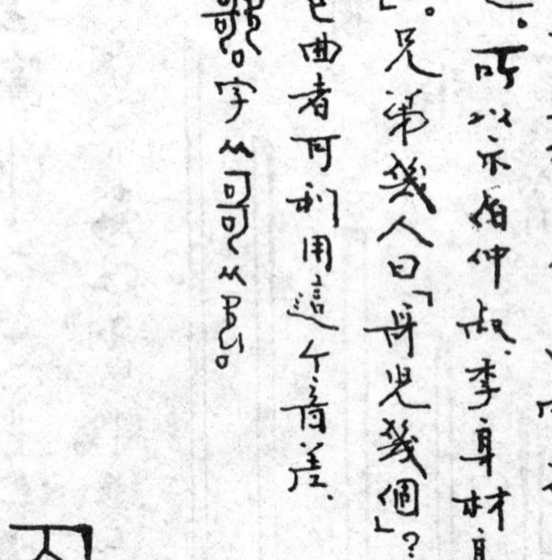

〈歌〉

八

考《毛詩序言》：「黃鍾管長八十一分為「宮」。$81\times\frac{2}{3}=54$ 為「徵」〈三分損一〉。$54\times\frac{4}{3}=72$ 為「商」〈三分益一〉。$72\times\frac{2}{3}=48$ 為「羽」。$48\times\frac{4}{3}=64$ 為「角」。

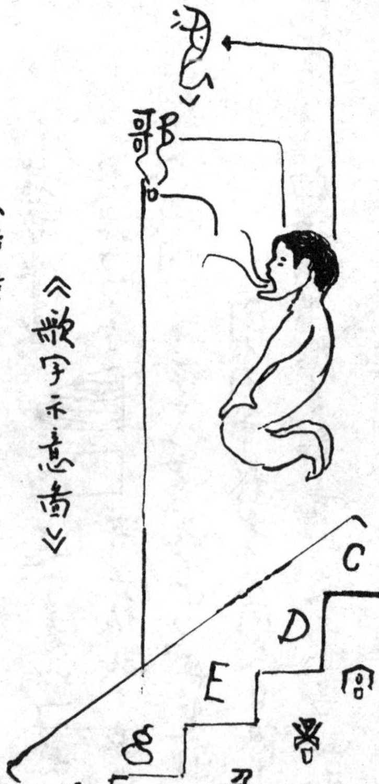

《歌字示意圖》

〈結語〉

哥、哥 考《說文》可部「哥」字訓：「聲也」。《漢書》多用為「謌」字。可見「哥」之為字，即古「歌」字初文也。漢代去古未遠。故知許氏之學俱有師承。「哥」之後世延伸為「兄弟」之義者，貴基於地貌——坎坷層疊之音階觀念而來。今則「初義」已晦而延伸義行。學者已莫能窺其源委。足證筆者所認識無誤。而「哥」字的造型，取音，立義，都在有力的闡明了「歌」字屬於古代「樂理」知識的體現。同時也反映了漢字的科學性本質。

況、況 況〈卜〉 況、況：《說文》：「寒水也」。段注：「未得其證」。此況字初義，千古於茲無人問津。遂使此字之情成為不解之謎，可嘆也夫！

考況之為文，《卜辭》上況，小篆上況，或上況。此指事兼會義字也。其所以从乀或

從之者可以介乎液態與固態二者之間也。試采用現代科學知識以說明之。

夫水之為質，氫氧化合物也。其三態變化之功能，為世人所共知。其變化動態，視氣溫升降為轉移。蓋水分子之體積，在攝氏四度氣溫中為最小而密度與比重亦最高。至攝氏四度以下則逐漸體積膨漲，而密度與比重逐漸下降。此水在氣溫下降趨勢時之慣性也。至降及攝氏零度則凝結而為冰。故曰「冰點」。在此一「溫域」中水的變態規律表現為「溫縮冷漲」。吾人不妨名之曰「降幕規律」。反之，當氣溫處於攝氏四度以上「溫域」時，則水的變態規律表現為「熱漲冷縮」。直至攝氏百度則氣化而昇空。故曰「沸點」。故攝氏四度，實水的變化慣性的「分岐點」。不可不知。故水在氣溫由攝氏四度逐漸下降時，則「水溫」與「度數」成反比。至攝氏○度以下，則水已成冰，變液態而為固體。此時則應名之為「冰」，不復能以「水」名之矣！然則液態的水，應以攝氏○上一度為最冷也明矣，故知許氏訓「況」為「寒水」，即攝氏○上一度之水已彰彰明甚無疑焉！（見下圖）

大槩我們祖先，遠在幾千年代以前就已經在生活實踐中洞察到水的這一變化現象。否則對「況」字訓為「寒水」之解必將成為不可理解的「囈語」。而「況」、「況」的「母文同字」也將無法尋找落實的基地。這是不能容許的。

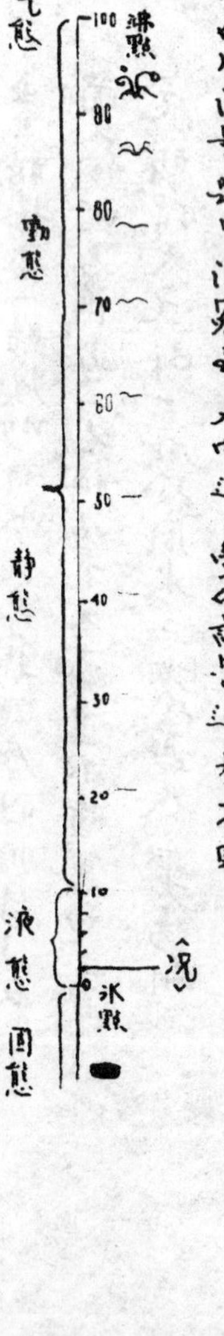

關於「寒水」的科學背景之探索：筆者認為「寒水」一辭是有自然科學基礎的。

九

「寒水」二字正為自然气象名辭，來使用最早見之於我國古典醫學文獻《黃帝內經》。中國傳統醫學和傳統文化同樣和古天文曆法存在着密切關繫。「寒水」一辭實際上標志着「夏歷」一歲週期當中的某一特定季度的气象特徵。

《文气週期循環圖》

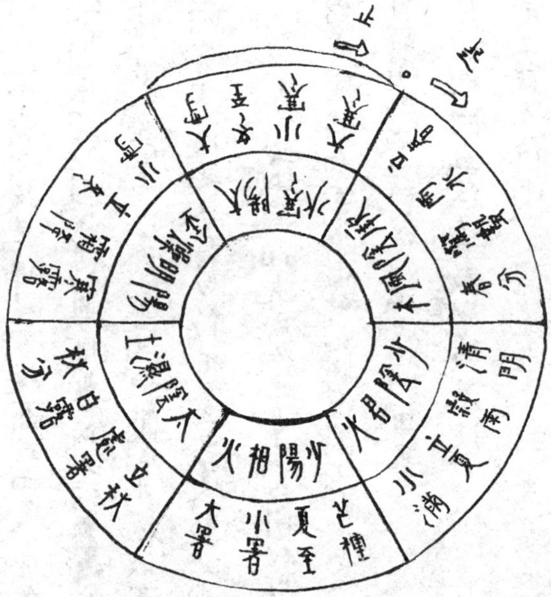

古天文把一歲中的三百六十五又四分之一日，劃分成六等份，並且根據每一時度的自然气象特點屬性，賦予了六箇不同的名稱。每一名稱佔有六十天廿一小時。名曰「六气」。所謂「六气」即一、厥陰風木，二、少陰君火，三、少陽相火，四、太陰濕土，五、陽明燥金，六、太陽寒水。所謂「太陽寒水」，就是「六气」當中居末的一气。亦即從「太雪」起，經歷「冬至」、「小雪」至「大雪」末日為止的六十天又廿一小時的歷程。《周易》坤卦象辭所云：「履霜堅冰，陰始凝也」。正生動的描寫了這一時節的自然气象。這一自然气象的具體背景，可出現在每歲北半球的亞洲黃河流域的冬季中。這一東西廣達萬里的天然環境，便是我們祖先定居的華夏之區。因而吾人探討古代文化，絕不應排除神洲的自然面貌於不顧，而別闢往向另尋出路。例如我們經常於秋末冬初在田野池塘、潭沼、河流中，可以發現積水的立體要直綫的各點橫處的不同層面，存在着顯著水溫差距。其故安在呢？緣水之為物，接近於不良導體。故時當盛夏，則上溫而下寒。時當淺冬，則上寒而下溫。故時值秋末冬

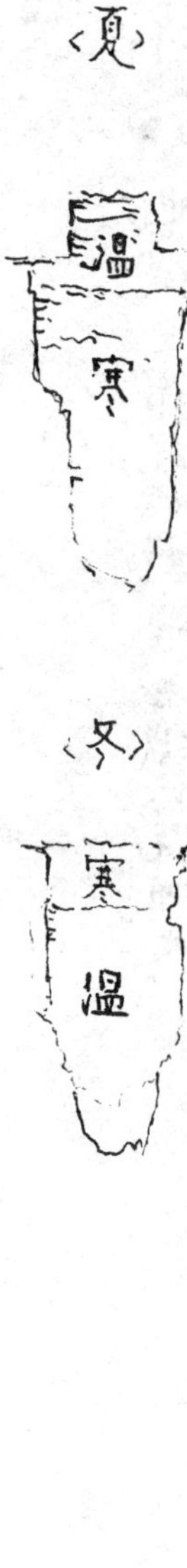

初大氣溫度介于兩氏0點一度之間。此時水面呈現初步凝聚之象。其水微薄似紙而未固。吾鄉民間呼之為「雞毛淩」。在這裡情況下，氣溫稍趨上升，則冰化為水。氣溫稍趨下降，水凝為冰。故況、兄異文而同字。兄从人口而況从水。心意識着此時水的對氣溫動向的敏感與不穩定性。故延伸為「情況」義。於以見古人造字用心之微妙。然則況字从兄之義唯何？

兄

兄，《說文》：「長也」。竊以為人類生活智慧乃時間與實踐積累而來。兄之與弟，見聞之廣、智力之高下必有區分。古代生活規則，兄行於前，弟從於後。弟有不明之事，必求教於兄長。《六書精蘊》：「兄，从口从人。弟未有知而誨之。」案兄字从口从人，象形兼指事字也。人上之口，兄之聲也。口下之人，弟之象也。古孝悌之道「有父從父，無父則從兄」。古之道也。考《金文》兄字上[㞷兄]。字从兄从㞷。「㞷」，古往字也。

[㞷兄]

《玉篇》往字訓：「古往也」。《廣韻》：「往，首也」。《易繫辭》：「夫易，彰往而察來」。《前漢武帝紀》：「遵諸往古，制宜於今」。可知往字有歷史經驗義。兄弟乃同母所生，而兄年長，智能稍高，對弟有保護之義務，代父行命之責。古兄況二字音同而義通。《白虎通·三綱六紀》：「兄者，況也，況父法也。弟者，悌也。心順行篤也」。古籍多父兄並舉。於以見兄長之權威與父同尊。《魯論》：有「故人樂有賢父兄」之名句，堪為義例。特別是[㞷兄]字，反映了哥哥對「前言往事」的積累。

綜上以觀，可知「況」字訓為「寒」水者，初義也，自然現象也。其訓情況與教誨義者，延伸義也。以會現象也。《銅器銘文》中，兄字皆上[㞷兄]。造形從㞷從兄。示意與《白虎通》若符契。然則班氏之說確有依據堪證。不愧一代文宗矣。然則[㞷兄]字乃進於斯義

十

字也。「況」古與「貺」通。《說文》：「貺，賜也。」《廣韻》：「與也。」《前漢武帝紀》：「遭天地況施」。此況貺互通之例。故知「況貺」同有餽贈之義。□者从貝，贈人以財之義也。□从生。君子多仰前言往事啟蒙後學，以「言」贈人之義也。雖物質財富與精神財富不同，其為餽贈則一也。《家語》云：「孔子適周，問禮於老子。辭去。老子送之曰：『吾聞富貴者贈人以財，仁人者贈人以言。吾不能富貴，竊仁人之號，贈子以言……』」於以見贈之與貺，貺之與□義例互通之意。現代語法名之曰「同位辭」。其連鎖關系有如下圖。

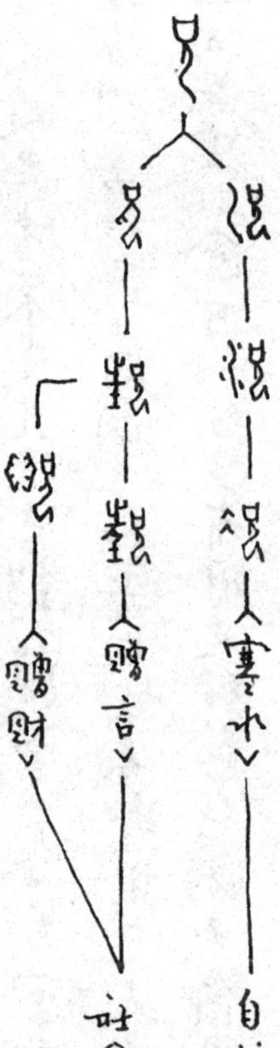

歐嘔 □〈卜〉《卜辭》此字前人不釋。筆者竊以為此歐字初文也。此字从□，古文□字也。□，□□□也。以形符也酒液之形也。《卜辭》酒足□。堪為形例。□者立地俯首張口噴吐之象。故知應係醉飲過量傷酒欽吐之嘔字。此象形指事字也。

後者，嘔字从口从區。區从品从匚。匚，古「筐」字也。《金文》匚作□象形字也。□品者酒盃羅列之象也。故知區字乃酒盃羅置於筐內之形。《說文》區字訓：「藏隱也。从品在匚中。」甲骨文區作□可濟佐證。□〈圖〉〈寄〉，區字者用大量酒盃容置筐匚內之象，以示狂飲無度之意，假口旁為嘔吐之形。亦指事字也。

𠙗歐 嗂𨋍：此《集韻》歐字也。《說文》：「吐也。」或作嘔。《急就篇》注：「歐，逆吐而不下食也」。

「嗂」从㕣从欠，「𨋍」从咎从㔾。《說文》訓：「咎，災也」。《爾雅·釋詁》：「病也」。《釋名》：「血，濊（穢）也」。

案嗂𨋍二文皆从欠，或从㕣或从㔾。故知二文之形義乃因病嘔血之意也。此與嘔字之義稍異。

毆 𠥄：《說文》：「捶擊物也」。毆字从區从殳。《說文》：「殳，殊人也」。《周禮·夏官·司兵》掌五兵，《注》：「五兵者，戈、殳、戟、酋矛、夷矛」。《釋名》：「殳，殊也。長丈二尺，無刃」。《說文》訓：「殳入骸」。

復考《廣雅》曰：「殊，斷也」。《日高》云：「殊，決也。一曰誅也」。《說文》：「殊，死也」。

由此可見毆字从殳而訓義為誅。嘗除上部毆傷吐血而亡之象義字也。

綜上以觀，嘔者吐也。其為「吐」一也。而致吐之因則有異，可以文字形義見之。故知㱙之與歐，傷酒之嘔也。嗂之與𨋍，內疾之嘔也。毆者外傷致死之嘔也。此同中之異，異中有同，不可不詳察而明辨也。明乎此，始堪與言文字之學。

㱙
歐——醉酒致嘔——从欠
𨋍——因病致嘔——从㕣
毆——遭傷致嘔——从殳

欽 鍅：《說文》：「欠也」。此解不足以見造字之恉。案鍅字从金从欠。金能發音。《毛詩·小雅》：「鐘鼓

「欽欽」。此本象聲辭。有音波加亮、持久不衰義。故詩人往往借為憂思綿綿之形容語。如《詩晨風》「未見君子，憂心欽欽」。即其義例。後世用為帝王發號施令辭曰——「欽命」。以示聖王之音有如金聲玉振」之意。（民間號稱金口玉言）取音於親。亦「王者」親口下達之意。如「欽差」「欽定」……皆其例。

旡

旡〈卜〉〈篆〉《說文》：「音僾，飲食逆气不得息曰旡」。（古音僾，音哀，僾與旡同部，故旡有愛音）

案旡，从反欠。象人回首向背之形。以示迴避之義。與反米為米，反止為少，反正為乏同例。所謂「逆气」，中醫學名曰「呃逆」。民間謂之「打咯得」。現代病理學曰「橫膈肌痙攣症」。此症發病機理是「气道」或「食道」受到強烈刺激引起之反射運動。可以造成呼气障礙，食物倒流。故中醫學名之曰「呃逆」。逆字古文作，从止。似人頭着地而行。亦表示反常現象義。

旣

旣〈卜〉〈金〉〈篆〉《玉篇》：「已也」。《玉篇》已字訓：「止也，畢也，訖也」。考甲骨旣字繁體作，象食已畢回首欲棄食而去之形。故《廣韻》已字訓：「去也，棄也」。筆者案：旣字即之反文也。小篆作即。即，象人面對食物之形。故《說文》訓：「即，即食也。一曰就也」。徐曰：「就食也」。後考《卜辭》字即之反文也。其造型示義與旣字同趣。皆背棄回避意。小兒當哺吮乳，既飽之後，必棄乳而向背方。實際上是一種「離心動向」。蓋「餓則尋食，飽則棄餘」禽獸然，況於人乎？

愛

愛 案《說文》「㤅」「愛」異文。愛處夊部，㤅居心部。㤅訓「惠也」，而愛訓「行貌」。此許氏之訓也。案：㤅之與愛實連理

同根字也。今二字分宅析居者，殆後世自聖者亂之歟！案許氏訓愛為「行貌」，雖免語意含渾，未能臻一鍼見血之境。愚謂愛字从叀从夊者，行道遇阻，反身欲退之形（象形兼會義字也）。其造字形意與叀、隱同趣。後世省夊而存叀，其義遂晦而不可稽。幸而有銘文為證，猶能蛛絲馬迹可尋。亦云希幸。愚謂叀者礙也，適路阻礙難行，反身回旋之象。字形則思變，變則通之義也。此字許君訓「惠」，《正韻》《集韻》《韻會》訓「親也、恩也、慕也、寵也」，皆未得造字之旨。叀之為字，愛之省文也，二字皆一義而相通。

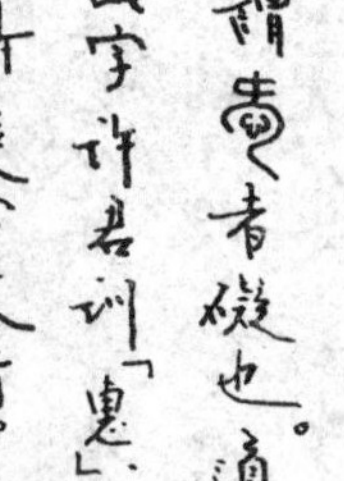

余謂叀之為字與餘同例。「變義」文字也。夫親之與疏、恩之與怨、寵之與辱，固相反而相成，互為因果，此循環定律也。此漢字變義規律，可以「灋」之訓「廢」、「亂」之訓「治」、「勝」之訓「亡」之例得之。此東方文字明辨證闡綮，固非洋博士所能窺塵焉。《詩》文所謂「伊人在水一方，溯洄從之，道阻且長」，是其義矣。

僾僾 《詩·大雅·桑柔》：「如彼溯風，亦孔之僾」。注：僾，唈也。箋云：唈然如鄉疾風而不能息也

案：僾取音於碍，有障碍義，亦形聲兼義字也。愛者反顧人形也，故知「僾」字形之與聲皆有義存焉。後考《說文》訓：僾，彷彿也。段注引《爾雅》：「薆，隱也」。又引竹部「⿱竹愛，蔽也」，以為例，以明僾字之義。

薆 ⿱竹愛 曖

案：僾訓為「彷彿」。彷彿者隱約不清，形影難見之意。故薆之从艸，⿱竹愛之从竹，皆所以示蒙蔽塞佛物像隱蔽難見之意。古音「彷彿」「恍惚」音同。故知「彷彿」者現象也，「障碍」者實質也。後考《易·豐卦》：「豐其蔀」，注：蔀，覆曖，鄣光明之物也。

〈薆〉（彷彿）

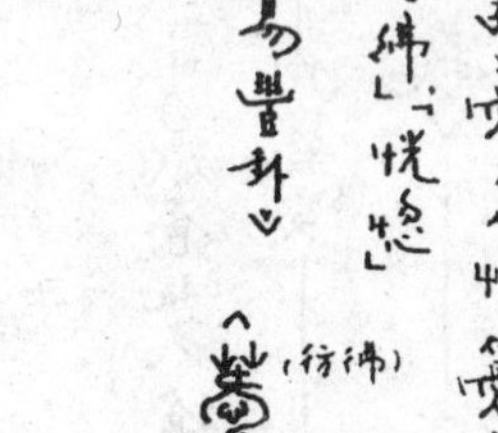

《晏子春秋》：「星之昭昭不如月之曖曖」。

旡 —— 既〈因解遊棄食〉—— 既〈歆食既久食態重振〉

既 —— 㤅〈呼吸障礙〉—— 薆〈艸蒙障蔽〉

㤅 —— 𥳑〈竹蒙障蔽〉—— 曖〈雲蒙障蔽日月〉

〈昧曖〉

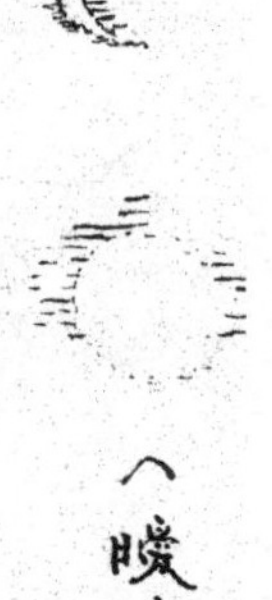

〈曖昧〉

槩（槪）《韻會》：「平斛木」。《說文》：杚：「斗斛也」。徐曰：「杚，摩之也。斗斛量槩也。复摩之也」。考《禮月令》：「仲春之月角斗甬，正權槩」。《周禮冬官考工記》：「㮚氏槩而不稅」。疏：所以戡諸壓之量器，以取平者。

筆者案：「槩」是一根平尺。「㮚氏」等於後世的「度量衡」，現代名曰「標準計量器檢查員」。「槩」就是用來止為推平斗內凸出部份糧食的工具，民間名之為「斗趟子」。將斗內的糧再倒入囊中權之以「衡」。這樣就可以證實容器的大小是否合乎規定。為什麼要在仲春二月從事檢驗工作，也是具有科學道理的。因此時氣溫乾燥正常，木器對氣溫的濕度及熱漲冷縮的影響最微，槩的功能在於排棄斗內多餘的糧食。因而槩字从既从木。也和「既」字能「刪棄餘」的含義相同。

〈槩〉

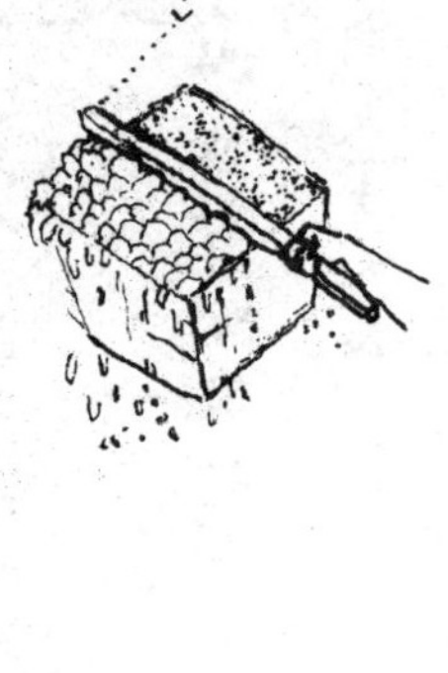

涎㳄

㳄（涎）《說文》：「慕欲口液也」。案：此動物纔具之生活經驗取得之條件反射生理現象。依現代醫學所知，㳄的內含包括「腮腺液、舌下腺液、頜下腺液」三種分泌物質。近代俄人生理學家撲夫賴為試驗，狗建了「大腦皮層第二號信號」的學說。自命為學術上的新發現。殊未知我國於數千年前對此早有明確認識而筆之於書了。「㳄」字从欠，張口之人形也。从氵，唾液之象也。此象形指事字也。

羨《說文》：「貪慾也」。案：羨从羊从次。羊者肉之美者也。見美味則口腔流次。故訓為「羨慕」。

欲得而食之之意也。

盜《說文》：「私利物也。从次从皿。次，欲也。欲皿為盜」。

案：盜字造形多端：有殺人食肉縱火燒城之盜，「盜」字是也。字从厂，家室也。从炎，火也。从戈，兵器也。从夕，食啗全人也。有聚眾結黨之盜，「炏」字是也。中間之人，盜首也。左右四人从从，徒眾也。有斬關奪門之盜，「盜」字是也。从門，閭戶也。从戈，斬關而入也。而應以盜字為正文。雖字形多變，皆屬異體，非正字也。其動機總出於慾，而目的在於竊食。

緘《說文》：「閉口也」。案：緘从糸从咸从口。糸者線也。咸，鍼之省也。口，張口之人也。象用鍼穿綫把嘴封固之義。《家語》：「孔子適周，遂入太祖后稷之廟。有金人焉，三緘其口，銘其背曰：『古之慎言人也……』」

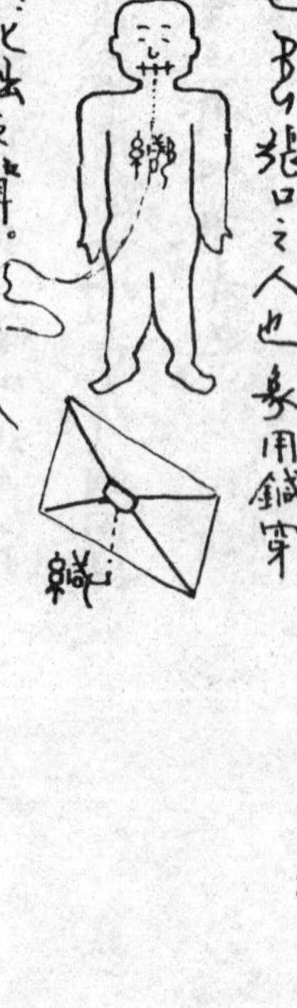

咄《廣韻》：「呵也」。《戰國策》：「呴籍叱咄」。《前漢東方朔傳》：師古注：「咄，叱咄之聲」。

案：咄从口从出，音督。《說文》：「出，進也。象艸木益滋，上出達之象」。可知咄字从口，聲符也。从出，義符也。所以示語聲之盛也。吾鄉謂人之語言重複不絕者曰「窮咄嚕」。即其義也。

即《說文》：「即食也。一曰就也」。徐曰：「即，猶就也」。《前漢高帝紀》師古注：「即，就也」。

案：即字象人張口就食形。取音於飢。具「饑則求食」之義。「即」字造型訓義，揭示了一個

問題。即一切動物(包括人在內)的行動方向,都是圍繞着一個吃飯的目的。人類為了吃的願望所驅使,可以在行動上接受艱難的支配。在我們漢語中叫作「遷就」。人類利用這一法則的威力,采取了控制食物的方法來馴服野獸,變成家畜。老老實實地聽從人意支配。這一轉化過程,人們名之曰「就範」。故「即」、「飢」同聲而訓義為「就」。是有許多基石的,所謂「飢則就食」可以字形證之。然則即乃[glyph]的省文也。即者,飢也。

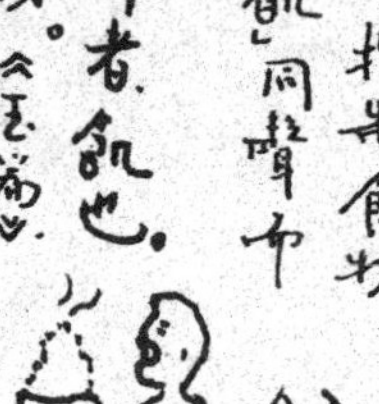

卿 𠨍(上)[glyph]

鄉 [glyph](上)[glyph]

《說文》𠨍字訓「事之制也」从𠨍。「闕」。段注:闕者,闕其音也。今本《說文》「去京切」。《玉篇》

《廣韻》引文:「說文音卿」。《白虎通》:「卿之為言章也。章者,章(彰)善明理也」(政教宣傳)。

筆者考:《說文古音》「姜、昌、卿、京」同居一部。數典《白虎通》卿、章叶韻同規。可知「卿」、「章」古音同韻,確屬信而有徵。今山東淄博方言,仍讀卿若羌。蓋古齊地語音也。

值得注意的,即「事之制也」之義應怎樣理解?可謂「事之制也」即「處理問題」的負責人。這個人物負責的工作,即貫徹法令政策,佈置工作,檢查工作,總結工作,匯報工作,評比工作。表揚好人,教育壞人。所以《白虎通》說:「卿之為言章也。章者,彰善明理也」。「卿」是「王者」的高級參謀顧問。他就不擔任專職工作,但是還沒有他不干涉的工作。他是國家上層機構和基層地區的政治連接紐帶。他往常往來於「朝廷」、「庶民」之間。他對管理人口、土地的「司徒」,掌有行政管理和監督權。「司徒」的基本業務是:人口、土地、財富的管理和兵役的徵集、農桑稅收的賦斂。因而上為指導基層地區工作的「鄉師」之職,也是由「卿」來封名兼任的。這就決定了「卿」和「鄉師」兩位一體性。

為了扎實地說明問題，特摘錄片段重要經籍資料，以供參證：

案《周禮小司徒之職》云：「小司徒掌建邦之教灋，以稽國中及四郊都鄙之夫家九比之數（戶籍統計），以辨其貴賤老幼廢疾（人丁普查）。……乃頒比灋於六鄉之大夫，使各登其鄉之眾寡、六畜、車輦（財產登記）。以歲時入其數（呈報存檔）。以施政教，行徵令（訓練、徵調）。

上邊一段，僅僅是為了「建軍」而作出的準備工作。下邊一段已經是進入了正式建立軍隊組織階段了。

「乃會萬民之卒伍而用之（壯丁選拔）。五人為「伍」（五人），五「伍」為「兩」（廿五人），四「兩」為「卒」（百人）。五「卒」為旅（五百人）。五「旅」為「師」（五百人）。五「師」為「軍」（萬二千五百人）。」註引《管子》云：「師，在軍為卒長。在家為黨正。在軍為「旅師」，在家為「州長」。在軍為師「帥」，在鄉為大夫……」

可見當時的軍隊組織中的各級首長，都是縣各級相應地區行政領導兼職的。而且為最高的鄉級軍事關令，則必須由朝廷「卿」級人物來擔任，是毫無疑問的。這種「軍」「政」統一的組織體制，自然和古代「育兵於農」的政策不能分。可以下列資料中證實之。

考《周禮司徒．鄉師之職》云：『以團比之灋（此節與前同，從略）……乃經土地而井牧其田野。九夫為井。四井為邑。四邑為丘。四丘為甸。四甸為縣，四縣為都。以任地事，而令「貢賦」凡稅斂之事。』

《疏》：『四丘為「甸」者，甸之言乘也。故是甸中出「長轂」（戰車）一乘之義也。』

田 甸 〈卜〉

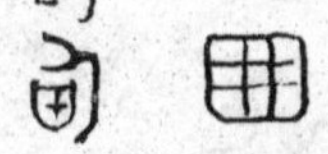

夫 百畝	夫 百畝	夫 百畝
夫 百畝	公田	夫 百畝
夫 百畝	夫 百畝	夫 百畝

這一套組織系統是以土地面積為內容的管理體制。顯然是為農業生產而設的。但並不排除為軍事活動打好基礎的物資供應任務。這種管理體制的唯一特點，就是當社會安定時，使專門抓農產。一旦社會動亂，就立刻放下鋤頭，拿起矛頭。這一套管

理體系，同前邊講過的那套專為作戰而設的管理體系，是平行的。古代「王者」將此二體系，隸屬於「鄉師」一人的監督之下的原因，就是為了省去一筆養活「專業軍官」的龐大經費開支。這在《漢書》有極為詳明的紀載。即錄如次：《漢書刑法志》：『……夫旣以足食，賦以足兵。故四井為邑，四邑為丘，四丘為甸。「丘」，十六井也。有戎馬一匹，牛三頭。四「丘」為甸。六十四井也。有戎馬四匹，牛十二頭。甲士三人、車戰兵一乘，步兵七十二人。干戈備具，是謂「乘馬之法」』。

後考《漢書食貨志》：『五家為鄰，五鄰為里，四里為族，五族為黨，五黨為州，五州為鄉。鄰長位下士。自此以上，稍登一級，至鄉而為「卿」』。看來位居朝堂之上的「卿士」和地處田野的「鄉師」，事實上乃為同一體的「同位成份」。也就是一人身兼二任，是非常明顯的。尤其是《管子小匡》的紀載，更是明確精詳。《國語齊》引《管子》云：『於是管子治國，五家為軌，軌為之長。十軌為里，里有司。四里為連，連為之長。十連為鄉，鄉有良人』。《注》賈侍中《逵》云：「良人，鄉士也」。韋昭云：「良人，鄉大夫也」』。

後考《周禮序官》《下卿表》載：『鄉老，二鄉則公一人』。注：老，尊稱也。王置六卿《三公三孤》，則公有三人也。三公者，內與王論道，外與六鄉之教』。韓詠讓《正義》沈彤云：『鄉老，二鄉一人』。注：以為三公兼之。……「鄉老」無專職。惟及其吏而禮賓，賢能以獻其書於王。退而行以鄉射之禮五物，詢眾庶而已』。

筆者案：所謂「三公」，即太師、太傅、太保是也。三公者，八命之爵也。天子以下諸侯以上之尊貴人物也。然則三公兼鄉老之職，則「鄉老」即「三公」，三公即「卿」，卿即「鄉師」也明矣。在朝則

名「卿」。在野則名「鄉老」。名隨環境而異也。審此，則堪知「卿」「鄉」二字，駢體同根，其義當來龢於先秦歷史文化背景而無疑焉！考《說文》無卿字，是補其義於此曰：「萬二千五百人之所居也」。从𠨍，皀聲」。

《字形析義》

𠨍字造型，取左右二人對面之像。左側之卩，面南而立，可以示背負王命，發號施令於鄉邑也。右側之卩，面北而立，可以示去鄉同朝，面君述職也。實際上是一幅「同一人物形像的兩面觀的集影畫片」。附圖文示意如次：

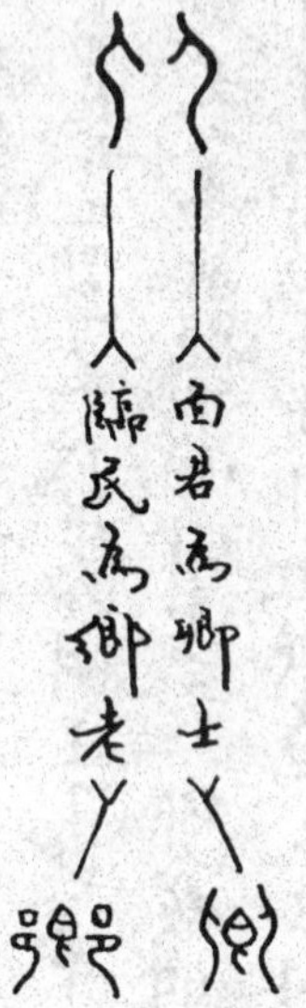

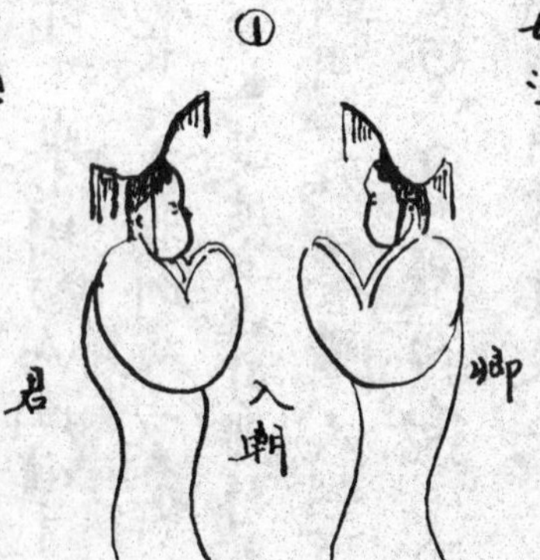

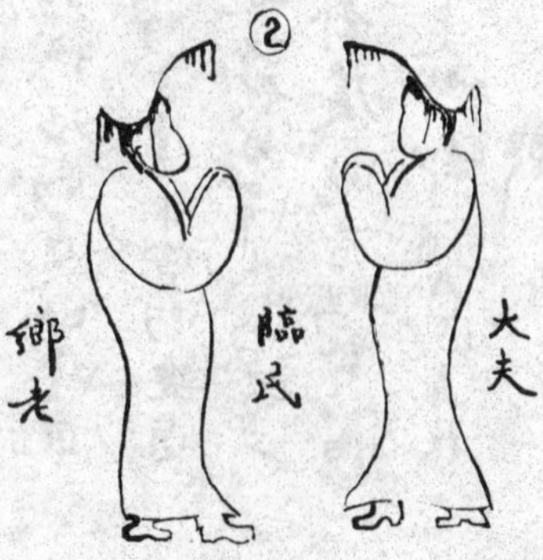

①②兩圖，直接闡發了𠨍字造型取象的辯證意義。這種古代文化的內涵絕不是拉丁拼音文字所能表達的。

饗 鄉〈卜〉 鄉〈金〉 鄉《說文》：「鄉人飲酒也」。

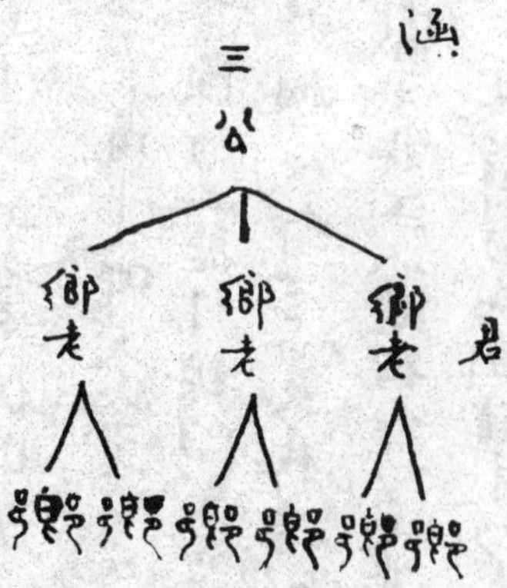

六鄉，王畿之內的六大行政區劃也。六鄉由三老統之。則二鄉共一鄉老，鄉老即卿也。三卿者即三公也。

饗《說文》：「鄉人飲酒也。」考《儀禮·鄉飲酒禮》：「鄉大夫三年大比（會考）獻賢能於其君，以禮賓之。與之飲酒，於五禮為嘉。」這種為「王者選」拔推薦優秀人才而設的隆重儀式，是在鄉老監臨之下，縣在朝致仕（退休）官員——鄉大夫負責主持的。對那些已被選取而尚未受到王命的人才，名之曰「處士」。選拔是要靠操行品德作標的。所謂「以三物教萬民而賓興之。一曰六德：智、仁、信、義、忠、和。二曰六行：孝、友、睦、姻、任、卹。三曰六藝：禮、樂、射、御、書、數。」經過評比合格，舉行這種儀式，然後由「鄉老」將「處士」名單獻之於王，以聽任命。這便是「鄉人飲酒」的活動內容。此外，還有「鄉射禮」，同樣也是在「鄉老」指引下舉辦的為國儲才的考試活動。這些隆重場面都是以「鄉老」為首席人物出現的。「鄉老」屬於往來於朝廷與六鄉之間的上達下宣的要員。正如《周易·乾卦九四》所云：「或躍在淵，上下無常，非為邪也。進退無恆，非離群也。」這位致君澤民的「君子」是到處受人崇敬的。下鄉則享受「鄉人飲酒」，上朝則王賜「饗醴」，民間所謂到處「吃香喝辣」。由於他入朝則為「卿」，在野則為「鄉」，並且到處吃「皀」。因而「饗卿鄉」三字的造形，都以「皀」為核心。此於《六書》中名曰「轉注」，所謂「建類一首，同義相授」者是也。

〈饗〉

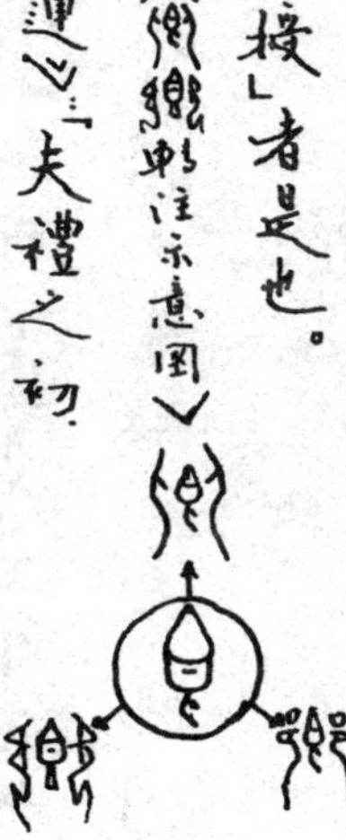

〈皀饗卿鄉轉注示意圖〉

由此觀之，則可知《禮記·禮運》：「夫禮之初，始於飲食」之說，信不誣矣。

《附卿鄉饗遞嬗孳乳縱橫示意一覽》於後：

疑 [篆] [篆] [篆] [篆] 《說文》「惑也」。《廣韻》「不定也」。有猶豫不決之義。

凝 [篆] 《說文》「水堅也」。《增韻》「定也」。

筆者案：[篆] 从牛从 [篆] 从匕，此象形兼指事會義字也。疑字造形有二，一為牧童失牛，四處張望之形，一為婦人亡子回首張望之像。（圖見後）。大凡人有思慮不決之事於心，必凝神細思。此時必去提面部肌肉停止活動。像人當大

十六

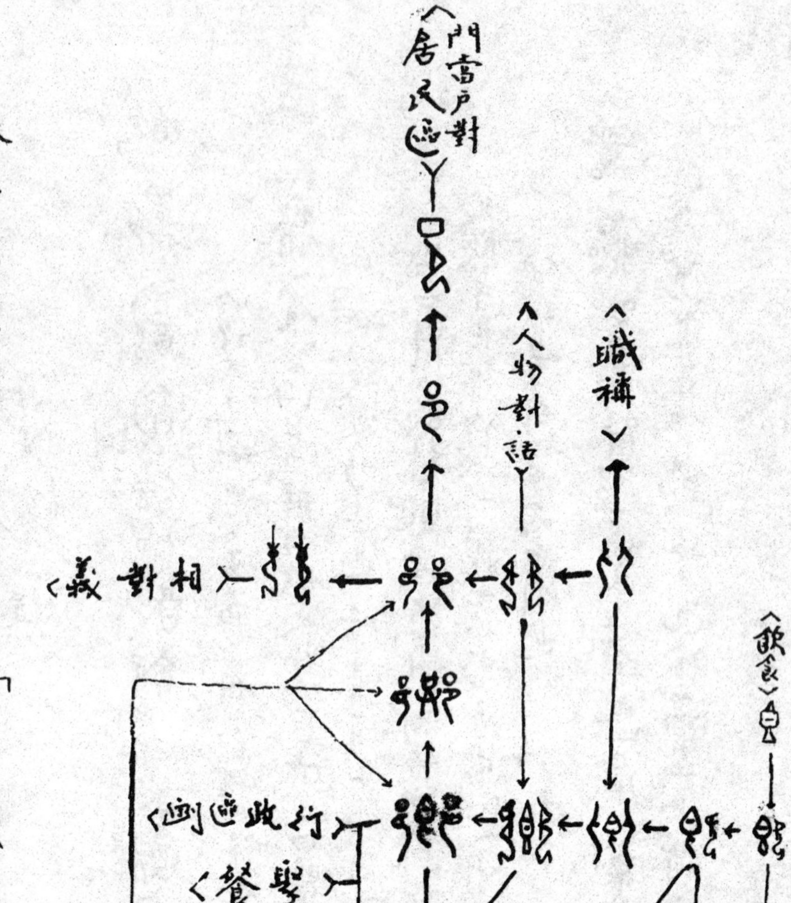

〈會合文字形示義一覽〉

腦高度活動之際，則耳、目、口、鼻之對外作用已全部停止。《孟子》所謂「心不在焉，視而不見，聽而不聞，食而不知其味」，殆爲「真知灼見」之言，信不我欺焉。審此，則可以知「疑」、「凝」二字形意相通而無誤矣。凝从疑从仌。疑者，心有遲疑之義也。仌古冰字，所以示態度冷靜無聲，無動專心思考之像也。

飲

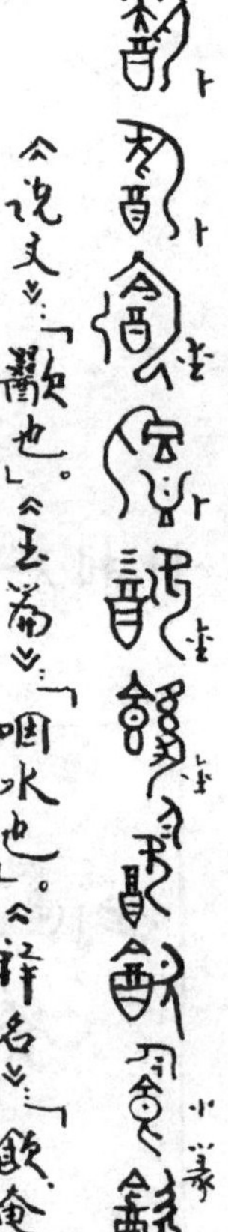

《說文》：「歠也。」《玉篇》：「咽水也。」《釋名》：「飲，奄也，以口奄而咽之也。」《周禮·天官·膳夫》：「飲用六清。」《酒正》：「辨四飲之物：一曰清，二曰醫，三曰漿，四曰酏。」

案：飲，象形字也。讀音有二：一，作動詞，則讀若「印」。二，作名詞。〈飲料〉則讀若「引」。前者之例如：「飲馬黃河邊」、「渠父飲牛於許由泉」。此漢字「義从音變」之例。又如中藥方劑「五汁飲」、「十滴飲」、「達原飲」……皆讀若「引」。此其音例也。

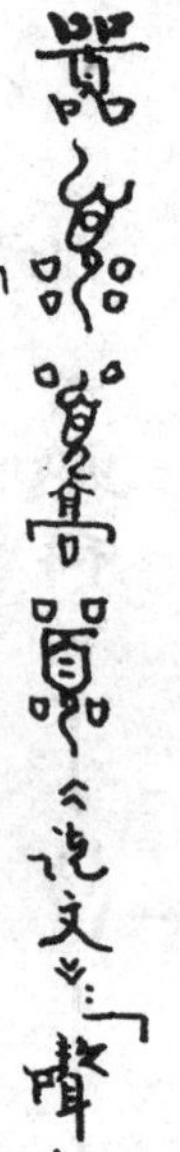

《說文》：「聲也。」〈應訓眾聲〉《詩·小雅·十月之交》：「無罪無辜，讒口囂囂。」箋：「囂囂，眾多貌。」案：囂字从四口、一頁。頁，古頭字也。有一人高呼，眾口應之之義。此義於

枵 枵

現代羣衆示威運動中常見之。故名曰「囂張」。
後來囂字取聲於枵，其義何也？愚曰：枵者空根之木也。古木空心透氣，遇風則能發聲。此其義也。《莊子·齊物論》：「子綦曰：汝聞人籟而未聞地籟，汝聞地籟而未聞天籟夫！子游曰：敢問其方？子綦曰：夫大塊噫氣，其名為風。是唯無作，作則萬竅怒呺。……大木百圍之竅穴，似鼻、似口、似耳、似枅、似圈、似洼者、似污者，激者、謞者、叱者、吸者、叫者、譹者、宎者，前者唱于而後者唱喁。泠風得小龢，飄（飄）風則大龢……」

筆者案：莊周在闡述「天籟」（自然之音）的這段文章中，以生動的筆墨（枵）使用了「鼻口……」七個形容辭，刻劃出這棵空心大樹周身所有的孔洞口型。而以「激謞……」六個形聲辭來渲染出大樹發出的複雜音色与弘偉音量。事實上這段文字已經無異乎對古文囂字造了忠實的形義解剖。頁者樹之體也。㗊者樹之孔穴也。「枵」、「囂」聲中有義，義中有聲。枵从木，象形也。从号，号者發音之器也，透過曲之象也。故知「囂」、「枵」形類聲同而義通。此連理轉注字也。故四口之囂聲大於品。三口之品，聲大於吅。二口之吅聲大於獨夫之口。此漢字示義規律與現代醫學診斷化驗單之正負（+−）號為標志病勢輕重之符號相同。愚名之曰「勢量符」。獨株曰木，二木曰林，三木為森，獨身曰人，二人曰从，三人成眾，皆其例也。

號 號 號 《說文》：「号，痛聲也。號，嘑也。」實延伸義也，非本義也。

号 号「号」之為物，曲型管樂器也。字从丂，象形也。从口，孔洞之象也。古以獸角為之。名曰「号角」。

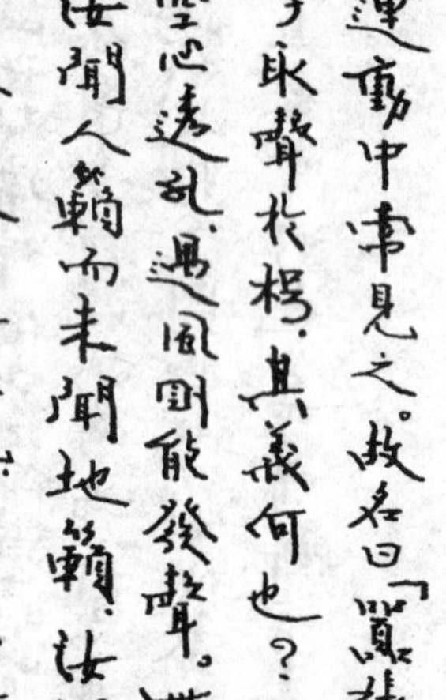

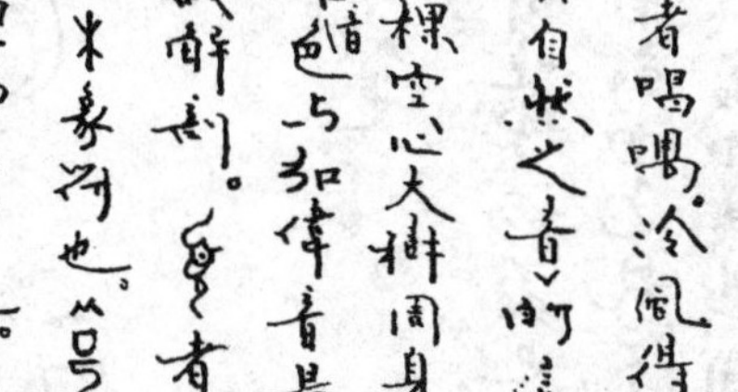

今山郎收童仍恃之以上呼喚牛羊之信號。民間名之曰「常策」。古人視三軍士卒若牛馬，視三軍司命如猛虎之不可犯。故製為號令字。號从号从虎。号者形也，虎者示將帥之命不可違也。後世以銅代角而形，名未易。名曰「軍號」。

〈号〉

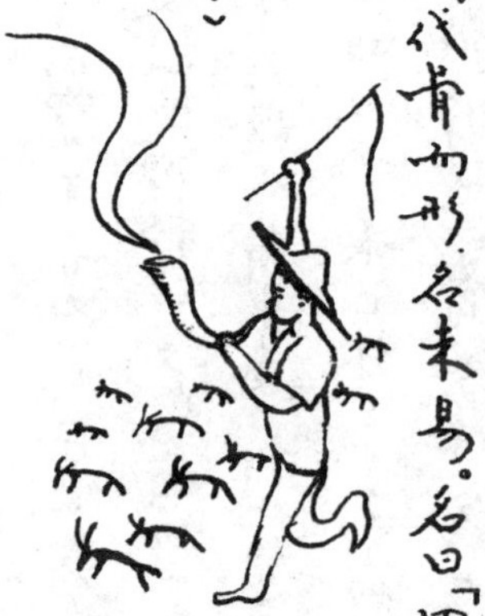

〈號〉

號之為物，管樂器也。有角而無簧，恃口唇之振動而發音。賴管壁之共鳴而獲得音量放大。經籍以為哭聲之義，再生義也。

吃

吃乞嗾。吃《說文》：「難言也」。此非吃字初義也。筆者按：吃从口从乞。乞者，天之象也。嬰兒張口仰面對空乞乞之意也。乞乞所同音而義通。後世「乞討」「乞丐」之乞字，皆據此義而生。其用為「口吃」難言音，再生義也。

〈吃〉

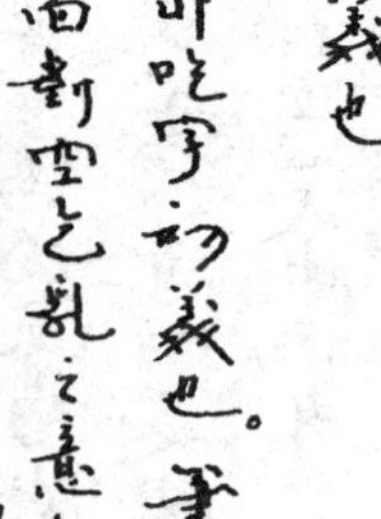

㗊

㗊《說文》：「眾口也」。此許氏之訓，對吾人之啟發極大。案：㗊从四口，眾人之聲也。取音戢者，收斂隱藏之意也。此世間庸婦俗子之鄉里迴習也。愚生平恆見街頭巷尾，往往三五相聚，低聲細語，論人陰私，張長李短。以講傳為趣事。傳散之速，難於想象。其談話姿態，秘譎詭密，鄙賤可恥，神氣十足，指手劃脚，聲音低微，唯恐有人覺察，可謂「㗊㗊喳喳」（讀者七七察察）。故知㗊字乃指事兼象聲辭也。古所謂「婦有長舌，為厲之階」，往往釀成巨禍，甚至人命關天。善

良史實古語所云「衆口可以爍金」，其「聚蚊成靁」之義乎？古文又以為雷字。

讙　驩

囂　嚻

嚣

《說文》讙字訓「譁也」。《廣雅》：「鳴也」。《廣韻》：「喧也」。《玉篇》：「讙，嚻之聲也」。
《博雅》嚻字訓：「鳴也」。《集韻》：「囂或作嚻」。

案：依各字書考證，如嚻、囂二文，皆謂字異體而義同。然諸字於古籍中槩不常覩，其皆見者，厥唯讙字形熟而義顯。故先言讙字而次及其餘。

《荀子·富國篇》：「通乎四海，則天下應之如讙」。《爾雅》：「讙，鳴也」。《漢書·霍光傳》：「又聞民間讙言」。此皆謂訓「衆聲」之義例。復考《禮記·樂記》：「鼓鼙之聲讙」。此段讙為「諠」之例。復考《孟子》：「霸者之民驩虞如也」。趙岐注：「霸者行善卹民，恩澤暴見易知，故民驩虞樂之也」。驩从讙、歡之省，笑聲也。為拊舞之象也。大凡人之情感變化，亦須先見之於神態，繇神態表現而繼之以笑聲。及其情緒高漲，必化為狂歡，而表現為手舞足蹈，滿意而忘形矣。正如《毛詩訓詁》鄭箋所云：「情動於中而形於言，言之不足，故嗟嘆之；嗟嘆之不足，故詠歌之；詠歌之不足，不知手之舞之，足之蹈之」。此人類與動物共有之情態，表現規律。可以「驩虞」二字體現之。考顧野王《玉篇》云：「驩，馬名」。《備考》：「馬和悅貌」。案古籍段「驩」為「歡」之例極多。如《左傳·昭四年》：「寡人願結驩于二三君」。《漢·董仲舒傳》：「驩然有恩」。《王褒傳》：「驩然交欣」。諸如此類皆段「驩」為「歡」之義例。然則所謂「驩虞」，即「歡娛」之段借歟？愚竊以為非段借也，乃古義也。蓋古人用字意巧，往往段獸以喻人，段人以喻

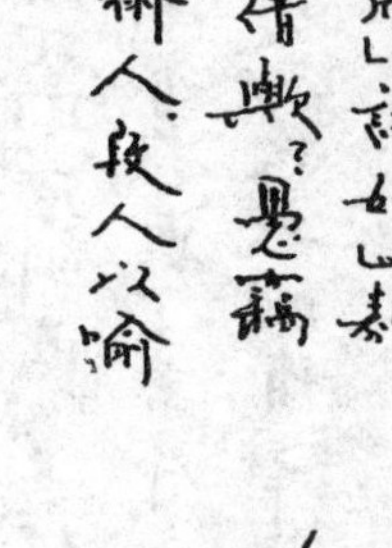
〔京驩〕

十八

物。這種「獸意人化」的適度段例，實際上也非無限濫施，而是有它的「原則性」、「選擇性」。如本文討論的「騶虞」已見前，虞，都屬於獸名。《山海經·海內北經》：「林氏國有珍獸，大若虎，五彩畢具。」《詩·召南》注：「騶虞，義獸也。白虎黑文，不食生物，王者有至信之德則應之。」故我國有「牟馬可以比君子」之說法。正昭示了這一文學藝術方針和古籍段「騶虞」以示民情的原因。

騶虞：「騶虞」一辭亦見於《墨子·三辯》曰：「武王因先王之樂以止『象』；成王因先王之樂而止『騶虞』。」《周禮·春官·鐘師》：「凡射，王止騶虞。」疏：「騶虞，天子掌鳥獸之官。」鄭云：「騶虞，聖獸。」准此，則「騶虞」一辭不僅為歌樂之名而且是動物管理人員職稱。則「騶虞」之含義的多面性已可概見。然實其初義則應為獸名固無疑也。考《荀子·正論》曰：「和鸞之聲，步中《武》、《象》，騶中《韶》、《護》以養耳。」荀子把「象」和「騶」這兩字義和古代「王者」的典範樂曲聯繫起來是富有政治哲學藝術色彩的。

復考《資治通鑑》注：「古制給騶八人。齊王融曰：車前無八騶，何得稱丈夫。」由此可知「騶」的造字形義。案騶字从芻、从馬。芻者趨之省文，所以示「騶人」乃趨馬之人也。本此義而推之，則「騶虞」一辭，亦可以理解為動賓結構辭。即「趨虞」之人，是合乎語法規律而且符合經疏訓詁解釋的。《尚書·舜典》：「帝曰：夔，命汝典樂。……八音克諧，神人以和。夔曰：於，予擊石拊石，百獸率舞。」疏：百獸相率而舞，樂之所感如此。」由此可見利用音樂的感應作用以馴服禽獸，此於五千年前已經出現於東方世界，是信而有據的。憶昔筆者童年之際曾於津門參觀歐人廣告之「海京伯馬戲團」，其中節目有利用風琴支配雄獅跳舞、海象踢球……一時引為人間奇蹟。蓋不讀古經少

見多怪之甚也。此事本無足奇。業此道者咸以控制食物為手段，迫使動物餓餓，尋食，然後施之以音樂，誘之以餌，自能使之聞聲起舞，不患其不从人意矣。俄人巴甫洛夫以犬類條件反射功能而建立「動物大腦第二號信號」學說。惜乎其發現已遲於我國五千餘載矣！蓋條上真正的感應力乃是食物。古人過譽了「音樂」的神聖性，涉虛偽矣！

金文中之□，□之文，即「離虞」二字也。何以見之？

□从□，从□，从□。□，虎字也。□，樂聲也。□「騶虞」之職，手執叉杖，揮舞百獸之象也。

□从□，从□，从□。□亦虎也。□者，亦「騶虞」之職，以手馴獸之象也。青銅銘文恆有「□」，□也，古「康侯乇作」為祝禱語。故知「□」、「□」二文，即「離虞」之初文。

□□ 後者，古文「豫」「娛」二字，音同而義通。猶豫，獸也，其形似象。古訓為逸樂義。贅

即「象舞」也。

□□「□娛」，□者鼻鳥哄聲也。□者意也。□从女从艾也。吳者舞女之象也。唐白居易憶江南：「吳娃雙舞醉芙蓉」，是其象也。

十九

誨謀　𢘻𠴫　謀　《說文》：「曉教也。」徐曰：「丁寧誨之，若決晦昧也。」《玉篇》：「教示也。」《廣韻》：「教訓也。」

筆者以為誨謀二字，骿體同根。時聞張舜徽於其《說文約注》中言之頗詳，簡引錄如左：

「謀之古文是𠴫或𢘻字，皆从母。此蓋最初字形也。所以从母者，由人世一切謀慮始於母之為赤子謀也。《禮記大學·康誥》曰：『如保赤子』，心誠求之，雖不中不遠矣。未有學養子而後嫁者也。」鄭注云：「養子者，推心為之，而中於赤子之嗜欲也。」鄭氏此注，尤足以發明母為子謀之深意。夫赤子初生，不能言語，賴母推心為之。時其饑寒而衣食之，候其疾痛而調衛之，以養以育，所以為之謀慮者至周至密。謀字古文是𢘻或𠴫，非偶然也。其後乃變為謀，猶之木部梅或从某是楳耳！」

張氏舉梅楳二字為例，以證誨謀二字分化之軌迹，其說可謂深得漢字演變規律之旨。竊以為甲骨文字皆將每作母。故知「誨」之从言从每，與古文𠴫之从毋从口、𢘻之从毋从心，當同時而同規。後考《段玉裁說文古音》，誨謀二文同居一部。此點尤堪為古語音誨謀同聲之證。後世誨謀二字分道揚鑣，而音義亦離矣！特別是名文字學家吳大澂先生據《尚書說命》：「朝夕納誨」之語義為鑒，證更覺信而有據。後考青銅器《王孫鐘》：「謀猷」亦是「誨猷」。尤堪為有力佐證。

累：𢘻之為文，寓有哲理觀念之會意字也。誨字之造型亦意能含有母性的偉大慈愛，是非常明顯的。儒家把這類母愛的心提到自然生物「本能」的高度，義捷來認識，絕不是偶然的。於以見漢字顛撲不破之神聖價值。幻想走拼音方向的「偽學士」其思之與否乎？

如 𡛷〈卜〉 ?〈篆〉 ?〈金〉《說文》：「從隨也」段注：從隨即隨從也。隨從必以口。從女者女子從人者也。幼從父兄，嫁從夫，夫死從子。故《白虎通》曰：「女者如也」。

考古籀女汝同文。《說文》據父系社會道德倫綱而立說，自有其歷史背景，其義實源於《周易》坤卦爻辭：「陰雖有美含之，以從王事，弗敢成也。地道也，妻道也，臣道也」。筆者竊以為如字從口從女，其義實與女性自然本能有關。女者母也，母性之本能為「慈」，其生理本能曰「生毓」。《康誥》曰：「如保赤子」「雖不中不遠矣」。此《中庸》引《尚書》之語。愚以為「如」者「好似」之謂也。慈母之心如赤子之心也。如字從口，母之象也。從口者，所以示嬰兒之聲也。慈母聞嬰兒之音即知其饑寒疾苦之情，此人類之本能。正如亞聖孟軻所云：「人之所不學而能者，其良能也；所不學而知者，其良知也」。

恕 ?

如字之造型示意實與「恕」同規。所謂「推己及人之謂恕」正揭示出「恕」字從「如」從「心」之義實來源於慈母聽兒聆音察理，鑒貌辨色」之感應。《詩云》：「他人有心，予忖度之」，此其義歟！故知𡛷如恕三字音似而義通，所謂「建類一首，同意相授」者也。

司

司 ? 司《說文》：「臣司事於外者」。案司古作嗣字从受从司。受古「治理」之「治」字。象雙手擇亂絲之形，所以示任務麻煩之意。司者用手籠罩口邊向眾廣播消息之態。上承君命，下達信息之意也。故司之造字形義乃指事兼會意字也。先秦時代

二〇

的行政辦事員」稱為「有司」。實際上是往來於君民之間「下達君命上達民情」的公務人員。他的工作是相當煩瑣千頭萬緒。造字者使用了「𤔔」文以標誌他的任務繁雜，是非常逼真的。爫又是左右兩手。

𤔔

幺象絲緒。後世於「𤔔」的右側增「乚」，屈折盤繞的形狀而成「亂」。以示「治」與「亂」的相互關係。此「𤔔」、「治」、「亂」同源之義皆取像於縲絲任務而來。不可不知。後世刪𤔔而存司。此古今之不同也。

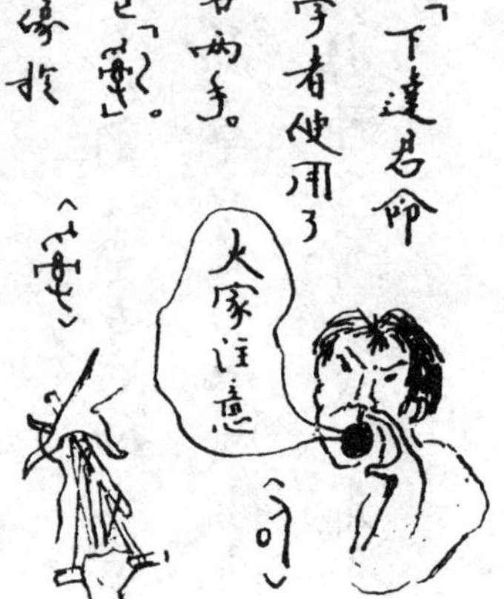

后

后《說文》：「繼體君也」。象人之形。施令以告四方。故后字从一口。發號者，君后也」。

說明：考后之造形乃「司」之反文。與「有司」為相對義。《易》「☰☴姤」：「后以施命誥四方」。可見「后」字的義即「君」的古稱。君南面而立，發號施命之人也。有司者臣也。承受君命下達於民者也。故后、司二字同文而異向。所以示身份不同也。故知反司為后，與「反正為乏」同例。所以示「有司」北面而立與君相對也。值得注意的是《周易》「天風姤」的姤字从女从后。這一字形對吾人之啓發力極大。《周易》將國君的聲音比之天空中的風，可以流佈傳播到四方。此義極為明顯。然而經文偏偏在左方施加上一個「性別」標誌。這就忠實地揭示了《易》之為書，皆基於上古。當時的社會背景是以女性為核心的社會。因為上古人類與禽獸無異，人類只知有母不知有父。女性之成為家長乃勢之所必然。政權組織的原始形態就是建立在氏族部落的產物。殷商《甲骨文》中，皆假毓為后，堪為義例。毓字造形从每，少婦頭戴盛飾之象也。从㐬，嬰兒頭向地降生之態也。此上古母系社會之歷史鑑證也。至父系社會則男性專政，而女性退居被領導地位。故《尚書》稱諸侯為羣后。

后字含義的時空展現：《說文》訓后為「繼體君」。繼字古文占𢇍。此形義字也。从𢆶

繩索之象也。从乚，刀斤之形也。繩遭刀傷而中斷。此古絕字也。

繩索斷絕之求設法以連接之。故名曰「繼續」。繼續者醫治繩索斷傷

之技術也。民間名之為「捕繩」。即將已斷之兩段繩索之內部組織的傷端各自施行拆

開使之分散展現。然後將兩節斷繩按照合理的組織方式予以有機的互相結合。

〈𢇍〉

〈斷絕〉

絕 𢇍 「繼」之與「絕」，二字除外邊之形方向相反，更為重要的即絕之𢆶文中間分離。

繼 𢇍 而繼𢆶字在𢆶的中間有兩短豎‖上下連接。此指事字也。

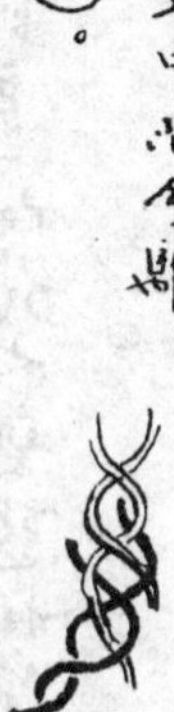

〈𢇍〉〈繼續〉

所謂「繼體君」，即政權組織領導者的接班人。又稱「接班帶」。繼字雖連接繩

索義，變而為「繼承」。此漢字時空互化之例。上古母系社會，母亡女及，至父系社會，變而為父亡子及。

故《周易》之「姤」與《卜辭》之「毓」字，並保留着濃厚的上古文明色彩。西周時代「后」字已成為天

子婦人之法定代號。天子聽政於朝廷，皇后主持內政於後宮。故「后」、「後」音同而義通。《孟子》云：「不

後 後 孝有三，無後為大。」《說文》後字訓：「遲也。」徐鍇曰：「後从幺，猶繼續之也」。按：後从彳，彳、道路

之象也。从夊，足也。夊加止則為辵。《音韻略反》《說文》辵字訓：「乍行乍止也」。《六書故》：「道道，疾行也」

辵 㣈〈上〉 彳〈金〉 夊〈篆〉 後从幺者，亦如繩纍絆，裹足不前之意也。

用今日語言即「遲到」。行走遲緩者，不僅在空間上有前後之分，在時間上也

有先到後到之異。故「後」字亦有時空雙重含義。

〈八什七〉

〈疾行〉

〈後也〉

二一

巳《說文》：「蟲也。或曰食象蛇」《山海經》：「巳蛇食象三年而出骨」。

按巳蛇之唯一特點即口型特大。否則無以完遂吞象之功。人之兩手握拳者必不能成攝取之功。必十指伸張，方能取物。故「巴掌」一詞有開張之義。魯南民間謂盼望親人遠家曰「眼巴眼望」，實際上即「上下眼瞼」高度開張之象。又謂可望而不可求之物曰「巴不能得」。諸如此類語例，都是以「巴蛇」口腔為藝術形象之形容語，是非常明顯的。以為「巴」取聲於「八」。巴八音同而義通。八者，開張之義也。古分別兆兆諸字，以含此字皆从八、八、八、八、八、八、八，皆開張分離義。古數學書《算法統宗》有「斤成兩法」，其實質上即以十六為分母之百分法。亦即以八上基數的百分法。這是一種古老的分配物資計算術。又如「籬笆」一詞，亦有隔離分開之用。餘此觀之，文字之義例皆能基於語言聲韻體系的產物。凡巴的同音字例以見其音義，皆與巴蛇巨口開張之藝態相符。

八〈人別也〉 兆〈人卷書分割〉 兆〈人背離〉

巳〈蛇口開張形〉 八〈人別也〉 兆〈人趣甲裂痕〉

八〈人分析也〉 公〈人背私為公〉

以上例字皆取形於八而同具開張分離之義與巳蛇口腔開張同象。

咮咮（咮字篆文形態易與味混，咮从口从朱，而味从口从未，其識別關鍵在於中間一橫）

咮从口从朱。《說文》「朱」字訓：「赤心木，松柏之屬。一在其中者，記其心。《山海西荒經》：「蓋山之國有樹赤皮，名朱木（案即今之紅松）」考朱訓赤色，蓋源於赤色之木，厥後朱旁增「石」而占硃砂之硃，以示赤色礦石之義。此「朱」訓赤色之轉注例。

筆者考：咮字，古天文南方「朱雀」七宿中「星宿」之名也。「朱雀」又名朱鳥，以「井、鬼、柳、星、張、翼、軫」自西而東排列，形似鳥形而得名。古天文學據《河圖》《洛書》「五行方位」之規定，以南方為「丙丁火」。丙丁火者，太陽之代號也。《禮月令》：「仲夏之月日在井，昏元中，季夏之月日在柳，昏火中」。此時亞洲地區之氣溫最高，故《內經》於「天氣」中將此時名之曰「少陰君火」用事，火為赤色，故古天文將南方七宿命名為「朱雀」。正是緣於太陽行往「黃道」的這一階段，處於光線直射「北回歸線」北半球氣溫極高的時候，故於「天氣」中稱為「君火」。「朱雀」之名，取象於「丹鶉」，即紅毛鵪鶉。故古天文以「井、鬼」為鶉首，以「柳、星、張」為鶉火，以「翼、軫」為鶉尾。也就是把整個南方七宿看成了一隻紅色鵪鶉的形象。

《爾雅·釋天》文：「咮謂之柳（包括〈鶉星〉）」。《左傳·襄九年注》：「咮謂柳也」。案：《爾雅》與《左傳》同訓「咮」為「柳」，實與其體天象稍有出入。唯《春秋緯》對此言之最詳。案《雜鈔》云：「咮謂陽鳥七星，朱鳥頸也」。宋均云：「陽鳥，鳥首也。柳謂之咮。朱鳥首也。「七星」為咮鳥頸也。咮與頸共在於午（正南方），鳥之正宿。口在頸。「七星與咮體相連故也」。謹案：筆者觀察所見與宋氏

之說訬契一致。故知咮訓為「七星」者，精确之論也。《爾雅》之訓咮為柳者，「近似值」也。自當以《春秋緯文》之說為的确。

縱此觀之，咮字从朱而訓為赤色之鳥，當源於「赤心木」。由赤色義而轉注為「天文南方七宿」「朱雀」之名。朱字增口旁，遂成為「朱雀」之口名。後世又延為禽鳥之口名。《詩·風·候人》：「維鵜在梁，不濡其咮。」可為義例。

喙

口 彖（卜） 喙（篆） 《說文》：「口也。」案：卜辭喙字作彖，从彖口。彖為彖字初文也。小篆作喙。於彖上增口而形義當題。考《集韻》、《唐韻》、《廣韻》同訓「蝟頭」。《說文》訓為彖頭。「彖其銳而上見。」考篆書彙、彖、彖諸字皆从彑。彙，古蝟字也。蝟之為獸，口銳而毛似針，其體小於豕而大於鼠，其口形之尖銳與豕喙同。豕之與蝟，皆能穿地破土，全恃其銳口之力。故知喙字亦象形字。

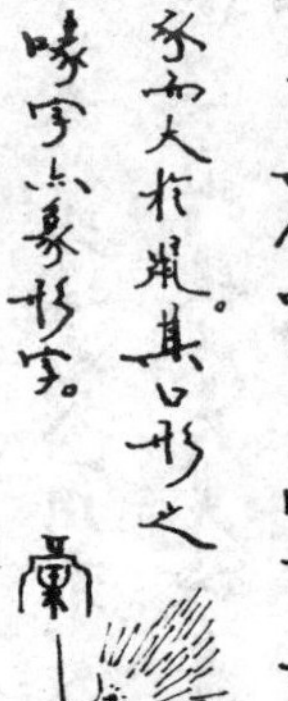

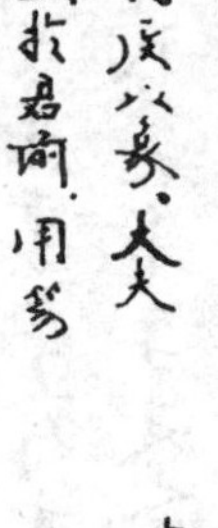

彖篆

彖 篆 考古經籍有彖而無篆。然《禮·玉藻》云：「笏，天子以球玉，諸侯以象，大夫以魚須文竹，士以竹本象可也。笏度二尺有六寸，其中博三寸。……凡有指畫於君前，用笏造受命於君前，則書於笏。」縱此可見「笏」之為物之所以用竹者，當出於特定政治身份上之需要。蓋天子之笏用球玉，諸侯之笏用象齒，皆所以明确政治身份之需。所謂「端信」者，即參加朝廷集會的「入場證」。若士大夫之流，皆有「簡」之職，乃上達民意，下宣君命的辦事員。他們在朝堂王者面前接受了王者指示的任務，必書之於笏。先秦時代尚無紙筆，記事唯恃簡札竹策，以刀代筆。看來，所謂「笏」者，相當於後世的「札記」，現代之「會議備忘錄」，而「篆」之為物，即今日的「篆刻刀」也。

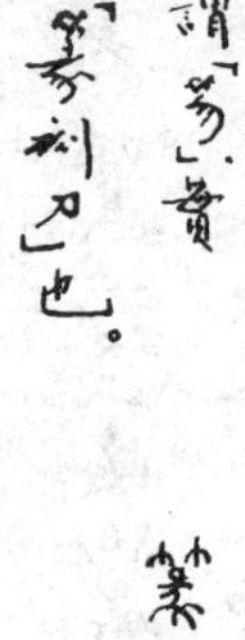

篆字从竹彖之省文也。从彑者，刀刃上四十五度形似猪喙之態也。彑。从豕者，臆古代使用刻篆刻刀柄尾端必附有豕鬣，以備清除竹屑之需。此从字形與刻字習、況可以知之。今人則用「牙刷」代之矣。然則《說文》訓篆曰「引書」，適致例也。訓篆為脩篆歟《野緒》本義也。先秦文字無楷隸，故後世用「篆」為篆書之名。《易》象辭文，指上彖篆文或後起字歟！

鳴

《說文》：「鳥鳴也」，極確。筆者考甲骨文中「鳴」字造型甚多，或从鳥，或从雞。至秦篆而專用鳥而不从雞。此可見《許文》之訓據小篆而立說無疑。卑竊以為鳴字所以讀者若明，者當有「黎明」之義。《孟子》云：「雞鳴而起，孳孳為義者，舜之徒也。雞鳴而起，孳孳為利者，跖之徒也」。何以不云「鳥鳴而起」？人類在無時鐘時代，「日出而作，日入而息」。遇天氣陰雲不能看到太陽，則必以雞啼為起床信號。所謂「雞啼報曉」、「聞雞起舞」，皆是於史籍、經典之語。《詩·雞鳴》：「雞既鳴矣，朝既盈矣」。「東方明矣，朝既昌矣」。古人之稱把「雞啼」與「天明」緊密結合相併並論。正是由於雞的生理特異、功能在於「知時」。故《說文》訓「雞」為「知時畜」。看來鳴字之定聲當來源於「雞」而異，非來源於鳥也無疑矣。知鳴亦聲義字矣。

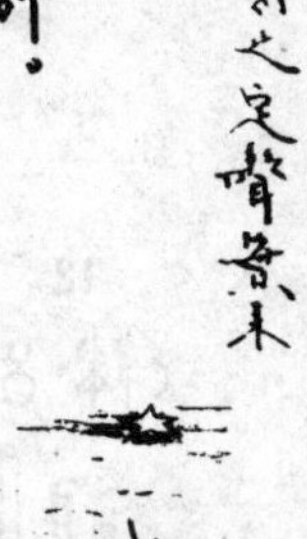

呂 8 《說文》訓為脊骨。並引太康為禹心呂之臣《脊》之注為說明例。

篆8字造型从二○相接，中間連以直豎者。8者脊椎骨重疊之象也。中間一豎者示脊髓貫通於脊椎骨中也。故知「8」即「脊」字初文。《說文》脊字訓「脊骨也」。《玉篇》「脊，古與呂通」。可為義例。示意如下：

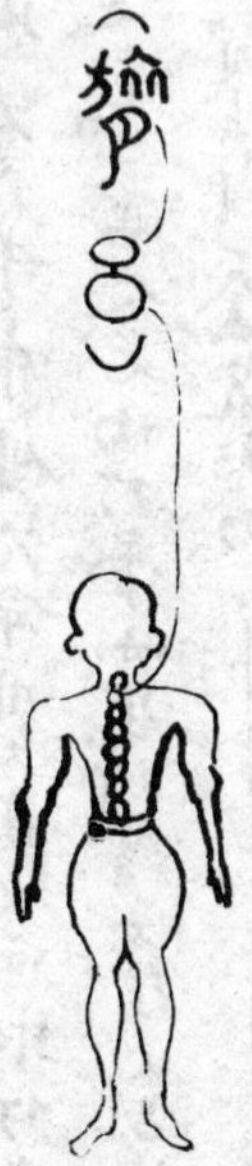

考漢字从8之字很多，故不能列張於

脊骨之義。大凡一切兩端有口之物,皆从吕。《前漢律歷志》:「黃帝使泠綸自大夏之西,取竹之解谷,斷兩節而吹之,以為黃鐘之宮,制十二筩……」是知「六呂」之名由竹管而生。所謂六律六呂即十二個長短不等的竹筩(包括七個整音,五個半音)。實質上即一套完整的標準檢音器。是用八十一分長的「黃鐘管」按照「三分損一」「三分益一」的原則分割而成的。

黃鐘	大呂	太簇	夾鐘	姑洗	仲呂	蕤賓	林鐘	夷則	南呂
C.	#C.	D.	#D.	E.	F.	#F.	G.	#G.	A.
無射	應鐘								
#A	B								

12

(律吕)

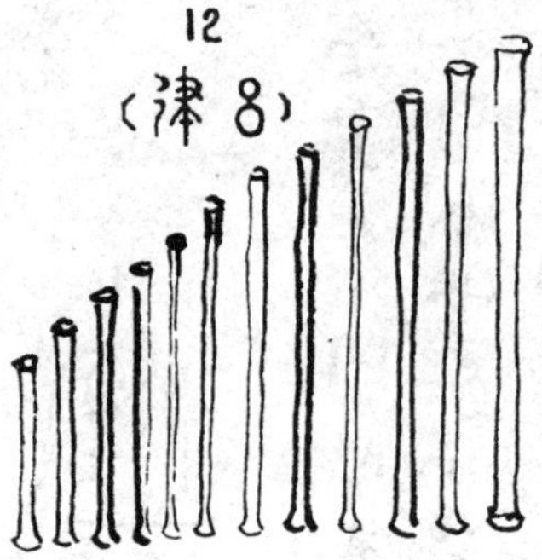

閭 閭 《說文》訓為里門,而未詳閭字之形義。實際上閭从门从吕,正是一條兩頭有門可供通行的巷道,俗名「活巷」。

閻 閻 《說文》訓為「里中門」,而未詳閻字从臽之義。臽字从人从臼,意與陷同。有陷入深境不能自出之意,故知「閻」字即一頭有門,另一端無門之死巷道。

閻 閭

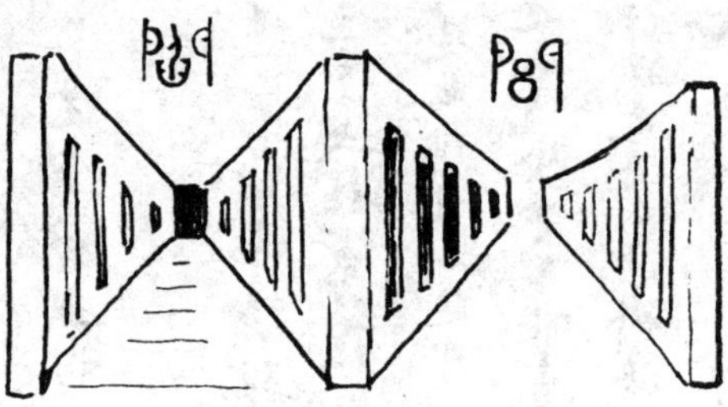

筥 筥 筥 筥 《韻會》《集韻》訓「盛米器」,未盡其義。

筆者按:此竹偏之上下有口的圓筩,為愚曾親見。

此器產於魯南東海之濱,古春秋莒國之地,今名莒縣。其地名由此而生,可以推知。臨沂、蒼山,盛產蒜苔,每年初夏,率以此器裝運京滬銷售。上下用圓形竹蓋堵塞封閉,而便搬卸。《左傳·隱二年》注:「方曰筐,圓曰筥」即此物也。

營

𤇾 營《說文》：「帀居也。」帀是周圍環繞之義。《金文何尊》「營」上「㷠」。字从𤇾从隹，𤇾古營字與𤇾同型。有升高之義。从呂，雝之省文。雝本「雝渠」，水鳥之名，又名「鶺鴒」。常居於水中之高地，故曰「雝渠」。《卜辭》「雝」上𠬝呂。象水雝立於州渚之態。《爾雅》：「西北高邊曰『雝州』」。故知「雝」有高聳之義。古代行軍安營紮寨必擇高地而居，所以居高臨下，便於觀察敵情。从隹，古文燕字，亦燕子銜泥築巢之義。故訓義為「往營佈造」。

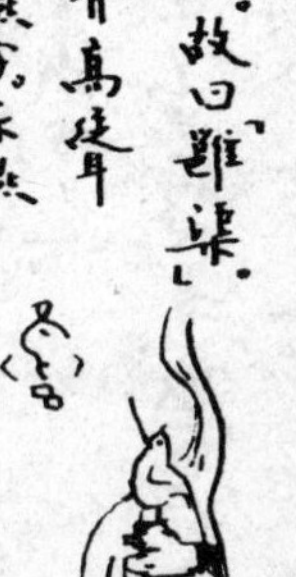

𤇾 爻

營从𤇾从宮。𤇾古上爻，象艾火燃灯之態。艾之為物，質量輕柔而易燃。古人常用透明冰塊對日以取火，又名「冰臺」。所以示取火照明之象。古代行軍野外宿營，週圍栽植「鹿寨」以防敵。《伐樹臥地，木枝外嚮，以形似鹿角而得名》。周帀密佈，以為堡壘。故㝯《塞》字从㝯，堵塞之義也。从木，樹枝之形。堡壘既成，必有前門後門，以便出入進退之需。故營字从宮，宮殿建築皆有前後二門。軍營亦似之。古代野營露宿必周圍燃火以照明而備敵人之襲擊。現代學生从事野外活動，仍有野營構火之習慣，亦古制也。篆文「㷠」字从凶从囱，營「營」字从炊，營而訓為「帀居」之形例。

〈爻〉

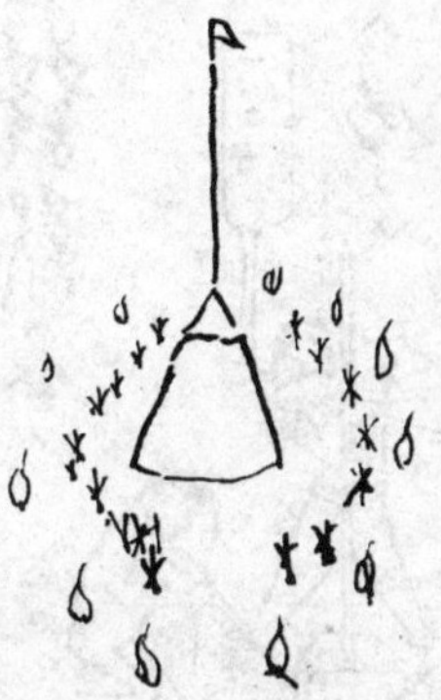

〈營〉

宮

宮 𡧡《說文》訓「室也」。篆𡧡从宀，象大穹窿之象。从呂者，所以示前後有門可通也。今北京故宮亦有前門後門，蓋古代之形也。

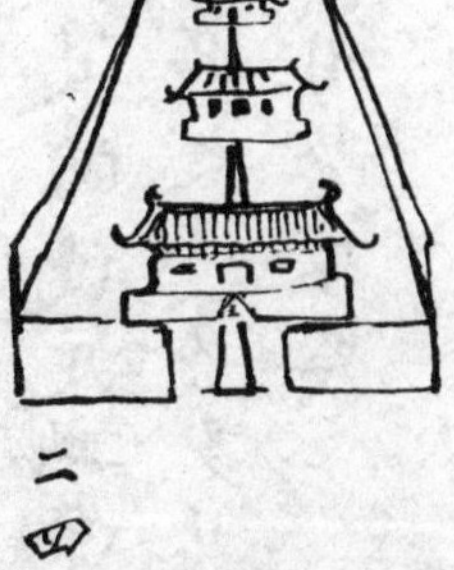

〈宮〉

嚚

嚚 𡀗《卜》 嚚 嚚《小楷》 嚚《小篆》 嚚《字彙》《說文》：「語聲。」《玉篇》：「愚也。」

《書·堯典》：「舜父頑，母嚚。」《左傳·僖廿四年》：「口不道忠信之言為嚚。」

案嚚字从四口，音之盛也，取音吟。吟、淫、寔諸字音同而義通。

人之沉痛哀呼者其聲必细而長，曰「呻吟」。長聲誦詩曰「咏吟」。水液浸漬漫延無際曰「浸淫」。天雨連綿不休曰「霪雨」。此音義相通，同有時空延續意。故知「吅」之為字，从多口，所以示人之語聲喋喋不休之義。吾鄉民間名之曰：「窮咕囔碎嘴子」。此形聲字也。

劦叶　𠯑(卜)　劦　協(篆)　恊　叶(籀)　劦　劦(卜)　劦　劦(金)

《說文》：「劦」字訓：「同力也」。同書「協」字訓：「衆之合同也」。

《集韵》：「劦与協通」。

考甲骨文「劦」字从三「耒」，耒者人犆也。人犆乃人類創造物質財富開發利源的工具，古人取人手之形，取「利」為聲而定為「力」字，有「多万利」之義。然两手者一人之力也。小事可成，而大事則無能為力矣。故知「劦」字从三「力」者，所以示衆人之力也。从一口而不从多口者，所以示「集中力量，統一指揮」之義也。「恊」字从「思」者，思想一致、一心一德之義也。「叶」字从十从甘者，甘口同音之義。合唱文響之曲也。《金文》之「劦」字摹犬共吠之象也。青銅器用為「叶鍾」字。叶鍾者，叶和衆樂之音也。遠字者取衆犬張口共鳴之象者，以犬之為物具有强烈的種族意識。遇大敵當前，則嗚集而禦戰，故有「義犬」之称。篇「靈長類」動物也。遠字者用為「劦」「叶」同義字。此會義字也。

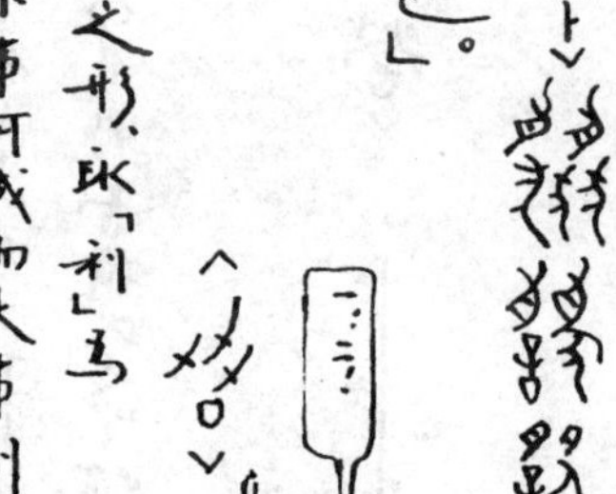

和　龢　《說文》：「應也。从口禾聲」。許氏訓和為「應」。有「呼應」之義。自宜以「應」為正字。蓋「龢」者「感應」字，「龢」有「響應」字，此同中有異，未容互易也。《論語》：「子与人歌而善，必使反之，而後和之」。是其義也。

竊以為「和」之為文，从禾从口。必有其原始本質，絶非「應也」二字可能槩括無遺。容試述之：

考《周禮春官小師》：「掌六樂聲音之和」。注：和，錞于。《爾雅釋樂》：「大笙謂之巢，小笙謂之和」。《詩小雅蓼蕭》：「和鸞雝雝」。傳：「在軾曰和，在鑣曰鸞」。疏：「和亦鈴也」。《詩大雅載見》：「和鈴央央」。依經典通例，皆以「和」為樂器之名。或訓「錞于」，或訓「小笙」，或訓「車鈴」。三物皆屬於「配音」，故後世泛為「協和」義。竊以為和从口从禾。口者進食之户也，禾者五穀之總稱也。《洪範》云：「稼穡作甘」，徵於穀物「質」。「甘」者脾之味，「脾主中洲」。《內經靈蘭秘典》云：「脾胃者倉廩之官，變化出焉」，徵於化肝膽」。肝膽為生命之能源，故「和」字訓義為「養」。从口者民以食為天，故知「和」者禾也，禾者活也，民非五穀不生活之義也。訓義為「中和」者，「四時皆以胃氣為本之義也」（見《難經》）。圖示如次。

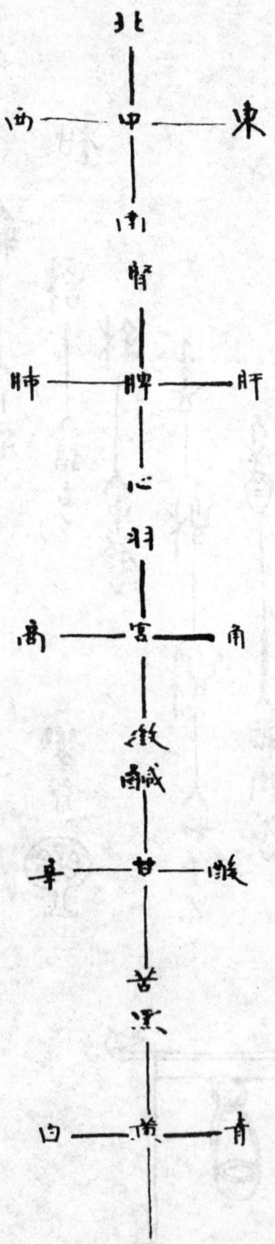

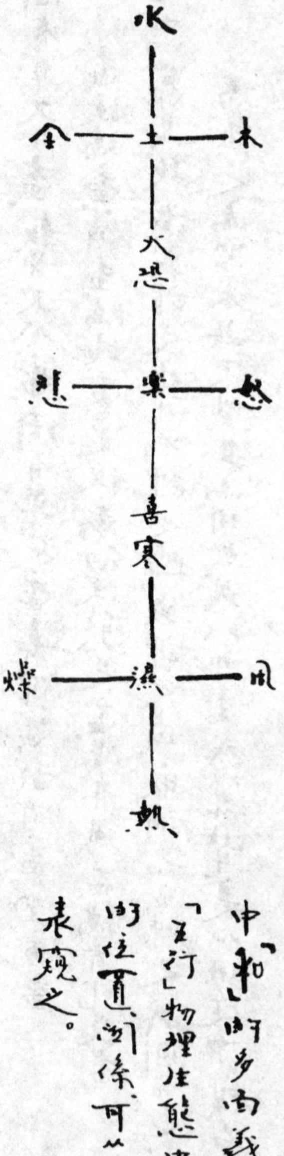

中「和」的多面義同「五行」物理性態中的位置、關係，可以上表窺之。

盉《說文》：「調味也」《廣韻》：「調五味器」。《博古圖》：「商有卓文丁盉、執戈父癸盉。周有單從盉、嘉仲盉、龍首盉、雲雷盉、三螭盉、蛟螭盉、麟盉、螭虯盉、粟紋盉、細紋熊足盉。漢有鳳盉、螭首虯紋盉。凡十四器。其款識或謂之彝，或謂之尊，或謂之卣。取調和五味之義則一也。」

「盉」之為器，本無定型。其為用也，或以和羹，或以和聲，是以用途而類名也。

和

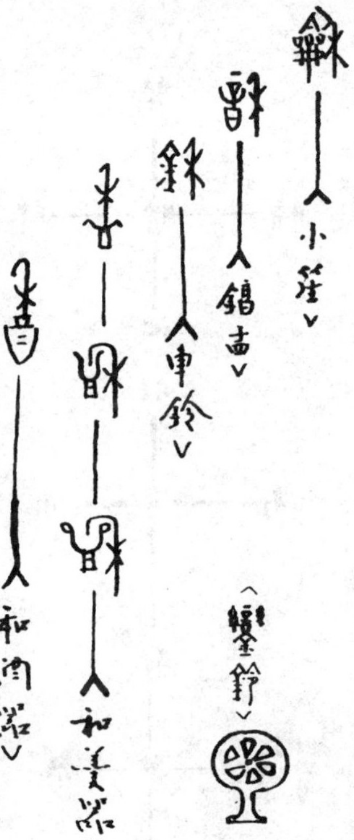

和字含義的展現：「和」字的初義，當以「禾」為基。禾者五穀之總稱也。五穀有「活人」之功，為人類一日不可或無，其表徵善良，對人有益而無害。古漢語謂「良長」「吉日」曰「穀旦」。國君自謙曰「不穀」。古文字之起源，乃基於「語音」。故是謂和者禾也。禾者活也。五穀為生命之能源。味甘而性平，非酸、非苦、非辛、非鹹，人得其資助，可以禦風，可以防寒，可以潤燥，可以消疲。故「甘」為五味之正，「土」為萬物之母，「宮」為「五音」之主。其總合意義為「中」。中者不偏之謂也。東方哲學把「中和」二字說為「治世」法寶。故《論語》曰：「致中和，天地位焉，萬物毓焉。」儒家把「中和」提到人類意識變化、動態至高境界來認識。《禮中庸》：「喜怒哀樂之未發謂之中，發而皆中節謂之和」。《荀子王制篇》：「中和者，聽之繩也。」荀子把「中和」看成是統治者處理一切政治糾紛的「科學儀表」。凡此種種，想學流派的來

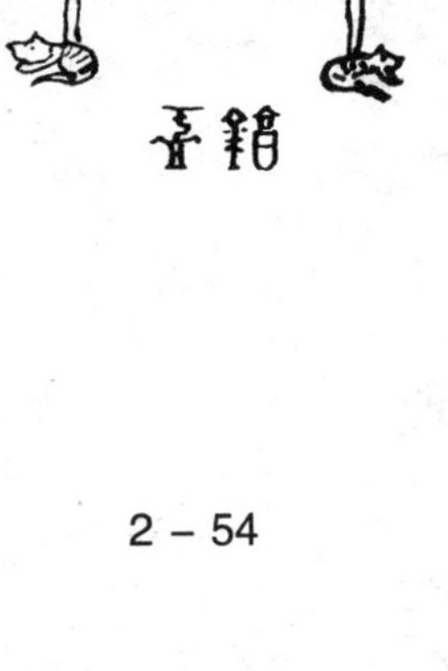

能去脈，都應當說為上古文化《河圖》《洛書》「五行」學說的產物。這和霸權主義、暴虐殺伐代代相承的，在思想體系上是具有共同之處的。

君 [古文]

尹口曰君。《說文》：「尊也。从尹，發號，故从口。」考君字从尹从口，尹从又从丨从口。尹者，右手執筆之形，古「師尹」字也。

《書·益稷》：「庶尹允諧」。（羣官團結）。傳：「尹，正也。眾正官之長也。」應劭曰：「天子之相稱『師尹』」。

案：君字从口者，「王者」發號施令之聲也。从又者，左相右相之手也（左右之輔弼）。《尚書序》：「君舉必書」。《禮·玉

史 [古文]

藻》：「動則左史書之，言則右史書之」。考《金文》史官的史字是「史」。此象義字也。〈尹〉〈君〉又者左史右史之手也。「中」者，所以示「史官獨立」秉公直書、不避權威之意也。《春秋》：「魯之內史、晉之董狐」皆其事例。

事實上這是對統治者的「民主監督」形式。不可不知。於此以見中國古代文字之思想內涵，非拼音文字所能望塵焉。

此字造型取聲，異常混亂。然从絕大多數之共同之點觀察，字皆从頁戊〈頁〉从㗊。此其共象也。竊以為㗊者古喧字，皆音噪雜之意。頁〈頁〉者同其色裹之意。己者古田疇字，地形曲疊之象。或古文字竹策文又之形。《金石辭典》定「囂」為孃字。其辭極近情。《說文》：孃字訓：「煩擾也」。段注：「煩熱煩痛也。擾煩也。」今人用擾攘字，古用「孃」。《賓諡傳》上「搶攘」。《楚辭》上「劻攘」。俗

孃 [古文]

上「劻勷」。故知「孃」即「攘」之古文。應訓義為「喧囂雜亂」。後世段為「爺娘」之「娘」，非本義也。

由此觀之，則想知《金文》中囂〈㗊〉……等字之造型取音，皆有雜亂之意，而無疑焉。此為度喧雜的指事字也。考《說文》〈囂〉字據《漢令》訓「囂」為「斷衣卅」。此訓已遭清人孔廣居氏之否定。其理由：以「襄」字始見於《尚書·虞書》：「蕩蕩懷山襄陵」之文。自當以「懷襄」為正義。不應以《漢令》為繪解。〈囂〉从衣，与〈襄〉同義。」

二六

竊以為「[古文]」，咸以地形塬坡之姿而得名。故知孔氏之解，不僅有史籍可考，且於自然山川形勢有徵。可稽。唯孔氏但言「囊」字从[illegible]之理，而未涉及「𤕦」字从「𤕦」之義。愚補述如下：

𤕦 𤕦 𤕦 案：𤕦从㗊，喧囂哄擾之音也。从𤕦，曲折重疊之象也。从爻，交錯之形也。故《說文》訓𤕦曰：「亂也。一曰窒𤕦。」段注：「窒𤕦，充塞之意。」案所謂「充塞」，即包藏之意。此義完全可从[古文]字造型說明之。

囊 [古文][古文]𤕦 《說文》：「橐也」。橐字訓囊也。《詩·大雅·公劉》：「迺裹餱糧，于橐于囊。」毛傳曰：「小曰橐，大曰囊。」高誘《戰國策》曰：「無底曰囊，有底曰橐。」《蒼頡篇》：「橐，囊之無底者。」段注：「囊者言實其中，如瓜瓤也。橐者言虛其中以待，如木橐也」。

筆者以為所謂「囊、橐」之名，乃由其形製不同而異稱。非造字之形意也。考[古文]字之形从束，以示兩端結紮之形。从𤕦，雜亂之象也。以囊、橐之為物，用途極廣，所容之物非一，俗云亂七八糟、什麼都有。故許君訓𤕦為「亂」為「窒𤕦」，段氏釋為「充塞」。雖用語不同，其義一也。

橐 [古文] 案《說文》橐、囊二字互訓，而未詳造字之形義。竊以為[古文]从[古文]从石。石讀如擔。百廿斤重量也。《尚書·五子之歌》：「關石和鈞。」（市場標準計量統一）疏：「卅斤為鈞，四鈞為石。所以一天下之重輕而立信也」。筆者以為「石」字之所以讀為「擔」而訓義百廿斤者，此古代市場用為校對重量的標準計量儀也。古代用石，後世用錢。俗名「誌子」。古人所以將容納糧食的[古文]規定百廿斤的原因，正是因為百廿斤的分量最適合於常人體力的搬運之故。「橐」古文上石示意如下：

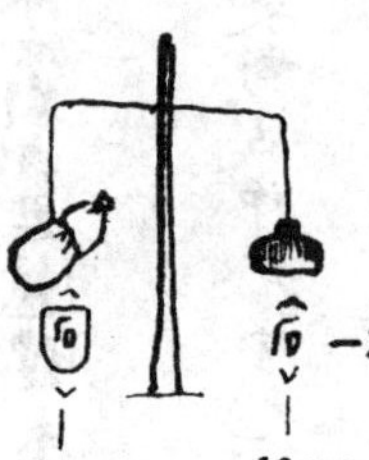

穰 [古文] 《說文》：「禾黍已治者。」《廣韻》：「禾莖」。案「穰」从禾从𤕦，禾者黍上物之五穀總名也。𤕦者零亂紛雜之象也。所謂禾黍已治者，即禾莖剝去外皮所餘之內部軟莖。吾鄉名曰「麥穰」。可以和泥抹牆，俗名「穰秸」。又能填枕。其形短而柔，橫散零亂，故从「𤕦」。（[古文]）

瓤〈𤫊〉《廣韻》：「瓜瓤」，《集韻》：「瓤瓤」。考《廣韻》：「瓤，瓜中也」。《正字通》：「瓤為瓜中實，與瓤相連，白虛如絮，《本草》謂之「瓜練」。案《詩·衛風·碩人》：「齒如瓠犀」，「瓠犀」即葫蘆種籽。「犀」字初義本水獸名，以犀齒形似葫蘆種籽，故詩人設為美人牙齒形容辭。可知《正字通》訓「瓤」「與「犀」相連」者，蓋蒂上部瓜內連繫瓜籽的「纖維組織」。其生理作用與人類之「胎盤」相同。故知「瓤」字从〈𤫊〉，亦雜亂意。

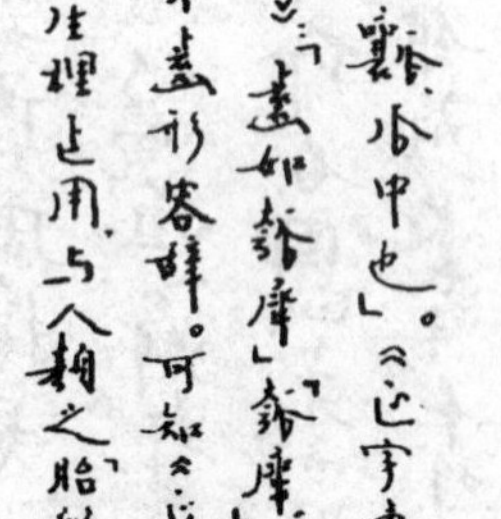

〈𤫊〉

纕

韘〈纕〉《說文》：「援臂也」。《玉篇》：「帶也」。案所謂「援臂」，即射人佩戴在手臂上的束帶。其製造原料，或以皮革，或以絲織，故字从「韋」，或从「糸」。所以佩纕者，因挽弓控弦，兩臂之運動力增強，橫紋肌高度緊張膨脹，故必須佩纕於臂之周圍，以輔助兩臂生理上的「天然韌帶」之約束力。故知纕字从〈襄〉，亦含有包裹義。从「韋」，「韋」即「柔皮」也。乃經過鞣製物質，處理而變質的「柔皮」。古代用為纏繞長物武器，所以抗拒防折。故「韋」字从止口止，左右兩足，以示纏繞方向。从口，器物之橫斷面形。故纕字从「韋」，亦有包裹義。

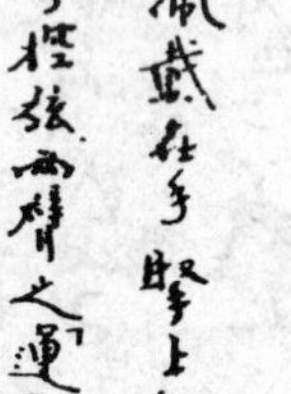

〈韘〉

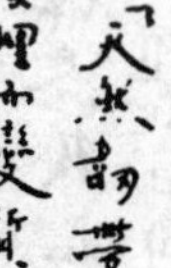

〈生理韌帶〉

鑲

鑲〈鑲〉《說文》：「型中腸也」。《正字通》：「或曰：『型』者，鑄器之法（模子），凡上型，先以繩為『胚胎』，型周則以蠟樹〈柄〉繩，結繩腐而型存，有賴於腸也。」《正字通》的說明，極致。唯語法古老，難懂。筆者試舉現代鑲牙工藝為例，以闡述之。現代鑲牙工藝之鑄造金屬「牙冠」，先以木槽為模器，繼以人造臘質牙冠入內。再以臘線黏連於臘蓋，臘線之另一端，直伸於木槽之外，此即所謂「型中腸也」。然後再以石膏粉水調成糊，注滿木槽，最後以金屬熔液，傾注模中，則臘質遇熱而銷融，此時臘質牙冠佔有之空間，遂為金屬熔液所取代。至此而金即鑄造工序宣告結束。然則「型中腸」者，即指鑄金屬融液注入

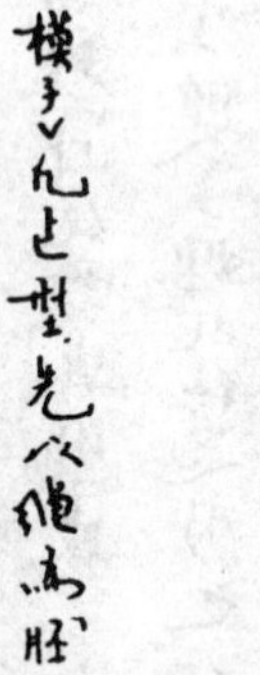

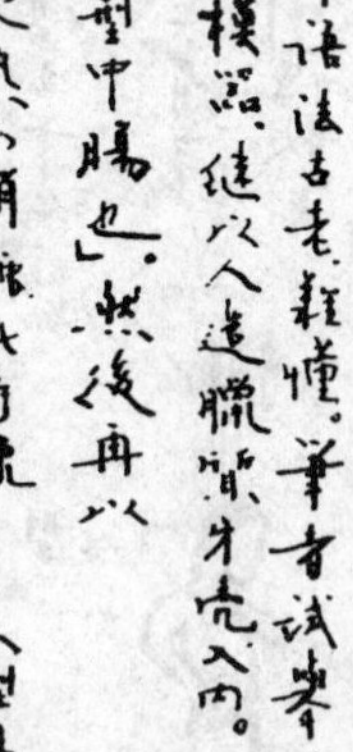

〈型中腸〉

二七

之外道也。不過古代用泥與蠟，提供代用金屬與臟而已。其術一也。示古代「型中腸」於下：

詳此可見「鑲」字从金者，鑄造之象也；从「𤕦」者，包裹之義也。

〈鑲〉

讓

𧮫 讓《說文》：「相責讓也。」《小爾雅》：「詰責以辭謂之讓。」《傳·僖五年》：「……公使讓之。」傳：「譴讓之。」《小爾雅》之訓「詰責以辭」曰「讓」。皆大有深義。考諸古上「辭」。《書·呂刑》：「明清於單辭，罔不中聽獄之兩辭。」《周禮·秋官·小司寇》：「以五聲聽其獄訟，一曰辭聽。」可知「辭」之為字，乃審理罪犯時「專用語」。《金》指法官與罪犯時的聲音。「辭」从「𤔔」从「辛」。「𤔔」，古治字，雙手理亂絲之形也，以喻治安常理。「辛」，古從字，辠人之象也。从言，括供之音也。「讓」讀若「襄」。有訓斥之意。吾魯南民間謂兒童受家長批評曰「挨讓」。兼歷史語言之遺存也。《周禮·地官·司救》：「掌萬民之邪惡而誅讓之。」故知「讓」有懲誡訓斥義。故从言，从吅。皆聲符也。

（讓）

綜合論述：「𤕦」字之多項義：曰喧囂，曰充塞，曰雜亂，曰排斥，曰退卻，曰訓斥，曰容納，曰織文。其初形皆源𤕦𤕦。「𤕦」之中間「乙」化爲「X」，即「𤕦」也。「𤕦」之中間「X」化「己」，即「𤕦」也。故知𤕦𤕦同文。

攘

𢹈 攘《說文》：「推也，竊也。」筆者案：「攘」具「引入」、「排斥」二義。如《論語》：「其父攘羊，而子證之。」此「引入」義也。又如《禮記·曲禮》：「左右攘辟。」又如「尊周攘夷」。皆排斥義而上動義辭。

蘘

𦵸《急就篇》：「蘘荷」。蘘荷，葉似薑，其根香而脆，可以為「菹」（朝鮮名「醃菜」）。唐、段成式撰《酉陽雜俎》一書，即以此菜而命名，因此菜而取名。其菜雜白菜、萊菔、蔥、薑、辣、芫等物於一器，故名「雜菹」。蘘荷味辛烈，有防腐解毒殺菌祛毒之功，故用爲主要調味劑。故「蘘」字有攘病驅毒之義，乃會義字也。

〈蘘荷〉

𤔔字又有絲文之象，故又用為産絲地名。《左太沖魏都賦》：「錦繡襄邑（今河南睢縣西）。羅綺朝歌」。此漢字地名与物産之關系又一例。

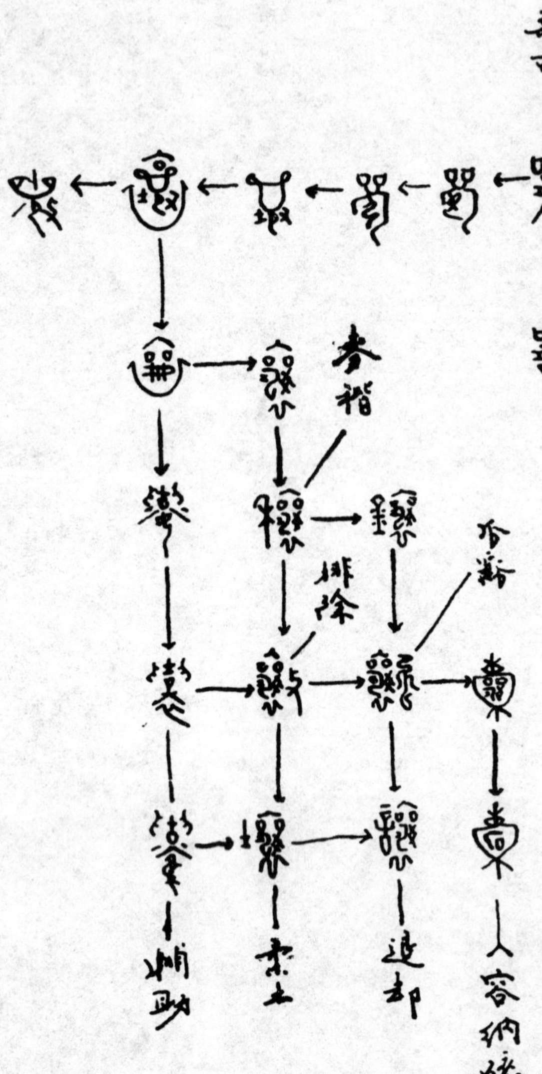

谷谷《说文》：「泉出通川为谷。从水半见，出于口。」窃以为谷之为文象义字也。谷与哭同韵。故知造字者取啼哭之人面而形象谷，从八从口。八古「别」字也，所以示泪水之旁出分流也。上唇之八象目「内眥」泪水涌出沿鼻留左右两侧顺流而下之态。下唇之八象鼻液从鼻孔涌出左右分流之态。底部之口象口腔。又象水潭，故知「谷」之为文旨，取象于人的啼哭面容与自然「地貌」之变项拟态。古文面容之容字从宀从谷。宀者，面轮廓也。八者眉目之形也。口者嘴也，可为有力的参考依据。《古相人术》将人面与「地貌」结常用统一的眼光看待。视鼻为「中岳」，将人之「泪流」「鼻流」与「山洪暴发」等量齐观。故「谷」字的造型想象，是有历史文化背景可稽的。所谓「山谷」，当峰上即排泄山洪之「山涧沟」也。

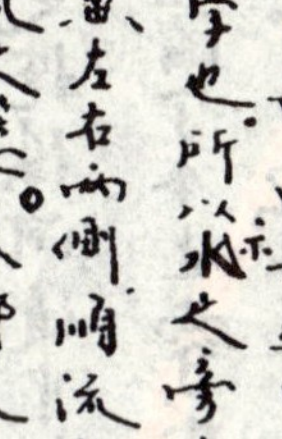

谷

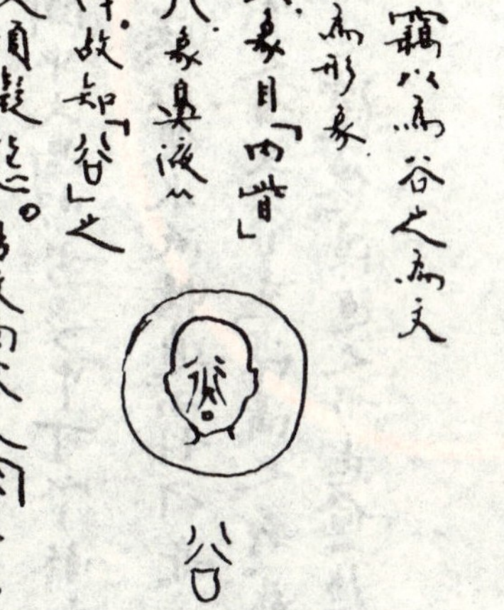

谷谷《说文》谷臄二字异文同音而义通，读为卻。卻者，间隙之意也。窃以为「谷」之与「臄」，二文皆象形字也。谷者缺

臄臄唇之象（俗名「豁子嘴」）。臄者虎口之义。从虎之上唇与「豁唇之人」其鼻下「人中」都有豁直隙缝。

故《说文》谷臄二文同训义「上阿」。所谓「上阿」，即「口轮币肌」的上半部。

阿《尔雅·释地》：「大陵曰阿。」又云「偏高曰『阿丘』」。阿从阝从可（坷），本为山坡倾斜之义。

《说文》段为「上唇」之名，亦转注义也。以汉字视人面为「地貌」之拟态。

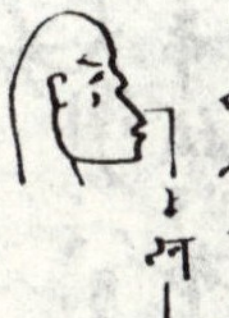

又一说明旁例。其旁、谷臄二字之训为「上阿」，亦不过是一个「近似义」，非精确义也。其鼻下原非义应释为「人中」（鼻唇沟）。「谷」之本义字皆含「间隙」意。举例如下：

臄

谷

隙隙隙《说文》：「壁际孔也。」案隙从阝，山岩之象也。从𡭴，日光之态也。原指人类穴居洞处，洞顶因地震而破裂，阳光从石

二九

飒透入洞中。我國杭州西湖「靈隱寺」之名勝自然奇景名「一綫天」，可是隙字很好說明例證。

谷之與㕣字形似同而意異。㕣字上部兩仌連接，谷字上部兩八分離不可不知。

㕣——上唇人中裂縫

卻——骨節間隙

郤

綌——古代人用葛麻織成時文理希疏時布，亦有孔隙義。

綌

圖名，以自然環境山諸狹谷之屹隘而得名。

隙

容 《說文》：「盛也。」徐曰：「宀與谷皆承受也。」

案：容从宀从谷。宀者洞穴之象，谷者山澗之形。皆有中空廣洞之義。可以容納物資，故義為「盛」（成）。

叡 《說文》古文叡，从𣦼从谷。𣦼，古殘字。段注：「殘穿者，殘穿（破壞）殘賊而穿之也。𣦼从歺，歺人之骨也，从又，手也。本為殘殺字，此處是沖刷破壞義。後又增土，作壑，以示穿土成谷之義。」《韻會》：「叡，清也，坑也，谷也，壑也。」

壑也，海曰大壑。

壑

濬 《說文》：「深通川也。」《書·舜典》：「封十有二山，濬川。」《禹貢》：「禹別九州，隨山濬川。」《爾雅·釋言》：「濬，幽深也。」可見我們祖先水利建設功績之宏偉。歷史插圖中大禹時形象中可以瞭解到所謂「疏濬」就是挖掘河道中的淤泥，使河床加深，以使水流暢通而利行舟。

《說文》：濬字本是睿字。睿字从𣦼从谷。𣦼音殘之省文，谷者「深」溝之義。故知睿字與叡同義。[illegible]「幽邃深」之意。後世增水而為濬。使「深通之形意」愈趨明朗矣。今文是濬。乃後起之字，已失古義。

（大禹濬川）

睿 㕡《說文》：「深明也」。《書洪範五事》：「思曰睿」。傳：「必通於微」。「睿之
聖」。傳：「於事無不通」謂之聖。

叡 𥈠

考睿字古之叡。从𣦵从目。叡古壑字。深清也。深清之底不見天日。黑暗無光之境也。造字者將目置於㕡下，以示高明的「人物能洞察幽隱」之意。〈透〉〈過〉視象有本質。「睿」銳音同有「眼光銳利」意。以此會義字也。本圖用一位視察者居高山之巔，眼睛晲後不樂仰視天象而喜歡俯首下視，觀察萬丈深壑陰暗環境的情況。這便是「睿之聖」的含義實質。

璿 璇 璿 璇 𪻐

璣 璣

《說文》：「璿，美玉也」。案許君以「玉名」釋「璿」，似未盡其義。考《尚書·舜典》：「在璿璣玉衡，以齊七政」。傳：「璿璣玉衡，正天文之器。可運轉者。七政，日月五星……」。《史記·天官書》：「北斗七星，所謂璿璣玉衡，以齊七政」。《索隱》：「《春秋運斗樞》云：斗，第一天樞，第二旋，第三璣，第四權，第五玉衡，第六開陽，第七搖光」。馬融云：「璿，美玉也。璣，渾天儀。可旋轉。故曰『璿璣』」。鄭玄注《大傳》言：「渾儀，其中筩為璿璣。外規為玉衡者是也。

考以上諸解對「璿璣」一辭的定義各有不同。足證我國歷代之天文儀器的製造形式是隨時而變化的。

但據筆者所見到的實物，實即一玉質環狀物如果我想得未錯的話也也許就是一個古代學者使用的觀測天空「星座」的「取景框」。竊以為璿字从王，「旋」符也，从睿者，幽深視遠之義也。璣字从玉从「幾」者，「幾何」之義也。世界各民族之「天文圖譜」對星座的「分組」方法，各有不同，故知「璣」是許多顆粒之物。《字書》云：「璣，小珠也」。可知「璣」之為物也是為了臨摹「星座」而使用的儀器，所謂「星羅棋佈」一語正意味着古人曾經利用畫好「經緯線」的木製放

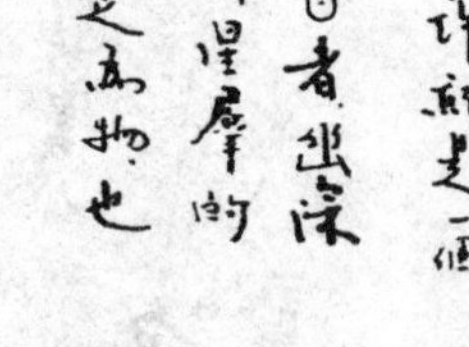

在地上。再將从「耿景框中得到的「星組」，按照每一顆星所處的「經緯位置」，用小顆粒珠子在桌面上予以臨摹她之分佈。這也許就是初期的「天文圖譜」的設計底稿，也未可說無其事。

至於「玉衡」之為物，則應該是衡量星體空間距離的比例尺。筆者在這裏，不避臆說杜撰之嫌，示意如下。

1天樞 2天璇
3天璣 4天權
5玉衡 6開陽
7搖光

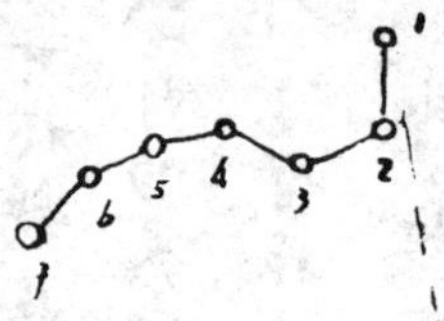

欲

《說文》：「貪欲也」。案：欲从谷从欠。欠者張口之人形。谷者腹中空虛之義。以饑餓之人也。饑則想食，此自然之理也。故訓義「貪欲」。

名

卜辭

《說文》：「自命也。從口從夕。夕者冥也。（日沒）。冥不相見，故以口自名。」案：名从夕从口。夕者黑夜之象。口者，發聲之器官也。人於黑夜無光之境，視覺失靈，不得不利用口耳，以互相了解（示意如下）。

銘

《說文》：「記誦也」。《集韻》：「志也」。《釋名》：「銘名也。記名其功也。述其功美，可使稱名也。」《禮·祭統》：「夫鼎有銘，銘者自名也。自名以稱揚其先祖之美，而名著之後世者也。」注：「銘謂書之，刻之，以識事者也。」

《禮・大學》：「湯之盤銘曰」注：「銘，銘其器以自警之詞也。」

案：銘从金从名，所以示功成名就之人，後之子孫，鑄鼎為文，鏤於鼎上，以敬頌記述其事蹟而傳於後世，永垂不朽。與後世「紀念碑」同義。古名「禮器」。現代曰「紀念品」。故字从金从名。所以示刻名於銅器之上也。

〈鑒銘〉

詺《集韻》：「彌正切」。《類篇》：「目諸物也」。《唐書・于志寧傳》：「首閱加景以神農往合離家別錄注詺之」。

繇此觀之，可知「詺」之為字，為義極廣，舉凡所有一切事物之名在內，甚或連向無名稱之物也包括在內。故讀音為「命」。有「命名」之義。與「名」字之意向限於人家，顯有過之而無不及矣。

茗《辭會》：「茶晚取者」。茗从艸从名，所以示名貴之艸也。

眳《張衡西京賦》注：「眳，眉睫之間也」。

酩《說文》：「酩酊，醉也」。《襄陽兒童歌》：「日夕倒載歸，酩酊無所知」。

竊以為名、銘、詺、茗、眳、酩諸文，皆从名而取冥為音。名者，聲之對應義也。事物之出於口而入於耳，有聲而無形，無質，無味，無嗅之「物」也。故冥不見人間之，以口曰「名」。既役之人，既往之事，記之以文字，刻諸於金石曰「銘」。對于事物而無名可呼者則命之以名曰「詺」。茶之晚采者曰「茗」，有日冥時晚之義。人而眉睫之間上眼瞼也。眼瞼下垂則目冥而不見物，故曰「眳」。醉酒昏不知人者曰「酩酊」。然則諸从「名」之字皆有「冥」之義可知矣！

名 招

《說文・口部》名字訓：「評也」。同書手部招字訓：「手評也」。

案：《說文》之訓義，殊與古篆形意殊有未符。竊以為……之為文，从……从……从

其戈□，从言。□者酒器之形。□者承酒之道。言者詐喚之音也。□者雙手捧酒開聲應命而至之象也。此「賤役之職，應對進退之事，唯命是聽」，其□字之形義如此乎？惜此解古無成訓。愚未之敢于自信，存疑可也。

〈□〉

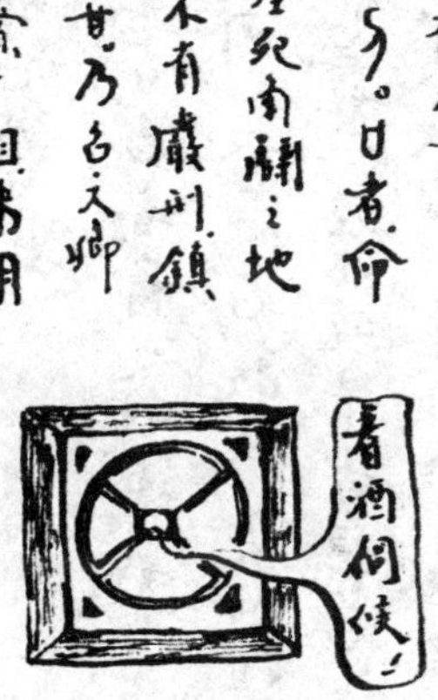

筆者竊以為，古□之文，音同而義合。何則？蓋召之為字，从口从刀，與詔為異文而同義。而許君訓為「以手曰招，以言曰召」，而不及从刀之義。嗚呼，陋矣！夫召詔二文字，皆从口从刀。口者命令之聲也。刀者殺人兵器也。此臨陣殺敵之情也。戰場者生死關之地也，愛生惡死生物之常情也。兵凶戰危之域，將帥發號施令不有嚴刑鎮之以威，誰能聽之？誰能從之？《書甘誓》云：「啟與有扈大戰于甘，乃召六卿王曰：『……左不攻于左，汝不恭命。右不攻于右，汝不恭命……用命賞于祖，弗用命戮于社，予則孥戮汝。』」經籍遺授文字，斯吾輩文字學者們皆發多麼大呼？故知詔字从止、从刀、从口。宜詳為之：口者，將遣發號施令之聲也。从手从刀者，將軍揮刀督戰之象也。但凭說教，不以死刑威逼，敢肯捨寶貴之生命，背離父母而徵律冒險以圖，性不可信之賞誅乎？故知言出令行者，威之逼也。□字復手捧酒，應聲而至，俾倚獻媚，不計榮辱者，爲困飢寒之驅使也。《史記》：晉懷帝在劉聰威逼下，著青衣進酒，正是此解□字，明良好注腳。皆役屬迫于古一轍。（詳參拙著戰鬪篇□字下）

牙齒形字

牙《說文》云：「牡齒也。象上下錯之形。」《字彙》云：「上曰齒，下曰牙」，與說文異。考雙子葉植物之幼芽，與人之「犬齒」極似，其端似錐，具剖斷裂之功。此牙字取象命之初意，後世延為所有之牙名。

芽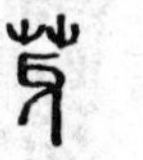《說文》云：「萌芽也。」《博雅》云：「始也。」博雅訓幼芽為生命之始，說文訓芽為萌。萌者發也，重發之義。二訓雖語異而意同。

齒（卜）（金）《說文》云：「口斷骨。」案齒同象形字，無可爭議。所欲言者即音義問題。

（[illegible]）

齒與年齡之關係：考《禮文王世子》云：「古謂年齡，齒亦齡也。」《內經上古天真論》云：「女子七歲腎氣盛，齒更髮長。丈夫八歲腎氣盛，齒更髮長。」古人深刻了解牙齒的生態變化，是觀察年齡特徵的依據。《傳僖二年》云：「晉荀息以垂棘之璧與屈產之乘，假道於虞以伐虢。虢亡，亡虢五年而後取虞。荀息操璧牽馬而前曰：璧則猶是也，而馬齒加長矣。」意思是：玉仍然未變，只是馬老了。所以後世人類自稱年老曰「馬齒加長」，自傷歲月虛度曰「馬齒徒增」。今人之買賣馬者，必檢牙齒之「幾口」？仍然屬於古代科學知識的應用。

秩

齒字的音義探索：《禮·鄉飲酒禮》：「齒，按年齡長幼以序位。」故《孟子》云：「鄉黨莫如齒。」竊以為「齒者秩也」。齒之與秩音近而義通。何以知之？《韻會》云：「秩者，再生之稱。」刈而重生，後先相繼，故借為「秩序」字。漢字取象定音但求義理可通，不嫌與物異類。古造字者觀兒童之齔齒，即人牙齒的脫而復生，與同植物刈而復生之子等量齊觀。故知「秩」之昇華為社會秩序義，猶「齒」之昇華為位序義，其例一也。故愚曰：齒者秩也。

三二

齡 齡《廣韻》：「齡，年也」。齒即齡也。齒隨人的生年而變化。故齡之訓年，人所易知。而齡字从齒从令，尚有待於說明。案古籍有「令」而無「齡」，漢代始加齒而成「齡」。是曰「令」古命字也。命，天命也。天者時也。「天命」即「時令」也。《呂覽》月令紀錄了一歲週期中十二個不同「時令」的自然景象。古代哲學視時間為推動事物變化的第一因素。謂自然氣象變化曰「時令」。有機生命體自然不會擺脫時間的支配。人的牙齒生態變化標志着少壯衰老特徵，是不依人意為轉移的。故齡字从齒从令。

齠 齔 齠 齔《集韻》：「齠音調」。《記韻》：「始毀齒也」。《說文》：「齔音初覲切。訓毀齒也。男八月生齒，八歲而齔。女七月生齒，七歲齔」。竊以為齠音凋者，凋謝之義。齔音近伸，生長之義也。男八月生齒，女七月生齒之說見於《內經》，源於《周易》。八之為數，東方木也，於卦為震。震為長男。七之為數，南方火也。於卦為離。離為中女。這一上古科學數據，尚非吾人所能理解。只好以「自然秘密」視之。齠音凋，謝之意。齔从七，七古化字，化生之意也。故「齠」「齔」二字有牙齒新陳代謝義。

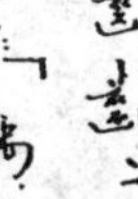

齠 齔

齲  齲 齲《說文》：「齒蠹也」。《釋名》：「齲，朽也。由蟲齧之齒缺朽也」。

案齲齒即俗云之「蟲牙」。中醫學名「蛀齒」。《卜辭》之文，形像逼真。小篆从「禹」。《說文》訓「禹，蟲也」。古禹字之，與甲骨字皆虫形。凵象骨骼。□象口腔。吅象門齒。

齝 齝《說文》：「音癡。吐而噍（嚼）也」。《爾雅·釋獸》：「牛曰齝」。

齥 [古文] 齥 [篆]《說文》：「音私列切，羊粻也。」《玉篇》：「羊噍艸也」。《說文》：「粻，食米也」。

齸 [古文] 齸 [篆]《說文》：「音益，麋鹿粻」。　綜合論述：案牛羊麋鹿雖同類，各殊形態各異，要而言之皆反芻動物也。故知「齝」之訓噍，「齥」之訓粻，「齸」訓麋鹿之粻。雖用字不同，形音各異，其為「反芻」之義則一。蓋此類動物之生理形態，既無銳齒又乏利爪，難行遠野山林，時有虎豹豺狼之憂，唯恃善奔之足逃避隱藏以求安。故其出也，必擇晴空白晝；其避也，必尋茂草清流之境。其食也，不能腹滿膛飽；其居處也，不得山窟洞穴。因而他們的消化系統的容量特大，而進食必速，追飢餓之後，則退避遠棄以求安。此類動物之消化組織器官，皆重疊而複雜。在食道入口，有儲草器官，其名曰膆。膆者，素食之義也（食肉動物皆無膆）。何時饑餓，則隨時隨地使膆底收縮，推動儲草上行，返歸口腔，重新咀嚼至細膩如糜，而咽入胃腔，然後再次進入腸膛而吸收攝取營養成分。此類動物所排出之糞便，皆成球狀或泥餅，無類畜之臭臭。大凡其體大而食量多豐者，其消化組織機構愈複雜。若牛類之胃竟多達四胃之數。所謂瘤胃、皺胃、蜂窠胃、重瓣胃。若家禽之雞，除膆囊外，僅有前後二胃而已。故知漢字之多文共義者，皆所以表示同中有異也。諸字皆从「齒」者，所以示異中有同也。他如發音動詞，雖曰「鳴」，而犬曰「吠」，龍曰「吟」，而虎曰「嘯」，狼曰「嗥」，而猿曰「啼」。凡此諸例，皆為「專用動詞」。於以見漢語之體系。

齧 [古文]（[篆]）《說文》：「噬也」。所謂「噬齧」，即母性以門齒齧斷初生嬰兒臍帶。卜辭從另。另音《周禮·考工記》：「築氏為削」之「削」，謂器也（說詳刑罰篇本字）。刻者「割」「劃」也。一分為二之物也。[篆] 契。其物等於今日的「合同」。故知另之與刻，皆切斷義。不論「剞劂析書」皆用錛，而齧則用齒。故知齧形意當取象於門齒之斷物。

〈[篆]〉

二三

舌形字例

旨脂 〔篆形〕〔篆形〕〔篆形〕（卜辭）旨（篆）〔篆形〕（籀）脂 案：《說文》「旨」字訓美也。同書「脂」字訓「戴角者脂，無角者膏」。所謂「戴角者，牛羊也」，「無角者，驢騾豕兔也」。所謂「脂」，固體脂肪也；所謂「膏」，軟性脂肪也。故知「旨」、「脂」二文因異文而同義。旨者脂之初文也，後世施月而作脂，亦猶益之增水而成溢，然之增火而作燃也。考脂之初文作〔篆形〕、〔篆形〕。旨，舌从口出之形。有嚐試美味之象。小篆旨作从匕从日。匕亦舌形也。日古甘字也。甘者美也。物之味甘美者其氣必香。《難經》云：「脾主土，其色黃，其氣香，其味甘。」故字从「黍」从甘，是其義也。此意曾親嚐之旨。一切動物脂肪皆有甜味與香氣，信乎古人造字，循从普識得之。《書·說命》傳：「旨，美也」，與《說文》同。《詩·邶風》：「我有旨蓄」，傳：「旨，美也」。

（附）香 〔篆形〕

（附）美 〔篆形〕美 《詩·小雅·鹿鳴》：「我有旨酒」，旨酒，美酒也。味之美者羊羹旨酒也。故美字从羊。《說文》：「美，甘也，从羊从大。羊在六畜主給膳也。美與善同意。」謂羊大則美。故知旨、脂、甘、香、美、膳諸字皆異文同義字也。

（附）膳 〔篆形〕

指 〔篆形〕 《說文》：「指，手指也。」《易·說卦》：「艮為指。」疏：「取其執止物也。」竊以為指亦旨之同源字也。夫物之美者曰旨，人之所同欲也。欲則必有進取之心，故延為「旨趣」義。「趣」从走从取，有進取之意。進取者非一人，故爭先恐後，欲爭先必求速，欲求速必擇捷徑。欲尋捷徑必擇正確之方向，欲得正確之方向必賴高明之「指示」。故旨字雖善美義而轉化「手指」義。此旨字輾轉遞嬗之軌迹，可以下表窺之。

（附）趣 〔篆形〕

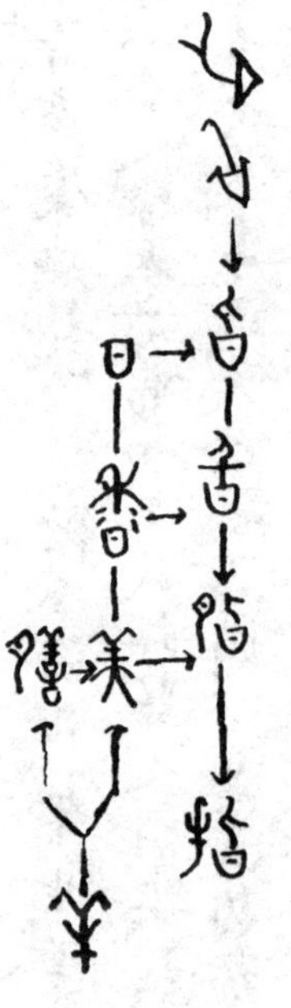

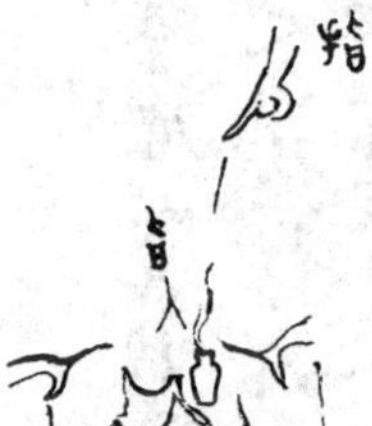

趣

指旨趣示意

甘 日《說文》：「美也」。《正韻》：「甜也」。

考日字从口从一。口，舌形也。中間一點，脾之位也。舌色赤，火之象也。《難經》云：「心開竅於舌。心屬火」。火能生土，土者中央之位，其气香，其味甘。《洪範五行》云：「稼穡作甘」。中醫文獻論述「舌診」之豐，以舌心為脾臟之外在標志。據此觀之，則篆書甘字作日，其造字形義有由來矣！示意如下：

丹 日 彤《說文》：「赤色丹砂也」。《說文》：「巴越之赤石也」。案所謂「丹砂」，即天然硫化汞。古代凡藥多用為丸衣，故曰「丸散膏丹」。丹之為文亦舌形字也，與日形似而同韻。《神農經》：「硃砂味甘，色赤。安精神，定魂魄」。為名貴之鎮靜降壓劑也。《說文》丹作彤，自應以「日」為「心」。竊以為日字取象於舌者，以舌與丹同色之故。道家之丹作彤，取九轉還丹之義。此又人體內部之「丹」矣。

彤 彤《說文》：「丹飾也。从丹，彡其畫也」。案彤、紅同韻。今民間仍謂物之紅色鮮灼有光者曰：「紅彤彤的」。「彤紅」即此字。古代以丹砂和漆為塗料，以示器物之名貴。《詩·靜女》：「靜女其孌，貽我彤管」。注：「古者后夫人必有女史彤管之灋……」。箋：「彤管，赤管也」。《書·文侯之命》：「王曰：賚尔……彤弓一，彤矢百」。傳：「彤，赤也」。

活 𠯑（卜辭）活（篆）。考甲骨文活字作𠯑，篆作活。《說文》訓「活」為「流水」。求諸字形，殊於義無當。試求諸文獻以明其義。考《詩·載芟》：「實函斯活」。疏：「活者生活，種之必生也」。所謂種之必生，即百分之百成活率。是知「活」之初義，即「生命力」之義。茲再據「實函斯活」之義求之。所謂「實函」，乃「水分能和」之意。「涵」从函从水。《說文》「函」字訓「舌也」，同書「涵」字訓「水澤多也」。據此可證，「函」字初意，應為人口「舌肌」光澤濕潤之義形容辭。《毛詩·載芟》用函木當旺盛之形容語，乃通段義，非初義也。其初義應為

『舌上液也』。此義靠來源於「中醫學」的「舌診術」。中醫生理學知識導源於「河圖」五行學說，以北方「天一」之水，為一切有機生物體生命之源，因而對消化系統病的垂危患者，以舌肌現象有無「津液」為判斷生死、預後吉凶之依據。所謂「天一之水」，即長桑君之「上池水」（章腺分泌液）也。老於臨床的中醫士遇到患者舌肌赤紅，而光亮無津液者（味蕾壞死）即知為消化功能衰竭，乃必死之兆。明乎此，則活字从𠯑从氵之義思過半矣！

附注：本條所介紹的光亮而無水的舌態，醫學術語中名之曰「鏡面舌」，乃必死之症。筆者親歷所見，毫髮不爽。今讀《說文》「活」字，始悟漢字造型示義，確有不可動搖之自然科學基石，非任何人所能譏議焉！

話

《爾雅·釋詁》：「言也」。考人類之所以表達意識之工具，語言也。「舌」者，語言之器官也。故「話」字从舌从言。此「話」字之形義也。話字之讀音若「畫」者，畫策之義也。上古人類「稽疑」，唯恃占卜之術，以竹筴畫地，觀其爻象，而占吉凶。占必有辭，辭从舌从辛。辭者謀言也。此「話」有「畫策」之音義例證一也。迨及春秋末葉，諸侯互爭，「游說」之士，吊三寸之舌，逞說說之口，倡「合從」「連橫」之策，以說霸者之心。此「話」有畫策之義例二也。《漢．鄒陽上吳王書》：「願大王審畫而已」。《史記．荆燕世家》：「昔田生游乏資，以畫干營陵侯澤」。服虔曰：「以計畫干之也」。此話畫古義之互通之義例三也。右以見漢字音韻之重要性。

甜 ⿰酉舌 ⿰酉舌 餂 甛

《說文》：甘，甜二字同訓為「美」。古「甜」字造型眾多，各具特色。如⿰酉舌字从酉，酒之甜者也；餂字从食，食之甜者也。此漢字異中有同之例。⿰田舌乃甜之省文可知矣。讀音為田，田者土也，土為脾臟，其味甘。

嚞 咠

《說文》：「嚞，古文哲字。」《六書精蘊》：「謀譖人也。不象其往來譖譖，象其反覆，故从三舌。」

筆者竊以為：咠从口从耳，附口於耳，竊竊私語之象也。嚞从三舌者，眾口鑠金，聚蚊成雷之義也。今民間諺語：「嚞嚞咕咕無好話，背地一齊搗害人」。即其義。此小人之行也。

舌 舌 《說文》：「舌，在口所以言也、別味者也」。《六書精蘊》：「舌以卷舒為用，口以闢闔為用。」

吾嘗考《說文精蘊》但述舌之功用，而不及舌字之形義，蓋亦已失了「字書」應有的職責。竊以為動物類之舌，蓋具有分岐者，厥唯蛇類。故知舌之為文者，請字形託之於音審取象於蛇而無疑焉！

〈舌〉

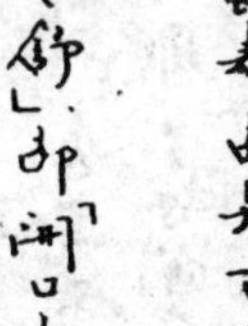

余 余 余 《說文》：「詞之舒也」。所謂「詞之舒」，即「開口出言」之意。余古音讀蛇，其初義應為「舌柬」。古音「余」、「蛇」、「舍」三字同屬第五魚部，而與「蛇」同聲。足證余之為字，舍之省文也。《說文》將「余」字列入「八」部。而訓為口「詞之舒」，以者古今別字也。有開口之象。而《康熙字典》將「舒」字編入舌部。故知「舌」、「余」、「舍」皆舌部同根字而同具「舍柬」義。已彰明甚。明楊慎於《六書索隱》云：「五代宋初人自稱曰『沙家』。即『余』之近聲，而『賒』字亦以余，可知也。」筆者考古音第十七部「沙、它、蛇」同部。故知楊氏之說確屬信而有據。此字不知何年與予義互混。今人難於考證。蓋古籍中之詩書皆用予不用余，《左傳》用余不用予。有來予余之混淆由來久矣。尤其是《說文》將「余」字列入八部，雖於義亦合，然筆者遍考甲骨鐘鼎余字，概誤皆是封閉形絕無上八字開放形者，則許氏之說只存其義而乏象可徵矣！甚哉，治學之難也。然而反觀古文造字成例，固有未可「以形害義」者，如《說文》「谷」訓義為「缺」，其顯例也。準此而論，則余字列入八部又奚足為怪乎？故知文字之學首義為主而形則次之，未可絕對刻舟求劍而拘泥於文字之形態焉！

舍 舍 《說文》：「市居曰舍」。此從申義非舍字初義也。

案說文將舍字編入「亼」部，此大誤也。蓋舍字從舌從亼。本「舌」之同根字。《史記律書》：「舍者，舒氣也」。其釋與《說文》「余」字之訓為「詞之舒」，其義相同。故知舍字顯識之「亼」亦八之變態也。有開放之意，故知「舍」字从亼（八）从舌，有舒發暢開之情，其從生義為「捨棄」，固其宜也。試舉例以明

三五

之。《荀子·勸學篇》：「鍥而舍之，朽木不折；鍥而不舍，金石可鏤。」此舍訓為「棄」義例之一。《書·湯誓》：「舍我穡事，割夏政。」此「舍」訓為「棄」義例之二。《孟子·梁惠王篇》：「王曰：舍之，吾不忍其觳觫。」此「舍」訓為「棄」義例之三。《詩·小雅·車攻》：「不失其馳，舍矢如破。」《大雅·行葦》：「舍矢如均。」箋：舍之言釋也。此舍訓為「棄」義例之四。《說文》：「舍，音捨，廢也。」

綜合論證，以上徵引諸材，皆訓舍為「放棄」之義例。此義蓋據「舒气」之初義而來。蓋人類之伸舌張口之舒气運動，在於排除胸懷之鬱憤。因而古人用為「捨棄」字。是證舍字者，捨字初文也。後世繁變而為「捨」，亦猶「舍」之化「豁」，然之化「燃」也。捨行而取代舍，而原有之「舍」遂轉化為「舍置」、「居室」、長度……等義。自「舍」轉化為「市居」之義，繼則化「旅舍」義。《周禮》：「卅里有宿舍」，此文為道里長度名。

舍〈舒气義〉—〈置棄義〉—〈宿舍義〉—〈旅程義〉。

「捨」〈棄擲義〉

舒 舒 《說文》：「伸也。」《博雅》：「舒，展也。」筆者案：此亦「舍」之同源字。《說文》訓「余」為「詞之舒也」。《史記·律書》：「舍，舒气也。」舒字从舍从予，音若舌予〈唇〉之合聲。此義與「余」同。故知舒亦舌之孳乳字也。

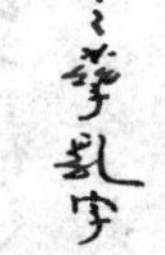

〈舒展也〉

㐁 㐁 《集韻》：「以舌鉤取物也。」《說文》：「舌貌。从谷省，象形。」《精蘊》：「㐁从舌在口外，露舌端舐物。人有持長短術，以言鉤人者，孟子斥為穿窬。」名叢案：㐁，象形兼會義字也。春秋時代著名的武將吳起，曾為其部卒吮癰。其母聞之而泣，曰：昔吾子之父生癰而吳起吮之，死於戰場。今吳起又為吾子吮癰，吾子其死不旋踵矣。大凡這類反乎常情的問題古人咸以险詐論之。《精蘊》所謂之「長短術」，即面諛權貴，巧言忠意，陷害異己的小人伎倆。這種人物往往可以顯赫一時。吾國民間語言呼之曰「㐁腚眼子」。孟子把這類小人比之挖牆的小偷。

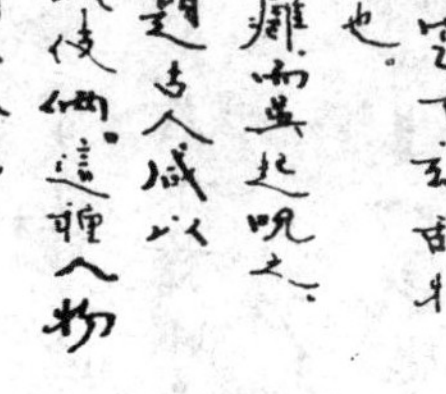

〈㐁〉

〈竊〉

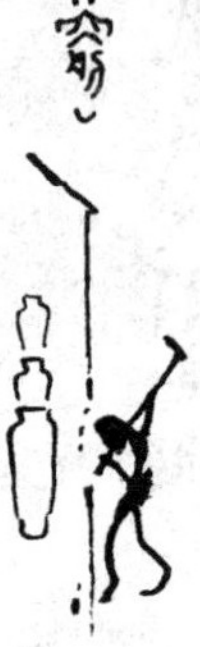

𠯑

𠯑《說文》：「塞口也」。《玉篇》：「塞也」。今人未識此字之形，猶難不請此字形音之故。竊以為𠯑字造型乃古夬內曲，何取食物之象。蓋取象於青蛙捕食昆蟲之景，

亦讀如括、栝音裹也。有包囊之義。

括

括《增韻》：「包括也」。《揚子方言》：「括，閉閉也」。

栝

栝《說文》：「竈木也」（用灰笆，魯名扒灰頭）。要栝者內向動義辟也。

聒

聒《說文》：「讙語也」。此非聒字初義。《廣韻》：「聲擾也」。此解較說文為稍勝，但亦未能將聒字真相明。《抱朴子·廣譬卷》何聒一刻見無。其文云：「春蛙長譁而醜音見患於聒耳」。然則聒字之背義未源於蛙鳴可知矣。余此之說不手之解而豈信而有據。

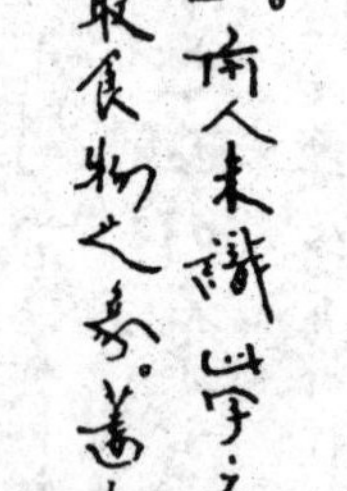

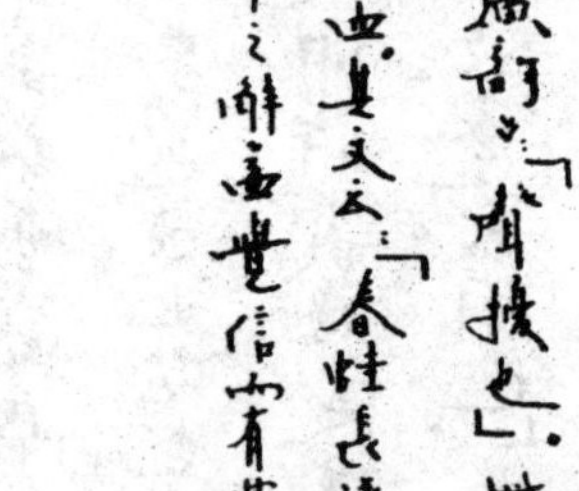

活

活《唐韻》：「水流聲」。

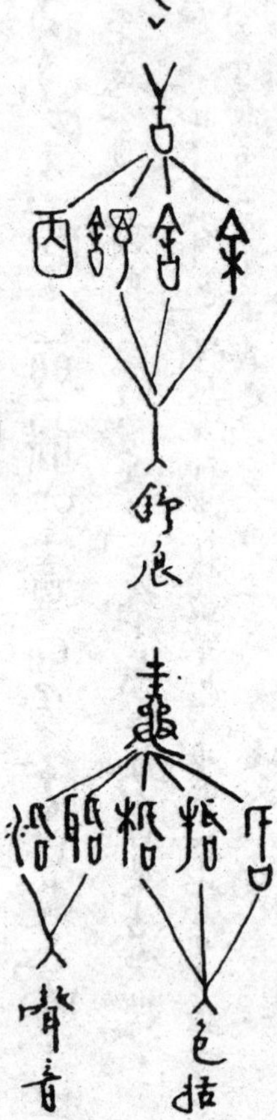

耳形字例

耳（卜）（金）（篆）（籀）《說文》：「主聽也」。《白虎通》：「腎之候也」。

聽〔古文字形〕（甲）〔古文字形〕（金）聽　此形聲兼會義字。耳者形也，壬者挺身峙立之象也，口者聲也。
悳者聲入於耳達會於心也。尤其是「壬」之為文不僅是已為音符，而且也表了動物
對聲波的敏感形態。

聖〔古文字形〕（甲）〔古文字形〕（金）〔古文字形〕　《尚書·洪範》云：「睿作聖」
許云：「於事無不通之謂聖。」《禮記·禮運》云：「三代之英」疏：「萬人曰傑，倍傑曰聖」。
《風俗通》云：「聖者聲也，聞聲知情，故曰聖也。」愚曰：聖字從口者，無言之教也；從耳者，無聲之樂也；從壬者，無體之
禮也。此聖字從口從耳從壬之真義也。

聲〔古文字形〕（甲）〔古文字形〕　《說文》云：「音也」。此形聲字。象右手執殳擊磬，聲聞於耳之形。

聰〔古文字形〕（金）聰　《說文》云：「察也」。《廣韻》云：「聞也，明也，通也，聽也」。案：聰從耳從囪從心。
囪古窗字，以喻鼓膜之形。聲波之傳遞唯作「鼓膜」之震動，聲入於耳，達於心，故字從耳從囪從心。

聞〔古文字形〕（甲）〔古文字形〕　聞　《說文》云：「知聞也」。

昏〔古文字形〕（二期）〔古文字形〕（甲）〔古文字形〕　《說文》云：「日冥也」。

婚〔古文字形〕婚　《說文》云：「婦家也。禮，娶婦以昏時，故曰婚」。
聞、昏、婚者，殘採於古文字間。昏、婚音同而義通之故。正如西方亞里士多德所云：「能使我們
認識事物並辨明事物之間的許多差別。此於五官之中，以得力於視覺者為多。」故《玉篇·識字》訓：
「認也」。《增韻》云：「能別識也，又見識也」。《釋名》云：「識，幟也。有事幟可按視也」。然東方與西方的古
今學者，對人類探尋知識的途徑，主要依靠於視覺具有一致見解。宋蘇軾在《日喻》之一文

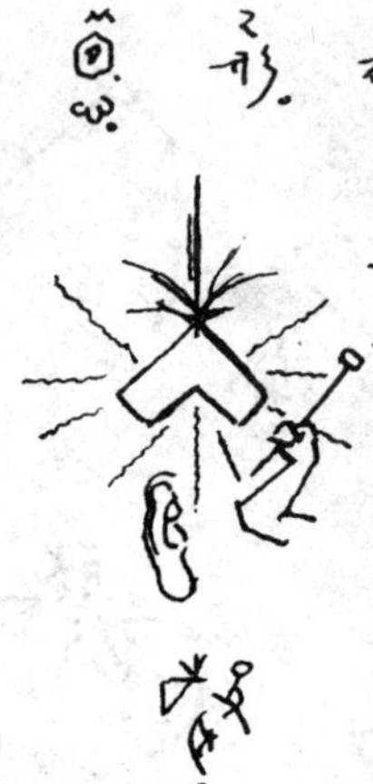

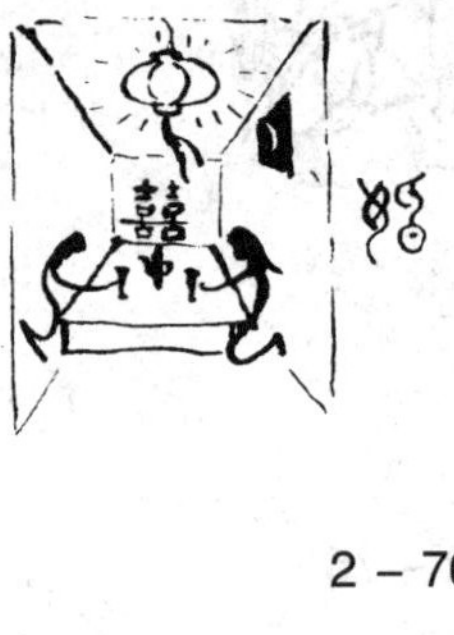

中文：「注而無目者不見日……」甲骨文中的「徝」字造型从丿从目，正是一個直觀示義圖像。假使處在昏暗無光的環境，視覺器官失明的情況下，則嗅覺器官、聽覺器官、發音器官三者的代償功能的發揮與協助，顯得意義更加重要。這也就成了聽覺器官動辭、嗅覺器官動辭、發音器官動辭可以相互交叉應用的理由。我國山東方言稱以鼻嗅物曰「聞聞」！河北方言稱以鼻嗅物曰「聽聽」！《詩大雅公劉》：「肆不殄厥愠，亦不隕厥問」，漢《張遷碑》：「不隕高問」，皆段「問」為「聞」之義例。問者名也。《說文》「名」字訓：「名，从夕从口，夕者冥也。冥不見人，則以口自名。」然則「𦖞、問、婚、昏」之所以音義互通，皆緣昏夜之義而生無疑也。示意如下：

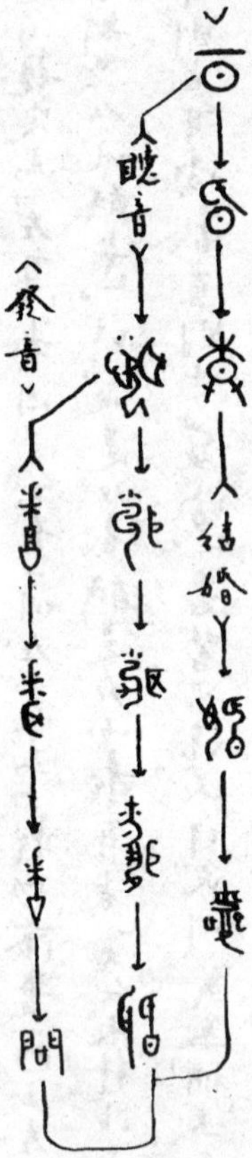

耿  《說文》：「耳箸頰也。」《廣韻》：「耿，介也。」《除敬業詩》：「少年負壯氣，耿介立衝冠」。案《說文》之訓「耿」為「耳箸頰」，以是而非也。竊以為耿从耳从火。當宜訓為「耳赤也」。蓋火者赤色也，光熱之意也。人之感情急怒，血脈外高，面色紅暈，擴散達於耳輪，此想極之象也。

聾 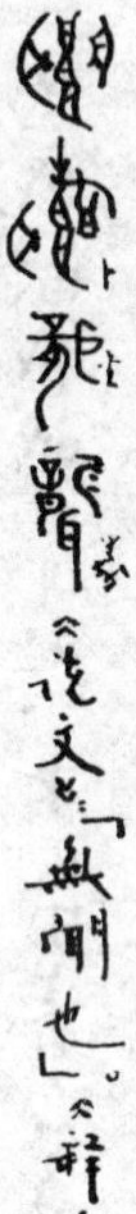 《說文》：「無聞也。」《釋名》：「聾，籠也。如在蒙籠之內，不可察也。」《左傳僖廿四年》：「耳不聽五聲之和曰聾。」案聾从龍从耳。古代神話謂天雷龍火所生，龍居雲中，若無事者，以其無聞之故。此種傳說故事，毫無根據，未足以為治學之依據。竊以為聾之為字，為段字也。癃閉之義也。《內經五

常政大之「其病癃閉」《宣明五氣》文：「膀胱不利為癃閉」。所謂膀胱不利，即現代醫學之「尿道阻結石淤塞」形。故知龍字乃音義字。蓋龍為「癃」之義。

取

取 （卜）（金）取（篆）《說文》：取字見於又部。而訓義為：「捕取也」。從又，耳。《周禮·大司馬職》：「獲者取左耳」《司馬法》曰：「載獻聝。聝者耳也」。案：「取」字造型从又从耳。又，右手之象；从耳，右手持耳之形也。

《詩·大雅·皇矣》：「執訊連連，攸馘安安」。注：「馘，獲也。軍法獲而不服則殺而獻其左耳」。

《詩·魯頌·泮水》：「矯矯虎臣，在泮獻馘」。傳：「馘，所格者之左耳」。「泮宮」是古代諸侯習射之所，也是宗廟定居之地。古代諸侯征伐班師，參凱必在祖廟舉行慶功儀式，參加戰鬥的軍士，普行論賞，以殺敵人數多寡為評功依據。所謂「在泮獻馘」，就是戰勝者把從戰場上帶回的敵尸的左耳，上當向現場的查驗驗收，以便上為評功的依據。其所以必須規定為「左耳」者，因一尸只有一個左耳，為了戰功落實，防止左耳右耳混在一起，杜絕虛報戰功之措施也。

馘

馘 （卜）（金）聝（篆）䤚（籀）

《禮記·王制》：「以訊馘告」。注：「訊是生者，馘是死而截耳者」。《爾雅·釋詁》：「馘，獲也」。注：「今以獲賊耳為馘」。《字林》：「截耳則上耳旁，獻首則上首旁」。吾嘗謂說文許氏訓取為「捕」，與《爾雅》訓「馘」為「獲」之義，詞異而實同義。

其文字造型示義，證諸文獻，皆有鮮明的歷史背景。文字本身，如考古化石，信不誣矣！

緝

緝 （篆）（卜）《說文》：「績也」。案許君之訓「緝」為績，其說久抄，遠不如顧野王《玉篇》之訓為緝切而穩當。

《玉篇》又：「緝，續也」。《詩·大雅·行葦》：「授几有緝御」。箋：「緝，猶續也」。可見「緝」之為字，其本義應為「連續」。

但經文只訓義為「績」，而未指出「緝」字所以訓「續」之真相來龍。茲考而述之如次：

考甲骨文中有 字，从8从 ，似以8穿耳之形，此象形字，當是緝之初文也。

小篆於耳上增口，而其義益明。糸者，綫索也；口者，穿孔也。耳遺糸穿為 ，而訓義為「連續」。（ ）

證之以前條「取」字之訓，可知 字正是「執左耳以獻功」的生動寫照。因為在戰場割取的敵尸左耳，

為量比豐，動以千百為數，散亂零雜，難於携帶，其以輯繩索之力以牢連，而成集中之功。此理之不然者焉，

其訓義為「連續」，固其宜也。（此字本應附於戰鬪篇中，因其與「肙」字相近，故連類而附於斯，迻涉混淆，

讀者諒之）

輯 輯：說文曰：「車和輻，總入轂中也」。又書故曰：「合材為車，咸得，謂之輯」。

案：說文已許氏謂「車和輻入轂中」之訓，與老子道德經曰：「三十輻共一轂」同意。

古漢語成辭「輪集輻輳」之詞，皆是「集中」義。其義為源於[illegible]字而來。[illegible]是集中

入耳於聽，素，輯是集中輪輻於車轂。其為「集中」之義則一也。後從之為「收斂翕合」「李友輯睦」

皆由「集中而延伸為收斂」「團結」義之例。是為「語法」動義辭來使用，以物理力學衡量之，

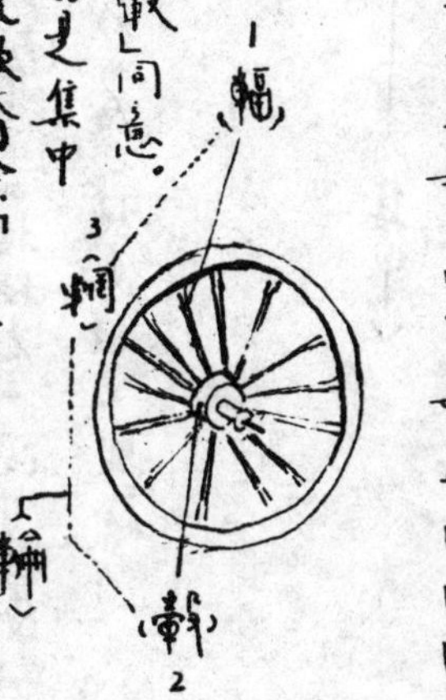

戢 戢 可名之曰「向心力」辭。故知「輯」是肙之孳乳字。又詩小雅曰：「鴛鴦在梁，戢其左翼」，左翼內斂，右翼外向以防敵。

揖 揖：說文曰：「讓也」。此訓抽象，遠離初是未能道出文字形意。

考揖之為文从手从肙，而讀音如「一」。肙者集中之義，从手者，兩手合抱，

十指合聚為一之象也。揖與[illegible]二字異文而同義，皆是左右雙手合抱之態。

故知揖有集中之義，亦[illegible]輯之孳乳字也。表示如下：

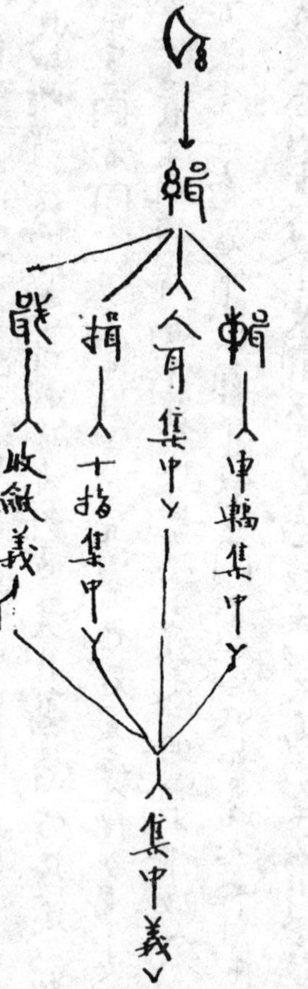

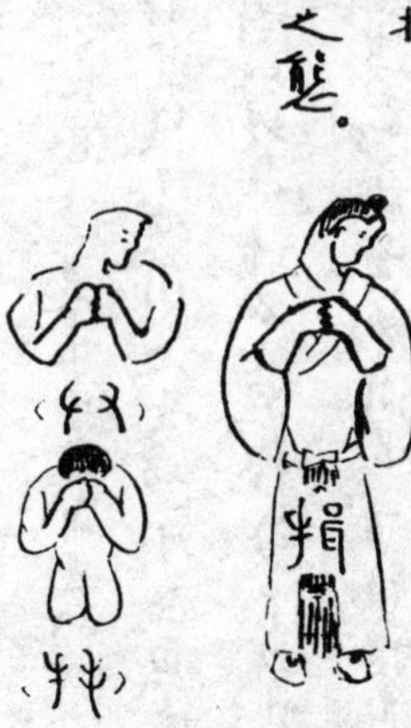

三八

最𠕋《說文》：「犯而取也」。「犯而取」三字，是具有合義的。《說文》：「犯，侵也」。《玉篇》：「抵觸也」。《廣韻》：「干也，僭也，勝也」。古字書雖諸訓不同，其為「反抗」之意則一。所謂「取」、「捕取」之義也。古代《軍法》有「複而不服，則殺而馘其左耳」之規定。故知所謂「犯而取之」，即戰勝者對表示反抗態度的俘虜處以死刑而取其左耳以獻功之意。

「最」字从冃者，冃古「帽」字，亦冠冕之冕的省也。冠冕居人體全高之處，有尊崇尤崇之義。古諸侯出師征討，戰勝凱旋，必告於宗廟，所謂「在泮獻馘」，實際上就是一個戰士評功大會。而其評論消滅敵馘耳多寡為依據。殺敵馘耳最多者為「冠軍」。此𠕋字从取从冃之意也。故知《說文》之訓「最」為「犯而取之」，是有歷史背景的。

在這一含義基礎上，使𠕋字延展為一切事功之高而優義詞。在史籍中經常使用之「考功」術語曰「考其殿最」。殿，古「臀」字（屁股），臀居人體底部，與𠕋之冠冕尊皇義為兩極對比。現代語名之曰「好壞典型」。

聚𠭫《說文》：「會也」。《公羊隱元年》：「會，最也」。故知聚最二字皆有「集中」義。其初義當來龍於「軍法複而不服，則殺而取其左耳」之義。𠭫从取从㐺。取者取耳之義，从㐺者，所以示耳之多也。故知聚之形義與𠕋同例。亦𠭫之孳乳字。後延伸為「聚會」、「聚合」義。

堅𡍬《說文》：「堅，積土也」。案：堅从取，聚之省文，从土。土者地也，「地望」之義也。《皇極經世》：「獨夫以百畝為土，大夫以百里為土，諸侯以四境為土，天子以九州為土」。《論語里仁》：「小人懷土」。故知「土」之為字，有「家鄉」意。亦有定居義。《史記周紀》：「秦取九鼎寶器，而遷西周公於𢡊狐」，注：「𢡊狐聚，與陽人聚近」。《括地志》云：「汝州外古梁城，即𢡊狐聚也。陽人故城，即陽人聚也」。雖此觀之，「堅」字即上古部落「聚族而居」之地也。往上「聚」音通，義明也。自宜以「𡍬」為明文。

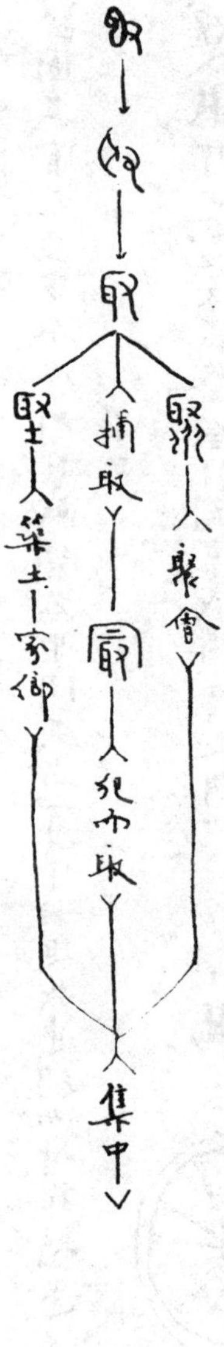

聶 𦖞(甲骨) 金 聶《說文》：「附耳私小語也」。《史記·魏其武安侯傳》：「乃效兒女呫聶耳語」。韋昭曰：「呫聶，附耳小語聲。」

筆者考，聶从三耳，與古文譶从三言同有低聲細語之義，何也？吾嘗曰：言者，語言器官也。从三言者所以示發言人數之衆也。聶从三耳者，耳者聽音器官也。从三耳者所以示聽者之衆也。同例義為「附耳細語」者，所以示恐懼之態也。此漢字與文同義之例，不可不知也。考《難經》云：「腎開竅於耳……」在古為[illegible]故如漢字从三耳之字均訓恐懼義，是有生態意義的。一切動物之恐懼感無一不表現為兩耳高豎，毛髮直立，可為義證。恐懼心情的唯一特點，表現為「聽覺敏感」，此動物防敵之「自衛偵察本能」，可从文字形象中獲得透視。

囁 囁《說文》：「失气也」。所謂「失气」，有消聲匿迹之意，因周圍監督者衆故低聲俯首小心下气而不敢高張。故字从三耳，三耳者所以示監聽者之衆也。

躡 躡《說文》：「蹈也」。《釋名》：「登其上使攝服也」。《史記》：「張良陳平伏後躡漢王足，因附耳語曰：『漢方不利……』」顯而易見這是一種「警告」的態度。《釋名》所謂「登其上使攝服」，也是威脅之態。有被人用足踏倒臥地，衆目睽睽，強迫屈服之意。

〈躡〉

攝 攝《論語》：「千乘之國攝乎大國之間……」注：「攝，迫也」。《莊子·胠篋》：「攝緘縢，固扃鐍」。注：「攝，猶結也」。吾嘗案：「攝」訓「迫」，訓「結」，皆有威脅、封閉、束縛之象。是以為「攝」字从手从聶，手者持也。聶者強迫屈服之象，且有一縲紲束縛之態。以形意推之，似有遭人一縲紲之義。

〈攝，猶結也〉

（攝）

三九

聳悚慴慄：說文云「懼也」者。聳字从耳从從。從者縱之省文。縱耳者，兩耳聳立之意。動物之恐懼形象也。悚字从心从束者，心肌緊縮，血壓升高之態也。

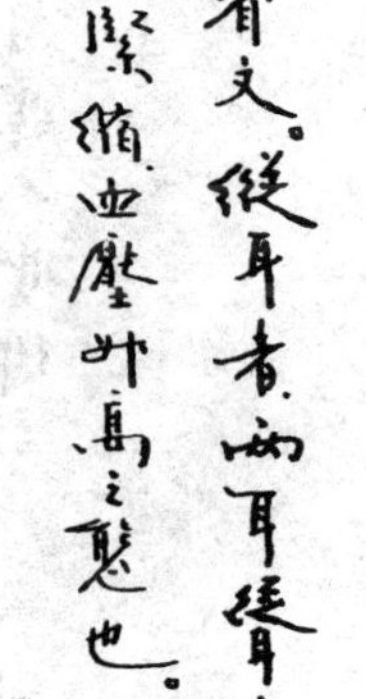

〈聳〉

四七、腦形的字例

匘 《說文》：「頭髓也」。段注：「髓者骨中脂也，頭髓者頭骨中脂也」。

囟 字形析義：匘，从匕，从巛，从囟。匕者，這列對比之義。左右對比，是所有一切動物生態組織結構的統一規律。腦神經系統更不能例外。从巛者，髮形也。从囟，古頭字也。囟，从囗，从X。囗者頭腔之形，顯示開戶小兒頭門之象。亦與⿰月宰（有腦為一身主宰義）。从X者，所以示腦神經組織纖維束左右交叉之態也。在我國古典醫藏《內經》經脈、經筋篇內，都有「交於頞」、「交人中」、「左之右」、「右之左」的記述。此種生態結構規律，在「針灸銅人圖十二經循行線」的分佈上，都有清楚的交代。為之於現代生理解剖的發現，也證實了動物類之腦神經組織結構，确有左右交叉分佈的生態規律存在。使我們認識到古文字的造型取象，是有科學的自然依據的。示意如下：

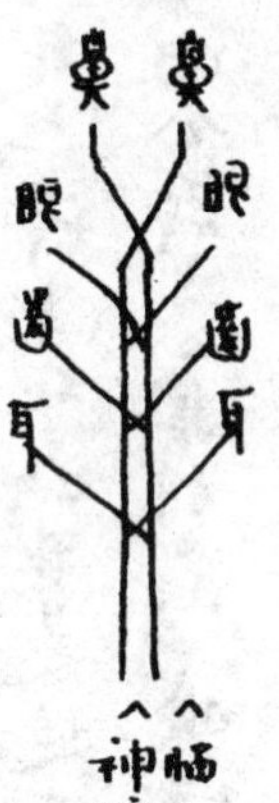

〈感官系統神經左右交叉規律示意〉

〈腦幹〉〈神經根〉

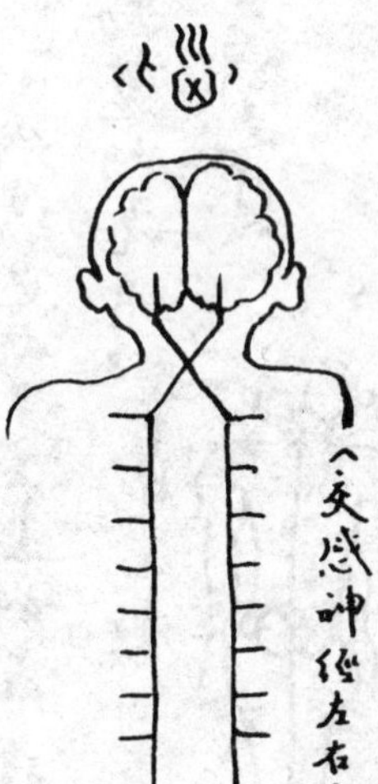

〈交感神經左右交叉規律示意〉

腦的思維動力生化觀：

《廣韻》腦字訓：「優皮也」。《集韻》腦字訓：「優澤也」。優，从人从憂。《說文》：「憂，慈也」。《爾雅·釋詁》：「思也」。爾雅與說文的解釋合參，揭示了人的思維能力存在大腦皮層這一客觀

四〇

事實。特別是《集韻》訓腦為「優澤」的這一解釋,揭示出大腦的思維活動力必須依賴「內分泌腺」的分泌液為「能源」。這一生化體系的連鎖反應即所謂「優澤」,黃醫上叫「腎上腺激素」,西方名之曰「賀爾蒙」。「五行」學說把內分泌系統和「神經系統」的生理關係名之曰「水生木」。「木」是「神經系統」的代號,「水」是「內分泌液」的代號。也就是《集韻》所說的「優澤」與物。《周易.夬卦》:「澤上於天」,也是這一生理動態的說明。《周易》哲學的含義與《集韻》的「優澤」的含義是可以互相發明的。

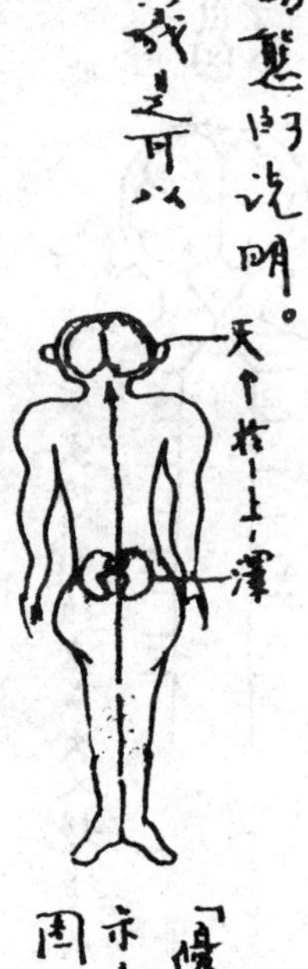

「優澤」示意圖。

思

恖《說文》:「睿也」。參《洪範五事》:「……五曰思。思曰睿,睿作聖」此許君訓「思為睿」之所由來也。考睿字本義為目光深察洞見幽隱之意(見睿字條)。

古希臘哲人亞里士多德曾說:「能使我們認識事物並顯明事物之間的許多差別,此於五官之中,以得力於視覺者為多」。亞氏的論點和《洪範》的「思曰睿」是不謀而合的。因為人類對客觀環境的認識總是離不開「觀察」。所謂「透過現象看本質」,但不是單純的依賴眼睛。而是還要有大腦的思考判斷。故恖从囟(腦)从心。「心臟」在漢語中是被上為「意識倉庫」看待的。其定義是於《內經.靈蘭秘典》:「心者君主之官,神明出焉」。故恖字是思从囟从心。思讀音同「識」,古「𢡊」「識」同音,故音中亦有義。

慮 [seal forms] 《說文》：「謀思也」。《增韻》：「憂也、疑也」。案慮字從虍、從思，亦指事兼會義字也。字从虍，虎之省文也。虎者，可懼之物也。可懼之物當前，必思有以力禦之。故从思。力、禦合音為「慮」。故音中亦有義。又慮、濾同聲形類而義通。濾者過濾也。篩選之義也。思濾慮遠者，猶篩網之選物，人的大腦考慮工作亦即選擇過程。現代哲學術語名之曰「思維邏輯」。《邏輯學》五大定律，一曰「統一律」、二曰「矛盾律」、三曰「排中律」。亦篩選過程也。數學方程式運用「正」「負」抵銷，取得未知數，最遠亦須經過驗算，過濾假數才能求得真數。此種運算過程亦篩選過程也。雖於事物本身的「實質」與「現象」之交錯複雜，真偽難辨，此慮之所由生也。

囟 [seal forms] 《說文》：「頭會腦蓋也。象形」。魏校曰：「囟，顖門也。子在母胎，諸竅尚閉，唯臍納氣，囟為之通氣。故骨獨未合。既生，則竅開。口鼻納之，尾閭（肛門）、尿道為之泄氣，囟乃漸合，陰陽升降之道也」。照魏氏的意見，囟門之戶，當即胎兒先天階段之體內廢物的排泄孔道。在生理上起到「肛門」、「尿道」的代償功能。是非常明顯的。此現象經筆者親睹之初生胎兒病例觀察所見，其囟門之上，百分之百都有黑色結痂一層，形似乾糞（俗名當當屎）。看來，我東方古代學者述對「人類先天生態新陳代謝功能的生命結構體系」的偉大科學發現，直至廿世紀的今天，尚為泰西科學界所未知的問題。孰謂古文字非寶貴財富乎？

細 𦃃 《說文》：「微也」。案此訓極確，惜許氏未言此字形義之真相。愚補而出之：

考《左傳·襄廿九年》：「其細已甚」。注：「譏其煩碎」。這是吳公子季札欣賞鄭國的「國樂」之後，從樂曲特點上所上的評價語。這些語言中的形容詞，都不是濫用的。為什麼不用「煩」、「雜」這些字樣而要選用這個从糸、从囟的𦃃字。這不是沒經考慮的。正是因為𦃃字形義從糸

從囟。囟者腦之象，在所有細微複雜物體中之細微最甚者莫過「腦神經纖維」。古人造字從糸從囟，所以示細微之至極而無以復加之意。此「勢量符」也，與困之从口木，莫之从四日同義。後世細「囟」从糸从田已失初義。

四、象心形的字例

心 《說文》云：「土藏也」。此訓大謬，斷非出於許氏之筆，殆傳寫之誤。考《內經·陰陽應象大論》云：「南方生熱，熱生火，火生苦，苦生心。心生血，心主舌。其在天為熱，在地為火，在體為脈，在臟為心，在色為赤，在音為徵，在味為苦，在志為喜……」中醫學理論在這裏把心臟的生理屬性同宇宙大體氣象旋律上了聯繫說明。此外，還在《靈蘭秘典》中把心臟賦予了意識槩念，云：「心者，君主之官，神明出焉」。這就決定了心字成為漢字的「意識標簽」的造字原則。因而心部的許多不同的文字也都各自標着不同意識形態。心字具有鮮明的意識性，截至目前為止，仍然被中華民族羣眾語言所襲用。這一東方文化特色是和十億人民共存亡的。

意 《說文》云：「滿也」。《正韻》云：「志之發也」。說文訓意為「滿」，是比較難懂而且易懂的。夫「器滿則溢」，此物之常態也。民之困於暴政之下者，必有忿懣之情，鬱積不已，必喟然興嘆，仰天而呼。《史記》云：「厲王謗，召公諫曰：『防民之口，甚於防川，川壅決潰，傷人必多。』其語與許氏之訓「意」為「滿」，旨趣殊而

義同。（心部）訓意云：「志之發也」。堪稱表裏相應。所謂「誠於中必形諸外，存乎心必發乎聲」。用今天的語言講，即「聲音是思想的表現」。竊以爲意字造型從心從音而不從言者何也？蓋音之爲物乃無字的語言，而語言之爲物乃有字之聲音，二者雖同出乎口，貴同中而有異。何則？緣無字之語言乃心態之真相，而有字之聲音未必皆心態之旁貌，故與其謂爲「言爲心聲」，固不如謂之爲「音爲心聲」之可信也。夫耽情遊泳之浪子，使之以宣讀悼辭，必無哀戚之音。丁憂喪親之孝子，強之以鄭衛之音，斷無懽欣之情。此所以古有「聆音察理，鑒貌辨色」之名訓也。夫音者，「天籟」也，自然之聲也，「良知」之流也。語言者處世之工具也。故與其工於精究辭藻，莫若於聽音。吾鄉老輩諺語：「聽話聽音，識人識心」。至哉言歟！良以人類自進入文明社會以來，假相充斥，詐僞百出。語言技巧高度發展，雖說寡信讒諂面諛，邀寵取榮無恥之徒虛構欺矇之辭，陰賊宵小造吐誣陷之微。其動機蓋生於社會亦猶利害之紛爭，率是云爾也。奇怪的是勝利者在消滅了反抗勢力之後，爲了壟斷批評議，必須來上一個言論封鎖。末世暴君，沒有一位不是「喜諛惡諫，濟之以嚴刑淫威」，小民心裏充枉，敢怒而不敢言，則形之於咨嗟哀歎。故《禮．樂記》云：「夫樂者樂也，人情之所不能免也。樂必發於聲音，形於動靜，人之道也。聲音動靜，性術之變，盡於此矣！……音之起，由人心生也。人心之動，物使之然也。感於物而後動，故形於聲。……是故其哀心感者，其聲噍以殺；其樂心感者，其聲嘽以緩；其喜心感者，其聲發以散；其怒心感者，其聲粗以厲；其敬心感者，其聲直以廉；其愛心感者，其聲和以柔。……凡音者，生人心者也。情動於中，故形於聲。聲成文，謂之音。是故治世之音安以樂，其政和；亂世之音怨以怒，其政乖；亡國之音哀以思，其民困。」復考《周禮．秋官．小司寇》：「以五聲聽其獄訟。」

離此可見，真正具有判斷思想意識特徵的標志，絕不是「語言」，而應該是「聲音」。是有

科學根據的，因為有偽造的「詞彙」，不會有偽裝的「情調」。故𢁉字从𠚕、从𠃬，決不是偶然的。

悊 𢇍 𢇍 𢇍 哲。《尔雅·釋言》：「哲，智也。」《尚書·洪範》：「明乍悊」。《書·說命》：「知之曰明悊」

考諸古文哲字之形，从折。折者折斷之義也。甲骨文折作𣂚，似右手折木之象。故知折字應以𣂚為初文。《孟子》：「為長者折木」。從古漢語例及《卜辭》之字形，可知「悊」字之義与折木同義。木質內部真相，非表象所能見。故欲求「木齡」之數，必橫斷其樹莖以觀其「年輪」，而後可得其情。古名曰「判斷」。卜辭判作𣂚，象米字中分為二之象。故後起之判字从分、从半，「分為二」之義也。斲者橫截之義。古造字者取斷木之象形昇華為疑問「判斷」、「析獄」義。而訓義為「智也」、「明乍哲」。因取象於物理而延伸為社會科學術語。此「折」、「哲」意相通會之軌跡也。示意如下：

《周禮·地官·媒氏》：「掌萬民之判」。《傳》云：「判，半也。得偶為合，主合其半，成夫婦也。」當先秦時尚無紙筆，結信證書只好將木一分為二。非即米字中分之形也。

志 𢖽《說文》：「心之所止也」。案此解今《說文》不見此語。唯《康熙字典》志字下有之。未知所據何本。

考今本《說文》志下只云：「意也。」段玉裁氏引《周禮·保章氏》注曰：「志，古文識字。」

筆者竊以為，𢖽从心、从㞢（之）。之者，鄉往之義也。《戰國策·齊三》：「蘇秦曰：臣請為君之楚」。此「之」訓為「適」之例。又考《詩·鄘風·柏舟》：「之死矢靡它」。此「之」訓為「至」之例。復考

《禮檀弓》：「若魂氣則無不之也」。此「之」訓為「適」之例。然則適、至往，即「前進」之義也。可知㞢字从止从心之義，「鄉往」之意也。止，从一从屮。屮古「趾」字。足之象也。一者，地也。前進之意也。古「往」字是㞢可為佐證。㞢者意符也。然則㞢字之形義，意識鄉往之意也。用現代語說明，即「前進目標」。許氏以「㞢」為「出」，象艸過屮出，爲未根出的初文即之誤。智者千慮之一失也。

辱

《說文》：「恥也。从寸，在辰下。失田時，於封畺上戮之。辰者，農之時也。故房星為辰。」

譯釋：辰古蜃字，海蛤也。

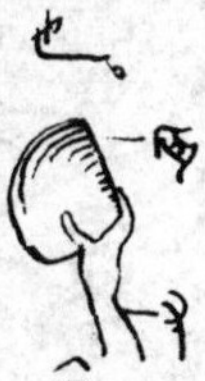

〈辰字〉右手握蜃之象形。為「耨」字初文也。《類篇》：「耨，治艸也」。治艸是農夫的經常工作。上古「火耕水種」，蜃殼是農夫借為播種、翻土、鋤艸的唯一工具。古天文、曆法是為農業生產服務的。故西周時代已有「太史授時」的制度。故辱字是形从辰从寸，說明了農業生產和天文曆法密不可分的關係。可以下述資料求證之：考《國語》：「農祥晨正，駟見而隕霜」。「農祥」，即古天文廿八宿中的「房宿」之別名。又名「天駟」。以其四星駢列，狀如西周時代之「駟馬車」而得名。西方天文名之曰

〈辰星〉

「天蝎」星座。當這一星座出現在早晨天空正中之際，就是農業活動開始之時。在當時農奴社會制度，凡是不能按照規定季節即〈立春〉完成耕土任務者，就要受到負責檢查農業生產的專職人員——「田畯」的督責鞭撻，當場訓斥。故辱字从辰从寸。

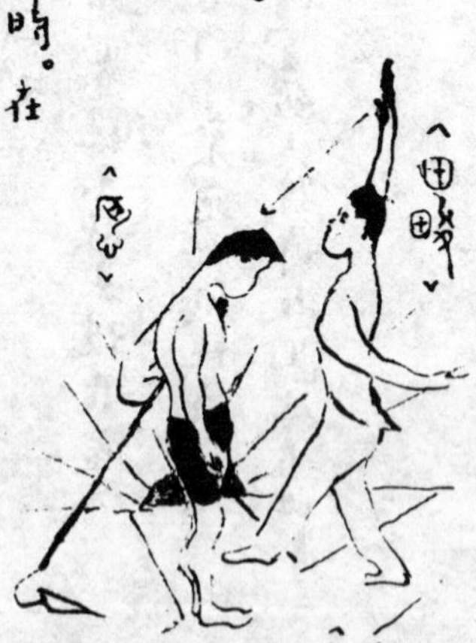

附：心的意性：心字之所以被上為「意識代號」，蓋基於心臟活動是人腦活動的反應。現代文

明國家的法庭上，以心電圖記受審犯人之心理活動依據，已記錄了這一點。審此，則古文字之遺形命義可思過半矣！

忝

忝 《說文》："忝，辱也。從心，天聲"。案忝字从天者非單純的音符也，兼義符也。故了解此字从天而訓義為「辱」之意，必須首先弄清什麼是「天」？考《易·睽卦》："六三，其人天且劓"。注：「剠〈黥〉額為天」。上古有「墨刑」處分。先以針刻「𥨸」字於罪人之額上，然後注以墨汁，癒後，終身字迹不泯。「劓」者割鼻之刑。《周禮·秋官·司刑》："出入不以道義而誦不詳之辭者，其刑墨"。「易君命，革輿服制度，盜攘傷人者，其刑劓」。受到此刑者必不敢出現於廣大人羣之中，而時有「自慚形穢」之感。故忝字从天从心。此指事兼會意字也。《詩·小雅·小宛》："夙興夜寐，無忝爾所生"。傳："忝，辱也"。訓與說文同。故知《說文》之訓，皆源於五經。誠所謂「五經大師許叔重」，信不誣焉！

〈天〉

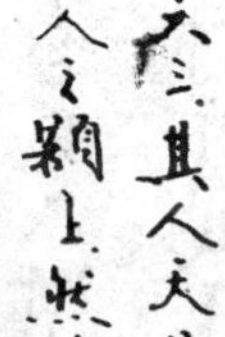

〈劓〉

恧

恧 《說文》："慚也。音女六切"。考恧字从而从心。而者，耏之省文。亦古刑。从而从彡。難須〈鬚〉之刑也。而字《卜辭》作𦓐，皆長鬚之形。《史記·漢高帝紀》："應劭注：罪不至於髡，而完〈剃〉其耏"。《說文》而字訓："頰毛也"。故知恧字造形與忝字大同而小異。實際上恧也是一種侮辱性的輕刑處分。今民間婦女對老年男子之嘲諷語「捋老頭的鬍子」，實，歷史文化諱言也。

〈耏〉 〈恧〉

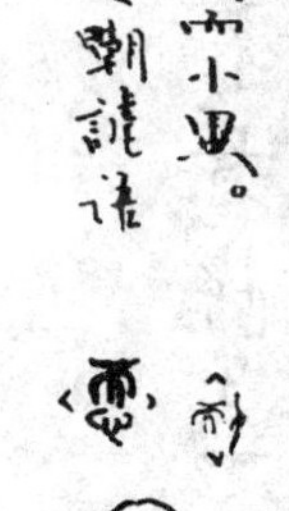

愧

愧 案《爾雅》《說文》同訓媿為「慚也」。竊以為愧之為義，鬼容之意也。鬼者陰暗隱蔽之意也，暗室虧心之行也。大凡宇宙間一切害蟲，皆有隱遁畏光之特點，如蚊蚋之

夜，狐、梟、獍之宵鳴，豺狼之穴居，蝮、螣、蠚、蠍之潛伏，凡此種種，皆鬼之態也。惟人亦然。人之陰賊險陂狠，好為暗無天日之行者，必善疑而多驚，言則吞吞吐吐，語無倫次，色厲而內怯。故字或从囟，或从甶，或从由，表現了「鬼」作的「一種多變性」。此會意字也。

〈鬼〉

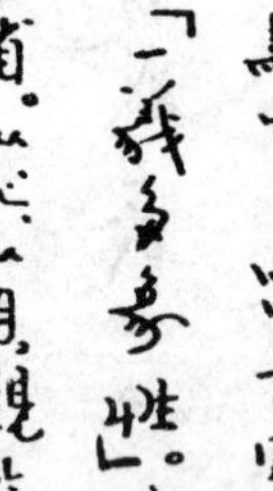

憲

憲 《廣韻》云：「懸法示人曰憲。」從害省。从心从目，觀於法象，使人曉然知不然之為害，接於目而怵於心，凜乎不可犯也。」

考《周禮天官小宰》云：「憲禁於王宮。」注：「憲謂表懸之，若今新頒法令也。」復考《周禮天官太宰》云：「乃懸治象之灋於象魏。」注：「象魏，魏闕也。」《周易》云：「象也者，像此者也。」疏云：「言象此物之形狀也。」筆者案《說文叙》云：「畫成其物，隨體詰詘（折屈）是曰象形。⊙ ☽ 是也。」

象

故知周禮之所謂「象」，即圖畫也。然則所謂「魏」，何物也？筆者考：魏，巍之初文也。字从委从鬼，身高頭大之鬼也。古戲

〈魏〉

為高山頭頂下垂之象徵。《詩周南卷耳》云：「陟彼崔嵬」，字正「嵬」。《周禮》段借為「建築物」名。現代名曰「青山牆」者是也。然則所謂「象魏」者，即今天之「法制宣傳之漫畫欄」也。

魏

古代每於春王正月之初，利用漫畫形式以事貫徹法令政策。這個宣傳陣地，照例是設在王宮大門之前的左右兩廂。其右曰「闕」。闕的建築形體高大雄偉，觀衆必須仰面而視，所以文从門从「觀」。所謂「憲禁於王宮」是也。後世國家「憲灋」之名，蓋緣此而生。《說文》訓「憲，敏也」，有敏感警惕之意。蓋簡上「憲法」就是使人民共同遵守的社會行為規範。

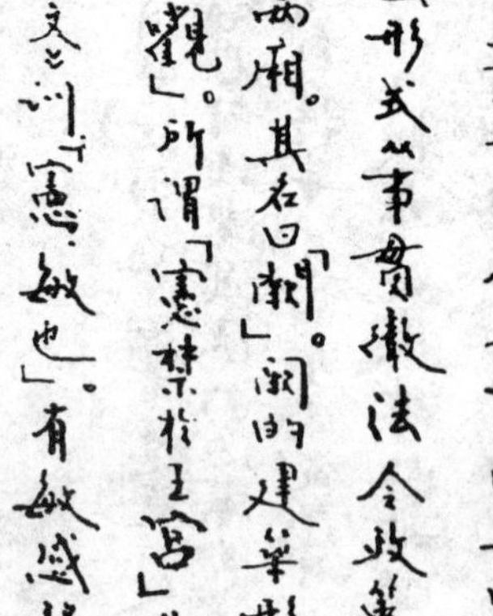

怒 𢙤《說文》：「恚也」。《增韻》：「憤也」。復考《說文》恚字訓：「怒也」。《玉篇》：「恚，恨怒也」。《字彙》：「恚，心恨也」。復考《說文》憤字訓：「懣也」。凡此輾轉互訓，概為空洞之辭，且不足以見「怒」字之真義，遂使此字之意千古莫明。

其旨極易了解。請在下面述其指。

夫怒字从女从手从心。女者人也。手者手之形也。心者意也。這個女性，是一個絕妙天姿的「紅顏薄命」兒。這隻手是一隻珍巧萬能的手。這顆心已非純潔無瑕的心，而是破裂的心，爆炸的心。這個女性的「身世背景」是一言難盡的。她的祖先積累遭到掠棄，她的生父死在刑場，尸體被對很裏腹。她的弟兄們頭戴鋼鍺，拖着千斤重載，背上佈滿了鞭痕。她纖偉的被困閉在貌色豪華的「文明監獄」。夙興夜寐，奉茶獻酒，叫喊着缺乏感情的「萬歲」。日落之後，還要講「宵衣旰食與禍」。受盡獸行淫威的肉體推殘。萬一懷胎生兒，還要戴上一頂「孽畜」的政治帽子。這個帽子「世襲傳家寶」，不滿等待第六代纔能摘掉。「君子之澤五世而斬，小人之澤五世而斬」。可惜她的壽命等不到了！這種心態，只有在造字者的筆端下纔能發現。愚名之曰「墨海幽靈」。

𢘓 𢘓《說文》訓：「心疑也」。從此字考，𢘓从三心。表現了一顆心的多面性。這是一顆富有生活經歷的心。也是一顆邏輯推論的，你說它是「狡猾」也好，你說它是「智慧」也好，這都不是我們考慮範疇。我們所研究的是「學術」。希望政治家諒解。

案𢘓字訓義為「疑」。亦「疑，疑訓疑」以明之。考「疑」字古作𠤕，或作𠤕，亦作𢍰 𢍰。

𠤕 𢍰

一個是慈母望兒之於三岔路口四處張望之象。另一個是牧童亡牛。

站在三岔路口，四方張望之態。

甲骨文用同有四個之人形，以示疑惑之義，

與秦篆以三心羅列以示疑惑之義，雖取材有異，而示意則同。考《尚書洪範》有「稽疑」之文。所謂「稽疑」，即精思熟慮之意。現代哲學術語名之曰「思維邏輯」。《邏輯學》是近代進口的西方貨色。我國哲學術語名之曰「索求」。《邏輯學》中的三大定律，一曰「矛盾」，二曰「統一」，三曰「排中」。被今世學者奉為「辯證法寶」，殊不知數千年前，我國小篆「惢」字已走出了鮮明的具像。

統一律
↑
惢
↙ ↘
矛盾律　排中律

附注：今世將「蕊」為惢，殊無當於義。蓋蕊之為文，本義為「根」。固與「惢」無涉。嗚呼！字學之不競也久矣！孰與聞之？孰與聞之。今民間仍謂互不信任曰「三心二意」，亦歷史語言也。

懿  《說文》：「專一而美也」。《詩．曹風．鳲鳩》：「鳲鳩在桑，其子七兮。淑人君子，其儀一兮。」注：「鳲鳩之養其子，朝從上下，暮從下上，平均如一。」

岩按：考「懿」字从壹从恣。恣，態也。壹者不二之義也。凡平等待人歷久不變者，古人名之曰「懿德」。然則「懿德」者，一心一德之謂也。孔子云：「晏平仲善與人交，久而敬之。」正是緣於晏子待人的態度始終一致，所以受到了仲尼先生的讚賞。但是《卜辭》中「懿」字不从壹而從亞。覈諸形義，似覺頗有未合。此則殊堪令人困惑者焉！蓋亞之為字本有「二」義（亞軍）所有惡義。《亞，古惡字》。「壹」之與二，美之與惡，固水火之勢，詎容相提並論。欲了要知漢字互化之例，美惡不避同名，治之與亂，隆之與廢，祥兼吉凶，勝通興亡，皆其例也。此中國文字之義變規律，非田族文字所能比擬之特色，不可不知。

⿱衛心 衛 讏 寱 囈云《說文》讏字訓「寱言不慧也」。段注引《左傳》襄十四年曰「是讏言也」，注謂「《左傳》之讏假借字也」。考《玉篇》「𧫧」字與《廣韻》「寱」字同訓曰「睡語」。「睡語」與「寱言不慧」語殊而義同。故知讏、寱、囈云三者音異文而同字。竊以為讏字訓為夢言，皆之夢形可稽。而《廣韻》寱字从寱、章有寱字本𡬶逑矣。故知卜辭衛字揆形度義宜視為讏、寱、寱三字之「譜識配伍式」。謹參伍互證如次。而𧫧文不與焉！

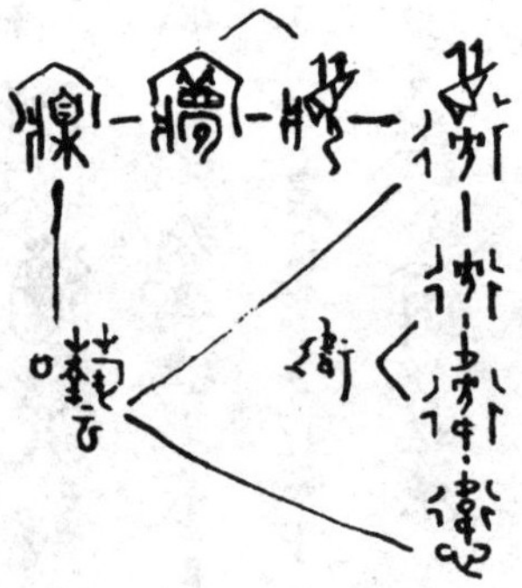

綜上表參伍互證揆形度義，自應以卜辭「衛」字為讏之初文為合理而允當乎義。《說文》之「讏」、《玉篇》之「囈云」、《廣韻》之「寱」皆後起之字，非初文也。甚矣哉文字之難明也。有音而形不備者有之矣；有形而不知音者有之矣；形音兼備而義不明者亦有之矣！雖錯综複雜形聲文义，而能參伍互證，自能端倪略然，讏字其例證也。

慎 昚 ⿱亼昚 ⿰頁昚 《說文》云：「昚，古文慎字。絫文所以慎也」。案《說文》將昚字編入火部而屬諸𤈦字之次，确有卓見。許君視昚字為𤈦之省文而訓義為「慎」，确有依據可考。倘惜其詳審昚字造型之旨，以上古正确結論而將昚字引向宗教意識領域，亦智者千慮之一失歟？！竊以為昚之為文，肯晚胎於「𤈦」，已無疑問。故欲求昚字之真義，必從𤈦字譚起。

考《甲骨文》𤈦字上、米或上、米凵。皆燃木之態。𤈦字初文也。《說文》𤈦字訓：「柴

祭天也」。同書柴字訓：「燒柴焚燎以祭天也」。考之尚書舜典云：「至于岱宗，柴。」竊以為上古時代物質簡陋，文明樸素，當時尚無如周王朝「祭天於圜丘」的「天壇」建築。所謂「柴尞祭天」的宗教儀式，事實上不過是選擇高山之顛，焚木燃火，頂禮膜拜而已。筆者幼年時，吾鄉農民禱旱祈雨，仍有「燒山」風習，乃上古遺風之殘迹也。夫高山峻阜，森林密佈之所也，蓋上古人民生活烹煮之燃料及食物資源之所出，唯山林是賴。故山林之保護，為古人所極端重視。國家設有管理專職官員。尚書舜典云：「帝曰：疇若予上下草木鳥獸？僉曰：益哉！帝曰：俞，咨益，汝作朕虞。」此山林保護工作見於任務的最早紀載。

又周禮天官太宰云：「虞衡作山澤之材。」疏云：「掌山。」可見山林保護的目的是為了保護自然物資生長的環境，是極端開明的。然而應該知道，山林保護工作首要任務，就是「防火」。這就為我們理解⿱米日、⿱人⿱火回二文的形義提供了線索。案「⿱米日」之為字，「尞」之省文也。尞从米从⊙从火。米者燃料也。⊙者光熱之象也。火者燃燒之象也。甲骨文之「米」、「⿱米火」，顯示了上古「柴尞祭天」的直觀圖象。古人當「祭天」活動結束之後，必定將柴尞的燼火餘燼施土掩埋使之熄滅，以防死灰復燃，隨風漫延，造成森林火災殃及禽獸。這就是尞字與火之⿱米日的真相。尤其是⿱人⿱火回字的造型示意，更覺逼真。

⿱人⿱火回从人从火，火被掩埋之形也。从回者柴火餘熱殘煙回旋繚繞之象也。

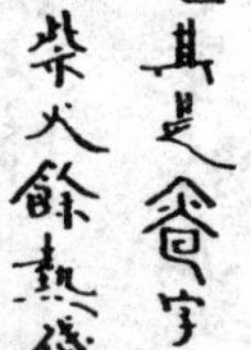
〈⿱人⿱火回〉

筆者曰：⿱米日之正確定義應訓為：「掩火防患，慎死灰之復燃也。」此不免擅改古義之嫌，唯治内賢明學者有以鑒之。後世之隤字非古代文字，姑不論列。

吣 ⿱心口 吣 ⿱心吅 品

集韻云：「吣，音七鴆切，音沁，去聲。」玉篇云：「犬吐也。」此謂反胃嘔食病態，不獨犬類（限于）一切家畜皆有之。吾鄉民諺謂人說話無稽曰「胡吣」！即此字之延伸貶義語。

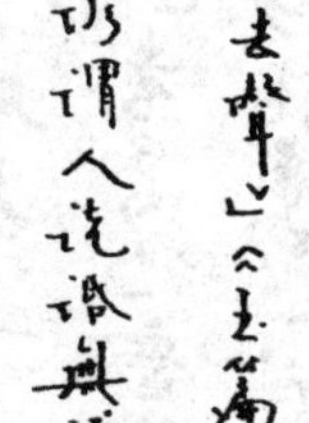
〈吣〉

心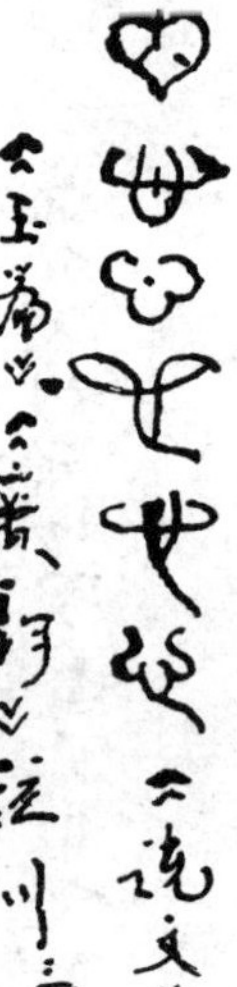《說文》：「人心土臧，在身之中。象形。」徐曰：「心為大火。然則心屬火也」《玉篇》、《廣韻》注訓：「火也」。考《內經靈蘭祕典》云：「心者君主之官，神明出焉」。岐伯把「心」賦予了大腦中樞的功能屬性，也許是由於脈波對意識活動（反應）特別敏感之故。也為人體週身血液循環中樞，同時也是氧氣供應輸動核心機構來說，對肝糖的燃燒是具有推動作用的。此種生物內在化學功能，于《內經》五行理論名之曰「木生火」。因而心臟被古人肯定為造溫生熱器官。故「心為火臟」。

也《說文》：「女陰也。象形。」筆者按：也字解為女陰，確屬本義。許氏此訓，遭到淺人惡意攻擊，良以其學疏識陋，未足與言文字意識淵源。考章炳麟先生在《文始》中，曾加以證明。云：「也之本義，古多借施為之。《後漢書·鄧訓傳》曰：「首施兩端」。又魯公子尾字施父」。古漢語「陰與尾同言」。如《尚書·堯典》：「鳥獸孳尾」是也。又云：天地本人身之名。天即頭顛。地即人陰。陰在人身最下。人足雖在下，然四肢可參舒，故是不為最下。而以陰為極。引伸以為宇宙之上下。但在古籍應用中，「也」字已女陰來使用，却無成例。而已為語助辭使用，却隨處可見。許氏所以不用「語助虛辭」這一通行字義去解釋「也」字，而采取「女陰」這箇解釋，就是因為後者可以直觀說明字形結構。根據字形說

解文字初義，這是許氏說文的原則。也是《說文》全書的基本體例。一九九四（甲戌
芒[illegible]年《中國科學院考古研究所出版之《考古》中載有「芒光遺址文化」性質初探》
一文中有關「女陰」形像的論文一則。節錄于次：

『在社會生活中，存在以生殖崇拜和占卜為內容的宗教巫術。該遺址共出土卜骨八片。用於生殖巫術活動的象徵物四件。（殘陶祖一件。女陰石雕二件。象徵性交的石雕一件）。據其形態特徵及早期人類思維特點，應是舉行生殖崇拜儀式的象徵物。是當時社會生活中流行生殖崇拜巫術活動的實物資料。正如靄理氏在其《性心理學》一書中所指出的：「生殖之事，造化生生不已之大德。原始人很早就認識，是原始文明所崇拜的最大一個原則：原始人為了表示這一崇拜的心理，設有種種象徵，其中主要的一個，就是生殖器本身。雕有勃起陽具的石塊，琢磨成洞沿高中間低的窪面。陽具由石塊的左側下方進入窪石伸向窪石的右上角，再現了性交的情況。為強調這一內容，又在陽具下方，特意琢磨出一條形凹槽，以示陽具進入陰道的狀態。在我國民族志資料中，窪坑或洞穴被當作女陰的象徵加以崇拜。……

……」。由此可證，人類對生殖器官形象的摹擬，固不僅表現在東方古代象形

四七

文字中，同樣也表現在原始宗教文化領域偶像造型工藝中了。故如許氏之解「也」字為「女陰」是頗有依據的。議人雖極肆攻擊，終不能舉出有力之反證，無益矣！

《說文·乙部》也字訓「女陰也。」《土部》地字下段引《易·繫辭》：「坤道成女」，並引《老子》：「玄牝之門，是為天下根。故地字從也。」東方古老哲學，把大地同母親劃了等號。把母性動物的生殖器官名之曰「玄牝之門」，又延伸為生物從地中破土而出的概念辭。名之曰「坤德」。因此，造字者將土也並列而上地。以表示大地生長萬物同母親生男毓女「等量齊觀」之義。這一哲學觀點，是具有高度唯物辨證科學基石的。《殷墟文字》牝牡的「牝」字從牛，從匕，亦母性生殖器官之形。與也字訓為女陰同例，又豈容非議乎？

書

書（金文）書（籀文）書（金文）書（篆）

《许慎說文序》云：「黃帝之史倉頡，初造書契，依類象形，故謂之文。其後形聲相益，即謂之字。著於竹帛謂之書。書者，如也。」

愚則曰：書者述也。代結繩而紀事之工具也。書字从𦘒，从又，从木，曰者語言也（張口發音之態）。又者，右手之象。木者筆也。口述之，手寫之，著於竹帛，名之曰「書」。一世教人以口，百世教人以書。故愚曰：「書之為言述也。所以述前言往事以備忘也。」故余曰書者述也。善識往者，必能知來。《論語》云：「述而不作，信而好古。」後有書籍，意之傳播知識。高尔基说：「書籍是人類進步的階梯。」他給書籍所下的定義，在两千多年前我们祖先已經得出了結論。高尔基（拿着銅盆上反射鏡月夜讀書），這樣的好讀者，不僅西方有，我國也有。如：孫敬懸梁，匡衡鑿壁偷光，買臣負薪，李密掛角，車胤囊螢，孫康映雪……可惜這樣艱苦讀書的人不多了。《說文》聿部云：「書，著。著（古著、着同字）也。」

著

著（篆）

案：著之為文，从艸从者。者，「豬」字初文也。豬之為獸，惰性動物也。繁衍於污穢中。故圂字，圂字从口从豕。作書者，執毛筆濡墨滴於帛上，而成字跡。猶豬之蹄跡所至而成污點也。所謂「著於竹帛」，即「着于竹帛」。著，即豬（古上者）。

故者著二字同源，有顯明意，亦具污染意。古文言謂握筆蘸墨賦詩、屬文之寫作活動，曰「染翰操觚」。（《文選》晉潘岳《秋興賦》）。故書字从聿从者。此者（豬）者（者）、著（著）同源之鐵證。《說文》上著。入竹部。義从形變之例也。

書著字定義：「著也」。其義為（接觸、污染、着落，延伸為染翰寫作意。古詩「書壇何時見墨精，右軍池上竹風清。明、來揮毫是無詩意滿紙煙雲筆下生」。本來是形容性的寫作動態辭。嗣後遂化為「文集（的）」、「書譜」名。其辭根實來源于「豬」。表示如下以見義變之軌跡：

↓ 者 ↓ 豬 ↓ 者 ↓ 者 ↓ 者 ↓ 者 ↓ 者 ↓ 者 ↓ 者 ↓ 者（別事辭。等于的。）

← 著（顯明、接觸、污染、灌注）

← 書 ↓ 書 ↓ 書 ↓ 書 ↓ 書

者、著、書者，形似音同而義通。

「（著）从竹从者。竹，竹帛也。

者古猪字。猪乃污穢之物，所到之處，盡濺文物，佈施遍地，所以比墨从筆下佈滿楮帛之態。「建類一首，同意相授」，「轉注」之例也。

詳參拙上六·五、十八·五、十八·五五各條從者諸字，綜合而歸納之，列表如左，以見者族文字孳乳遞嬗之大觀。

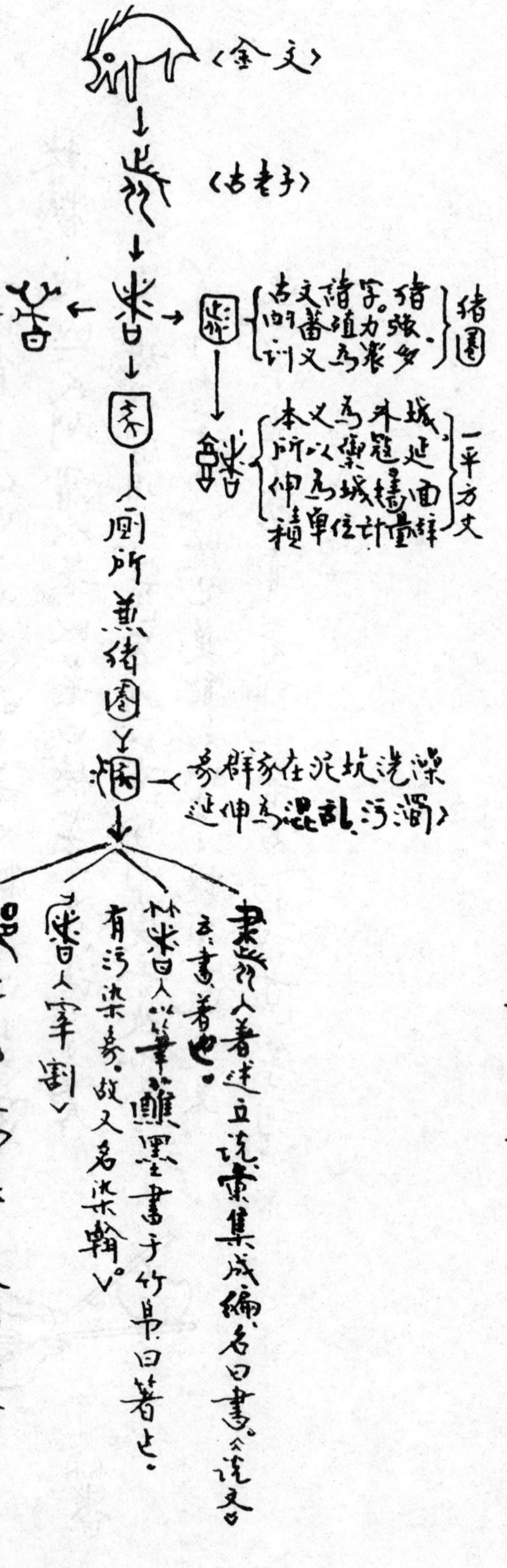

此卜辭字，以色彩鮮明之花卉形表斯象之稱，變為者。訓義為「明顯」。亦取聲于「者」，者古者字也。許君疑者為者字，皆者千慮之一失也。兹將者、旅、者之區別，係于頃[illegible]之三毛，圖示如下：

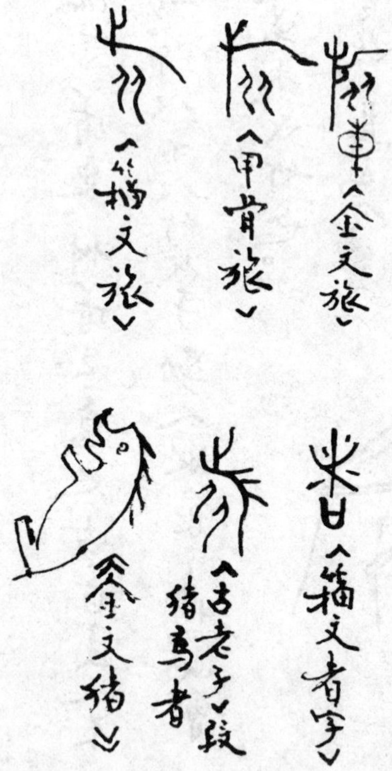

箸、䈾字之初義說明，兹再言䈾的旁生義：

櫡、筯、

箸字从竹，箸、等也。䈾之為言着也，附着之意也。古音去入不分。字亦作䈾，或作櫡。筯从竹，从助，所以示以竹代手，助人取食之情。此會意字也。或从木，从着，所以示取材非一，或木或竹也。箸，即今人所謂「筷子」。古今語言不同之故。其為代手取食之工具則一。故《曲禮》箸曰梜。今河北冀東

梜、棶

地區，民間謂以箸取菜曰「梜菜」，古漢語之遺存也。現代習用之「着」字，乃「箸」字的變音改形字。「着」行而「箸」遂晦，已莫能知此字之「蛻變」軌迹矣。然現代漢語中仍有「著作」、「著名」「顯著」等詞，尚有古意存焉。

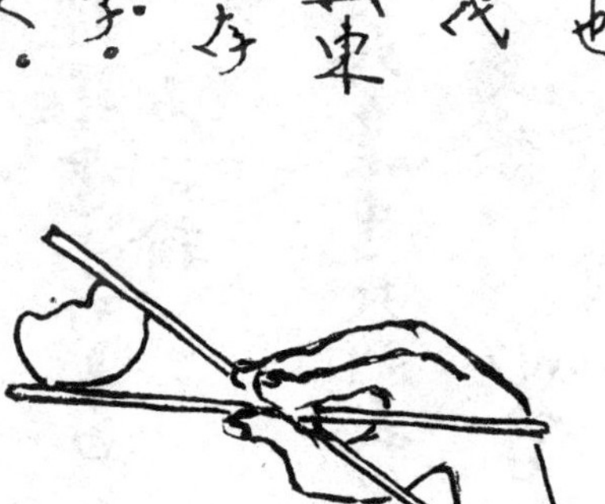

䈾

人文（三）

三

文字起源圖典

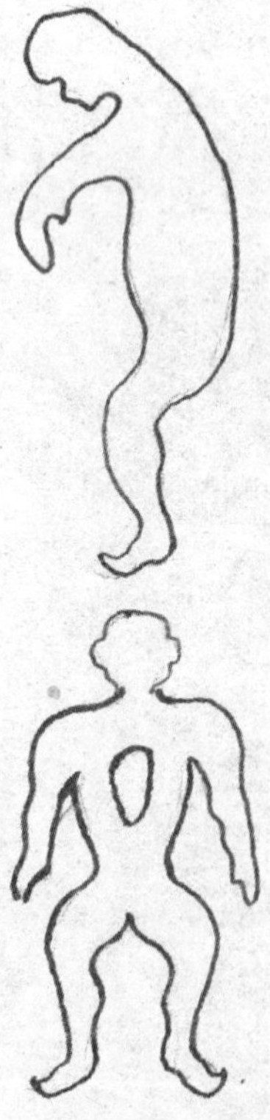

手綬授受　一
爪爫掌左　一
佐差墮隨　一
又右佑祐閣　二
廾共拱供　二
龔瓏　二
竉靇恭肅　三
尊隮遵酋樽　四
爯謝烏寫　五
嗚爲　五
僞載翻　六
執熱孰藝　六
反艮服　七
撻達奉　八

緩爰亂系　八
繫毄係　八
鑾蠻鸞噩　八
臠欒攣　九
孌戀孎變　十
聿肃隸　十
極亟敕肆　十一
謙苟友律　十二
敝史事　十三
東兼并　十三
匊弄奕亦　十四
帝封　十四
社冊葬　十五
畀留姓氏　十六

異界翼　十六
扳攀叓叟　十七
援瑗　十七
争采　十八
彩綵窔挍　十八
膠廖　十八
叟溲奉春遺　十九
遣弘發　十九
綴輟啜餟　二〇
舉舁興輿　二〇
與釁舉譽　二一
䙴遷　二一
票飄瓢漂　二二
鬻〈營〉　二二

晉縷緣泰遺餽　二三
饋勒　二四
父爸爹爺　二五
斧甫夫　二五
圃甹釜濤　二六
補蒲　二六
逋薄　二七
攴撲攲㲉　二八
扑攺攱　二八
戭戳搏　二八
跂它嚴麗　二九
邐儷躧　二九
斂僉叭鹹　三〇
激敫　三〇

敍史紀記 三一
足趾企阯 三二
沚之止踏 三二
跋友涉 三二
辵建提戴 三三
正乏疐敤 三三
𨈏距䑛拒 三四
𡼊岐 三四
歮歰堂牚 三四
樘艕撑膛 三四
洗洒肄寺時 三五
持峙等舛 三六
舞陟降 三六
步韋衛圍 三七

禪緯華違 三七
弟第 三七
政征發火燈 三八
鐙跗登橙 三八
翌路出蚰 三九
整茲先 三九
前拙後徃匡 四〇
武㦰徒 四〇
徙進退逝 四一
速復逢此 四一
越辟踽䟽 四二
癹發芟 四二
發班瑁圭 四二
躍走蹝 四三

奔跽踐 四四
躊躇蹯躧 四四
辵迂迎迎 四五
送遠近迴 四五
喬鐈譎遹繘 四六
迷眯追逐 四六
遘〈媾〉購 四七
溝講購 四七
靖逞通造 四七
舛舜憐 四八
鱗鄰遴 四八
徙 四九
久灸 五〇
桀櫟磔斦 五一

往坐敖戟 五二
邀 五三
自䀠䞐㥯 五四
緦累 五五
㿽㿽㿽 五六

有關手足之形的字例：簡言之，古文字體中的手、止結構多用為標志動態方向符號。這一秘訣極關重要，故書於此篇之首。

手

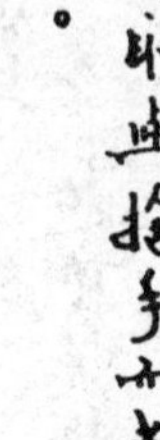

《說文》：「拳也」。段注：「舒之為手，卷之為拳，其實一也。故手、拳二篆互訓」。

愚案：手之為文，象形字也，亦會意字也。愚曰：「手者，受也。授受之義也。人手為人類握持物品之天然工具。遠古尚無箸、栖、刀、匕之前，食飲水唯手是賴。物之取與，拾手而冀成其功。甲骨文受上字从雙手，其會義也，亦形例也。

受授《說文》：「予〈與，下同〉也」。段注：「从手、授」。同書字訓：「相付也」〈此義久妄〉。《玉篇》：「得也」。此義極確。

《字形析義》：考古文「受」、「授」同文，而字兼「出」、「納」二義。甲骨文受、授皆止字。舟者，載物運輸之工具也。爫者，覆手之形，卽載（授）之象也。又者，仰手之形，承受容納之義也。故知之為文兼備「授」、「受」二義。後世分化而為兩字，則各具獨立之義矣！

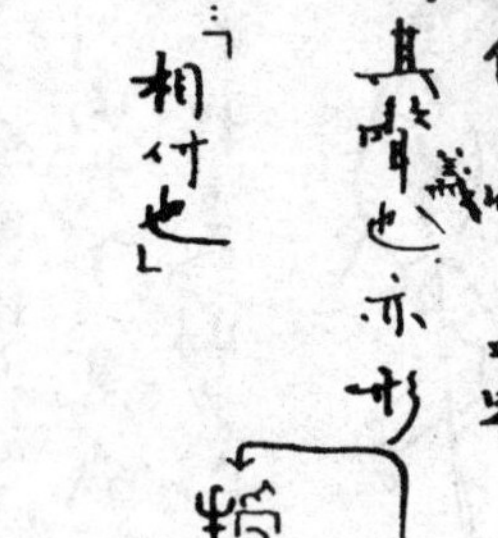

綬《說文》：「韍維也〈皮繩〉」。《玉篇》：「綬，組也，綸佚也」。《急就篇》：「綬，受也，所承受印環也。亦謂之璲。以絲組連結於璲，光明章表，轉相接受，故謂之綬」。《漢官儀》：「綬長一丈二尺，法十二月；廣三尺，法天地人也」。後者《周禮·天官》：「幕人掌帷幕幄帟綬之事」。

從古籍記載資料證實，知字初義即維繫帷幕之皮緣。嬴秦之後，史其形制變為絲色絲繩用上繫印之系帶。蓋先秦時代尚無印璽，令及秦漢，封侯建國世襲傳職，一變而為「離衡之術」。縣令末職，黜陟無常，更動頻繁。

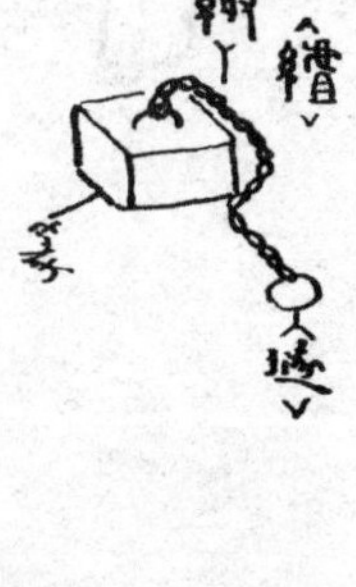

舊任官吏任職既免，新官到任，必須舉行接替形式。由舊官解下印綬，兩手奉獻文印，名曰「解組」。新官雙手接綬，名曰「接篆視事」。以印文刻有篆字之故而得名。有「綬」字从糸，从受。亦有「授受」之義。示意如下：

〈授受兼義〉□——授〈與義〉、受〈取義〉——綬〈授受兼義〉

爪 □

掌 □

《六書正譌》云：「覆手為爪，反手為爪」。案後世掌字从尚从手。古上尚義通。故知掌字為指事字，而爪則象形例也。爪字之形，本宜上「止」。其上「爪」者，乃變而之例。與□之上□、□之上□、□之上□同例。未可因形而害義也。

〈爪〉

ナ 左 □ □

佐 □ □ □

□ □ □ □

《說文》云ナ字訓：「左手也」。同書左字訓：「左手相左〈佐〉也，从ナ，从工」。

案此諸从ナ之文，各具形義。試分別求證之，更附圖於下，以見義。

ナ者左手之形也。左从ナ，从工。工者古杠字。杠桿是助力的起重臂，故義為佐，固其宜也。

□从ナ，从□。出謀劃策，設計解危之義也。

□从尢，从左，从來。尢者偏曲之脛也〈瘸子〉从來，从左，以手从旁相扶之義也。□从尢，从木，从左，跛者以木枴自輔之象也。

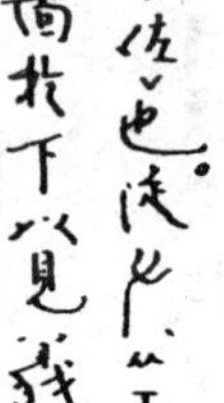

〈ナ〉

〈左〉

〈□〉

〈□〉

又（古文）《說文》「手也」。

右（篆文）《說文》「助也」。同書左字下註「以口助手曰右」。

佑（篆文）《集韻》「佐助也」。

祐（古文）（篆文）《說文》「助也」。

⿵門右（古文）《玉篇》「古文祐字」。

案古文右字造形非一，各有形義，試分別探求以見義。（又）者右手之形也；《右从又从口，以口助手之義也。佑者以手助人之義也。祐从示从右，祈神相助之義也。⿵門右从門从右，設門衛以自衛也。

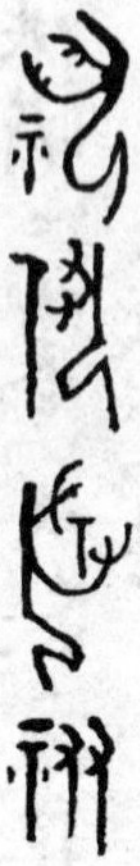

上列四文見于《金文編》及《甲骨文彙編》。字形皆从丅、从卩。丅者神案之象，卩者跪地祈禱之態。此雙手合拱跪拜祝禱祈福的直觀錄像也。徵諸經義，自應釋為《周易·繫辭》「自天祐之」的「佑」字初文。固無疑焉。許氏訓為「助也」，固非義無謬，獨惜乎言簡而意賅，未能詳盡造字之旨，難免挂一漏萬之憾矣。《闡於「祐」字的深廣含義，在拙上《釋手又》論文中有詳細論述。因篇幅所限，此處从略》

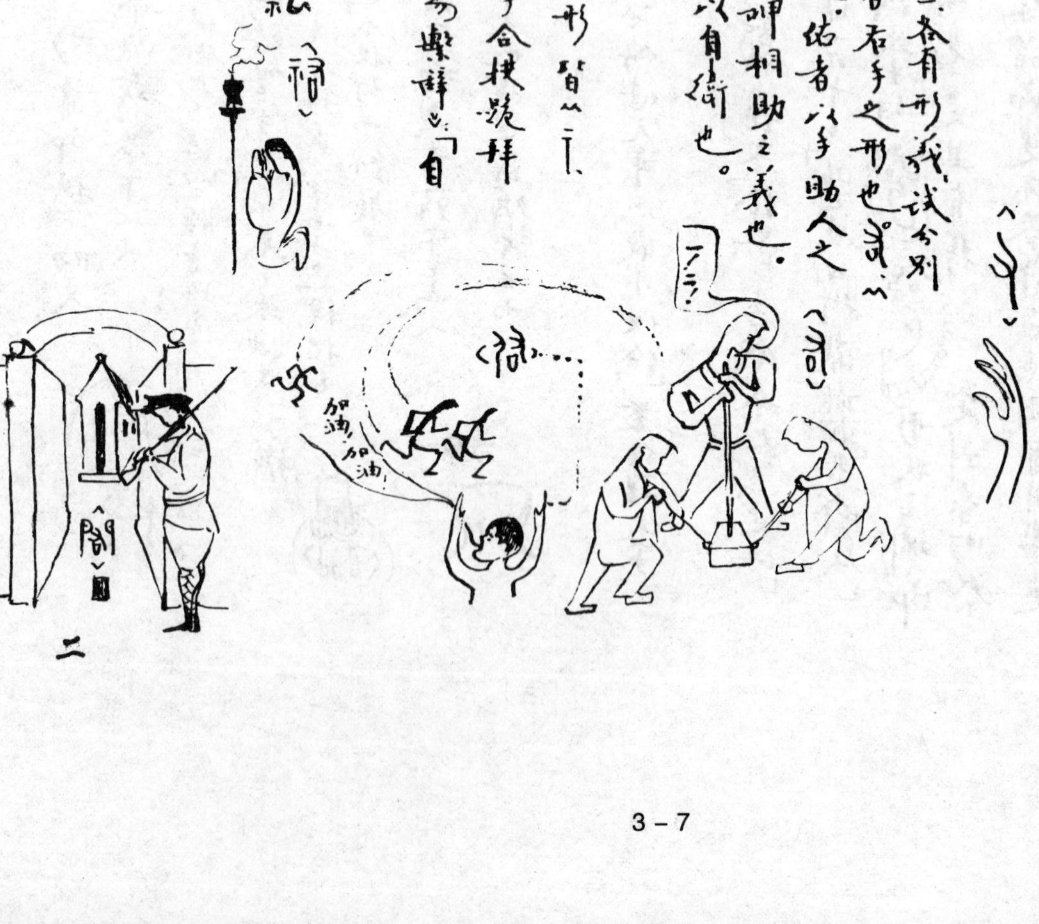

廾 𠬞 《說文》：「竦手也」。篆𠬞字似雙手合攏高舉之形，音即拱之初文。

《論語》：「子路拱而立」。「垂拱平章」。且有捧持義、恭敬義。恭字从此。

拱 𢱢 《說文》：「斂手也」。徐曰：兩手大指相拄也。《書·武成》：「垂拱而天下治」。《禮·玉藻》：「凡侍于君，垂拱」。《尒疋》：「執也」。註：「兩手合持為拱」。《左傳·僖卅二年》：「尒墓之木拱矣」。

篆：拱之為文，實𠬞之孳乳字。由「捧持」之初義延伸為「兩手合持」義。《孟子》：「拱把之桐梓」，是其義。今俗謂「合把粗」，即拱之「古語新說」也。今拱行而𠬞廢。

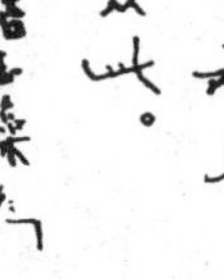

共 [seal forms] 《說文》：「同也」。《玉篇》：「眾也」。二訓皆非共字初義。考共字之為文，

口从𠬞。雙手捧器之形也。供給食品之象也。蓋「供」之初文也。後世共、供分立而

形从義變矣！

供 [seal form] 《說文》：「設也」。《禮·檀弓》：「黃宰夫也。非刀匕是供」。《左傳·僖九年》：「敢不供給？」篆佳雜文字

多段共為供。

龔 [seal forms] 《說文》：「給也」。《玉篇》：「奉也」。亦止「供」。

瓏 [seal form] 《說文》：「禱旱玉也。為龍文。」段注：禱龍為文也。《左傳·昭廿九年》：「昭公使公衍獻龍輔於齊侯」。

所謂「龍輔」，蓋器上即刻有龍紋的玉器（成雙的）。現代出土的

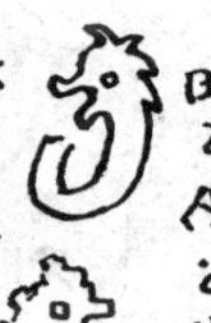

形狀玉璜，即其物也。這種用於禱旱祭禮的玉器，顯而易見是具有特定對象的祭祀禮器。屬于今有想學藝術標志的特殊禮器。是不容許無原則盲目濫施的。這正如《周禮》規定的「享君以璧，享夫人以琮」有着類似的指義。

禱旱之祭，古名「大雩」。《春秋·桓五年》：「龍見而雩」。傳：「建巳之月，蒼龍宿昏見」

見東方。萬物始盛，待雨而大。故祭天為百穀祈膏雨。」可見「大雩」的舉行，是有常規定時的。因為在一歲周期中以四月為農作物最迫切需要天雨的關鍵時刻。

後來《詩周頌絲衣篇》：「繹賓尸也。」高子曰：「靈星之尸也。」疏：「靈星者，不知何星。引《漢郊祀志》云：「高祖詔御史令天下立靈星祠。」張晏曰：「龍星左角曰天田，主稼，則農祥也。晨見而祭之，唯有此耳。」

發明：筆者案：所謂「靈星之尸」，實際上即：在禱旱祈雨活動中扮演「東方蒼龍」之神的活偶像（女模特兒）。這一角色，依照當時的「社會規範」，照例應從擇未婚少女來擔任其事。《詩召南采蘋》：「誰其尸之，有齊季女。」可資考證。所謂「繹賓尸」，「繹」是「昱」字，應以「昱」為正文。《殷商銅器銘文》、《甲骨卜辭》皆作「昱日」。《韻會》：「昱，音弋，明日也。」故知「繹（昱）賓尸」，即在「禱旱」儀式結束的第二天，還要設酒排筵，邀請「靈星之尸」上客饗以上賓之禮。這是當時的社會制度。所謂「靈星祠」，即「龍王廟」也。在我國大陸上，每一山川河流發源地，都有「龍王廟」的建築。這是基于歷史傳統意識，人們認為天空中的「東方蒼龍」星，操有支配江河海洋興雲降雨的大權。人們迫于旱災的威脅，只好求救於這位「天龍」。這一宗教觀念，完全表現在一些古文字中。僅上簡明介紹如次：

龗、靇、䨻、靈，《唐韻》、《集韻》：「郎丁切，音靈。」《說文》：「龍也。」《玉篇》：「龗，靈神也，善也。」由此可證龗、靈、靇諸文，皆「東方蒼龍」的偶像，實是非常明顯的。

瓏，《說文》：「禱旱玉也。」這是為禱旱時祭神禮品的瓏（玉器）來說，它的使用，除了具有「龍神」的

三

「形態摹擬」的藝術觀點之外，還有它的功能、屬性特點意義。因為「大雩」之祭時，為建巳之月，其時正處「孟夏」，氣溫甚高，牛羊犧牲之腑已不適應季節，特殊古人對于「良祀」，皆采用「玄鬯、玉帛」的原因，正是基于「防腐」的「衛生」思想，是可以理解的。古文「祀」的別體是「禩」，字從示、從異，有「變易」之義。可為義證。《說文》「禩」字訓「祭也」，許氏禩、祀分為兩字。

竊以為𩰲字從𩰲、從𠬞。𩰲者，𩰲之形象也。𠬞者，雙手捧持之態也。故知𩰲之為文，即「禱旱祈雨活動」之形義字。其訓義為「供」，為「奉」，為「給」，皆有敬神之意。非偶然矣！

茶𩰲《說文》：「肅也」。《尚書·多士傳》：「恭也」。茶《說文》訓「𩰲」為肅。《說文》肅字訓：「持事振敬也。从聿在𣶒上。人在淵上持竿測水之情，戰戰兢兢也」。

肅𩰲

竊以為《說文》將肅訓恭、敬，但說與𩰲字形義並有未符。𩰲从𠬞，从己。貴乃雙手捧心之形，與「𠬞」之同源字也。

龔、龔《金文》或從「𩰲」之「恭」，使文字兼備敬人與敬神的雙重含義矣。

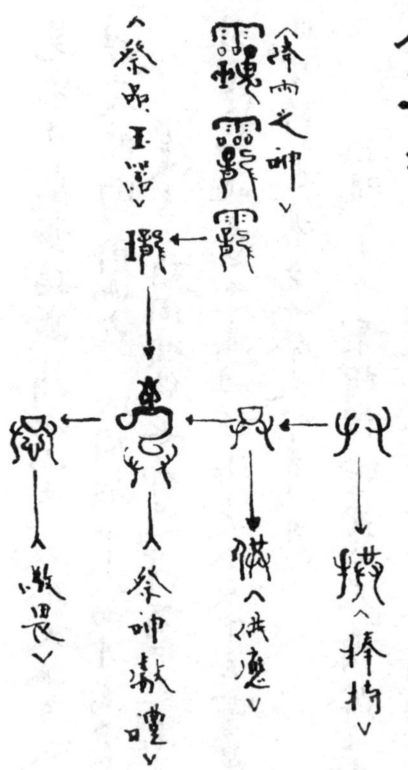

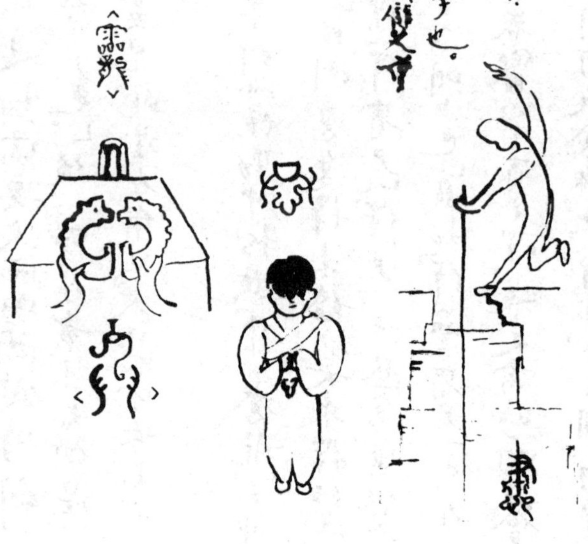

墫尊（卜辭）鐏樽䵼（上）　上列諸文，各有本質，或為土墫，或為陶墫，或為木樽，堪從字形得之。這些不同形狀的文字，產生於不同的歷史時代，是有可能的。《說文》䵼字訓「酒器也」，「从廾以奉之」。極確。值得思考的即䵼之為字，何以躲物質領域昇華為精神領域的「尊敬」詞？這也許是應該探溯的。

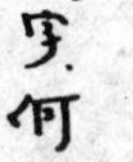

〈尊字的一元多項義〉

〈敬〉

《禮曲禮》：「夫禮者，自卑而尊人」。此尊訓為「崇」之義例。

《呂覽審為》：「可謂能尊生者矣」。此尊為「重」之義例。

《考工記輪人》：「欲尊而宏」。此尊訓為高之義例。

《禮喪服小記》：「養尊者必易服」。此尊訓為「父兄」之義例。

《孟子盡心》：「尊德樂義」。此尊訓為「貴」之義例。

〈酒器名〉見《周禮春官司尊彝》

犧尊
象尊
著尊
壺尊
大尊
山尊

諸如此類見於經籍史冊者不勝枚舉。要之，皆無以窺見「尊」字所以訓「敬」之迹。姑妄言之如次：

案《說文》䵼字，屬於酋部，此可見「尊」化為「敬」之義，是礎基在酋字觀念的產物，已彰彰明甚。

這就迫使吾人不能不對酋字予以推敲。

酋　酋《說文》：「繹〈釋〉酒也」。案，酋之為文，亦象形字也。酉是酒瓶之形，八者，酒香噴出瓶口之象。

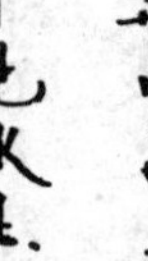

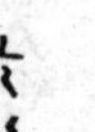

四

酋字造形與酉同例。許君謂「從酉，半見水上」，於形似有未符。酋字於《說文》中

釋為「醳酒」（舊年陳酒），此初義也。上古無蒸餾釀酒之術，利用自然發酵，必期年而後成。故曰「醳酒」。

酋字繇酒名延伸為酒官職稱。《禮月令》云：「仲冬之月，乃命大酋，秫稻必齊，麴蘗必時，湛熾必潔，水泉必香……大酋監之」。傳云：「酒熟曰酋。大酋者，酒官之長也。於周則為『酒人』。」可惜這位酒官事實上也不過是一名釀造技術管理人員。他的政治地位卑微得可憐，不能受到世人的普遍尊敬。這就決定了「尊敬」的含義與他無關，而是另有來龍。於此我們便不能不用更高倍數的「望遠鏡」向上古探溯。

考《唐貞觀政要．安邊》云：「酋長恣受大官，祿厚位尊」。這個點滴歷史資料，卻給吾輩提供了啟發性的「文化寶篋」的鑰匙。因為「酋長」制度，之為部落統制者來講，絕非始自有唐。而是有它的悠久歷史淵源與遼闊的時境。人類在野蠻的遠古時代，民族部落，互相吞併。勝利者戰敗了弱小部落之後，取戰俘之骨串成「項鍊」佩於胸前，當眾之前，眩耀淫威。這就決定了「酋長」在許多被征服的「部落群」中的統治地位。因而「酋長」在部落聯盟儀式中被推為掌酒之官。在筵席上酋長當然帶頭先飲。其餘弱小部落的「罪族」首長只能隨飲。這一原始政治遺跡，延續到封建王朝還有「祭酒」政治職稱的存在，以及「王者」祭祀中「主祭」、「助祭」的「廟儀」。案，所謂「祭酒」就是領導者。「主祭」就是「王者」，「助祭」就是異姓諸侯。這也許是尊字造形示義的發境吧！早期「尊者」是「酋長」。進入文明社會的「尊者」者天子。天子不敢以絕對權威自居而寄威信於「天」，自號為「天子」。尊字則多了「神道設教」的社會文明中，再也不是「酋長」，而是升華為「神」了！此漢字物質向精神變化之義例。而樽中的酒，也變成裸之于地，而不是「主祭」者自飲了！

物質義 〈酒器〉—〈酋長〉—〈神〉—〈尊敬〉 精神義

爯 《集韻》、《正韻》、《韻會》同訓：「如稱重也」。《說文》：「并舉也。从爪，冓省」。案：爯之訓「如稱重」與「并舉」，其義固無啻背。獨《說文》謂从爪、冓省，殊與甲文字形未符，而義亦有異。蓋《說文》誤冓為交積材，乃建築結構，而卜辭冓字乃雙魚形。故爯(如)字《說文》釋為「从爪，冓省」，其亦沿誤冓之錯疊而來，未足為留也。蓋爯字从爪从魚而非从冓。今則約定俗成，錯謬相承非一日之久，得難糾正矣！

謝 《說文》：「辭去也」。《廣雅》：「去也」。

《發明》：筆者案：小篆謝字从言从䠶。甲骨字似舒脊傾除污屑，皆有排除之意。皆象形會意字。

舄 《博雅》：「音昔，履也」。《釋名》：「複其下曰舄。舄，腊也。行禮久立，地或泥濕，故複其末下，使乾腊也」。《古今注》：「舄以木置履下，乾腊不畏泥濕也」。案：舄之為物，乃古代貴族所着于足的木底鞋，其底粗厚，塗以腊脂，所以防水濕泥也。卜辭字，象兩手握履脫泥之形，「寫」字之所由生也。故亦具排除傾寫義。

寫 《說文》：「置物也」。《增韻》：「傾也，盡也，輸也」。《詩·邶風·泉水》：「駕言出遊，以寫我憂」。《禮記·曲禮》：「御食于君，君賜餘，器之溉者不寫」。《周禮·地官·稻人》：「稻人掌稼，下地以澮寫水」。

《發明》：考等字，皆从。與二字之从，皆所以示兩手持物傾除污垢之象。字，双手舉帚，傾除污垢之象也。字，双手抱鳥，傾除泥土之象也。後起之「寫」

五

用為「寫字」動詞，亦取于（以）筆既墨汁傾瀉紙面之義。若黃河、長江「一瀉千里」。腸胃霍亂「上噦下瀉」，此皆「瀉」字之孳變，與□之增水而止濕、燃之增火而止燃同例。

陽□者，考《說文》「吐」字訓「瀉也」。《釋名》：「揚豫以東，以吐為瀉」。故知《卜辭》之□字，从□从曰，證諸《說文》、《方言》之義例，自宜定為「瀉」字，初文而無疑。

《綜結》「寫」「瀉」、謝、歸諸文，皆有排除義。象雙手舉物傾除污垢之態，象形字也。以聲義字也。試擴蒐同音字例以明之：語言排除曰「謝絕」；水液排除曰「傾瀉」；秘密走失曰「泄露」；車載貨物之排出曰「卸」；污水流出曰「渒」，皆以聲見義。甚矣哉，音韻之學不可忽視也。

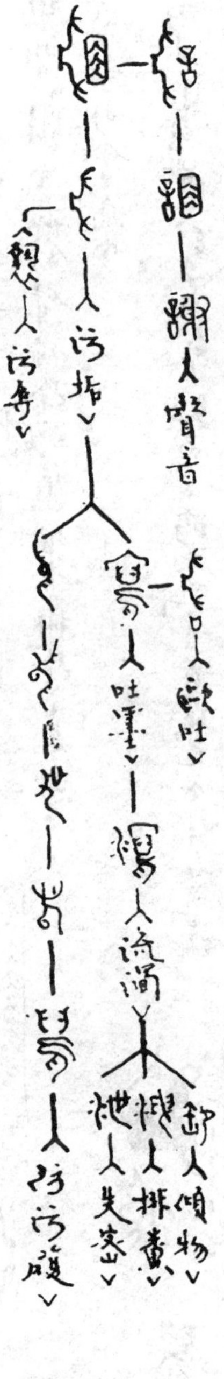

此表列舉之同音字，皆有排除污穢義。

為：

此字《說文》釋為「母猴」之說已被否定，近人釋為手牽象鼻，自較古說為確。《晉語》注：「為，治也。」尚覺可取。考《易》損卦六三《象》：「武人為于大君」。周易把受制于武官的國王，比之大象被牽着鼻子走。這個語義是和□符合，从□字形、義特徵的。按象之為獸，天性剛良，無爪牙害人之惡習，故為人類所樂於飼養。今熱帶人仍然用為負重運輸之得力工具。古《二十四孝圖》有「舜耕歷山」象為之畊的紀述，看來人類用手牽着象鼻使之代人任勞，已從上古開始，則「為」字造型，正是遠古生產活動的剪影，乃千真萬確之事實焉。

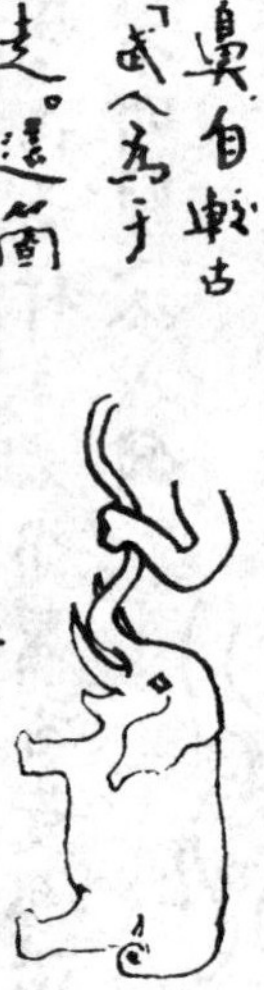

僞　《說文》：「詐也。」徐曰：「僞者，人爲之，非天真也。故人爲爲僞。」此會意字也。《荀子》云：「人之所不學而能者，其良能也。所不學而知者，其良知也。」又曰：「莫之爲而爲者，天也。」徐氏之解，蓋本乎此。繇此觀之，可知東方傳統文化乃奠基于自然科學的產物，則其生命力之強，不問可知矣！

載　（甲）　（金）　車《說文》：「設飪也。」篆者古文「觀」「載」本屬二字，形既不同，義亦迥異。觀是捧食進膳之人形。載是車載干戈之象。故許氏訓曰：「乘也」。自《康熙字典》將觀、載併爲一字，於是載行而觀廢。

飤　（甲）　《說文》：「食飪也。」《玉篇》：「糊也。」《禮祭義》：「亨熟膻薌」。

篆之爲文，从　从丮。　者炊煮器形，亦宗廟享祀之象也。故許君于《說文》中　部之字互訓。古《禮》：卿將牲饋食之禮，亦以熟食祭神。　字象羊膻陳列神壇之前。此許君　　互訓之所由來歟！

塾　《說文》：「門側堂也。」《三輔黃圖》：「未央宮外有塾門」。《古今注》：「塾之爲言熟也。臣朝君至塾門，更詳熟所應對之事。」《禮學記》：「古之教者，黨有庠，家有塾。」《前漢食貨志》：「春將出民，里胥平旦坐于右塾，鄰長坐于左塾。」繇此可見上爲住宅大門兩旁的「塾」（門房）的用途多而雜。既是家庭「教室」，又是接待賓客之所。

續考《說文》「䰃」字訓：「門內祭先祖所以彷徨也。」《詩小雅》：「祝祭於祊」（祊同䰃）。傳：「祊，門內也。」孝子不知神之所在，使祝博求之門內之旁，待賓客處也。

上爲建築物的大門兩旁的門房來講，則「祊」之與「塾」，蓋同物而異名。

用現代語法言之，乃「門位結構」。施之於活人的住宅，則名曰「塾」。施之于亡人

之宗廟，則名之曰「鬆（禰）」。是非常明顯的。孰者熟悉之意也。古塾既是家庭教室，又是死者生前會客之所，這一特定環境，對「生者」與「死者」都是異常熟悉之處。故知塾亦孰之同根字。表示於下以見義。

藝

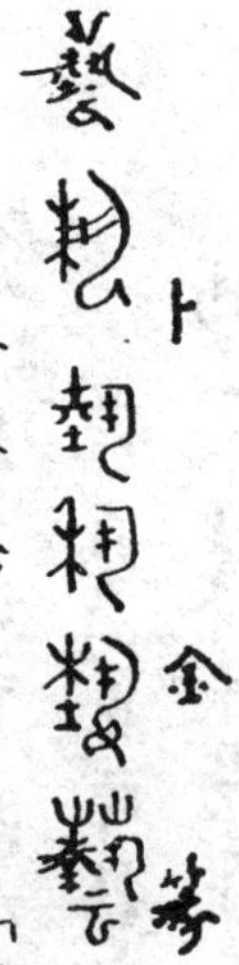

《孟子》：「后稷教民稼穡，樹藝五穀」。《詩唐風鴇羽》：「王事靡盬，不能藝黍稷」。《書禹貢》：「蒙羽其藝」。傳：「兩山已可種藝」。《毛詩》：「藝麻如之何，縱橫其畝」。《說文》：埶字訓：「種也」。考《卜辭》：藝上埶。似農夫雙手植苗之態。故知藝字，初義應訓「種植」而無疑。後世延伸為「藝術」、「才藝」等詞，良以農業技巧，內涵龐大。如選種育苗，播種，中耕，灌溉，除害，施肥，收割，保存……在在需要藝術，無一不是技巧。我國民諺有云：「十年中個秀才，十年學不出種地來」。則農業知識之淵博，豈易量哉！其名曰藝，不亦宜乎？

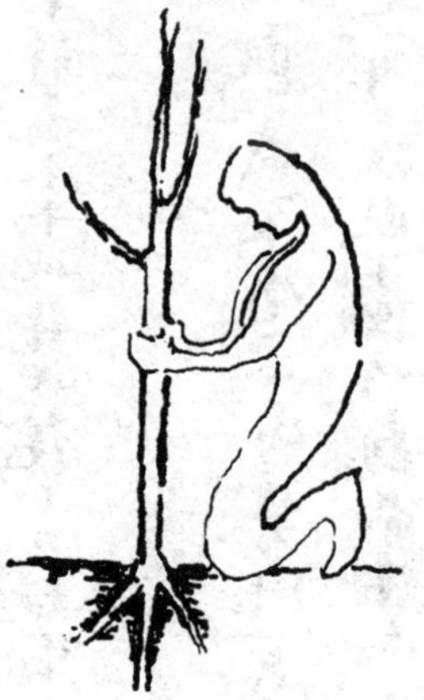

反𠬶（金）反（篆）：說文云：「覆也」。篆反之為文，从厂，从又。「厂者崖岸之象，所以示上下也。又者舉手反掌之形也。蓋人之兩臂平展直伸之掌心向地，翻而覆之，之手心朝天，是為「反常」。此事物常態也。金文𠬶字造形，深得此旨。故知許君之訓反為覆者，正是據小篆之形而立說，可斷言也。其未能切合事物真貌，已不待辨而立見焉。

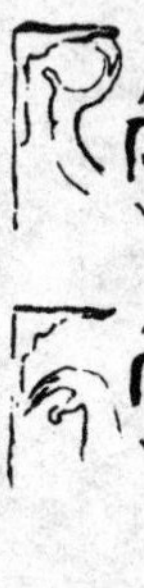

筆者竊以為成語中有「反覆無常」之詞。足見「反」「翻覆」解」之音義，諧聲提律，證以𠬶反二字之形，益覺信而有據。故知許君之訓反為覆者，李斯之咎也。愚則曰「反者翻也」。

𠬝（甲）𠬝（卜）𠬝（篆）：說文云：「治也。从又卪。卪，事之節也。」右手，所以制事也」。許君據儒家道德而立說，自有其哲學義意，未能察造字之情，乃皆役壓迫文字也。卩者，屈服跪地人形也。又者，捕者之手也。此字與及「𠬛」字之造則，在于右手位置之高下。蓋及字乃在逃之人形，故手在彼後，所以示追捕之象也。而𠬝字乃已往就捕之人，故又居卩首，所以示屈服之象也。

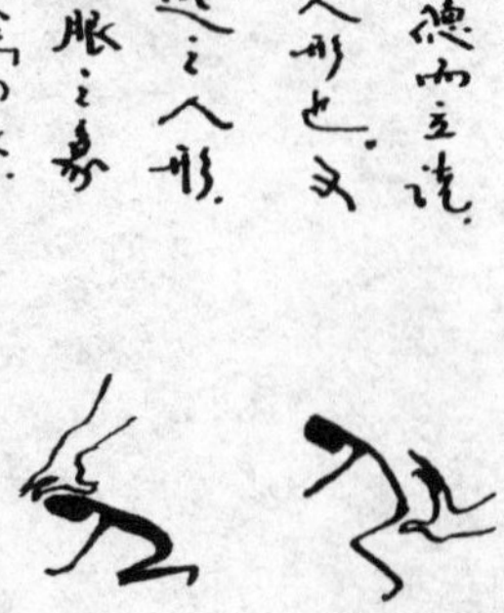

服𦨈𦨈𦨈：說文云：「服，用也。一曰，車右騑，所以周旋」。詩鄭風云：「兩服上襄」。箋云：「兩服，中央夾轅者」。疏云：「兩服者，馬之上駕也」。所謂「上駕」，即車輈（兩周駟馬車只有中間一桿獨轅，其名曰輈）左右附兩匹駕轅主力馬。故名「兩服」。服應讀音為配。古文之「鞴」，兩鞴附外側兩匹拉幫套的叫「驂馬」。故知𦨈字从舟，輈之首文也。从𠬝者，服人舉手之象也。古文骰之𣪊，象車夫右手舉鞭驅馬之形。或之骰，象車夫持轡形。𦨈字从舟从𠬝，而不見馬形，漢字有略例也。又易云：「服牛乘馬」。是以知騎牛曰「服牛」，鞴為名「兩服」，皆有馴服之義。蓋牛之與馬，本非「家畜」。其始皆由「野獸」馴服而來。此「𦨈」字之義歟！

（兩服）

七

撻 □〈卜〉□〈金〉□〈籀〉□〈篆〉《說文》撻字訓：「鄉飲酒，罰不敬，撻其背」。

達 □□□〈篆〉：「適也」。《廣韻》：「打也」。《書·益稷》：「侯以明之，撻以記之」。《傳》：「行射侯之禮，以明善惡之教，笞撻不是者，以記其過」。《書·說命》：「若撻于市朝」。

羍 《說文》：「小羊也」

嘗疑上述是古代的一種刑罰。但是它為動義時的產生來龍，是有它特定的獨立淵源的。試求證如左：

案撻字从手，从達。達之為義：「適也」〈見玉篇〉。《說文》達字訓：「行不相遇也」。〈此另有古義，今已不見〉。考達之為文，从彳止，从羍。《說文》「羍」字訓「小羊也」〈案「羍」字與刑其之「羍」異，最宜分清〉。古文達、撻互通。其文皆來源于「羍」。可以《詩·小雅·生民》篇求證之。《生民》云：「先生如達〈羍〉」。箋：「羍，羊子也」。大矣！后稷之在其母，終人道十月而生。生如達〈羍〉之生，言易也。筆者考動物界之分娩降生，莫速於羊。造字者依據羊的這一生理特點，而造出達、撻等字。而分別訓義為「通」、為「笞擊」。當皆「羍」的轉注文也。《文書》所云「建類一首，同義相授」是也。許君生當東漢，當時安陽小屯甲骨尚未出土，《生民》《周頌》之文也，故殷墟□字《說文》不見。筆者竊以為卜辭□字，从毓，从攴。毓字婦人生子之象也。攴者，右手執杖笞背之態也。要以為此即孕婦遭受笞擊，引起胎兒流產之象形字。應釋為「撻」字古文。謹附於此，聊供海內學者之切錯。

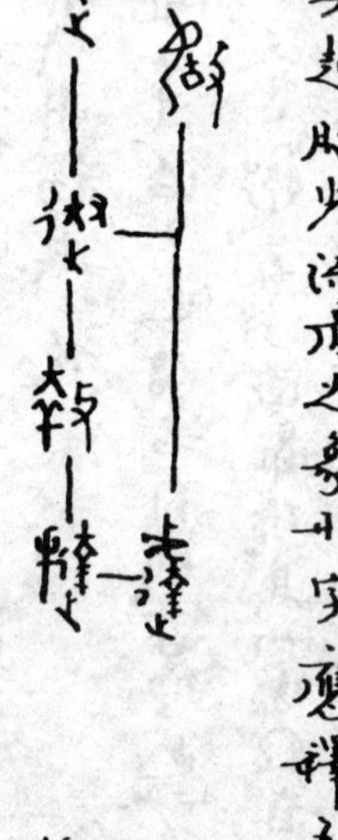

〈羍〉

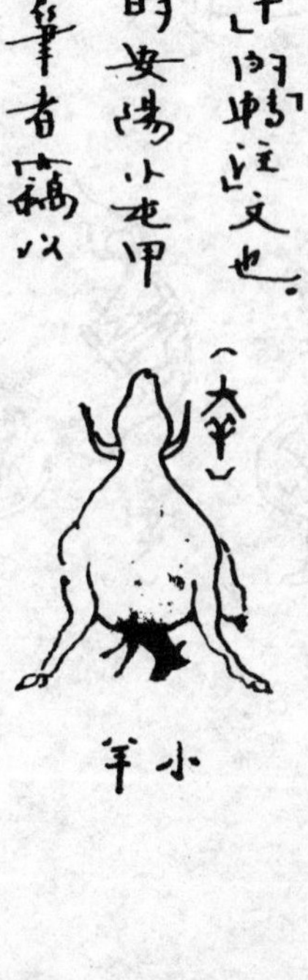

小羊

𤔔（篆）《說文》：「亂也，一曰治也，一曰不絕也」。《玉篇》：「理也」。《六書故》：「繫也」。案諸書之訓各有不同，其取於抽絲之義則初無二致。

亂（篆）（篆）《說文》：「治也。幺子相亂，乙又治之也。讀若亂同。一曰理也」。徐灝曰：幺子相亂，其義難通。戴侗謂：𤔔與𤔔同。灝謂：𤔔之古文正（篆）象手治亂絲，其兩旁88首爲二要則成（篆）𤔔中加橫畫者，㸚系之。復加乙爲（篆）。絲亂而以手治之，有亂義亦有治義。謝彥華曰：8爲系之古文，冂爲治絲之器，𦥑象兩手治絲形。

系（篆）（篆）（篆）〈卜〉（篆）〈篆〉《說文》：「縣也」。或从毄處。

筆者按《易繫辭》之繫及係，皆（篆）之同源字。以手攝絲之形。

鑾（篆）（篆）鑾《說文》：「君乘車四馬，八鑾。鑾象鸞鳥聲。和則敬也」。

鸞（篆）鸞《說文》：「赤神靈之精也，鳳凰之佐。雞身赤毛，色備五采，鳴中五音」。《山海經》：「女牀山，有鳥狀如翟而五采文，名曰鸞鳥，見則天下安寧」。案：鸞之爲鳥，毛色絢爛，而鳴音曲折變化。古人以銅鈴佩於旗上，名曰「鸞旗」。以銅佩於車衡，名曰「鸞輿」。以銅鈴佩於刀，名曰「鸞刀」。皆取音爲義。此漢字「鳥音物化」之例。亦漢字理𤔔之亂轉注爲聲之亂的義變例。

臠 臠〈石鼓文〉 臠

《說文》：「臞也。一曰切肉臠也。」案：說文訓臠為「臞」，其義極爾。臞者瘦肉也。切肉條者必選瘦肉，此常規也。故知《正韻》訓臠為「塊切肉」、《正字通》訓臠為「塊割」，皆是「碎肉」之義而無誤。何以知之？愚曰：「臠，从肉，从䜌。故知之。」考《易·噬嗑九四》：「噬乾胏。」正義曰：「乾胏，是臠肉之乾者。」即今日之「肉鬆」也。此種成品乃用五香佐料熏煮之熟肉，加工細碎，烘乾而成。狀如絲絮，味美可口，堪供佐膳。案：質上即「乾肉絲」也。此種食品必須選用精純的瘦肉，故《廣韻》、《韻會》訓「臠」為「瘠貌」。與許君之訓臠為「臞」之意，所謂「先聖後聖，其揆一也」。

《漢王莽傳》注：「臠切千段」。可以下圖示意見之。

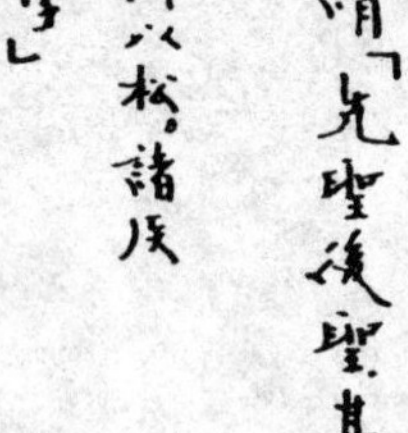

欒 欄 欒 欄 楝

楝

《漢班固白虎通·崩薨》引《春秋含文嘉》：「天子墳高三仞，樹以松。諸侯半之，樹以柏。大夫八尺，樹以欒。」《說文》：「欒木似欄。」段注：「欄今之『楝』字」。

考《說文》楝字訓：「木也。」按：楝之為樹，乃高幹落葉喬木。長二三丈。有光澤，散生小白點。其葉繁密如槐。初夏開淡紫花。結實似棗而小。生青熟黃。纍纍如鈴，故名「金鈴子」。可入藥。考欒之為文，从言，从絲，从木。木者植物之象也。䜌者纍之省文也。取義于欒樹之實，似纍鈴之形也。而取諧于䜌。故知欒字乃从䜌的孳乳字。

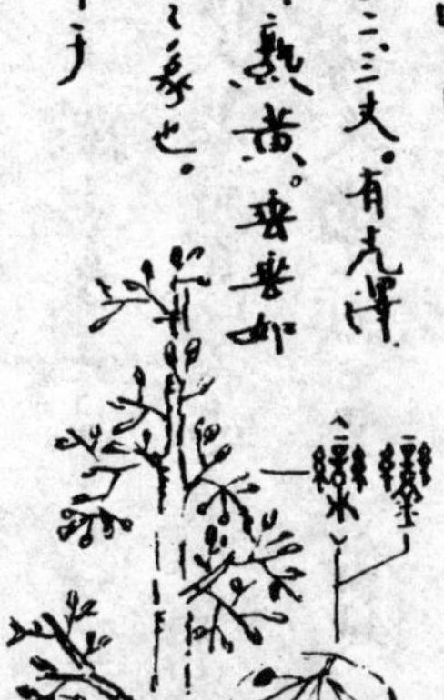

攣 攣 攣 攣 攣

《說文》攣字訓：「系也。凡相牽連系者，皆曰攣。」《易·中孚九五》：「有孚攣如。」疏：「攣，相牽系不絕之名也。」《史記·南漢鄒陽傳》：「越攣拘之語，馳域外之議。」《元和聖德詩》：「解脫攣索。」案：此諸有關攣字語例，與許氏《說文》之訓，均無以見攣字造形示義之旨。試述之如左：

九

考攣字从絲从手。絲与戀通，係係牽扯之象也。手者人之四肢也。《內經素問皮部論》：「寒多則筋攣骨痛。」《史記七七蔡澤傳》集解：「攣，兩膝曲也。」《梁釋慧皎高僧傳》：「衡陽太守滕永文在洛寄住滿水寺，得病經年不差，兩脚攣屈不能起行。」綜此可知攣字初義乃四肢蜷屈運動困難之意，是極為明顯的。

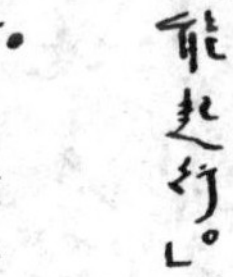

〈攣〉

復考《金文編》有二文，長期以來，不識其為何字。昨讀《文書通》得窺字于九寒攣字下，注為《衛宏古文奇字攣字》，因而恍然大悟，金文之亦攣字異文也。造字者將奇橋兩端之圓亮連繫重疊之象，乃為一切事物受到牽引，嬰繫，不得舒展之擬態，是有其物理槩念的。余名之曰「攣態示意」。不過時人學者，仍有譯二文為「拜」「朋」字者，其說頗饒興味。則此二文之隸後，尚不無三思之餘地。姑存之以待賢者。

孌 《說文》：「慕也。」段注：「在籀上[illegible]。在篆或上孌。」

戀 考《詩車舝》：「思孌季女逝兮」注：「孌，美貌」。《詩猗嗟》：「猗嗟孌兮」。注：「壯好貌」。

嬌 《泉水》：「孌彼諸姬」。注：「好貌」。小徐：絲之紛雜難解者曰𢇍。鈴音之紛雜者曰

鑾。鳴音龤色紛雜之鳥曰鸞。兩性相愛纏綿不斷曰戀。孌、嬌。心煩曰𢿦。皆與

于治絲之義。

所謂「建類一首，同義相授」是曰「轉注」。

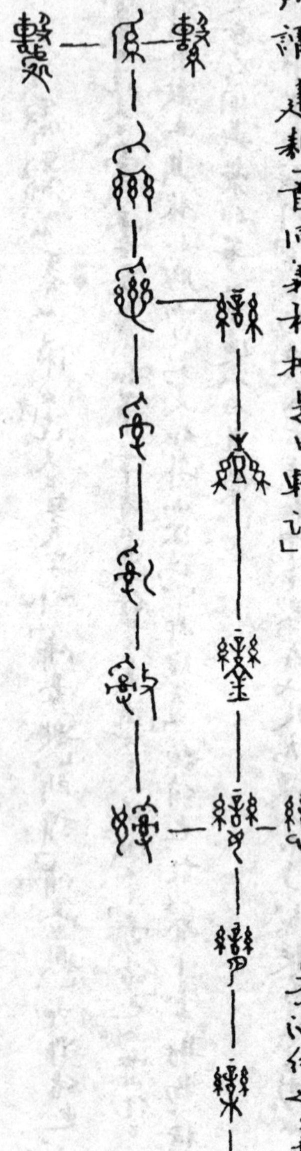

聿 音玉，《說文》：「所以書也。楚謂之聿。吳謂之『不律』。」筆者案：聿从又从个。个似尾之省文。給即「帛書所用之竹林」。 此器最適合于蘸漆寫于帛卷之用。後期之毛筆代以羊毛竹管，始有筆字。案「筆」、「箓」二文，古文不見。古文只有聿𦘒二字。故知今之「筆」、「箓」二文，皆近（後）代起字也。蓋先秦時代尚無紙墨，無所施用其筆故也。

帇 《說文》：「手之疌巧也。」音尼輒切，音聶。案：魯南方言謂「小手帕」曰「手帇子」，應即帇字。从又从巾。似君「捫麈」之形。案：帇之爲物，其體小而質極輕，揉上者左右

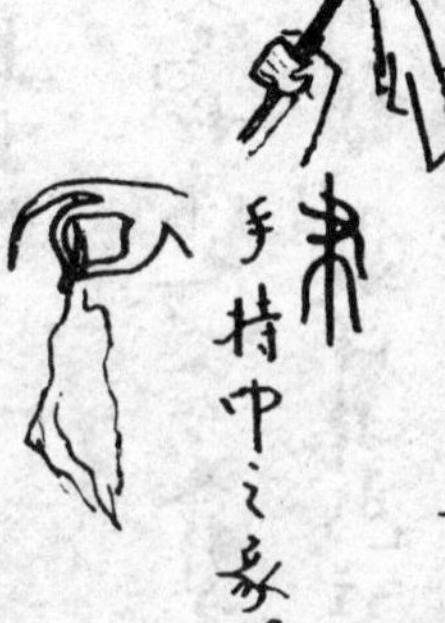

帇 手持巾之象。文似

十

揮灑信手拂拈，隨風而去。許君以「手之巧是」以形容其動態，固其宜也。

〈肆〉隸 [seal forms] 肆《說文》：「極陳也。」《爾雅·釋言》：「肆，力也。」《左傳·昭十二年》：「昔穆王欲肆其心，周行天下。」注：「肆，極也。」《周語》：「藪澤肆既。」注：「肆，極也。既，盡也。」《玉篇》：「肆，放也，姿也。」《易·繫辭》：「其事肆而隱。」疏：「其辭放肆顯露，而所論義理深而幽隱也。」筆者案：「肆」字訓義曰「極陳」，曰「肆力」，曰「極」，曰「放」，曰「姿」。皆抽象槩念辭。彙無助於文字形義之理解。謹就個人管闚之見試求証如左：

二、字形分析：肆字的造型在古篆中多得屈指難數。各具意態，非片言所能盡。茲僅擇其具有典型代表意義者，以止「比驗標本」。

甲 [seal forms]，从[豕]从[手]。《說文》[豕]字訓「脩豪獸」。所謂「脩豪獸」，即野豬也。脩者長也。豪古

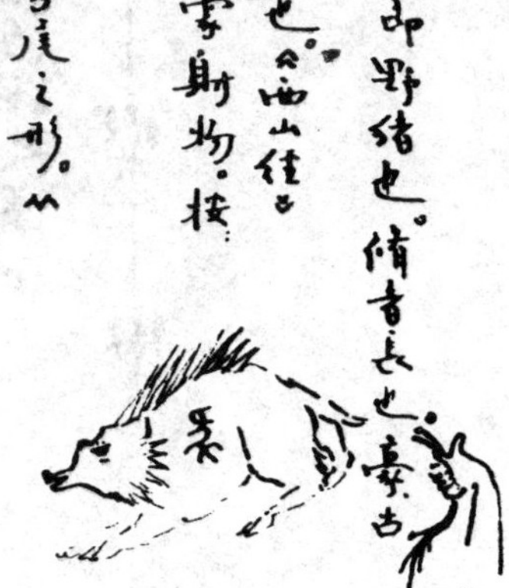

上高[豪]。《說文》：「[豪]，豪豕。鬣如筆管者。」《西山經》之「豪彘」、《長楊賦》之「豪豬」也。《西山經》曰：「竹山有獸焉，其狀如豚而白毛，大如笄而黑端，名曰豪彘。」郭璞云：「貆豬也。能以脊上豪射物。」按：本是豕名，因其鬣如筆管，遂以名其鬣。」

[手]字本義訓「手之巧是」，乃右手執中之象。在此段為纔入右手緊握豕尾之形。从[手]文之點滴一一着眼，可以看出這是揭示野豬从纔入手中奮力掙脫，棄尾逃命的生動形象。[手]文之為文，正是一根離體的豬尾巴。這個象形字，對我們理解字義有絕大啟益。

二、怎樣理解「極陳」？應該知道，「求生惟死」是所有一切動物的共性。野豬又怎能例外？當一頭野豬遭到凶勇的獵人毒手揭住了尾巴的危急情況下，能不竭盡全力掙脫嗎？因此我認為[illegible]字的含義，與其訓為「極陳」「極力」，反而不如說成是「拚命逃跑」，更覺着[illegible]。

三、怎樣尋求「極陳」二字的含義？

極 極《說文》訓：「極，棟也。」徐曰：「屋脊之棟。今人謂高及甚為極義也。」案「極」字造形从木，从亟。故欲求極字之義，尚必對「亟」字進一步的追尋。

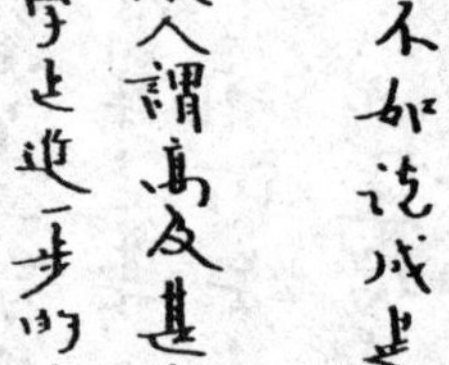

〈極〉

亟 亟《說文》亟字訓：「亟，从人，从口，从又，从二。二，天地也。」徐鍇曰：「承天之時，因地之利，口謀之，手執之，時不可失，疾之意也。」徐氏采用了宏觀的哲學觀點，來闡明「時間」的爭取與利用，是一切事業成敗的關鍵。這一認識，同筆者的理解是不謀而合的。請允許我再略談「陳」字。案「陳」之為文，古「陣」字也。

陳 《廣韻》：「列也。」《玉篇》：「陣，本作陳。」《周禮·夏官·司馬》：「仲春教振旅，司馬以旗致民，平列陳，如戰之陳。」《佩觿集》：「軍陳為陣，始于王羲之《小學章》。」案此解極為幼稚淺見。蓋「陳」「陣」二字互通，乃先秦經籍已有古例，非始自右軍《周禮》之其錯訛也。古代兩軍止戰，必先佈陣。佈陣任務，就意味着士卒行伍之排列。後世陳化為「陳」，而義變為「限列」。良以陣容之限列首重「方向」「位置」。訓詁家於是把「陳」字引伸為「方向」義，可得而知也。[illegible]字之訓為「極陳」者，所以示野性動物棄走逃命，必須注意「方向」的選擇。目的在於得到安全易行的捷徑。

隸 復考「隸」字造形，从[illegible]，从隶。[illegible]者「脩豪」之象也。隶者，獵人右手捉持獸尾之象也。

[illegible] 尤其《金文》[illegible]字造形，从[illegible]，一手持之。从[illegible]。充分暴露了野豬和獵人的

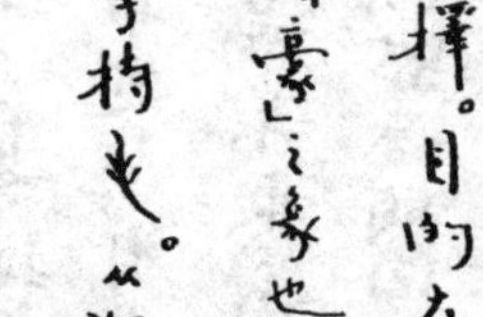

〈[illegible]〉

十一

獄牢的緊張心緒。這個「會意」字形，如實地反映了「桎梏」二字的槩念實質的「雙重性」。蓋自動物角度言之，不「疾奔」則不能逃生；自追捕者角度言之，不「疾奔」則不能獲取財富。這個「含義豐厚的「桎梏」一辭，假若采取《周易》的習慣用語來表達的話，那就是：「桎梏」之義大矣哉！現在讓我們調轉話頭回到「隸」字上來：

考《金文》銘文語例，對「隸」字之使用，皆含有「桎梏」義。如《衛鼎》：「受田獎逋衛小子隸不逞」。《克鼎》：「總隸克盤。保厥辟」。《大盂鼎》：「殷邊侯田于殷，正百辟率肄」。皆是以中間「隸」字有「桎梏」、奮力奔進之義，可為隸字形義之義例。

隸：

四、「隸」隸辨惑：值得困惑的：即今世通行之《說文》版本竟置「隸」字於聿部「隸」字條下而訓為「習也」。「書魚取豕」、「張冠李戴」，莫此為甚。殊不知「隸」之為文，从大从矢从聿。与「隸」字之从「柰」从聿，固南轅而北轍，風馬牛不相及也。考隸之為文，从大、鼎食之具也；从矢，射禮之事也。从聿（說文：聿，謂之書）書寫之具也。夫祭饗、鼎食、射禮、書契，於禮為「六藝」。所謂「禮、樂、射、御、書、數」，乃士人之所必習，此「隸」字之義也。竊以為習如故重者，斷不致乖誤如此之深，其必有自此隱附之漢上出崇。善《說文》一書，時歷千載，著往百家，總轉傳抄，謬誤亦錯，勢所不免，未可信口開河妄議高賢也。甚矣哉！讀書之難也。昔聖云：「盡信書則不如無書」，吾觀此而益信。漢初將「隸」隸定為隸（肆）。書（因之沿襲相承，鑄成千古大惑，有由來焉！蓋秦篆將隸代隸，已殘其基矣。審此，則可知「隸」字乃「肆」字，初文彰彰明矣。夫隸為修養之徵，修者長也。故知秦篆「隸」化之「肆」，固義有可通者矣。（說詳刊四期拙作仵集41頁）

謙 □《說文》：「敬也」。案：謙訓為「敬」，其義極確。猶嫌其未能盡道字之情。愚不揣冒昧，上初步探討如下：

考謙之為義，自卑之意也。居下之義也。水性趨下，故地之低窪者滙川嘆而普收。《易·謙卦》文象上䷎。坤居上而艮處下。所以示山在地下之意也。所以示士君子在位者，雖位居民上，而能恭謹卑牧之意也。故曰「謙能受益」。

字形剖析：謙，从言从兼。言者，人之音也。兼者，左右雙手秉禾之象也。同法者居中，涉訟兩造分立左右。二口辯爭，各執一詞。聽訟者將何以盡其情而察其是非曲直歟？此全賴高明之思辨以究隱探微之旨。西方《邏輯哲學》中之「矛盾」、「統一」、「排中」三大定律，在東方哲學術語中名曰「折衷」。衷者中也。折衷之術首重「兼聽」。謙字从言从兼，「兼聽則明」之義也。《書·呂刑》：「明清於兩辭」。疏：「單辭謂一人獨言也。兩辭謂兩人競理也」。故知《說文》訓謙曰「敬」者，慎之意也。古文敬上□（《說文》上□）：「自急敕也」。□，健起之文也。

苟 □《金文》增攴而上敬。敬、警、儆諸文皆出于□，咸具「慎」義。敬者儆也。儆惕之意也。所以防止學術偽亂真也。所以采取「兼聽」、「兼言」者猶數學法則之正負之數也。數公式之分解必賴正負互銷，對比互證，以取得「未知值」。折獄者必執兩造之辭以得出判斷。此「謙」字从兼从言之義乎？兼聽之目的，在於消除負數，得到真數。不抱着謙虛態度是得不到無情時。

友 □〈卜〉□□〈金〉□□〈籀〉□〈篆〉□〈金〉《說文》：「同志為友」。《禮·儒行》：「儒有合

志同方，普道同術，並立同樂，相下不厭。久不相見，聞流言不信。其行本方立義，同而進，不同而退。其交友有如此者。」在這段經文中，孔子向魯哀公闡明了儒門交友的基本政策。下面請補述友字的適應範圍和面性，友字的使用最〈友〉早階段，只限于兄弟關係。如《書君陳》：「惟孝友于兄弟」。是其例。又凡自然界之類合同者皆可曰「友」。如《司馬光潛墟》：「醜，友也。天地相友，萬彙以生，日月相友，群倫以明，風雨相友，草木以榮，君子相友，道德以成。」

古友字造形，从二手，此兩又之形，皆右手也。与𠬪字左右二手相對之義不同。蓋𠬪字二手，一人之手也。友字兩手，二人之手也。朋友相會，面對而立，各伸右手，兩掌相合。故知友字造型反之變文也。〈古字〉造型从从，亦兩人之手也。一曰，開口相問寒暄之意也。又与手同文而異字，其義可通。故兩又相合有二力合作之意。雖為二力，其志唯一。《易》有「二人同心，其利斷金」之語，《詩》有「鳥鳴嚶嚶」之句，所以示同聲相應之義也。竊以為友之从又手者，所以示禮儀之常規也。

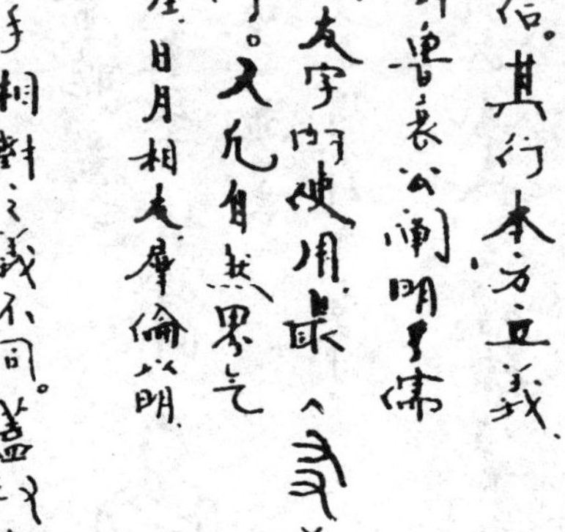

律

律律（下）律《說文》：「均布也。」許君所謂「均布」，即公開宣傳，遍告四方，家喻戶曉之義。蓋法之為物，乃社會行為規範，人人有遵守之義務。苟不為羣衆週知，斷不能生「言出法行」之功。此所以訓律為「均布」之由歟！古律字从彳从聿。聿者，右手執筆之象也。彳者，行之省文，行列條款之意也。法律為管理社會的總章則。分門別類，內容繁瑣，故必章節以明之，節目以分之，條理以析之，款項以列之。此律字从彳之意歟！

敝 《說文》：「帗也。一曰敗衣也。」篆[字形]字从巿从攴。象形字也。似右手執棒敲打破衣。八象絮屑紛紛墜地。《魯論》：「衣敝縕袍，與衣狐貉者立……」又曰：「乘肥馬，衣輕裘，與朋友共，敝之而無憾。」《詩·鄭風》：「緇衣之宜兮，敝予又改為兮」。《玉篇》：「敝，壞也。」

〈敝〉

史 《說文》：「記事者也。」篆[字形]之為文，从口从又。此指事兼會義字。口者，「王者之聲也」。又者右手執筆之形也。君有言，則史官秉筆而書之。尤其是《金文》[字形]字造型从口从𠂇又。𠂇者左史之手也，又者右史之手也。《禮·玉藻》：「動則左史書之，言則右史書之」。尤其是口字貫以一書而成中」。標志着史官的正義感。蓋史官之職有「進思盡忠，退思補過之義，將順王美，匡救君惡之責。遇事必秉公直書，所謂一字之褒，榮於華衮，一字之貶，嚴於鈇鉞」。此所以史官之受人尊敬也。

（史）

事 （金）（篆）（籀）《說文》：「職也」。《釋名》：「事，偉也。偉，立也。凡所以立之功也」。《廣韻》：「使也，立也，由也。」

筆者案：事之為字，工作之總名也。本不專指一事而言也。或勞力之事，或勞心之事。本不限於一行一業。故事字之形亦多變。[字形]字之形，右手秉筆之象，史官之事也。[字形]字之形《金文》[字形]字，从弓，从[字形]〈享字〉。[字形]〈武器〉，[字形]〈祭享字〉，此國之大事在祀與戎之事也。」

使臣執節持旌之象，「行人聘問之事也」。戰字之形，從手操畢（網）捕獸之象，田獵之事也。

𥙊字之形，右手秉筆受命立於示（神）前之象，告廟封侯或冊命立嗣之事也。然則事字之義不亦大哉！從事字形意之形可知「事」的內涵之廣，其義為「偉」，不亦宜乎！

秉 𥝌 卜辭 𥝌 金文 秉 《說文》：「禾束也。从又持禾」。《廣韻》：「禾盈把也」。

考秉字初義即手握束禾之意。後延伸為「秉鈞」、「秉政」等義。

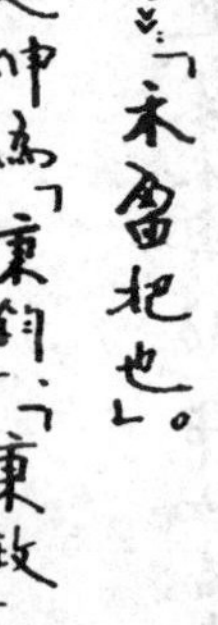

秉

欣後更延伸為「粟十六斛」為秉之量詞。如《論語》：「子華使于齊……冉子與之粟五秉」。即其例。

兼 𥝐 𥝐 《說文》：「并也。从又、禾。兼，持二禾也」。（案：此亦二秉為兼之義）

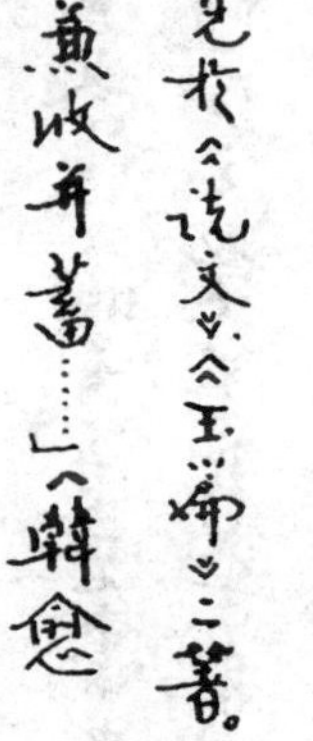

兼

并 𠀤 《玉篇》：「并，兼也。同也」。案：兼、并二字互訓，見於《說文》、《玉篇》二書。

其見於古籍「語例」「兼、并」合用者如：「牛溲馬勃，兼收并蓄……」（韓愈進學解）、「嬴秦氏始兼并」（三字經）。尤其是許公在《說文》中，將「并」字列入从（从）部，顯示了「并」字「合二為一」的造字旨趣。考《說文》并字取象，與甲骨同。皆二人傳于一繩之形。這造型示義技巧與兼从又手握禾之象，貴異曲而同工。雖一取象于人，一取象于禾，然其所以示「合二為一」之義，固殊途而同歸也。然則兼、并二字，文異而義通，彰彰明矣！蓋此則二秉為兼，二人是并之意可思過半矣！是謂之曰「同義殊文」字。以便於說明之故，特連類而及之，共列於此。

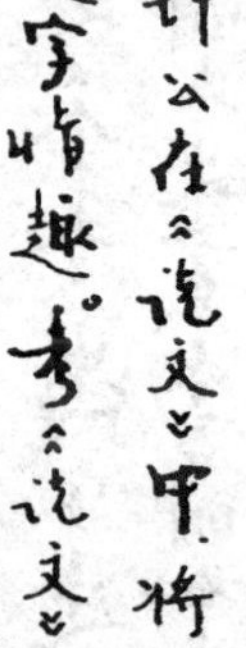

并

匊 〔金〕〔籀〕《說文》：「在手曰匊」。徐曰：「手掬米，會義」。《玉篇》曰：「兩手也。滿手也。手中也。物在手也」。《詩·唐風》：「椒聊之實，蕃衍盈匊」。《小雅》：「終朝采綠，不盈一匊」。案：匊之為文，系象形也。音掬，居同。故知匊之音義，有居止意，亦有執掬意。古詩用為「量詞」。《說文》：「𦥑，兩手盛也」。

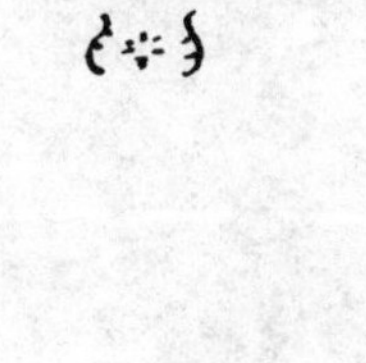

弄 〔金〕王廾《爾雅·釋言》：「弄，玩也」。疏：「謂玩好也」。《說文》同。案：弄字从王从廾，其本義自應為弄玉，既後伸為玩弄一切之辭。王廾象双手弄玉象形。與𦥑字从米从𦥑同例。

弈 《說文》：「圍棊也」。沈氏云：「圍棊稱弈，取落弈之意也」。《孟子》：「弈秋，通國之善弈者也。使弈秋教二人弈……」。故弈即古代圍棊之名無疑矣。復考《周禮·天官·幕人》：「掌帷幕幄帟綬之事」。注：「帟在幕，若幄中坐上承塵也」。籀以為弈之為文，象形兼指事會義字也。弈从亦从廾。帟从亦从巾。二字形義互

亦 通。亦是兩腋汗滴下注之象，當「液」字初文也。造字者，取水滴降落之形意，施巾而

帟 止「帟」。中者布也。上亦，下巾，所以示「承塵」之態也。弈从廾，棊手舉而不降，象形會神運籌劈劃之態也。亦者，棊手高懸，待時而落之情也。所謂建構一貫同義相授者是也。故知「帟」、「弈」二文，皆「亦」之孳注字。今仍有「舉棊不定」之語。

封 〔金文〕〔籀〕《說文》：「𡉚，諸侯之土也。从之从土从寸」。徐曰：「各之其土也。寸，守其法度也」。意思是封以茅土，說詳後。以是「王者」用為封侯建國所用的土。這個封侯建國的儀式是要按《王制》規定辦事的。所以徐氏說：「寸，守其法度也」。

十四

一、引言：縱于歷史規律，每一個王朝的興起，當政權定鼎之後，為了長期統治的需要，都必須采取大封功臣的方式，把「王者」統轄的領域，來一個分區劃片，將親信人物派往各地，負責「守土安民」。但是這個政治分工任務是要通過一系列法定程序來實現的。歷史學者將這個封侯建國的典禮儀式簡稱曰「封建」。

二、什麼是封建？封侯建國的典禮儀式，是在「王者」監督命意下，由專業的官員——「封人」負責指導進行的。"鐘鼎文"的「封」字上端的丰乃"古豐樹字"象一棵樹。底邊的土象封人雙手植樹，建立「侯社」之態。象形字也。

三、封侯建國典禮儀式依靠什麼土為「宣教目標」？考"周禮，地官，封人之職疏"引"尚書禹貢篇"曰：「徐州貢五色土」。孔穎達云：「封五色土為社。建諸侯，則割其方色土，與之，燾以黃土，苴以白茅。茅取其絜，黃土取『王者』覆四方。是封乎諸侯之社燾也」。

應該首先明確指出，這裏所提出的「社」，就非位于「王畿」北郊的「泰折」，更不是諸侯的「侯社」或「國社」，而是位于王畿西郊的「王社」。因為只有「王社」纔有資格以「五色土」為基。這一建造形式特點，當然與「五行」哲學公式分不開，在此無暇細述。

四、什麼是「方色土」？古代學術家采用辯證的眼光，把宏觀的宇宙結構，以縮小比例的概念設計出微視的「王社」建築藍圖。于是把「王社」社基的土色的分佈，按照"河圖""洛書"規定的「東青，西白，南赤，北黑，中黃」的規律，占了位序的安排。這已涉及到天文知識範疇，非本文所能詳盡，故從略。

〈王社示意圖〉

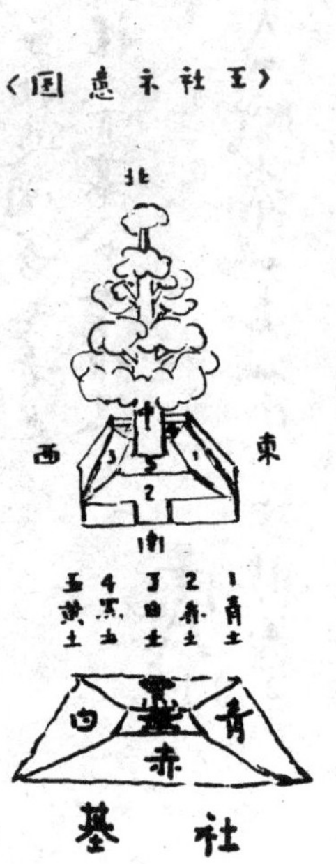

社基

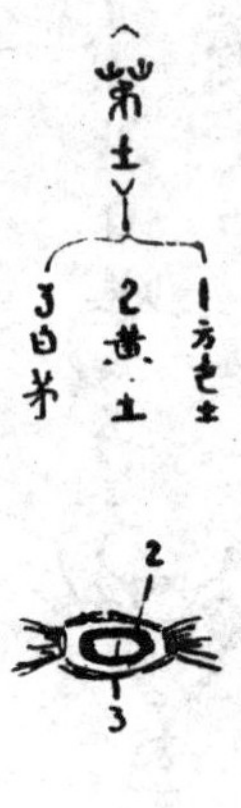

社稷

五、從「社」字講起：稷，从示从土从米。示，古「祇」字也。《廣韻》曰：「祇音岐，同示。」《説文》曰：「地祇，提出萬物者也。」故知社字初義，為「大地之神」。由于社的中心必有大樹，也為地神的偶像。所以社字古文是「䄇」，示意為「木者土神之偶像也」。關于社壇植樹的課題，除了含有宗教色彩之外，還有另外的土壤識辨、農業生產的科學意義。其說見拙《易三注》之視新、拙著《人文篇》相字條下有論述說明，在此从略。

六、「土神」的歷史淵源：考《禮·祭法》曰：「共工氏之霸九州也，其子曰后土，能平九州，故祀以為社。」復考《詩·甫田》曰：「以社以方」疏云：「社，五土之神，能生萬物者，以古大有功者配之。共工氏有子句龍，為后土，能平九州，（《新、揚、雍、豫、冀、兖、青、徐》）故祀以為社。」后土，土官之名。這裏提到的句龍，其人實際上有極大可能是之鯀、夏禹治水的水利工程專家。他為北民發展開闢了廣闊生活環境，受到人們的愛戴，死後被群衆崇拜為「土神」，春秋舉行祭饗，以紀念其遺德。這正和西周王朝始祖后稷為萬民解決了饑餓問題而創造了稼穡技術，被後世崇拜為穀神，其例相同。正如《祭法》所云：「夫聖王之制祭祀也，法施於民則祀之，以死勤事則祀之，以勞定國則祀之，能禦大災則祀之，能捍大患則祀之……」我們从古文「𥡝」字造形（从示、田、示）祭之，已生動有力的昭示出句龍治水、平土功勳的遺象，被後世人民永銘心中。吾人對上古文史資料之研究，斷不宜因宗教外衣而抹煞歷史真貌，此治學之方針也。

七、什麼是「方色土」？在封侯建國典禮中，「方色土」顯示了「王者領賜有功的唯一政治禮式」。古人以辯證的法式把「王社」視為「王者」統轄領域的「縮小底片」，把「王社」中心的黄土部份看成是萬邦的核心——「王畿」（首都）的投影，把黄土周圍的青、赤、白、黑四色土，視為「四岳」（岱、華、衡、恒）方牧地望的圖版。在這一意識籠罩下，「方色土」便起了封國地望方位特徵

「示標」之用。舉例說,受封者被封到「王畿」西方,便藉王者指令「封人」挖取一塊白土,之為「弟土」的核心,並且用「王社」中心的黃土,裹在外層,最後再裹以白茅,以體用。受封到「王畿」東、南、北者,皆以此類推。「燾以黃土」,是表示受封之境仍然屬於「王者」統轄範圍(普天之下,莫非王土;率土之濱,莫非王臣)。

八、封侯的典禮儀式

這是一件嚴肅而隆重的場面。所謂「封人」之職事,最上只能是封國典禮中的服務角色。真正的大權,還應當由「王者」召喚受封者到「太廟」中,聽候冊命,由史官宣讀簡書。「王者」在祖先幽靈的督察形式下,由王者頒賜「弟土」,以示「王者」向祖先推薦有功,不敢自專之誠。

這一真相可從下列諸有關古文字求證之:

冊 (上)、(籀)、(金)、(篆)。《說文》:「符命也。諸侯進受於王者也。象其札,一長一短,中有二編之形。」古無紙墨,以刀代筆,將竹之紙,此物掌握於史官手中。簡等於今之「委任狀」。「任命書」。甲骨文描述了冊使史官的雙手,雖然於字形之中,其意愈明。而籀文的冊字從口,更使吾人「目睹」到史官宣讀「誥命」之音。

(冊)

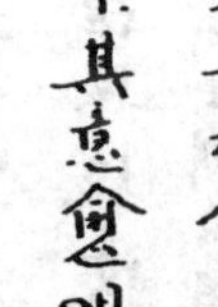
史官

誥 誥。《說文》:「告也。徐曰:以文言告曉之也」竊以為許君此解,意涉籠統。求諸古代歷史背景,是為表達意識之音,是有鮮明的儀仗色彩的。如「誥命」的古文一(古文字形),皆從(古文字形)。而籀字將(古文字形)易(古文字形)(一祭之省)這類字形,無一不是透露著「王者」恭謹設祭、稟命告祖,神權社會特徵。此古「言」字,誥命之證也。

九、冊命封侯,頒賜「弟土」之現場動態景象,可從下列古文字窺見之:(接下頁)

畀 田 田（卜） 畀（篆）《尔雅·释诂》："畀，赐予（与）也。"《书·洪范》疏："畀，赐予也。"《诗·鄘风·干旄》："彼姝者子，何以畀之。"注："畀，予也。"《说文》训："畀，相付与之，约在阁上也。"

案许解畀为"相付与"，与《尔雅》《尚书》同，於古义未谬。惟昧于李斯小篆讹误，将田定丌。此所以有"约在阁上"之误。盖田之为文，原属田而非从丌。许君年代甲骨尚未出土，原不足怪。考《礼·内则》："大夫七十而有庋"。《玉篇》："庋，阁也"。许君视田为食器，误丌为"庋阁"。故有此误。良缘未悉田字之形义，贵肇基封疆建国之礼。兹据卜辞字义，援《周礼·地官·封人》之意，以求證之：

考《卜辞》：畀作田，或作田。田者"茅土"之象也。田字王者躬身，两手下垂，镇赐"茅土"之象也。田字，臣子跪地，仰手奉承"茅土"之象也。尤其后文的示意性动态，真显示了"茅土"涌溥的形态，忠实地写照出了畀字之所以训为"赐与"的义蕴真相。图示如次：

《左传·隐公八年》："天子建德，因生以赐姓，胙之土而命之氏。"

《正义》曰："胙，报也。有德之人，必有美报。报之以土，谓封之以国。"在这段注文中，不仅为田字起了良好的注脚作用，而且对人类氏族蕃衍姓氏分化演变的历史轨迹，也出了忠实说明。

（田）

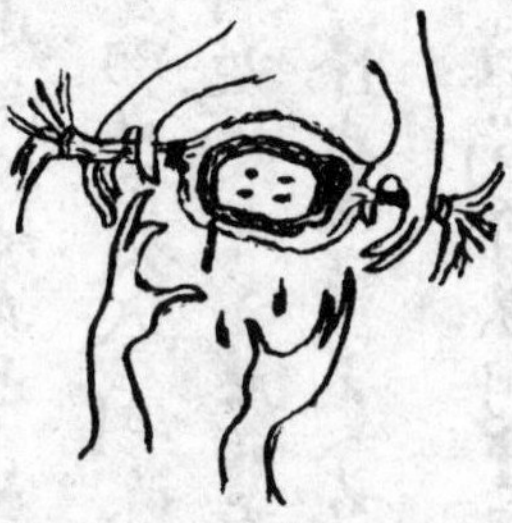

（田）

姓 𡉚 姓

所谓"姓"，就是人类社会某一家族的共同血缘的最早祖先。缘于当时远处在母系社会时期，人们只知有母，不知有父。因而人类皆以同母所生者曰"同姓"。古文姓字从女从生。其考古资料也。

氏

氏 氏《唐韵》《集韵》《韵会》《正韵》同训："氏，族也。"《白虎通》："有氏者何？贵功德，下使人以勉人

為善也」。考古文氏字之□，乃手捧酒樽饋贈禮物的人形。當即後世「致」字初文。《說文》致字訓：「送詣也」。《禮·曲禮》：「獻田宅者操書致」。故知「氏」之為文有饋贈之義。當指上天子之對功臣封侯建國「胙之土而命之氏」也。是「王者」對功臣的獻田報德的禮物。所以《白虎通》說：「有氏者何？貴功德，下使力為人為善也」。天子「胙土命氏」，含有致敬、送禮之義也明矣。今民間互通函緘仍習慣以「以致敬禮」之尾語，仍有古義。「王者定鼎建業大封功臣非止一人。血緣不同，世系各異，或東或西，因地建國，以地為氏。然則氏即由地名而生。則「氏」之為物，乃建基於封侯建國之禮物，無疑矣！先秦社會的社會人際關係，首重血緣。說了解眾多氏族之間的血緣體系之異同，必有「姓氏」知識。《左傳·隱十一年》：「滕侯、薛侯來朝爭長。公使羽父請於薛侯曰：『……周之宗盟，異姓為後。君若辱貺寡人，則願以滕君為請。寡人若於薛，不敢與諸任齒』。」《正義》云：「謝、張、薛、舒、呂、祝、終、泉、畢、過，此十國皆任姓也。」這簡介家們重要有關的文字，以見「姓」「氏」分化與封侯建國制度的因果關系。略左：

異 𢌿《說文》：「分也。从廾，从畀。畀者予（與）也。」許氏此解堪稱獨得造字之指。不愧千古文字宗師。考異字从廾从畀。畀古作□。王者要拱頒賜「茅土」之義也。廾者受封者兩手高揚承接「茅土」之義也。此天子以地與人之字，而訓義為「分」者，分畫劃界之意也。《說文》「界」字訓：「境也」。是知界字从分从田之形義，與異訓為「分」同義。故知異界二字，同有裂土封侯建國分封之意義，彰彰明甚。

界 畍

翼 𩙣《書·皋陶謨》：「庶明勵翼」。《傳》：「翼戴上命」。《疏》：「言如鳥之羽翼而戴之。」鄭玄云：「以眾賢明之輔翼之臣」。《書·益稷》：「予欲左右有民，汝翼」。《傳》：「汝翼，成我」。《疏》：「汝當翼贊我也。」

綦翼之為文，亦異之同源字也。从羽从㚇，从畀。故知翼之為字，有高舉義，有左右分工合作義，有捧持義，亦有割土分封義。此種合會義字，而取鳥翅為形者也。諸侯分封，異域殊方，強弱不等，不有「王者」在上以都率之，則侵陵之患，未知鄉於胡底也。故「王者」有巡狩述職之禮，諸侯有朝覲會同之禮。所以昭「王者」奄有四海，普天之下莫非王土，率土之賓，莫非王臣之義。共成萬方和協之力，奠王室於磐石之固，而安億兆斯民也。此翼字之悲學榮念說：許君訓翼為「翄」者，物之題義也。徐鍇訓翼為「輔戴」，皆率義也。「王者之有諸侯，猶鳥之有羽翼也。鳥無翼不能凭虛御風，王者無臣不能獨當天下重任。故異字訓為分散離心力也。翼訓為「輔戴」，向心力也。分工合作之義也。然則田、異、畀、㠯、翼四字，不僅為我華提供了「封侯建國」的研究資料，而且標志出封建社會秩序規範是非常明顯的。

《說門》「侯社」與「王社」同樣是采用植樹與「土神」偶像的。同樣也是由四壁矮牆——遺（壝）圍成的一塊方壇基地。不同之處即：「王社」基是用五色土，依五行方位分佈方位築就的。而「侯社」則只有黃土而已。「封畳」是圍繞國境築起的形斷面的黃土大道，可行車馬。

古名「周行」。道旁植樹，以列樹以標道。「這」些工程都是在專職的官員——「封人」負責指導下完成的。故封字象「封人」雙手植樹之形，象形字也。

扳 𠬜 𢱭 《正韻》、《集韻》、《韻會》同訓：「扳，挽也，引也，援也」。案楷書反手為扳

指事字也。篆𠂇又兩手相背之𠬜，象形字也。乃上升動力様也。

攀 𢱭 𢷎 《集韻》、《正韻》、《韻會》同訓：「引也」。案攀、𢷎二字，皆从𣛧，是升木之象。

惟二从𢷎，一从𠬜，似同中有異，圖示如下：

𠬪 𠬪 《集韻》：「落也」。案此字經籍皆作「摽」。《詩·周南》：「摽有梅，

其實七兮」。自宜以「𠬪」為正字。此亦象形兼指事字也。以象右手捕取，

以象左手承接之狀。而取者於飄，有風落之意。其捕捉之形象而未得也。故成兩手與物形。

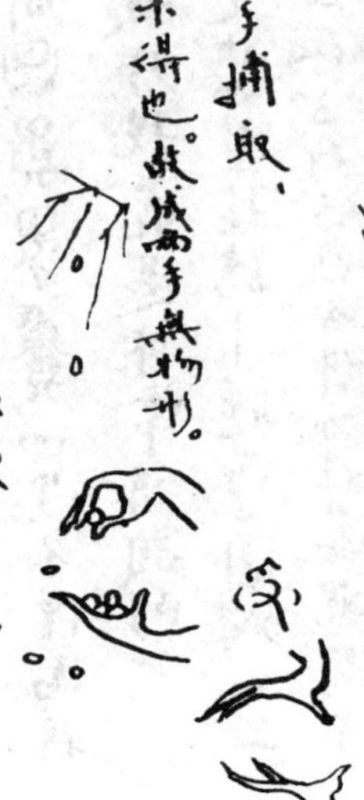

（𠬪）

寽 寽 《唐韻》：「利輟切」。《說文》：「撮也」。注：「己者物也。从爫从又。

撮取之，指事」。案寽字之為文，象摘取果實之態。始即掠之初文。

援 𤔔 《篆》 𤔔 《卜》《說文》：「引也」。《孟子》：「嫂溺，則援之以手乎？」《詩·大雅·皇矣》：「

以爾鉤援，以伐崇墉」。傳：「援，鉤梯也」。案卜辭援之𤔔，／象引繩，上援

助者之手也。下，被援者之手也。小篆之爰，仍有初文之意，後世增手

而作「援」。此繁變之例，猶瑗之增玉而作「瑗」也。

瑗 ◯《卜》 瑗《篆》《爾雅·釋器》：「好倍肉謂之瑗，肉倍好謂之璧，肉好若一謂之環」。

案所謂「好」，即玉之孔也。所謂「肉」，即玉也。 ◯《瑗》 ●《璧》 ◯《環》《說文》云：「大孔璧，人君

除陛以相引」。時賢張齊徽氏云：「古者，君臣之間尊卑分明。當人君除陛時，不敢以臣之手親君之手。故君易此，則臣持大孔璧以引之」。張氏之解與《說文》之訓相合。卜辭中 [glyph]（[glyph]）字正象其義。

爭 [glyph]（卜）[glyph] [glyph]《說文》：「引也。从𠬪，从厂。」徐鉉曰：「厂音曳。𠬪，二手而曳之，爭之道也。」

采 [glyph]《說文》：「捋取也。」《詩·召南·采蘩》傳：「采，取也。」案，采卜辭或作 [glyph]，此象形字也。从爪，从木。古代染絲，多用植物染料，故增彡而作

彩 彩，色字。又增糸而作「綵帛」字。《說文》：「彰，光彩也。文章也。」《說文》：「彡，毛飾畫文也。」愚

綵 謂彩字从彡，紅、黃、藍三基色也。故訓義為文章。文者，文理線條也。章者，色塊也。綵从糸，从采者，彩色絲織品也。故《集韻》訓「繒也」。《玉篇》訓：「五綵備」。後世采作採，乃繁變俗體。疊牀架屋，非義無取。

叜 [glyph]（卜）[glyph]（卜）《說文》云：「求也。」《廣韻》云：「索也。」案：[glyph] 从宀，从 [glyph]。宀，洞穴

搜（義）之象也。[glyph]，火炬高舉，照明，搜索之態也。後世作 [glyph]，仍有古

十八

意，俗體之㥦之失，初貌。

叜

叜《說文》：「老也，从又，从灾。闕。」段注：「按此有義有音，闕者，謂从又从灾之意不傳也。」丟應曰：「文者手突者，衰忽也，言脈之大候，在于寸口。老人寸口脈衰，故从又，从灾。」此解荒唐已極。其所以產生這一臆說杜撰之原因，緣於未覩殷墟文字之形。竊以為小篆叜字，即卜辭𡩧字之變體也。

𡩧既訓義為求索，則叜之訓為「老」，亦𡩧之轉注字可見矣！蓋老人兩目昏冒不能見路尋物，全憑兩手摸索，形同盲人。此叜訓為「老」之所由來也。由此觀之，則「瞽叟」之「叟」，《孟子》云：「見梁惠王，王曰：叟。」此稱「叟」字，皆宜以叜為合義而無疑焉。考《說文》目部「瞍」字訓

瞍

「無目也」。《周禮·春官·瞽矇》注：「有目無眸子，謂之瞍」。繇此可知叜訓為「老人」者，𡩧之轉注義也。後世之「瞍」，皆非義無當。江湖盲俗字也。

廋

《廣韻》云：「隈也」。《劉向·九歎》云：「步從容于山廋」。王逸注：「廋，隈也」。《孟子》云：「若是乎，從者之廋也」。注：「從者所竊匿」。

按：廋从广从叜，似手舉火把進入重重洞穴之象。訓義為隈，蘊隱曲（隈隩），延伸為藏匿。亦𡩧之孳乳義。《論語》云：「人焉廋哉」皆隱匿之義例。

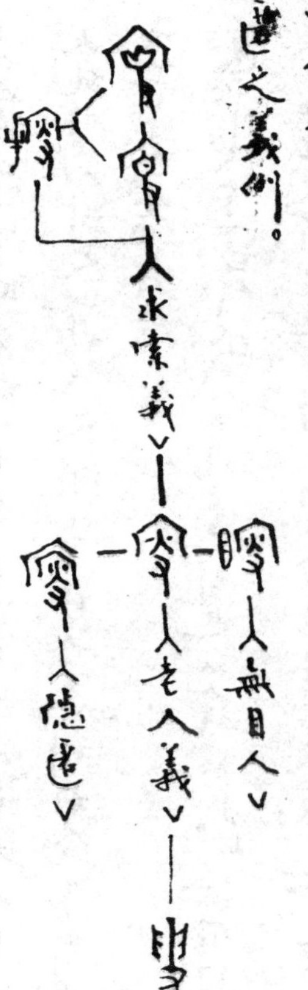

《結語》缺少光線，和缺少眼睛，以及遮蔽視線的障碍物體，在妨害人的視覺上起到了統一的物理作用。

遣字者把視力衰退的老者和無目的殘廢人、障碍視覺的悲哀環境、以及老人的滲溺……等字、取得了統一邏輯概念

納入了同一義根——宀字之下、可以前後兩个示意圖表現得昭示。

叟 叟《說文》：「老也」。篆：叟、宀之徒生字也。从㕚、从又。㕚者、盲人雙手拱持「竹篙」之象也。又者、有目者右手握持竹篙前端、導引盲人前進之態也。

〈叟〉

溲 溲 篆 溲 字从叟从水。叟者老人也。水者便溺也。何以知之？曰：《漢張湛傳》：「遺失溲便」。此其一。復考《國語》：「少溲于豕牢而得文王」。韋注：「少溲、小便也」。此其二。以上二例、皆「溲」訓「小便」之義例。可知「溲」字从叟从水之遣字形義、實有鑒于老者氣虛體衰、尿閘失約、不能固持、便溺淋漓之態、此老人生理特徵也。

宀 → 叟 —〈老年、盲者〉
- 瞍 —〈瞽瞍〉
- 溲 — 溲〈便溺〉

奉 奉《說文》：「承也」。《禮曲禮》：「長者與之提携、則兩手奉〈捧〉長者之手」。篆：奉字从三手。中间之手、長者之手也。下左右之廾〈共〉幼者之手也。篆、捧字、初文也。後世增手作捧、猶益之增水作溢同例。

〈奉〉

舂 舂《說文》：「擣粟也。黃帝臣雍父作舂」。《周礼地官舂人》：「掌供米物」。《詩大雅生民》：「或舂或揄、或簸或蹂」。考：舂字从廾、从臼、从午。午、古杵字、木棒也。臼、擣米之石器也。廾、雙手抱午之態也。取音于衝、衝擊之義也。此象形兼音義字也。〈示意如下〉

〈舂〉

十九

遺 從辵貴聲也。說文：「亡也」。從辵從𦥑從又。𦥑古掬字。雙手捧米之象也。辵古辵字。音丑亦，六書故云：「辵，循道疾行也」。故知從辵字乃雙手捧米循路疾行，米從指縫漏落之象。說文訓義為「亡失」，是謂本想象的。遺或從𦥑從又。故又有饋贈義。故古籍假為「饋」字。樂府云：「客自遠方來，遺我雙鯉魚」，可為例證。

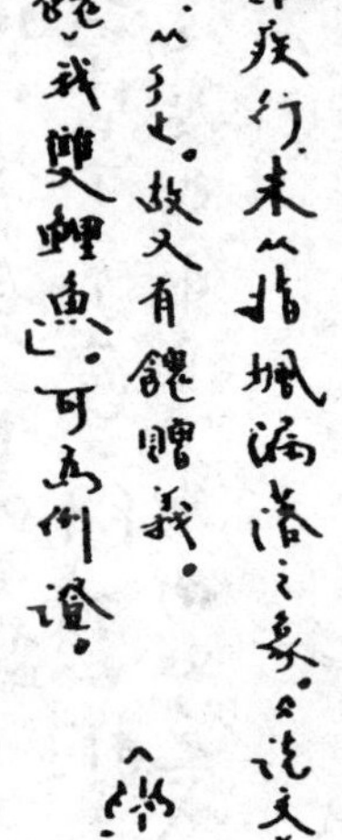
〈從辵〉

遣 說文：「縱也」。廣韻：「送也」。又訓：「祛也、逐也、發也」。案諸字書之解遣字多屬此引伸義。竊謂文字造形取象自應以說文之訓為初義。卜辭中遣之初文。象右手握弓，左手解弦之態。良以弓之為物乃射獵工具，弓背主要組成部份唯「弣」與「弦」。弣的原材物料為竹與藤。弦之原材物料乃動物之筋。二者皆有機纖維質的物質，對氣溫變化之敏感性特強。每當戰場退遠，苟不及時加意維護保養，則弓弦必因長期緊張而喪失彈性，無以成發射之功。故善用弓者，必適時解脫弓弦以休養之。此字訓「縱」之義也。縱者，發也，舍也。只有經過緩和之後，使能使弓弦得到恢復彈力，只有弓弦再度緊張，然後方能發出和張的震動弦音。卜辭「弘」字上或弘，（象矢發之象，一）者弦之形。日本音若作也。并以見之義與字同例。說文：弘字訓「弓聲也」。可知其義。

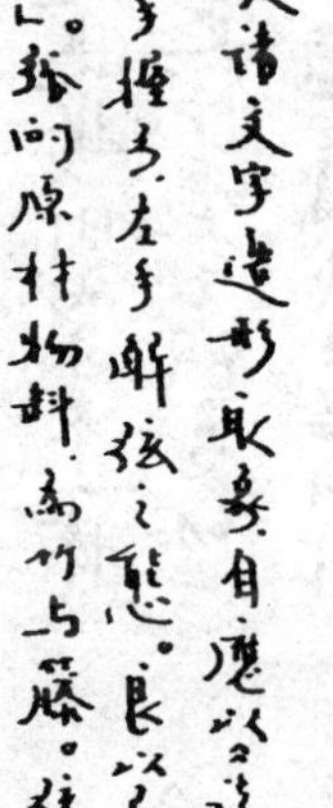

弘

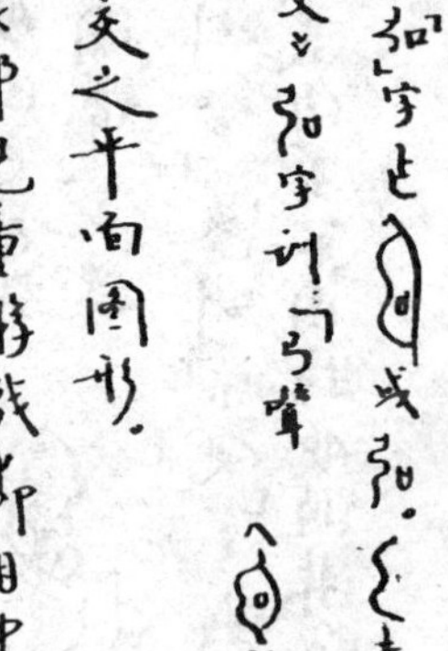
〈弘〉

叕 說文：「綴也」。案字是為文象四人據立八手相交之平面圖形。此種古老的體育活動，迄今仍存在於我國廣大農村兒童遊戲節目中。俗名「扯郎郎，青金鎖」。示圖如下。

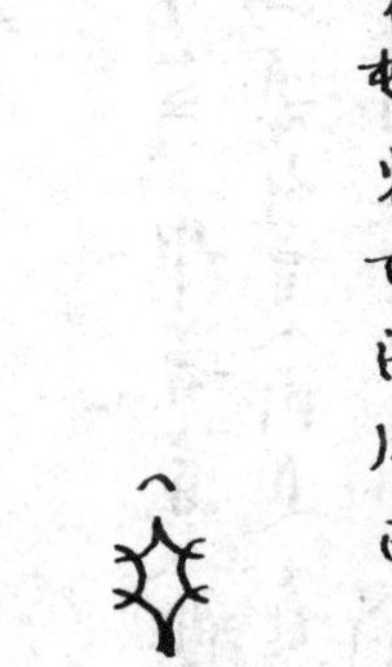
〈叕〉

綴 □《博雅》：「連也」。《禮內則》：「紉箴請補綴」。案：□从糸从□。糸者絲也。□者接連之義。此漢字追形人象物之例，所謂建類一首，同意相授，是為轉注是也。

輟 □□□《說文》：「車缺復合者」。所謂「車缺復合」，即車輛已經零散破落，重新加工修補。故「輟」字亦有連接義。車壞必停運，故延伸為休止義。

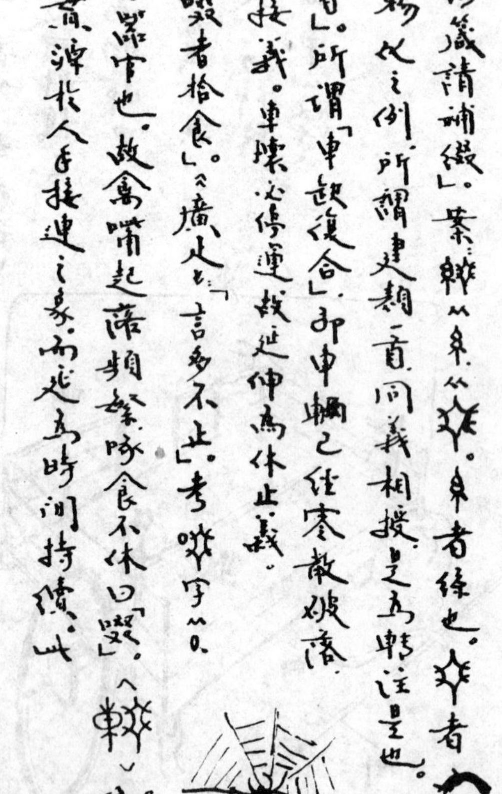

〔修捨運將〕

啜 □《爾雅·釋詁》：「啜，茹也」。注：「啜者拾食」。《廣雅》：「言多不止」。考□字从口从□，口者飲食之意也，亦發音器官也。故禽嘴起落頻繁啄食不休曰「啜」。人之語聲不絕亦曰「啜」。其義皆源於人手接連之象，而延為時間持續，此漢字「時」、「空」互化之例。

餟 □《玉篇》：「祭酹也」。《史記·武帝紀》索隱注：「餟謂聯續而祭之」。《正義》曰：「謂繞壇設諸神祭座相連餟也」。考吾鄉民諺，謂燕來往戲行於水上曰「燕子三餟水」，謂燕子來往於空際捕蟲曰「餟食」。皆有連續不止義。雞連續啄米亦曰啜食。

舉 □□□□□□□《說文》：「對舉也」。《廣韻》：「擎也」。《增韻》：「扛也」。

舁

筆者案：大凡从四手之字，似均有二人合力之象，但亦有未盡然者，如□之象，雙手承也，□之从□，而首之首从□（力兼十人）。復考《說文》舁字訓：「共舉也」。徐曰：「兩手及爪皆用也」。夫「舉」之與「舁」同形似，聲近而義通。是知「舉」、「舁」二文當一母孿胎兒。漢字此類情況，甚勝枚舉，未足為異也。

舉 [卜文] [金文] 《爾雅·釋言》：「舉，起也。」《五音集韻》：「舉也」。

筆者案：[卜文]字造型忠實，地揭示出商周時代冶鑄工藝的寫真影片。井古型字（冶鑄模型），其型制有「內模」、「外括」兩部結構。中間空膺，備澆築之用。口部對地，底有透孔，以是金屬融液注入孔道。此景可從（卜辭）[卜文]（鑄）字見之。井者，冶金模範也。[卜文]者，四手高舉之態也。曰者，一人呼喚，集體著力之信號聲也。讀音為「型、井」之合音。音中亦有義焉！訓義為「起」，此以物象之形聲字也（動詞）。意喻上乃鑄器已畢，脫模動作。

輿 [卜文] [金文] 《說文》：「車底也。」《周禮冬官考工記》：「輿人為車。」注：「輿人專主輿，而言為車者，車以輿為主也。」《後漢輿服制》：「上古聖人，觀轉蓬以為輪，行不可載，因物生智，復為之輿。」《韻會》引釋詁曰：「輈軸之上加板以載物，軫、軾、轛、較之所附植也。輿其總名也」。案：所謂輿之為物，即車廂也。其體積大，其量極重，輪軸居其下，其位甚高，既成之後，按裝之事，非一人之力所能勝任，必四手共舉以成之。故字从車从[卜文]。亦指事兼象形字也。

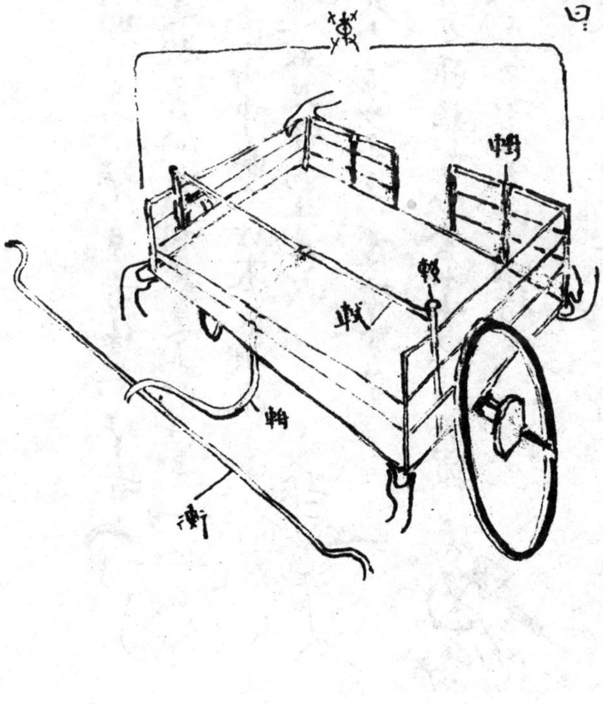

興 《說文》：「𦦓，舉也」。此字形意晦澀，時人康殷氏謂「此字从𦥑从冂从𦦓，是象二手提用動物人，高掰牛齒，另一雙手捧器繩與之飲狀」。此說頗有想象力。此情景常於戰爭疫病期間見之。亦見於病人口噤牙閉緊閉，大夫采取灌藥措施時。他如仇殺毒害事件亦可能有之。未可遽定也。姑存疑以待後賢。

爨 《玉篇》：「竈也」。《說文》：「齊謂之炊爨。𦥑象持甑，冂為竈口，廾推林內（納）火」。考爨字从𦦓𦦓之省文也。自甑而鼎乃𩰪全備炊器。

〈𦦓〉

《孟子滕文公》：「許子以釜甑爨，以鐵耕乎？」又《詩小雅楚茨》：「執爨踖踖」。傳：「饔爨以煮肉，饎爨以炊米」。今市場飲食業所用之柿子鍋似有近之。

釁 《集韻》、《韻會》、《正韻》、《唐韻》同訓：「凍鑄也。龜文裂紋，皆曰釁」。案釁从𦦓鑄器之形也。酉者西方金也，分者破裂之義也。〔者蒙寶之意，古者以牛羊之血釁鐘，故字又从半从亞——。

璺 《集韻》：「玉破也」。此字从玉易酉，与釁同義。

〈沿鑄模型〉
釁——〈凍鑄〉
爨——〈炊具〉
璺——〈玉破〉

巹 《類篇》：「升高也」。《說文》：「升高也」。案古文𦦓或上𦦓。此字諸書同訓「升高」，是之

鑽力于文字之學蓋有年矣。困惑于𨘢字取象之所繇來已非朝夕。不意庚午之與赴濟視學文展之便，就道冀魯。游覽靈巖古剎。同行劉公家龔身殉多疾。比及登山而臨懸崖削壁天成，不禁仰空興嘆者久之。思嚇其力衰而思為之助，於是命勇先攀立於崖上，俯首鞠身，兩手下垂，緊握其兩腕，儘力上提，而另一同游高舉雙手以承托其雙腕。於是得成上升之功。一時引為趣談。思不禁恍然有悟於古人造字之情。皆从生活景象得之。竊以為𨘢之為文从囟从𠬞从𠬝。

〈𨘢〉

囟者古囟字。腦字首文也。頭顱之象也。頭為人體前進之活動方向指標。甲骨文隱藏之陰字从阜（崖岸）从兩人頭之下垂与本文討論之𨘢字囟之方向成顯明對比。由此可证𨘢字上部之𠬞乃拯濟者之雙手也。而下部之𠬝乃承托者之雙手也。古文拯字作𢪃。承字作𠄞。此二字一提一舉之（雙）手形，堪与𨘢字形義有力说明。後世之「遷」已失字形初義。

遷

𨘢遷之𢍜：𨘢 𢍜 《說文》：「登也」。《廣韻》：「去下之高也」。

《禮·曲禮》：「君子以見善則遷」。《詩·小雅·伐木》：「出自幽谷，遷于喬木」。〈喬木〉《書·益稷》：「懋遷有無化（貨）居」。所謂「見善則遷」的本身就是一個意識升级過程。鳥類離開黑暗的萬丈溝壑，遷居到高山上高聳喬木之上去營巢。事實上也是上升過程。積壓儲備的貨物，將遷到名城大都，高價出售也是經濟致益升高過程。《禮·祭法》：「遷廟曰祧」。古天子之廟，新君駕崩「神主」進入新廟，原居新廟之「木主」則依次遷祔於「祖廟」。故《祭法注》云：「祧之言超也」。以上徵引資料，皆𨘢訓為「升」之義例。

〈幽谷〉

𨘢—僊—人（神仙）
𨘢—遷—（擇居）
→（升高義）

𨘢字从𠬞从𠬝，上下二人一拯一承之象也。中間从囟，受拯者之頭也。造文字不同于美術，求的而身亦在意中矣，此漢字之首要例也。不可不悟也。𨘢字增巳（尾巴）於下，使上下之链序愈明矣！

票〔篆〕說文云「火飛也」。筆者案：票字从䙴。䙴之省文也。从𦥑者，承托之象也。从火者，上升動力也。意，飄字初文也。物質燃燒有推動空氣上浮之力。這是說由于火力促成了空氣分子的體積膨脹，比重降低之效果。古人造字形態已充分揭示了這一自然物理象徵。

〈票〉

猋

飄〔篆〕玉篇云「旋風也」。爾雅云「回風也」。說文云「回風也」。案：飄从票从風。上升之義也。旋者旋轉之意。回字古作◎，旋轉之形也。此風古名「羊角」，又名「扶搖」。有直達霄漢之勢，拔石拔木之威，又名飆風。即現代氣象學所稱之「台風」。俗名「龍捲柱」是其本義。古文之猋，象狂犬飆馳，所以示風速之猛也。

〈飄〉

漂〔篆〕說文云「漂浮也」。尚書武成云「血流漂杵」。史記淮陰侯傳集解注云「以水擊絮曰漂」。

案：漂字从票从水，与飄字从票从風之形義同例。所異者，飄是物浮于天空，漂是物浮于水面之態。此同中之異，異中有同之旨，可从字形辨之。

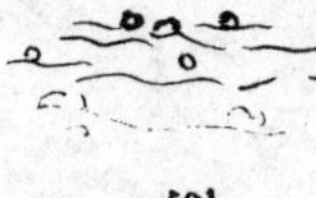

〈漂〉

瓢〔篆〕說文云「蠡也」。段注云「以一瓠劃為二曰瓢」。

（上）字象匏瓠剖開，可以為樽。又為「腰中浮水」。詩邶風云「匏有苦葉，濟有深涉」。可見瓠之（葫蘆）之為物，既可用為飲器，亦能用為渡河工具。蓋瓠之為體，腹大而中空。其質極輕而善浮，置諸水中而不沉。故用為渡水之具。瓢从票从瓜。瓜者瓠之省文也。票者上浮之義也。

〈瓢〉

二二

故知由燃燒功能而產生之浮力曰「票」。由液體物理功能產生之浮力曰「漂」。由氣體流動而產生之浮力曰「飄」。由空心物體（亞基米德定律）而產生之浮力曰「䑶」。从□□□□四字之共性，可知此四字同源，皆「□」衍孳字。表示如下：

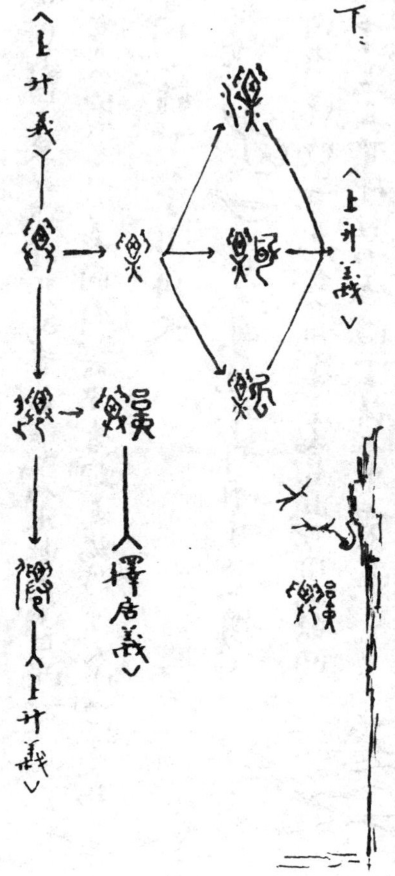

此據《六書》名：「建類一首，同義相授」，是爲轉注之例。

□（營）□《金文何尊》：「隹王初□宅于成周……」

筆者案：此營造之「營」字初文也。該青銅器係鑄造于西周成王時代。《尚書召誥》：「成王在豐，欲宅洛邑，使召公先相宅……」。《尚書洛誥》：「召公既相宅，周公往營成周，使來告卜……」。皆經籍記載之考證依據。茲條計之于左：

□字造型取象示義即歷史文明特徵：　考□字从□，从呂，从□。□者，高遷之義也。《禮記·禮運》：「營窟」疏：「地高則穴地，下則營壘其土爲窟」。可見古代建築施工原則，必擇高燥之地而居，所以防水患也。《左傳·襄三十六年》：「景公欲更晏子之宅。請更諸爽塏者」。《說文》：「塏，高燥地」。塏爲義州。□字从呂者，呂之高文，古呂（雍）字也。古呂（雍）州之地，我國大陸西北高燥地區也。甲骨文

止（呂）。壁邕字也。壁邕環水而居，中間高墳，「王者」清廟之所居也。字又止[古文字]（卜）水鳥之名。善擇水中高地而居，故曰「雝渠」。然則呂之為文，亦有高地之義可知矣！

然則[古文字]字从隹者何也？隹古燕字也。燕之為物習勞善飛，翱翔太空，飯食昆虫為生之鳥也。古云「勞燕東西」，以喻人之天涯奔波。燕子近人而居，銜泥梁上為巢，其在野者，巢于山巖絕壁之間，其在海濱者，亦巢于絕岸之巔。然則「王者」之營宮室，必擇高墳之地，亦猶燕之築巢必擇高地而居，其義一也。故知[古文字]字从[古文字]从呂从隹，有繇來矣！

⿱覀月 [古文字] [古文字] [古文字] 《說文》：「身中也」，象人[古文字]自臼之形。从臼。

⿰糸要 [古文字] [古文字] 《玉篇》：「⿰糸要繩」。《類篇》：「衣⿰衣要也」。（俗名[古文字]腰帶）

⿰糸森 [古文字] 此字見於《甲骨文彙編卷七森部》。字从[古文字]从[古文字]从森。（[古文字]）（[古文字]）（[古文字]）

森者稻稾之象，[古文字]象左右雙手執艸索緊束之態。此象都收割緊束禾稻之「艸繩」之繩字也。吳攝卜辭字形結構隸定為「⿰糸森」。

（小結）[古文字]者腰之初文也。後世創「⿱覀月」以代[古文字]。而原有之[古文字]（要）化為「要[古文字]」之動辭。《金文》[古文字][古文字]宜解為衣帶字。而《卜辭》[古文字]字則宜解艸索，而音讀如「要」（去聲）。表示如後：

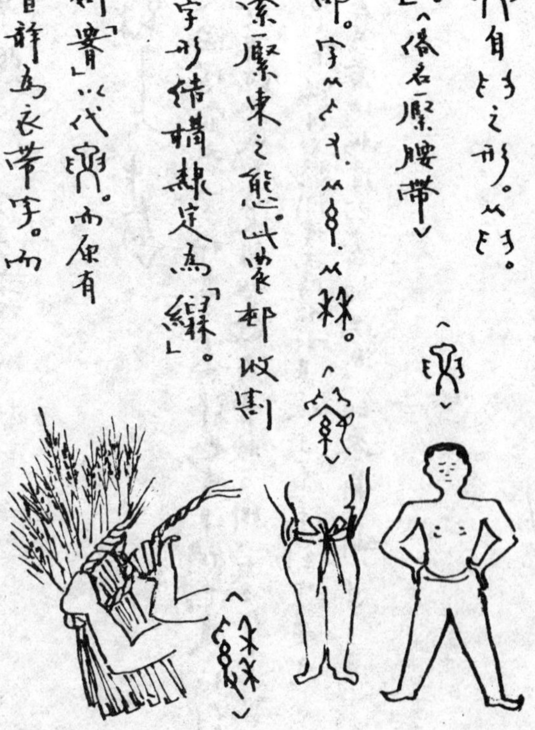

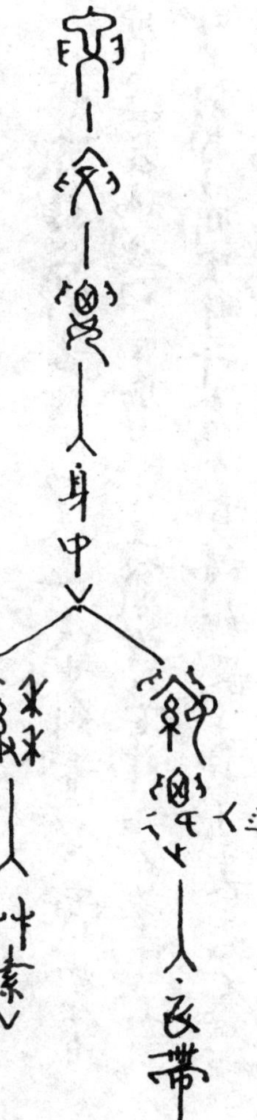

秦 《說文》：「伯益所封之國。地宜禾。」《釋名》：「秦，津也。有津潤也。其地沃衍。」考秦字造形，象雙手抱杵舂禾。良以秦之為地，處渭河流域下游，水利豐饒，乃膏腴之鄉。故《說文》訓曰「秦地宜禾」，《釋名》訓曰「津也」。固其宜矣。伯益，舜時主畜之官，賜姓嬴。周孝王時始封其後于秦。秦字造形，揭示了關中之地農業殷富景象，同時闡明了地名與當地物產的密切關係。如來、薊、莒……皆其例證。

遺 《說文》：「亡也。」此字象雙手捧米漏落之狀。

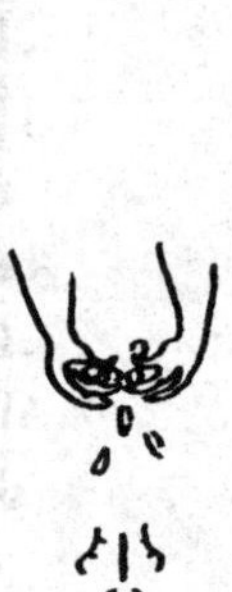

雙手合攏之形，即古（匊）字。雙手掬米，粒從指縫流出，故訓義曰「亡（無）」。亡者喪失之義也。

者，形符也。者，動義符也。音讀為遂。遺，从，从辵。後起字也。應讀為餽。以示兩手捧貝，向貴族饋，獻財禮之意。《孟子》：「用下敬上，謂之貴（餽）貴」。古漢語例以「將遺」上「餽」。《古樂府》：「客自遠方來，遺我雙鯉魚」可為例證。後世「餽」行而遺廢。

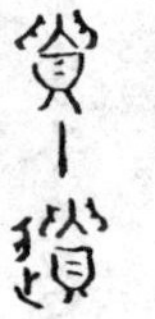

餽 《說文》：「吳人謂祭曰『餽』。」《廣韻》：「餽，同饋」。

人發明以業餽之為文，从鬼从食。人死為鬼。後人以食祭之。此文上餽。故知餽字本義，乃敬神饗鬼鬼之專用字。《禮記·禮運》：「夫禮之初，始于飲食」可証餽字从鬼从食之意，當來源於「孝子之事親」。《孝經》所謂「春秋祭祀，以時思之」。古人采用供養活人的方式以表示思念死去的親人。是完全可以理解的。故如《廣韵》之訓餽同饋。是有歷史根源的。《儀禮·特牲饋食禮》注：「祭祀自孰（熟）始，曰饋食。饋食者，食道也」。疏引《禮記》：「飯用米貝，弗忍虛也」。鄭注云：「食道褻，米貝美。若其食道，是生人飲食之道」。孝子於親，雖死，事之若生，故用生人之道事之也。……但饋食見進黍稷，饋孰（熟）見牲體……」

饋餽

《說文》：「饋，餉也」。同書餉字訓饋也。許君以餉饋二字互訓。可知餉饋二字同具「請客吃飯」之義。儒家把尊敬死去的親人和尊敬活人的態度，在意識領域中劃了等號。可以饋餉二字互訓中獲得意證。祭祀所祭品是以「粢盛」為主的。粢盛即黍稷的製熟品。粢之正文是「粢」字，从米，次其音也。據此証義，可知甲骨文之為字，从一从示从(?)，音饋。「饋」之初文也。粢盛饋饗之饋字也。甲骨文古「𣏟」字，此古文上米(?)。皆双手捧米之形。後世施以(?)而上(?)，冬祭曰𤎟。故知甲骨文之為文，即饋字，初文也。甲骨文之从人从一从(?)，与粢之从次从米同義。然則甲骨文字本義應為「饋神」。「饋」字應訓為「饋饗尊長」。「餽」字應訓為「祭鬼」。可以封建時代觀念透視之。蓋「王者」富有四海，貴為天子。所食者皆珍饈海錯，名貴之品，諸侯各貢方物（地區特產）必名貴之物。故《孟子》之訓「用下敬上謂之貴（動詞）。貴（名詞）。故「饋食」二字亦有進貢之義。此饋字之形義也。餽字亦祭祀之名，字亦从食。然餽从鬼而不从貴何也？古代文化皆級意識分明。「王者」死後入廟為神，故饋饗之字从食从貴。庶人之父母，生為賤人，死則為鬼。故庶人（群眾）祭饗之字从食从鬼。此餽字之形義也。故知甲骨文字，初義，双手捧米之形也。遺字訓義為饋食者，來於貴族祭饗之義也。餽字訓義為祭者，庶人祭饗之義也。甲骨文字之訓義為「亡」（失）者，初義也。或表示以見意。

二四

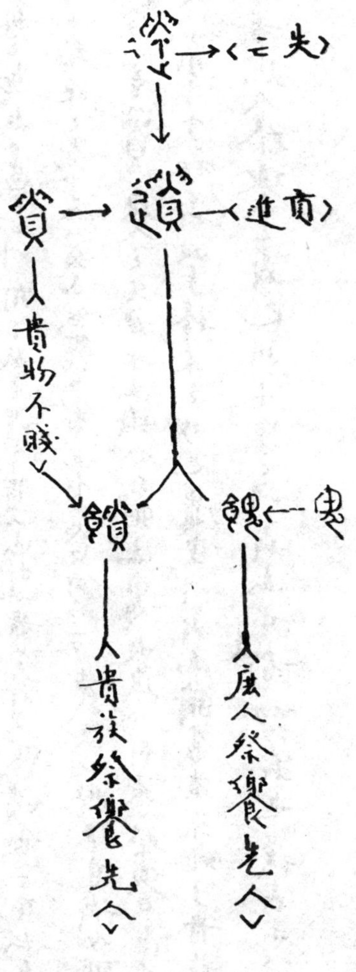

勒

《說文》：「馬頭絡銜也。」《玉篇》：「馬鑣銜也。」《釋名》：「絡其頭而引之俾也。」

案：勒字从革从力，亦指事字也。革者繮也。力者左臂屈要控轡之象也。

父 [seal script]〈說文〉：「矩也。家長率教者。从又舉杖。」案：父之為文，象形字也。
从家長右手高舉「家法」（刑具）教児之姿。後世延伸為一切老者之通稱。如「漁父」、「樵夫」其例也。老者曰「老[seal script]」，亦[seal script]之同根字。

爸 [seal script]〈玉篇〉：「父也。」〈正字通〉：「夷語稱老者為『巴巴』。後人因加父止爸。」
筆者案：「爸」之名本屬北土方言，而今已伴隨「普通話」之推廣，而成了全國性語彙。此歷史演變之產物，所謂「夷語漢化」之例歟?!

爹 [seal script][seal script]〈廣韻〉：「徒可切」。〈集韻〉：「音舵。父也」〈南史·梁始興王憺傳〉：「詔徵還荊，人歌曰：始興王，人之爹。赴人急，如水火。何時復來哺乳我。」荊土方言謂父為爹。
筆者案：今山東方言仍呼父母為「爹娘」，但已讀音如「跌」矣。此音隨地變之例。

爺 [seal script][seal script]〈古木蘭詩〉：「軍書十二卷，卷卷有爺名……」案：今魯南民間仍有呼父親為「爺」者，殆古漢語之遺迹也。今「標準語」呼祖父為「爺爺」。其義即父之父。此古漢語孳乳義也。

𤕤 [seal script]〈集韻〉：「音遮」。〈玉篇〉：「父也」。此語現代已不復見用。〈廣韻〉：「吳人呼父曰𤕤」。也只好止為文史資料而保留了！以上五字，異文而同義。如果被現代語言學家看，他會訂名曰「同位成份」。

甫 [seal script]〈說文〉：「男子美稱也。」〈釋文〉：「甫之言，大也。」（案：大是引申義，非本義）〈箋〉：「甫之言丈夫也。明乎彼太古之時以丈夫視田也。」
發明：筆者案：[seal script]字，从[seal script]从田。[seal script]者成年男子之象。田者農作之地也。〈魯論子路篇〉：「樊遲請學稼，子曰：吾不如老農。請學為圃，子曰：吾不如老圃。」由

夫

此所見之為文，皆取形於「老農」立于田畔之態而無疑也。于字乃田与之合文。

乃象形兼會意字也。所謂「以丈夫稅田」者，皆先秦時代「井田」之實而言。試述之如下：

考《周禮地官司徒之職》：「九夫為井。……」所謂「司徒」之職，即管理土地的官。《鐘鼎文》皆之「司土」，可證。這個按人口分配土地的農業生產方式，亦即把九百畝面積的方地，分給八家農戶，負責分別耕種。中心的一塊，屬於「王者」，責成八家代耕代種代收，上繳之為田稅。《孟子》所云：「八家皆私百畝，同養公田」。此即《說文》所云之「以丈夫稅田」的具體內容所謂「一夫受田百畝」也就是「一甫受田百畝」。夫、甫二字音同而義通。

在古漢語中，屬於同位成份。字的含義有五：一曰「老農」。二曰「成年男子｜夫」。三曰「丈夫」。因為西周王朝的長度計算單位，八尺為一丈，成年男子，身長八尺，故曰「丈夫」。以性別而言，就是成年男子。以職業而言，就是老農。以身材而言，就是「丈夫」。以土地每戶百畝的分配面積當量而言，就叫它「夫」。由于農民人數占社會絕大多數，故又引義為「大」。

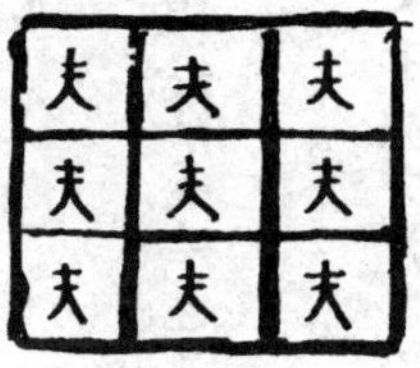

〈九夫為井圖〉

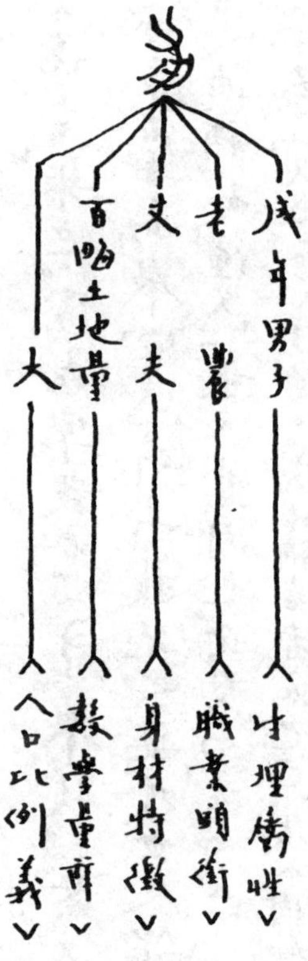

圃

甫（卜）　𤰈（金）　圃（說文）「種菜曰圃」。《周禮·天官·太宰》九職：「二曰以園圃毓艸木」。

筆者案：《殷墟文字》圃上甫，《金文》上𤰈，《說文》上圃。茲分別試言其形義。

甫从田从屮。田者地也。屮者植物之象也。𤰈从田从艸。田畦塍之象也，艸草也。圃从囗从甫。甫，老農也。囗，苗圃外圍也。老農寄居圃田之象也。現代漢語仍謂培育樹苗之所曰「苗圃」，蓋歷史語言也。《周禮·夏官·職方氏》：「河南曰豫州，其澤藪曰『圃田』。」復考《詩·大雅》：「倬彼甫田，歲取十千」。傳：「甫田謂天下田也。」雖是可見「甫田」之內蘊廣闊非凡矣！

尃

尃（卜）　尃（攈）　敷（篆）《說文》尃字訓：「布（佈）也」。注引徐鍇曰：「尃古布字」。

《書·堯典》：「敷奏以言」。疏：敷，陳也。《大禹謨》：「文命敷于四海」。傳：言其外布文德。《皋陶謨》：「翕受敷施」。傳：布施政教。而無「布匹」、「分佈」二義，後世分化為布、佈二字。

筆者竊以為經籍語例，咸訓敷為「布」，殊無以窺見造字之指。考甲骨文「尃」字上尃，或上尃。字从田，从屮，从又。田者土也。屮者植物之象。又者，老農圍于雙手佈苗分株之態也。大凡毓苗之序，其初則播種毓苗，及其萌芽則莖葉植比，肩育雍塞窒息之患。毓苗老農必疏散而分佈之，名曰移植。故知「尃」訓為布的義，蓋取象於「老圃」佈株分苗之概叒而來。甚以字形，得知其秘器。則尃亦叒之孳乳字也。

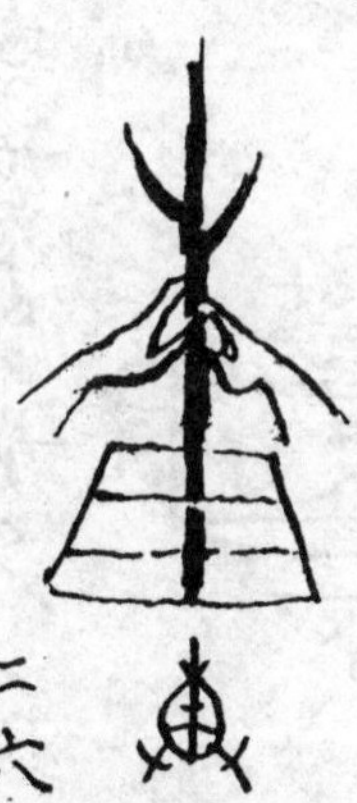

二六

釜 鬴：《說文》曰：「鍑屬」。段注：今經典多作釜，惟《周禮》作鬴。案：《周礼·考工記·㮚氏》曰：「量之以為鬴。深尺，內方尺而圜其外。其實一鬴。」注：四升曰豆，四豆曰區，四區曰鬴，鬴六斗四升也。筆者竊以為鬴字造形，實具有容量特徵。試求證如次：

考鬴字从鬲从甫。鬲者器形也。甫者老年男子之稱也。男子之數不過盡於「八八」（見內經），造器者，鑒于六十四升之重，堪為成年男子一人之力。故知鬴之容積，載重有荷，自有自然科學依據。造字者以鬲為形，假甫為容量數代號，亦與「𥁕」字从甾从皿同例（說見本書人文篇「𥁕」字條）。是名之為時空立體數據（說詳內經上古天真論篇）。

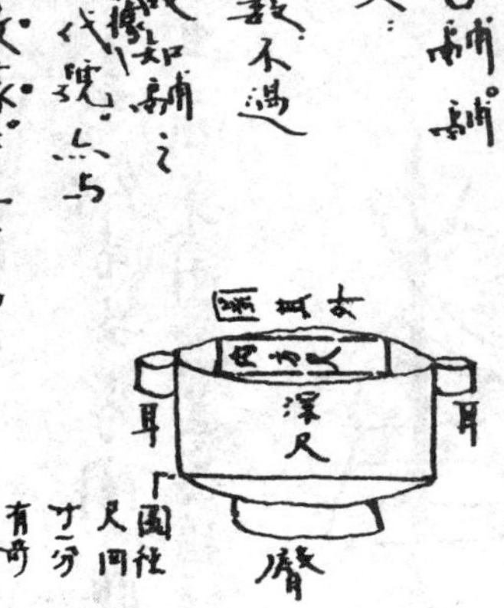

溥：《說文》曰：「大也」。《增韻》曰：「徧也」。《詩·小雅》曰：「溥天之下」。《禮·祭義》曰：「溥之而橫乎四海」。《集韻》曰：「溥與敷通」。《荀子·成相篇》曰：「禹溥土」。案：溥从水从尃。尃者布也。音補之義也。故知溥之為字有漫無際之意。大水之補也。

補：《說文》曰：「完衣也」。《急就篇》曰：「縫緻謂之補」。《詩·大雅》曰：「衮職有闕，唯仲山甫補之」。

案：補字从衣从尃。甫者數布之義也。衣有孔洞，必於縫以實之。針黹以周之。故知補之為字有數布意。亦尃之同根字也。

蒲：《說文》曰：「水艸也，或以作席」。《釋名》曰：「艸圓屋曰蒲。蒲，敷也」。《十六國春秋》曰：「許洪家生蒲，五丈長。時人異之，謂之蒲家」。案：蒲字从艸从溥。溥，大水也。蒲之為物，可以為席，敷布為功也。艸之大者莫如蒲。大之象也。推而言之，博飲大醉曰「蒲酒」。諸之大者曰「蒲蘆」，樹木枝葉普盛曰「蒲蘇」。故知「蒲」之為辭，皆有「大」義。亦尃之同根字也。

小結：男子年長者曰旁；水之大者曰滂；量器之大者曰[illegible]；艸之大者唯[illegible]；衣服彼摘數而圍之曰[illegible]；圍林之廣者曰圃；縱橫分佈曰菐；藪澤之大者曰[illegible]田；凡此諸字，咸以「旁」為體，以「大」為義。其字其詞文也。於以見漢字之系統嚴密，若衆星之拱月，似江漢之朝宗，固有非泰西文字所能望其項背者焉！（見後表）

逋

𨒀（步）、𢖳（𨓏）、𨓄：《說文》：「亡也。」《書·牧誓》：「乃唯四方之多罪逋逃，是崇是長。」

《左傳·僖十五年》：「六年其逋逃歸其國，而棄其家。」

《書·大誥》：「予伐殷逋播臣。」注：「逋逃播遷之臣也。」

《易·訟卦》：「歸而逋其邑人，三百戶。」象曰：「不克訟，歸逋竄也。」

《傳·文六年》：「趙宣子為政，董逋逃。」注：「背竄逃有罪之人也。」

書逋字從甫，從辵。甫者，老叟也；辵者，循道疾行也。《六書故》：衰世末期暴君迭出，苛徵無饜，役事頻興，兵燹災害，民不聊生。小民生當其時，既乏反抗之力，只好逃之夭夭，另尋佳境，古籍所謂「流氓」，正指此類無依無靠者而言。特別是《金文》中的𨒀字造型，從步從女也，從也。對吾輩之啟發更有趣益。步者趨也，趨者去也，逃亡之義也。從女字形義察之，可見當時參與逃亡者人物中，不僅有老叟，而且也有少女。這是透過字形可以認定的。《書·費誓》：「馬牛其風，臣妾逋逃，勿敢越逐，竊牛馬，誘臣妾，汝則有常刑。」這是西周晚期魯國遭到淮夷侵擾，被迫緊閉東郊之門的緊急狀態下發出的一紙戒嚴令。是完全可以肯定的。說不定當時也許有人趁此混

亂向而晴闇倫越國境，逃遁潛進。其景，這不奇怪。因為他們也有爭取自由的願望啊！

薄　𦶜《廣韻》：「林薄也。」《楚辭》注：「林叶不交錯曰薄」。所謂「不交錯」，即艸莖挺枝蘊育比之，毫無枝叉橫生之象。這是生物界在高度密集的生態環境下應機而生的自然適應本能。原始林中極有此現象。《揚雄甘泉賦》注：「艸叢生曰薄」。《史記》：「周勃世家」：「勃以織薄曲為生」。索隱曰：「織蠶薄也」。筆者案：𦶜字从艸从溥（理）。艸者，植物之象也。溥者水之廣大也。故知薄之為字有廣大義。以物理定律言之，大凡一切物體在積量不改前提下，其高度與面廣必然成反比。此薄之定義歟?!

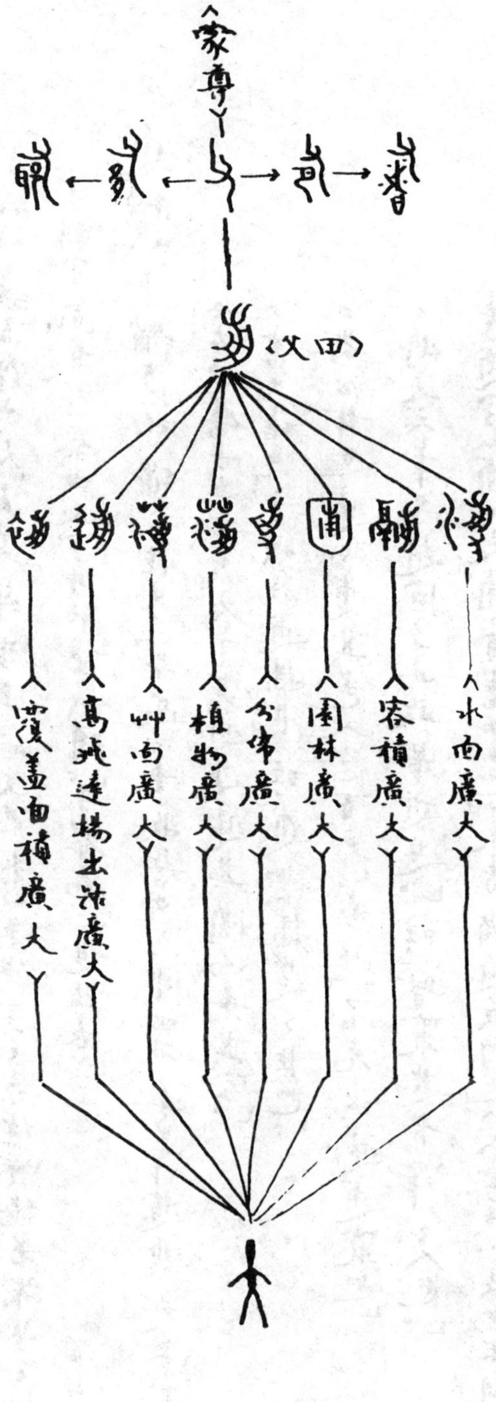

攴 𠬞（卜）（攴）（金）攴《說文》：「小擊也。」《廣韻》：「音撲，木上攴楚也。」

撲 𢷎 撲《說文》：「挨也。」《正韻》：「撲與攴同。」

攴《集韻》：「音撲，楚也。」攴其初文也。

𢾾 𢼺《集韻》：「擊也。」

扑 𢫬《唐韻》：「扑與攴同。」

《討論》：案：攴之為文，象形字也。古「攴」（鞭）字之有文也。甲骨文上 𠬞，象右手執鞭之形。《卜辭》牧上 𤘘，象牧童執鞭驅牛之象。堪上初義說明。

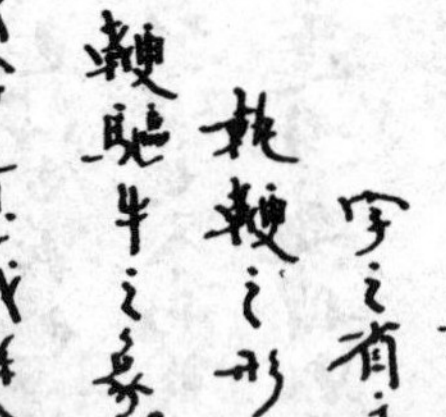

關于攴字音義變化之遞嬗軌迹：

筆者竊以為攴之為文（攴）之象也。以其乃打擊之用，遂以擊物之聲而定音。今民間尚有「噗咚」二字之象聲辭。故知攴之為文「象形」也，攴之讀音象聲也。由此觀之，攴之為文（攴之變文也。《說文》（攴）字訓「𢾾也」。《玉篇》：「笞也」。以形察義則何如攴為（攴）之變文，彰彰明矣。後世之𢷎、撲、扑、𢾾諸文皆同音轉注字，非初文也。攴字初文有形而無聲。後世施之暴、業卜等文，使攴字成為形聲字。於以見唐宋以後漢字「繁化」之遞嬗軌跡。

改 𢻫《說文》：「更也。」此解另有義涼（見本著丙支字）。李陽冰曰：「已有過，攴之則改也。」案此解最合造字之情，自較許說為優。

𢼛 𢽵 𢾺（上）𢽵 𢿙 𢿚（篆）案《說文》𢾾、𢾺二字互訓，殊與𢾾𢿚形義（似有）未符。故知《說文》之訓乃延伸義。

非初義也。愚之困惑于𢻱字之義，蓋有年矣。今與意於它字之義得之，亦文本幸。附其義如下：

考《玉篇》云：「它，古文佗字，蛇也。」《說文》云：「它，虫也。本是它，从虫而長。上古艸居，慮蛇，故相問：無它乎？」《六書正譌》云：「它，虫之大者，象冤屈垂尾形。今文加虫是蛇。」緣此可知它之為文，象形字也。其今之蛇字也。故知《卜辭》中「𢻱」字即今之「𢻱」字也。𢻱字从它〈它〉从攴，象右手執鞭擊蛇之形。它形符也。攴動義符也。《說文》訓「攴」，小擊也。故知𢻱字乃象形字。它者蛇之形也，攴者以手執鞭擊蛇之象也。丷者鞭擊着地塵土飛揚之跡也。而許君於《說文》中與𢿍字互訓，其中自有古義。惜乎今人不諳古意，而以敷佈之義釋之。此《長箋》之訓「𢻱」同「施」，誤認之所由生歟？推其致誤之由，昔緣未識𢿍之為文，乃「搏」字古文也。搏擊、搏鬥之義也。《釋名》：「指廣，搏以擊之。」《左傳僖二十八年》：「晉侯夢與楚子搏」，皆搏訓義為擊之例。

𢿍 搏

𢿍𢿍者，《金文》搏字也。𢿍或𢿍，𢿍〈丫〉从〈東〉。丫者兵器也，東者捕擊之意也。𢿍—𢿍戟〈从戈〉，亦兵器也。𢿍亦捕擊之義也。以古文𢿍𢿍𢿍諸文之形義察之，固如《說文》之訓「𢿍」為𢿍，〈搏〉者擊蛇、捕蛇之初義也。此古義也。然《說文》「𢻱」化為𢿍，已失𢻱字真相。不賴《集韻》之訓以明之，《卜辭》𢻱字之形以證之，又焉能於數千載之後，復得𢻱字古義乎？

《集韻》𢻱字訓云：「𢿍，與𢻱同。」此識𢻱字遞形遷轉軌迹說明之鑰匙。甚矣哉「文字學」之難也。

〈附𢻱字遞變經過如左〉

𢻱 𢻱 → 𢻱 → 𢿍〈𢿍〉此捕蛇、擊蛇之古形義字也。《六書》所謂「視而可識，察而可見」是為指事者焉！〈附圖於𢻱字讀音訓體之措備〉如後：

虵

□□□虵同於「虵」字的讀音,往籍殊乏明訓。《唐韻》云:「式知切,音弛。」

《玉篇》云:「虵亦施字」,皆非確論。夫文字之讀音固不能脫離語意,

此造字之通例也。愚以為欲求虵字之讀音,莫若求之於它。

考《說文》云它字訓:「虫也。本上古從虫而長。古艸居患蛇,故相問無它乎?」

它也

故知它字即蛇之初文,無疑也。夫蛇之為物,陰而險,害虫也。故往籍恆用為「貶義」辭。《禮記》云:」故有它志,以辱君義」。所謂「它志」即「包藏禍心」之意。《揚子方言》云:「適堯舜文王為「正道」,非堯舜文王為「它道」。然則「它道」,乃「蛇道」也。蛇之行走屈曲而進,故古人用以譬喻「枉道」之義。故知揚子所謂「正道」,直行之義也。所謂「它道」,彎屈之路也。古人把「非堯舜之道」說成是它(蛇)道,決不是憑空的臆說,而是有他的物象邏輯。《文書正誤》云:「虵,虫之大者。象冤屈垂尾形」。正是由於蛇之為虫,屬於豸「即無足」昆虫,不像人類之有堅挺的脊椎骨(脊椎),可以直立正行,按著直綫前進。它只能以腹蹭地,蜿蜒前進。所以古人把它視為卑劣的形象。這是完全可以理解的。它之為物,口有毒牙,行動無聲,潛行艸叢之中,是人類最難防範的「天敵」。所以古人在田野行路時,必須手執樹枝、竹爲之類,上為開路問道的武器。這就是甲骨文中□□等文所取之象示意也。故知「虵」之从它、从攴,乃手持竹竿擊蛇之之象形文字也。竊以為它(古)撻同音,撻伐之義也。此音中之義也。《孟子》云:「可使制梃,以撻秦楚之堅甲利兵矣」,疏云:「……如此雖是梃,亦可以鞭撻秦楚之堅甲利兵矣」。此「撻」字乃「鞭擊」之專用動詞之義例。由此觀之,則□字造形,乃古手執鞭撻蛇之象形已昭然若揭矣!今江南黔閩途越之鄉,農民登山赴野,仍有手執竹竿以備蛇患之習慣。可為□字取形、命音之參考依據。

〈□〉

⿰麗攴 《說文》：「數也」，段注引《詩·大雅》：「其麗不億」，毛曰：「麗，數也。」《方言》：「⿰麗攴」。段謂麗是叚借字。⿰麗攴是正字。從麗者，麗兩也。兩兩而數之也。

案：麗之為字，身有花紋之鹿也。其延伸義為「美麗」，此鹿之形義也。⿰麗攴訓為兩兩而數者，鹿之生活習慣義也。以鹿之為物，居則比壯同處，出則比壯同游。古人將鹿視為兩性關系之典範。太昊制嫁娶之儀以儷皮為禮。後世以「伉儷」為朋友夫婦二人之雅號，皆出于配偶之義。故知⿰麗攴之訓為「兩兩而數」實亦緣此而生。今民間用手查點物數，為了事半功倍，往往采用「一對！二對！三對！……」的計數法。此即「⿰麗攴」字之義。現代數理術語名曰「二進位制」。二進系方便得數精確而迅速。現代電子計算器之功能已體現了「二進位制」的優越性。鹿的行走最速，故知⿰麗攴字之義有「偶」意，亦有「速」意。豈除上乃是一種「計數法」。

邐 《說文》：「行邐邐也」。《集韻》：「邐迤，旁行連延也」。案所謂「行邐邐」之行，當宜讀上行。乃並肩前進之義。而《集韻》所謂「旁行連延」，即兩條並列前進之意。這一行列形式顯然是鹿的生活習慣群物。故字从麗、辵。麗者，配偶之象；辵是循道疾行之意。亦指事字也。

儷 《廣韻》：「並也」。《左傳·成十一年》：「卻犨奪施氏婦。婦人曰：鳥獸猶不失儷，子將若何？」案儷亦夫婦之義也。

躧 《前漢·地理志》注：「小履無跟曰躧。」《說文》：「舞履也」。案履以成雙之物也。从足、形也。从足、麗，偶數之義也。

- 數之成對者——⿰麗攴（離）
- 行之並排者——邐（離）
- 男女配偶者——儷（離）
- 履之成雙者——躧（從）

→（偶數義）

斂

斂 《說文》：「收也」，亦云：「聚也」。斂字訓義為「收」、為「聚」。臆此文必有取象來歷。惜前人未予明示，畢表而出之。

考斂之為文，从僉，从攵。攵者，攴之省文，亦右手攝針之象也。

僉音合，「集眾口詞諫相从之義」。《六書總要》將僉字引向了意識槩念，令人難于提摸。

竊以為僉之為文，「⿱亼兄」之繁文也。《說文》：⿱亼兄字訓「約也」。緣此可知，⿱亼兄、僉之文形似，音同而義通也，彰彰明矣！然「⿱亼兄」之為文究竟何以有「集合」、「約束」、「收聚」之義，必有先民識形之綫索。用敢不揣固陋，冒昧求之。

稽「⿱亼兄」之為文，从亼，从兄。亼，古集字，亦合之省文也。「兄」者叭之變文也。

叭入

叭

叭字見于《五音集韻》：「叭，口開也。音普活切。」緊此即民間所謂「叭口大嘴」字。字从口从八，八者分裂之象，口者開張之形。而讀音為破。後世借為「喇叭」字，其義未改。後世「八」化為「人」，而義遺形變矣！夫八者古分別字也，人者古入字也，入者收束聚集之意也。八變為人，變分為合之象也。漢字義以形變之例。故知兄字叭之「反義詞」也。兄上施亼（集）而上⿱亼兄。使「收集」之意愈彰矣。此指事兼會義字也。圖示於下以見義：

緘 緘

縫合囊壁裂口。⿱亼兄、緘音同，文異而義通。篆文為象形，⿱亼兄為指事。

叭

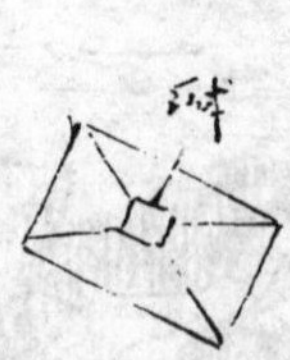

金人三緘其口

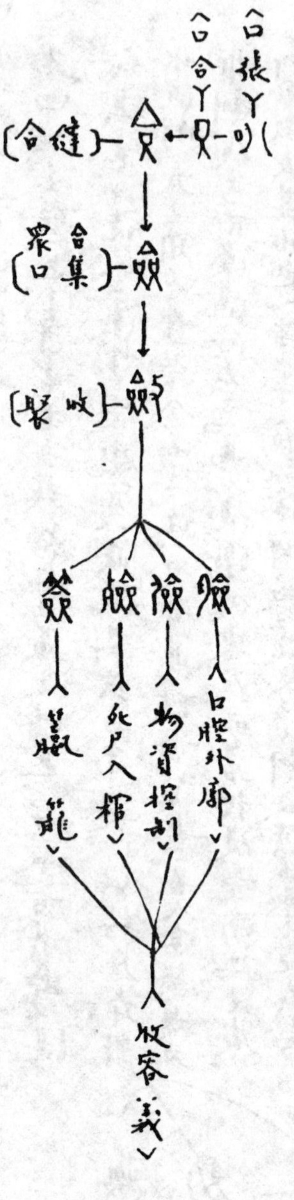

激 激

筆者案，激从水从白从方从攴。水者水之象也。白者水之色也。方者專之省，分兆四濺之態也。攴者右手執鞭擊魚之情也。字取音於擊，堪證其意。《說文》激字訓「礙衺疾波也。一曰半遮」。此據字義對水流時「反上用力擊槳企而立說」。自有其科學背景。吾人當然無力推翻。後者前漢溝洫志曰：「為石隄激使東注。擊石於隄旁，衝要之處，所以激去其水也」。筆者竊以為許君《說文》之訓及漢書之紀載，乃人類已臻高度文明之期，其時人類對水文「水力」「水利」知識已達高度發展。其對激字的理論闡述，自不容疑。然筆者對激字的原始設想，乃上古之歷史自然景象物，亦無能識為「遠世離俗」之囈語而棄於「不值一顧」之說歟！謹具之圖以示意，讀者鑒之。

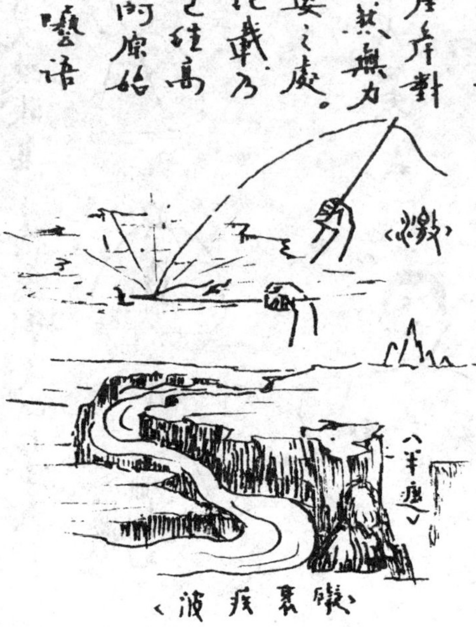

《波疾衺礙》

敹 [illegible] [illegible] 敹

《說文》訓「擇也」、《玉篇》曰「簡也」。案許氏、顧氏之解均未合造字之形義。遂使吾人不能不求證於經籍。考《尚書費誓》曰：「善敹乃甲冑」，疏云：「敹謂穿徹之。謂甲繩有斷絕，當使敹理穿治之」。此解最為可信。夫鎧甲之為物，古代戰爭之防護服也。其原料物料，或用犀兕之革，或用金屬薄片。其製形式，乃似魚類之鱗次櫛比。又如瓦壟之重疊，上下依次掩覆，唯恃韋編穿連綜合而成衣。服之既久，必有磨損斷裂，故臨陣之前，必對鎧予以檢修。敹字从卜、从米、从攴。卜者幾之省文也。破損之義。米古辨字，檢查識別之義。攴者右手持針穿綫連貫之義。而金文敹字上[illegible]。从A从日合字也。縫合之義也。从攴象右手握帚，刷洗之義也。从米，古米字，有連理亂洞之象也。故知敹之為字，修補連綴之意也。今民間仍謂縫連衣服裂口曰「敹上」，當古代語言也。

敘 《說文》：「塞也」。《玉篇》：「閉也」。《書•費誓》：「敘乃穽」。《費誓》一文，首先是魯國為了受到淮夷的武裝侵擾威脅而發出的軍事戒嚴令。在這篇「戒嚴令」中包括着許多禁條，「敘乃穽」不過是其中的一項。所謂「敘乃穽」就是讓群衆把為了捕捉野獸而設的陷穽，都用土填塞起來。以避免在軍事行動中人馬戰車顛覆之患。故《說文》訓「敘」為「塞」。今山東方言仍謂用泥補牆孔曰「敘牆」。實歷史語言也。敘字从合从攴。合者，行人心懷危懼唯恐誤墜其中也。攴者以手施工填塞而行人之危懼消失矣！此會意字也。

史 《禮•玉藻》：「動則左史書之，言則右史書之」。這是人類歷史文明進化標志之一。人類社會自進入「家天下」體制之後，天子就成了發號施令的無上權威。他為代表真理與正義的人物，擁有「紀事」、「記言」的合法權力，完全是出於對「天子」實施「民主監督」的需要而規定的政治措施。因而會有「紀事」與「紀言」的專職分工。史字之𠂇，左史紀事之手也。史字之又，右史紀言之手也。既書之後，則置之「金匱」、「石室」，此為史料保存。

紀 《說文》：「絲別也」。案紀之為文，从糸从己。糸者繩索之象也，己者肯即也，與結同意。上古無文字，唯恃結繩以紀事。考《尚書•洪範•五紀》：「一曰歲，二曰月，三曰日，四曰星辰，五曰曆數」。故知「結繩之政」，嘗導源於上古對天文曆數日月星辰運行週期之紀錄。其目的是為了農業生產掌握播種收穫時機。至人類進入「家天下」王朝之後，便有文字與記事「史官」之職。這個紀事之史字的「中」，正說明了此為史官之職的「紀事」、「記言」，是必須遵守「不偏不倚」的原則辦事的。

「紀」

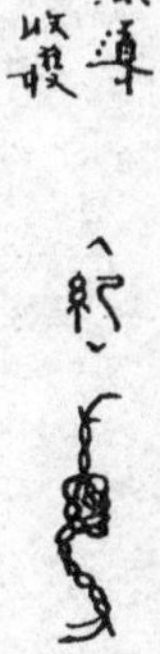

記 《說文》：「疏也」。徐曰：「謂一一分別記之也」。《釋名》：「記，紀也」。《玉篇》：「錄也」。《禮•王制》：「太史典禮，執簡記」。注：「國有禮事，則據執簡策，記載所當行之禮策」。《唐書•于志寧傳》：「左有記言之史，右有紀事之官」。其說與《玉藻》有異。竊以為記字从言从己，乃記述「王者」聲音之專用文字也。紀字从糸从己者，紀錄「王者行動」之專用字也。記字的誕生年代，必在人類進入體力與腦力分工之後，因為它是文字出現之後的產物。現代文化仍然將紀字為「紀念」專用字，而用記為「記錄」字，仍然保留着鮮明傳統文化遺意。

史

紀事——行動

記言——聲音

紀、記、繼同聲而義通。皆有繼承義。此漢字寓義於音之例。

下肢形的字例

足 卜 足篆 《說文》：「人之足也。在下，从止口。」徐鍇曰：象股脛之形。

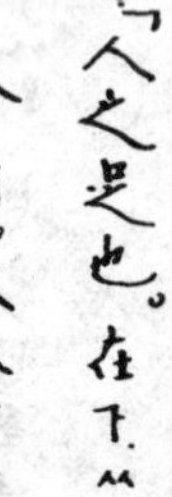

足

卜辭足字乃全部人體下肢之形。故後世延伸為「足够」之義。〈詳34頁〉

趾 卜 金 篆 《爾雅》：「趾，足也。」《釋名》：「趾，止也。言行一進一止也。」《詩·豳風》：「四之日舉趾。」《易》：「賁其趾。」又《易·噬嗑》：「荷校滅趾。」

業止的初義是「腳」。文其象也。故後增足而成趾，增示而成祉。增一而上，增土而成址。……

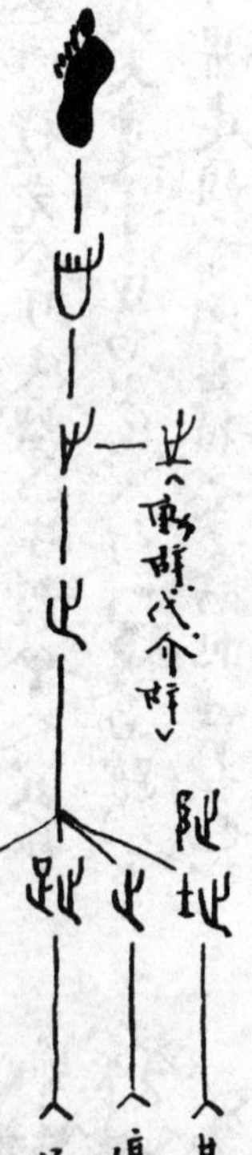

企 卜 金 篆 《玉篇》：「舉踵望也」。

《說文》：「舉踵也。」業：踵者足後跟也。所謂「舉踵」，即趾端着地，足跟高起，俗名「翹腳」。人之望遠者往往有此習慣姿態。蓋所以增加身軀之高度，而擴大視野也。後人恆用「翹企」二字，以示殷切盼望之心情形容語。〈〉

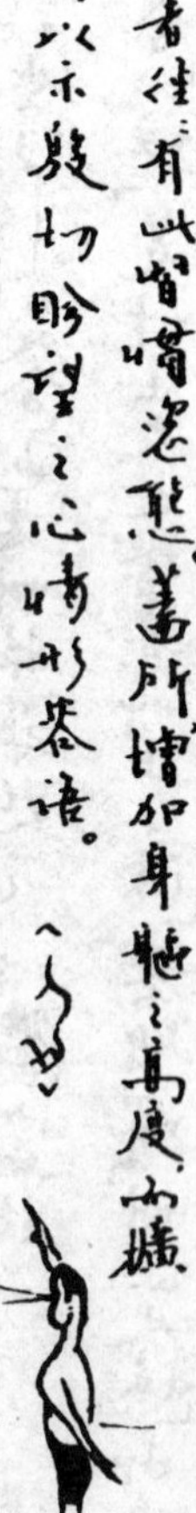

卜 反止為踏，此義通形變字例也。《說文》：踏也。

筆者案：以趾踩物曰「蹴」，以踵踩物曰踏。故曰反止。止古趾字，趾與踵相對，故曰「反止」。

故之為文會義字也。與反為、反正為乏同例。後世踏行而廢。〈〉踏

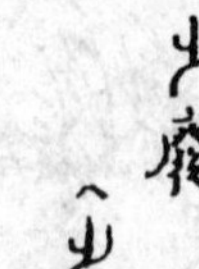

跋 跋 《說文》：「蹎跋也」所謂「蹎跋」〈顛仆〉即跌倒之義。

筆者按：跋字从足从犮。足者下肢之形也。犮者，步履艱難之辭也。

犮

犮 《說文》犮字訓：「走犬貌。從犬而丿〈古曳字，亦是拖〉之。曳之，則剌〈音拉〉犮也。」

三二

今粵南方言,謂人兩腿開張,兩足外翻曰「刺犮腿」。犮即此字,亦歷史文化語言也。故犮字有兩足開難義。《詩·鄘風·載馳》:「大夫跋涉」,傳:「草行曰跋,水行曰涉」。「草行曰跋」四字揭示了造成行路艱難的原因乃由于連綿糾纏的草莖的羈絆使行人裹足束腿不利于行的生動景象。

然而令人可異的就是從「跋」字構形上卻找不到草的迹象。爲了探索這一形義之間的「矛盾」,就不能不求證于「茇」字。

《說文》「茇」字訓:「茇,草根也。春草根生,引而發土爲『撥』,故謂之茇。」許君此訓,茇之初義也。《詩·召南·甘棠》:「召伯所茇」,箋云:「茇,草舍也。」繇此可知當年是爲召公從事野外宣教之時寄居之地的——「茇舍」也是草根築起之「草廬」而無疑。

《周禮·夏官》:「仲夏教茇舍」。注:「茇,草止之也。軍有草止之法」。案所謂「草止之法」即後世之「夏令營」。這類野外軍事演習活動,當然不能排除艱難的跋涉道途的嘗試。故知「茇止之法」也包括着斬荊劈棘的險惡歷程。完全可從「𧿱」字體會之。故知𧿱、跋皆茇之孳乳字,皆有「難行」之義。故大遭常界曰茇。人行草叢曰跋。亦伍野有曰「𧿱止」。皆有「行步艱難」之意。所謂建類一首,同意相受是曰轉注是也。

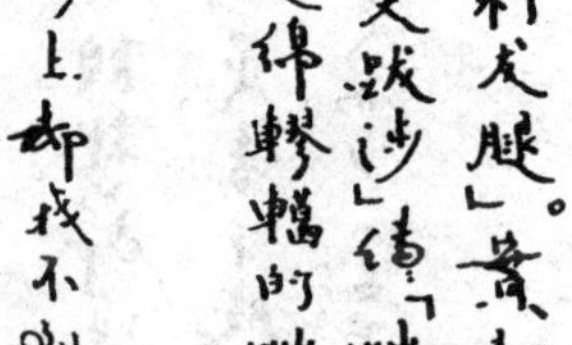
犮

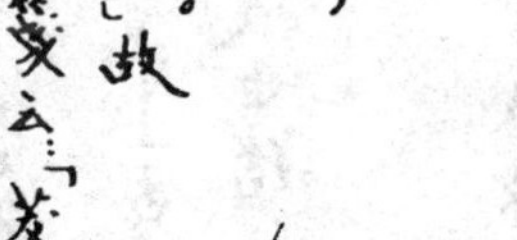
〈跋〉

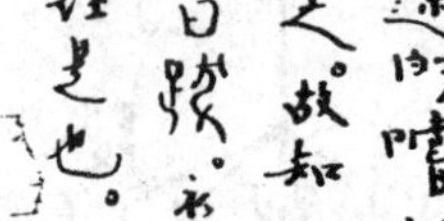
〈艸止〉

茇〈跋(草行)〉〈𧿱(草止)〉——步履艱難義。

涉

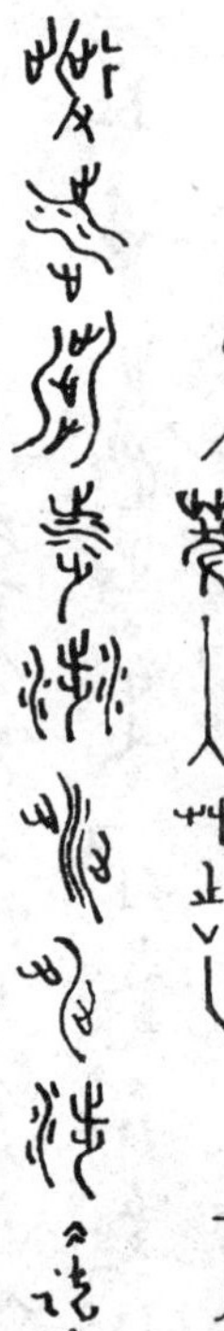

《說文》:「行厲水也。」

《爾雅·釋水》:「繇膝以上曰涉」。此字从步从水,象形兼指事字也,與「跋」爲相對應義辭。

〈涉〉

疌 㞢又 《說文》：「疾也。」徐鍇曰：「止，足也。又，手也。手足共為之，故疾也。屮聲」。（屮古徹字，古音屮疌同聲）。

疌 《說文》：「機下足所履者。从止，从又，入聲。」案：足下所履者，即今名曰「踏版」。

織布工左右兩手投梭于上，而足交互踏降于下，故亦有敏疌義。

捷 𢦒《金》 《說文》：「獵也。軍獲得也。」傳曰：「齊人來獻戎捷」。

考《金文》捷止𢦒，字从戈，从止从艸。有出師征遠伐國獲勝之義。今文不見，殆捷字古文也。今捷行而𢦒廢。

正 《說文》：「是也。」《廣雅》：「安也。」《張衡賦》注：「正中也。」《周禮·太宰》：「歲終則會群吏正歲會。」注：「正定也。」《楚辭》注：「正平也。」《詩·邶風·終風》注：「正止也。」

考：正字定義，從來訓釋不一。或訓為「是」，或訓為「要」，或訓為「中」，或訓為「定」，或訓為「平」。或訓為「止」。雖義有同處，而迷涉抽象，終莫能闡文字形意之理。筆者竊不自量，冒昧言之。

竊以為正之為字从一从止。此會意字也。謹據牛頓力學定律以明之：「物體在運動中，重心能附落在支持面上，就能變為靜止而穩定。反之靜止的物體一旦重心脫離了支持面，就會傾倒。」這一物理慣性同樣亦可施于文字形義之說明。（圖示如下）

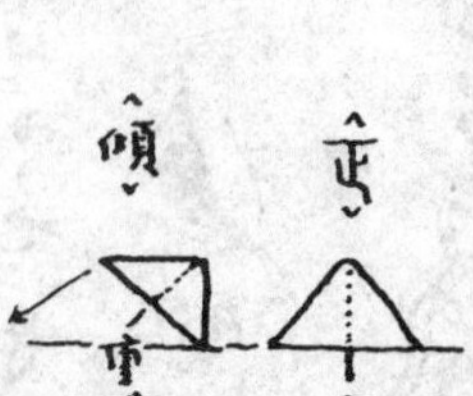

筆者釋之曰：「物一止為正。正則能靜，靜則定。正如《大學》所云：『知止而後有定，定而後能靜，靜而後能安』。其致一也。中者物體重心也，止者重心着地處也。此『一止為正』之義也。」

乏 《說文》引《左傳·宣十五年》經文：「……反正為乏」。段注：「此說字形而義在其中矣。不正則為匱乏之

字相御背也。《左傳·成二年》：「韓厥曰：敢告不敏，攝官承乏。」注：「乏，猶代匱也。」

筆者考：乏之為文，以形示義，而訓義為「匱」，亦會意字也。匱者匣空之義也。

後世施西于乏上而占「覂」，使乏繇「會義」而化為形義字。西者倒傾之酒瓶也。与覆字形義同例。《集韻》：「西，音衣嫁切，〈亞〉。」《說文》訓：「覆也」。今山東半島方言謂傾棄盆水曰「西了吧」，曾歷史文字之考古活化石也。《禮記·正義》：「覂駕之馬，設術策以馳之」。

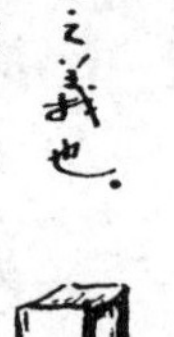

〈賈〉

〈西〉

〈覂〉

《史記·漢武帝求賢詔》：「……覂駕之馬」所謂「覂駕」即現代交通管理業務術語「翻車事故」。繇此可知「覂」字乃特定形態之傾覆義辭。其訓為「匱」者，所以示傾覆事故之後果也。〈為示如下〉

貶

貶之《說文》：「損也」。《公羊·僖二年》：「何以不氏貶？」注：「貶猶損也。」《詩·大疋·召旻》：「我位孔貶。」傳：「貶，隊也。」《玉篇》：「減也」。案：住籍之例，皆是抑義也。

考貶字從貝從乏。貝者貨幣也。乏者傾覆之義也。此商品交易降低價值期求速售之措施，故曰「貶值」。蓋市場商品供不應求，則搶購成風，促成高價居奇。反之供過于求，必貶價自損，以求速售。此種貶值規律現代商業術語名之曰「經濟杠桿作用」。筆者恆見市場商販遇到殘次積壓難于銷售，往往傾筐而出其物，大聲「街嚷」，以求急售。俗名「包了」，又名「大活堆」。此即貶訓為「損」，乏訓為「匱」之意，可以下圖見之。

〈貶〉

「損」者削價貶值也。「匱」者傾筐相与之意。審此，可知覂、貶二字同源無疑矣！

乏（靜止）—— 乏（傾覆）—— 覂 〈傾棄義〉
　　　　　　　　　　　—— 貶 〈降價義〉

〈附甲骨字于後〉

𦥑𦥑𦥑《說文》：「傾覆也。」《周禮·哲蔟氏》：「掌覆夭鳥之巢。」

考：𦥑字从臼从又。臼者，巢之形也。又者右手舉竿之象也。所謂「夭鳥」，即貓頭鷹。古人認為不祥之物，故國家設專職人員以滅除之。

案：𦥑、覂二字文異，音同而義通。有構義，有墜意，亦有傾覆義。亦與「覆」同音轉注字。

距距歫《說文》：「雞距也。」《左傳·昭廿五年》：「季氏介其雞，郈氏為之金距。」又《說文》歫字訓止也。《玉篇》：「違也，度也，至也。」案：距字从足从巨，巨者大之義。故知「歫」字有「大趾」之義。蓋雞之五爪，以後趾最大而有力。以命名。後證之以觸觸，古謂距歫一字。故知歫字初義應為雞之後趾。厥後延伸為抗拒、距離等義。雖形義繁化而音未變。

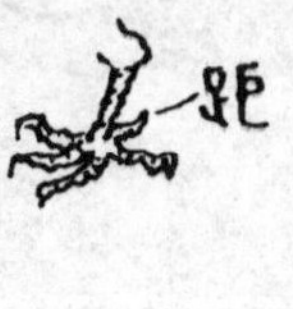

巨—歫—止
歫—拒〈抗禦〉
歫—距〈雞距〉〈距離〉
距—詎〈抵觸〉

趾歧跂岐跂《集韻》：「跂，多指也。」《釋名》：「二達曰歧。」《字彙補》：「趾，歧路也。」

案：趾、歧、跂三字同源而異派。自應以「多指」為初義。此生理畸形，或生于手，或生于足。「歧路」乃後生義也。

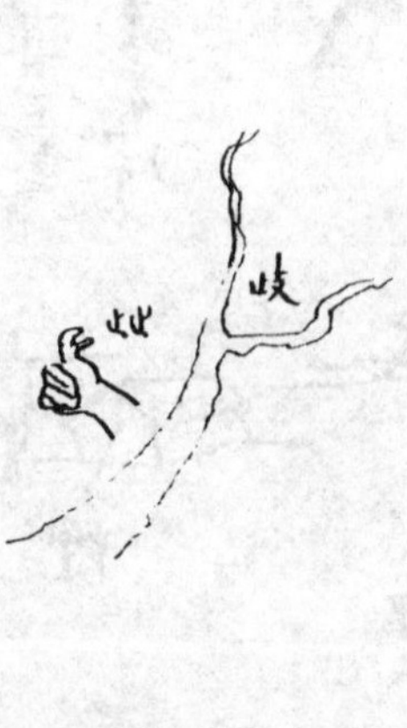

𣥠𣥠《說文》：「不滑也。」《玉篇》：「難轉也。」《揚子方言》：「讒極吃也。」郭注：語𣥠難也。《六書故》：「水涸行艱謂之𣥠，味苦𣥠亦謂之𣥠。」案：𣥠之為字，滑之反也。固定不移之意也。

考：𣥠字从四止，會兩人之足也。蹉足行沉，滑不留止時，慮傾跌者恆賴二人互相扶掖牽制。兩人相對可防傾倒之患。故𣥠字象四足兩兩相對之形。此指與會意字。後起之澀字作初文也。𣥠从四止，二人相對之足迹。由於二人足趾方向不同。因而體勢嚮向亦異。而施力傾向也不同。人們利用這一力學的「矛盾規律」，在行走滑地時兩人互相結合以達到維持重心穩定防止傾跌

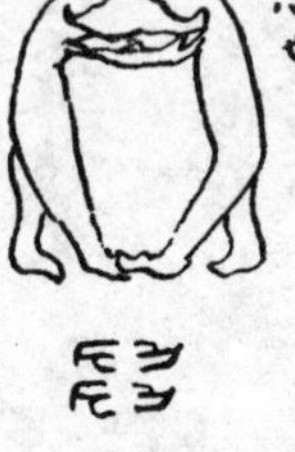

三四

譬如桌椅，一足者不如二足者之穩定，二足者不如四足者之穩定。人與物同理，此所以从四止而有穩定之意也。

堂党牚樘撐《說文》堂字訓「音撐距也」。《周禮·考工記·弓人》：「維角堂之」。鄭司農云：堂讀如牚距之牚，車牚之牚」。《後考·廣韻》牚字訓：「牚邪柱也」。《集韻》牚字訓：「支柱也」。《說文》樘字訓：「衺柱也」。顯此可知堂、樘、撐諸字之形義皆來源于堂。而堂字之義來源于距。此數諸文字形音可得而見者也。其祖義蓋出于距，而無疑矣！吾鄉謂二人四手相抱曰「堂架子」，即此字。

考距字初義乃雄雞爪部之後距。乃雄雞在搏鬥中恃為抗擊對敵之工具。故知牚字之訓義為「支柱」與樘字訓為「衺柱」者，皆取義于雞距之「反上用力點」的力學概念而來。故筆者以為牚、樘之从尚、堂之嫡文也。雖形有稍異，而音義未改。此其證也。

撐

𡗕者，《卜辭》撐字，从大，从爻，从舟。舟者船也。以有操舟之意。所者升也。有進水行舟之意。故筆者認為即撐篙之撐字為宜，特附于此。《集韻》篙字注：「進船竿也」。《揚子·方言》：「所以刺船謂之篙」。可證其意。

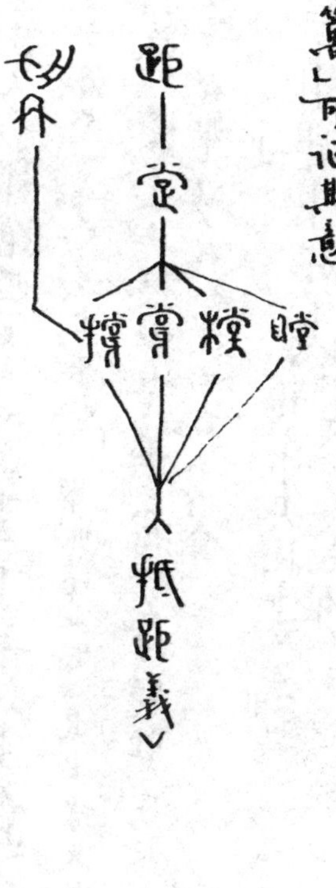

考之仰息曰「堂」。屋之邪柱曰「樘」。車之支柱曰「牚」。目直視而不眨眼曰「瞠」。諸字形似音同而義通，皆有伸張之意與對抗、抵拒之情。其始義皆祖于距。

（堂架子）

撐（甲文）

Y（上接32頁）

足字」：是為人體生理結構而言，足是由趾骨、跗骨、蹠骨、脛骨、膝骨、股骨……多元組合的下肢之運動機構之綜合名稱。後世謂一個龐大事物促成的複雜多端性曰「形形色色不一而足」，故「從」字从「彳」从「足」。文字與語言之統一性，可以足字見之。

洗 □ □（卜） □ 肆（金） □《說文》洗字訓「洒足也」。《說文》洒字訓「滌也」。
洒
肆

筆者案甲骨文之□、□二文及《金文》□、肆二文各有形義，雖音同而意適巾各有淵源，試分別以明之：

1. 止為濯足的專用辭：《禮內則》：「面垢則燂潘（潘）請靧，足垢則燂湯請洗」。考洗字之所以成為濯足專用語，不僅是繇于用器之不同，而且所用之水亦異。蓋「靧面之潘」是米泔，富有糖類，蛋白含量有保護皮膚細胞之用。而濯足之「湯」，是經過加熱的清水。《漢史黥布傳》：「淮南王至，上方踞牀洗」。可見「洗」之為字之初義，專為濯足特定用語，是有歷史語例可稽的。卜辭□字，其有力象徵也。□器形也。止人足也。∴水滴之象也。此殷商時代貴族濯足之器形。堪供田野考古家對出土銅器之鑑定樣本。

2. 止為洗刷用具时容水器：考《儀禮士冠禮》：「設洗，直于東榮」。鄭注：「洗，承盥洗者，棄水器也。士用鐵」。疏：「棄水器也者，謂盥手洗爵之時，恐水穢地，以「洗」承盥洗水而棄之。又士用鐵者，案漢禮器制度，洗之所用，士用鐵，大夫用銅，諸侯用銀，天子用黃金」。

案：□字从□从水，□鳥巢之形也，乀者流水也。□字者，將鳥巢為容器之擬態，以乀示棄水之象。故知□字即容納洗滌廢水之金屬器。圖示如下：

肆

肆从镸从聿。聿者律之省。镸聲符也。此十二音編鐘「姑洗」之正字。見于《曾侯乙墓出土編鐘銘文》。

- □
  - □ ——（洗足義）
  - □（洗滌義）—— □ ——（容納污水器）
  - 肆 ——（音律名）

寺 寺 寺 侍 《說文》侍字訓：「承也」。《韵會》：「近也、從也」。《六書故》：「給侍也」。

侍 侍 考《周禮·天官·寺人》序傳：「寺之言侍也」。疏：「欲親近侍御之義」。《詩·秦風·車鄰》：「未見君子，寺人之命」。傳：「寺之言侍也。寺人，内小臣也」。後考《詩·大雅·瞻卬》：「是維婦寺」。《正義》曰：「寺即侍也」。侍御者必近其侍，故以寺爲近」。其文字皆在上而又居下，是不着地手不達天之象，指事字也。

筆者考：先秦時代，無「寺院」、「菴觀」之名。寺之爲文，當即後世「侍」字初文也。寺之爲字，于古文作寺，从止，从又。止者足也，又者手形也。字形示意已揭示了「寺人」是依靠手足之勞吃飯的人物。不過也可能服務的對象屬于權貴人物。時刻要接觸后妃之流的女性，所以必須對他們施行宫刑。因而寺人後來就成了「太監」的代稱。「寺人」原爲内侍的通稱，自東漢始專指宦官而言。（見顏師古《匡謬正俗》）寺施手爲「持」，施田爲「時」，施竹爲「等」，施門爲「⿵門寺」。試分別述之。

畤

畤 《說文》：「天地五帝所基址，祭地也」。《史記·秦本紀》：「祠上帝西畤」。《索隱》注：「襄公始列爲諸侯，作西畤，祠白帝。畤，止也。言神靈之所依止也」。《括地志》：「秦文公夢黄蛇自天而下，屬地，其口止于鄜衍。作畤，郊祭白帝……」。《漢郊祀志》師古注：「畤，如種韭畦之形，于畦中各爲一封」。又云：「祠之必于高山之下，畤命曰畤」。是則凡土高處皆曰畤也。

竊以爲，畤之爲物，与三代之「王社」同類而異名。王社建于平原，而「畤」則建于高土，皆神壇之類。其政治意義，皆秉承人臣侍奉君之尊卑觀念而來。帝王之侍神，猶小臣之侍君也。迨漢明帝時有僧人攝摩騰自西域以白馬馱經來，初止「鴻臚寺」。是爲「寺」字由「小臣」義逐漸衍化爲「神社」或「官府」名稱之遺蹤軌迹。

《唐書·百官志》：「漢以太常、光祿、勳尉、太僕、廷尉、大鴻臚、宗正、司農、少府，爲九卿。後魏以來，卿名雖仍舊，而所蒞之局謂之寺。因名「九寺」。此「寺」字作爲國家官府名稱之始。厥後又

成爲廟字之通稱。「南朝四百八十寺，多少樓臺煙雨中」。可知當時「寺」字已經成了「官府」與「神社」的兩用字，再不和「小臣有關」了！東方傳統文化意識形態，將社會統治階層與宗教的天神視爲同等成份。民間有「活着爲人，死後爲神」之諺語，反之，黎民羣衆則活着爲民，死後是鬼。這一階級意識，爲常在整個文化思想體系中是非常明顯的。

峙 峙《廣韻》：「峻峙，屹立也。」《班固東都賦》：「散似驚濤，聚京峙。」又云：「適天沙以竦峙。」注云：「適天臺名，訣，高也。」案「峙」字从寺，从山而訓義爲山高，猶「畤」字从寺从田而訓義爲高地，其例一也。故知峙亦畤的孳乳字。

持 持《說文》：「握也。」案此解未能涉及造字本意。案持之爲義，依力學方向言之，（持）

收拾提攜之力也。屬于「向心力」；「支」者，抵禦抗拒之力，「離心力」也。兩種不同力向不可不辨焉！故知持之爲字，「上升」之義也。其意與峙、畤同例。持从手，握持之象也；从㞢者，足也。所以助人直立完成手臂提物升空之任也。手持、足行，本屬侍人之事，寺字可以槩之矣。後世文字衍化遞繁，而增木，亦猶益之增水、然之增火同例。

等 等《說文》：「齊簡也。从竹从寺。寺，官曹之等平也。」許君以同等級別的官職釋「等」，極確。今河北省方言仍謂物長整齊一致曰「齊簡」，蓋歷史語言也。然筆者竊以爲「寺」字已爲「官府」之義，已是于許氏時代也明矣！

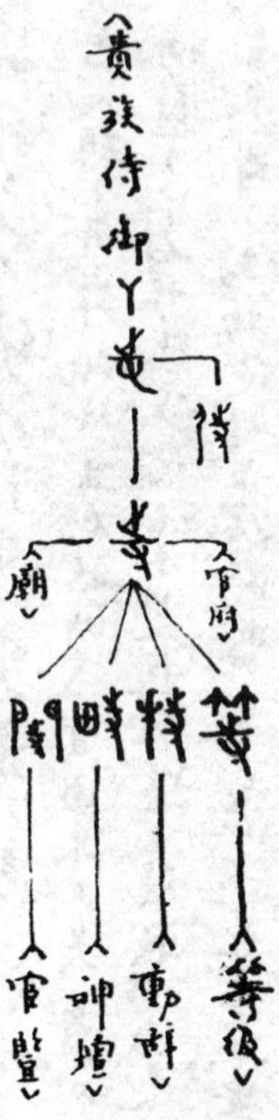

古以竹簡書，「簡」「冊」之長度相等，後世延伸爲同級官員義。等字从竹、从寺，竹簡峙立長度相等也。故延爲官員等級義。

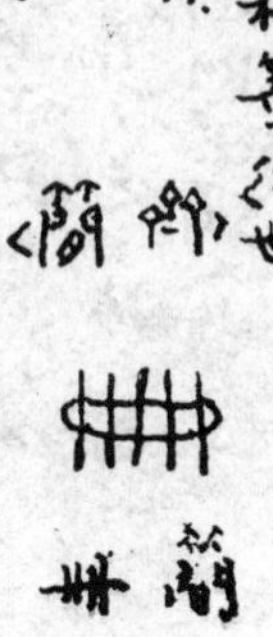

舛 舛《博文》：「舛，背也。」《說文》：「對卧也。」从夊𡕒相背。」案舛之爲文，象形字也。

魯南方言「對腳版子」。

以本人足時形徙後之生理狀態，古漢語將其延伸為意識乖背義。《朱柏廬治家格言》：「倫常乖舛」，《漢書·楚元王傳》：「朝臣舛午，膠戾乖剌」。皆延伸義例。

舞

《說文》：「樂也。」《玉篇》：「足相背也。」案：舞之為文，亦象形字也。人類之有舞蹈始於原始時代，其由來久矣，嚴格上是在在手為舞，在足曰蹈。試如《詩·關雎》所云：「情動於中而形於言，言之不足故嗟嘆之，嗟嘆之不足故詠歌之，詠歌之不足，不知手之舞之足之蹈之也。」看來舞之為物絕非單純的動作表演，而是必然要有聲音的伴隨，是毫無疑問的。不獨人類如此，禽獸也不例外。鳥之鼓翼長鳴，獸之搖頭擺尾，花木之迎風搖曳等等，上述一切動態表現，在詩人心目中無一不屬於物體對自然感受的忠實反應。它為社會教育工作者深刻認識到舞蹈藝術，對人們起到的思想感染威力，因而就把這些律動藝術形態，捕捉到手，經過加工配曲指導排練使之成為移風易俗的得力工具，使這一取之於人的藝術，再用之於人的意識改造工作。起到藝術政教反饋之用。這也許就是舞蹈藝術被視為「科學」的理由吧！我國遠自西周王朝，已經把舞蹈藝術作為政治服務的項目。而設有專職培訓人員。《周禮·春官·樂師》：「凡舞，有帗舞、羽舞、皇舞、旄舞、干舞、人舞」。尤其是當更早期的帝舜時代已經有了「歌舞」的表演。《尚書·舜典》：「帝曰：夔！命汝典樂。夔曰：於！予擊石拊石，百獸率舞」。即此一端，足以證實當時對舞蹈藝術的探討與研究，已經臻於忘彼人我，深入到動物境界了！回憶筆者童年時，曾於津門參觀歐人展覽之「海京柏馬戲團」之動物表演節目，一時歎為驚奇，盡彼時尚未接觸《尚書》之故。撫今追昔，不禁井蛙之感！

步

（上）陟　陟《說文》：「登也。」《爾雅》：「陞也。」

降

（下）降　《爾雅·釋詁》：「降，落也。」案：步降之文皆象形字。

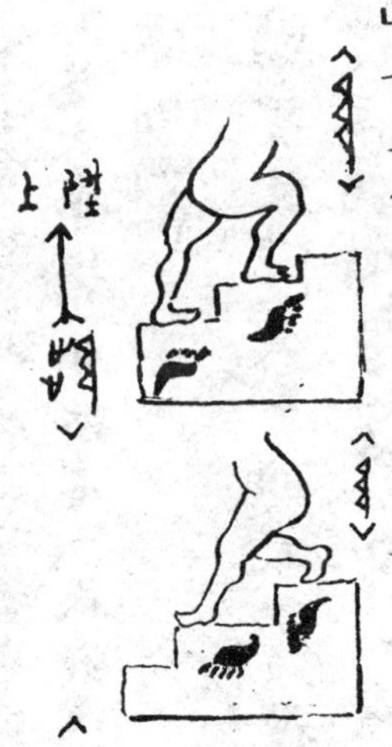

步

篆〈示足也〉：「跬，一舉足也。倍跬謂之步。」〈禮王制〉：「古者以周尺八尺爲步，今以周尺六尺四寸爲步。」〈正義〉曰：「古者八寸爲尺，周尺八尺爲步，則一步六尺四寸。」〈史記秦始皇紀〉：「數以六爲紀，六尺爲步。」〈注索隱曰〉：〈管子司馬法〉云：「六尺爲步，非獨秦制。」

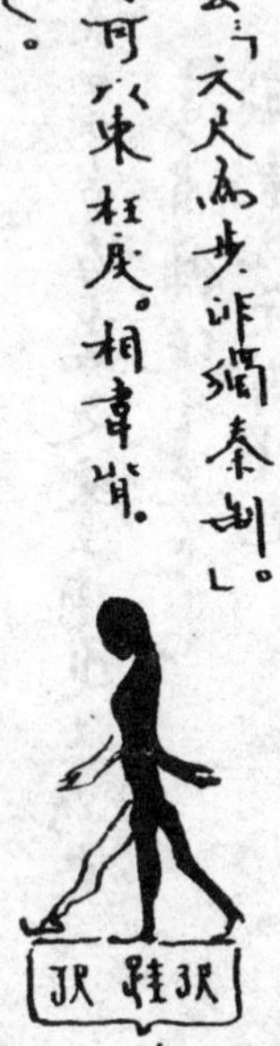

韋

〈說文〉：「相背也。从舛，囗聲。獸皮之韋，可以束枉戾，相韋背，故借以爲皮韋。」〈廣韻〉：「柔皮」。〈史記孔子世家〉：「讀易韋編三絕」。

〈說明〉在篆文中，止〈足趾〉形結構的唯一作用，即標志運動方向。其性能等于交通綫設置的指路牌上之「←」。這一基礎知識，是理解篆書文字的秘訣，不可不牢固記憶。韋字采用了不同方向的腳印圍繞着一個圍墻。這說明韋字是一個抽象指事字。它爲何代表「柔皮」？緣于古代的戰車車輪極高，輪輻很長，當時用于正戰的長柄兵器相當脆弱。爲了增車輻、兵柄的抗挫性，避免折斷事故，必須利用經過硝化處理的柔質皮條，緊密纏繞外面再塗以油漆，然後纔能保證木柄的堅韌耐用。韋字造形的形象，示意如下：

衛

〈篇海〉：「防也，捍也」。〈玉篇〉：「護也」。業此二解，殊不能窺造字之情。衞〈說文〉之訓尚能略示其意。文云：「宿衛也。从韋帀行」。「帀行」二字，卻有說明力。

筆者曰：衛者圍也。圍繞之態也。古用鎧甲之壕衛宮城，京官大員，出巡四方，皆有「旋風衛隊」隨行。圍繞身邊。推而言之，月球遶地而行，爲地球之「衛星」。地球遶日而行，爲太陽之「衛星」。故知圍者靜態壕形也，衛者動態壕形也。皆有圍周之義

圍

〈說文〉囗字訓：「回也。象回帀之形也。」〈說文〉圍字訓：「守也。」〈易繫辭〉：「範圍天地而不過。」注：「周備也。範

如金之有模範，圍匡郭也」。《王制》：「天子不合圍」，注：「言不四面圍之也」。《春秋提要》注：「埠其城邑曰圍」。

案：韋亦形義字也。象環城巡行之足迹。

褘 《說文》：「重衣貌」。《爾雅》：「裏也」。案重衣，圍裹，亦環繞之態也。字从衣从圍，其意可見。今名曰「兜蓬」。意即最外圍之衣。故字从衣从圍，或从衛，義同。（衛）

緯 韓 《說文》：「織橫絲也」。《釋名》：「緯圍也」。反覆圍繞以為經也」。《周禮·天官·體國經野》疏：「南北之道謂之經，東西之道謂之緯」。

筆者案：緯之為字，與經為對。經者，頸也，直立之義也；緯者，圍也，圍繞之義也。

故知經之與緯，有縱橫義，亦有內外義，亦有曲直義。

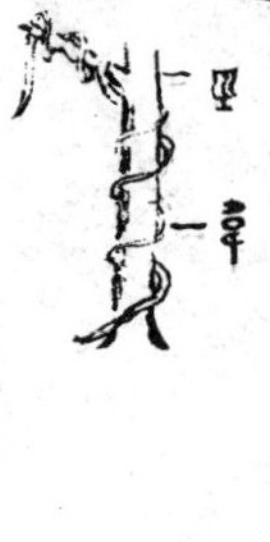

葦 《說文》：「大葭也」。案：此訓離詞，但不能窺見韋字之形義。韋之為物，外圍中空之形也。（葦）

造字者，據葦管斷面之象，而施於竹，以示植物之態。其意甚明。

違 韓 《說文》：「離也」。《廣韻》：「背也」。案：違字从辵从韋。辵者，「循道直行」之義也；韋者，迂回不前之意也。其所以訓義為「背離」者，良以軍令如山，只許前進，不容回旋，是其義也。

弟 《說文》：「束韋之次第也」。案：弟之為文，亦韋之同源異派字。雖取象于韋而變圍繞義而為重疊等次義。此同一事物表現為不同的兩箇方面之變例，不可不知。欣後，「弟」用為「兄弟」字，而别立「第」字以表「次第」字。——第

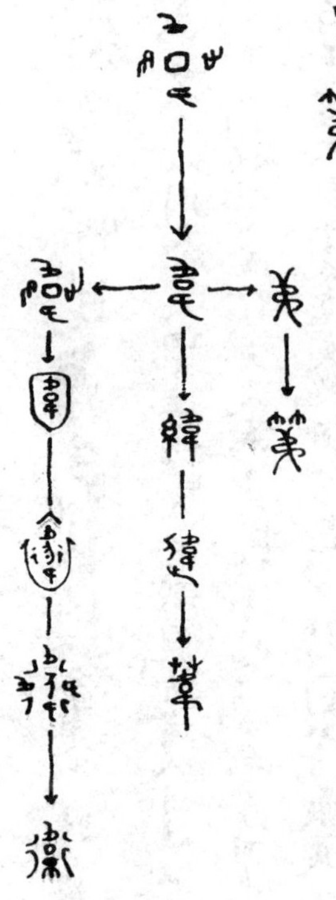

底語：此四者，左右兩足交互前進之義也；
韋者，纏繞之象也；
衛者，防守、對外也；
圍者，包圍攻城之義也；
違者，謂相背不進之義也。此同為封閉之形而運動方向各異，不可不辨焉！

政

𢼸（小篆）政《說文》《釋名》同訓「正也」。考《詩大雅皇矣》：「維此二國，其政不獲」注：政，教也。

竊以為政字从正，从攴。正者靜也，定也，「直方而大」之義也。攴者擊也。舉直錯枉，除惡去衰之義也。所謂導之以德，齊之以禮，子率以正，孰敢不正。又曰為政以德，譬如北辰，恭己正南面而已矣。政如正之為義，正己修身之意也。政之為義，正己而後正人之意也。所謂窮則獨善其身，達則兼善天下。此「政者正也」之旨乎？

征

𢓊 征《爾雅釋言》：「行也」。《說文》：「正行也」。《韻會》：「征，伐也」。《孟子》：「征者，上伐下也」。

考征字从彳从正。彳者道路之形也。雖有仁者之師，不能無跋涉之勞，道途之苦。故則征之从正何義也？愚曰正者正其名也。名正而後言順，言順而後師出有名。正者正氣也。正能勝衰。邪正不兩立，正氣伸而衰氣曲。事有必至，理有固然也。正者正義也。正義之師，不恃強凌弱，不恃衆暴寡。不虐無辜，不侮鰥寡。湯武弔民罰罪，黎民簞食壺漿。非正義能如是乎？

𣏟

剌 𣏟（卜）㓨《說文》：「剌，戾也。从朿从刀。刀者剌之也」。徐曰：「剌，乖違者，莫若刀也」。

筆者案：㓨之為文，从朿从刀。朿者繩索也。刀者切割之義也。古人工具不便，以繩代刀，以事切割物質。後事以為工具名（鋸剌子）。假後引申為分裂，如「離」、「乖剌」義。

復考甲骨文𣏟字从朿从止止。朿者分離之義。止止者兩足外翻之象也。故如𣏟字造形示意與𣥠字同例。《說文》𣥠字訓：「足剌𣥠也」。《六書本義》：「兩足之張有所撥除也」。《元色往》：「良止𣥠」傳曰：「兩人相背也」。按：剌者，以繩代刀割物也。𣏟者兩外翻，踏下開張之義也。雖取形不同，實一義而相通。

朿〈㓨〉切割物也〉
〈𣏟〉兩足開張〉

（㓨）

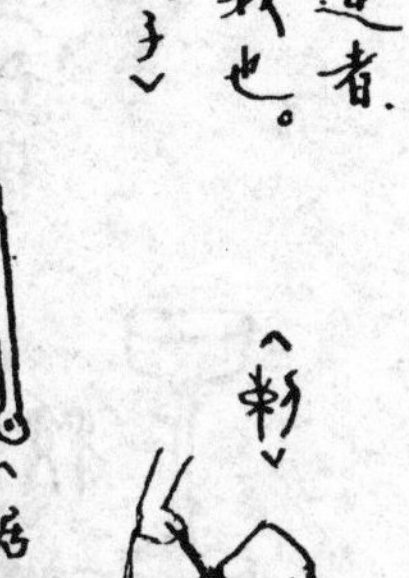

（鋸剌子）

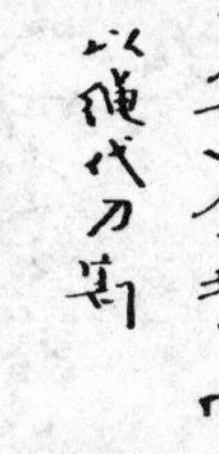

（𣏟）

三八

貧 𤇯 燈 燈《玉篇》云：「燈，火也」。案《說文》有鐙而無燈。鐙从金而不从火。故知鐙則別有其物，所照明之器也（見後）。考《卜辭》𤇯字从𠂤从火从癶。此燈字「以𠂤易豆」所置楼式也。𠂤者感器官也。火者發光體也。癶者亦離之意，光照四遠之義也。故知卜辭𤇯字即燈字，初文。唯殷商之燈是否用豆，尚屬待考之課題。

鐙 鐙 考《說文》云：「鐙，錠也」。《說文》錠字訓云：「鐙也」。案許君鐙錠互訓，可知鐙之與錠乃同物而二名無疑。然則鐙之為器究屬何物？考《禮祭統》云：「夫人薦豆執校。執醴授之執鐙」。注曰：「校，豆中央直者也。鐙，豆下跗也」。執醴者以日授夫人。執其下跗，夫人受之，執其中央直者」。

跗 蹬《集韻》云：「足跡也」。《玉篇》云：「足上也」。《儀禮士喪禮》云：「乃屨，綦結于跗，連絇」。注云：「跗足上也」。疏云：「謂足背也」。案蹬即俗曰「腳面子」是也。

登 豋 𤼷 卜 𤼷 𤼷 𤼷 登《殷天辭詁》云：「升也」。《玉篇》云：「上也，進也」。考登字从癶，兩足上進之形也。于字為動義符。豆者粢盛之器也。廾者兩手捧獻致神之態也。書登上日之祭神儀式，詰動後世延為一切行為動力辭。

癶—𤇯—→燈
豆—𤼷—→鐙
登—→澄
櫈

櫈

澄

業、𢍜字合音「豆廾」之合聲也。如音中亦有義。夫兩手捧豆曰𢍜。承豆之器曰鐙。自足之木曰櫈。居高臨下之火曰燈。清升濁降之水曰澄。皆有上升之義。

翣

翣、𦩷、𦩷、翣、䈉。考殷墟𦩷字，从𠕁从艸。此字見于《卜辭》，即𦩷字。《字彙補》：「𦩷与翣同。」《漢犍為楊君石門頌》：「𤅏路𦩷難」，亦指𦩷之翣。看來𦩷即𦩷之初文，其來有自矣！

考《周禮·天官·縫人》：「衣翣柳之材」。鄭注：「故書翣柳作接橮」。鄭司農云：接讀為𦩷，橮讀為柳。皆棺飾。《禮·檀弓》云：「周人牆置𦩷」。《春秋傳》云：「四𦩷不蹕」。又《周禮·春官·喪祝》：「及墉，說載除飾」。鄭司農云：「除飾，去棺飾也。四𦩷之屬」。考《左傳·襄二十五年》（合本）：「𦩷蓋止翣」。與二鄭所見古本同。《說文》：翣字訓「翣，棺羽飾也。天子用八，諸侯用六，大夫四，士二。下垂。从羽，妾聲。」然則翣本羽飾。妾、接古音同，𦩷、𦩷、扇明矣！復考《釋名·釋喪制》：「齊人謂扇為翣。此似之也。象翣為清涼也。」《淮南子·氾論訓》：「翣狀如背扇無文。棹置棺車箱，以為飾。」《周禮·春官·巾車》：「輦車組輓，有翣，羽蓋」。疏：「翣，所以禦風塵者。翣即扇也。扇所以為蔽，亦所以禦風塵也。」

據此觀之，可知卜辭𦩷字即𦩷字，亦即後世翣字初文而無疑也。蓋翣之為物，雖用途非一，或為棺飾，或用以蔽日光、風塵。要知皆屬羽製之物，故知卜辭𦩷字从𠕁，所以示羽扇之形也；从艸者，所以示翣扇之徒甚衆也。

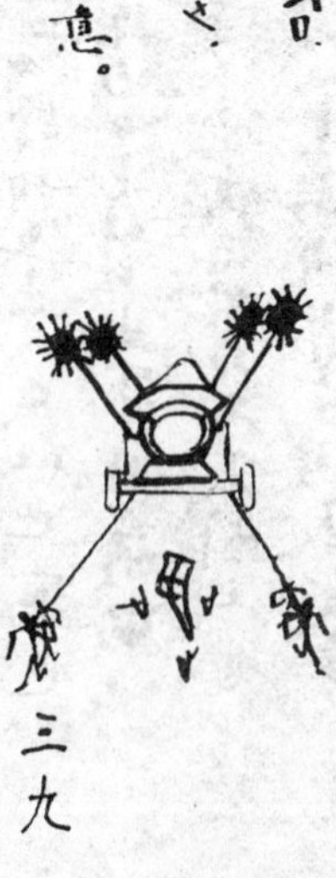

路

路、𧾷《說文》：「道也。」徐鉉曰：「道路人各有適也。」筆者案：路从足从各。

觀卜辭配伍各字是入內之義，征有外出之義。審此則知左側从足，征之省文也。又側从各，入內之意也。知路字造形有左出右內之意。

出 𡴀卜 𡳿卜 出（金） 𡳾（借）（金）《說文》云：「進也。」《廣韻》云：「見也，遠也。」《增韻》云：「出入也，吐也，寫也。」

筆者案：出之為文，《說文》云：「訓為植物萌芽之象。」其說與《卜辭》出字之形稍異。《卜辭》出字皆从止从凵或从𠙴，有自家外出之象。《周禮·秋官·大司寇》云：「……其不能改而出圜土」者殺。」注：「出謂越獄逃亡也。」越獄亦用足，故知出之本字應从止从凵為確。小篆譌止為屮，李斯之誤也。今民間謂五穀播種萌芽曰「出苗」，可見許君之訓，亦自有所本，尚待考証。

㚰 𡚧（金文叔弓鎛）云：「𩁹公之孫，其配累公之妹，而𡉗公之女……」筆者考《說文》無㚰字。《爾雅·釋詁》云：「男子謂姊妹之子曰出。」自宜以㚰為正字。《左傳·成三年》云：「康公我之自出。」出當是㚰之假借例也。然則㚰即甥也。

整 整 𢿌 整（說文）云：「齊也。从束从攴从正。」注：「束之，又小擊之，始正也。」物之凌亂無序者，欲其條復秩序也，亦以繩約束之。其乖戾偏倚者，亦施之以撻伐，而就正直。此整（整）字之義歟？今人名之曰「整理」。

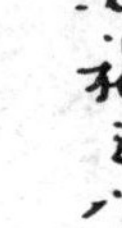

亂

茁 𦬕（說文）云：「艸初生地貌。」案：「艸初生地」是茁字本義。字从艸从出，亦指事字也。

《詩》云：「彼茁者葭，一發五豝。」鄭注義也。今民間謂小兒生齒曰「茁牙」，牛羊肥健曰「茁壯」（見論語）。亦取艸初生地意。吾鄉民謂小兒身體健壯曰「茁壯」，與《書論》云「牛羊茁壯長而已矣」同旨。

先 𠧚 𠂒 𠂔 先（說文）云：「前進也。从儿从之。」徐曰：「之，往也。往在人上也。」

案：「之」字是動義，韓用與「往」同意。雖「往在人上之『上』字」應予如何認識，此識理解先字之關鍵。蓋「上」之為義，有時間、空間二意。自應以現時、現地為標基點。先吾而生者曰先人。後吾而生者曰後人。若空間之先後，譬如登高，早行者居上，後至者居下。然先之先仍有先，後之後仍有後。然則所謂先後，亦相對義，非絕對義也。以「時」之為物，乃無象造字者計無可施，只好以「之」形之位序以標義，猶「一在一上為上」同例。

前 歬、《說文》：「不行而進謂之前。」案許氏此解可上下述兩類情況說明之：一、當事者靜止不動，下達命令，使被命者主動來到自己面前。二、人坐舟上，舟藉水力而行，此亦不行而進。然愚獨以為此二說皆未符造字之情。考古文前字从舟从行，从止。止者與「之」同義，其義同「至」。行者進也。故如「前」字之義，莫如訓為「舟之所之為前」，此較更合字形之意。

柮 、《釋名》：「柮，屈也。使物否屈，不為用也。」所謂「否屈」，否者塞而不通之意，屈者屈而難伸之意。故艸木萌芽，困于堅土不能伸展曰「柮」。昆虫蟄穴，屈折難行曰「窋」。繩索委乜一團曰「絀」。華藤卷疊曰「曲」。有口難想曰「詘」。動物冬眠，藏尾蜷卧曰「屈」。義類相近，其例一也。所謂建類一首，同義相授，是曰「轉注」是也。

後 、後、後。《說文》：「遲也。」徐鍇曰：「从幺，从夊。幺猶係躓之也。」所謂「係躓」，即兩足被繩索套住，不能前進之意。故訓義為「遲」。

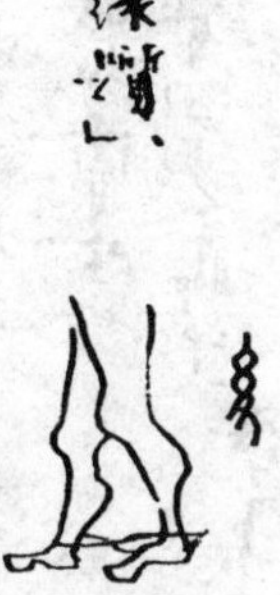

往 㞷、往、䢱、𢓸（金）。《說文》：「之也。」《玉篇》：「行也。」筆者考古往字㞷，从止、从王。止者至也。王、古王字也，象斧戉之形。有征伐之象。《尚書·湯誓》：「夏德若茲，今朕必往。」《泰誓》：「今朕必往，我武維揚。侵于之疆，取彼凶殘。我伐用張。」尤其是金文𢓸字之形，从止、从王、从彳。往動也。顯示出「王者興師問罪，征討不義之象。《孟子》：「舉直錯諸枉，則民服。」故知往之另義，有「舉直錯枉」之意。〈義詳下匡字〉今世往字皆从彳、从王，非。自應以从㞷為確。

匡 、匡。《玉篇》：「匡，方正也。」《爾雅》：「匡，方也。」考古字从㞷从匚。匚者方形中空之容器也。㞷與枉通，枉之省文也。枉、尢音義互通。人體衷曲曰「尢」。器之衷曲曰「㞷」。木之衷曲

四〇

曰「㮚」。物之裏曲則正之以器，事之裏曲則正之以法。竊以為匚之為字，蓋糾正容器之模型也。其型製，內曲而外直。古名「㮚栝」。內外重壘，中有夾層空隙，可容器物。器有裏曲，則就正于匡。裏曲之容器夾于㮚栝兩層之間，可使變形之容器得以恢復正常。古人名之曰「匡正」。《論語》云：「管仲相桓公，霸諸侯，以匡天下。」《孝經·事君章》云：「將順其美，匡救其惡」。皆匡字之延伸義例。此漢字由自然科學領域進入社會科學領域之義例。

武

𢓊 行也。從彳，從武。《說文》云：「夫武，定功戢兵，故止戈為武」。案：此語出自楚莊王。古人好為玄虛之論，蓋非是字初義。考《毛詩·大雅·生民》云：「履帝武敏歆」，注云：「武，迹也」。

筆者案：此字从止从戈。止者，足之形也；戈者，長柄兵器也，長度之意。《國語·周下》云：「夫目之察度也，不過步武尺寸之間」，示其近也。竊以為古制六尺為步，半步為武。見《華嚴經音義》引何承天《纂要》云：「上舉武也」。𢓊从武从行。行者，道路之象；武者，步伐整齊之意。故知𢓊字初義應為長度單位。甲文𢓊字，則有「行軍步武整齊」之義。今民間尚有「一步三腳印」之謠諺，蓋古代語言也。

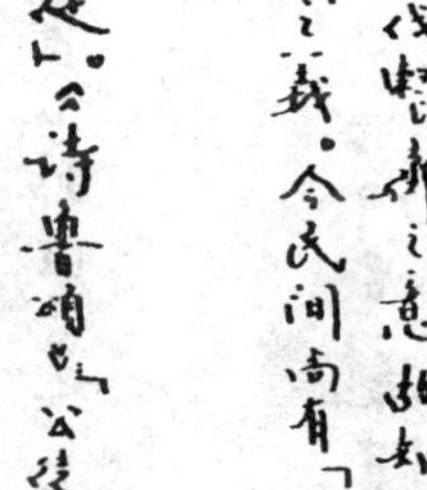

徒

辻 𨑃 徒 《說文》云：「步行也」。《易·賁卦》云：「舍車而徒」。《詩·魯頌》云：「公徒三萬」。

筆者案：徒从土从走。土者，道路也；走者，兩足之勞動也。古代戰場用兵，以兵車為衝鋒陷陣之主力。戰車橫排平列前進，戰車之間，以步卒填補空隙。「軍帥」居戰車之上，執枹擊鼓，指揮三軍。步卒徒步而行，唯命是從。故「帥」之與「徒」尊卑不同。《左傳·桓公五年》云：「原繁、高渠彌以中軍奉公，為魚麗之陣，先偏後伍，伍承彌縫，戰于繻葛」。這種上戰作署形式就決定了「步卒」與「軍帥」的政治組織的主從關系。後世遂升華為「師徒」之間的社會關系。

徙 [古文字形] 《說文》：「迻也。」《玉篇》：「遷也，避也。」案許君訓徙爲迻，固籠統而不詳，而謂君訓徙爲遷，亦未符
造字之恉。何則？考徙字造型从彳从止止。此字特點即二足大趾方向一致。與步字之一左一右明顯不同。與
𨑒字上下四手更屬漢不相涉。蓋遷之爲義，上升之象也。迻之爲義，分散往遇之象也。止止之爲義，前進之象
也。若徙之二止同向，則明明示意爲「橫向轉移」，可一望而知，不待辨而見者也。圖示如下：

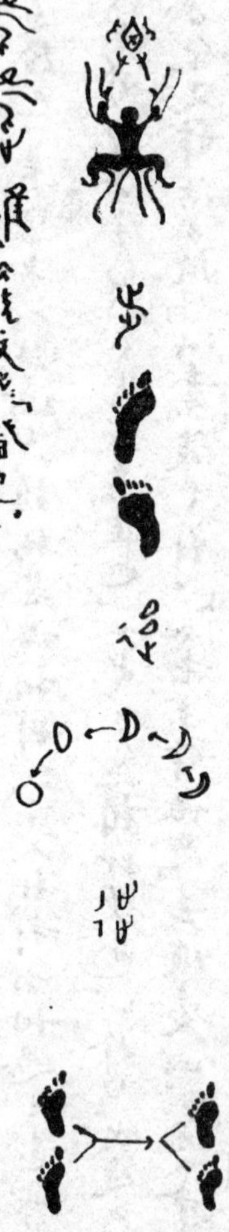

進 [古文字形] 《說文》：「登也。」
《玉篇》：「升也。」《曲禮》：「遭先生于道，趨而進。」《表記》：「君子三揖而進。」註：「人之相見，三揖三讓，以升賓階。」
考卜辭進之[古文字形]，从[古文字形]从止。止者足也，前往之意也。[古文字形]者短尾鳥也。進字書
史何以不取象于獸？良以鳥之爲物，只能前進而不能倒退。若人之與獸，則可進可卻，
而無退卻之能。此進字以[古文字形]之意。進字者完全藉自然觀而得，非偶然矣！

退 [古文字形] 退 衲 [古文字形] 《玉篇》：「卻也。」《說文》同。考退之爲字，从艮从辵。艮者止也。（《易·艮
卦》）。辵者「循道疾行也」（見《文書》）。退字古文作衲，从彳从内。彳者道路之形，行
走之義。内者从外入内之象也。古漢語謂在朝居官任職者，公畢回家吃飯曰「退食
自公」。又云「進思盡忠，退思補過」。用現代漢語譯之，所謂「退」就是「離家上班」，所謂「納」
就是「下班返家」。此衲字从彳从内之意也。内从冂从人。冂者家門之象。人古「入」字。
故内之爲文，乃人入家門之形，亦指事字。

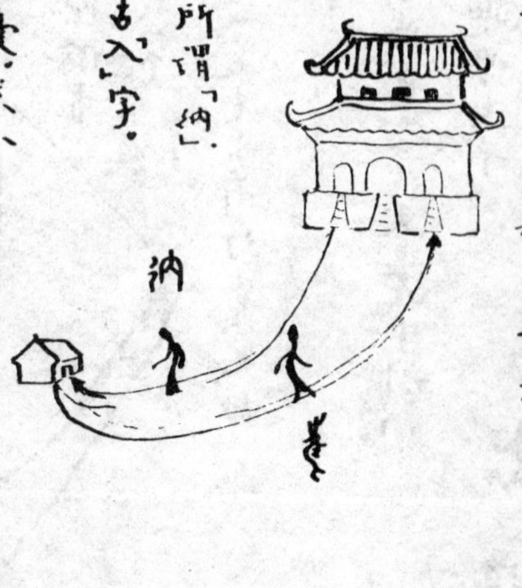

逝 [古文字形] 《說文》：「往也。」《增韵》：「去也，行也。」《正韵》：「亡也。」以上諸訓，以正韵之解爲優，然亦
人之
未能道逝字之恉。考逝之爲文，从斦从辵。辵者「循道疾行」之義。斦者斬折之意。朋友離別相送。

行者在前，送者在後，遙遙相望。逾走逾遠，拐彎則形被隔遮而不見矣。此逝字从折从辵，而訓為「亡」之義也。亡古「無」字也。形影消失之意也。逝、失音似而義同。

速　《說文》云：「疾也」。《爾雅》云：「鹿之足迹曰速」。《石鼓文》云：「麀鹿速速」。考：速之為文，从束从辵。速者，循道疾行也。束者，緊縮之象。物體之緊縮者則遭遇之阻力小也。如葦之流水，矢之行空，皆其例也。古文速字或从𠭔，或从馬，或从矢，或从束。从束者，葦束浮水之象也。从馬者，喻馬行之疾也。从言者，示言之疾也。从矢者，示箭行之疾也。雖取象不同，所以示疾之義則同也。

復　《說文》云：復字訓云「往來也」。《廣韻》云：「返也」。《書·舜典》傳：「還也」。《說文》云：覆字訓云「覂也」。考：以上諸文，皆从「复」。复者，酒瓶倒傾之象。本屬覆蓋翻動之義，其後延伸為平行往返義，而同以「复」為「義根」。施西則為翻覆字，施復則為傾覆字，施彳則為往復字。

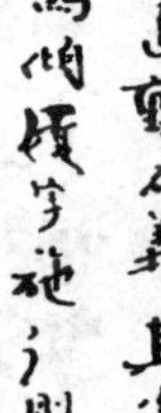

逢　《揚子方言》云：「逢，逆也」。此訓極確。

考：夆字之為文，从夊从丰，或从辵。夊者足也。丰者植物鋒芒之象也。彳止者道路也。逢字者，以趾端與植物芒端相對，以示人物對面相遇之意，此形聲字例也。

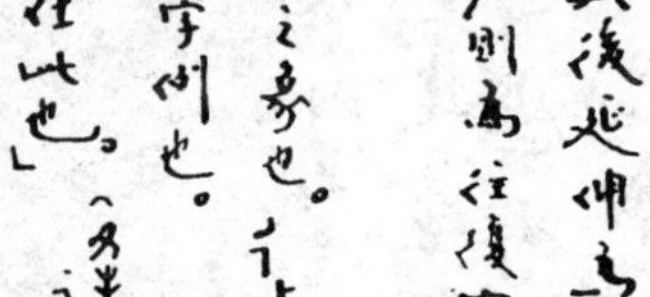

此　《說文》云：「止也。从止从匕。匕，相比次也」。徐曰：「匕，近也。匕在此也」。（另參之）《爾雅·釋詁》疏云：「此者，彼之對」。《老子·釋詁》云：「去彼處此」。《六書故》云：「此，猶茲也、斯也」。

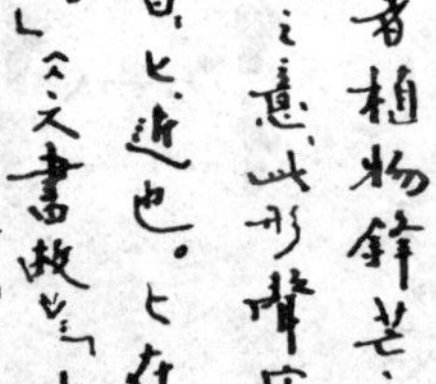

筆者考：此从止从匕，乃人字也。古篆人字方向，可左可右，無定式也。从止，足形也。竊以為「此」之初義，即人足止于特定位置義。現代漢語，名之曰「立足點」。「趾」其後起字也。此字之合理解釋就是「這裏」。《六書故》訓云「此，猶茲也、斯也」。猶嫌不訓之論。然則所謂「此處」，即兩足所踏之地。其意與艸木所生之處曰「所在」而占「屮」象意同例。

跐

跐《説文》：「淺渡也」。錢坫曰：《莊子》：「跐黃泉而登大皇」。《列子》：「躡步跐蹈」。

筆者案：跐之為文，从走，从此。此者足底所踩之地也。走者前進之辭也。今魯西方言謂幼兒受寵過分，遂漸滋長犯上惡習，曰「跐着鼻頭上天」。又有譏人立場不穩之諺語「腳跐兩隻船」，以及「跐着凳櫈上桌子」。凡此種種語例，皆足以証明跐字的景狀，屬于特定生理部位，特定形式動義。其詳性略等于「踩」或「登」。

擘

擘《説文》：「大指也」。《孟子》：「于齊國之士吾必以仲子為巨擘焉」。

案擘之為字，从辟，从手。手有五指，長短粗細不等。辟者君也。手之大指於五指之中為最粗，故如擘字之義有「五指之君」意。

踽

踽《玉篇》：「足開貌」。《説文》：「踽，疏行貌」。《張衡西京賦》：「䟓踽盤桓」。注：「䟓，足之開也」。

奎「䟓踽」二字駢連成辭，未容偏廢。故欲求踽字之義，必先从䟓字始。考䟓字从足，从奎。

奎者「兩髀之間也」（見《説文》）。奎从大，从圭。大者正面而立，兩股開張之象也。圭者三角立體椎形也。人行跨過椎形之石，當適而立，故必兩股開張以跨越之。故奎訓為「兩髀之間」，而䟓訓為「足之開」，良有以也。然則踽字《玉篇》訓為「足開」，《説文》訓為「疏行」。則䟓、踽二字義通，彰彰明矣！䟓踽同聲而音義同，故知奎䟓二字皆有分離義。尤覺信而有徵。

奎

然踽之為文从禹何也？此為本文之關鍵，不能不予以認真之推敲。

考《尸子》：「禹治水，疏河決江，十年不窺家。手不爪，脛不生毛。生偏枯之病。行不相過。故曰「禹步」。筆者案：「偏枯」之病，半身不遂之疾也。患此病者，行路姿態皆健足前進，而病足拖拉于後，不能超過健足之進度。故曰「行不相過」。故知所謂「䟓踽」，即半步。

與「半步爲跬」同義。也就是說化費一步的時間和力氣，僅能收到前進半步的效果。

竊以爲舉世之「偏枯」患者不知凡幾。何以不舉別人之名字，也爲該病之名稱，而只以大禹之名出之，何也？愚曰：大禹者，爲萬民造福而犧牲之偉人也。後人念其功而感其德，形之于文字，不亦宜乎？後世用「獨行踽踽」爲單人獨行之形容語，乃是引伸義，非初義矣。今人所謂「一步之腳印兒」。

癹

班 班

〈說文〉班字訓：「分瑞玉，从玨刀。」徐曰：「刀以割分之也。」〈書舜典〉：班瑞于羣后。班从刀从玨。而訓義爲分割。玉器的解剖曰班。「王者把這些解剖之玉，分賜給功臣。其名曰「癹」。癹字造型从癶从支。癶者，分離之象。支者等字省文也。「王者封侯賜爵，必有等級。此癹字从癶，从支之義也。所謂「分瑞玉」，即「王者」封功臣頒發職稱證件的政治儀式。〈說文〉：「瑞，以玉爲信也。」考〈周禮

瑁 瑁

春官典瑞〉注：「人執以見曰瑞。瑞，符信也。」〈說文〉瑁字訓：「諸侯執圭朝天子，

圭 圭

天子執玉以冒之，似犂冠。」〈說文〉字通：「瑁，諸侯即位，天子賜以命圭。圭上邪銳，瑁方四寸，其下亦邪刻之。謝其長短如圭頭。諸侯執圭來朝，天子以瑁之刻處，冒彼圭頭，以齊瑞信。猶今之合符然。」〈玉篇〉瑞字訓：「信也，節也。諸侯之圭也。」案：圭之與瑁皆系上是兩位一體的玉制禮器，一存于天子，一存于諸侯。諸侯朝覲天子，必執圭以爲證件，繇天子親自檢驗。其性質、貴等於會議身份證。

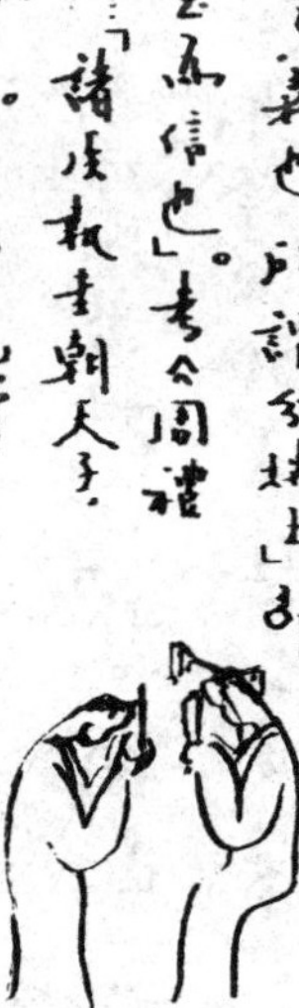

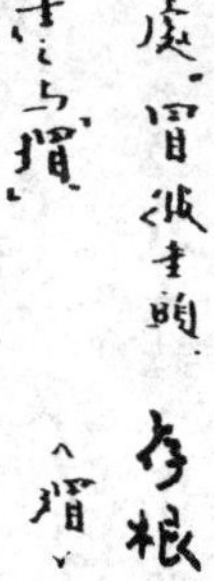

玨

「玨」音覺。〈說文〉：「二玉相合爲玨。」一存于君，一存于臣。故玨字从二玉。所以防僞杜僭之禮器也。

班〈剖玉〉——癹〈分發證件〉——瑞〈玉製符節〉——圭〈乙方證物〉、瑁〈甲方存根〉——合符

案：癹、班皆古文。後世正頒。頒行而癹廢。頒从分从頁。亦分頒賜予之意。〈周禮天官太宰〉：「匪頒」注：「匪，分也。頒讀爲『班布』之班，謂班賜也。」此文字古今之變也。

谷　屮屮卩　躋　金躋　《說文》：「谷也」。《詩·秦風》：「道阻且躋」，「艱險而進，遠則上躋」。《傳》：「躋，升也」。《左傳·文二年》：「躋僖公」，《公羊傳》：「躋，升也」。考，《卜辭》：「屮屮卩」字，从屮屮谷之省文也。从卩，小篆已字，初文也。《六書統》：「谷，古文躋字。从八，从卩。升高當自卩也」。《集韻》古「𡵂」。故知《卜辭》屮屮卩字乃躋字初文。筆者案，屮屮卩字从卩，〈卩〉、〈岊〉之省文也。《說文》：「岊，陬隅，高山之節，从山卩」。余曰：「山之陬隅曰岊」。《左思·吳都賦》注：「山曲曰岊」。余曰：岊者，節也。山之有岊，猶竹之有節。所以示等級高下有序也。其具體形貌，殆如「梯田」之逐級升高，皆有以之。此谷字从屮屮从卩之義也。然則躋字从阜从躋何義也？是曰：阜者「土山也」。阜者山岊之形也。躋者上升之義。登高者必求身与山齊。此躋字从阜从躋之義也。

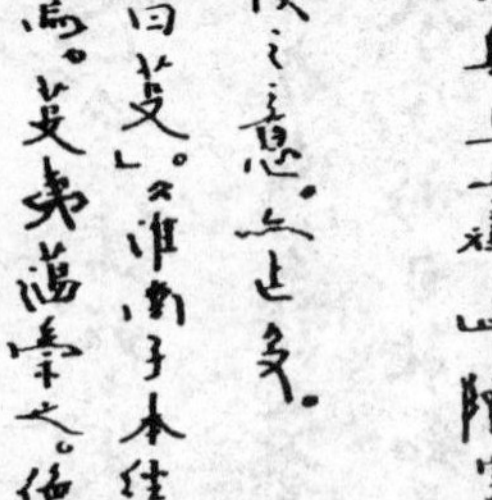
〈谷〉

癹　屮屮卜　屮屮殳　《說文》：「癹，普活切，音潑。以足蹋夷艸也」，字从屮屮从殳之省。考癹之為字，从屮屮从夊从殳。屮屮者分離之象，殳者擊撲之意，夊止也。

芟　殳者屮屮殳之省文。「芟」是斬艸之意。《詩·周頌》：「載芟載柞」。《傳》：「除艸曰芟」。《淮南子·本經》：「芟野菼，長苗秀」。《左傳·隱六年》：「為國家者，見惡如農夫之務去艸焉。芟夷蘊崇之，絕其本根，勿使能殖……」《說文》：「芟，刈艸也」。惜其語焉而未詳。故吾人不能理解癹字从殳之意。獨《齊語》之紀述，堪稱一針見血。「權節其用，耒耜枷芟」。注：「芟，大鐮」。藉此可知芟之為文从殳之義，所以示其有斬艸之意也。吾魯南微山湖地區，每屆小麥豐產，麥稞密集，不情處理，農民習慣于以「芟刀」刈割之。其形似鐮而大。鐮之背，附有「搭網」，所以防麥穗之遺失。其收割形式：以二人展出四手，緊張大型布幃之四角，以承接麥穗；另外一人，兩手拱持「芟刀」，凌空揮舞，掠取麥穗，使被斬斷之麥穗，紛紛下落，墜入布幃之上。迨滿載之後，則由二人四手提持布角，緊提舁之而去。斯時更由另外二人四手張布以往之。而操「芟刀」者得以操之如故。此種收割方法，工效之速，實屬驚人。民間名之曰「癹麥」。甲骨文之屮屮又字，揭示了我

四三

圖「𣪘麥」收割方法歷史所從久。是非常明顯的。其圖如下。

故知「𣪘麥」之法，不獨古人施之於收穫，而且同時施之於除草。《詩．周頌》云：「𢦏芟𢦏柞」可為例證。《說文》云：「芟，刈草也」，乃指江南稻田而言。此法南方之地慣用之。其術以赤腳入水，將草踏倒，淪沒于泥中使之漚爛致死。此南人之法，非「芟刀」除草之本義，乃通假義也。

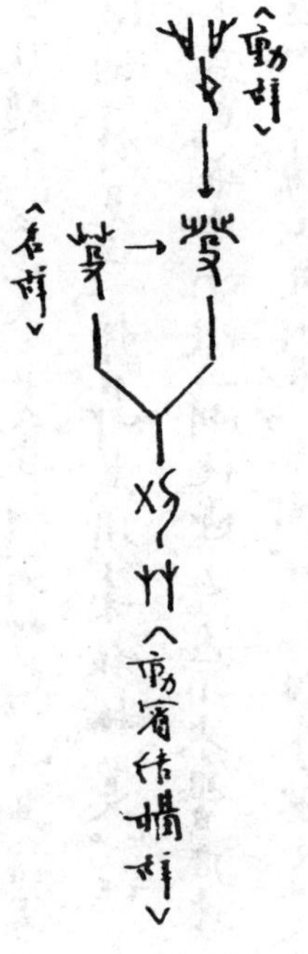

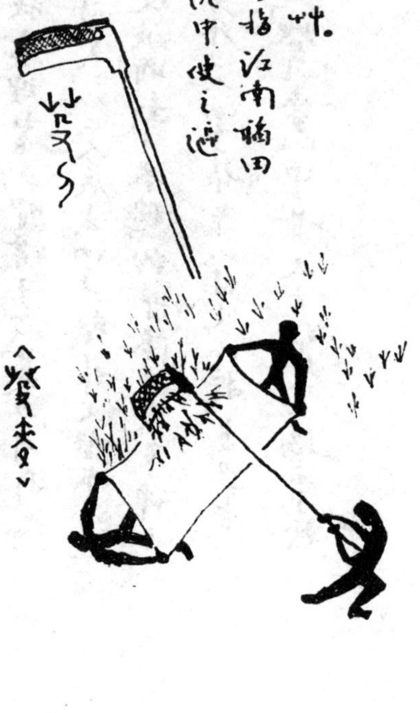

躍

（金）、（石鼓）、（籀）躍《說文》云：「迅速也」。《博雅》云：「上也，進也」。《六書故》云：「大為躍，小為踊」。躍去其所，踊不離其所。《玉篇》云：「跳躍也」。《易．乾卦》云：「或躍在淵」。《詩．大雅》云：「魚躍于淵」。

按躍字造形非一，各有取義。其為升空動向則一也。詳參字形自能知其異同。

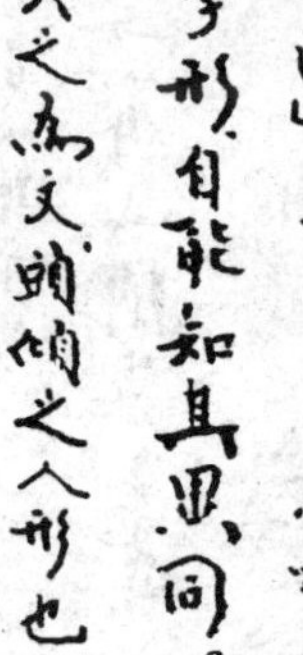

走

走《說文》云：「趨也，从夭，从止」。徐曰：「走則足之屈，故从夭」。謹按，夭之為文，頭傾之人形也。人之前進，決定於重心之不斷轉移。故行路者，頭必前傾，前傾則身撲，身欲撲則足必迅速前趨，以搶救之。此前進動機之所由生也。故走字从夭示頭傾之態也，从止，所以示足動之意也。

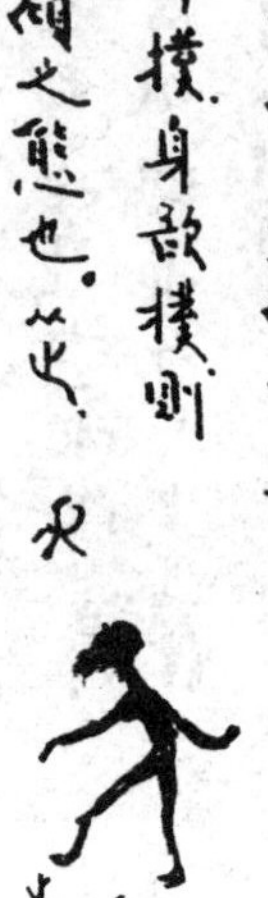

蹁

躚《說文》云：「蹁躚，旋行貌」。按「蹁躚」亦作「翩躚」，此種旋行舞姿，當來源於對鳥類翱翔活動之摹仿。故字或作翩躚、躚者，取此之義也。

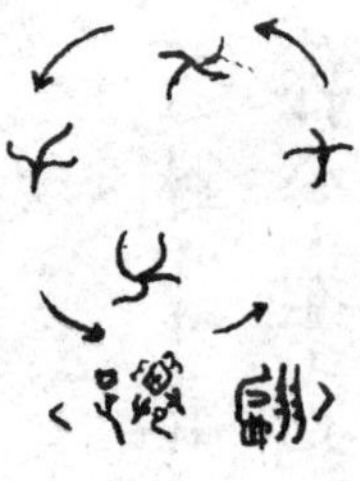

奔 𢓜 𡴀 𤖯 𡘋 《說文》：「走也。」案奔字造形或从三牛，或从三人，競走。漢字之多數同文集于一處者，皆表示勞力之增強，與醫學之化驗單十一號同趣。

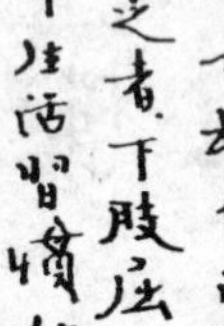

跽 跽 𨀲 㔾 上《說文》：「常跪也。」這個「常跪」姿式，絕非畏罪表現，也非敬神儀式。古代人民，皆席地而坐。跽字从己 㔾，側式跪地之形也。从足者，下肢屈折重疊之態也。字本止己字。跽字後起之文也。這是古代人民日常生活習慣的常規體式。例如《國語》：「秦王跽而請曰……」皆其義例。

踐 衛 踐 𨆫 《說文》：「履也。」《釋文》：「踐，藉也。」案踐字訓履，訓藉，借用義也。非踐字之形義也。

考踐之為文，从足，从戔。足者，奔走之意也。戔者，賤之省文。犇波勞苦，皆賤役之事。與戔字从戈从戈，《漢手胡目》造形成對待之義。《賴自「勞心」、「勞力」社會分工之後，始出現了賤者任勞，貴者富有的差別。可从文字中窺之。近代國際政壇人物，倡「語言無階級性」之說。風靡一世，然殊不知此種論點，施之于西方文字，或無不可，固不可以律東方古文字也！

躊躇 𨆫 𨇨 躇 《博雅》：「躊躇，猶豫也。」《南漢李夫人傳》：「哀裴回以躊躇。」師古曰：「躊躇，住足也。」此解最符造字形義。考：躊字从𠷎从足。《說文》：「壽，久也。」復考《左傳昭十三年注》：「著，位次也。」《詩齊風》：「俟我于著乎而。」傳：「門屏之間曰著。」復考《文書統》：著止此品。从品从止。品古都字。从止，言人立一物止于兩都之間，以為界域之徵。故著為明顯之義。今猶立石為之，謂之石碣。」

筆者竊以為著者，住也。駐止之意也。壽者久也。故知「躊躇」二字合為一辭，有「久止」之意。其所以久止不前者，因心有所思，猶豫未決，故久之而不動，此「躊躇」之義也。

蹯 𤕢 蹯 𨇨 跙 《說文》：「蹢足也。」《左傳文元年》：「王請食熊蹯而死。」《傳宣二年》：「晉靈公宰夫胹熊蹯不熟，殺之。」

四四

采之為文象形字也。番从釆从田。釆古辨字，識別之意也。田者土也。上古〈翻跟蹤追迹〉野獸，覬獸足之迹，以判斷獸之行動趨向，故字从釆从田。然則番者，獸足之反面也。

[glyph]字象獸掌之形。後延伸為「正番」之義，翻飛之義。

[glyph]—番—人—蹯—〈蟠然悔改〉
—翻—〈鳥翼翻飛〉

蹝 [革麗] 蹝 躧 《說文》：「舞履也」。按《漢書地理志》：「女子彈弦跕蹝，游媚富貴」。注：「蹝字與跳同。蹝小履之無跟者也」。《漢書‧之一隽不疑傳》：「不疑容貌尊嚴，衣冠甚偉，勝之躧履起迎」。注：「履不著跟曰躧」。

按：所謂躧，即今之「蹋鞋」是矣。

《〈之〉字演化之軌迹》，示意如左：

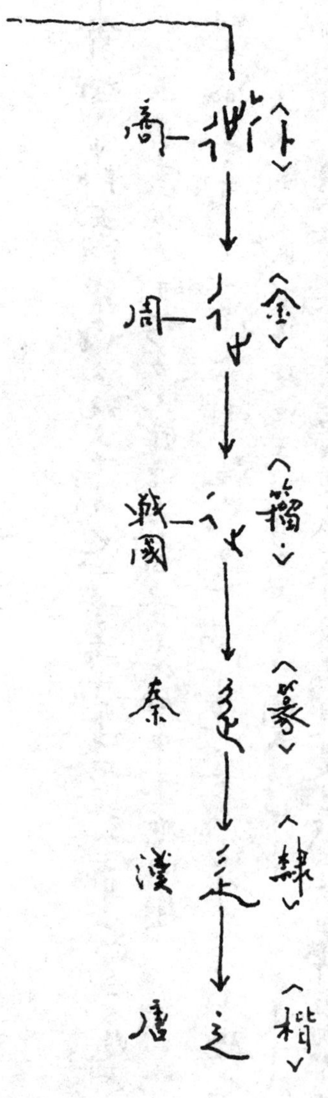

辵辵字例

彳亍——

彳止 辵：《六書故》：「循道疾行也」。《集韵》：「丑畧切」。《說文》：「乍行乍止也」。《文書正譌》：「从彳从止會意。隸定之。有与彳、足、走三部相通者。」案：行之爲文，从彳从亍。行者道路之象。止者足趾也。故从彳止之字，皆有行走之意〈附表如右〉→

迂 于 吁：《說文》：「避也」。《玉篇》：「遠也」。案：「避」之与「遠」，皆一意而相通。避者回也。迂則果也。故迴避之則必繞道而行，繞道而行，則行程必遠矣，故迂字从亏从辵。亏者彎屈之象。辵者下肢動作。其費時耗力而少功也必矣，此所爲迂迴。

〈迴 迂〉

迺 丌 辵：《說文》：「古之遒人，以木鐸記言。」徐鍇曰：「遒人行而求之，故从辵。从丌者薦而進之于上也。」

漢劉歆与揚雄書曰：「詔問三代、周秦軒車使者、遒人使者，以歲八月巡于路，求代語、童謠、歌戲。」故得其最目。《公羊宣十五年解詁》：「男女有所怨恨，相从而歌。饑者歌其食，勞者歌其事。男年六十女年五十無子者，官衣食之。使之民間求詩，鄉移于邑，邑移于國，國以聞于天子。故王者不出戶牖，盡知天下所苦。」吾來所謂「遒人」之職，吾嘗綜上說是負責蒐集民間文藝上的采訪員，其工作性質在使「下情可以上達，上情可以下宣」。遒對維護社會健康是有深遠意義的。

遒人、以木鐸徇于市

迎 𨗨 卬 卬 迎：《說文》：「逢也」。《增韻》：「逆也，迓也」。案：迎字从卬从辵。卬者昂首仰望之姿也。辵者循道疾行，前進之象也。故知迎字有本迎「尊者」之義。迎、仰同聲。古迎字亦叶韵止昂。故知迎字有尊敬意。《屈原・離騷》：「百神翳其備降兮，九疑繽其並迎。」此迎字用于迎神之義例。又如「迎日推策」、「親迎」之禮，皆有尊崇之義。而与迎字从卬之意相符。故知迎也爲褒義動辭，与「逆」字有本質之不同。

遣—𢓊、𧻓、𨗨籀、𧿃古 《說文》：「縱也」。叢遣訓義爲遣。惟納非遣字之意也。

古文𢓊字从止从行。此古文字双手捧大之象。行者道路之意。故知古代遣若遠晚間

實有舉火照明之事。

〈𢓊〉

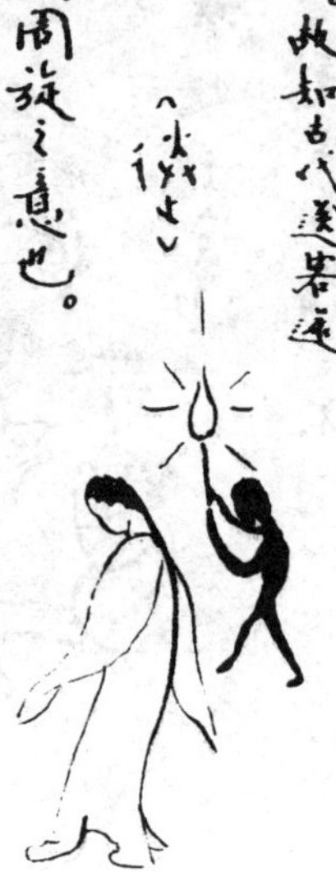

遠—𨗨、𧼿古 《說文》：「遼也」。甚納。但此訓殊無以窺遠字之旨，試述之。

《發明》：遠从辵从袁。辵者循道疾行也。袁者睘之省，周旋之意也。

又爲轅之省，轅者車也。任重致遠者必載之以車，駕車必行大道。大道沿水環山，曠時費日，行程延長。

此其所以爲遠也。故張圍從遠，晚翁同韻，義亦相通。此遠字之義也。

遠

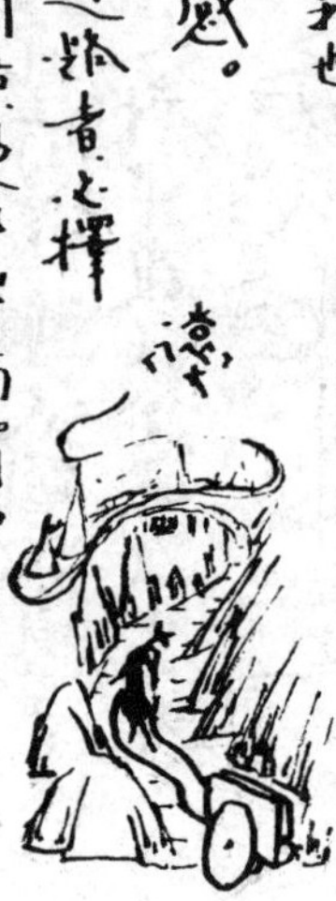

近—𢓍、𨒡、𧻷 《說文》：「附也」。難懂。《玉篇》：「不遠也」。尤覺敷衍之感。

《發明》：近从斤从辵。辵者循道疾行之意。斤者斧也。故行近路者必擇

捷徑。行直徑者往往有山川之阻。故必攜斧以掃除障礙。此所謂「逢山開路，遇水架橋」。因而快捷

斧之爲物遂成爲行事必備之物。此近字之義。故以斧能止行道之利器，故「旅」又名「斧資」。

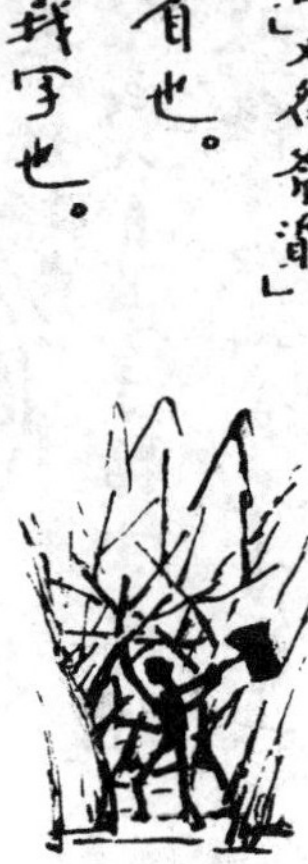

近

冋—𠔼、冋 《說文》：「遠也」。《廣韻》：「寥遠也」。考冋字从乚从冋。冋者坰之省也。

古制邑外爲郊，郊外爲野，野外爲林，林外爲坰。字亦止冋此形義字也。

寺僧與此界之象。同居縣外邊徼之地，距邑縣遠，故冋贈之而訓義爲遠。

據冋中而言也。

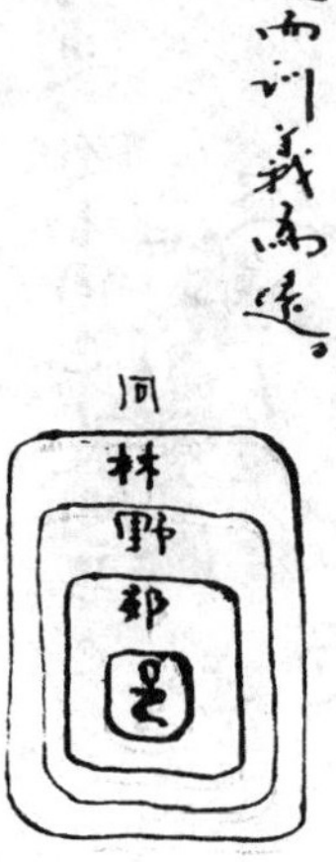

冋—坰—〈林外之地〉—迥—〈寥遠〉
泂—〈遠也〉

啇𠯑𠯑𠯑𠯑《說文》："以錐有所穿也。一曰滿有所出也。从𠯑，从冏。"

鐍鐍《廣韻》："環有舌也。"《莊子胠篋篇》："固扃鐍。"注："鐍，紐也。"

譎譎𧬉《說文》："權詐也。益梁曰謬欺天下曰譎。"《廣雅》："欺也。"《揚子方言》："詐也。自關東西或曰譎。"《論語憲問》："晉文公譎而不正，齊桓公正而不譎。"鄭注："詐也。"朱傳："詭也。"《史記司馬相如傳》："奇物譎詭，俶儻窮變。"《荀子大略篇》："本妒昧者謂之交譎。"《韓非子姦情篇》："此人臣之所以譎主便私也。"注："譎，詐謀以誑誤于主也。"

遹𢓊𢓊遹遹《說文》："回避也。"《詩小雅小旻》："謀猶回遹，何日斯沮。"《詩大雅桑柔》："民之回遹，職競用力。"傳："上既為不善政，使民俗亦敗。下民之為此無中和之行，主為險薄之俗，為善于相欺背之事。上以虐政臨下，下則奸巧避責。今下民皆邪辟矣，主上化然也。"《周禮天官宮正》注："去其淫怠與其淫邪之民。"鄭玄注："奇邪譎詐者。"

𠯑字形義初探：上列譎、遹諸文字皆从𠯑。則可知遹(音聿)、譎(音覺)二文雖讀音有異，而造形者來源于𠯑，已無疑問。譎字或訓"權詐"，或訓"欺"。遹字或訓"邪辟"，或訓"險薄"，其于諸例咸屬貶義，已無否定餘地。其所以令人困惑難解者，良由未識造型特點，謹審慎述之如下：

考啇之為文，金文作𠯑，从𦥑、从卜、从冏。𦥑是双手，卜是鑰匙。冏象鎖形。鎖之為物，有開闔啓閉之能，猶擅控制之機。造器者不惜竭盡智巧，技藝百出，匠心獨運，一鎖有一鎖之奇妙，千鎖具千鎖之特形。所以往當同而成，詭秘絕倫之功也。造字者假鎖鑰之形以喻人之心態崎嶇機密難測，使物質形象昇華為"意識詭詐，包藏禍心"的"相意辟"。此象形兼會意字之又一例。

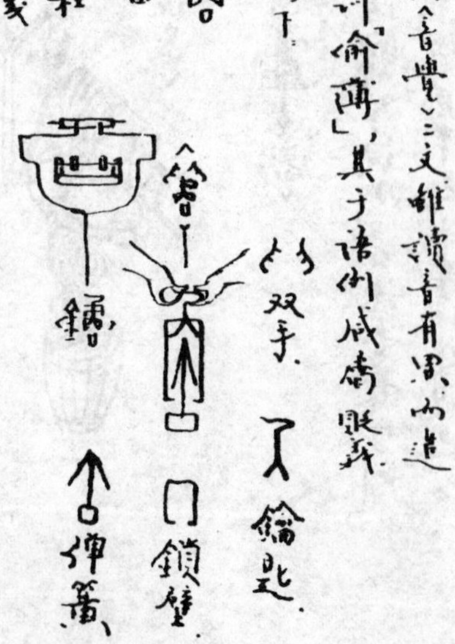

繘繘繘《說文》："綆也。从糸，𠯑聲。"《玉篇》："用以汲水也。"《急就篇》注："汲索也。"《揚子方言》："關東

謂之綆。關西謂之繘」。〈易井卦〉曰：「汔至亦未繘井」。〈儀禮士喪禮〉曰：「管人汲不說繘，屈之」。

筆者考，繘之為物，當即具有「可結可解性」的複式轆轤也。其一端結于轆轤，另一端繫于水桶。此桶乃公用水桶。經常置于井畔，汲水者以此桶入井汲水，出井之後，即將桶水傾入自人水桶，滿兩桶，即可攜而去。此物隴海沿綫農村多有之。余嘗親睹，畫示如下

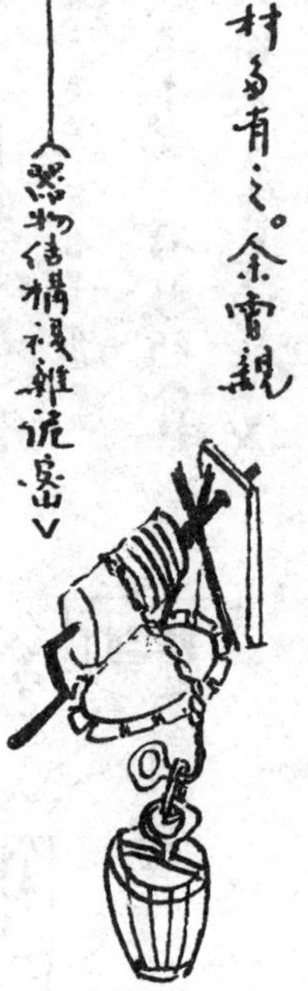

矞〈鎖鑰〉、鐍〈扃鈕〉、繘〈綆索〉——〈器物結構複雜詭密〉

譎〈奸詐〉、遹〈邪辟〉——〈意態結構複雜詭密〉

迷 𥸦 𥸦 䌩 〈說文〉：「惑也」。案：古迷字上𥸦，从米从見。其造字形義與眯字同例。〈說文〉眯字訓「艸入目中也」。此解甚爲妥帖。夫入目之物固不限于艸類。試如〈廣韻〉所云：「物入目中也」。又，「塵秕迷視也」。〈莊子天運篇〉：「播糠眯目」。〈文子上德篇〉曰：「蒙塵而欲無眯，不可得絜」。又〈莊子天運篇〉：「彼不得夢，必且數眯焉」。注：「眯，魘夢也」。古文字以聲見義，故迷、眯、昧、寐皆同音而意通。此漢字之音、義規律，不可不察。

追 𠂤出 𨑾 追 〈說文〉：追、逐二字互訓。〈廣韻〉：「追，隨也」。〈增韻〉：「逐也」。〈玉篇〉：「送也」。〈詩周頌〉：「薄言追之」。注：「謂已發上道，而追送之也」。考：追，从𠂤从辵。𠂤古堆字。辵，循道疾行也。故知追字造形，當取象于二人遶堆互相追逐。

〈𠂤出〉

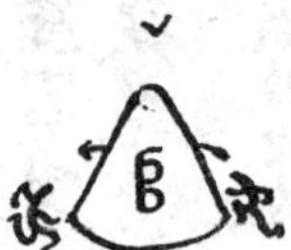

逐 𨔣 𨔣 𨔣 𨔣 𨔣 〈說文〉：追、逐互訓，而不詳造字之旨。余以爲逐字从豕从止。而豕，猪為聲，止者人之足迹也。故知逐字初意，當取象于「追豬」之形而無疑。由此可知，𨔣之爲文，乃取象于「逐鹿」之形而無疑。古漢語有「逐鹿」一辭，可為義證。其後延伸追逐一切義，非初意也。

遘 也 冓也 覯 逅 《說文》：「遇也」。《爾雅·釋詁》：「遘、逢，遇也」。注：「行而相值也」。《鄭風·野有蔓艸》詩：

「邂逅相遇，適我願兮」。注：「不期而會曰邂逅」。

按：甲骨文「遘」作 ，从 从彳。象二魚相對之形，與小篆字形不同。蓋 之與冓，形義各殊。《說文》「冓」字訓：「交積材也」。象對交之形。《詩·鄘風·牆有茨》：「中冓之言，不可道也」。知冓是建築結構的初文。而卜辭 字則只有相遇義，亦有兩物交構義。

購 《說文》：「以財有所求也」。案：購之為文从貝从冓。貝者財也。以財求物，即今日之買賣、交易。故購字亦有交換義。

溝 《說文》：「水瀆，廣四尺，深四尺」。《釋名》：「田間之水曰溝。溝，構也。縱橫相交構也」。

講 《說文》：「和解也」。《廣雅》：「論也」。《廣韻》：「告也。謀也」。《左傳·襄五年》：「詩曰：講事不令，集人來定」。杜注：「講，謀也」。言謀事不善，當聚致賢人以定之。故知講之為字，有互相交換意見義。

搆 《集韻》：「古遘，搆擣也」。「古鉤音也」。

[貝句] 卜 金[貝句] 《玉篇》：「覃給也」。《篇海》：「給也」。案卜辭 字从二手二貝，實古得字之重文也。蓋有《說文》得字訓：「行有所得也」。《玉篇》：「獲也」。《韻會》：「凡有求而獲皆曰得。又賦受亦曰得」。審此，則可知「[貝句]」之為字从貝从句。與金文 字从 从 ，有得財之意而無疑。句者，內向動義也。貝者貨財也。此于文書應為指事字例。

媾 《說文》：「重婚也」。案：媾，从女从冓。即《易》曰：「男女構精」之構的正字。後文用構，段借例也。《唐李白詩》曰：「遘此合元符，交媾騰精魄」。

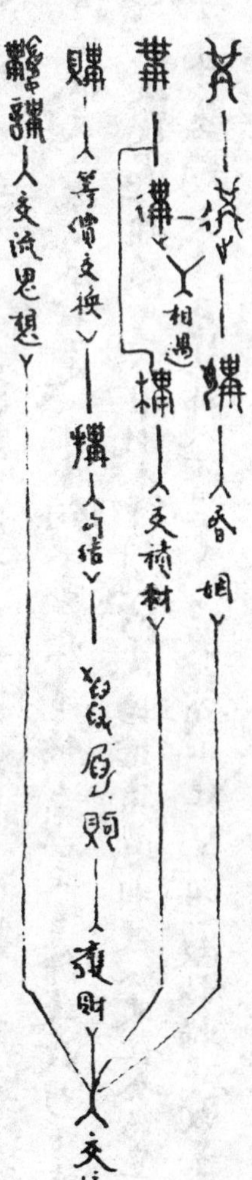

逞 也 《玉篇》：「快也」。又「極也，盡也」。《說文》：「通也」。案：快者遲之反也。通者塞之對也。後者逞字从日从壬。

从辵。𠙵者皆符也。至者直而不屈之象，飾而不撓之形。復考道字古文乃從寸，从首，从辵。首者義也。辵者動

態。故知道字造形與《玉篇》、《說文》之訓，皆有直言無意，是不畏縮之義。但是也不免有狂妄之嫌。

通 甬中衕中衕之甬，《說文》：「達也」。《正韻》：「徹也」。以上二訓，於義極允。獨惜乎未明甬字之取象，命書之牆

考甬之為文，从𠃜从用，从辵。𠃜者銅之象，用者桶之形。辵者循道疾行之意。甬之為實，古

甬《竹箭》字也。秋後段為「甬道」字。《淮南本經》訓：「修為牆壇，甬道相連。」《史記·秦始皇紀》：「築甬道」。注：

應劭曰：「謂馳道外築牆，天子于中，外人不見也。」《史記項羽紀》注：「恐敵鈔輜重，故築牆垣如街，曰甬道。」

這種由人工築起的好像夾道形式的防險通道，便成了統治者的人身安全的交通線。

也被軍事家上為運糧的安全運輸交通路，是非常明顯的。

籀以為甬字造形，皆取象於「甬道」而來。

故附圖以上說明考證之資。

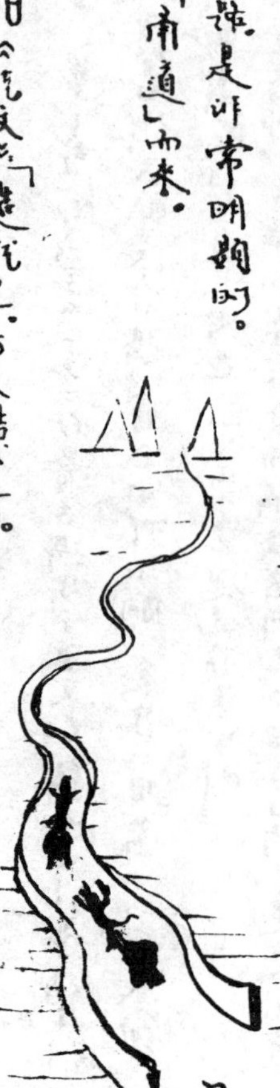

甬

造 [illegible] 《說文》：「造，就也。古文𦩻从舟。」

案：《說文》但云「古文𦩻字从舟」，而不詳从舟之義。試伸述之：

考《爾雅·釋水》：「天子造舟，比船為橋。諸侯維舟，維連四船。大夫方舟，併兩船。士特舟，單船。」《詩·大雅·大明》

造舟雖異，不離其元。故知卜辭𦩻字、金文䞋字，皆應為「造舟」之正文。經籍皆作「造」，

也。之造象可徵。唯古籀中尚能窺其一二殘文。甚矣古文之日趨湮沒焉。若𨱑之从金，乃

鑄造兵刃之䞋，从貝乃鑄貨之造。皆各具獨立形義，善于審義者自能知之。然

此皆簡則義，而非「造」字之通義也。故《說文》訓造：「就也」。就者成就之意。故

《增韻》訓：「造，建也，作也，為也」。雖用語未同，而示義一也。

案所謂「造舟」，並即用小船排成之浮橋，所以供輸渡河之用也。

《卜辭》𦩻造字从宀、从舟、从𠂉。舟是舟浮于水之態，宀有掩覆之象。故知天子乘輦

行于𦩻舟之上，則天子之軒車必有傘蓋以蔽日也明矣。此景堪从「𦩻」字造型得知矣。

舛

《唐韻》、《集韻》、《韻會》、《正韻》：同音「尺兗切，音喘」。《說文》：「舛，對臥也。从夊ㄗ相背。」

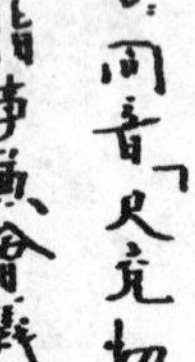

舛

篆文舛之為文，象兩足背離之形，指事兼會意字也。其延伸義為思想路綫之不同。這是一個貶義辭。

古漢語謂家庭成員父子、兄弟、夫婦，以及君臣、朋友之間的感情破裂，言行對抗，曰「倫常乖舛」（見朱相廬《治家格言》）。《博文》文：「舛，背也。」《前漢楚元王傳》：「朝臣舛午，膠戾乖剌。」註：「言意志不和，各相違背也。」《抱朴子》：「躁靜異尚，翔沉舛情。」《廣韻》：「舛，剌也。」《莊子天下篇》：「惠施多方，其書五車，其道舛駁。」《增韻》：「舛，錯也。」《韻會》：「錯亂也。」《左思吳都賦》：「詭類舛錯。」《王融曲水詩序》：「適道每多舛，顧有能無忡。」

《思考》：篆舛字，初義本應分「乖」、「背」之意，而延伸為「離亂」之義何也？大凡宇宙間一切事物進化，皆由簡到繁，此不變之規律，非任何主觀願欲之所能代替。推其真正原因，皆離矛盾而生。大而天體之變化，小而細胞分裂蕃殖，無一不處于矛盾的產物。因而一切事物都不能排除矛盾的現象。由舛字訓義為離亂，固其宜矣！

粦

《說文》：「兵死及牛馬之血為粦。粦，鬼火也。」《博物志》：「戰鬥死亡之處，有人馬血，積年為粦。着地及草木如露，不可見。行人觸之，着體有光，拂拭即分散無數。又細咤聲如鬻豆（炒豆），靜坐良久，乃滅。」

《說明》：粦之為文，从炎从舛。炎从二火，火性炎上（《洪範》），光熱之象也。舛者，兩足外翻跳躍動態也。古《粦》字从舛，其義堪知。造字者使用了𡵂字表現粦火之態，以舛字表示粦火質的輕浮特點，是不難想象的。今世「磷」字从米、从石，或从火，皆古文訛變，非初文也。

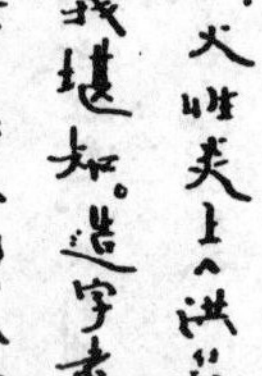

《粦》

粦的音義搜索：粦之為言「凜」也，悲懼之意也。然夜寂靜，荒涼無垠，人煙絕迹之境，突有火光跳躍，自然是一件令人驚異而可怕的現象。故知粦字亦音中有義，形聲字也。

憐

《廣明》：荒僻遼闊的邊塞往往是古代戰場，英雄人物殞身之地。後世之人過到這一淒涼慘澹的環境，必然會引起對歷史的回憶感慨，而產生心情的「沉重」。所謂「憑弔千古」、「悲天憫人」之懷，往往錄此而生。讀過《唐詩》的人，都能背誦「可憐無定河邊骨，猶是春閨夢裏人」這兩句具有反戰思想的詩詞。因而「粦」下施「心」而為「憐」，憫之「憐」字的造形，自然也不是偶然的。《說文心部》：「憐」下訓：「哀也。」同部「漣」字訓：「泣下也。」這引《易屯卦上六

文賦云：「泣涕漣如」以為義。許君但言傷心落淚之景，而不及「生離死別」之情。其未能得「䢊」字之意識者，亦智者千慮之一失歟！

鱗

《說文》云：「魚甲也。」案鱗之訓為魚甲，于義極確。惜乎未能盡道字之恉。考鱗之為文，从魚从粦。魚者水族動物也。粦者物質元素之能發光者也。粦之于自然界之分佈，存在植物果實、動物骸骨，而尤以水族鱗片為最著。昔年愚友楊君深夜泛舟，舉網捕魚，忽見網落之處，火光迸發。大驚而還，問愚以故。愚曰：此魚甲之粦光也。按以是漢字造形示義，確有自然科學依據。魚之有鱗，猶獸之有毛，鳥有羽也。鳥獸生于陸空，時日光以照明，魚類潛于海底，唯賴粦光以照明。此生物本能，為吾人所熟知者，值得思考者即「鱗」「鄰」同源形義之故。是為本條所欲探討之課題。謹說明如次：

鄰

〈篆〉〈金〉《釋名》云：「鄰，連也，相接連也。」《廣韻》云：「比也。」《周禮·地官·遂人》云：「五家為鄰，五鄰為里。」

考「鄰」之為文，从邑从粦。邑者都城也，居民密集之地也。戶籍眾多，住宅毗依，不能不講求規劃分佈，以利交通而便管理也。粦者鱗之省也。鱗次櫛比之義也。古制居民房舍之建築，以五家為鄰，五鄰為里。其形制模式，蓋取象於魚鱗之排列順序而摹擬。可从文字證之。

〈鱗〉

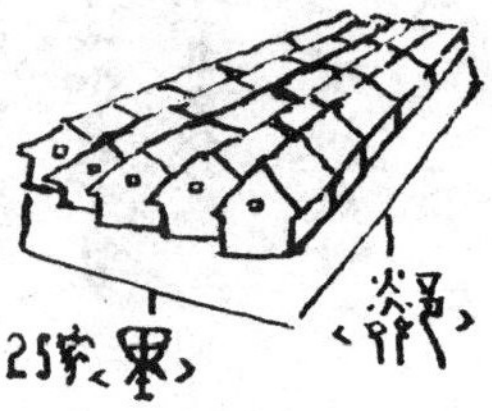

〈鄰〉

25家〈里〉

遴

《正字通》：「謹選也。」考選舉之制，遴基層組織，逐步上升而行，實始于先秦時代。史稱「鄉遴里選」。《儀禮·鄉飲酒》注云：「諸侯之鄉大夫，三年大比，獻賢者能者于其君，以禮賓之。」《儀禮·鄉射禮》云：「州長春秋以禮會民，而射于州序。」〈序〉

《儀禮·大射》云：「諸侯將有祭祀之事，于其羣臣射以觀其禮。數中者得與於祭；不數中者不得與祭。」

《禮記·射義》云：「古者諸侯之射也，必先行燕禮；卿大夫之射也，必先行鄉飲酒之禮。故燕禮者，所以明君臣之義也；鄉飲酒之禮者，所以明長幼之序也。……是故古者天子之制，諸侯歲獻貢士，天子試之于射宮。其容體比于禮，其節比于樂，而中多者，得與于祭；其容體不比于禮，其節不比于樂，而中少者，不得與于祭。」

數與于祭而君有慶。數不與于祭而君有讓。數有慶而益地，數有讓而削地。……故天子之大射，謂之射侯。射侯者，射爲諸侯也。射中則得爲諸侯；射不中則不得爲諸侯。」

綜上引資料觀之，可知所謂「射禮」，實際上即選拔人才的考試活動。所謂「鄉飲酒之禮」，實質上即政治儀式現場表演考試節目。所謂「獻賢能于君」或「歲獻貢士」，都是基層領導向上級推薦人才的形式。這種從下而上的逐層篩選的方法，由于愈接近上層，其選拔標準愈高，因而在每次升級過程勢必有一部份人員的淘汰。也就表現了質量與數量的反比。這一自下而上逐層精揀的結果，就自然形成爲一個降冪數層。「鄉遂里選」的「遂」字造形示意，正揭示了考試過程中形成的降冪數列和魚甲的鱗次櫛比排列形式的共同規律。故知遂選之遂字，亦鱗之本義字也。

遂之爲文，从粦从辵。粦者，鱗之省也。鱗次櫛比之義也。辵者，「循道疾行」（見《六書故》），上行之義也。亦以十分之一比率舉例圖示如下：

譬如某一行政區居民共有萬人，于基層初選之結果當選人數千人，則二層選舉則爲百人。至三層選舉之結果，不過十人而已。

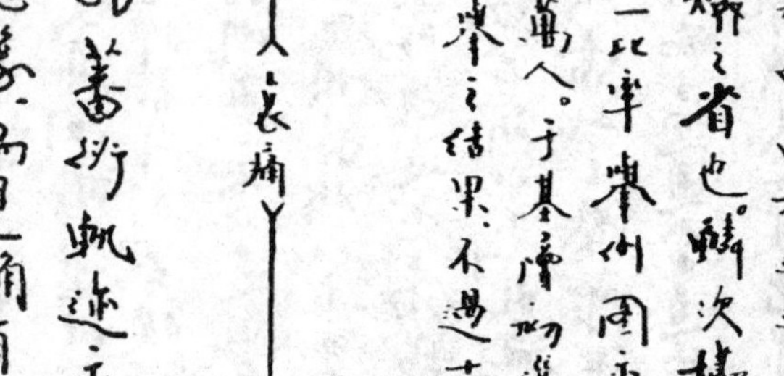

磷←粦↓粦（鬼火）↓粦（哀痛）↓遴（連比）（精選）（鱗：魚甲）

右邊的粦字本就蓄着軌迹示意，絕非筆者主觀想象，而是確有不容否定的客觀事實。可惜筆者老矣！無能爲也矣。

徙 [古文字形]《金》[古文字形]《秦》[古文字形]《隸》 㞢《楷》 𨑒《金》《說文》：「迻也。从辵止。乍行乍止而應止。則迻其所矣。」《玉篇》：「徙，遷也。移也。」《爾雅·釋詁》：「遷、運，徙也。」

考徙字造型多變，諸書之訓不一，在訓無可施中，姑以㞢字形義以御見其義。

㞢之為文，从彳，从二止同向。大凡古文有關動態之字，其義皆以「止」之方向為指邊。如此字如是則張而訓為「衛入」，此字二止既對而訓為「分歧」，㱏从四止兩相斜而訓為「不滑」，一止為正反步為踏，倒止為下，足以步為足象。凡此諸例無一不从止之方向而立義。則㞢之為義又豈能盡違此規？

余曰徙之為字，从彳，道路之迹也。二止上下相接，所以示方向單一也。卜辭从止从辵而止進，从各从久而止退。可知㞢之訓「遷」，既非前進，亦非後退，必當橫向轉邊，斯明矣。故上升曰陟，下行曰降，皆依字形方向而定義。然則㞢之為字，正所以示「既無上升之路，亦無下降之途可尋。進則有抵牛觸藩之患，退則有反顧之憂。當此之際，唯有橫向轉邊以避艱危」。其㞢字之義乎？㞢字造型生動而微妙，明寫照出為了迴避當道權威的正面衝突而採取橫向轉邊時悄悄行動之跡。此指事字也。所謂視而可識，察而可見者是矣。示意如後：

《說明》

㞢之為言西也。西方陰也，日沒之處，飛鳥入巢歇息之時也。條飛知遯，去頻入退之義也。迴避隱匿之意也。如劉遷卻，古之遷岐，皆其例矣。㞢字之義，可勝言哉！

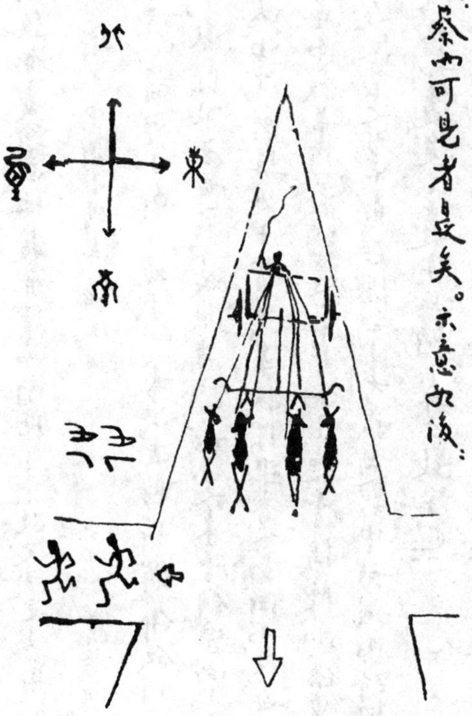

久久《說文·久部》曰：「久，從後灸之也。象兩脛後有距也。」（距之本義，是難後行。此處延為抵制意。）

謹案許氏《說文》編排體例，久字緊依夂（致）字之後。夂下云：「從後致也。象人兩脛後有致之者。」故知夂、久二文，義相從，皆象形、指事字也。所謂「建類一首，同義相授」，轉注之例也。（俗名撐曹）

久
（圖一）

距
（圖二）

略述久字造型，以象旨趣：久之為文，從ㄅ、從ㄟ。ㄅ是側視人形。ㄟ者手杖也。此人上體後仰，兩腿向前斜直伸展，賴背後依杖而立之態。揆諸物理力學，顯然為於重心平衡問題。但是古人造字意旨，卻不在於反映力學表現，而是目的在於考驗木杖的耐壓承擔係數。此意完全基於《周禮·冬官·廬人》經文的記載中得到具體說明。其文曰：「久諸牆，以觀其橈」。（經文之灸，於義不適，乃設借字，自應以久為正字）。

什麼是「盧人」？盧人是專業製造兵器的技工。特別是對長柄（柲）兵器的製造，必須把好質量檢查關。因為長柄的唯一特點，在於容易變形。所謂：「久諸牆，以觀其橈之均也。」意思是說，是檢驗器柄的彈力與韌性的有效措施。故經注文云：「久猶柱也。以柱兩牆之間，輓而內（納）之，本末勝負可知也。」

應該怎樣理解「兩牆之間」？也就是：把長柄之一端納入牆壁之凹陷中，另一端則著實於地。這個狀態，正和人依手杖而立的姿式完全一致。故曰「久諸牆」。余名之為「撐態測試」。經過這樣考驗之後而不致變形的器柄，就被肯定成為合格。

《久諸牆》

〈三畫〉

為什麼久字會訛變辭代為「時量辭」？也許古人看到將要傾圮的危壁，獲得木柱扶持之後，可以收到延長壽齡的效果的事實。所以久字就被用為時間「悠久」的久字矣！

灸

古文灸等。《說文》云：「灼也。」《玉篇》云：「灸，熱也。」《增韻》云：「灼體療病也。」

按灸之為文，从久，从火。灸之為義，悠久也，非一朝一夕之速也。風、寒、濕合

而為痹。風氣勝者為行痹，寒氣勝者為痛痹，溼氣勝者為著痹。」此說痹證疫也，非旦夕所能奏效，故必以火攻之。今人以淵灸（節）呼之，此不經之甚者歟？夫灸法二字，今以火為火，寧有不焚身致死者乎？西方醫術，不諳陰陽寒熱，可使病名見其毒，味無知矣。

怎麻理解字？此古文灸字也。灸，灸。

古足字。《甲骨文》足、、、此象形字也。小篆足足。《說文》云：「人之足也，在下。从止〈趾〉从口〈股〉。」注：「徐鍇曰：象股脛之形。」《釋名》云：「足，續也。言續脛也。」可知「足」字，初義實包括股、膝、脛、跗、趾，不在內而言。良以此疾嬴發部位多在下肢。古人造字詠象，皆來自醫療臨牀目覩，非空言也。，按《五音篇海》言「燚」，音亦，訓義云「火貌」。按字中顯像為「爻火」之形。罹此疾者，常有下肢冷感，知覺神經麻痹症狀，甚至運動功能喪失。中醫多以鍼刺相輔加溫，實「熱療濟法」也。因其頑固難求速愈，必持之以恆，故字曰「灸」，从久（四）从火。故聲亦兼義焉！

舛《說文》：「對卧也。」此語難懂。《博雅》云：「相背也。」自較許訓為優。

孟一

桀 榤

舛之為文，从左右兩足相背之態。故有方向背離義。延伸為思想背離義。故从舛之字，皆含分裂意。

《毛詩·王風·君子于役》：「雞栖於桀〈榤〉。」

愚曰：榤之為言栽也。栽斷木並一分為二之意也。《毛詩》注：「雞栖于杙為榤」《爾雅》：「樴謂之杙，橛也。」《說文》：「劉劉杙。生山中子如棃」。則「榤」即砍斷之樹益明矣。

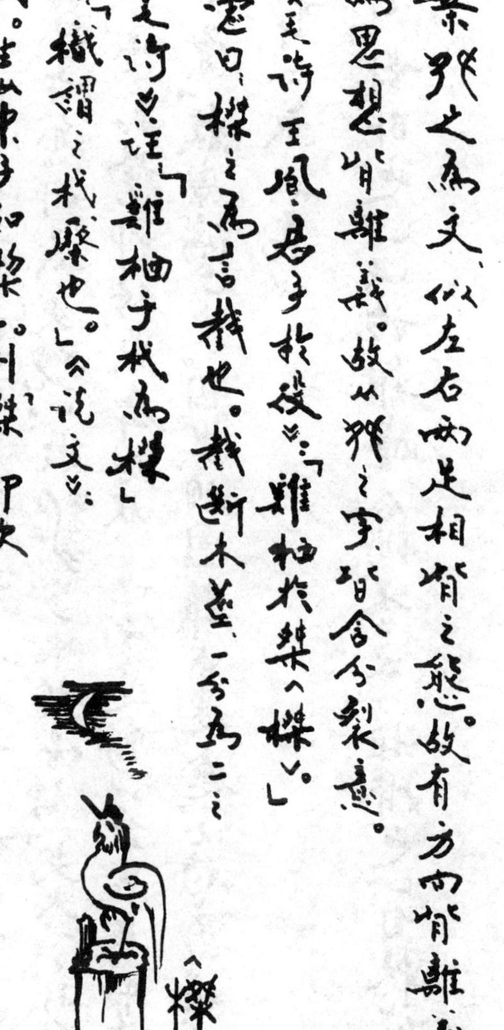

磔

厇卜厏篆磔《唐韻》：「音折。張也，開也，裂也，殺也。」《前漢·刑法志》：「諸死刑，皆磔於市。」《周禮》：「割裂，暴尸示衆」。《爾雅·釋天》：「祭風曰磔」；孫炎曰：「既祭，披磔其牲，以散風也」。可知磔有折斷義。蓋為形、聲、義字矣。

古音榤、斫、折、磔同音而義通。《說文·斤部》：「斫，擊也」。段注云：「凡斫木、斫人、斫地，皆曰斫矣。」蓋上古之世，以石斧為劈割工具。故知斫、磔同字。《說文·斤部》云：「斤，斫木斧也」。《孟子》：「斧斤以時入山林，材木不可勝用

也，皆其義例。

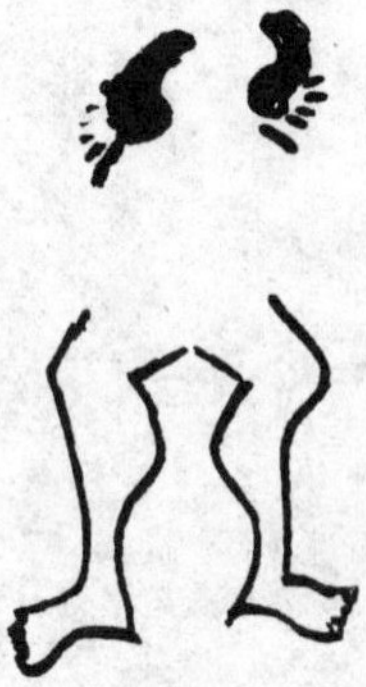

〈尸磔〉

〈磔牲〉

〈木斫〉

〈斫石〉

𣦵〈兩足相背〉↓桀〈斫木〉↓磔〈磔尸、磔牲〉

皆有分裂義。古代桀〈戟〉、折同音，故知桀、磔、斫、斯

諸字音同而義通。蓋"桀"之晚變字也。亦義符也。

往 卜辭 金 徍之稱數 篆〈說文〉："予部徍字訓之也。徍古文往。"

顧野王〈玉篇〉云："往，行也。去也。"

〈討論〉："𡉚，往字初文之甚。見於〈甲骨卜辭〉字从止〈足〉，从𡈼〈斧〉。𡈼古王字。象鉄鉞之形。所以示"王者"而民伐罪、奉伐與適之師也。〈書·湯誓〉云："夏氏有罪，予畏上帝，不敢不征。夏德若

誥，「今朕必往」。「㞷、⿰㞷戈、⿰㞷攴、⿺辶㞷」，故知㞷字從止從土，所以王者之師寫往直前之態，所嚮無敵也。《說文·攴部》（攴即⿰㞷攴），見「散」「盤」有攻擊之義，⿰㞷攴，箸下訓曰：「放也」。⿰㞷攴篆下云：「逐也」。《史》云：「成湯放桀」於南巢，武王戰（誅）紂於牧野。是即㞷字之義歟？《金文·錄篇》銘文，往、止⿰㞷戈。從㞷從戈。其形意益顯。徹然「撻伐用張，干戈戚揚」之義矣。今則「往返」、「往復」、「往來」、「往遂」之義存，而初義已晦。不賴經籍考證，何以明之？然則「⿰㞷戈」字初義，乃特定政治意義的專用動辭無疑矣。今則初義晦而延伸義行矣。

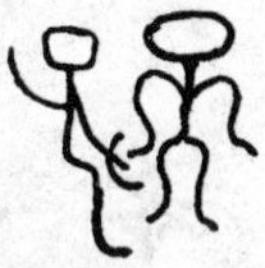

釋邀

〈說明〉：此字見於《金文編》乃青銅器銘文圖案。前人不識其意，未予注釋。愚據字形而定之曰：此即「邀請」之邀字初文也。是否有當，尚祈海內方家有以教之：依愚識之，此象形兼會意字歟?!

〈二〉字形分析：案：此字造型从。乃正面當道而立之人形也。左側从者，示道旁之人與正面之人相遇，所以示故友重逢，邂逅之緣，不期而會之態也。字右臂橫展，手指開張，所以示迎迓而攔阻止行者前進也。之左臂伸揚，遙指遠方，所以示家居位置方向也。此「邀」象示意字矣。因為文字究竟是「文字」，而不是「美術」，不可能把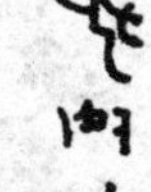的住宅形象在字形中占一文代。而只能利用雙手以會意。事實上這已經等於一幅生動的局部寫真。畫景分明在向人昭示說：「哎喲！我的多年不見的知心老友：我沒設想到今朝竟會在此處相逢。真是之「奇遇」！您又為什麼在此經過？闊別之後的漫長歲月景遇怎樣？使我無時不在念中。而今我已老歸田園，離群索居。不勝「孤獨」之感。今天沒別的可說，邀您能真的行風

塵跋涉，萬里而而，過我门而不入嗎？走，赶快到寒舍痛飲一番吧！」

〈二〉字義邏輯：邀之為字，《說文》未收，其餘字書亦樸睹。僅能零星散見于古籍語句中。故「邀」字之義，亦只能于「百家之言」求之。舉例如左：

《文選·張衡賦》：「……不邀自遇」注：邀，遮也。

《莊子·寓言》：「老聃西遊于秦，邀于郊」注：邀，要約也。

《文選·劉峻論》注引《國語》：「邀，求也。」

《莊子·徐無鬼》：「吾與之邀樂于天，邀食于地」注：邀，求也。

《荀子·儒效》：「小人則邀其所惡」注：邀，招也。

總上六觀，可知「邀」之字義乃「由向動義辭」也。有要求意，招致意，亦有遮攔滯留意。皆「由向動態」辭屬！

紫農謹識。

今則專用於「邀請」一辭矣。漢語之「辭性」隨時代之演變而逐漸走向「機械化」於此可見矣。古漢語之靈活辯證法則，「後死者已不得與于斯文」。「亡之命矣夫」！

希望聰穎之士，善於運用「否否定」的辯證原則，繼承祖先文化遺產，那就好了！

白囟字 囟 篆 [illegible] 籀 [illegible] [illegible] [illegible] 說文云：「囟，會腦蓋也。象形。」

魏校曰：「顖門也。子在母胎，諸竅尚閉，唯臍內納氣，囟為之通氣。骨縫未合，此非對竅洞。口鼻內納氣，尾閭為之泄氣。囟通漸合，陰陽升降之道也。」今方書云：「顖中央旋毛，中為『百會』。」百會前寸半為前頂。「百會」前三寸即「囟門」。

素謙人之說，以腹部臍孔為胎兒呼吸營養與氧氣之門戶，以囟門為排泄廢物之孔道，此之是非，倘有此理，亦猜。今民間名初生嬰兒囟門凝積之黑色污穢物曰「蕢屎」，實即胎兒排泄于體外之廢物也。

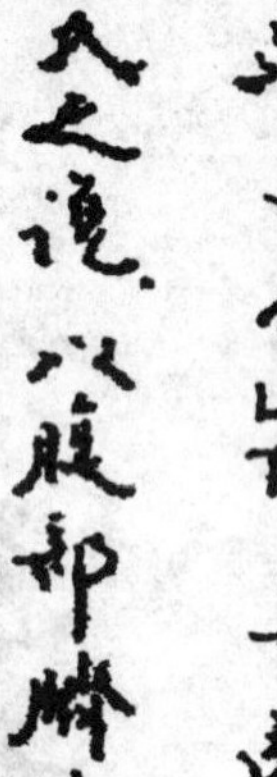

囟字造型非一，各有含意。然囟字乃囟字初文也。象腦腔如藏腦髓之斗斛，居右交乂分佈則為下系統神經纖維束。讀者如

五四

迅、迅有速意。所以示神經功能之敏捷也。此形聲字矣。𡿺字从𦣻者，頁古文「䭫」字也。𡿺字从𡿺者，所以明腦為人之意識府庫也。顖字从囟，从「宰」者，所以示大腦為週身之主宰也。同時贊符也。此指事兼會意字矣。

思、𡿺、𡿺，於說文云：「叡，叡也。」𣦼部叡下云：「深明也。」鄭注於尚書大傳云：「通也。」於書洪範云：「思曰睿」。案：許為訓思為睿，啟、發、讀其旨矣。試析之如左：

考「叡」之為文，从「𣦼」、「睿之省」。从「谷」、「谷之省」。从「目」，視覺器官也。所以示面臨萬丈深壑洞悉察微精微無遺也。讀音為「銳」，銳敏之義也。故知叡字有通達意，明察秋毫，纖悉不至識。古希臘學派哲人亞里士多德氏曾云：「能使我們識別事物，並辨明事物之間許多差別，此於五官之中，以視覺者為多」。此可

以許氏訓「思」為「睿」之意歟？！思从囟；囟，腦也。从心，心者是主之官，神明出焉。

細，細合說文糸部曰：「細，微也。从糸，囟聲」。許氏說文會例注：聲中兼義。

故細字从囟者，所以示物理之細微變遞于神經纖維也。故是字者取囟以喻象。六書所謂「建類一首，同義相授」，是為轉注者也。

附思、睿、細圖示於次：

〈睿〉

〈指事〉

〈轉注〉

五五

𡿺腦惱𡿺𡿺𡿺 說文云「頭髓也」。

𡿺字訓為「頭髓」，誤甚不識。但究其所以為𡿺，則許君猶付闕如。愚補而出之于後：

考𡿺字造型从巛、从囟。从巜。巛者髮之象也。囟者頭顱之形。此與古文兜字造形同例。

〈𡿺〉

儼然一幅生理解剖形象矣。然則「巜」字云何？愚曰：巜者从

巜

也。偶觀動物之是形，與篆之籀文也。說文巜部曰：「相與比敘也」。故知巜字有次第義，排列依序義。顯明矣！然則𡿺字从巜从巛者，以其理髮之象也。髮非亂而不理，猶事非亂而不治。其理一也。故知惱、𡿺同源，煩惱亂同文同徽其義而無疑。此類字同文異義例。學者尠能言之。

總 總。說文：「總，聚束也。」此古代未嫁之處女髮型，辮後者是也。「合股繩索之『聚束』義。為示子下。

此髮型造今猶存。民間呼之為「髮辮」和叫「大辮子」。

合成線（總）

總 總。說文：「布十五升也。」其古義。布八十縷為一升。在重要不變前提下，則升數愈多則絲數愈多而絲之直徑愈小，而布則厚度也更薄。此與現代之紗布「支」數越多其紗布則質量越輕而薄，其例相同。故總為之總，從糸，從總，而訓為細布，亦之孳乳字也。

字在某類字型中，可以之為整體人形看待。舉例如下。

塞 此仇字初文。象四隻手共塞二人於其身。

五八

[illegible]火并遷之字亦以[illegible]。經畧表示如次以見之[illegible]

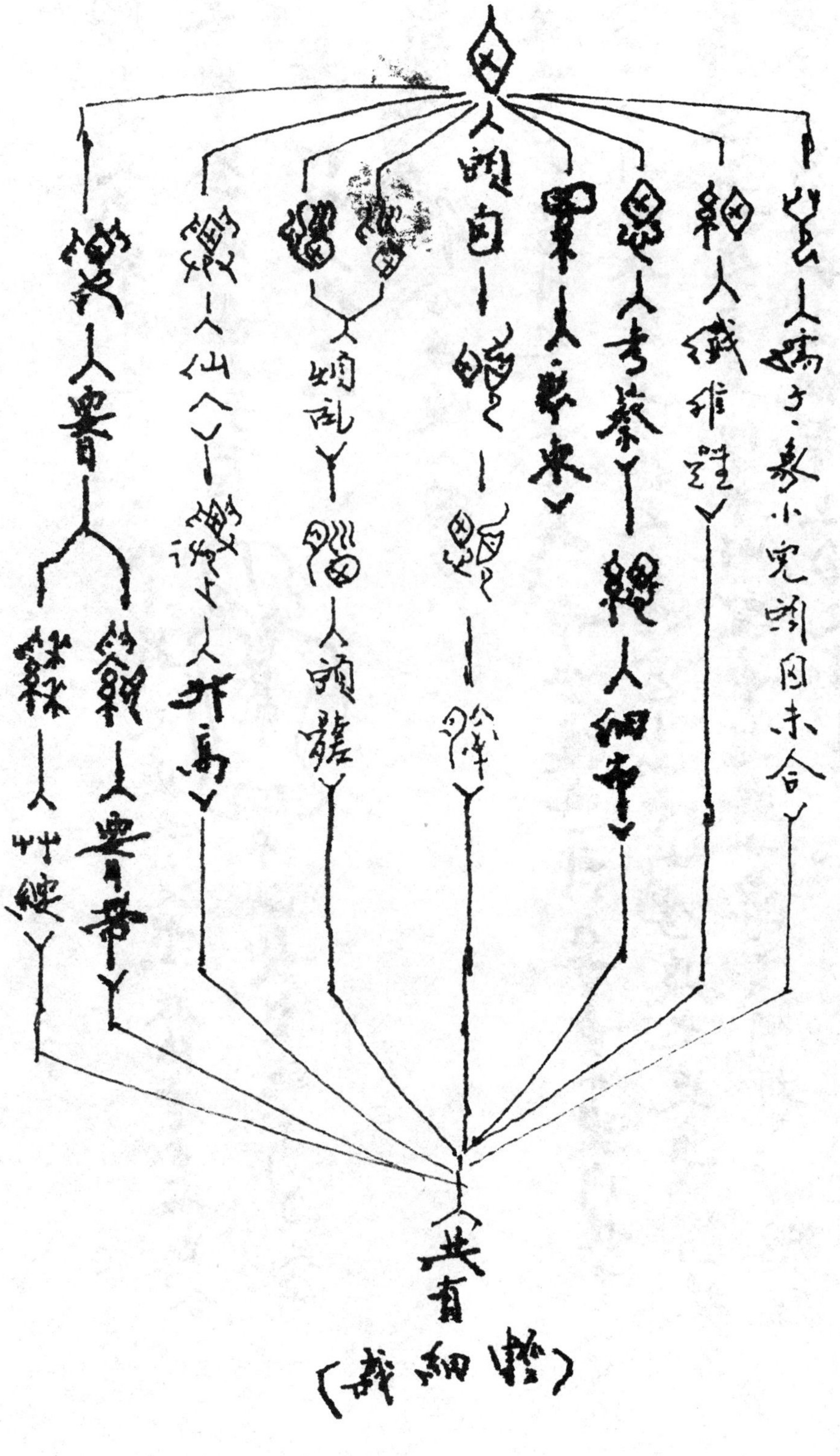

文字起源圖典

天象

四

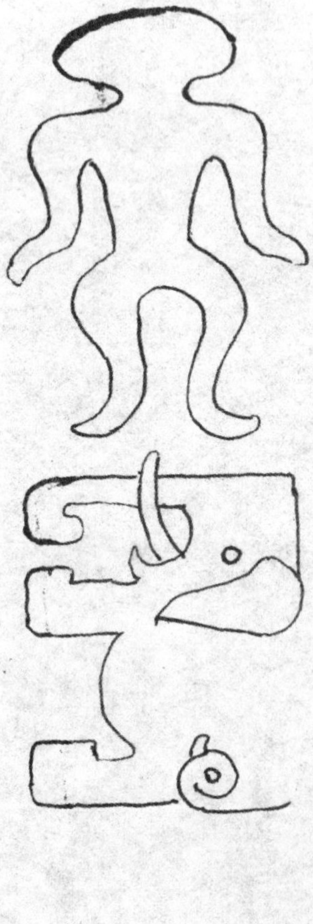

文字源圖典

天象

四

陰 一
陽 三
日旦昏 四
虹蜺 四
商 五
味 七
參 八
昴晨 九
朞期 九
夙夜 十
晴 十
朔望 十一
晦昏 十二
明晨晨 十三

暮墓慕 十三
幕幕 十三
冥冥 十四
昃側 十四
睘還 十五
旭昧寐 十五
景影宇 十五
寓月 十六
夕多 十六
亙遂 十六
移啟 十六
卯東杳 十七
西南 十九
北晶 十九

星疊晷 十九
旬㬎 二〇
倝乾 二〇
澣斡 二〇
韓榦幹 二一
朏霸魄 二四
胃 二四
朓朒 二五
春 二六
𩇯夏嗄 二七
秋 二七
䴍 二八
蠹黿 二九
冬終 三〇

歲 三〇
劌穢噦薉 三三
甲乙 三四
丙昺炳丁 三五
戊己 三六
庚賡 三七
辛壬 三七
癸 三八
定 三九
旬匀眴惸 四〇
詢㝹懼 四〇
棘冈焯有 四一
翌暘 四二
𩇯雷礌櫑 四二

電申畾靁 四四
㬎藟縲礨 四四
婁霾羅 四四
滕露 四五
雲霸䨲 四五
振踬震 四五
辰娠蓐 四六
暈名昭 四七
烙照閨 四七
桀沐 四八
沫湏鬃 四八
霖淋澍 四八
時刻剬 四九
𥁕 四九

陰⿰阝侌（敬愚）：⿰阝侌（永遠）〈說文〉：「陰，闇也」。此解過於籠統，未能盡造字之情。愚以深入而淺出之如次：

為了眉目清醒，謹將⿰阝侌字剖之阝、亼、酉三部

一、怎樣理解「阝」？〈爾雅‧釋地〉：「大陸曰阜」。〈釋名〉：「土山曰阜，言高厚也」。據此二解，堪知「阝」字含「廣闊」與「高大」之義。古阜字初文是𨸏，似懸崖參嵯之狀，乃象形字。

陰陽二字是一个含有客觀宇宙概念的辭彙。因此就不能不用引伸的放大鏡去觀察。筆者以為本題討論的「阝」字所代表之整體，即號稱世界屋脊的西伯利亞帕米尔高邊，是比較契合字義簡、詳的。其地古名「雍州」（見尚書禹貢）。雍者，高阜之義。崑崙位於其境，峯高千仞，四時積雪，氣候嚴寒。以北冰洋之起點的寒流通過崑崙高邊，推向中原大陸，是北半球秋冬兩季的氣象唯一特徵。古天文學以亞洲東南邊部為陽，西北邊部為陰，這一說法，揭示了中原領域兩大不同氣候。也正是造字者將「阝」字放在⿰阝侌字左側的意圖，因為這是符合地圖圖例的。

二、怎樣理解亼？亼侌互通，此古籍通例。〈易〉八卦乾居西北，為侌。〈內

一

經過「天氣循環」位序排列以來自西方的「大陸風」曰「燥金」之氣。也就是「秋風」。這些古代科學文獻「術語」都標誌着特定性質氣候來臨「時間、空間」性。正是由于這種寒涼而乾燥的氣候帶來了植物的紀亡和動物的地下冬眠現象，古人把這一自然界的生態變化奇績命之曰：「天地閉，賢人隱，萬物肅殺，蟄虫潛藏，君子居室」。《周易》坤卦彖辭：「履霜堅冰至」正是針對从仲秋至仲冬這一階段北半球氣象變化的生動描寫。這一些景況都被造字者的筆端以高度濃縮藝巧蘊藏於「A」字形義之中，是可以理解的（西方庚辛金）。

三、怎樣理解酉？這還須先从古天文學「斗綱紀時」的課題談起。所謂「斗綱紀時」，就是以太空上的景，以北斗杓柄上指針，以周天佈列的廿八個特定位置的「恒星座」上刻劃標志的天然紀時錶盤。人们為了便於觀測，把周天三百六十度空間的假設圈周綫劃分為十二等份。北斗的柄按時針方向旋轉，每歷一個等份需時一月之久。古天文謂之曰「斗建」。這十二個等劃名曰「地支」。即：子、丑、寅、卯、辰、巳、午、未、申、酉、戌、亥。古人全凭依靠晚間仰天觀測斗柄的指示方位來掌握農業畊耘、播穫的有效時機。這便是古天文學的「斗綱紀時法」。

酉字从酉，正是說明亞洲地區每歲的寒冷氣候的出現都是以斗柄指酉〈西〉

之時（秋分）開始的。因此，「斗柄指酉」就成了亞洲大陸嚴寒將臨的預報信號，而為群衆及時也好防寒禦冬工作提供了可靠消息。這和斗柄指卯（東）亞洲炎熱氣候即將來臨時預報信號的功能相同，而性質是相反的。所以古天文學的規定：「春夏為陽，秋冬為陰」。因此⿰阝酓字从酉，可以視為是一个標志自然氣象變遷的劃時「里程碑」的秘碼，是非常恰當的。

⿰氵酓

四、怎樣理解⿰氵酓？陰字又一寫法是⿰氵酓。字形与⿰阝酓同，唯左側將阝易氵為異，似亦有補述之必要。

什麼是水？這裏所探討的水（⿰氵酓），不是水的化學成份，而是⿰氵酓的天文氣象含義。水有降温之用，是人所共知的。《内經》把「太陽寒水」之為冬季氣候的術語。《河圖》把「天一之水」的位置列於北方。《内經》用「其味鹹，其色黑」的字樣來說明水的屬性。必生動地反映出北冰洋的物質環境特點，及其對中原地區氣温變化的影響。這个自然景况同古典文獻的理論以及⿰氵酓字的造型意態三者結合對照是絲絲入扣的。當日在「黃經」南段之日，也正是北極地區黑暗無光之時。可見⿰氵酓

說文曰訓候字曰「簡也」。這一些些絕不是偶然的。

亞洲大陸的畫短季候始於斗柄指酉，終於斗柄指子，可從下表得到說明。

字造型示義生動地體現出北半球秋冬二季的气象時空特徵。

陽 昜 卜

《說文》:「高明也」,此訓極確。所謂「高明」者,太陽之義也。至高者莫如天,至明者莫如日,是其義也。筆者以為昜字从旦,从丁。旦者日出之形,丁者,勿之省文也。篇文陽之昜可為例證。勿者,雜色之帛(《周禮·司常》),甲文之勿。勿字与物字通(見物字詮)。物字与黎數通。勿者雜色之帛,物者雜色之牛,彪者雜色之虎,離者雜色之雉。《周易》以離字為南方卦名。南方丙丁火之象也。火与日同體,其數為七(《河圖》)。从這一系列文字的統一含義延伸為「火的成數」「七」的數據觀念,古者人以突然感受,認識到《河圖》中「七」的數據,直接為古人提供了太陽光中含有紅、橙、黃、綠、靛、藍、紫七色光子的光學知識。

筆者對昜字造型示意的曲折探索,也許會引起人們的懷疑。原因是《河圖》起源於石器時代,那時尚無光學儀器。筆者以為這一懷疑是極易消除的。如果筆者未把事實弄錯的話,那麼則《河圖》中火數七的光學數據的發現,也許就是雨後天空「彩虹」的觀察而來。是不為荒誕的。因為七色彩虹本身就是一个太陽光線的投影。事實上就是空際水分子集團產生了折光介質,上用的效果說明。古人這種以大自然為師的樸素探索方式,較之一萬年以後西半球的牛頓,可以說是有過之而無不及的。可惜這一偉績未能得到世人的認諾。

能料到「早」字出來作鑒證呢？於以見漢族文化意識結構模式，是建立在《易》學理論基礎的產物。這一類的事實，是不易推翻的。

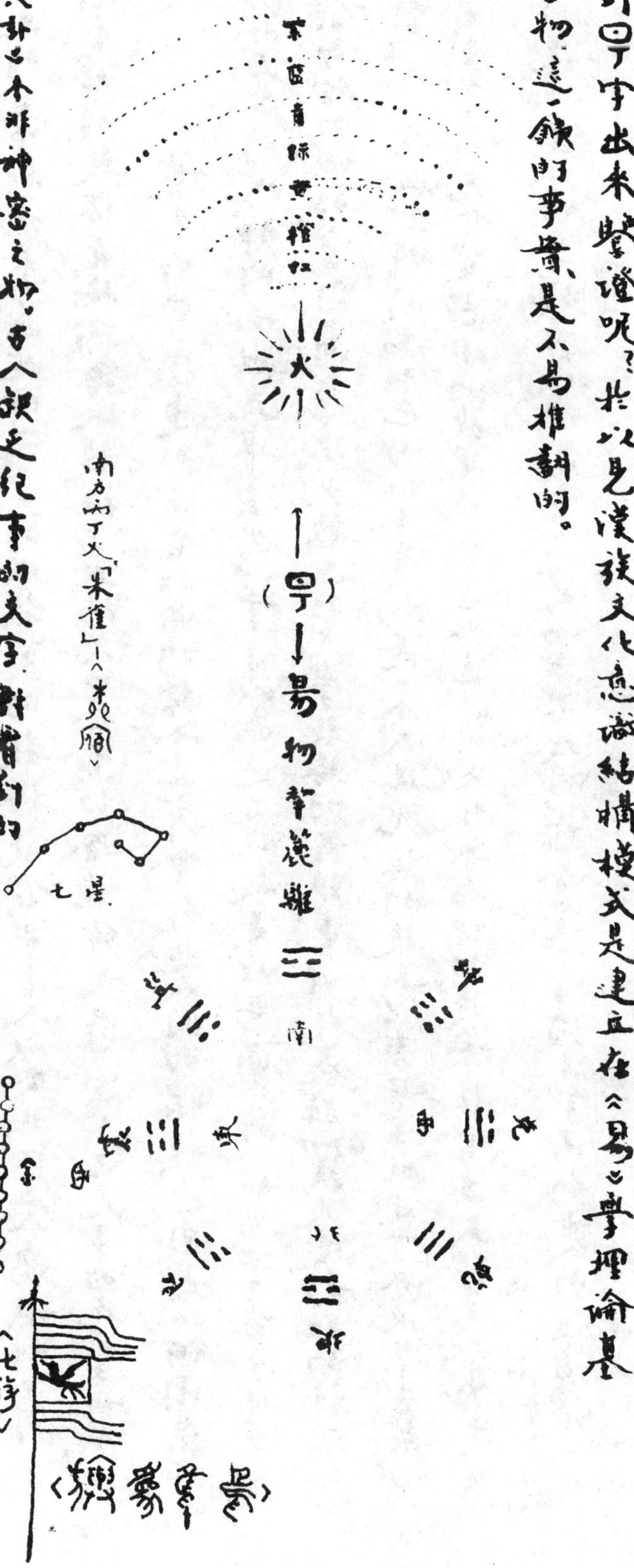

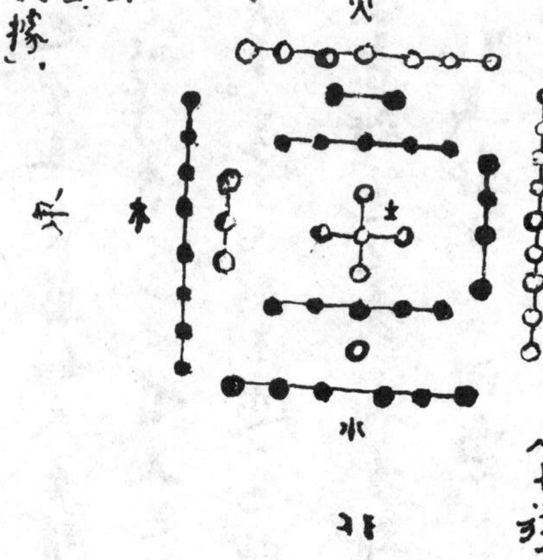

又《河圖》、《八卦》本非神密之物，古人認之紀事的文字，對看到的宇宙具體現象，采用不同顏色的泥丸、竹棒，在地面上按照天體方位上擺擊性的分佈，成為紀方向模式的示義說明書，是當時研究學問的唯一措施。因而我們不妨把這些來由視為早期人類使用的「數化文字」，是不為妄誕的。據考《周禮·攷工記·輈人》：「鳥旟七斿，以象鶉火也」（志）「鶉火」「朱鳥宿」之「柳」，其屬有「七星」。這是《周禮·司常》「九旗」之一。其圖案、斿數，都含有天象特徵，與旗的主人職務屬性有密切關係。古天文南方七宿曰「鶉鳥」，火色朱。《月令》：「六月，日月會于柳」，旦「七星中」是也。這個時節，即是太陽處在北回歸線，天氣最熱、光照最強之際。因此，「鶉火七斿」的「數據」，和太陽「火色」光源的數據也是不謀而合的。

日 [glyph] [glyph]《說文》：「實也」。筆者案《說文》把太陽說成是〈各有種籽的果實〉，這一想象正揭示了[glyph]字造形的真相。○者太陽輪廓也。乙者太陽中心黑子也。乙是鳥形，古人把太陽當它了天空循回飛行的金丸灼閃的黑色老鴉，故名日曰「金烏」。[glyph]字造形充分表現了上古人類的藝術想像水平。《淮南子》：「日中有踆烏」，注：謂三足烏。

〈踆烏的[glyph]〉

旦 [glyph] [glyph]《卜》[glyph]《說文》：「明也。从日見一上。一，地也」。筆者案古籍以太陽初升離地之時曰「平旦」。西域稱中土曰「震旦」。震者東方也《周易》。旨日出東方之義。尤其是《金文》[glyph]字，逼真地畫出太陽方升，黑影連地之象，堪稱形意絕似。筆者案[glyph]之為字，非單純之象形字，亦音義字也。旦非語音乃「奪闇」二音之合聲。「有奪去黑暗，帶來光明」之意。昔賢不曾及此，愚表而出之於斯。

昏 [glyph] [glyph] [glyph]《說文》：「日冥也」。筆者考甲骨文「昏」字是[glyph]狀，象雙手張幕覆日之狀。《說文》以「冥」訓昏固不如[glyph]字的說明爲直觀而鮮明。[glyph]从一从⊙。一者地平綫也。⊙者太陽之形。此言⊙在一上爲旦之形義同意。此等直觀象義文字最能標志文字的時代性。故知《字彙補》之「𣅟」字，應在甲文之前。

虹

[glyph] [glyph]《說文》：「螮蝀也」

筆者考《卜辭》虹字

，這個字形顯示了上古圖畫文字的特徵。由于人類處於特定環

四

境中視野的限性，決定了造字者對虹的取景，只能繪出半環，這是不足為奇的。依現代物理知識言之，七色彩虹的形成，需于雨後瀰漫空際之水粒集團起了析光介質，與用的視覺達物。這一光學知識久被前人所發現〈詳拙著早字下〉。古人常「虹蜺」並稱。《爾雅·釋天》：「蜺為挈貳」。

蜺霓

註：雌虹也。《論衡》：「虛虹也」。《前漢天文志》：「雄為虹，雌為蜺」。筆者采古所謂之「蜺」即副虹也。性居於外環，「虹」即主虹也，性處內環。《卜辭》《字的〈心〉是蜺虹平列之象，可謂生動。

中古之虹字已見。从虫从申。《說文》：「申，電也」〈詳本書神字下〉。段注：「陰陽激耀也」。虹似之。《淮南說山訓》：「天二氣則成虹」。註：「陰陽二氣相干也」。這个「陰陽」二氣，實際上即日光和水蒸氣。亦即空際水粒集團與陽光相遇產生光色分化之用致應的概括觀念。且及冒、常明顯的。《禮記·月令》：「季春之月虹始見，孟冬之月虹藏不見〈現〉。」這一紀載，除了傳達虹的時限範疇之外，還同時反映了虹的出現時機和大氣層中濕度升降的統一性。問題是从季春至孟冬太陽處在北半球上空，此時亞洲大陸之氣溫較高，而量豐富之氣層濕度上升，這就為虹的出現提供了物理基礎。反之，从孟冬至季春黃經南傾，日光投射角度改變，因而赤道以北之氣溫下降，海水蒸發明顯減少，空際乾燥，虹的形成條件喪失。「虹藏不見」的原因也是極易理解的。《詩·蝃蝀》：「朝隮於西，崇朝其雨」，意思是如果早晨虹見於西方，那就不等中午，必然要有雨。不過我們決不要把它看成是詩人生活經驗格言，而是應該理解為「虹是大氣濕度飽和的產物。只有如此

才能使「陰陽」二字獲得正確含義。

後期文字虹占𧈪。从日从工从虫（虫），虫是形符。古名「螮蝀」。《類篇》：「螮，音帝（讀地）。虫名，一曰蛇也。」故知螮字初義為虫名。彩色「螮蝀」與「虹」乃形段義。工者，紅之省，色符也。色族之內紅最鮮明。紅色於七色彩虹中位居第一行列的原因，正是由於紅色光子光速最高的科學實證。而日字的示義，更揭示了「虹」是太陽光輝的投影迹象。

𧈪、𧈪三個不同造形，正意味着它們是人類對自然現象由感觸到認識、由認識到理解的文明進化道路上的三座「里程碑」。所謂「雌蜺」實際上即「副虹」，古名曰「蜺」。

卜 籀 金 古文 古文

《說文》有畾而無靁。畾部畾字下引籀文靁字而無釋。故知靁字失殁已久，經籍段畾為靁。《甲骨文編》將靁字誤入的部而釋為「靁」字。蓋適段例，殊非本義也。謹就管見探討於次：

一、形義分析。考靁字造形从雨，有畾而無雨。其非雷，而亦非畾。因迹象甚明，不待辨而立見。所應識辨者即「靁」字从畾之意。筆者以為畾者星之形也。試舉例求

之：

考《卜辭》星字作晶、或作品、或作㗊、或作曐。籀文星作曐，或作曑。金文《敢盤》參作曑。昴作曟。《類篇》晨作曟，或作曟。參、昴、晨同是古天文廿八宿星名。晨為「房駟」，參為「晉、沈」，昴為「大梁」。依上舉造字形例求之，則商字應為星名，蓋可想見。証之以籀文𠫤之造形，尤覺逼象，比類可據。然則「商」字即古天文東方蒼龍之大火「商星」，殆已無疑。

二、商星名義溯源：商星亦名「大火」，以其光色鮮紅似火而得名。又以其色濃似血，而位居蒼龍腹部，而命名為「心宿」。其又名「大辰」者，以辰、蜃古通，辰，大蛤也。上古火耕刀種，人類以蛤蚌為鋤草播種之農具，故農、耨諸字皆从辰。《周語》：「農祥晨正」，即謂每天早晨「大辰」出現在天中之際，即農事方興之時。此商星又名「大辰」之義也。古人以觀測天象來決定農事活動，掌握耕耘收穫的有效時機。這就是「曆法」產生之由來。

三、商星與殷商氏族的《大火曆》的標誌。

《左傳·襄九年》：「陶唐氏之火正閼伯，祀大火而紀時焉」，火正即「火政」（《古正政通》），閼伯任職，堯手下的「火政」之官，事實上應視為殷商政權肇基之始。是符合歷史順序的。閼伯是帝嚳之後，商族的祖先。堯時被封於商地。商地位於黃河中下游地

區，按照地理環境特點，面南而立，時值冬末春初，正好在早晨可以看到東方蒼龍七宿橫列當空，是完全符合時空規律和視野景象特徵的。寄居商國的商族為了及時正好春耕準備，就不能不求助於眼睛在天空找出特定目標，規定為開始投入田間操作的消息信號。因此兩星大火的出現，就成了商族《大火曆》週歲開端的唯一紀時「標的」。是完全可以理解的。兩星的出現，給商族帶來了溫暖和豐收，無怪商族對兩星進行崇拜祭祀了！在此，值得吾人重提一下的，即「祝大火」三字的含義。請讀者允許筆者對「祝」字作微觀的剖視。

祝，从示从巳。子巳互通於卜辭，皆為常例。子是出生嬰兒之形，巳是胎兒手足未備之象。古人以胎兒為人生之始，用延伸為一歲之始的紀時標。祝字从示从巳之義揭示了商族歲首祭祀「大火」之意。但祀字的主要含義絕不能意味為單純地宗教形式，而是紀年。現代安陽出土之殷商青銅器《小臣俞尊》、《宰椃角》、《小臣邑斝》、《邲其卣》等銘文皆以祀為紀年字。如「隹王廿祀，遘王九祀……」數与《尔疋釋天》「夏曰歲，商曰祀，周曰年」注釋，不謀而合。

四、什麼是商曆？《書·月令》："季冬之月，日在婺女，昏婁中，旦氐中。"傳云："季冬者，日月會於玄枵，斗建丑之時也。"疏引《正義》曰："按律曆志，季冬，初日在婺女八度，昏婁十一度中，去日八十四度，旦氐十二度中。大寒日在危初度，昏昴二度中，去日八十度，旦心五度中。"

據上資料考證可知，以晨見大火商星為目標來決定一歲之始，是商族「大火曆」的唯一特徵，是極其明顯的。由北斗斗柄指丑，故又名《建丑曆》。《周語》中："火見而清風寒"的紀載，正是對季冬中原地區氣象的說明。《左傳》中的"火中寒暑乃退"，被服虔解釋為："「季冬十二月平旦，火見心中南方，大寒退。」這是完全符合中原地區氣候情況的。正為商族地望的黃河中下游地區的小麥方在渡過冬眠，即將返青。《周易》把這个行將出來的陽春的前夕的野景說成是「潛龍勿用」，把大寒以後的初春野景說成是「見龍在田，天下文明」。是一个寓有意境的描述。商星本身處於東方蒼龍的主要樞紐，古人看到商星運行的進度，支配着中原氣溫已大變化的勢頭，因而在《周易》中名之曰「潛龍」（當然不能排除太陽的主要功能）。

五、商字的史地含義：案《左傳昭元年》："子產曰：高辛氏有二子，伯曰閼伯，季曰實沈，居於曠林，不相能也。日尋干戈，以相爭討。后帝不臧，遷閼伯於商丘，主「辰」，為商星；遷實

沉於大夏，主參。（晝然也有參曆。）」《正義》曰：《殷本紀》：「相土，契孫，是湯之先也。閼伯居商丘，祀大火。相土因之，故商主大火。辰即大火星也。《左傳襄九年注》：「在地之土各有上天之分。《周禮保章氏》：「以星土辨九洲之地，所封之地，皆有分星。」鄭玄云：「星土，星所主土也。封猶界也。大界則曰九洲。洲中諸國之封域於星亦有分焉。其書亡矣。今其存可言者：十二次之分也。星紀，吳越也。玄枵，齊也。娵訾，衛也。降婁，魯也。大梁，趙也。實沈，晉也。鶉首，秦也。鶉火，周也。鶉尾，楚也。壽星，鄭也。大火，宋也。析木，燕也。是言地屬於天，各有星分之事。」《正義》曰：「《殷本紀》，契生昭明，昭明生相土。相土，契之孫也。帝嚳封契於商。」鄭玄云：「商國在太華之陽。」皇甫謐云：「今上洛商縣是也。」如鄭玄意，契居上洛之商，至相土而遷於宋之商，及商而有天下，遂以契所封商以為一代大號。

〈星名〉商

商丘——〈國土〉　後世棄商不用，商行而商廢。

商朝——〈政權〉　殆無人能識也久矣。

商曆——〈曆法〉　〈詳東方七宿圖于後〉

咮

咮《天文雜志》：咮謂之柳。注：「咮，朱鳥之名。」

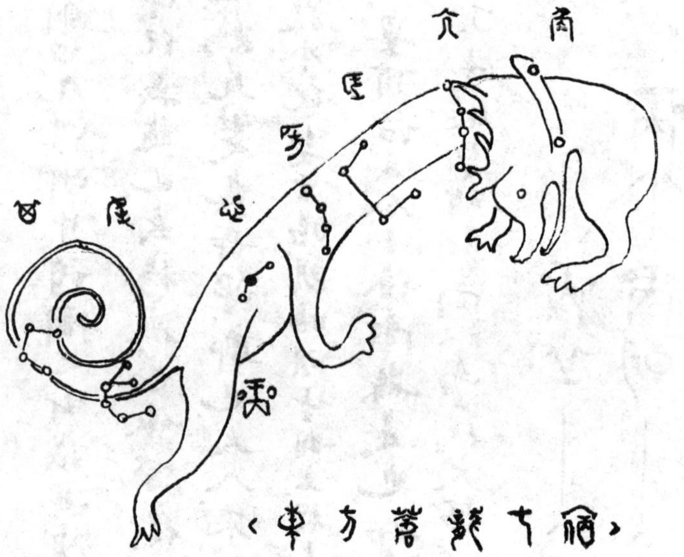

〈東方蒼龍七宿〉

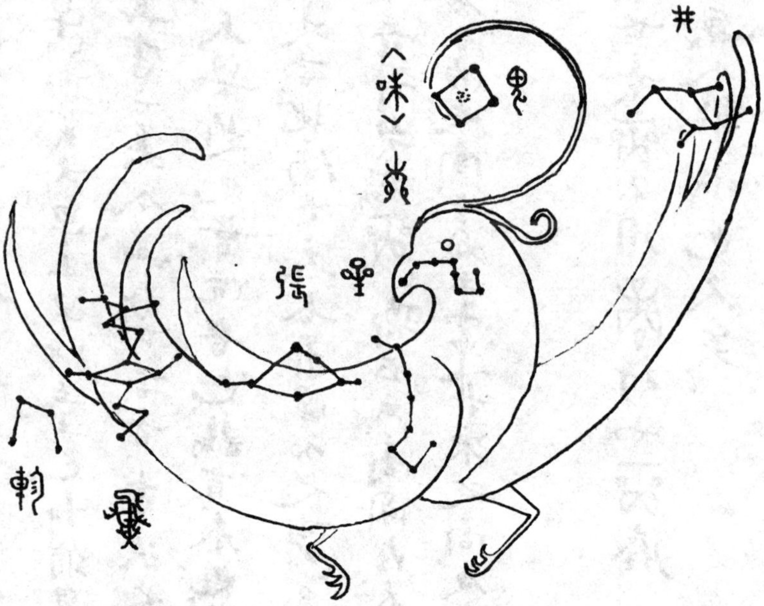

〈南方朱雀七宿圖〉

筆者案：咮从口从朱。朱者赤心之松木，口者，嘴之義。故咮字之意即紅色之鳥嘴。古天文圖譜以為南方朱鳥（雀）之宿「柳星」之別稱。因其位置朱雀之口而得名《是廟圖》。古人習慣於以藝術眼光觀測天象，此於西方天文亦有同例。

《公羊襄九年》：「……古之『火正（政）』，或食於『心』，或食於『咮』，以出內（納）火。是故『咮』為『鶉火』，『心』為『大火』。陶唐氏之火正閼伯居商丘，祀大火而火紀時焉。相土因之，故商主『大火』。」

筆者案：所謂「火正」，就是上古時代國家專設的防火工作負責人的職稱。從下列一節譯經文中可以窺得理解。節錄如次：

「宋災」，宋國發生火災。「使伯氏司里」，派伯氏任城區消防總司令。「火未至，徹小屋，塗大屋」。把臨近火場的小屋全先拆除，把不易拆的大型建築，都用泥塗抹，以防燃。「陳畚梮，具綆缶」，準備了盛土的筐，打水的繩罐。「量輕重」，使用時滅火工具的重量，都挑選適合一人操上體力負荷。「標火道」，在交通口上畫出火勢進攻的指標。

上列文字是《左傳》中有關宋國火災的現場紀錄。由於宋國屬於商代後裔，他的祖先曾任過帝堯的「火政」之官。因此，他能夠在防火工作中表現出精練純熟，這不是偶然的。

由於古人深刻認識到氣溫高漲是促成物質燃燒的前提，因而就把防火期限規定為始

八

於仲春，終於季冬。讓我們舉「戌」字為例以求證。《說文》戌字訓：「九月陽气微，萬物畢成，陽气下降也。」註引火部威字曰：「威，滅也。」《淮南天文訓》：「戌者滅也。」戌是斗柄指向西北之時。从一从火。有火藏覆滅之義。戌於夏曆為九月。「火死于戌」《淮南》。十月至來年二月之前，為冰天雪地之季，野火無漫延之機，斯時「火政」之職應該收集燃料供取火防寒之需。可如「出納火」一語，是有其實內容的。但是這些「火政」任務是必須依靠時機的掌握，觀測天象就是古人唯一紀時方法。商族紀年的主要目標就是「咮」與「心」宿。

怎樣理解「戌食于心」、「戌食于咮」？所謂「食」即飤，亦即「祀」的初文。「食於咮」即「祀於咮」。然何以商族既「祀於咮」又「祀於心」？此則與商族地望歷史播遷有關。商之始祖契，封于太華之陽的商縣，以來商之「咮宿」為紀年，其後以黃河水患徙居河南宋地——商丘，隨着視空的不同而變為「心宿」紀年。因為南方之宿的「咮」和東方之宿的「心」二者的空間距離同商代的兩個都邑距離方位的時空比例是一致的。亦即當「心宿」光臨商丘之際，亦即「咮宿」光臨商縣之日。雖然兩個先後都邑對空觀測取象有異，但是在上為「商曆」的紀時規律上則是一致的。所以經文說：「古之「火正」，戌食于心，戌食于咮」，正生動反映出商族頻繁遷徙的歷史背景。

《前漢天文志》：「參為白虎三星，直者為衡石。」注：參星者，白虎宿中東西直，似稱衡也。《說文》：「商星也。」本字曑，从晶，㐱聲。徐曰：其上晶與星同義。

昴

考參宿与觜並衡石共十四星。古天文以為西方白虎七宿之首。泰西天文名曰「獵戶」以其形似獵人之形而得名。要間横帶名曰三星。○毛詩綢繆曰「三星在天」謂即參宿。其下豎要三星即獵戶佩劍

古名「衡石」。時賢譚戒甫在○墨經分類譯注中總為篆文曑字即參星明直觀圖象。甚有見地。

<西方白虎七宿>

○爾雅釋天曰「大梁昴也，西陸昴也」。注：昴西方之宿。別名「旄頭」。

考○尚書堯典曰「日短星昴，以正仲冬」。係白虎之中星。

又考：昴宿古名「旄頭」，以眾星集聚形似旌旗下旄而得名。西方天文曰「七姐妹」，吾鄉彝人呼之為「攢巴」。

昴之又一讀音為「劉」。○說文曰：「劉，殺也」。又書顧命注「劉，鉞屬」。以昴星中天，時值嚴冬，氣候酷寒，萬物肅殺。此音中見義之例。自應以讀「劉」為正音。讀卯乃訛音。○詩召南曰：「嘒彼小星，維參与昴」。傳：「昴，留也」。「留如字」可為昴字本音之證。

九

晨 曟《金》𣇴《卜》曟《篆》《說文》：「房星，為民田時者」。《周語》：「農祥晨正」。注：立春之時，晨中於午也。

筆者考：曟，四星斜列，形如四周駟馬車之納四轡之狀，故又名「天駟」。 西方天文名曰「天蝎」。此星晨見於中天，即農事方興之時，故曰「農祥」。

朞 𣇴《廣韻》：「復其時也」。《內經》：「終朞之日，周而復始」。《書·堯典》：「朞三百有六旬，以閏月定四時」。

期 𣇴《說文》：「期，會也」。以上諸解，極確，惜未盡造字之意。謹述之於次：

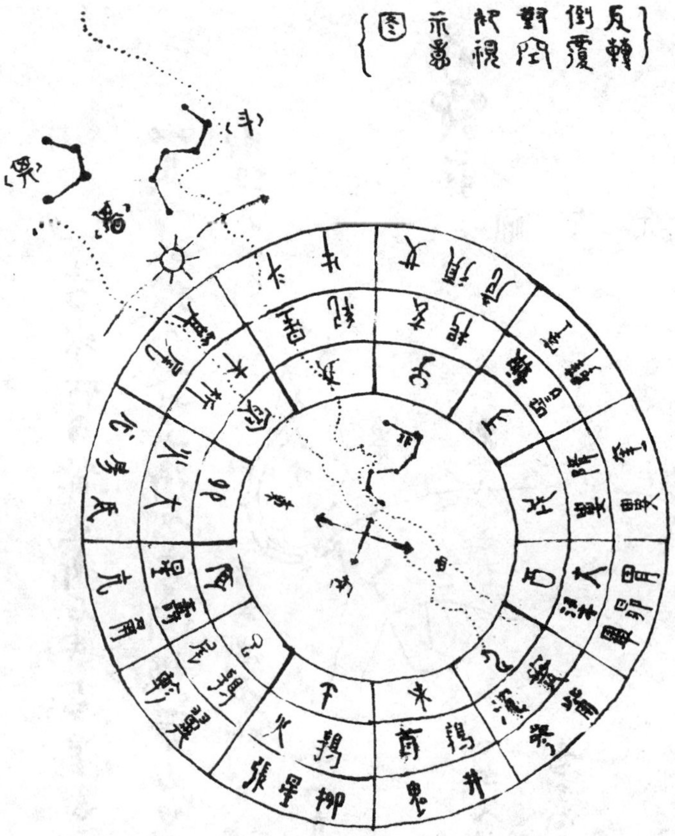
反轉倒覆對照配視示意圖

筆者案：𣇴从𠔏从日。期从𠔏从月。而朞訓「復其時」，期則訓「會也」。故知𣇴、期二字皆有週期義。然二字皆从𠔏，何也？

考：𠔏字乃箕之初文，其初義本為簸揚之工具。此於古天文中叚為星名，即廿八宿中「箕宿」之形也。於此堪知古代天文學對日月五星之運行週期里程，是建立在以「𠔏宿」為觀測目標基礎之上的。《毛詩·小雅·大東》：「維

期

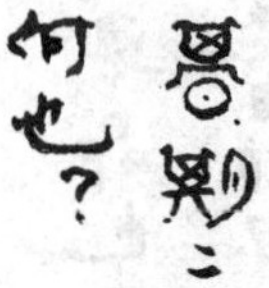
朞

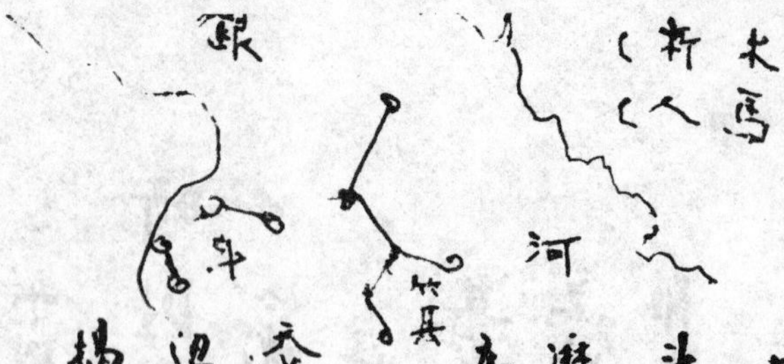

南有箕，不可以簸揚；維北有斗，不可以挹酒漿。」這證實了古代民間對箕、斗二宿形象的熟悉，已表現於詩歌謠諺之中。同時也間接地透露出「箕斗二宿」在古天象觀測及歷數推算上的重要地位。行星週期本身就是以「箕宿」為終點，以「斗宿」為起點的循環「過程」。此點，完全可從經籍文獻找到說明。《禮記·月令》云：「仲冬之月日在斗」，《傳》：「日月會於星紀，斗建子之辰也。」案「子」者十二支之首，新舊交替之時也，亦即週期轉換之機。《正義》引《律曆志》云：「仲冬之初，日在斗宿十二度」，《三統曆》云：「仲冬大雪，日在斗十二度」。由此可見，以「箕斗」二宿為「日月、五星」的「週期轉換線」，乃古人天文學唯一觀測目標，是非常明顯的。

箕與斗相併於十二次，曰「析木」。《西方天文》曰「人馬」。《爾雅·釋天》云：「箕斗之間，漢津（銀河）也。」疏：天漢在箕斗之間。箕在東方木位，斗在北方水位。分析水木，以「箕」星為隔。《爾雅》隔河須津梁以渡，故此宿為析木之津。」《爾雅》把「箕斗」二宿說成是「日月五星」渡河（漢津）的橋梁。正揭示出古天文觀測行星週期，是以「銀河」為分界限，也是非常明顯的。

後者《爾雅·釋天》云：「星紀，斗、牽牛也。」注：牽牛者，五星之所終始，故謂之「星紀」。

由此可見「朞」「曆」二字的造形，示意皆有自然取象而無疑。故地球繞日曰「朞年」，月球繞地曰「曆」。今期行而朞廢。

夙  《說文》七上：「早敬也」。

夜  《正韻》：「日入為夜」。

筆者以為夙夜二字，皆象形、指事字。是面向左方跪地之人形。是正面立之人形，右腋汗滴下注，有炎熱

十

示意。二字皆从D，其不同之處，夙字月在人左，夜字月在人右。是以為D在大右，上弦之月象也。表示之D，下弦之月象也。故知两个月形位置標志着「望」以前月見西方，與「望」之後月出東方之意。這是符合實況的。（面南而言）。古代人民是利用月光照明，從事田間勞動，以避炎暑。勢不得不考慮月亮的出沒時間規律。故月出西方之時，則考慮上半夜勞動，「夙」字是其証也。反之，月見東方之時，則考慮下半夜勞動，基本上圍繞着一个照明問題而設想，是非常明顯的。「夙興夜寐」、「夙夜匪懈」這些成語，都在說明勞動人民對愛惜時光。

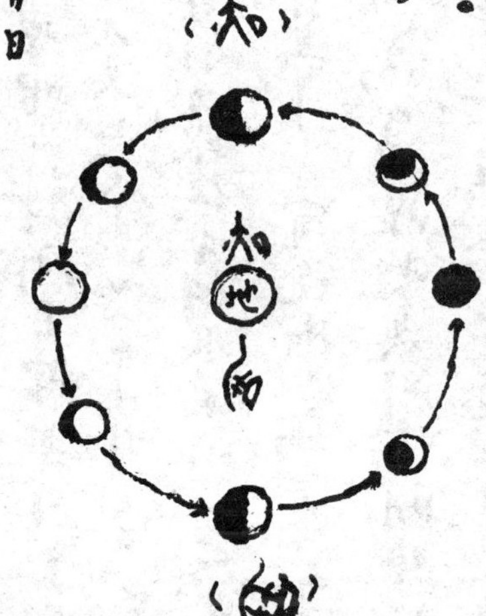

晴

D生（卜） 陛 ⊙星 ⊙戈 ⊙青

《說文》：「雨夜除而星見也」。

晴字寫法不一，或从月，或从星，或从⊙。

其義則一，即星、月、日發光之謂也。白晝有日為晴，夜間見星見月為晴。此其義也。⊙戈者紅日上升之意，⊙青者雲斂而青天見之意也。

雖造形不一，所以示「有光為晴」則初無二致。

朔 朔〈說文〉：「月一日始蘇也。」〈白虎通〉：「朔之言蘇也，明消更生，故言朔。」古書解字往往重於音而略於形。筆者以為朔亦象形字也。字从屰从月。屰〈正字通〉：「屰古戟字，有枝兵也。与干字同體。變枝為戟，單枝為干。隸借為逆，古逆字以別之。」

筆者案：〈正字通〉之解屰字，極有根據。僅繪圖示意，以見屰字之進化演變。

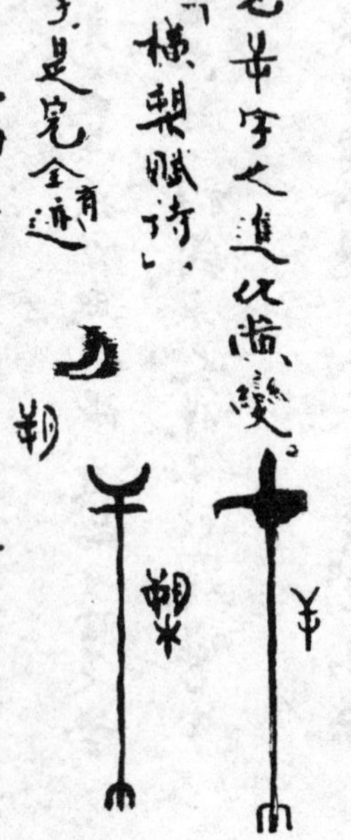

屰本為戰時使用之古老兵器，嗣後進化為戟。曹操〈短歌行〉：「橫槊賦詩」即其物。造字者據「新月如鉤」与戟同象之意，而擬出朔字，是完全有迹條可尋的。「時間」之為物，無形無色無聲無臭。本非容易捉摸之物，人類在不得已之情况下不能不求助于天象，故紀時之字，皆取形於日月。朔字即每月之初，月明形象也。〈正韻〉：「屰，音魄，月始生三日，與魄通。」可見「朔」字取象之良好說明。古以月之始生曰「始生魄」，以「上弦」之後曰「既生魄」。金文皆以「霸」出現於銅器銘文中。實際上所謂「魄」即月的有光部份，「魂」是月的陰影部份。凡此種種皆足為朔字形義之說明佐證。故附注於此以明之。

望 望（卜）望（金）望（篆）〈說文〉：「月滿也。」〈原象〉曰：「日兆（照）月，乃有光。人自地視之，唯於望（十五）得見其光之全。朔則日之照月，其光向日，反不可得見。餘以側見而闕。〈釋名〉：「月滿之名。月大十六日，月小十五日，日在東，月在西，遙相望也。」〈左傳·桓三年·疏〉：「月體無光，待日照而光生。」

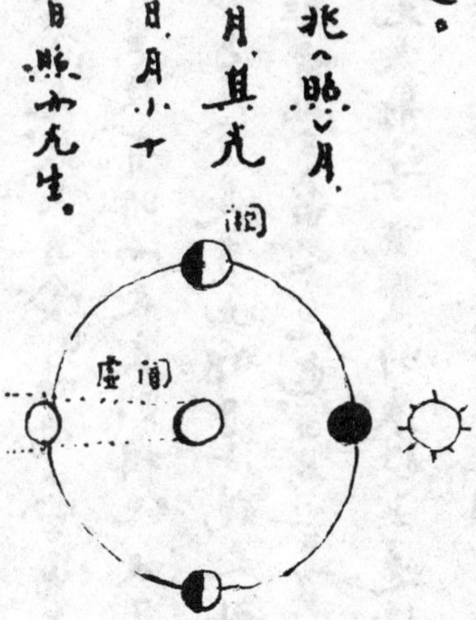

十一

半照即爲弦，全照乃成望。人其實「望」亦是半照，不過是人眼視野的改換所決定」。望爲日光所照，反射奪月光者，淋鄰之說：當日之衝，有大如日者，謂之「闇虛」。闇虛當月，則月必滅光。故爲月食」。張衡《靈憲》曰：「若是日奪月光，則應每月常食，而望亦有不食者，由其遭度異也。日月異度，有時而交，交則相犯，故日月遞食。……」

筆者案：𦣠从𡈼目之形也，从𡈼直立之意也，故知𦣠字是直立仰目而視之形。後世增月而化爲十五日之代號。愚以爲月來增於「朢」，亦音義全也。朢者豐盈之意也。《易·小畜》：「月幾望」，可見其義。尤其是《左傳》疏注，明確了月光是來自太陽的日光反射這一事實的基礎上，遠揭示日、月、地三者連成一條直線是構成「日食」、「月食」的原理。古人把地球和月球的投影謂之曰「闇虛」也是富有光學物理觀念的。

晦 昏

《說文》：「月盡也」。《釋名》：「晦，灰也，火死爲灰，月光盡，似之也」。《詩·陳風》：「風雨如晦」，傳：晦，昏也」。

前人對晦字的訓義可歸納爲：一曰昏暗，二曰火死，三曰月盡。

筆者考：古文文獻法規定以月之終期曰「晦」。故《說文》訓爲月盡，其義原無謬誤，要知文字之學，絕非僅僅限於文字之意用，而是在於追尋字形、音、義之推敲。故僅憑「月盡也」這一訓義求之，殊不能窺晦字从日、从每之形。故欲求晦字的音、韻、真相，必从每字談起。

考《說文》每字訓：「艸盛上出也」。許氏之解，言簡而意賅，旨奧而視宏。令人有莫觀高深之嘆。何則？筆者以爲每，古母字也，字象頭戴盛飾之女性，此一望而可知者焉。其所以訓爲

「艸盛上出」者，蓋有取於《左傳》：「原田每每」（僖廿八年）之義。然則「原田每每」之意，蓋古代文學藝術語言技巧，假盛飾的美麗女性形象以形容土地肥美，艸木旺盛豐林之態，是非常明顯的。其所以將美好的女性和肥美的土地等量齊觀的原因，當來源於《周易》：「坤厚載物，牝馬地類，應地無疆」之旨。地啟之啟，古文晦，可為例證。漢字之造形、取音、立義，總不會擺脫《天人合一論》的思想體系。照《天人合一論》的哲學觀點，大凡物之見於天地之上者，必有象應乎天上。所謂「在天成象，在地成形」。謂天法地，應乎人事，這正是東方世界歷史上不可動搖的哲學公式。因此晦字的屬性也必然能夠「上合天象，下合地理」的。竊以為晦字從日從每。日者，乾之象也，光之體也，男子之義也。每者，坤之象也，月之體也，女子之義也。月自東方出發，繞地一周，復還東方，與日相會，古名「日月合璧」。實際上即太陽與月亮重疊。當此之際，日、月、地三者已連成一條直線。月球居中，有時會出現「日食」，形成天昏地暗，甚則大地徹夜無光，眾不見人。故《毛詩》訓晦為「昏」，今民間謂月終為「月黑頭」。

古人以「言天道者必有驗於人事」，認為天之晦月，猶人間之有男女，日月相會，猶人間男女之相逢。此意可以晦字形音義中求之。

十二

⿰日會取聲於「會」。會者，聚會也。日月相會而成「晦」。可用「𣋡」字說明之。𣋡是晦的異體字，从辰，从會。辰者，震之省。震者，東方之位，日之所出也。月行一市於日相會于東方，故如「𣋡」字从辰从會之意与晦字从日从每其義相同，初無二致。以文字觀點，應為會義字。《卜辭》段每上晦，金文上晦，秦簡上晦。由此可見，視月亮為太陽的配偶這一意識觀念的形成絕非始自秦漢，而是始自商周之前。可以每字發展軌迹中求證。《說文》訓「每」為「艸盛上出」，乃每之延伸義，非每字初義也。每之本義應為「母」。以女性的天然本能在於蕃殖子孫。大地之生理本能可見於蕃殖萬物，故古人視天地為人類生物之大父母。由此一觀念而延伸以日月為人類萬物之天上的父母。則每之觀念昇華次第乃由人而地由地而天，槩可想見。以每為形義的敏、繁等字，無一不貫串著上古母系社會的文化意識形態。晦字其一例也。不能求古人之心自無以求得一字之旨，不讀經史則無以求古人之心，於立地研究文字行不通的。𣋡是晦的異體，从辰从會。有定期相會義。《說文》：「日月合宿為𣋡」可上晦，𣋡會同義例證（《說詳》《周禮》《左傳》）

（圖吾示晦 D）

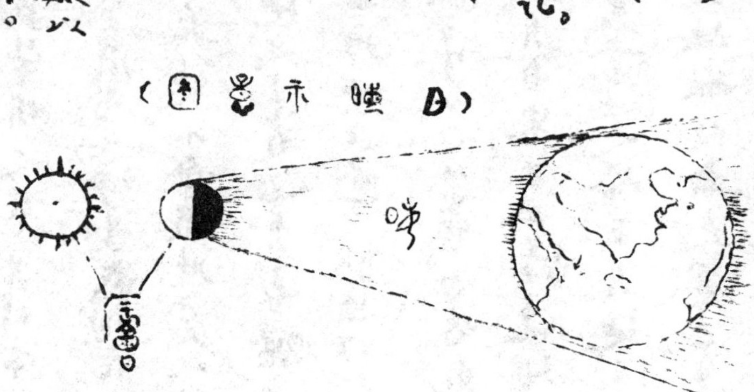

明 𡆑（卜）朙（篆）《說文》：「照也」。《易·繫辭》：「日月相推而明生焉。懸象著明莫大乎日月」。

筆者考古篆明字从囧从月，非从日也。後世从日，於義固無大謬。然《卜辭》明字亦有从日者。然論之於讀音，則仍覺以从囧為優。囧、古囧字也。《說文》囧字訓：「窗牖麗廔闓明也」。筆者嘗睹古名勝建築之壁窗形式，類囧狀者，所在多有。故知許氏之說，確屬事實。此窗由六塊瓦片所合成，近囧形。與卜辭文字極似。

晨 𣅡（篆）𦦔（古文）《爾雅·釋詁》：「晨，早也」。《玉篇》：「明也」。

曟 𠨘（卜辭）曟（類篇）《說文》：「曟，房星，為農時者」。

筆者案：晨、曟二字同源，形似音同而義通。晨者，一日之始也。曟者，一歲之始。晨从日从辰。日者日出東方之意。辰者，上古農占工具也。故知晨字有示「以日出而占」之義。曟从晶，星字初文也。从辰，農之省文也。曟為房星（天蝎座）古名「農祥」。《周語》：「農祥晨正」，即此星見於早晨之際，亦即農事方興之時。古人造字義式，視一日為一歲之縮影，視一歲週期為一晝夜之引伸。故有「一日之功在於晨，一歲之功在於春」之諺語。此所以晨、曟二字音義互通，同時也顯示出古代學者對天文曆法運行規律比例邏輯之總識。

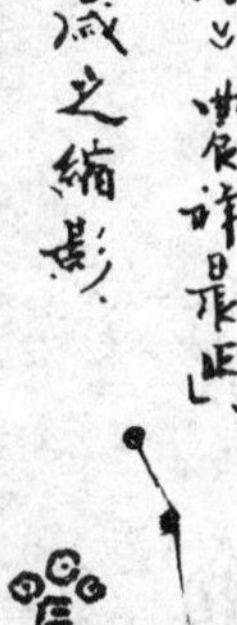

暮 𦱤（卜）茻《說文》：「日將冥也」。

筆者考：莫本來是象形字。乃太陽降及地平綫被艸木遮蔽之象。

十三

字从日，从茻，茻从四屮，古莽茫字。取聲于没，没者不見之義。後世衍為「莫」字，而另立暮字以代之。亦猶「然」之增火，然之增火，其例相同。

〈渺茫〉莫 —— 莫
莫〈廣、溯〉 —— 墓 埋没 —— 幕 —— 〈蒙蔽〉
墓 —— 追念 —— 冪
暯〈廣、溯〉
〈莫〉

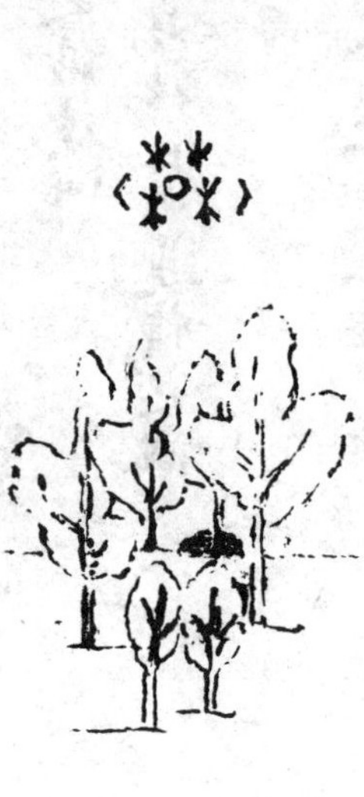

墓 墓 鄭玄曰：「冢塋之地，孝子所思慕之處」。

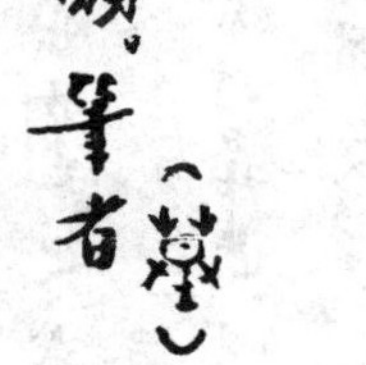

慕 慕 《說文》訓「習也」，竊以為許氏以「摹仿」之義釋「慕」，似覺未協。筆者〈墓〉以為「墓」、「慕」二字，各有獨立之形義（但絕不排除二字之共性）。竊以為墓从莫从土。莫者，埋没之意，土者，墳塚之形。慕者，墓之置換（以心易土），所以示孝子〈慕〉思親之情。

幕 幕《廣雅》：「帳也」。《釋名》：「幕，絡也」。案幕从莫从巾，莫者不見之意，巾者蒙蔽之具。

冪 冪 冪〈卜〉冪〈宜子□〉冪〈篆〉《廣韻》：「覆也」。《玉篇》：「蓋食巾」。又「冪䍦」，婦人所戴。〈冪䍦〉〈冪〉

冥[字形]《卜》[字形][字形]《篆》《說文》：「幽也。从日从六，冖聲。日數十，十六日而始虧。冖亦聲也」。

筆者案：⊙者太陽之形，冖，古冪字，《幃巾》，於象雙手張幕覆日之意，此想像字也。夕陽下沈，降入地平綫下，形似幃巾覆物，此種擬態想像，亦見于亘、[字形]等字形中。

弇[字形][字形]《爾雅·釋言》：「蓋也」。《爾雅·釋天》：「弇日為蔽雲」。注：暈气五彩覆日也。

筆者案：弇、掩同音而意通。形義與[字形]字同。

昃[字形]卜[字形]《說文》：「日在西方時側也」。筆者案：卜辭用箭頭表太陽動向指標，極有想像。

小篆[字形]字是一幅西陽投射東廂之象。仄音於廁，故有戚義。

廁側[字形][字形]《集韻》：「側，旁也。傾也」。《說文》「廁」字訓「圊也」。《說文》之清，乃通段字，故不从。

《禮·內則》：「妻將生子，及月辰，居側室」。疏：大夫正寢之室在前，燕寢之室在後，側室又在燕寢之旁。故曰「側室」。

筆者案：廁从广，建築物也；側从人，人禮定位居旁，靠邊站也。一施于人，一施于室。

本篇兩字，兩字皆从則。故知則是廁、側二字的共同義符。何則？竊以則者，「貝刀」也。上

十四

古使用之切割工具也。故知「則」「側」二字从刀之意，當有取於刀體仄立之象。示意如下：
大凡一切物體之位置，面居旁，狹面對之者，皆名「側立」。而牆面朝天，狹面在旁者，皆曰「平放」。
此物理之通例。故居中面南之室曰「正寢」。居後面西之室曰「廁室」。（立於
左右之位置曰「側立」。古制育兒之產房，便溺之所，皆居「正寢」之左右兩廂，
故名「廁室」、「廁所」。古名便溺之所曰圊（見仲景《傷寒論》）。故筆者認《說文》
訓「廁」為「清」，為叚借。

（囗）

〈厠〉　〈廁〉

貝　夕

畟、畟、畟、畟《詩·良耜》：「畟畟良耜」，注：「畟畟，入地之聲也」。
筆者以為畟、畟二字皆屬側義。耜者，耕犁之端側立之分土器也。俗名
犁鏵，又名「鏡頭」。畟从田，从八，从夂。田者土也。八者分土之象也。夂《說文》訓：「从後
致也。象兩脛後有推致之者」。許氏之解，生動地形容了耕犁在受到推動之下犁
刀前進，將土壤分向左右兩側之態。

（畟）

否 厠、惻、畟、畟諸字，各有形意，同取聲於「昃」。而同寓
偏旁義，於以見漢字寓義於音之旨。信乎文字乃伴隨
語言之產物，確有根據之論也。愚則謂：「文字者，視域之語言也。語言者，聽
域之文字也。視之與聽，字之與音，音之與義，固不可一息或離也。」

旭 □〈石鼓文〉 □〈篆〉《說文》：「日旦出貌。」《詩·邶風》：「旭日始旦。」疏：旭者，明著之名。

筆者案：一九八四年第三期《書譜》程肖清先生《石鼓文試讀》一文引「□：□」的注云：「甲文西字正□，似鳥巢形。□字左旁正□，似鳥棲巢上（案秦篆西正□，與□同形）。細味鳥在巢上，日從右（東）昇起，當是初旭景象。若然，則□乃『旭』之原字。」

筆者考：旭與「凤」同音，而有早義，故知音中亦有義。竊以旭字左旁之九，實乃□之訛變，而田字從囧，蓋衍化之奪簡也。嗚呼，述古之學難矣！

《□》

昧 □ 昧《說文》：「昧爽，旦明也。」《博雅》：「冥也。」《書·堯典》傳：「日入於谷而天下冥，故曰昧谷。」《兩漢律曆志》：「昧薆於未。」《釋名》：「未，昧也。日中則昃，向幽昧也。」

筆者案：昧者，祕也，隱而未顯之意也。從日，湯光也。未者，草木繁林之象。《易·屯卦》：「天造草昧。」是知□字初義有草木旺盛，濃蔭蔽日之意。

〈□〉

寐 □〈卜〉 □《說文》：「臥也。」徐曰：「寐之言迷也，不明之意。」

筆者案：卜辭□從夢省，从宀。篆从宀，从爿，从未。以二文合觀參悟，宀者室之形，□者人之象，爿者牀之省，□者草木隱日之態。意即日甫微明，人在室內臥牀未起，半醒半睡之態，故曰「夢寐」。

〈□〉

景景彡《釋名》：「景，境也，明所照處有景限也」。照《釋名》意是，則景字的觀念即「光域」之義。

筆者考，古籀有景而無影，知影為後起字。竊以為景从日从京，日者太陽也，京古高字也，主體建築物也。《大雅·公劉》：「迺陟南岡，迺觀於京」。注：「山脊曰岡，絕高為京」。此解太空洞，竊以為古京字寓「瞭望臺」也。京上有日為景，示陽光從空投射之義，其下之有物影。「既景迺岡，相其陰陽」。可知景即影之初文。古代觀測日影以推祘日曆之時地與遠近，確定建設方位種種重要工作莫不唯觀測日景是賴。後世創影字而與景分庭抗禮，遂成二字。

影字的「彡」明

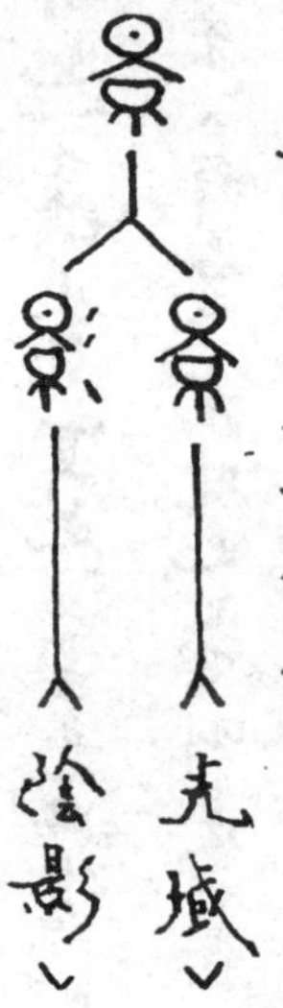

確地揭示出造字者對物注「全影」、「半影」、「無影」三个部份的精密觀察。

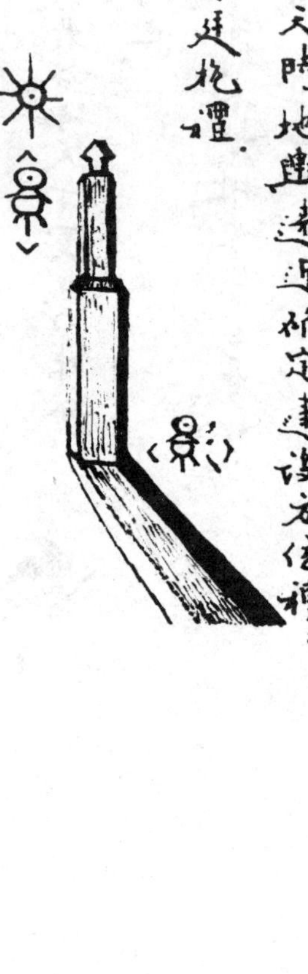

宇宇〈《說文》：「屋邊也」。《淮南子》：「屋檐也」。《尸子》：「上下四方為宇」。《莊子·庚桑楚》：「有實而無乎處者宇也」。段注：「四方上下，皆有可際而所際之處，不可得到」。

筆者竊以為，許氏、淮南所言之「宇」，物體也。尸子、莊周所言之「宇」，空間也。各有所指，未容混同。

考「宇」字从宀，建築物形也。于者迂曲之意，有蝸居供小屋躬出入之義。此則許氏、淮南二家之義歟！擴撐空間之義，立說則宀者廬也，古文宇也。廬舍之容積雖微，亦有上下四方，儼然一微觀之宇宙也。古人以廬舍為宇宙之縮影，以宏觀的宇宙為廬舍之引伸，其為「天合」之義則一也。此尸子、莊周

二家之義然！　關于宇的讀音，筆者曰：宇者「雨」也。雨者從空而降者也。屋宇者，所以避風雨
也。此音中有義之例也。宇字之異體（見下）

禹 □ □ □ 此宇字之異體，其造型取義，似亦有發人深思之處。竊以為上古洪水滅世，下民昏墊。
禹疏九河，勤勞忘身，三過家門而不入，手不爪，脛不毛，生偏枯之疾，行步不相過，名曰「禹步」（《尸子》）
舍己救人，為億萬蒼生開創了安樂的永久生活環境，後人念其德，紀其功，創造了「踽」□等
字，以示銘感，永垂不朽之意。此□字之形，正象徵着大禹開闢寰宇之義。此其意也。

月 □卜□ 象 《說文》：「月，闕也。太陰之精，象形」。

夕 □ □ 《說文》：「暮也」。　筆者以為□者，月之象形，以日沒則月從西升。人類日出而作，日入而息。
西，息，夕皆義互通，而以象標時。與「鳥」棲□中為西同趣。故「夕」「西」「息」音義相投而互通。

多 □ □卜多 篆 《說文》：「緟夕為多」。緟古緟疊字。從二□者，非亦同時有二月之意也，先後出現之意也。造
字者以二□示時間之積增，後延為物質數量之積增，時空互化之義。

亙 □ □卜□一 篆，此字後世幾乎不見于人間。良以越是重要文字越不被人注意。此社會之通病，固不獨
一「亙」字也。唯《正字通》尚存初義。其釋文：「月弦也」。獨惜其以「□」字之文出之。已覺其去古益遠。
失掉「亙」字真貌矣！考《小疋天保》：「如月之恆」。注：「弦升出也，言俱進也。」筆者案：言下應有「與時」
二字為允當。《正義》曰：「弦有上下，知上弦者，以對如日之升。是益進之義。日月在朔，俱右行于天，日遲

十六

月旣从朔而今，至三日已當二次，始死（生）魄而漸遠，遠日而光漸長。八日、九日，大率月體正半，昏而中，似弓之張而弦直，謂「上弦也」。《箋》云：「月上弦而就盈」。

筆者案：所謂「上弦」，即弓弦居東，弓背居西。古天文以為初八、九之月象，而與下半月廿二、三之「下弦」為對待。◗（上弦）◖（下弦），古以東為上，以西為下。以東方為日出之地，西方為月出之地，故知「上下」二字不獨有時間先後之別，且有日尊月卑之義。自「上弦」之後至月「望」，是月亮遠日增大之期。古人以「如月之恒」為慶賀人們社會事業方興的祝福語，是頗饒趣味的。《卜辭》的亙字是亘或亙。从◖，从亘。象弓弦張彀之形。古金文張字是張，其追字承象意與「亙」字相表裏，故二文形義甚堪伯仲，而亙遂段互用。秦漢以降，隸文隸定失真，遂致恒行而亘廢。

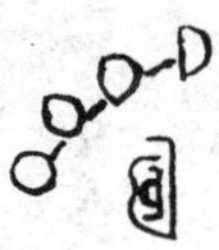

迻（《說文》）：「遷徙也」。

移（《六書故》）：「移秧也。凡種秧先苗之，後移之」。筆者案：迻、移二字同源。一在天空，一在地上。其為遷徙之義則一。故合而論之。竊以為迻从二夕，从辵。上夕字昨夕之月也，下夕字今宵之月也。以月遠地一轉，廿八日有奇，每夕前進一舍。舍者宿止之意。故廿八舍又名廿八宿。周而復始，是為一月。然則迻者易也，改變更換位置之意也。位置隨時間而改易，猶時間隨位置而改易，其義一也。此時空互化之例可見於「移」字之形音与「迻」的統一性求證之。所謂建類一首，同義相授，是謂轉注。

啟（卜）（《金文》）（《篆》）《說文》：「教也」。說文有启無啟。其訓義為「教」，自亦有故。竊以為未若《玉篇》之訓：「開也」，較近造字之情。卜辭啟字是◎，象右手開門見日之形。故玉篇訓啟為開，甚契造字形意。古文「開、啟」義通。儒門大賢漆雕開，又名漆雕啟。《周禮·微子啟》亦作微子開。此古文義段之例，可為義證。

卯

啟，取音於「起」，有黎明即起意。黎明為一日之始，故金星見於早晨名曰「啟明」。「肇基啟元」之「肇」亦从「戶攴」而訓義為「始」。皆有取於晨起開門啟戶之意。《月令》：「仲春之月蟄虫咸動，啟戶始出」。是知古人視一歲之春與一日之晨同有「始」義，而咸以「啟戶」名之。此意亦見於「卯」字之造型。《六書正譌》：「卯，闢戶也。象門兩闢形。因借為寅卯字。為日出物生之象」。案卯之與启，同取象於門。卯是進戶兩闢，启取象單戶闢闔之形。启取音於起，有黎明即起之意；卯取音冒，有生物冒土而出之情。

取音各異，所以訓「時之始」則一。卯於一歲為春，於一日為晨，皆以日月運轉規律得之。

東

《書堯典注》：「歲起於東，而始就耕」。《說文》：「東，動也。陽氣動於時為春」。《史記・律書》：「日起於東」。《鄭樵通志》：「日在木中曰東」。

筆者案：鄭樵所云之「日在木中」，或即「日出扶桑」之義。《離騷》：「飲余馬於咸池兮，總余轡乎扶桑」。《淮南天文訓》：「日出于暘谷，浴於咸池，拂於扶桑，是謂晨明」。《梁書・扶桑國傳》：「扶桑在大漢國東二萬餘里。地在中國之東。其土多扶桑木，故以為名」。按其方向相當于日本，故後來沿用為日本的代稱。審此，不獨使吾人了解了「日出扶桑」之意，而且理解了「日本」國名之由來。此東字从日从木之義歟！

杳

《說文》：「杳，冥也」。極簡。惜語焉未詳，試補述之：

筆者案：杳字讀音與邈渺同，从音義體察，杳字含渺茫遙遠意，是極易了解的。但杳

非單純的聲義字，還有其形義的一面。

考杳字从日从木。日者太陽之象也。木者樹之形也。《淮南天文訓》：「日晡則反景照于桑榆，故杳字日在木下。」竊以為「桑榆」者西陲之地也，古名爲蠶叢之國，以其地多桑榆而得名。這个日沒之處，正標志着一个亞洲大陸「冬至」季節的天象特點。當此之際，太陽掃描的光域，正當南回歸綫。从中原地區觀之，太陽出沒的規律恰當是日出東南，沒于西南。由于這時太陽幾乎同亞洲大陸處于同一水位之上，因而對中原地區的光照時刻，較之夏至季節日出東北，沒于昆侖的情況是不可同日而語的。這就看出了日出扶桑的東字和日沒桑榆的杳字的鮮明對比意義。造字者使用了東杳二字的形象，烘托出太陽光照在冬夏兩季對地球赤道南北画出的兩條移形掃描綫。（見圖之二）

八卦方位圖

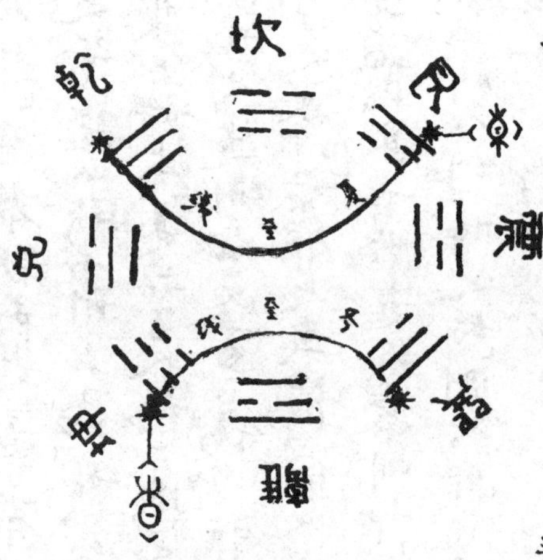

這兩條南北「回歸綫」，从中原地區觀測，是一个以東北爲日出點（扶桑），以昆侖爲日沒點，它代表亞洲夏季自然天象特徵。另一條掃描綫，是以東南爲日出點，以西南爲日沒點（桑榆），它代表着亞洲冬季自然天象特徵，是毫無疑問的。「桑榆」之地，處于中土的西南極。當日後桑榆之際，中原地區會看到太陽逐漸渺茫遙遠乃至然的感覺。這就是杳字日在木下的直觀寫照。然則杳字之木，桑榆之木也，東字之木，扶桑之木也。二木之義一生于

東北，坤于西南。此造字示意之旨，不可知。

古天文學把上述的四个日出没點，叫它「四維」。這个命名想象，顯然是把廣闊太空看它成蓋色天幕，把「艮、乾、巽、坤」看成了天幕四角的維繫支點。這一意識結構，自然是以《易經》八卦它蓋圖底板的思想產物，但是這不等于其中合理的科學內容的否定。我們的祖先軒轅氏族遠在五千年前就建立了以中原為核心的天象觀測點，以勘察周圍太空的景象。命之為「四達自中」。傑出的古天文家周髀，曾提出這樣的理論創見：「冬至從坎，陽在子。日出巽而入坤，是日少，故曰寒。夏至從離，日出艮而入乾，是日光多，故曰暑」。

現在讓我們用一九八〇年的《天文普及年曆》的數據來說明。該數據是以周都王城，即今洛陽縣西北十里處。其緯度約北緯卅四度四十五秒，東經百十二度強。該《年曆》中相應的地理位置是以蘭州（北緯卅六度〇一秒，東經一〇三度四七秒）者以時差每經度四分算。我們就可以得出太陽的出入值。

夏至時刻為：六月廿一日十三點四十七分。〈農曆五月初九，干支為午月乙丑日，時支未時〉。其日出為五點四十七分〈王城約五點十一分左右，干支為卯，近于寅〉；日入為廿點廿四分，〈王城約十九點四十八分左右，干支為戌〉。

十八

冬至時刻為十二月廿二日零點五十六分。（曲阜历為十一月十六，干支為子月，己巳日，時支為子）。其日出為八點十一分（王城约七點卅五分左右，干支為辰）；日入為十七點五十四分（王城约十七點十八分左右，干支為酉，近于申）。……

以上這些數值可以作為對古代的時間數值參考。這些數值的方位構圖基本符合「出寅入戌」与「出辰入申」的纪録。以八卦方位論更是切合「出艮入乾」与「出巽入坤」原則的。

筆者根据上列有闰天文的數据資料，是以周都王城為址為觀測基點得出的推算結果。周室王城在地輿位置上同處中原地區（同安陽）相距非遠。因而这个推算數據規律也當然可以適應于对殷商甲骨文中有闰天文的字義的解釋与説明。以《卜辭》的

晋二字的形義特點结合古今天文資料會通求证，可以看到我国先秦時代在天文知識上的偉大成就。原因是我们是以農業為建國基礎的民族，天文曆法是為農業服務而產生的。

西 卜 金 《說文》：「鳥在巢上也。日在西方而鳥棲，故因以為東西之西。」筆者案：卜辭、金文西字皆正為巢形而無鳥。巢是鳥的棲息之所，夕陽西下，倦鳥返巢，故日入而息，日西曰夕，因義類相通，故曰形聲。

南 卜 金 《說文》：「艸木至南方有枝任也。」徐曰：南方主化育，故曰主枝任也。」徐氏的解釋已出了生物對光源的親和性，造字者將↓冠於字的頂端為方向指標，這一位置的安排顯然屬於五行公式的體現。是有需說明的，↓位於冂的頂端。這一平面結構格局，和伏羲先天八卦位序是一致的。

北 卜 篆 《說文》：「乖也。从二人相背。」徐曰：相背違也。」段注云：「軍奔曰北，謂背而走也。韋昭曰：北者古之背字。

筆者考《魯仲連傳》：「……士無反北之心」，《李陵答蘇武書》：「斬將搴旗，追奔逐北」，皆段北為背，故知《說文》之訓信而有據。其延為北方之義者有取於聖人南面而治之意。推而言之，古代天文、地輿之學，宗廟建築之式，五行、河洛之位，周易八卦圖譜，莫不以面南背北為定規。至於草木之生態，人物之生理，皆負陰而抱陽，陽者南也，陰者北也。廣義營室面南而背陰，武王克商，以朝歌之北為邶，古文上[illegible]。皆北、背互通之例。面南而居，揭示了中國位於赤道以北的地理環境特點。

晶 卜 晶 篆 《說文》：「精光也。」 筆者案：漢字三數同形之文字，皆標志着程度、時間、空間、能光、力量之倍增，如三水成淼，三木成森，三火成焱，三土成垚，三金成鑫，三水成淼，三口成品、三力成劦……現代物理謂多面形礦物質曰「結晶體」。故知晶字从三⊙，有「晶瑩輝煌」之義，現代光學術語名之為「亂反射」。如天然

石英無色透明者曰「水晶」，褐色者曰「茶晶」，黑色者曰「墨晶」。《說文》以「精光」二字為訓者，以精字从米从青。以米之色清而透明者曰「精米」，水之色青而透明者曰「清水」。然則晶者反光之義也；精者透明之義也。故晶、精音同而意通。

星 晶 [古文] 今 曐 星 篆 《說文》：「萬物之精，上為列星。」此《修文學說》不獨我東方古代天文存在，西方天文亦有之。如「天蠍」、「天貓」、「天鵝」……皆其實例。筆者以為星亦形聲字。ºº者形也，从聲于「夕生」。蓋合音字也。以晝間雖日當空，雖有星光而莫能得見，待夕陽西下，宇宙昏黑，星光於是而生。故星字以「夕生」為音，知音中亦有義。

曐疊 [古文] 今 曐 篆 《楊雄說》：「古理官決罪，三日得其宜乃行之。从晶从宜。亡新（王莽）以為疊从三日太盛，改為三田。」今經典相承用疊字。　筆者案：依楊雄之說，則疊亦會義字。然據造字形義規律，則疊亦形義字也。此時空互比之例。而今世人以疊代晶，已失初文真相。

晷 [古文] 《說文》、《博雅》同訓「日景（影）也」。《釋名》：「晷，規也，如規畫也。」

晷是古代測時、計遠的科技儀器。其型制古今中外不一。但以日光之投影長短為推算指數依據。《周禮·考工記·玉人》：「土圭，尺有五寸。以致日，以度地。」所謂「致日」，即以日影判斷季節；所謂「度地」，即以圭表投影長短以判斷地球經緯度。《周禮·地官·大司徒之職》：「以土圭之法測土深，（緯度）正日影，日南（赤道）則景短；日北（赤道北）則景長……」疏：周公度日影之時，置五表。於潁川陽城置一表，為中表。中表西千里又置一表。中表南又置

（晷）

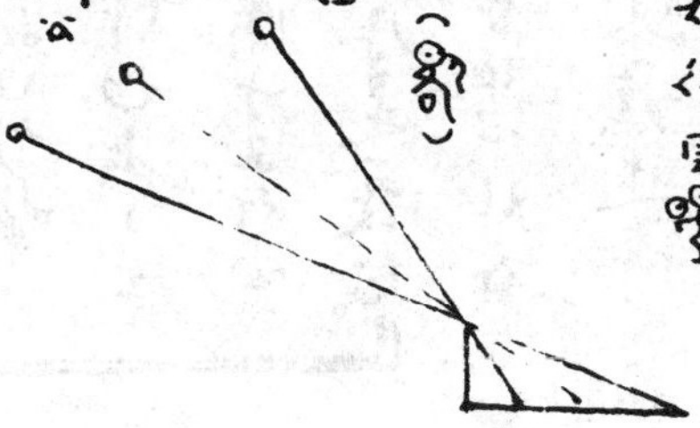

一表，中表東千里又置一表，中表北千里又置一表。……凡日景於地千里而差一寸。鄭司農云：土圭之長尺有五寸，以夏至之日，立八尺之表，其景適與土圭等，謂之地中。……」

考「晷」字从日、从咎。日者日影之義，晷、究音同意通。有究求義，亦晷表為研究天時、地位之工具。亦會義字。

旬　旬卜　旬金　旬篆《說文》：「徧也，十日為旬」。《尚書大禹謨傳》：「旬，十日也」。

筆者考卜辭旬作旬，篆作旬。字形或作回旋狀，或作包束形。皆所以示旋轉之象，有周而復始意。讀音與循環之循同。則音亦有義。古天文以十日為基本單元，即甲乙丙丁戊己庚辛壬癸。名曰「十干」。十為數之盈，盈者終還回旋之意。故有周期之象。古人視人之一生為壽命之周期。故「死部」曰「殉」。旬者詢也。議事請教，需周遍走訪。故曰「詢謀咸同，人一致適過」。故詢字从言从旬。旬者洵也。海水蒸發化為雲雨降施大陸，流還大海，循環不已，江河氾濫，皆有周期。故洵字从水从旬。而訓義為信。此旬字之義可於轉注字例見之。推而言之，尋覓之尋，巡邏之巡，皆與旬音同而兼有週遍循環意。此種音義連鎖規律，縱橫交織貫穿於漢字領域之中。倘能潛心留意，自能觸類旁通到處逢源。

〈十日週期〉之旬

- 姰——〈生命週期〉
- 洵——〈海水運化週期〉
- 詢——〈週遍走訪詢教〉

杲　杲《說文》：「明也」。《淮南天文訓》：「日登于扶桑，是謂朏明。故杲字日在木上」。《詩衛風》：「杲杲出日」。

筆者案：杲者高也。所謂「日在木上」，即晨後午前之會。古人所云「日上三竿」者是。故知

二〇

杲字為特定時義辭。

倝 《說文》「日始出光倝倝也」筆者案：倝从日，呈光輻射形。人者㫃之省，亦旋字飄揚意，有赤日高懸，乾燥熾熱，光明之象。讀音同燥，意義堪知。古文習慣於數字示意，往往以三○同列以示光熱之極度，故倝亦作倝。此類字例比比多有：……等文皆其例。

乾 《集韻》《唐韻》《正韻》《韻會》同訓「燥也」音干。《說文》「上出也」。段注：「……上出為乾，下注則為溼，故乾與溼相對。」筆者案：乾从倝，从日，陽光輻射之象，从乙，水汽蒸發之義，故知乾即乾燥之干的初文。《詩中谷有蓷》「……暵其乾矣」，足為餘證。自《周易》用為乾卦字，而乾字初義遂晦。

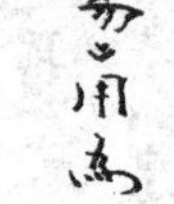

澣 《唐韻》「音煥，濯衣垢也。一曰滌也。」筆者案：澣从氵，洗滌之意也。从倝，日光曝射之象也。从干，以幹架懸之意。以「煥」為音有煥然一新義。自李唐王朝官制規定十日一休沐（公休沐浴更衣），遂定為上旬（上浣）中旬（中浣）下旬（下浣）之時義辭。《詩周南葛覃》「害澣害否？薄澣我衣」箋云：澣謂濯之。此其初義。

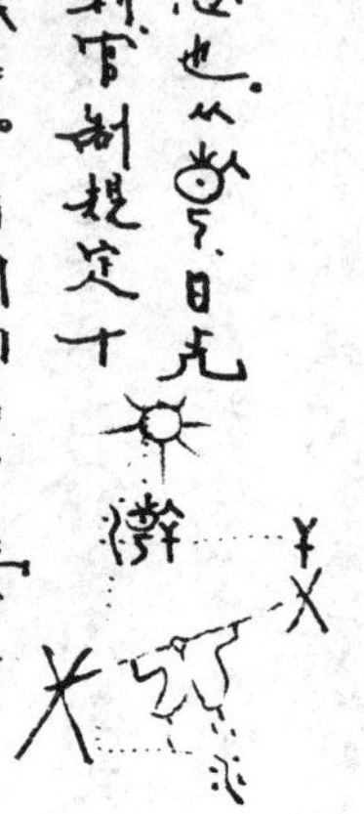

斡 《說文》「蠡柄也」。上古人類以蠡舀，後世金屬鐎斗仿海蠡之形而增接柄以舀水之器。後世形聲字，从斗从干而訓義為斡者，標示了人類進化過程遞相。由海螺舀木器進入到葫蘆為戰木器，又由葫蘆進化為銅製鐎斗。然此皆非「斡」字本義所屬，試述之如次：

筆者以為斡字从倝，呈體高懸光芒輻射之象也。斗者，天文之北斗七星

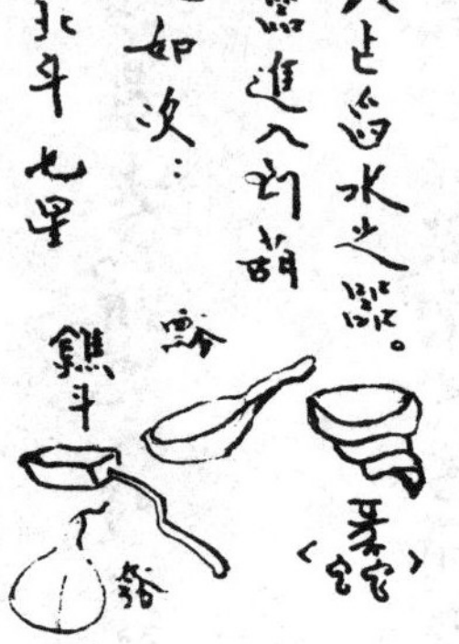

曰天樞，曰天璇，曰天璣，曰天權，曰玉衡，曰開陽，曰搖光。（大熊αβγδεζη）以七星排列形似鐵斗而得名，非取水之斗也。古代農事耕種栽植唯賴觀測天象，遂先定位以授時。因而北斗杓柄的指引方向就成了決定季節的時針。古天文學名之曰「斗綱」。所謂「斗柄指東，天下皆春；斗柄指南，天下皆夏；斗柄指西，天下皆秋；斗柄指北，天下皆冬」。這已經成了老農諺語。北斗杓柄按照時針方向旋轉一周，就是一歲。故民間春聯有「斗柄回寅」的門楣用語。實際上斗柄就是一个天然時鐘指針。故《玉篇》之訓韓字曰：「轉也，柄也」。《增韻》訓韓字曰：「旋也，運也」。自較《說文》之訓高上一籌。後世謂團隊工作之推動，事業規劃之運籌，曰「斡旋」。遂致「韓旋」一辭。近仰為「主持，領導」義。然則斗杓斗柄亦可謂之「控旋」，而古義亦適。

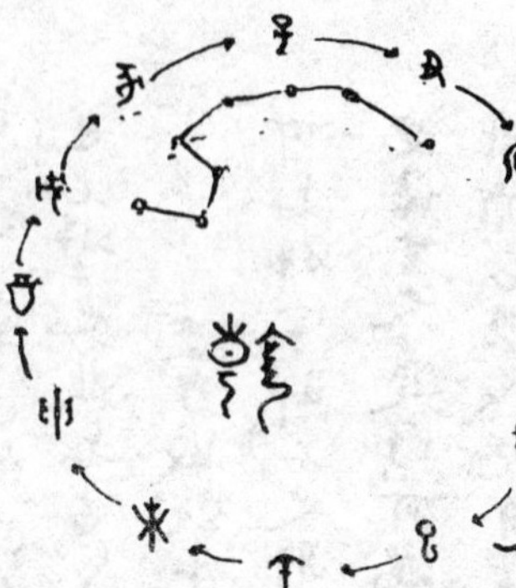

（韋）

韓

韋 早（金）韓 韓

《說文》：「井垣也。从韋，取其匝也」。

筆者案：韓字从倝，日光直射井底之義也。韋者，井口欄杆之象。

所以防止夜晚人畜誤遭落井之禍。故韓字又有捍衛保護義。韋者圍之之省。

榦

榦《說文》訓：「築牆耑木也」。竊以為此解與榦字形義有未能盡明者。以倝者，赤日當空之象也，光芒輻射之義也。蓋立榦所以見影，視影所以定位。築牆工作本身就意味着修建宮室。必特立榦以測影而定東西定南北。《說文詁林》著（宋）（冒二字下）求端直也。段注引《費誓》（鄭）注：「題曰楨，旁曰榦」。可謂深得其旨。《釋詁》曰：「楨，榦也」。舍人曰：楨，正也。《正義》云：「題曰楨，謂當牆兩端者」。題為何物？《爾雅·釋言》：「顁，題也」。《史記越世家》：

二一

「雕題」，注：「謂刻其額……」《韻會》：「椽頭玉飾曰璇題，玉題，亦名璧璫。」

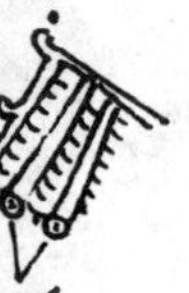

題〈圖示〉古以椽之斷面名題，後延為版築木槽兩端之横版名而名之曰「楨」。楨从木从貞，貞者正也。《易》文言：「貞者事之幹也」。古謂往往「楨幹」二字連稱者，當源於建築施工之木模，必求垂直端方不偏不倚。用今日幾何定義言之，即正方形之四内角之和等於90°×4=360°。尤其是宗廟宮殿必須要求上下垂直方向明確。凡此種種測繪工序，無一不賴立榦見影以求證。此榦字从𠦝从木之義也。

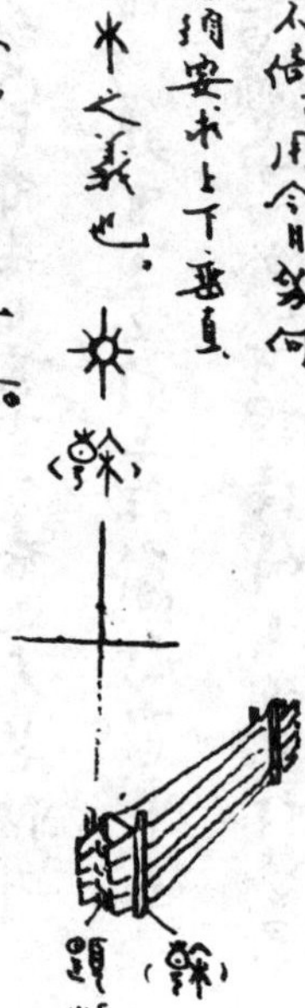

榦 倝

此字諸書皆訓為木之字任曰榦，餘非初義。唯《廣疋》：以為十干字。是有見地。

案：倝字从𠦝从干。𠦝者日出之象也。干者何？考《前漢食〈貨〉志》：「或用輕錢百加若干。」師古注：「若干，猶箇也。謂當如此箇數耳。」師古此解，斟音〈理解〉干字，頗幾近實。考干字，古岸字也。《易·漸卦》：「鴻漸於干」。注：「干謂大水之旁」。此干岸互通之證。竊以為干〈厈〉者水之崖，山之側也，石壁也。故知古干〈厈〉所寫字義通。其意可从下列例義求之：

《寧戚飯牛歌》：「南山矸，白石爛，生不逢堯與舜禪。」《荀子·正論》：「加之以丹矸。」注：「丹砂也。」可知矸字即石之別名。《韻會》：「矸，石也，或省作干。」今煤礦工人名矽質頁岩為「黑矸子」。此上古歷史語言之遺存，可為鑒證。然則倝字从干者，矸之省文也，石塊之義也。蓋古無文字，初民或采用積石塊以紀日，追歷時既久，遺忘其日期距離，唯賴石塊之數目以明之。此理有可通，又有可據之事，未容以臆說視之。正如師古所云：「干猶箇也，謂當如此箇數耳」。師古之訓，生動地揭示了原始人類積石計日備忘之法，是非常明顯的。然則「十干」之辞，來龍何自？更何以不

云九千？十二千？此則有賴於對人體自然形態之認識以探求之。蓋人之雙手具有十指，幼兒初學識數皆十指為計數工具。故數學以十進位制，古今中外不約而同。此從計算之「計」字從言，從十之意可以證之。故知幹字從日，示日出一次之當量也。從Y者，示積日當日之義也。嗣後文字產生，將甲乙丙丁戊己庚辛壬癸為紀時符號，仍名之曰「十干」，仍未擺脫古意，後世相承。此幹字從日，從Y之義是具有考古說明意義的。然則以十幹紀十日，此「十天干」之初義也，自有文字後而十干之真相已晦。

發明：由于人的雙手十指數目和月圓週期時值存在着公倍比率，使三旬為一月周期數據得到確立。而一歲中的寒暑變化週期中又包括月圓十有二次。這就使三百六十日為一歲週期的時空數據得以建立了事實之所必然。

然而這一來自計算公式的圓週絕對值實際上並不能和地球公轉週期日值相一致。因為太陽也不是人們夢想中那樣的絕對靜止物。地球為了追隨太陽對另外更大的循環，還要化費¼日的行程努苦後能真正地完成公轉任務。這一問題被早期人類所發現，設如筆者所設想未誤的話，或者就是由于古人對斗綱在歲終之際的天象觀測而來。也許是不為荒誕的。理由是：當斗綱已經歷三百六十日的旅程之際，實際上只能到達亥刻廿四分有奇。對上為斗綱旅程終點的子刻位置，還存在着

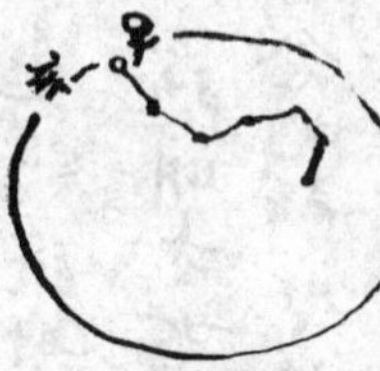

〈斗綱時差示意〉

二二

五分以上的時空差距。古籍中的天闕西北的「无字」就是對這一特定自然景象的忠實寫照。顯而易見，這一雛型的天象週期數據未能符合自然實況。

聰明者女媧氏，凭藉着對生物壽命旋律的觀察感受與邏輯，初建出具有「五運推移」觀念的新曆法數據。她采用青、赤、黃、白、黑五色石塊，按照五個運轉的時針方向，把三百六十枚彩石，按色分類成五組。用青色代表春，用赤色代表夏，用黃色代表長夏，用白色代表秋，用黑色代表冬。在地面上依次排成自東而南，自南而西，自西而北，最後復歸於東。這樣一條環狀線。其色種列序，是青、赤、黃、白、黑。共五個線段。每一線段都由同色的七十二個石塊所組成，以標志為週天七十二度。合而為週天三百六十度，作為研究天象的臨摹樣板。這是完全可能的。

但是，位於西北方向的缺口，依然存在。於是多才的女媧創出補正措施。根據五個運行日量紀數五天，用石塊五枚，將天象樣板西北缺口填補。於是樣板石塊週匝總和與五個週期日數取得一致。但這一措施，會帶來「五季」之間長短不一。於是女媧不得不考慮時差的平均分配。因而換用了不同色彩的石塊五枚分別補入到五組彩石行列之中。如此之結果，就使她的天象樣板成了一幅（72+1）×5=365的週天計度天象之藍圖。這大槩也許就是「女媧煉五色彩石以補天」的神話之謎的揭曉吧！

筆者的這一科學意境的創造動機，是為了論證與解字「補石當日」之義提供合理的說明資料。

十干文字的科學觀：在「十干」餘紀日辭而擴展為「紀時單元」辭的象徵上可以窺見東方世界早期曆法屬於「太陽曆」的範疇。這和後世應用的以「月象」為主的「太陰曆」有根本的區別。是毫無疑問的。當時采取的一歲週期之內的時間劃分術，並非「四季劃」，而是「五季劃」。這種「五季劃」的形成，是建立在「五行」基礎觀念的產物。其具體措施是：劃「三百六十五又四分之一日」而十分之。使「十干」的平均時值，等於三十六又二分之一日卅六分鐘。同時為了使「十干」與「五行」的自然氣象、生態變遷的規律相適應，就不能不將「十干」劃分為五個小組，分別隸屬於「五行」之下。

十干分佈示意

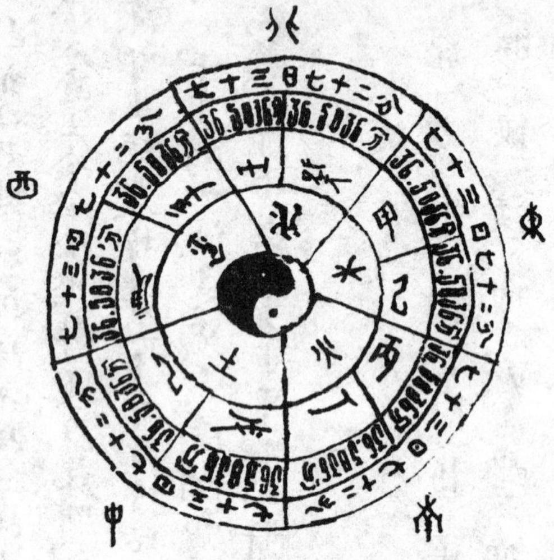

五行十干相合

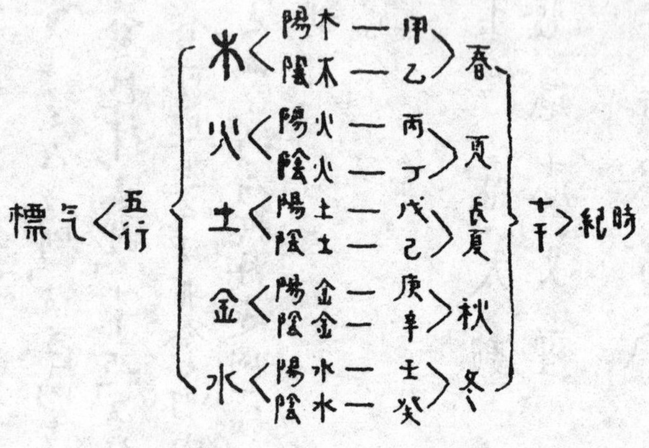

二三

上邊的圖形示意圖是一幅帶有生化旋律意義的週期表盤，是可以一望而知的。下面在說明「十干」與「五行」配伍規律。所謂陽木、陽火、陽土、陽金、陽水，事實上是在說明「五季」的氣象特點。所謂陰木、陰火、陰土、陰金、陰水，都是在說明「五季」的物質生態規律。這種「十干」與「五行」相表裏的自然曆象，實質上就是指導古農業生產活動的消息藍本。可通過《禮月令》的內容獲得充分考證。「十干」的內涵是眾常廣闊而深邃的。它除了作為紀時符號外，還同一切自然象徵縱橫結合而顯示了它在東方世界各門科學中的指導作用。

紀時	方位	歷法	物理	气象	化學	生理	光學	聲學	生態	气息	意志	天文	數理
甲乙	東	春	木	風	酸	肝	青	角	生	臊	怒	青龍	八
丙丁	南	夏	火	熱	苦	心	赤	徵	長	焦	喜	朱雀	七
戊己	中	長夏	土	濕	甘	脾	黃	宮	化	香	思	勾陳	五
庚辛	西	秋	金	燥	辛	肺	白	商	收	腥	悲	白虎	九
壬癸	北	冬	水	寒	鹹	腎	黑	羽	藏	腐	恐	玄武	六

朏 朏 朏 《說文》：「月未盛之明也。」註引《尚書召誥》曰：「三月惟丙午朏。」傳：「朏，明也，月三日明生之名。」《畢命》：「惟十有二年六月庚午朏。」傳：「六月三日。」志引古文月令篇：「三日曰朏。」

案朏字从月从出。出者進也，象艸木日益壯大。（據說文義）。以喻月光逐日增大，字取音于茁。《集韻》：「茁，艸茂貌。」故聲亦有義。

霸 霸 霸 魄 魄 魄 《說文》：「月始生魄然也。承大月二日，承小月三日。」段註引《禮鄉飲酒義》：「月者三日則成魄。」正義云：「前月大則二日生魄，前月小則三日生魄。」馬註引《尚書康誥》：「魄，朏也。謂三日始生兆朏，名曰魄。」《白虎通》：「三日始成魄，八日成光。（上弦）」

《增韻》霸字訓：「月體黑者謂之霸。」《前漢律歷志》：「四月己丑朔死霸。死霸三日也，生霸望也。」孟康曰：「二日、三日以往明生魄死，故曰魄死。」

《尚書武成》：「惟一月壬辰旁死魄。」疏：「魄者形也。謂月之輪廓無光之處，名曰魄也。」

以上衆多訓例，各執一說，莫衷一是。而經文用字，諸多霸魄互改。千古以來，聚訟難明。主要分歧為：一、認「霸魄」為月之有光部份字。主此說者有：《許氏說文》、《禮鄉飲酒義》、《孔氏正義》、《尚書康誥》、《白虎通》。二、認霸魄二字為月之無光部份字。主此說者有《增韻》、

《漢律曆志》、《孟康注釋》、《尚書武成政》。其所以導致訓義紛紜者，關鍵在於未能對霸、魄二字乏深刻之探溯。謹試述之：

一、形意剖析：考霸字从月从䨣。月者形符也。䨣者義符也。《說文》䨣字訓：「雨濡革也」。《玉篇》：「雨也」。《廣韻》：「䨣音雹，義同」（此解極確）。準此，則䨣有双聲複義，而與《說文》相背，已可窺見。揭示了霸字的雙重義象。蓋霸字造形取象于䨣之具「陰雲濡月」之意。此所以《尚書武成》有：「月之無光之處曰霸」之訓義所由來也。《增韻》之訓：「月體黑者謂之霸」，良有以焉！由此觀之，霸字之初義當應與䨣同。而許君訓為「月始生」者，殆借例也。當應以「朏」為正字，蓋無疑矣。案《尚書武成》經文作「魄」而不作「霸」者，猶未失自然之真象。《孝經說》：「魄，白也。白，明白也」，可為義例稽考佐證。顧其傳文：「月二日死魄（？）」。其「哉四月，哉生明」傳文：「哉始也。始生明，月三日，與死魄（？）互言」。則已覺用字含渾訓義乖剌之嫌。由此觀之，經文之「魄」字當即「朏」之代用字也。朏字从月从出者，月光始見之意。故知經文段魄為朏，於文雖異而於義理當，謂尚無乖背。至于傳文之將魄作霸，類與字理文允矣！細繹文義，自能知之。由此可見魄朏二字，聲義同根，猶霸䨣二文之同出一系也。於文字形聲述象判然若揭焉！

考「魄」字之見諸蒙學讀物《千字文》中，有「晦魄環照」之句。晦者隱而不見之意，黑暗之義也。魄者白色之光也。所謂「環照」者，當即現代天文「金星凌日」之象。◉（圖）係金星凌日軌跡，不能將

日光掩蔽無餘。周而與太陽同位，周圍必有環狀光形存在。此于天文術語謂之「金環食」。此魄字訓為「白光」之義例，卓然可見。

二、以古老「五行」學說求證：《越人扁鵲難經》：「肝藏魂，其色青；肺藏魄，其色白。」《內經素問陰陽應象大論》：「在臟為肝，在色為蒼；在臟為肺，在色為白。」案魂字从云，云，古雲字。蒼者青雲之色。魄字从白，白者光明之象。此陰陽對比之色光義例，施之于月象則魂為月之陰暗面，魄為月之明光面，固有義類可推者。茲圖示以明之：

魄（朏）——魂（霸）

然則霸魄二字之義已判然分明，有不容混淆者在焉。故如《說文》之訓霸為「月始生」者，叚借也。叚霸為朏也。《增韻》之訓霸為「月體黑」者，乃本義也。後世叚「魄」字以代朏，本屬于義可通，然而淺人見義未明，濫叚妄借，雜揉亂真，可慨也夫！青銅銘文咸以「霸」占月象紀時字。於是通叚例行而本字晦。《吳方彝》雖有朏字，乃用於人名，非紀時之用矣。其故何歟？愚曰：文字之為物，在于約定俗成，有音義而不見於應用者有之矣；無音義而見於應用者亦有之矣。古文叚𤔲為治，將[illegible]上[illegible]，叚釁為眉，叚枼為世，皆所習見，有例不勝舉者矣！

朓　《說文》：「晦而月見西方謂之朓」。案兆者朔見之義也。新月甫出，其迹甚微，似隐似现，若有若無，見而未顯之象。其字从兆。兆者古文別之別字。乙者豐埋之象也。兆之為字似龜坼之形。《周禮·春官·太卜》：「掌三兆之法……」，造字者取以喻新月之象。案兆取聲於肇，肇者始也，故兆亦有始義。以其時居月之首也，故音中亦有意。

朒　《說文》：「朔而月見東方謂之朒」。《玉篇》：「縮朒，不寬舒貌」。案說文所謂「朔而月見東方」，非月初之朔也，乃月終之月象也。以月望之後，月光逐日縮小，而距日較近，故曰「月見東方」。案朒取聲于纽。《博雅》：「纽，束也」。束者綑御也，有收縮義。又同音于忸，忸者慚愧之象也。人羞愧則俯首側視，不敢正面對人。造字者據忸怩之象以喻月光由圓變反之象。案實際上，這種鈎形月像的出現時間，正是農曆月末，亦即月繞地球週期的結束。若以晝夜為時間單元的話，則此種月象的出現，亦可視為朝陽東昇的前奏。《說文詳林》著《漢文精蘊》之「朓、朒辨義」。

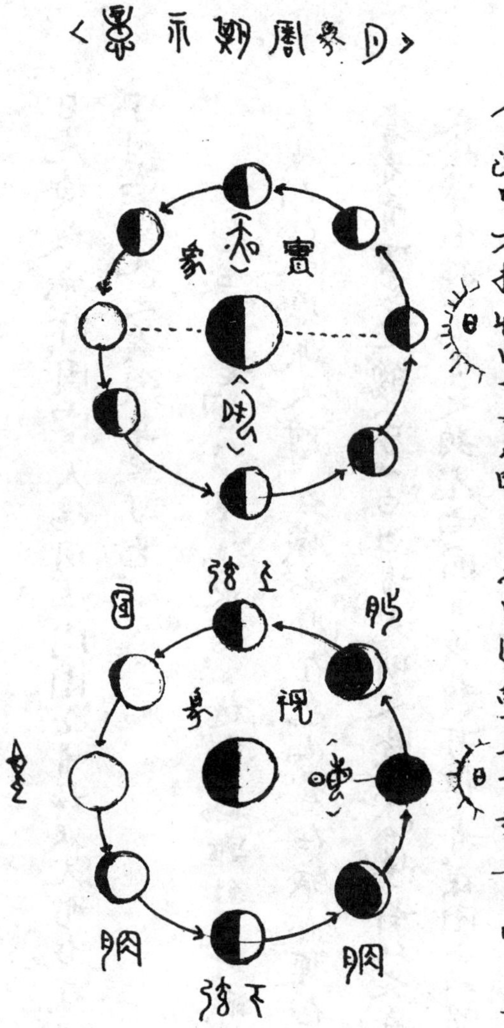

春《尚書大傳》云：「春，出也。萬物之出也。」《公羊隱元年》：「春者何？歲之始也。」注：春者，大地開闢之端，昏斗指東方曰春」。《說文》：「春，推也。从日、艸、屯」。《前漢律曆志》：「陽氣動物，于時為春。春，蠢也。」

案：春字或訓為推，或訓為蠢，或訓為出，或訓為始。雖用語各殊，而旨義則同。統邊于生物萌動之期。此萬物不約而同之生機，實來源于太陽之光臨。故春字之形，每指難數，要之不離乎从日與艸木之形。日者，光之象也。溫和之氣也。故春、溫韻同而意通。此漢字聲義規律，往往于音中得之。春字之形，或从艸，或从木者，生物之象也。而寄義于「屯」。屯者，「剛柔始交而難生」《易屯卦彖辭》之義也。《說文》：「屯，艸木初生也，然而難。从屮貫一。一，地也。尾曲。」此說遭現代文字學權威某君之否定。某君于其大著《殷墟文字記》中據甲骨文中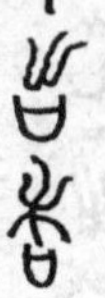二文之形態結構，力詆許氏「从屮貫一」之說，可謂生面別開。第其立論基礎難免離俗背情，未能自圓。何則？

考屯字秦篆上屯，金文上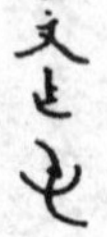，甲骨上（卜辭春皆从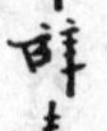）。者，單子葉之形也。屯者，雙子葉之形也。者，屯之中期過渡之形也。萬物之象，皆有奇偶，固不獨植物為然焉。春之為字，固紀時之字也。時之為物，無聲無體，非筆墨所能形容。造字者不得不假借生物形象以供讀者之領悟。

二六

此𦯔字从屯，所以標系紀時之義，固其宜也。

竊以為其君列舉之𠔉𦯔二字，定為古杶字，亦物系標時字也。古春、椿、杶三字互通（《正韻》）。《莊子·逍遙遊》：「上古有杶，以八千歲為春……」則杶有萬古長春之義久矣。考杶之為木，對氣溫之升降敏感最強，北溫帶喬木中萌動最早，其萌芽在立春之前，故有「報春」之系。殷商卜辭段為「春」字，自非偶然，故知漢字形義皆具有其科學性，豈非臆度也。𠔉𦯔二文與《石經》𦯔字形似而義同。《楚王鼎》「春」正𦯔，其形與𦯔、𦯔、𠔉酷似。此以屯為春之有力佐證。上古之時，屯、屮二字是草木屯然而萌動之系，即知其為春日到來矣。要𦯔、𠔉二文皆从日、从𣎳或屮。𣎳与𣎳非萌芽之系也。日者，⊙也。卜辭𣌭（金文𣌭）皆將日止⊙可證。雖《說文》𣌭字止日而不止⊙，然是以為日亦⊙字變文也。𦯔字畢國地望位於東海之濱，日出最早，富有無慮。此𦯔字之形義也。葉玉森氏所見甚明，而其君識為「大譜」，智者千慮之一失也。宜乎認為「𦯔」字本義不可詳矣。復考甲骨春字則𣌭止𣎳或屮二字從非从屯，而形已具備，許氏「从艸屯」之系。信乎許氏之學之能肯通古義焉。是謂古音屯、屮同聲，則屯、春同源，亦之語音尤為信而有據。

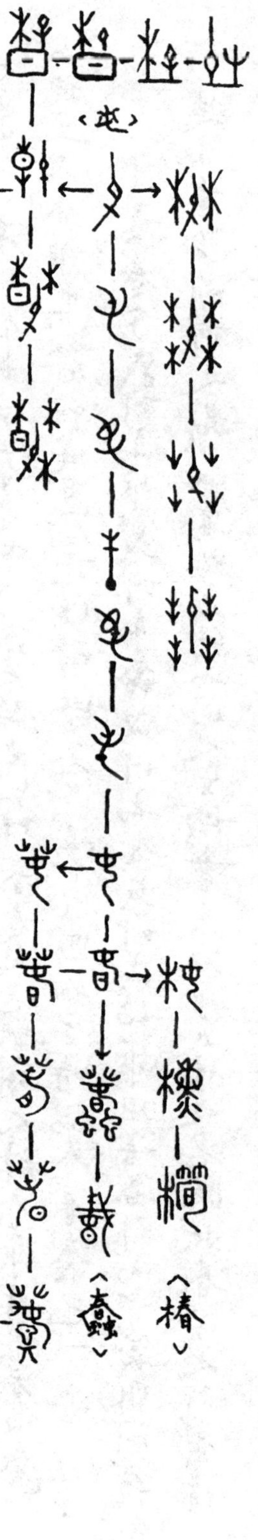

夏戉

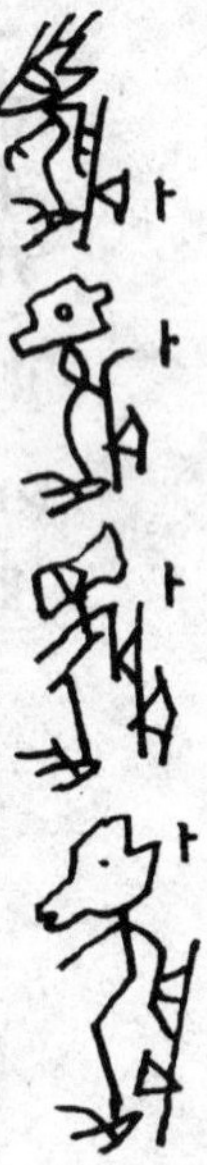

夏

這箇身軀魁梧手秉斧鉞的男子，名之曰「夏」。是不易理解的，也是極易理解的。他便是東方世界鼎鼎大名

歷史上第一箇大夏王朝氏族的英武形象。後世省去武器而保留人形，用為「華夏」之部的名稱。

《說文》夏字訓：「中國之人也。从夊，足也。从頁，頭也。从臼，兩手也」這字者采用了高度藝術的誇張，寫出了胸中的民族自豪感。是可以想見的。

考《揚子方言》：「自關而西，秦晉之間，凡物之壯大者而愛偉之，謂之夏。」

復考《尚書武成》：「華夏蠻貊」疏：「夏，大也。故大國曰夏。」「華夏」，謂中國也。《詩秦風權輿》：「於我乎夏屋渠渠」傳：「夏，大也。」後世增广而作廈。

華者案：所謂「華夏」即美麗而富強的大國，所謂「夏屋」即高大的房屋。

夏字本訓「大」義，後世誤用為春夏的夏。而本義遂晦。

這纔是真正的春夏之夏字，因為這個人頭的上空烈

日高懸。可是久已不被世人所知了！

秋　龜　龝　秌

甲骨之龜字与籀文龝字，原屬同文，久為文字學者之所認同，已勿庸置疑。稽諸二字形態，似亦宛若符契，未容異議。要知形則似矣，音則同矣，而于義如何？此則不無殊堪「温故知新」者存焉。愚之致力于此二字之反思者蓋有年矣。雖人言言殊，莫衷一是，然每當獨立思考之餘，恆有不勝驕首之感者，良以二字形音之由來同中有異，異中有同故也。然茲事體大，義理攸關學術觀點，所繫小子何人？敢不恭謹用事，自貽長者之譏？所幸方今文運大開，百家爭鳴，不揣愚昧，用敢不揣固陋，效封人獻芹於大雅之前，唯高明有以教之。

一、從字形說起：竊以為龜之與龝，同釋為「秋」，固無非謬，唯其致人困惑之點，重在字體結構之命意。長期於茲迄無定論，竊不自量，故膽膽陳如次：

考龜从火从龜，而龝从火从禾从黽。則龜之與黽，乃同文乎？抑異文乎？此為問題之關鍵，未容魯魚亥豕也。夫龜之形，从∧、从凵、从‖、从◁、从乚。∧者觸鬚也，凵者頭目也，‖者項頸也，◁者背翅也，一者爪足也。五者相合而為龜，儼然一昆虫之像也。黽从[illegible]从[illegible]。[illegible]者首尾腹相連之形也，[illegible]者背与足也，亦昆虫之像也。所異者，一則有鬚有翼，一則有尾無鬚而無翼。此其一居山陸，一屬水族，彰彰明甚。

二、有關萬字形義諸家之論斷。近代葉玉森先生認為萬字之狀有尾有翼足，與蟬通，皆殷卜辭段蟬為夏。因蟬乃最著之夏蟲，聞其聲而知為夏矣。此說受董君作賓之否定。

先賢唐蘭謂萬乃有角之黽，並引《廣雅·釋魚》曰：「有角曰黽龍。」且據《萬象名義》廿五黽部為說曰：「黽，奇樛反，龍無角也。」《天治本新撰字鏡》同。《龍龕手鑑》誤入艸部，然其字从黽，仍未誤也。」又云：「黽讀為虬者，段借義也。其本義當為黽屬而具兩角者。其物今不可知。其即《說文》之黽也。《說文》：「黽，黽屬，頭有兩角，出遼東。」又云：「黽，水蟲也，歲貉之民食之。」唐君並引《玉篇》《漢楊著碑》多種資料以證《萬象名義》之「黽」，以及《卜辭》之萬、萬等字，其形、音皆以黽、黽之說明依據，而最終結論則落實於「黽鼀」，此唐君之大旨也。

竊以為唐君明治學方法特色，詳於音而略於理，昧於形而忽於義。其未能得出形義之統一，固其宜也。茲謹具鄙見以正之：

考黽鼀之為物，乃水族昆蟲也。其產地在於吉林。青蛙類也。其頭部生肉觸，左右各一。其狀似角。土人名

蝤 蝤

之曰「哈食焉」。愚少時就學津门，曾受友函託赴「世一堂」代購其物。其物乃名貴珍品，筵席多用之。時愚年少無知，不悉其為「[illegible]」也。今於《說文》得之。甚矣哉不學無術也。而今而後，當知自勉。惜歲已云暮，可慨也夫！按諸事理之常，「[illegible]」同蛙類生物，自屬農業益蟲，斷不應列入火焚對象。此与[illegible]之字形義頗有未合。況[illegible]之為形，有翼有鬚，其非蛙類，尤非黽屬，可斷言也。故知唐君之說，未能切合於字理。然則如何而後可？其又求証於科學知識乎？

竊以為[illegible]即蝤之初文也，亦即《廣雅》所謂「有角曰虯龍」其物也（說詳後）。青銅器圖形有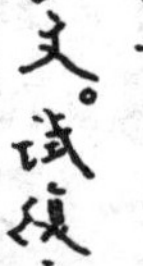文。試復原以觀，記之如下：[illegible]此天牛也，非「[illegible]」也，亦即所謂「有角之虯龍」也，非有角之虯也。天牛之為物，依現代生物學昆蟲分類，屬「[illegible]門·六足綱」，即肢動物。其成虫為遍形態，可分為頭、胸、腹三部。有口器觸角一對，或無；體表被以几丁質之外骨（甲殼），用腹部氣孔呼吸，發育大部經過變態。其族系分支有：蝗類、蟀類、蛉類、蚜類、蛾類、蝶類、蜂類。其族類共在百萬種以上。大部為農業害虫。「天牛」其最具代表性者。其族類之生理結構，皆大同而小異。

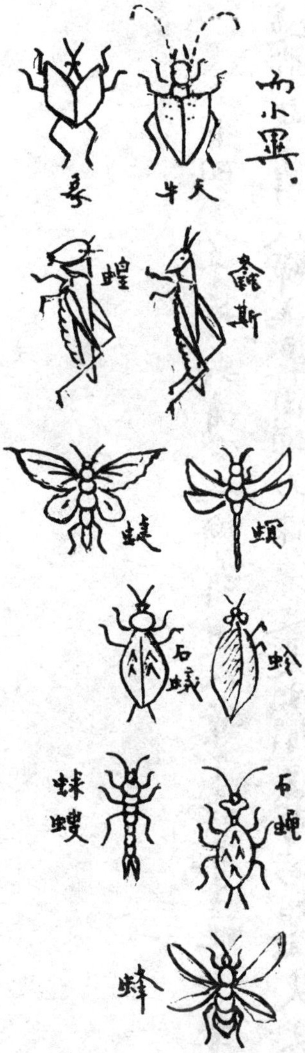

〈[illegible]門族系代表〉

〈錄自許海昆蟲學〉

（錄自甲骨文編龜部）

蠹

假令吾人將上列的昆虫圖譜同甲骨文字對照合參，便可覺察這些象形文字不是龜類，更不屬於蛙類，而是有鬚有爪有翼的陸棲昆虫。作為農業之敵的蜱蝎族，它們的總代表，便是「天牛」。此事已被科學所認定。此虫古名曰「蠹」。《莊子·人間世》：「蠹在木中謂之蠹」。以其能嚙蠹木心，木屑從蛀孔出。俗名「蠹木蟲」。其幼蟲黃白色，扁長圓筒形。又名「蝤蠐」。《爾雅·釋蟲》：「蝤蠐，蝎，在木中。」疏：關東謂之蝤蠐，梁益之間謂之蝎。其在木中者白而長，故詩人以比婦人之頸。《詩·衛風·碩人》：「膚如凝脂，領如蝤蠐」，皆其記述。

發明者《說文》無龜、黽而有𪓰字，見於《說文》黽部。許君誤以為鼀（蟾蜍）字之或體，而附諸鼀字之下。蓋未識𪓰即後起蝤字之先文。後出之蝤字即𪓰字以它易黽的置換式也。故知龜者，蝤之初文也。黽者，龜之演變也。𪓰者，黽之繁化也。蝤者，𪓰之便文也。雖文經四變，世歷三古，而音義未改，遺形猶宛然可稽。謹示其遞嬗軌跡如次：

二九

龜

秋（甲）、𪛁（金周）、龝（古籀）、𪚿（說文籀）、秌（秦篆）

夫龜（甲骨文作[]、[]）之為字，實歸類甚廣。或飛或爬或游。《說文》𪚦、𧓍、𧔧同居龜部，堪為例證。而[]之為字乃兩棲動物，固不足以代表飛行昆蟲也。由此可見：《說文》訓𪚿為「龜」者，智者千慮之一失也。《廣雅》訓𪚦為「有角龍」者，神話傳奇也；唐君𧔧、𪚦、龜、𪛁雜糅亂真者，遂令之莫辨歟！龜之與黽，黽之與龜，固有各自生存之環境，此同中之異也。雖或飛或爬或游，要而言之皆屬虫類。此異中有同也。是知籀文之龝、𪚿諸文之从龜，皆黽之譌變，實辭昧於龜黽有異之理。《甲骨文彙編》誤將秋字編入龜部，於義頗有未當。而同書更將「龝」釋秋也，尤不察之甚。蓋「龝」之為字，上古灼龜卜兆之「焦」字初文也。後世以火行而龝廢。嗚呼！甚矣，文化之不曉，有由來矣！

統上以觀，吾人可完全有理由釋秋為蝤之初文，已屬信而有徵。而秋（秋）之為文，應屬从秋（蝤）而非从龜，更豐彰明甚。

考《說文》秋字訓云：「禾穀熟也。」《尚書·盤庚》云：「若農服田力穡，乃亦有秋……」可見秋字初義本為五穀豐登之意。余則曰：秋者，「齊收」之合聲也。此秋之音義也。以五穀皆成熟於七、八、九月之間，逐進為七、八、九月之時令辭。其字形會意取象於蝗類而無疑。蓋蝗虫之為物，乃五穀之天敵。其勢不能不並存。有蝗則無穀，無穀則民饑。人類為了保證五穀豐收，滿足食物需求，就必須設法滅蝗。此秋从[]从火之意，亦指事兼會意字也。

上古農事火田刀種，亦有「秋𤋳」之制，皆燔火滅害、保護農產豐收的具體措施。𤋳从火、从二𧒒，可見所謂「秋𤋳」「冬狩」活動中，滅除的對象並不只限於昆蟲，而是兼及於禽獸。卜辭中有𤋳文，當是𤋳字初文，金文作𤋳，可見其義。後考《說文》𧓾字訓：「神蟲也」。同書魖字訓：「秏鬼也」。可知「𧓾」亦由農業害物之一。推而言之，除兔鳥獸無不在燔火滅除範疇。造字者無計一畢舉，只能以《𤋳》字擊搭之。𤋳从𧒒从火。燔火滅蟲之象形字也。

害蟲乃五穀之大敵，人類依五穀為活命之資，就必須設法𤋳除害保穀，此必然之理也。後世農民每罝蝗災為患，恆於田野掘地成坑，月夜燔火，利用昆蟲嗜光之特性，誘其自遠方而至自投葬身火海。此上古遺法，可以《𤋳》字形義證之。文字本身即「考古化石」，愚觀此而益信。

冬 𠔁 《說文》：「四時盡也」。「丵」者業，冬字亦紀時辭。造字者采用了冰紋《仌》象徵冬日之寒

終 𠔁 冷。采用了幕幔裹日的圖形，以象徵冬季陽光之微弱。同時以《終》為詞，以象徵一歲之結束。此象形指事兼會義字也。愚曰：冬者凍也，冰凍之時也，一歲之終也。冬之為聲「凍終」之合音也。則冬亦聲中有義矣！

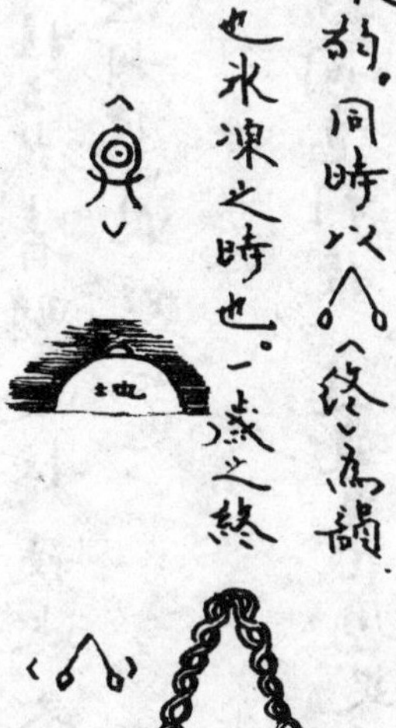

繚結

三〇A

終繩之發，以繩索末端之結為之序之終了。農民種植五穀，春耕、夏耘、秋收、冬藏，以冬季為一歲之終了。《說文》所謂「建類一首，同意相授」轉注是也。

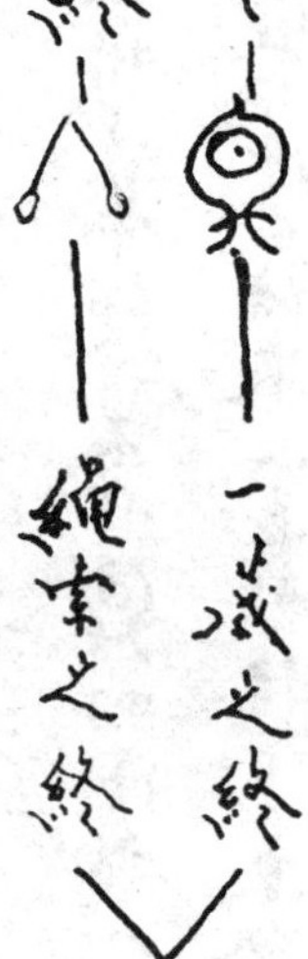

冬 —— 一歲之終

終 —— 繩索之終

為什麼「冬」「終」二字同意相授了？這是有它歷史背景的，說明於下：

〈說明〉

業《毛詩·豳風·七月》云：「晝爾于茅，宵爾索綯，亟其乘屋，其始播百穀。」

《傳》云：「乘，升也。」《箋》云：「亟，急。乘，治也。七月『定星』將中，急當治野廬之屋，其始播百穀，謂來年百穀將於此始。」

《疏》云：「十月之中，納禾稼之所收穫者，入於囷倉之中。禾稼既納倉，則農事畢了。稼穡既已備聚矣，野中無事，可以上入都邑之宅，執治於宮中之事。宮中所治何事？即詩文所謂：『晝日爾當往取茅草，夜中爾當上索綯，以待明年之用』〈古代養說：不用薄曲，繩索之細而長者，備作薄曲之用〉又當及時升上野廬〈入田間〉，採之休憩之所，以待耘耔之時，所以止息也……」

筆者案：古人習慣於把田間農業勞動安排在春、夏、秋三季。將工業生產勞動安排在冬季，並且把工業操作環境規定在室內，所以防寒也。這樣的不同季節以事不同的生產，業務活動的時間分配利用方法，既能避免工業生產和農業生產互相衝突，尤其是把工業勞動環境放在室內，對身體健康也是很有意義的。如〈緜〉字从宀从絲，同「宮」的〈宀〉字从冂从工。緩字从糸从癸。這些文字造型無一不反映出紡績工作的季節與環境特徵。尤其是有關土木工程的〈宮〉字，可參閱拙著《建築》一編。

歲 [illegible] 歲卜圖 箱[illegible]卜歲《說文》：「歲，木星也。越二十八宿，宣遍陰陽，十二月一次。從步，戌聲。」宋沈括《夢溪筆談》云：「歷步歲之躔，冬至斗建所抵，至明年所至得辰，列衰，妙，謂之『斗分』。故歲字從戌。戌者斗魁之所指也。」顯而易見，這依據《建寅曆》的正月天象而立說的。古人采取了「天象人化」的擬態，把週天歷程的1—12挽

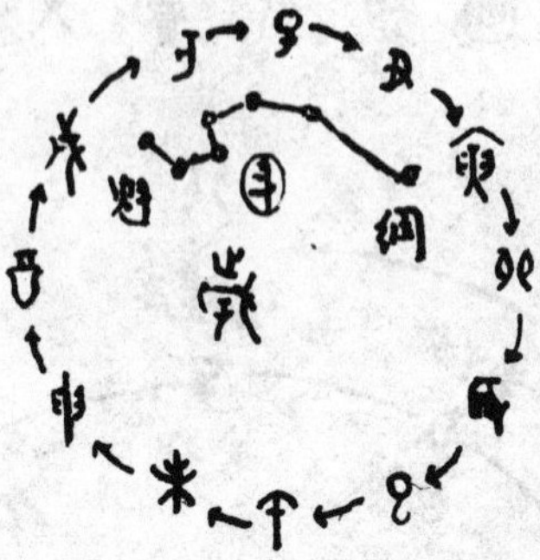

為太陽的一步。古文步是👣，為左右二足之蹤跡。但這一字型絕不影響它的科學內涵。「歲」是木星代稱，也是時間單元計周為木星週天運行一匝，約等于地球的一年。我們祖先是以農立國，必須依靠天象掌握耕種季節。因而在週天星海中，選定了二十八個恒星座，觀斗綱的指引方向來排定二十四氣。又在二十八宿中建立了太陽「十二行宮」，又名「十二次」。名曰「娵訾、降婁、大梁、實沈、鶉首、鶉火、鶉尾、壽星、大火、析木、星紀、玄枵」。「十二次」由廿八宿配合而成（限于篇幅，星圖從略）。應該指出，「廿八宿」和「十二次」都是依逆時針方向為排列順序的。唯有「十二辰」（子、丑、寅、卯、辰、巳、午、未、申、酉、戌、亥）屬于順時針方向為排列順序。

古人在長期觀察天象中，發現了木星公轉週期和地球公轉週期

公倍時空比率，得知木星公轉 $\frac{1}{12}$ 个一步，等于地球公轉一週的不變規律。因而把木星定名為歲星。也就是在一歲週期中，地木二星的等于 1∶12，但實際上木星在一年中的具體進程依照地球本身時空數據座標，該不止週天的 $\frac{1}{12}$，而是週天的 $\frac{13}{144}$。而地球的具體進程，則是 $\frac{144}{144}$。木星在十二年中的行程，實際等于 $\frac{156}{144}$。

《十二次天象俯視圖》

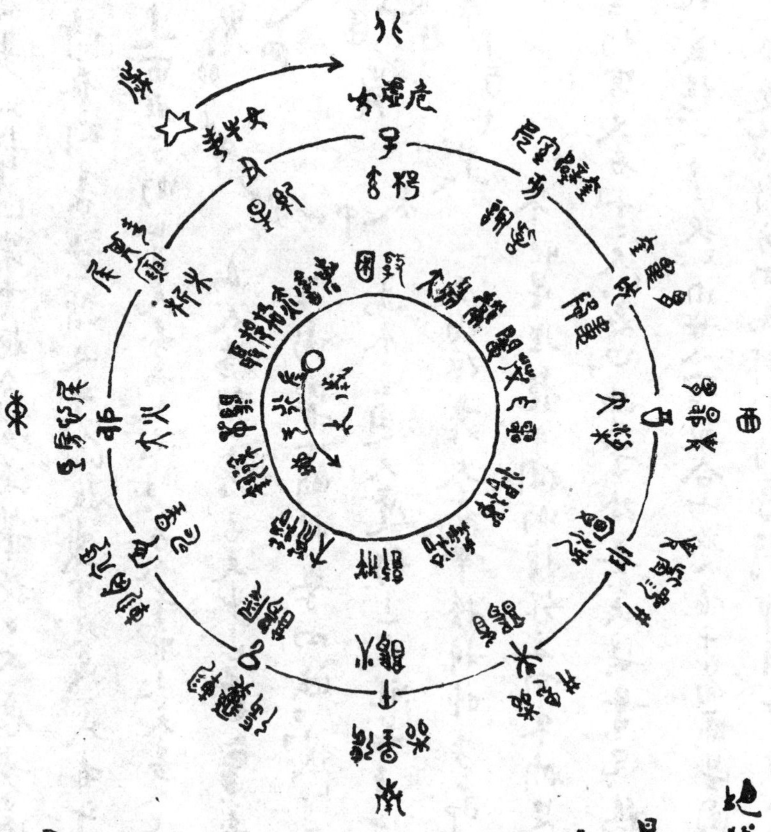

這樣在時空比例的計算上，就應該將地球本身在十二週取得的進程一七二八分，捨棄不用，而和木星存在着十二分的差距。如果要找出木、地二星總的時空比值，那就 = 1[illegible]72∶1728 可以簡為 13∶12

圖為要取得木、地二星的位置，看來地球必須在已經完

成十二周的基礎上，再繼續化費一百四十分的一週進程，方能與木星看齊。亦即以正北子位為目標，再延遲一週。這就有必要把已使用過的周末紀年代號「玄枵」再繼續使用一年。景、攢、延遲和朔望月與恒星月的時「差」，必須以閏月來補充空白。有些類似之處，余者先由「過程」追蹤一樣空白圖狀填補起來罷。然而問題並非如此簡單。因為在地球填補空白的一年中木星又乘機前進了一步（13/144）。此時木星已經跨越了十二次之首的「娵訾」領域了。所以《春秋·襄卅年》：「於子蟜之卒也，將葬。公孫揮與裨竈晨會事焉。過伯有氏，其門上生莠。子羽曰：其莠猶在乎？于是歲在降婁。降婁中而旦。（當時的天象是夏曆五月。婁宿行至中天而日出。）（見）裨竈指之曰：猶可以終歲。（伯有的壽命，還可以延續到歲星週期終點（十二年）。歲不及此矣。（十二年後那時歲星不能到達降婁了）。及其亡也，歲在娵訾之口。其明年乃及降婁。僕展與伯友皆死。」這是由于歲星的運行進度，周天一帀，景除只用十一年多，所以每年多走動的範圍要一個星次多一點。積之既久，必然產生時空差距。因為歲星每年要超過地球一辰。《左傳·襄二十八年》：歲在星紀，而淫

「于玄枵」。按襄廿八年岁星已在玄枵,至襄卅年始在娵訾。三年始过一次,是玄枵过长至二年之谱。准此则144年木星超表一周又一次,1728年与地球周期会同矣(详周礼冯相氏注)。

古代还创造了十天干的代号,目的是为了与十二次配伍,纪年。

(阏逢、旃蒙、柔兆、强圉、著雍、屠维、上章、重光、玄黓、昭阳。
甲、乙、丙、丁、戊、己、庚、辛、壬、癸。)十干

困敦、赤奋若、摄提格、单阏、执徐、大荒落、
(敦牂、协洽、涒滩、作噩、阉茂、大渊献。(岁星十二次)

子、丑、寅、卯、辰、巳、午、未、申、酉、戌、亥。(十二地支)

娵訾、降娄、大梁、实沈、鹑首、鹑火、鹑尾、
(寿星、大火、析木、星纪、玄枵。(黄经十二宫)

(角、亢、氐、房、心、尾、箕、斗、牛、女、虚、危、室、壁、
奎、娄、胃、昴、毕、觜、参、井、鬼、柳、星、张、翼、轸。(二十八宿)

鼠、牛、虎、兔、龙、蛇、马、羊、猴、鸡、狗、猪(十二兽)

子 丑 寅 卯 辰 巳 午 未 申 酉
困敦 赤奮若 攝提格 單閼 執徐 大荒落 敦牂 協洽 涒灘 作噩
戌 亥
閹茂 大淵獻（有關「歲星紀年」的具體詳明數據推算是一個極為複雜的問題，在此從略。

歲字形義剖析：歲字用於紀年（所共悉），歲之含有「殺」義則有待於剖析。

考《卜辭》歲之 [illegible]，从 [illegible]（古戉字）从 ⺣⺣（雙足分離之象）。秦篆之歲，則其象已失，然字魂依然猶在。試亦說明之：案歲从步从戌，步古之 [illegible] 義與 ⺣⺣ 同。从戌从一。戌古之 [illegible]（見司母戊鼎），《籀文》之 [illegible]，皆象斧戉之形。戌增一而為戌。而《說文》訓義為「滅」。時賢張舜徽氏謂戌即古威字，初文。其說極確。

案戌之為字，古天文學致為十二支第十一字，於曆法為九月，於時為季秋。此時的天象處於「黃經」南傾（太陽從北回歸線越過赤道走向南方）。這時亞洲地區氣溫徒降。正是「寒露」「霜降」秋末晚景。《易》所謂「履霜堅冰至，陰始凝也」，正是針對這時自然景象的寫照。《禮記·月令·季秋章》：「是月也，草木黃落，蟄虫咸俯在內，皆墐其戶。」刻劃尤覺生動。因此《說文》訓：「戌，滅也。」《史記·律書》：「火死於戌。」《淮南·天文訓》：「戌，滅也。」《釋名》：「戌，恤也。物當收斂，矜恤之也。」《消息》以九月為「剝」卦，五陰方盛，陽將盡，陽下地也。《清朱駿聲說文定聲》：「戌者恤也。謂人被殺傷，可矜恤也。」

三二

古天文術語用成字的兵器象形字來形容自然生態衰變並賦予情感同情的意識觀念，這和東方古老的《天人合一論》的傳統文化思想體系分不開的。這一思想意識結構表現在古代社會組織體式和自然科學兩個領域中。前者體現於《周禮天官》，後者體現於《內經》《周易》。因而在所有一切學科中都擺脫不了「春生夏長，秋殺冬藏」的生態旋律意識結構。以司法工作為例：死刑罪犯的審決各個不同朝代都是規定在季秋之後。這一司法業務慣例就標誌着一個自然生態規律昇華為社會科學法制規範的典範示例。《禮月令》：「季秋之月，乃趣獄刑，毋留有罪。」這種司法制度一直沿襲到有清末葉，仍在生效。特別是《爾雅釋天》：「十一月為辜月。」為什麼叫「辜月」？這是值得推敲的課題。辜月是冬至建子之月，是曆法週期轉換點。亦即除舊更新之時。古代社會把處決死刑罪犯的時限放在冬至之前。所以十一月叫辜月。《說文》辜字訓：「辠也。」《周禮秋官掌戮》：「殺王之親者辜之。」鄭注：「辜之言古也。」《周禮春官》：「以疈辜祭四方。」注：辜磔牲胸也。如果我們能夠用時空觀點去審查辜字的肯綮的話，便能看到古代神權社會在自然曆週期轉換點的年關時刻殺人為祭的事實。《毛詩》紀述的：「在泮獻囚，在泮獻馘。」《左傳僖十九年》：「宋襄公使邾文公用鄫子於次雎之社。」這些紀載都是神權社會殺人為祭的考證資料。不過這個隆重的歲終祭神形式和審決死刑罪犯是相互結合的。同時具有時間統一性，因而𠦝字也就具有雙重含義。一為紀年詞，一為殺傷詞。故知𠦝字从廿从

屮屮者，肢解之象，乃戕字初文也。《說文》戕字訓「利傷也」，《廣韻》云「戕，害也」，他如從戕之穢、蔑、噦諸字，或訓惡污，或訓歐吐，或訓腐草，皆刑尸腐臭之遺出義。表示如次，以見遞嬗之迹。

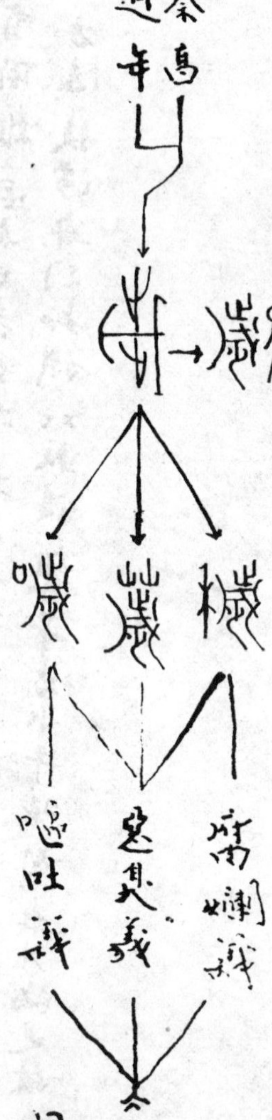

六書所謂「建類一首，同意相授」，轉注是也。故如：

戕、穢、蔑、噦諸文，皆屮之孳乳字也。考証如下以見義：

噦，《說文》：「牾气也。」《玉篇》云：「逆气也。」大凡嘔吐現象，皆由不良之氣誘發而生之生理反射逆動。故「噦」字从口从歲。歲者，穢之省。口者聲也。

穢，《說文》云：「蕪也。」蕪，字訓「薉也」。按：穢从禾从歲。經年委地之禾稼化已腐草也。其气必臭，其色必黑，故訓義為污穢。

蔑，《說文》云：「蕪也。」按：蕪、蔑同義，皆腐朽植物也。畢曰：「古歲、穢、蔑、戕、濊同聲。」故諸字同具「潰爛」之義。此聲中之義也。故尸腐曰濊，艸腐曰穢，人閒腐穢之氣味則噦。此輾轉相生之義矣！

附註：歲星的運轉動態，是逆時針方向而行的。斗綱十二辰的運轉次序，是順時針方向而行的。二者恰巧相反。因而用歲星紀年會出麻煩。于是古人就假設了一個「太歲」星。又名「青龍」，或「天一」，或「太陰」。（見廣疋）讓它與斗綱同一方向，與歲星相應而行。好象兩部相背而行對開的列車，分道揚鑣，各自分頭起步于「丑」「寅」。（周禮馮相氏賈疏云：「此太陰在地，與天上歲星相應而行。歲星為陽，右行于天。」又說：「歲星為陽，人之所見，太歲為陰，人所不睹。」二星雖左行右行不同，要之行程進度不異。）故舉歲星以著太陰。其相配關系如下：

用歲星紀年的方法是：歲在「星紀」，太歲便在「析木」（即在寅），該年稱「太歲在寅」。歲在「玄枵」，太歲便在「大火」（即在卯），該年即稱「太歲在卯」。其餘仿此。古人又為太歲起了十二個專用紀時名稱。便是前頁表中所列的：困敦、赤奮若、攝提格、單閼、執徐、大荒落、敦牂、協洽、涒灘、作噩、閹茂、大淵獻。

怎樣尋找「太歲」所在？ 欲知「太歲」所在位置，即觀察哪個月份的朔旦（初一早晨），歲星與日同出于東方（或同落于西方），該月斗建方位就是「太歲」所在的方位。但日與歲同次，肉眼觀察有困難，因為日光強烈，難以看到木星。于是古人又有「歲」與「日」隔次推算方法。由于這個方法，技術專門知識，比較複雜。筆者水平很低，無力滿足讀者愿望，从畧。

甲田（卜）（金）（籀）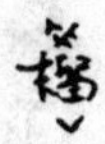（秦）《說文》：「東方之孟，昜气萌動，从木戴孚甲之象。太乙經曰：『頭空（腔）為甲。』古文甲始於一，見於十（十），歲成於木之象。」

十（戰國漆盾圖）（漢出土的盾）

考《周禮考工記》：「函人為甲，犀甲七屬，兕甲六屬，合甲五屬。」《禮王制》：「命大司徒教士以車甲。」

筆者案：古籍恆用「帶甲百萬」一語，以喻國強兵廣。然則甲之為物，即戰鬥防護服也。其戴於頭者曰「甲軸」，被於身者曰「鎧甲」，執於手者曰「甲楯」，統名曰甲。其製或以犀兕之皮，或以金屬銅鐵。凡此種種，皆無當於《說文》之義。何也？良以《說文》甲字非物質名辭，乃紀時辭也，非戰鬥防護服也。依筆者觀點，則「甲」字之義，謂之為甲胄固宜，謂之為果實甲殼亦宜，謂之為雞鴨卵殼亦無不宜，推及人類，謂之為胎兒胞衣亦無不宜。然則「甲」字之普遍應該理解成有機性物的天然防護組織也，許是比較合乎古義的。但我這一認識古文字絕非缺乏之物理基礎。何以知之？蓋東方哲學對事物之分辨，不着眼于區別物象之捕捉，而是注意於物質普遍規律的探索。所以稱為「有體有用，體用一致」之學者，若物異，而功同，雖萬象可用一名；若物同而功異，雖一物可用萬名。此東方哲學超越群倫之處，非西方科學之「解剖刀」、「顯微鏡」所能知也。「十干」之字，本為紀時而設。而時之為物，視之而弗見

聽之而弗聞，非手足之力所能形容。造字者異想天開，於是利用了伴隨季節而來的自然生態特徵，創造出合乎自然旋律的十個代號，就是「甲乙丙丁戊己庚辛壬癸」。命名之曰「時象字」。「十干」中的每一字，都是具有生動自然的景象反射功能的。它和《月令篇》中「桃始華，玄鳥至，獺祭魚，蚯蚓出，王瓜生……」這些文字的反映「時象」作用是一樣無二致的。不過「十干字」的文字已經把漫長的「自然變化」濃縮到了最高限度而已！即以「甲」字為例：甲胄冠於頭，人身之始也；草木籽實破甲而出，生之始也；蛇蟬蟲蛹蛻化變態，亦生之始也；家禽野鳥破卵而出，亦生之始也；胎兒十月脫胞而出，亦生之始也。雖物殊類異，其為「脫乎甲而出」與生命之始固一無二致焉！故文字之學也，適其缺要則一言可盡，不知其要則流散無窮。

「十干」之名源於「五行」。木曰甲乙，火曰丙丁，土曰戊己，金曰庚辛，水曰壬癸。有聲、有色、有氣、有味、有質，內容博大，玄涵宇宙，非筆者所能盡知。若欲窮其究竟，尚有待於儒家。

乙

乙《說文》：「象春草木冤曲而出，陰氣尚強，其出乙乙然也。與丨（音囟）同意。」鄭注云：「乙之言軋也，時萬物抽軋而出，物之出土艱也，如車之輾地澀滯。」段注：「冤之言鬱，曲之言詘也。乙乙，難出之貌。」

筆者案：《易屯卦》彖辭：「剛柔始交而難生。」《禮月令》所謂「句芒」，《樂記》所稱「區萌」。皆謂幼芽處生艱困之象，而與乙同義。竊以為乙者抑也，壓抑之意也。物之新生，筋脈未堅，組織未密，基幹柔弱，土層封閉，牢不可破，必待雷雨之動，而後水潤土解，挺然而出。造字者使用了「甲乙」二字，刻畫出三春自然景象特點，是非常生動的。惟《說文》云乙與丨同意，其書筆宜自下而上作

例行。此論雖偏，但已常筆順規律所罕見，然亦未嘗無理。惜乎時人已不奉行耳！

内 內 ト 丙 篆。《說文》云：「南方萬物成，炳然。陰气初起，陽气將虧，从一入冂……」俞樾曰：「丙者，炳之古文也。火部炳，明也。其字俗又作昞。《廣雅·釋詁》：「昞，明也」。炳、昞皆後出字。因其訓明，故或从火，或从日耳。古字當只作丙。

昺 昺

說文不收昞而收炳，而許君以丙為十幹字，而不知即丙也。古人居覆穴，皆洞其上以取明，因有中霤之名。丙

炳 炳

之為字，其上作一，其下作冂，其中作人。陽气入乎所冒之中，覆穴受天光之象。故訓義為明。《禮·月令》：「其日丙丁」，鄭注云：「丙之言炳也」。蓋以今字釋古字，訓詁之例往往有之」。時賢張舜徽氏謂丙「上之一，象天，冂象洞穴之門。光从天而下，入門內，則一室昭然矣！」

筆者案：俞氏之說優于說文，而張氏之說更優於俞。信乎後來居上，新勝于舊之語不虛傳焉。獨惜其只能就字論字，未能觸及丙字所含時間、空間之奧義。考《卜辭》丙字作內，本無顯上一橫。其取象于「洞穴」固無疑問。《詩·大疋·緜》：「陶復陶穴，未有家室」可為考證。要知「丙」二字，特定季節之紀時字也。不从天文曆法求之，將無從知其「光明」之義。不从「五行」談起，又怎能知其為南方之位？以華夏地處，位於赤道之北，夏季則來日行北回歸綫。此時日光直射亞洲而北半球居室皆面南而向北。一年當中生物蕃茂於斯為盛。而气溫亦最高。此《說文》云「南方萬物成，炳然」之意歟！夫丙訓為光明，光之與熱，熱之與火，固難區畫，而功同。儘量變、譚、燮之分，燒燐等物，固不易燃燒於嚴冬，夏日則往往見之。故「南方丙丁火」之「五行」定義未容輕易否定焉。不過「丙丁」二字遠有其更為廣闊的內含，非本書所能畢述。

〈昺〉

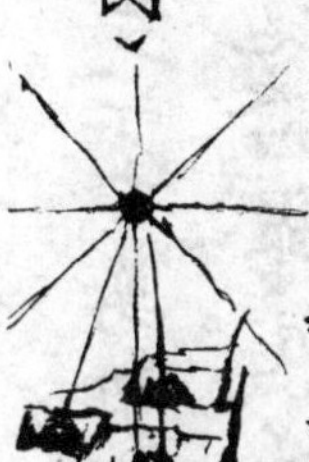

陶復

三五

丁 口（卜） ■（金） 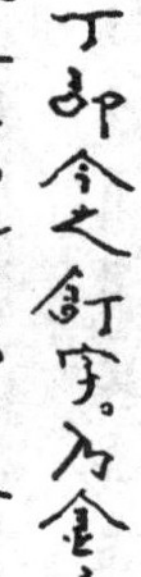 《說文》：「夏時萬物皆丁實。」《史記律書》：「丁者萬物之丁壯也」。

蓋丁即今之釘字。乃金屬製品。古代或以竹木為之。《六書正譌》名之曰「蠆尾」。蓋取其頭大尾尖而能深入之意而得名。乃藝名也。垂云：凡造物必以金木為丁附着之」。《晉書陶侃傳》：「桓溫伐蜀，以侃所貯竹頭作丁裝船」《世說新語政事》之「釘」。故知釘、丁二字。丁之為物，其形渾而壯，其質重而堅。古漢語用為人、物形象辭。故野生植物之根部粗壯者名「地丁」。男子年滿十八曰「成丁」。成丁已身軀魁梧而有力，可執戈以戍而禦侮矣。故曰「壯丁」。此丁之義也。

古天文學術語，以丙丁二字相配伍，占夏季時節之「法魄」者，因此時陽光熾盛，天氣下降地氣上騰，水火既濟，上下交流而萬物成長。《易》補：「天地交泰，后以財成天地之道，輔相天地之宜……」《周易》這段經文，生動地描述了夏季自然生態變化時物理機動本質面貌。使人連想到對夏季之象所成周所推求。竊以為古天文學之所以「丙丁」為夏令之「法魄」者，以丙者光之象也（說見丙）。丁者，物之形也。古哲學以物象標時，於此可見一斑。

愚曰：丁字讀音「地生」之合音也。物於盛夏適地叢生。故中語亦有義。物之生於地者，其根株皆固定而不移。故丁字又具固定義。如：以語言堅定人之信念曰「叮嚀」。以書陳誓約於竹帛，共同遵守，意志堅定不渝，曰「訂盟」。商業契約，堅守規定曰「訂立合同」。此丁之又一義。又外科疾患之「疔毒」，此又因形取義之例。於以見漢字形、音、義之可變性，非拉丁文所能等量齊觀。自西方文化侵入我國，漢學遂衰，良由不識古文之故。

（丙）

地丁

（夏）
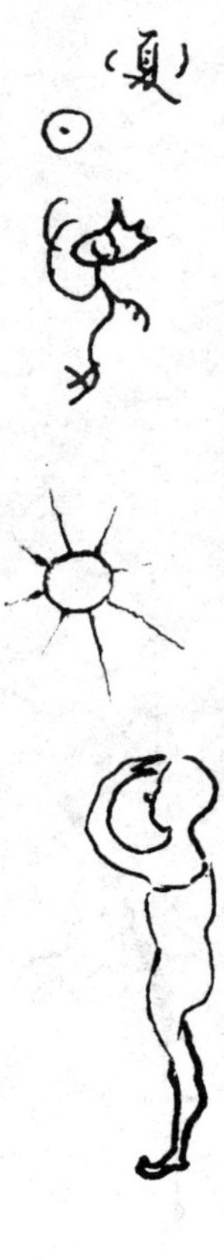

戊〈金〉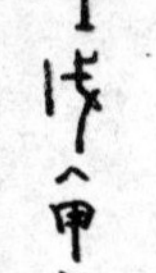〈甲〉戊〈篆〉《說文》：「中宮也」。前賢周伯琦認戊即古戚字，其說甚覺形似音符而義協。時賢張舜徽認爲戊即古戉字，乃斧鉞之形，其說更精於周氏矣。

司母戊鼎

考戊之爲字，固兵器之名。古天文學以「戊己」二字相配，位占長夏季節，叫「法號」，亦「物象標時之形聲字也」。

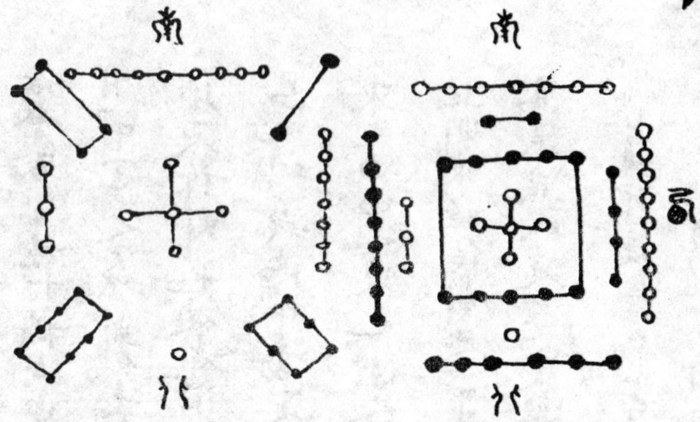

《河圖》　《洛書》

竊以爲戊字訓爲「中宮」者，《河圖》《洛書》五行方位之義也。於夏曆爲五月。五者數之中也。於十二支爲午，午者時之中也。其取象於戉者，致兵器之形，以喻長夏植物莖枝蓬勃發展之象也。古文戊、茂一字。《史籀》秦甘茂字皆「甘戊」，可爲例證。金文茂字皆作楙、楙。故知周氏之說確有依據。

由此可證古戚、戉、楙、茂音同而義通，而「中宮」一辭其義廣而深，其旨宏而遠。夫一日之良辰莫過於中午，一歲之佳期莫過於中夏，人生之健秀莫過於中年，故「中宮」之義不僅兼備時空二義，並且貫串乎物理。考「中宮」之意：於「五行」爲土。於歲時爲長夏，在色爲黃，在味爲甘，在律爲宮，在氣爲濕，在臭爲香，在聲爲歌，在臟爲脾，在志爲樂……由此可見「中宮」一辭內容之龐大，有不容忽視者矣！

己

己，《說文》：「己，中宮也。萬物辟藏詘形也。」國學大師章炳麟先生曰：「言中宮者，雖傅合「十幹」，然義亦有因。宮猶躬也。凡「辟詘有二義。曲膝則為跽，曲躬則為鞠，今俗止斷以己之同音有「跽」。長跪也。愚案張氏將「跽」釋「己」，以明許君辟詘之義，其說甚確。以古人常居會客皆跪於榻上。甲骨文有同人形的文字很多，舉其例證也。然此說尚不足直接闡明「中宮」之義。愚表而出之。竊以為「己」字之義，自我之謂也。以人際關係立場而論，我者第一人稱辭也，他者，第三人稱也。故人之主觀意識，莫不以自我為核心，而以他人為周旁外圍。故知「己」之訓義為「中宮」者，亦意態佳象字也。蓋時空之絕對中間，極難確定。以空間而論，則東之西，西之東也，南之北，則北之南也。以時間而論，則昨之今，即今之昨也，今之明，即明之今也。然則永恆絕對之「中」，固無從談起矣。主義者苦於計莫能施，只好以自我為中心之觀念為基點，以建立「中宮」之定義，可推理而知也。古天文術語之「戊己」一辭，戊者，段兵器，示長夏季度，生物蕃茂之態，以自我為核心，明中間之時序，固其宜矣。

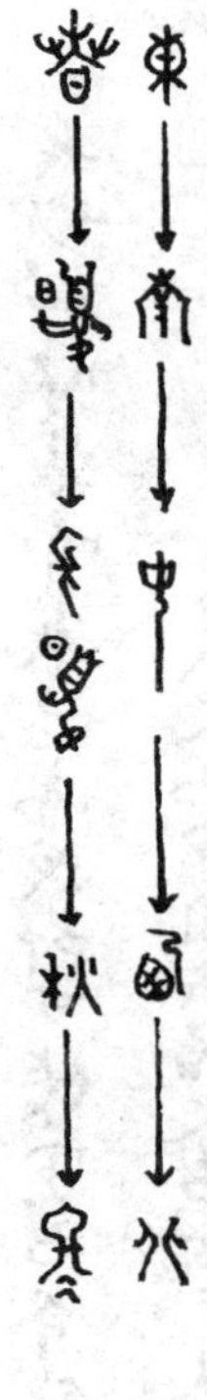

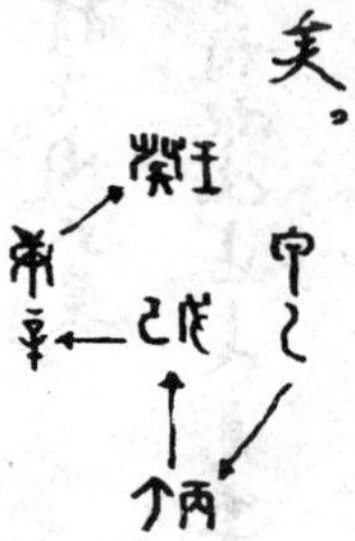

庚 [古文字形]〈卜〉[古文字形]〈金〉[古文字形]〈篆〉《說文》：「位西方，象秋時萬物庚庚有實也。」

賡 [古文字形]〈續〉 考說文之訓詁意徵渺難於領會。

唐李陽冰云：「庚从干，从廾。象人兩手把干而立。」時賢張舜徽謂廾即古戒〈兵〉字。〈栔甲文兵正从廾與廾形酷似〉並援引《漢史》：「僕戍之賦」曰「庚賦」之義，以論證廾字之義與丙丁字同。此誠破惑之創見。對吾人之啓發喚醒力極大。試補述之如下：

竊以為廾字賡之初文也。古庚賡一字，續其後起字也。《說文》續字訓：「連也。」《爾雅·釋詁》：「續，繼也。」古天文學術語，以「庚辛」二字配伍為秋令紀時。「法節」者，自有其自然科學實質。蓋艸木之春生、夏長，至秋身死果實殞墜，歸藏大地，以待來春復甦新生。此生物庚續延代之遺傳本能，已被現代生物學所證實。殊不知我東方古典文獻，數千年前對這一自然說容早有定論。「五行」想學中「生、長、化、收、藏」（見《內經》）的規律公式已足可詳盡說明。愚則曰：「庚辛」者，「更新」之義也。舊物不死，新物不生。交替更賡之義也。「庚貝」化「續」，猶「更生」化「甦」而已穌也。此漢字形、義變化微妙規律，「可从形音組合配伍微效算式」上得之而無疑焉！

李陽冰之說，張順徽氏之解說，蓋出於《漢書》。考《漢史·武帝紀》：「匈奴寇邊，帝詔

遣士卒戍塞上。苦於給饟不繼，創立「更賦」之法。算、賦、上述一政治措施，就是將國防経費開支轉嫁負擔於衆民。也就是責成民間每戶徵納「更賦」以代兵役義務。凡能如期徵納者，曰「過更」。其不按時徵納者曰「不過更」。今魯南地仍有「不過庚」之民諺。以形容過勤討欠之急迫。亦證史語言也。竊以為西方庚辛之義，辛者金屬利器也（說詳衍文字）。殺傷之意也。以三秋之際，白虎當運，違陽明司令。其氣慄烈，萬物遭之而萎枯，故辛字又延為悲傷之情。夫物之生滅有時。死非永死，生非常生。新陳代謝各有已時。此情可從[illegible][illegible]二字見之。亦即死者生之始，生者死之端。生死互相因果。宋理學宗師朱文公云：「吾觀陰陽化，升降八紘中。前瞻既無始，後繼卿有終。至理諒斯存，萬世與今同。誰云渾沌死，幻語驚盲聾。」全載言卅。

辛 [illegible]（已詳衍字，从略）

壬 工（卜）[illegible]（金）壬（篆）徐灝曰：「任負也」。《史記律書》：「壬之為言任也」。《孟子滕文公篇》：「門人致任歸」。趙注：壬，擔也。《禮王制》：「輕士并，重任分」。注：「并己獨任之。重分析而二之」。意思是：輕的工作可一人身兼數職，重的工作應該衆人分工。

綜合以上徵引文獻皆訓義：「負也，擔也，任也」故知壬之為義有任務、責任、擔任之意，固無疑焉。然此衆多辭詳，均未能涉及壬字形意之說明。

竊以為甲骨文之壬字初文上工，即工字，初文皆杠桿之形也。後世以為工作之工字，仍未脫離原始勞動工具之形。杠桿之功能在於以少量之力完成大量之功。故起重任務多賴之以為助力。功字从工从力，象手臂操縱杠桿之形，生動地說明了杠桿的負重功能。故人類特為起重工具。依物理力學觀點，杠桿之為物共分三部，即重點、支點、力點。其機理全在於「力臂」大於「重臂」之事權而運用。故壬字訓義為擔負，實淵源於杠桿之功能。此壬字之初義也。後起之「壬」字於工之中間增添一橫，使「重、支、力」三點更顯明確。

壬字之義變歷程：厥後將「負重」觀念移植於人體，而上婦女懷妊字。金文壬上𡈼象巨腹人形。与𡈼（身）、（㐆）二字形似音近而義通。《說文》孕字訓：「懷子也」。《詩大雅》：「太任有身」，傳：「身重也」。箋：「重（申）為懷孕也」。疏：「以身中復有一身故言重」。

以上徵引資料可上壬字義變歷程之考證。竊以為婦人懷妊，其重量位於前腹，故《內經》以腹部經絡為「壬脈」。男子負重在於背部，故背部經絡曰「督脈」。督負同音。

以「五行」學說考證：「北方壬癸水」，於臟為腎，腎主水，生於脊背。背者北方之位也，女子之生理部位在於前腹，前者南方之位也。《說文》訓：「南方任養萬物也」，其義與天地參矣！東方文化傳統一槩念，觀察事物結構之規律，視微觀有機生命體為

容觀宇宙之縮影；既容觀宇宙為微觀物體之引伸。此可見諸《易》理，從諸文字者焉。固非洋博士所能知矣！

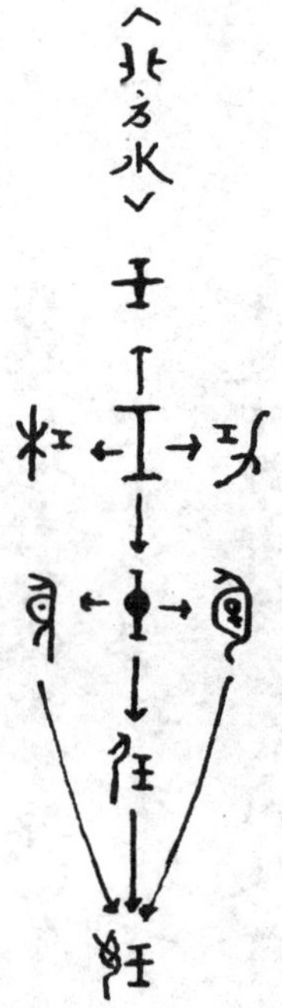

癸

《說文》：「冬時水土平，可揆度也」。《正韻》：「癸歸也。於時為冬，方在北。五行為水。《六書正譌》：「交錯二木，度地以取平也」。義同準。从二木象形」。《史記律書》：「癸之為言揆也，言萬物可揆度也」。《前漢律曆志》：「陳揆於癸」。

謹案：時賢張舜徽氏於其所著《說文約注》中舉魏《三體石經》癸字為例，認為乃兩手兩足之節度之形，並援引度量古制云：「度臂為尋，度足為步」之義，認癸即古「揆」字。又云：古人步以量地。故籀文癸字从癶。古人以近度遠則用矣。今俗稱「一箭遠」、「兩箭遠」。故籀文癸又从「矢」「癸」。案張氏之說，證諸《卜辭》癸《癸》之形，頗覺信而有徵。復考《六書正譌》之說，認癸字是二木交叉而成之「水平儀」的形象。應訓義為与「準」同。此二家之說堪稱生動有趣。遺憾的是未能与「癸」字的「天時」含義上有聯繫之闡述。愚述之：竊以為「癸」字古干支紀時字也。其所以有「揆度」之義者必有其歷史背景。

古天文術語，以干支配伍為紀時代號。其「時空規律」可从《周禮文官》、《月令時序》見之。案《周礼》：「春官宗伯，夏官司馬，秋官司寇，冬官司空」。《月令》之干支紀時：「春曰甲乙，夏曰丙丁」，秋曰「庚辛」，冬曰「壬癸」。《周礼》之所以名冬官為「司空」者，以冬官乃百工之長，古代以農業立國，固不容廢農而務工。故工業活動必規定在春耕夏耘，秋收之後。亦即農民空暇之月。所謂「使民以時」者，當即是為了「保農」。故《鐘鼎銘文》皆以「司工」代「司空」。其義可从文字見之。然此尚不能闡明「癸」字訓義為「揆度」之時空含義。必須占進一步之探溯。

《禮月令》：「孟冬之月，坏城郭，戒門閭，修鍵閉，慎管籥，固封疆，完要塞，謹關梁，塞徯徑……命工師效功，陳祭器，按「程度」。疏：「度程」者，謂制度大小，容量程限。用今天的話說即「規格標準計量檢查」。

《毛詩鄘風》：「定之方中，作于楚宮，揆之以日，作于楚室」。箋云：「楚宮謂宗廟也。定星昏中而正。于時可以營制宮室。故謂之「營室」。「定」昏中而正，謂「小雪」時。其體與東壁連成四方。揆，度也。度日出日入，以正東西，夜視定北準極，以正南北」。

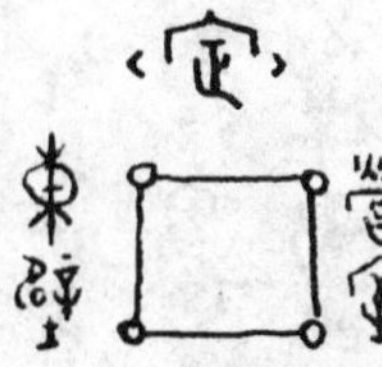

筆者考：「定」字从宀，建築物形也。从正，方向之意也。古人以為星名。其宿

三九

由「營室」「東壁」二宿合成。現代天文名之曰「飛馬」星座。此星在晚間出現於正中天空之際，即夏曆冬季「小雪」之時。也就是古代國家法制規定的建築施工季節。古代建築工程特別注意重視方向。當時采取之確定方向的措施，是利用卯、酉兩個標準時間的日光投射的竿影，畫出一條正東正西施工綫。夜間再用立竿作中點，和南方天空的「定星」，北方天空的「北極星」（小熊），使三點連成一條視綫，就遵照這一視綫確定出一條南北方向的施工綫。古人把這一系列的測量工序，就叫做「揆日」（揆度）。正是因為這個工程是選擇在「斗柄指癸」（十一月）的時間施工。所以許君說：「癸，冬時水土平，可揆度也」。所謂「水土平」即是說：雨季已過，地淨場光，村农民清閒，可以蓋房宅了。故「癸」「度」二字互通。

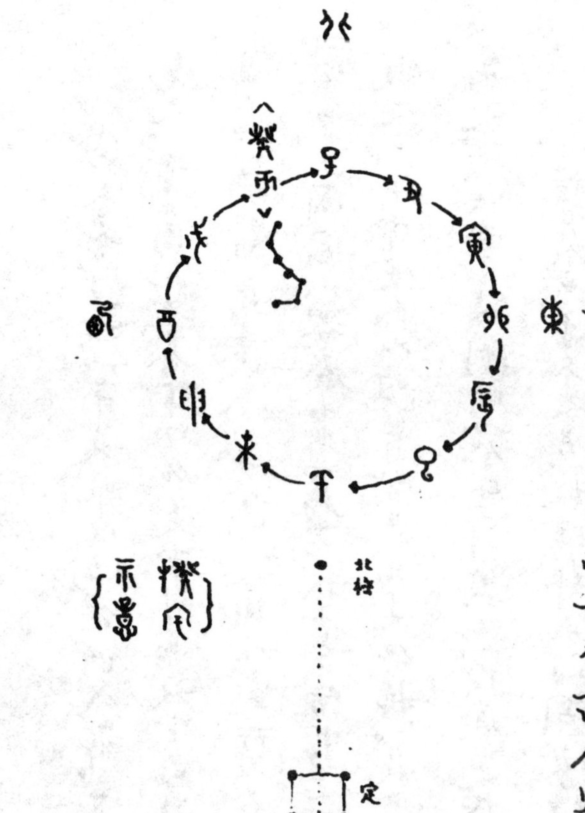

旬　〈卜〉〈金〉〈说文〉「徧也」。〈书大禹谟传〉「旬十日也」。按旬字从日从勹。日者太阳之象也。勹者周帀之義也。示義太陽繞地球十週（視運動）之意。古天文歷法以甲乙丙丁戊己庚辛壬癸之十干紀時，實週而復始。其名曰「旬」。〈書堯典〉「朞三百有六旬……」故知「六旬」即六十日。旬与循同聲，有循環義。但是从秦小篆中勹的形象上着眼，是看不到循環真相的。只有〈卜辞〉「旬」字和〈金文〉「匀」字纔能窺其底蕴。

匀　匀

〈匀〉

舟勹

考〈说文〉匀字训「帀也」。同書舟勹字训「帀徧也」。

業匀从勹从二者，右手抛物之象也。舟勹从舟从勹，泛舟環遊之意也。匀之与舟勹雖取音不同，而所以共有周帀、循環之義則一也。故知旬、匀、舟勹同源而意通。茲以類以業之而索其切義。

〈通论〉業说文训「旬徧也，从勹从日，十日爲旬。」竊以爲勹、十二文景傳意之金鐵。緣人之左右雙手生有十指，乃天然原始計算器，十進位數學始基，實肇於斯。計算之計字从言从十，語叶時可寫作勹从日。揭示了計算報數之音。而勹字更生動地反映出早期人類分配食物之形。

持漁獵蒐採天然物資以充饑，是原始人的唯一生活方式。他們同勞共食，極端重視分配。下邊的一幅插圖，看到了眾人環坐，一人在主持分配果實的生動景象。此種分物形式在愚童年時，仍然習見。而

四〇

今與矣」。由於人們右臂力強而技熟，故使分物者皆慣於使用右手操之。平均的均，匀停的匀，皆从勻。是寓有寫其意義的。

《說明》：依數學公式講，周币螺旋的人員，就是除數。大堆的果實，是被除數。每人向前的果實，是商數。這樣循環式的按人平均分佈，反復不已，周而復始，直至物了為止。勻字勹下从二，說明果實不是一週分完的。卜辭旬字用勹為的，正是由於時間之為物目不能見，手不能提，計無可施，於是取循環分物之右手以示義。此漢字「時空互化」之義例。

咢

咢（卜）咢 愕 《說文》：「譁咢也。咢或从心。」段注：按《大學》「瑟兮僩兮」者，恂栗也。」即《說文》

愕

咢、之「愕」字。有驚懼之意」。案恂字从心，恐懼之情也。从旬，循環周視之態也。与瞏字同義。旬之与瞏，固同具旋轉之意。此漢字「同義相授」之例。

惸

惸 㷀 《說文》：「回疾也」。《廣韻》：「獨也」。《玉篇》：「單也」。案以上各訓，言其體而言其情。獨許氏「回疾」一語，獨能得其真意。古回字作回，乃旋風螺轉之象。字又通淵，亦水流渦旋之形。許君以「回疾」示無父之孤兒的神情動態，可謂肯趍。此漢字物像人比之義例。所謂「惸惸孑立」是其意矣。

詢

詢 《玉篇》：「咨也」。《說文》：「謀也」。皆未能盡造字之意。考詢字从言从旬。言者聲也，旬者币也、徧也。周徧計度之意也。《詩小雅皇華》：「周爰咨謀、周爰咨度、周爰咨詢」。皆有周币之義。用現代語言即：周遍徵求意見，以期把事物辦得盡善盡美。所謂「眾人即是聖人」，古文言有「集思廣益」之語，是其義矣。

𣡗 此字从二東。今世之《說文》版本咸删諸東字之後，並引官溥之說：「日在木中為東。凡東之屬皆从此。」段注謂：「音義皆闕。」徐鍇曰：「按《說文》舊本無音，鉉亦不著反語。」

筆者案：竊以為𣡗从二東之義，無人道其所以也久矣，唯《字彙補》尚能示其微意。其注云：「𣡗，則刀切。並引《說文》𨘢字訓之『一周天也』。」此古代天文「視運動」迹象。故𣡗亦同意。

考《字彙補》為清吳任臣所撰，成書今世罕見，只能見諸《康熙字典》引注之間，而《說文》亦未能盡詳。竊以為故知𣡗字之義必先言「東」。夫東之為義，方向辭也。「東徼」左側之位也。「蒼龍」七宿居之：「析木」偏高。「析木」為太陽黃經之終點，故太陽經天自東而北，由北而西，由西而南，由南返東，週而復始，是為一𣡗。示意如下：

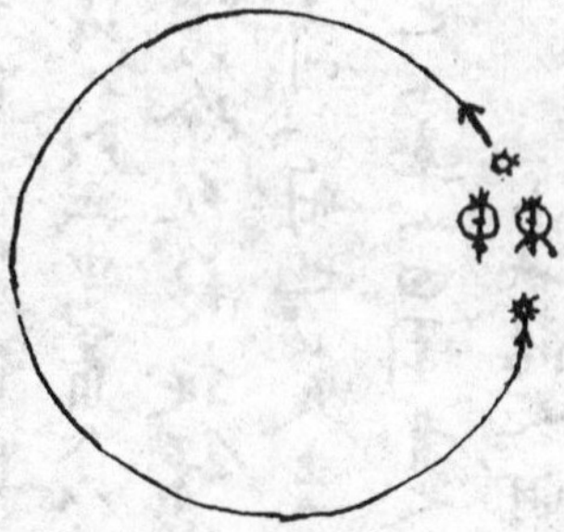

案：𣡗字左右二東。右東者日行黃道之始也，左東字周而復返於東之意也。而音讀為「帀」，故音亦有義。𨘢字即𣡗字增⊙增辵，皆𣡗之繼起字也。《說文》訓遭為「遇也」，恐非初義。

《說文》：「煇，光也。」《玉篇》煇字訓：「耀光也」，皆未得煇字之義。《卜辭》有「[glyph]」字，前人不識，乃「煇」字初文也。《字彙補》正「灼」，注與煇同。見雲臺碑」。

竊以為灼字从火从勹。勹古包字。有周匝義。

《甲骨文彙編》□字居宀部，段為□字。的循音同有周而後始義。故知□之从□从□。應與□字从宀从火例同。後起之煇字从火从軍，揆諸字體結構形例，亦與□□同揆。《說文》軍字訓：「圜圍也。从勹从車。車，兵車也。」故知古代行軍駐營紮陣，宵宿曠野，必擇高地以居主帥，周匝壕之，以兵車，篝火以照明，所以防敵夜襲也。《傳．昭二十年》：「賓將掫。」注：「掫，夜行。」……臣懼不免于戾，請以除死。」親執鐸，終夕於燎。傳：「設火燎以備守」。復考《說文》：「帀」字訓：「周也。从反止〈□〉而帀也。」復考師字訓：「二千五百人為師。从帀从𠂤。𠂤四帀，眾意也。」注：𠂤，小阜也。小阜而四圍有之，是眾意也。」

由此觀之，則堪認□、□、煇三字異文而同義，生動有力地反映出古代行軍宵宿田野備火自衛的真相。後世「□」〈□〉、煇」、「暉煇□」互諸，已大謬失真。不知暉者天光也。「□□煇」〈工燎柴之夜火也。

附註：「□」字列入本篇，亦從借義，讀者辨之。

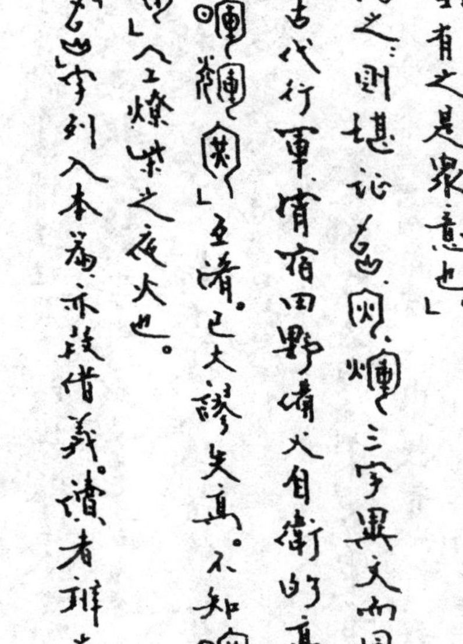

議，是所願也。

有：□ 卜□ 篆《說文》：「不宜有也。」案此解似含玄而吐虛，殊無當於有字之義。千古以來，從無人道出有字形意真相。實緣對自然現象未能上現場之探索，遂致捕風捉影，流於荒誕。

考《傳．隱三年春王二月己巳，日有食之》《說文》段注云：「日不當見食也，而有食之者，孰

食之？月食之也。故字从月。《公羊傳》注：「不言月食之者，其形不可得而睹也，故疑言曰日有食之」

案此解亦近涉猜測，未能捉到有字形義真諦。

竊以為有字从又从月。又，古右字也。月行軌道自西而東，人居大地面南對空仰視觀察日食，不分全食偏食，必從右側開始。故知「日有食之」一語，實即「日右食之」，可斷言也。復考卜辭有字之形正［字形］。實日食現場直觀寫照。謹繪圖以見意：

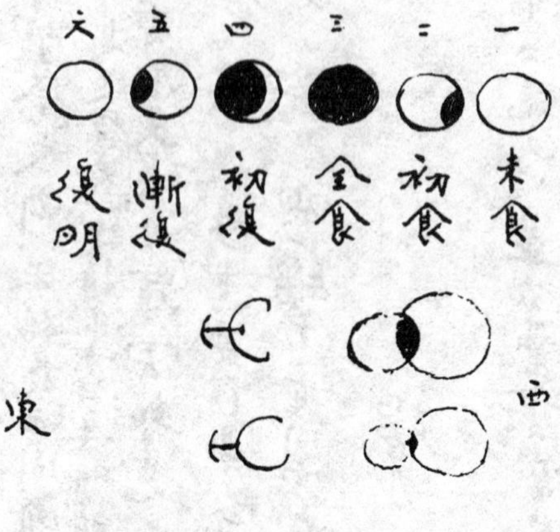

甲骨文字之書寫慣例，往往化平行為垂直，如［字形］［字形］等皆其例證。故知卜辭［字形］形結構，日也。［字形］形結構雖體之月形也。一形結構陰影餘緒也。雖繪行徵茫，筆勢簡略，而日月闇合之迹相因已顯諸遺形，是於會意可一望而知者焉！

竊以為有之讀音，驚駭之聲也。先秦時代於天文知識雖已卓有成就，終不能完全擺脫原始樸素宗教觀念之遺存。每當日食發現，必引為災異、天變。所謂「瞽奏鼓，嗇夫馳，庶人走」《胤征》已充分表現人類對日食的惶恐狀態。今晉南民間仍習慣於用「有（去聲）」為驚駭語，實歷史語言之遺存。

有字用為有無之義非初義，假借義也。小篆「有」字从又从月，所以示月球侵日，必从右方開始也。

翌昱　煜　明　卜翌昱　《說文》昱字訓：「明日也」。《集韻》《韻會》翌字訓：「明日也」。則昱、翌異文

四二

而同字可知。考《卜辭》：⊙明、⊙明二字皆从⊙从月。月古夕字也。⊙者光之象也。古者大蝕嵌天之意也。而訓義為「明日」者，皆取象於飛鳥行空，留影嵌日之態。造字者以⊙為今期，留為黑夜，鳥去而代日重現。此一意，或可以下列翳、暘二字得之。

⊙明字本訓義為「明日」。古代宗教祭禮名曰「翌日」之祭名。《示部》：「周曰繹」，明，商曰「明」，夏曰「復胙」。是其義也。案商代出土銅器銘文《郘其卣銘文》有⊙明文字，則殷商時代已有「翌祭」之制，不始於西周明矣。造字者取禽鳥翱翔，鳥飛當、翱翔行空出現之大地投影暫時而郤環境明暗更迭現象，遂植為晝夜明暗更迭景象的擬態。此漢字之「時」「光」互代例。故訓翌昱為「明日」（《第二天》）。

暘 暘《說文》：「日覆雲暫見也。」《廣韻》：「日無光也。」 算者案：盛暑炎夏，流雲行空，往往有此現象。其是體景象為地面呈現互明互暗。暘从日从昜，昜者變易也。⊙者光象也。故知暘、⊙明古音同而義通。

〈暘〉

〈明〉

鶾翳羽《說文》：「華蓋也。」《廣韻》：「羽葆也。」《[illegible]篇》：「翳，謂凡鳥羽之可隱翳者也。」舞者所持羽翻以自隱翳，因名為翳。亦曰「華蓋」。今之雉尾扇，是其遺象。

〈翳〉

雷 [glyph]〈卜〉[glyph]〈金〉[glyph]〈籀〉[glyph]〈篆〉《說文》：「陰陽搏物相生也。」《淮南子》：「陰陽相搏而為雷。」 考《幼學瓊林》有：「雷部推車之女曰阿香」，此古代神話。則古人將雷音想為車聲，已有文字紀述。無怪古文字用四個車輪上雷的聲符了。今徐州地區仍有四輪木車，聽其物之歷史久矣。

礌檑 礌檑《埤蒼》：「推石自高而下也。」《周禮·秋官職》：鄭注「檑雷」，推移之屬。《南漢晁錯傳》「具藺石」注：如淳曰：「藺石，城上雷石。」案礌、檑皆雷之同源字。檑者滾木也，礌者滾石也。皆上古據守山砦之武器也。

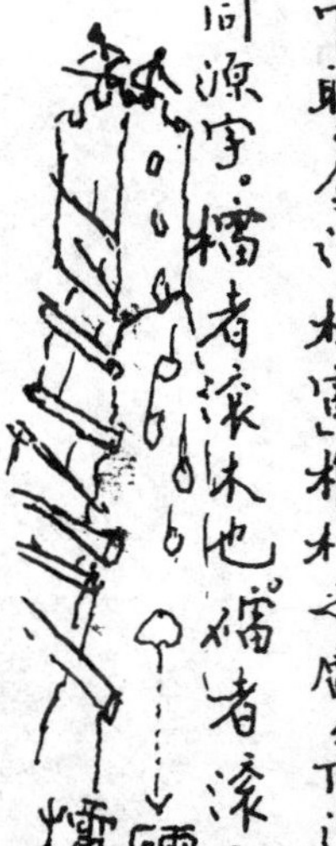

漢語中以「光陰」二字為時間之代辭，其義與⊙明字造形同指

雷　□〈卜〉　𩂣〈金〉　靁〈篆〉　雷字甲文作□。字从□从○○。□者光射之象，古電字也。○○古喧字，聲符也。金文雷作𩂣，字从雨从□从□。雨者陰雨之象也。□古電字也。□象四輪車聲符也。甲文電字作□，字从□从〈〉。

電　□〈卜〉　□〈金〉　䨟〈篆〉

□者光射之象，〈〉者雨滴之形也。□有□有〈〉而無○○，故知□之形義有雨而無聲而有光，故知為「電」字。金文電作□。字从雨从□。古申電同文而意通。古音申電同屬一部，可為例證。小篆電作䨟，字从雨从□。□古申字，亦作神，義與電通。此雷電二字造形示意之梗概也。故知雷者自然之音也。電者自然之光也。此雷電之屬性普寓也。

雷電二字之造形示意與代科學知識之遠視

㊀雷電二字之時空觀。古文雷電二字皆从□，金文作□，小篆作□。□「申」字也。故知申字實探討雷電二字之關鍵。考〈易八卦方位〉坤居西南。〈古天文〉斗綱建時，申居西南。古代人民觀天象以定時，以斗柄指申之際為「長夏」〈夏至——立秋〉。此時气象，赤日當空，直射北緯亞洲地區，炎暑酷熱，乃雲行雨施，雷電交加之期。故□、□、坤諸字皆从「申」。故□字形義，標誌着古天文歲時斗建方向與特定季節時之氣象特徵。是通過上列圖表可以領會的。

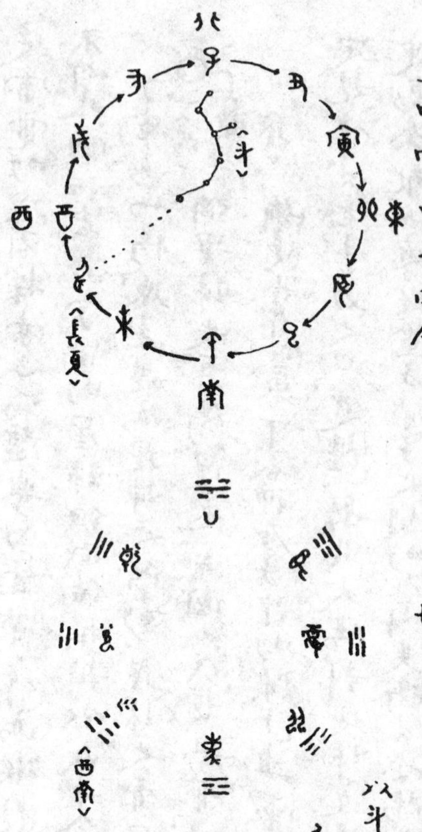

四三

從雷電的成因探索古代哲學的實質：作為微觀的一切物質始基的「原子」內部結構，也絕不例外的和宏觀宇宙的星球組織結構相似。故吾人正不妨把星球視為「原子」體積的引伸擴大，而將「原子」視為星球之縮影。星球之有星體，猶原子之有「質子」也。原子之有「電子」猶星球之有衛星也。我國古代哲學有「通乎一萬事畢」之語，可以物理共性求證之。

瀰漫於自然界中各種原子中的「質子」與「電子」，都有各自特有的組成比例。是為物質性定規律。《老子》名之曰「道體」。緣於太陽對地球之氣溫升降的支配力，會引起氣體物質原子內部運動紊亂，而導致電子、質子之間的比例失衡〈陰陽失調〉。而引起氣象暴變。此現象於一歲周期中，以「長夏」季節最為凸出。其原因由於此時陽光直射而引起之氣溫激升，使原子受干擾造成自然界一部份原子中的電子，因質子引力出現負差〈失控〉而產生離心趨勢。此於物理中名曰「衰變」。因而出現了「負電荷」。已經脫離母體的電子，則被吸著於其他原子結構中去，而使新附之原子力勢增強。此於物理中名曰「聚變」。這是由於新附的原子帶有強烈的「正電荷」所致。但是由於新附的原子愈增愈多，終於達到飽和程度，又產了引力負差〈失控〉。古哲學所謂「物極則反，盛極必衰」。這種電子與質子不斷離合所引起的氣象動力，古人叫它「陰陽相盪」。衰變、盛變的互相推動，是受自然「平衡法則」制約的。其動機表現為「同性相斥、異性相引」。古哲學名之曰「感應」。相引相斥的動力，會引起電子在空界的跳躍。其速度可達卅萬里之一秒。這種急劇衝擊磨擦，終於由高熱而發光，由光而燃燒爆炸，而成為雷電。雷之與電，絕非兩物，而是有光有聲，同時而生。但緣於光波與聲波傳播速度有異，人類誤解，以雷電二字為之各立一名，謬矣！

電

申 [glyph]卜 [glyph] 金 [glyph] 靁 《說文》：「陰陽激燿也。从雨从申。」《埤雅》：「電与雷同气。雷从回，電从[glyph]。陰陽以回轉而成雷，以申洩而為電。或曰雷出天气，故从回；電出地气，故从坤省。《易說卦》：『離為電，電火屬也。』蓋陰陽暴格，分爭激射，有火生焉。其光為電，其聲為雷。今鐵石相擊則生火，燒石投井則成雷，又況天地大罏之所搏動，真火之所激射乎？」

筆者案：《甲骨文彙編》誤將[glyph]字混入[glyph]字，蓋未識古文字造形皆有命意。案[glyph]者雷光也，[glyph]者雷也，[glyph]者聲象也。[glyph]以有[glyph]為雷無[glyph]。有[glyph]應為電，古申、神等字皆从[glyph]，古音「申」「電」「神」同屬十二部，可与考證。〈說詩〉〈字教說字〉。

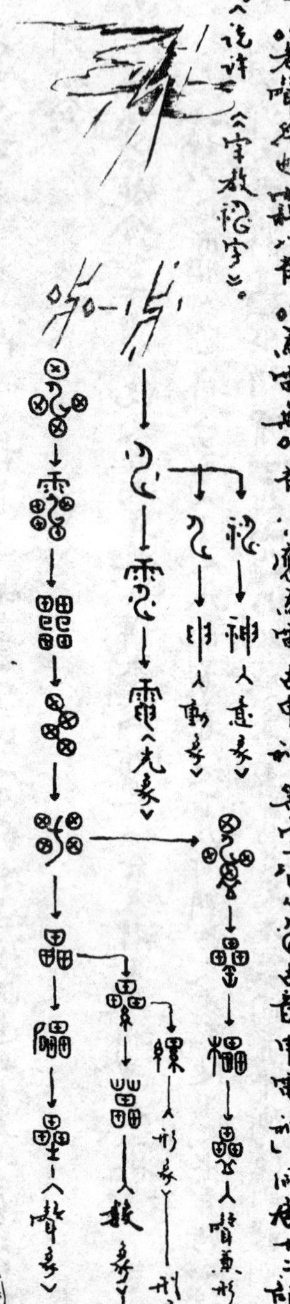

[glyph][glyph][glyph][glyph][glyph][glyph]

《增明堂》：「山罍，夏后氏之樽也。」注：「罍，雷也，畫為雲雷之象。」罍是大型容酒之器，故《詩》云：「缾之罄矣，唯罍之恥。」所以畫雲雷之飾者，示雲佈而雨，容量豐盈之意。盖酒漿噴吐，其音似雷之故。〈[glyph]〉

礧 [glyph]

《埤雅》：「推石自高而下也。」《唐李光弼傳》：「礧石者，轉石也。」案所謂滾木礧石，即古代山寨堅守軍事據點，居臨下之防敵武器。《說文》：「礌」字訓：「建大木，置石其上，發機以槌敵也。」此「檑石機」，即象寨中之「礮」也。
《幼學瓊林》：「武王造象棊，以教用兵。」戰國時已有其物。然非始自有唐也，惜其形製已無考證資料矣。

磊

[glyph][glyph][glyph] 《說文》：「眾石也。」蓋已由雷字聲義而化為形義字，非只眾石，或且兼有土塊之義矣。〈[glyph]〉

〈[glyph]〉

四四

絫絫絫《說文》：「增也」。案厽是眾多之象，糸是牽連之形。

藟藟《詩》：「南有樛木，葛藟纍之」。纏繞貌也。

縲縲《魯論》：「子謂公冶長……雖在縲絏之中，非其罪也」。

案絫是增多之義，畾是積纍之義，藟、縲皆牽連之義。

皆靁之同源字，而以畾為核心，占諸字音符。然義則逐漸變矣。

霎霎霎霎霎〈卜〉霎〈篆〉《說文》：「霽謂之霎」。《玉篇》：「霎雲行貌」。

霎 案霎从雨从棲省。《詩·陳風》：「衡門之下，可以棲遲」。傳：棲遲，遊息也。《文選·班固〈答賓戲〉》：「棲遲」有不安居貌。又案水中浮艸曰棲苴。是知霎字即雨後餘雲逍風而逝之意，而與《說文》「霽謂之霎」之訓相合。

霽霽〈卜〉霽〈龍龕〉霽《說文》：「雨止也」。《埤蒼》：「雨晴也」。《爾雅·釋天》：「濟謂之霽」。

竊以為霽从雨从齊。雨者天上之水也，水者地下江河湖泊之水也。地下之水有時而竭，未能普及，必仰天雨以濟其窮。所謂「雲行雨施，品物咸亨」。蓋自然界本能固有平衡法則，曠則施之以雨，澇則曬之以晴。《易》云：「水火既濟」。故霽之从雨與濟之从水皆異曲而同功。雨為天澤，水為地澤，天地之澤交替互施，以養萬物，謂之互濟，誰曰不宜？故知《說文》之訓「雨止」，適可而止之止也，非永久之止也。《埤蒼》之訓「晴」，雨過天晴，不澇不旱之義也。不如此，將何以成「既濟」之義乎？故知霽之从齊，調劑之義也。《說文》：「劑者齊也」。《爾雅·釋言》：「劑，剪齊也」。疏：劑，截也。《玉篇》：「齊，不偏不頗也」。由此觀之，則霽之為字，施惠平均之意矣。「天地之大德曰生」，可於霽字見之。

霾霾〈卜〉霾《說文》：「風雨土也。从雨，貍聲」。《爾雅》孫炎曰：「大風揚塵土從上下也」。

露⿱雨月⿱雨彔⿱雨各〈卜〉露〈篆〉上兩露字見於卜辭。徒無識者，余釋為露字。故同條列之。

《說文》露字訓：「潤澤也」。《蔡邕月令》：「露者陰之液也。露之言臚也。陳列表現於外者曰露。」

發明：依現代地文氣象知識：地球表層於白晝吸收來自太陽輻射之熱量，比及晚間與高空冷空上下對流之結果，因而使空熱量消失，氣溫下降，於是懸浮空際之水分子遇冷而凝集收縮，形成水珠，降落着地。其名曰露。故露之形成必以晴空萬里皓月無雲為前提。原因是雲層之為物，有隔絕空氣上下對流傳遞散熱作用，可以影響露的形成。故《卜辭》⿱雨月、⿱雨彔二文皆从月。是一節符合科學的真實寫照。

字形音義探討：彔，古「漉」字，初文也。或作淥。即今日之漉字。字象漉囊釃酒、滴液滴注之態。故知彔、露同音，就是形符，亦是聲符，尤其是☽形，顯示了晴空萬里的特徵。這是露的形成唯一條件。故⿱雨彔釋為「露」理由是較為充分的。《甲文》露字另一寫法是「⿱雨各」。字从雨，空降之義。从各，「路」之省也。露珠能和，比重增高，必要降大地。大地之上有畊作之地，有道路之地。畊作之地鬆而柔，露之而滲入。道路之地堅而剛，着露則滑潤水濘而不利於行。此所以詩人有「厭浥行露」之歎。正堪作露字的生動註腳。

雲 云〈卜〉 〈金〉 霒〈籀〉 雲〈篆〉《說文》：「山川气也。从雨，象回轉形。」

業物之衆多曰「芸芸」〈老子〉。水之大波曰「澐」。絲之雜亂曰「紜紜」。刈除雜草曰「耘」。菜之枝葉蓬勃者曰「蕓薹」。皆含衆多紛亂義。則行雲流水亦衆多紛亂之意可知矣。

䨜 䨜《說文》：「水音也。」某些字訓「水音」，則有奪失。䨜以爲應訓「流水音也」，以古音羽、鳴同聲。吾魯南民間謂水勢湧流旺盛曰「鳴鳴地淌」。此歷史語言之遺存也。自應以「䨜」爲正字。从雨者亦暴雨傾注河流泓湧之意。羽者，「羽聲」符也，亦義符也。考「五行音律」，羽者，北方之音，於五行爲水。審此則「䨜」字之義可見矣。此字應與卜辭「羽」字通。「羽」字即「羽」字之「羽」，其義爲其字以形亂義也。渺矣。

䨻 靇《字彙補》：「古文雷也。」考《說文》有龘而無靇。靇以爲是任白氏所列舉之靇字必有依據。此字从雷

𪹚 𪹚 从八，从兆，八，外之變。雷者，聲也，兆者，雨之開張之狀，外者，雨之相背之形。皆所以示雷之與馳之態。與《說文》从炎从貝之𤇾同有「火光暫見」之義。似尚未若靇字形義之嚴爲契合天象之情。後世將「人鬩鬪門中」的「鬩」之以雷字。雖文人誅不論，然而約定俗成補世已久，誰復與聞之之？古今文字變遷擇選雜裁，固不獨一靇字焉！

振 𨀁 振 踬 仍通 仍從 同也

㲼 雷 霚 霿
篆 籀

[illegible]

《說文》震字訓：「劈歷振物者。」《易說卦》：「震爲雷」。《詩小疋》：「爗爗震電」。《春秋僖十五年》疏：「雷之甚者爲震」。《春秋文九年》：「地震」。疏：「震者何？動地也」。《周語》：「伯陽父曰：陽伏而不能出，陰迫而不能烝，於是有地震」。

考震字寫法極多，皆聲同而義似。其形或从雨，或从手，或从足，或从辵，此其區別也。其形皆从辰爲主（個別例外），而訓義皆爲動，此其大同也。《說文》：「辰，震也。三月陽气動，雷電振，民農時也」，可爲義例。

辰 [illegible]

辳从辰，震之辰字，實取義於辰。辰古蜃字。上古農業火耕刀種，以蜃殼爲播種、搬艸之工具，則字从貝从刀，乃蜃殼之文字物證也。可見蜃殼之爲物，不僅用爲農業生產之工具，而且還爲切割食物矣。「[illegible]」之[illegible]从宀从[illegible]，利刃之[illegible]从[illegible]从刀，分割之「[illegible]」从系从刀。辰、[illegible]、[illegible]皆蜃屬。諸字皆从刀，其義可見。農事之興，始於春時。「仲春之月，雷乃發聲，蟄虫咸動，啓戶始出」，故《周易》震爲雷，而於時爲春，而訓義曰「動」。辰、震、[illegible]諸字音近而義通。其訓義爲「動」者，總義也。動之形式非一，而字有異同。手足之動，動也，而字以振、[illegible]爲正。[illegible]之動亦動也，而字以賑爲正。又雷地震之聲亦動也，而字以震爲正。胎兒妊娠之動亦動也，而字以娠爲正。陳艸復生亦動也，而字以[illegible]爲正。刈除雜艸亦動也，而字以[illegible]爲正。田耘耨耨之勞亦動也，而字以農爲正。

四六

諸如此例，字皆从「辰」，則「辰」訓為「動」之義例已昭然，寓字於諸字之間，彰明甚特表示以見意。

〈蟄虫始振〉

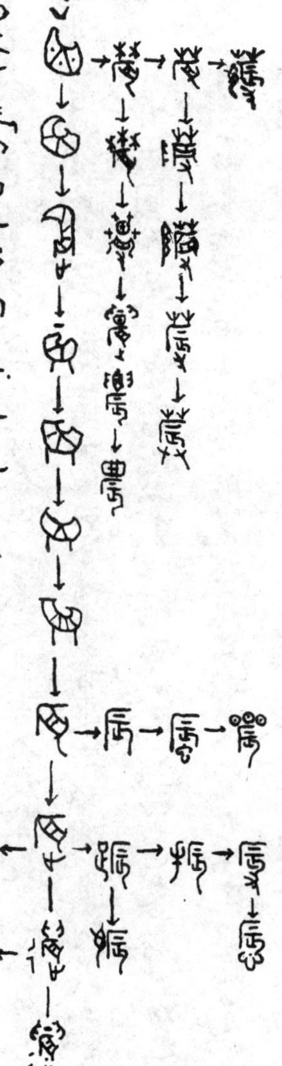

《易屯卦》：「雷雨之動滿盈，天造艸末（木）……」

雷電的震動，有分解氣素之力，溶化礦鹽之功。時當三月（辰）春風（二十六度氣溫）蕩漾，萬物脫孚甲而出，虫蛹啓户，蠢蠢欲動。無一不在反映出春雷對生命的積極作用。

「雷乃發聲，蟄虫始振，啓户咸出。」審此則辰、辰、蓐、蓐音義互通之意已灼然可見矣。而漢字以象標時，以物示事，皆據此綫上無遺焉。辰从「厂」从辰，「厂」者屋厂之形，辰是虫蛹冬眠之態。蛹則為變之辰，以虫蛹展足之象（生蠶）。又化為辰，辰者足也，所以示昆虫生態變異已臻完善，躍躍然試蠢蠢欲動之意，故其義曰「動」。但這一生機之出現，必賴太陽黄經北移為前提，故辰字又為十二支第五，即春季三月之代辭。此時雷雨方興，聲聞四野，故辰字增雨而為震。

又以林易雨而為 農（農字是林農業中）

暈 𡆼 𣆶〈卜〉 𩂣 《正韻》：「日旁气也」。《釋名》：「暈，捲也。气在外，捲结之也。日月俱然」。《說文》「光也」。

案所謂日暈、月暈之成因，關繫光學原理，固非吾人所能盡知。以常識而言，亦不外乎空際微塵分子的介質占用達規之光環。与虹的形成，無大同而小異。所謂「月暈而風，礎潤而雨」都是与空间某一特定物質含量有關。《卜辭》以𡆼標日暈，以𣆶標人類大腦之自覺旋轉感。与小篆之暈字从日从軍同義。𩂣是古代行營圍幃車陣。亦段借韗註例。現代生理學名之曰「美尼爾氏病」。其發病機理与中耳三半規管知覺平衡障碍有關。有「耳原性」「眼原性」兩類。但中醫則以「目眩」名之。眩者旋也。玄黑色也。患頭暈者必有視覺障礙。此醫理範疇問題，非本書所能備論矣。

名 𠮚《說文》：「許也」。王逸曰：「以口曰名，以手曰格」。

昭 昭《說文》：「日明也」。

炤《爾疋·釋蟲》：「螢火即炤」。註：「夜飛腹下有火」。《古今注》：螢一名耀夜、景天、熠耀、丹良、丹鳥、夜光、燐。

照 𤎫《增韻》：「明所燭也」。《日居月諸》：「照臨下土」。《書·泰誓》：「若日月之照臨」。

案口許曰名。手許曰格。日明曰昭。飛螢曰炤。日月光臨曰照。以手捧酒曰酋。格符貞、亦被各臨者。皆「符名」者也。以住置觀念言之，皆居高臨下之義。

〈照〉

〈格〉

〈名〉

閏閏柴全《說文》：「餘分之月，五歲再閏也。告朔之禮，天子居宗廟，閏月居門中。《周禮》：「閏月，王居門中，終月也」。

案閏月之法由來已久。《書·堯典》：「朞三百有六旬有六日，以閏月定四時」，因曾歷一年與地球公轉一週相比，約差十日有奇。《正字通》引《黃極經世》云：「一歲之中，六陰六陽。三年三十六日，故三年一閏。五年六十日，故五年再閏」。陳氏曰：古曆十九歲為一章。章有七閏。三年閏九月，六年閏六月，九年閏三月，十一年閏十一月，十四年閏八月，十七年閏四月，十九年閏十二月。此閏法之大略也。

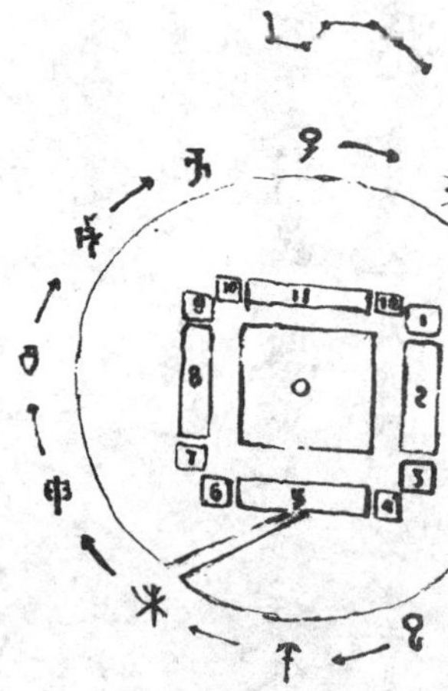

（明堂璧廱）

◎ 太室
1 青陽左个
2 青陽
3 青陽右个
4 明堂左个
5 明堂
6 明堂右个
7 總章左个
8 總章
9 總章右个
10 玄堂左个
11 玄堂
12 玄堂右个

（閏）

古代「告朔之禮」即國家向群眾公佈時日的形式。這一形式照例是在璧廱、明堂中，由太史主持，天子監督之下進行的。還要舉行祭神活動。「明堂」的建築形式是臨摹天體形式造成的。中心是「太室」，太室的東面是「青陽」，西面曰「總章」，南面曰「明堂」，北面曰「玄堂」。此四處殿堂之左右，各有側室一間，名曰「左个」、「右个」。周匝間數共有十二（璧廱周圍有水，外圓內方形如玉璧，故曰「璧廱」）。《禮月令》所謂：「孟春之月，天子居青陽左个」、「仲春之月，天子居青陽……」如斯逐月按照「斗綱」方向依次轉徙。周而復始，是為一歲。以其十二月居十二堂，故閏月無所居，而居於門中。故於文字為

王在門中曰閏。《禮玉藻》：「閏月則闔門左扉，王立于其中」。案此亦象形兼指事字。

霂 霂金 霂卜 《說文》：「霢霂也，从雨沐聲」。《爾雅釋天》：「小雨謂之霢霂」。《詩小雅》：「益之以霢霂」。

沐 沐 沐卜 考，霂字从雨从沐。象植物蒙受甘霖滋潤之形。實「霖」之形變字也。

竊以為「霢霂」辭之所以訓為小雨者，實以雨滴細微，从空而降，隨風飄淺，速度緩冲，目視之難見，耳聽無音。故「霢霂」之音有「默霂」之意。古詩所謂「隨風潛入夜，潤物細無聲」，可為義例。金文《曾伯霂》之銘文，假為「沐器」之名。故知「霂」、「沐」同源。沐乃後起之文，所以區別人、木之分。故《說文》沐字訓：「濯髮也」。

湏 沐 □金 □卜 □金 □金 □金 頮 《說文》：「洒面也」。《禮內則》：「面垢，燂潘請靧；足垢，燂湯請洗」。

案湏从水从頁。頁者頭也。甲文上□。可上形例。故知「湏」亦沐、霂之同源字。其亦象形字也。

髹 髹 《詩衛風伯兮》：「君子行役，過期不返，其妻思之曰：「自伯之東，首如飛蓬。豈無膏沐（髹）為誰適容」？

竊以為髹从髟从木，髟者髮也。木者沐之省文。故知「髹」應為「膏沐」之沐的本義字。所謂「膏沐」，即梳頭油也。現代化裝劇中的「司丹康」、「生髮臘」，當亦「膏髹」之類。《說文》膏字訓：「肥也」。《漢書》：「脂澤者曰膏」。一曰戴角曰脂（周禮脂肪，牛油、羊油），無角曰膏（數性脂肪，猪油、馬、犬等脂肪）。由之「論髹」，即「膏沐」之本字也。《周禮》段為木器塗漆之髹，而音變為「休」。《春官巾車》：「髹飾」。《史記貨殖傳》：「木器髹者千枚」。徐廣曰：「髹，漆也」。蓋木之塗漆，與婦人頭髮塗膏同義。故知「髹」亦「霂」之同源字也。考《禮記、內則》云：「面垢則燂潘請靧」。又《說文》沬下訓：「洒面也」。知今證□乃沬之初文。

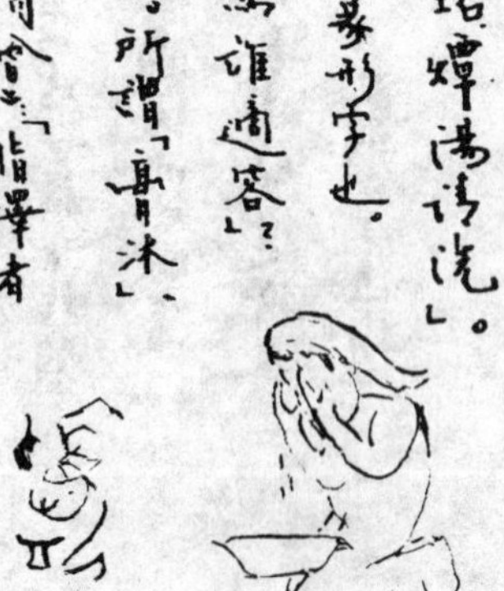

四八

霖 雨霖(上) 雨林(篆)《說文》:「雨三日已往,从雨,林聲」。

〈霖〉

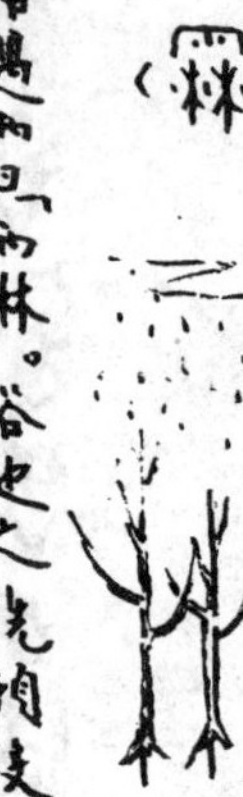

淋 淋《說文》:「以水沃也」。案,雨三日以往曰「霖」,以水沃曰「淋」。今魯南民間謂行路遇雨曰「雨淋」。浴池之淋頭設備曰「淋浴」。故知淋字从水从林,与霖字从林从雨形同音同而義通。

〈淋〉

澍 壴(卜) 澍(篆)《說文》:「時雨澍生萬物」(《司馬相如難蜀父老文》:「群生澍濡」。故知「澍」之本義有潤濡滋植意。案,澍字从水,从壴,从寸。水者,雨水也。壴者直立之意。壴字,取形於豆,乃古代者蔬之食具,其形似現代之高腳盃。後世施屮於頭端而成壴。用示植物挺拔直立之象,義字。故知《卜辭》壴字,乃表示旱苗曲下垂,遇天雨而蘇復直立狀態之意。此系形義(指)事字也。後世增寸以示手扶之義。因蔬菜之移植禾苗插秧,栽樹皆須擇天雨為契機,以有利於保证成活故也。故澍字亦有建樹意,培植意,故字之形,不僅是「時雨」之名而且也朔示了植物本能時節性地(詳後「樹」字)。

總合論述:水滌樹頭曰霂。水滌人頭曰沐。油脂塗髮曰髤。油漆塗木器曰髹,而音變為休。雨澆樹頭曰霂,水洗頭曰沐,雨澆頭曰淋(古有沐雨櫛風之語)。樹木枝葉久旱萎枯逢甘雨而挺然直立曰澍。其義一也。表示如次:

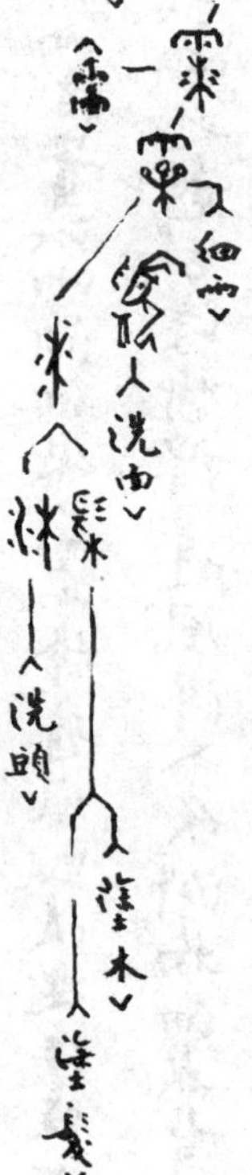

時 旹 時

《說文》：「四時也。」

謹案：「四時」之說，乃據古天文曆法而言，非時字造字本義也。考古時字从日从止。者「日之所止曰時」之意也。原始人類時為掌握時間之唯一依據，厥為日影。就是說明在人類尚無漏敲之前，全憑觀測太陽以判定時間這一事實表徵。日、旹、時等字可為例證。後義變為是否的是字。《尚書注文》皆叚時為是，可為例證。時之本義為判定時間，後延為判斷是否之義。

旹 時

刻 𠚣

《說文》：「鏤也。」《玉篇》：「割也。」案此二解，施之於𠚣字固宜，施之於刻字則未見其盡當也。竊以為刻字从刀从亥。刀者鍥割之義，亥者時之終也。古代以十二支紀時，一日之間，始於子而終於亥。亥盡則周而復始，是為晝夜。故知刻者，計時之度也。其度刻於「漏箭」之上。《韻會》：「刻，漏也。」鍥漏箭以候日晷，故因謂晷度曰「刻」。所謂「晷度」，即計時刻劃。刻於「漏箭」之上。「漏」是古代計時工具，等於現代的鐘表。茲據清代「漏壺」形制說明如次：

「漏壺」由三箇方形「播水壺」和一箇箭狀「受水壺」組成。居上之第一「播水壺」名「日天壺」，居中之第二播水壺，名「夜天壺」，第三壺名「平水壺」。水由「日天壺」遞傳而下，漏進最下的「受水壺」。受水壺上有銅人，抱「漏箭」。銅人下安「箭舟」。水長舟浮，則箭隨上出。按所刻時號指示時辰。水滿箭盡，則瀉於池中。

古以十二支計辰。始於子，終於亥。是爲晝夜。晝夜凡百刻。依現代時間折合換算則 60分×24=1440分。1440分÷100=14.4分=14分24秒。故古代一刻等於現代時間十四分二十四秒。此種計時刻劃皆鍥於漏壺之上。人視之則知時刻之數。故「刻」字遂由刻鍥動義轉而代爲時間計量詞。

刪

刪刪字从〇〇从冊从刀。古無紙墨文具，以竹木爲紙，以刀代筆。冊者，竹簡也。〇〇者竹簡穿孔也。所以穿「韋編」也。刀者刻鍥之意也。

〈刪〉

故知刪、刪二字各有切義。今刻行而刪廢矣。

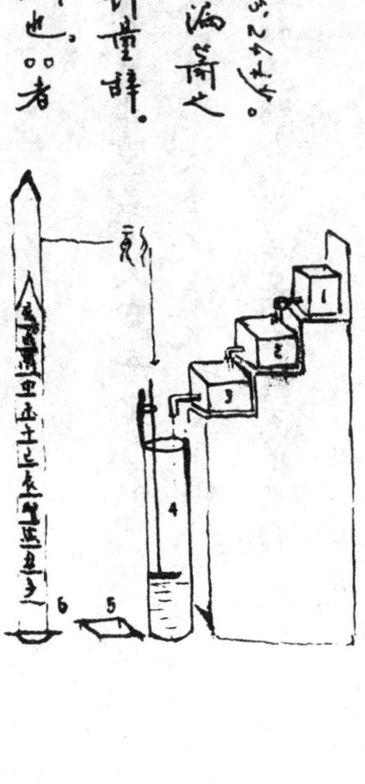

1. 日天壺
2. 夜天壺
3. 平水壺
4. 受水壺
5. 水池
6. 海衡

雹雹雹雹《說文》「雨冰也」。考雹之成因，由於盛夏炎暑之季大地積熱過盛，海水蒸發直達九霄，遇高空嚴寒而凝固成冰，受地心引力而下降。下降到達低空，復受大地熱流過熱，不能着陸，於是又返還太空。如斯反復升降，遂使冰雹體積逐漸增大。因每次升降之結果，必然繼續吸收相當數量之新鮮水份。最後終於體重超過了低空熱流之浮力而下降。此雹的聚變過程與霰雹相同。不過霰的出現季節在於氣溫低下的冬天。不可能有夏季那種熱流形成反復升降，因而也就決定了它的顆粒細小些。

雹的文字造形析意，从雨从⊙⊙⊙，而有降落之意。⊙⊙⊙从三⊙。三者，無限多義。⊙者，發光透明之象。此於「六書」屬於象形字例。雹字另一寫法作雹，从雨从包。包古胞字，象胎兒居胞中。依現代物理學言之，大凡一種物體之形成，必有一微量物質分子之核心。雹之形成自亦不能例外。《埤雅》「陰脅陽爲雹」。

案：然上雹的成因是空際懸游之水珠，受冷空氣之包圍，凝縮而凝結的物理產物。古哲學觀念規定，以冷性為陰，熱性功能為陽，物質之視覺之不能見者為陰，可見者為陽。水、冰可見，而冷空氣不可見。故《埤雅》引「陰包陽為雹」，是有豐富科學內涵的。竊以為雹、暴同聲，亦反映了雹之為物具有強烈的傷害生物的破壞作用。

霰 霰 霰 霰 雪

《詩·小疋》：「如彼雨雪，先集維霰。」箋：將大雨雪，始必微溫，雪自上下，遇溫氣而摶，謂之霰。《埤疋》：「霰，閩俗謂之米雪。言其散粒如米，所謂『粿雪』，義蓋如此。今名『霤雪』，亦名『湿雪』。」案：然上霰之為物，不過是雪的變態物也，是降雪的前奏。古文學把它用為判斷事物的出現，預報象徵辭，是具有真實科學性的。竊以為霰之成因與雹極似，其不同點為雹出于夏，霰出于冬。皆是上部高空寒流與大地暖流對流的產物。如果詳述降雪步驟，亦可分為三個環節。其初地溫較高，霰降地而落解，繼則地溫消失，而霰成顆粒，終則成為六角之雪矣。故曩謂霰者散也，分散之義也。故霰字之造形，生動地形容了水的三態變化含義。

霜 霜

《釋名》：「霜，其性慘毒，物皆喪也。」《說文》：「霜，喪也，成物者。」

案：許君之說極確。竊以為「霜」字，實為聲義字也。其語源與喪同音。考《青銅器銘文》喪上[illegible]。从喪从日，故知霜字从相，狀形無當，乃以聲會義字。古語與閩南音，霜、喪相同聲。《古音》：喪、傍相，同居十部，可為確證。《說文段注》引《詩·豳風》注文：「九月肅霜」，傳：肅，縮也。霜降而收縮萬物。《秦風》：「白露為霜」，傳曰：白露凝戾為霜，然後歲事成。」竊以為「霜」乃秋季之特定時令的產物，一切植物遭霜而

萎枯故知霜字之音、義有殺傷、悲傷之含意。《內經·陰陽應象大論》：「春生、夏長、秋收、冬藏」，故知霜亦含收藏意。依古「五行」學說：「西方庚辛於物為金，於時為秋，於天文為參宿白虎，於義為殺傷，於人意為悲傷。於色為白……」《釋名·釋天》：「秋為白藏」注：秋白而收藏也。《白虎通》云：「金味所以辛者，以辛者西方，殺傷成物。所以殺（殺）傷之也」。故知霜之為字，寓義於聲，非寓義於形字也。其意內涵豈求識於《河圖》《洛書》。習識、商（音律）、傷、諸字同韻而義通。於以見音韻學、文字學內密切聯繫。蓋文皆導源於語音，不可不知。

發明：考《說文》霜字下段注云：「按：雷、雨、露皆所以生物。雪亦所以生物。而非殺物者。故其用霜在殺物之後。詩云：『雨雪雰雰，益之以霢霂，生我百穀』其證也。唯「霜」為肅斂萬物之用。許列字首雷，為動萬物者莫疾乎此也。次之以雪，乃次之以霝露。謂冬雪而後春雨也。次之以霝露。露，春、夏、秋皆有之。秋深乃凝霜也。次之以霜而歲功成矣！」竊以為段玉裁先生據《說文》字類排列之次序，以說明天文氣象變化與生物演變（生、長、收、藏）之規律與意義。顯而易見，這一邏輯意蘊，是《周易》哲學的產物。由此觀之，可證當代思潮學人「漢字與《周易》無關之說」，為荒謬矣。

孀 孀

《淮南子·修務》：「湯弔死問疾，以養孤孀。」《列子·湯問》：「鄰人京城氏之孀妻有遺男」。案上引文獻，皆周漢時代著述。而《說文》不見此字。故知許君之失收也。考《唐韻》等多類字書，皆訓孀為「寡婦」。

案孀字，从女从霜。霜者肅殺、悲慘、死亡之義也。孀居之婦古稱「未亡人」。蓋據秋金淒傷之意以示寡婦之心情。故知孀亦會義字，而與霜同源。古喪霜音同而義通。喪者，死亡之義也。古訴「喪婦曰「未亡人」。實取於男死女存，生理已絕，不能繼續蕃殖之義。於以見漢字之科學性，宜乎其生命力之強焉！

霾【字】《說文》：「風雨土也」。《爾雅·釋天》：「風而雨土為霾」。疏引孫炎注：大風揚塵土從上下也。《詩·邶風》：「終風且霾」傳：霾，雨土也。《釋名》：「霾，晦也」。此種風土交加，為筆者所親歷，降時天昏地暗，故又訓義為晦。

貍 埋 薶 貍 埋　考霾字从雨从豸。豸者獸也。《甲骨文》之埋字作。其本義應為掩埋動物的專用動義辭。《正字通》：「貍，野貓也，有數種，大小似狐……」故知「貍」是獸類的掩埋專用字。《爾雅·釋天》：「祭地曰瘞貍」。故知貍是獸類專用字。徵諸《卜辭》文字之形，尤覺有理而無誤。其字義乃來源於宗法社會的祭神形式。《說見拙著宗教類〈貍字〉》此從骨字也。

發明。東方文化特點與西方文化之所以不同者，以人類之精神意識與動物有嚴格之區別。因人類乃靈長類，具有儲藏思想的生理機構的大腦，因而能懂得人與人之間的「愛」，和自我節制的「禮」。所以人在文化領域中的政治形象，自然要有明確的分野。古籍經典中的紀事者作——《春秋》中有關國君死後的紀載，皆名之曰「薨」。薨之與貍，同是進入地下，而服務對象不同。故「薨」者，人類之專用字也；「貍」者，獸類之專用字也。又如同一咀嚼動作，則在人曰「齧」，在麋鹿曰「齸」，在牛曰「齝」。凡此眾多字例，不勝枚舉。處處表現了人的政治上的尊嚴意義。此種尊人卑物的文化藝術形態，可見於《禮記》。禮記文：「鸚鵡能言，不離飛鳥；猩猩能言，不離禽獸。今人而無禮，雖能言，不亦禽獸之心乎？夫唯禽獸無禮，故父子聚麀。是故聖人作，為禮以教人，使人以有禮，知自別於禽獸。」由此觀之，東方文化對人於獸的界限的劃分標準，並非物質因素，而是精神因素。是異常明顯的。在儒家哲學的世界觀對人的定義，完全建立在「社會性」的角度出發。假若不具備社會公德的話，雖然有一個人形的物質身，也沒有資格享有「人」的名義。明乎此，則貍字為獸的專用字已不須喋喋矣！「霾」則「薶」之孳乳字也。

[古文]↓薶↓霾↓[雨埋]↓埋。風雨夾土覆掩物體，形似掩埋之狀，故知霾亦[古文]的同源字。

雪䨮〈義〉「羽」〈卜〉《說文》：「冰雨說物者也」。這裏所謂的「物」，即小麥。說同悅。受到以小麥為代表的生物牽的懽欣喜愛。《釋名》：「雪，綏也。水下遇寒而凝，綏綏然也」。「綏綏」指此處是上動態詞使用的。綏字的本義是古駟馬車的登車攀援繩索，尾有總。「綏」又與「緌」通，緌是冠纓，亦即一根固定髮冠而端帶有流蘇的長條繩。《尔疋》之所以「綏綏然」來形容雪的凌空飄舞狀態者，蓋有鑒於此二物與雪從空降，具有相似的飄舞動態之故。

雪的成因是由水蒸發凝聚而來，今庸贅述。然何以不成冰雹而成羽片？良以雹之為物，時逢盛暑，地溫極高，因而返覆升降，逐次增大，形成巨大冰塊，而雪之形成時空際境則異是。以水之三態變化，以氣態時比重最低，結晶片狀時次之，液態時則比重最高也。由于其為初次凝成物，而無返覆升降之經歷，故能保持其原始六角結晶狀態，而隨風飄盪，故古有雪神「滕六」之說。上古「五行」《河圖》：「北方水，其數六，其滕六」，都是自然天象的科學反映，決不容許以神話目之也。

䨮的字形、音義、如樣，《說文》雪之䨮，《甲文》之「羽」。茲分別綜合討論之。

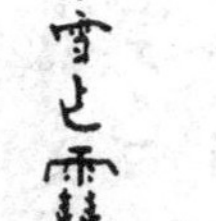
〈六棱〉

案䨮字从雨从彗，雨者空降之態，彗是右手握帚之象。此指事字也。所以示手握帚柄清掃積雪之意。彗「王帚也，似𦬁，其樹可以為掃篲」《尔疋·釋艸》。彗讀若「穢」，有清除污穢意。

《卜辭》雪之「羽」與《說文》䨮字之異，全在於彗、羽二文之不同，此其區別也。異、㨨上羽亦彗字也，所謂異文而同字，古音彗、䨮、𩆘同居第十五部，可知古䨮、彗同音而

附

䨮 𩅦 《金文編》中有𩅦字，此亦雪字異體也。字从宀从䨮，示人于室內避風雪之義。有雪之形而無人之象，此亦猶寓字之寓，但示于人一處而不見人，避同趣。蓋漢字「寄形於意」之例。

無疑。復考卜辭「羽」字。據唐蘭先生於《殷墟文字記》中已認定即彗之古體。并據廬江劉氏藏骨之文：「卜，品，貞羽受年」。肯定了羽即彗之古體。卜骨假為雪字。且引《說文》彗下許慎徵引籀文𥳑字形例為證。筆者竊以為彗之與羽，實同物而異文。皆畫象除垃圾之工具也。今日之掃帚即其物也。彗者，植物之形。羽者，掃之形。茲舉甲骨文帚字以證之：

帚

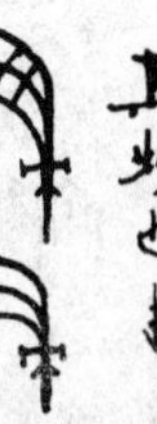（卜）帚《說文》帚字訓：「糞也。从又持巾，掃冂內。古者少康初作箕帚、秫酒。少康，杜康也」。許君據形論的帚字，將帚的蛸部誤認是右手，而將帚的柄部插纏者成是巾布（帚之象）。縱其說雖未能盡善，然其精適（典籍）詳於考古固有未容泯滅者焉。所謂瑕不掩瑜者歟。

請再舉「掃」字以證之。

掃

（卜）埽《篆》《說文》：「棄也。掃除也」《詩大疋》：「洒埽廷內」。案上列字形，或單手執帚之形，或雙手執帚之象，或左右兩手各執一帚掃除糞土之狀。堪稱逼真而酷似。竊謂早期帚具，率以利用天然野生植物以代器。厥後始有人工製品。《爾疋釋艸》：「葥，為帚，似藜可為篲。江東呼之曰落帚。」《義疏》：「初生可食。」《本艸綱目》：「地膚，亦名地葵。」《別錄》：「青白色。」李時珍曰：嫩苗可作蔬茹。一科數十枝，攢簇團，直上。性最柔弱，故將老時可為帚。耐用。」《爾疋釋艸》：「葥，山莓。」注：今之木莓也。實即藨莓而大，亦可食。莖上有刺，如懸鉤，又名懸鉤子。由此看來，知帚之取材範疇已相當可觀。

無怪湖南馬王堆漢墓出土帛書彗星圖譜形象之多了。

這些天文彗星圖像，是可以同自然植物形態、古篆文字獲得三結合的。

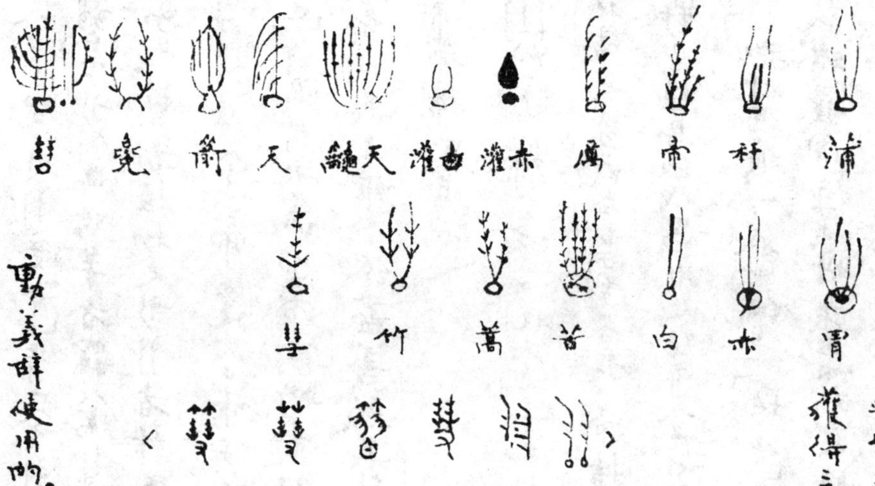

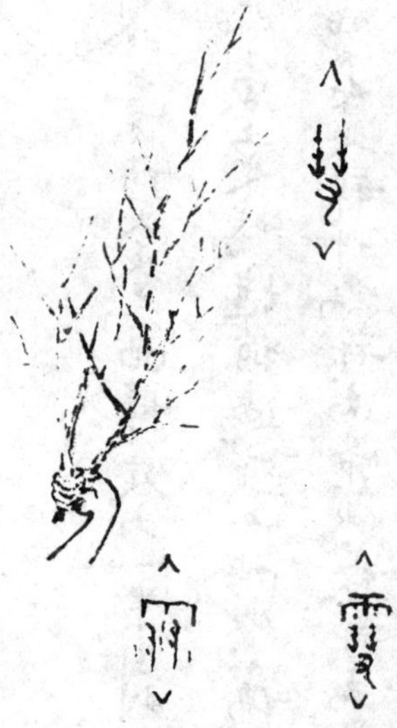

應該指出，雪、雪等文，皆是用帚之義符的。其意應為「掃除」。古文言「掃雪」、「雪恥」、「雪恨」等辭，都是作為「掃除」動義辭使用的。自隸形刪節後，而「掃除」之義已晦。文字之道之不統久矣！

婦 《漢班昭女誡》：「吾年十有五執箕帚於曹氏」。可知封建社會已經把灑掃的瑣碎家務勞動全部落在婦女身上視為合法的規定的事了。婦字从女、从帚。《尒足辨疑》：「婦之言服也」。亦即家庭服務員。

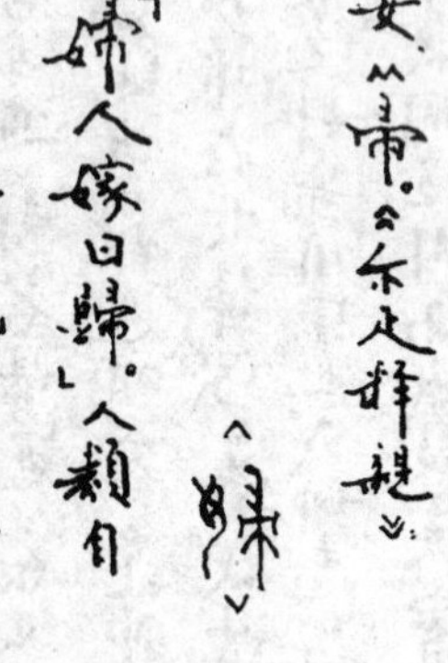

（婦）

歸 《說文》：「女嫁也」。案《公羊傳》《毛傳》皆云：「婦人嫁曰歸」。人類自進入父性社會之後，就實行了嚴格的社會分工。女性依附於男性之下，視母族為暫寄之所，故而樹立了「女以男為家」的思想體系。「宜室宜家」的女性也就成了受到社會尊崇的道德典範而予以歌頌，載諸史冊。但是「婦」字本身並非如此簡略，而是有它自然科學的含義。歸，从帚、从止、从𠂤。帚是灑掃工具。止者停止之意。𠂤，古「堆」字。示灑掃污穢堆積於隱暗角落之意。《儀禮既夕禮》：「比奠，舉席，埽室，聚諸突」。可見歸的造字說明舉例。

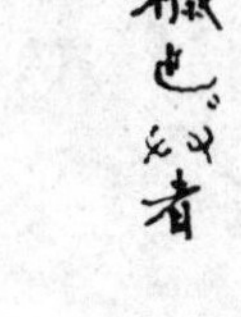

（歸）

糞 《說文》：「棄除也」。案：糞字从廾、帚之形，从甾古箕字，八者污穢也。从者雙手捧持之象。《禮曲禮》：「為長者糞之禮，必加帚於箕上。」

或隻手持帚，或雙手抱帚，或左右二手各執一帚，中夾畚土。

埽 《正韻》：「棄也，掃除也」。案此乃象形指事字。

彗 《說文》：「傢也」。徐曰：「傢斂也」。《廣韻》：「解也」。《增韻》：「妍黠也」。案以上諸訓，咸與帚於彗

五三

字之形義。考慧字从彗从心。彗者，王帚也。枝理著懋，密而不亂，亦從廣文文思路暢通之意。凡為會意者，彗之為物，除穢去污之具也。能掃除心中污穢，則神明清慧矣。

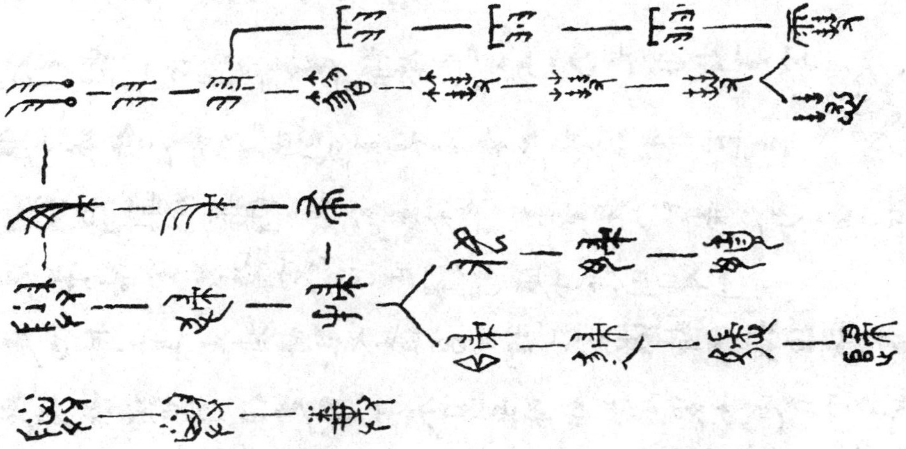

彗 𥫚 篲 簪 說文云：「埽竹也。彗或从竹。古文彗。」段注：「凡帚，束者用箭，施於淨處。圂者用竹，施於穢處。」案，說文以箭字訓「矢也」，考箭若古通，即「箭帚」也。亦又釋草：「萐荼荼，叢萐」。由此觀之，可證造帚之材料多，固不限于竹之與「箭」也明矣！亦見禮記之謗：「箭者可掃不淨」。蓋「彗」為器物工具之名，本非生物之名。其功用在於掃除污穢。故讀者同「慧」。蓋象形兼表音義字也。後考「箭」字之義亦非某一植物之統稱專用字也。或訓「矢箭」，或訓「竹名」，或訓「竿竹」（見禮記禮器注），亦同染今。然則「箭」之與「彗」皆「帚」之同位詞，而無疑矣。審此，則「雪」从「彗」字古音讀「彗」，而具有清除污穢之義，已無待辨而立見矣。證之於古音十五部，尤覺信而有徵焉！今人所謂掃街之具曰「掃帚」，掃地之具曰「笤帚」，刷鍋之具曰「炊帚」，皆彗之類也。字或从彗、或从羽，或从竹，或从竹……固其宜矣！

風 冃、䳯、凬、凬《說文》：「八風也。東方曰明庶風，東南曰清明風，南方曰景風，西南曰涼風，西方曰閶闔風，西北曰不周風，北方曰廣莫風，東北曰融風。」顯而易見，這個紀述形式的排列次第，是按照古天文學的「斗綱運轉時空規律的擬式行事的。《說文》對地球一歲週期中出現的不同方向的風，是了「八方法」的說明，這也是和《周易》「八卦」概念分不開的。實際上這八類不同方向的風，是各有獨自物理功能的，因關系五運六氣的學說內容龐大故从略。早期的風字是冃，乃孔洞形，取其文也，後世增字而乍凬。

什麼是風？風就是空氣的流動。古人早就覺察到地球氣溫升降與風向改變是以太陽光照投射角度的直接關係，因而創造出一個「冃」字，字从冂从⊙从丿。冂古作冃，是一個方形窗口，以風之為物非肉眼所能見，只能以孔通風之窗孔以示意。⊙是宇宙間最大能源，具有支配氣溫升降、風向變化的威力。丿是氣流的形象。《卜辭》中假鳳為風，已是古人鑒於飛禽是憑藉空氣為負載而實現完成翱翔空際的。造字者在無法取象之下，乃假鳥形以表示「風」的客觀存在。這一造字藝術，是名之曰「意象指事」。

凬 風字是以說明昆虫生態變化規律與大自然氣象推移的「同軌性」為主旨的形義字。《說文》風字訓：「風動虫生，故蟲八日而匕。」案此所謂「風動蟲生」之風，即霸氏卅六度半之仲春季節之氣溫也。這是最適於生物蕃殖的理想氣候。《禮月令》：「仲春之月，始雨水，桃始華，玄鳥至。是月也，日夜分，雷乃發聲，始電，蟄蟲咸動，啟戶始出。乃合纍牛騰馬，遊牝於牧……」這一系列的紀述無一不生動的描繪了三春季候的生態萌動的運動氣象。因此《大戴禮》《淮南子》諸文：「二九十八，八主風，主蟲，故蟲八日而匕。」故風字

五四

徙虫。」關於「二九十八」一語，屬於陰陽曆數知識範疇，其義深而悟富，非本文所能備述。本篇只就「虫八日而化」之初步探討。

「八日而化」的科學意義，竊以為「八日而化」的「日」應與「月」同義。古籍中假日為月之語例，數見不鮮。《易·復卦》：「七日來復」。傳：陽之始剝盡至來復，凡七日。褚氏、莊氏注云：五月一陰生，至十一月一陽生，凡七月。不云月者，以陽長須速，故變月為「日」。案《周易》十二消息卦之復卦居正北子位，於時為「冬至」。斯時太陽從南回歸線開始向北移動。北半球氣溫逐漸回升。已死之草木重新復活。故曰「來復」。來復二字已表現了歲時週期的意義。「七日」的上限就是夏曆五月。從五月到十一月，正好是七個月。故曰「七日」。五月是北半球氣溫指標由升冪狀態進入降冪狀態的轉折點。古天文學把這一自然現象叫做「陽盡陰生」。地球的生物的生態變化是不能迴避大自然的規律支配的。古人從昆虫的變態上找出了生物的生態旋律和大自然的週期循環的「同軌性」。《說文》是用「蠶」的生態演變來舉例說明的。因為蠶是古代服裝衣物原料的供應者。蠶的壽命是生於寅而老於巳，至五月則作繭自縛化而為蛹。從此進入冬眠，以及來歲則蛹化為蛾，破繭而出，產卵育子而告終。自午月始，歷未、申、酉、戌、亥、子、丑、寅，共八月之久。此即「虫八日而化」之義也。古漢語假「日」為「月」之例，常見於《毛詩·豳風》：「一之日觱發，二之日栗烈，三之日于耜，四之日舉趾。」皆其語例。漢語的變化慣例是建立在時空觀念的產物。古人說一日為一月之縮影。實鑒於太陽之出沒與月光之朔望光的變化共同規律而來。此與古詩以「秋」代年同義，未足為奇。茲附《周易消息卦》如次，以見「八日而化」之義。　附十二消息卦於後：

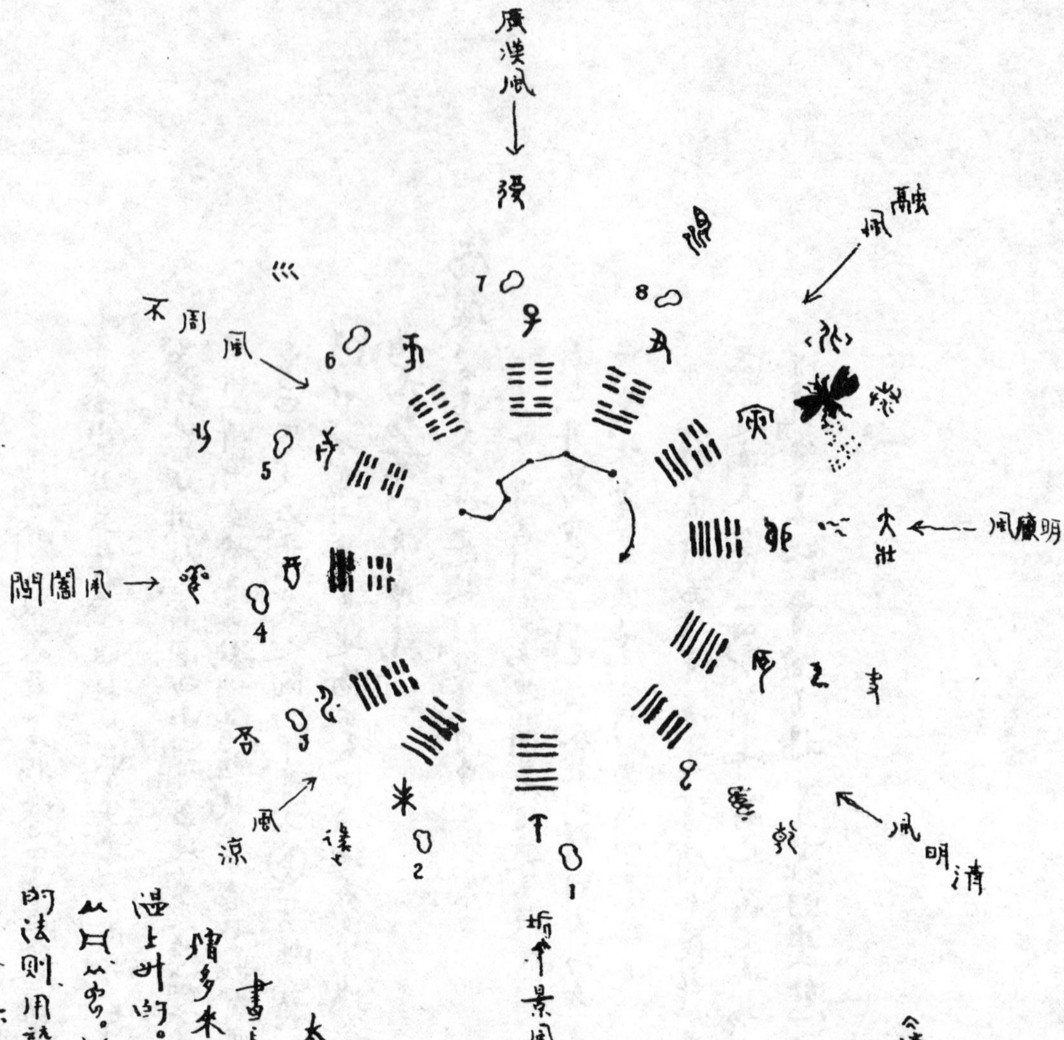

《消息卦》是一幅歲時週期中的气溫升降記錄表譜。用十二卦的爻象上爲十二個月的气溫升降指数。爻象中的奇数叫陽爻，陽爻代表高溫度。偶数叫陰爻。陰爻代表低溫度。

十二消息卦的排列順序和斗綱具有一致性。

因爲它是有標時意義。這個圖表和《禮記·月令》的思想體系息息相通。也是非常明顯的。

从《周曆六月》分以後的「夏至」一陰始生，北半球開始夜長晝短，至斗柄指北的「冬至」，其間經歷七個月之久。故曰「七日」。這時北半球由於太陽又从南回歸線開始北返，北半球又開始夜短晝長。所以叫「七日來復」。「消息卦」是用一爻的逐漸增多來表示气溫下降，用一爻的逐漸增多來表示气溫上升的。這和「代數」中的正、負號的作用相同。劉字从日从虫。日象窗孔形，古文風字造字者采用了「時空互化」的法則，用蠕蟲的「生命旋律」來揭示一歲週期中「八風」的方位變遷、時序規律。此即謂「八日而化」，它反映出生物的生態變化与天地之氣象循環的一致性。（見圖）

蜀 [古文字形] 蜀 《說文》：「葵中蠶也」。《淮南說林》訓：「蠶與蠋相類，而愛憎異。」《集韻》：「蠋，蟲名也。」《爾雅釋蟲》：「蚅，烏蠋」。注：大蟲如指，似蠶。《莊子庚桑楚》：「奔蜂不能化藿蠋」。注：豆中大蟲也。

〈說明〉蠋之與蠶，在《生物學》中皆變態昆蟲也。或完全變態，或有不完全變態。其生理屬性相似，故古字書多蠶、蠋互訓。

蠶蠋的出生地與觀：我國西南四川盆地，古名「桑榆之鄉」，以盛產桑榆而得名。桑榆為蠶蠋的蕃殖，提供了良好物質基礎。故四川古名曰蜀。又名「蠶叢之國」。甲骨文[古文字形]字，酷似蠶蠋的上顧自牖之形。生動而忠實地揭示出中國地名文字與該地區的特產物質的統一規律。

屬 [篆文字形] 《說文》：「連也」。段注：「連者，負車也。」

案：許君訓屬為連，同義相通之段借義也。非屬字初義也。段氏就訓釋訓，去初義愈遠。然不能見屬字之義。愚補訂之如次：

竊以為許君當年書置「屬」於尾部。其意幽微，而其見地處。考屬之為文，从尾，从蜀。蜀者蠶蠋也。蠶蠋之為物，變態昆蟲也。《大戴禮》所謂「曲八日而化」。會意上揭示了蠶蠋的變態蛻化時空旋律。〈詳術〉

①

②

③

怎樣理解屬字造形示意之指，是非常重要的。筆者認為屬字从尾，乃蠶蛹化蛾尾部蟬連產卵之象也（見附圖）。尾下从蜀者，所以示卵化成蟲，蟲又結繭，生生不息，世代相傳，循環連續之進也。這一生物蕃息的自然本能，亦即生物為了保存種族永恆不滅而具有的天賦遺傳。余名之曰「繼續基根」。許君在無法形容之情況下，使用了「連也」二字以說明之。是有他客觀動機的。蘇於蠶的孳殖生化，始於寅月。當蠶蛹感受到氣溫廿六度半的適意刺激，「驅風」它會把蜷縮的軀體伸開，並且生出雙翼，破繭而出，凌空飛舞。在適宜的環境下找尋產卵的機會。產卵之後，蠶蛾遂告生命結束。遺下的卵子經過水浴、日沐，化為幼蟲（俗名蠶蟻）。幼蠶是以桑為食的。經過「三眠」蛻化而為成蟲。歷期百日，遂吐絲結繭，上繭自縛。逐漸收縮成蛹。渡過長達八月之久的「冬眠」，又破繭而出，與上一代的母親的經歷完全相似。古人將這一週而復始循環不已的衍化後繼的規律現象，名之曰「遞續」。屬字从尾从蜀，有力而生動的闡明了生物與「時」浮沉的生化旋律，永恆不休。佛教哲學名之曰「流輪常轉」。《說文》以列串連續之意釋屬，而不言造字取象之源。使後世學者莫由而津。甚矣哉求學之難也。

尾謂：尾者出生之義也。蜀者結了之義也。結了之後，再出生。出生之後再結了。結了、出生，出生結了，如環無端，永無已時。此屬字之義歟！然則屬字有連續意，亦有接替意、更代意、綿延不絕意。此則屬字之大概也。

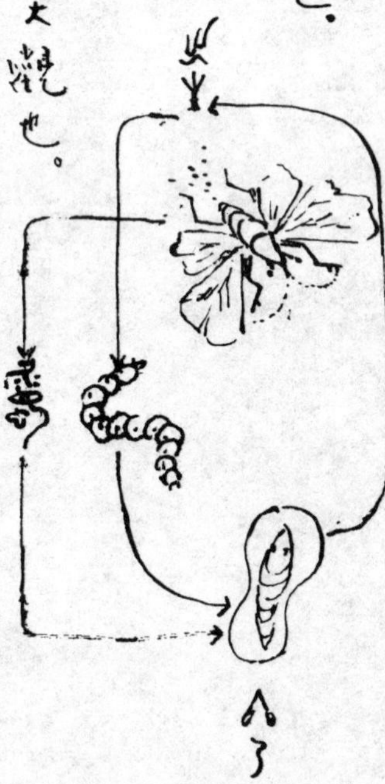

《說文》：「田網也。」《詩小雅》：「有捄天畢。」朱注：「天畢，畢星也。狀如掩兔之畢。」《禮月令》：「孟冬之月日在畢。」《詩小雅》：「鴛鴦于飛，畢之羅之。」疏：「網小而柄長，謂之畢。」《禮月令》：「田獵罝罘羅網畢翳。」《正字通》：「畢八星，二星直上，如柄。天星曲為兩行張其口。」《蔡邕獨斷》：「雨師，神畢星也。」《詩小雅》：「月離於畢，俾滂沱矣。」〈漸之石篇文〉

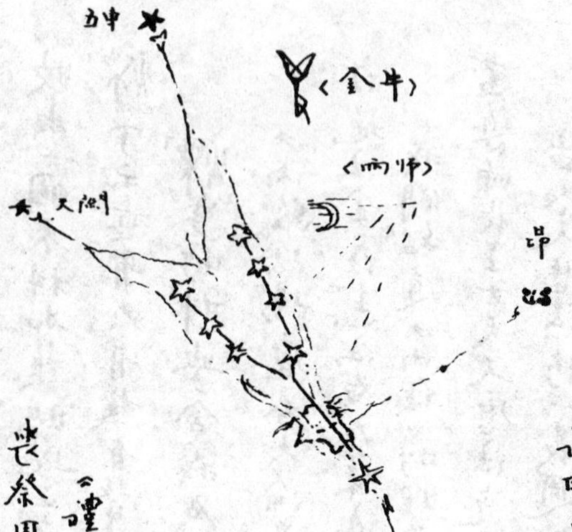

《說明》：畢字乃象形字。其初或為田獵活動中使用的捕獲鳥獸的長柄網。

古天文學取其形似，設為廿八宿西方白虎七宿中的「畢宿」之名。因月球運行位置靠近「畢宿」之際，經常出現陰雨天氣，因而古人呼之為「雨師」。

西方天文星譜把「畢宿」同「昴宿」及「五車」、「天關」統合起來看成是一個牛形，所以命曰「金牛」星座。

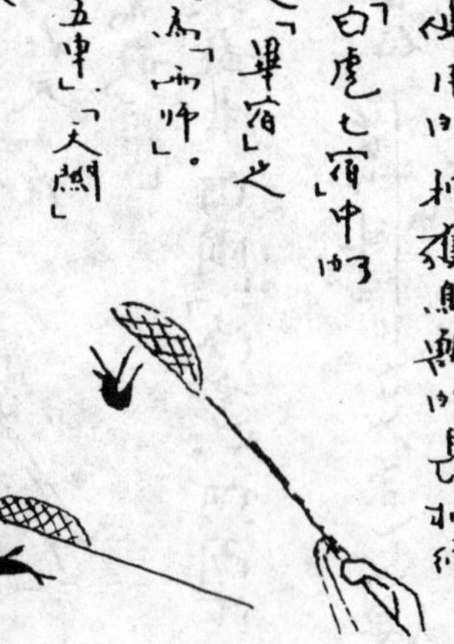

古代祭祀，饗宴使用的 Y 形木製肉叉也名曰「畢」。

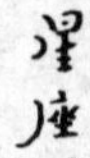

《禮雜記》：「主人舉肉時，以「畢」助之。喪祭用桑，吉用棘。狀如 Y，博三寸，長八寸，柄長廿四寸，丹漆兩頭。」《儀禮特牲饋食禮》：「宗人執畢先入。」注：畢狀如 Y〈杈〉，蓋謂其形似畢星故名焉。

〈Y〉

五七

燥

燥《說文》:「乾」(音干)也。《易乾卦》:「火就燥」。《說卦》:「燥萬物者,莫熯乎火」。

考燥字造型:从火、从木、从品。火是光熱之象,从木、从火者,所以示木材枝置於光熱之域也。木遇熱則內部水分蒸發氣化,氣體澎漲,則木質組織內部壓力升高而產生爆裂之音。故从「品」。品从三口。口者,聲符,从三口者,所以示木質爆裂之音連續不休也。故燥字造型示義反映出一個木材加熱烘乾之序過程,是非常明顯的。故如「燥」字示意有光、有熱、有聲之「指事」字也。乾枯之意也。

〈燥〉

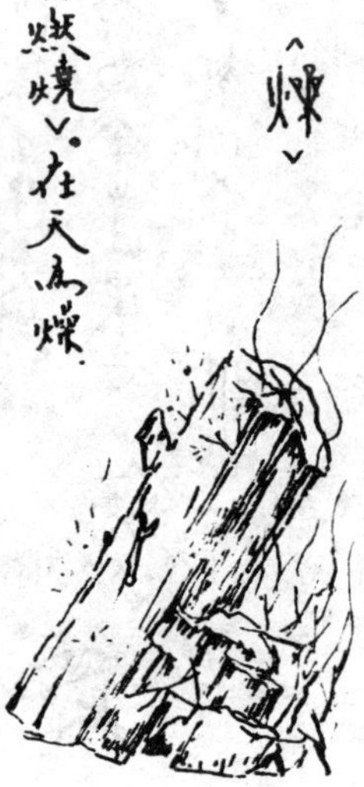

「燥」字的科學含義及其時空觀:

《內經·陰陽應象大論》曰:「在天為熱,在氣為溫,在地為火(烘燒)。在天為燥,在地為金。在色為白,在味為辛。在方向為西,在星為「白虎」,在時為秋……」

我們知道,《內經》的理論,奠基於「五行」學說。「五行」學說來源於「河圖」「洛書」。河圖洛書適源於上古天文曆法之象知識。試探討如次:

古天文曆法,將一歲周期劃分為五個時間單元,每個單元各佔 $\frac{365\frac{1}{4}}{5}=73$天又百分之五日。此於《內經》叫上「五運」。「五運」流行傳遞程序,和「斗綱」的運轉規律是一致的。(詳本著「幹」字)。

繇於一歲週期中，太陽對地球的光照投射角度，因時而異，帶來了地球氣象的變遷。古人在長期從事農業活動經驗中，掌握了自然氣象變化規律，同時對五個時間單元賦予了五個天象術語名稱，即：「厥陰風木、少陽相火、太陰濕土、陽明燥金、太陽寒水」。這一周而復始的自然規律，古籍名之曰「天道循環」。（詳本書論字）

所謂「陽明燥金」，實際上即五個時間單元中的第四單元所獨具的自然氣象的「法號」。約相當於農曆「處暑——霜降」。這時太陽已從北回歸綫開始向南邊行（視運動）。因而亞洲地區日照面積逐漸縮小。出現夜長晝短，氣溫下降，海水蒸發量減少，而雨量減少，空氣乾燥成為唯一氣象特徵。古天文術語名之曰「陽明燥金」絕不是偶然的。（陽明二字尚有更為深廣的內涵，本文不能盡述）。「燥金」當令於三秋，天高氣爽，西風勁吹，把一片綠色世界變成寒霜滿地，虫聲哀鳴。古醫學文獻所記載的「在天為燥，在地為金，在色為白，在音為商（傷）」，正是這時自然景象的榮枯描寫。

怎樣理解「燥金」的實質，是極為重要的。關於這箇問題，我們不能滿足於紙上談兵，而是要到科學領域尋找答案。因為長期以來（接近一個世紀）祖國文化遺產橫遭惡意攻擊，為了對真理負責，我們有必要用現代理化知識去求證說明之資。

就筆者僅有的淺薄理化知識舉例說明，我們知道，鈣、鋁、鎂、鈰、鉀、鈉同屬於無色金屬物質。

然而這個「無色金屬元素」中的鉀、鈉、鎂等，雖然同樣也是金屬物質，實質上它們本身特具的不穩定性本質，決定了它們和空界的「親和關係」。「本乎天者親上，本乎地者親下」是見之於《周易乾卦》的物理定義。它反映了一種「物質本質決定物體的動態」問題。科學工作人員經常把鉀、鈉以化合物的形式來儲存。它是緣於它們一旦脫離了化合物分子結構的羈絆紐帶，就會立刻自動進入空界與氧元素接觸而成為自燃體，顯示出有光有熱有聲的「爆炸」作用。緣此看來，金屬元素物質絕非唐人所想的那樣「只能存在於地下而不會升空」。這一認識顯然屬於「機械唯物主義」的產物，是不符合科學觀點的。

緣此可證《內經》「在天為燥，在地為金」的學說的價值及其在科學領域中的客觀真實性，是絕不應以懷疑而輕易否定的。在這裏，請允許筆者再列舉鈣、鎂、鋁、鉀等這一無色金屬元素為說明例證。它們的物理共性在於每種元素，皆具有不約而同的揮發、吸水性。這一無色金屬元素群所表現的物質共性，為我國上古科學文獻中所標榜的「陽明燥金」這一科學術語，提供了有力而確切的說明依據。當然，「燥金」二字的全部內涵絕不是筆者所見到的這樣狹隘，而是遠有它更加深廣的義境。非本文所能盡述。吾人生當文明昌盛的廿世紀，人類意識已經上升到一個嶄新的水平，對祖先勞動得來的文化成果，應從摘掉過去的那副墨色眼鏡來觀察傳統文化了。

燥字形義的哲學觀：《河圖》《洛書》是東方文化的始基。漢字的意識結構導源於「五行」學說思想體系。「五行」學說緷基於《河圖》《洛書》。故欲求「燥」字的哲學含義自不能不求證於《河圖》《洛書》。在《河圖》表盤中，「燥金」的位置列於西方。金的「數字代號」規定為「九」。這不是沒有原因的。因為金屬物質屬性唯一特點，在於能夠發音。而人類的「音學知識」是奠基於「六律、六呂」的產物。而「六律、六呂」之

「音樂知識」皆導源於「黃鐘」之究。黃鐘之究長為 $9^2=81$。十二音律皆繇此究而生，所謂「三分益一」、「三分損一」，實際上都是一些「標準音度指數」。作為包括十二音律的「母體」——「黃鐘之管」的長度的基數絕對值，就是「九²」。因此吾人可以肯定《河圖》把「九」作為「金」的數字代號，是和「樂理知識」分不開的。後世將最大型的「高音鐘」稱為「九陽鐘」，其名義當源於斯。實際上作為發音母體的「黃鐘之究」包含的音量是無窮的。所以「燥金」的「燥」字从「品」。品从三口，多音之義也。从木、从火者，木能生火。《易》曰：「燥萬物者莫熯乎火」。物遇火則燃，燃燒則爆裂發聲。此「燥」字从木、从火、从品之義也。爆裂聲即燥音也。

濕溼 

隰隮  《說文》：「溼，幽溼也。从一，覆也。覆土而有水，故溼也」。幽者，黑暗之意也。《說文》〈本書幾字〉。無光之象也。許君但从一、从水、从土，以示「溼」之形態介乎「氣態」、「液態」之間。而對溼字从「㬎」之意，罔作徹如。智者千慮之一失也。而對溼的同位字——濕、隰二文从日，从㬎之義，尤為許君之所未及。殆繇於未識日、㬎二文之重要含義之故。徐鉉以世人將「濕」作「溼」為誤。毛氏云「濕」為水名，應讀若託合切。自有其另外的依據。然殊非「溼」字，其義乃段借例，可斷言也。考：濕字古與隰通。《說文》：「濕，阪下濕也」。《爾雅・釋地》：「下濕曰隰」。《公羊昭元年》：「下平曰隰」。《詩・邶風》：「山有榛，隰有栗」。《釋名》：「隰，蟄也。蟄，濕意也」。考《說文》訓「蟄」下也，幽也」。故知「隰」字訓義為「蟄」，皆地層塌陷而出現之低窪地區。其地長年積水。故地

五九

與學術語名之曰「濕沼地」。《廣韻》引《左傳》文：「重耳居蒲，即「濕川」。故蒲城是也。漢為蒲子縣。後魏、隋、周之間為「隰州」，隋為「濕州」，以州前有泉下濕，蓋取下濕之義名之也」。

縣此可證。濕字用為水名而讀音為陀者，段借例也。其訓為下濕者，本義也。可以前列隰字諸訓例得之。固無疑焉。濕从水从日从𢆶。㶝从水从土从𢆶。隰从阜从日从𢆶。㶝、濕、隰三字固異，文同音而義通。其或从日，或从水，或从阜者，形之異也。三字皆从𢆶，義有所同也。故觀知三字之義必源同而含異。無疑可見文字之嬗質。甲骨中的濕字遠型不下十餘種之多。皆以「𢆶」為必備之文。可知𢆶字的標義上用，是值得重點推敲的。而許氏不言，疏之至矣！

考𢆶之為文，古絲字也。纖維組織之象形也。纖維組織結構，形成於蛋白元。不同的氨基酸序列構成各類不同的「多肽鏈」。

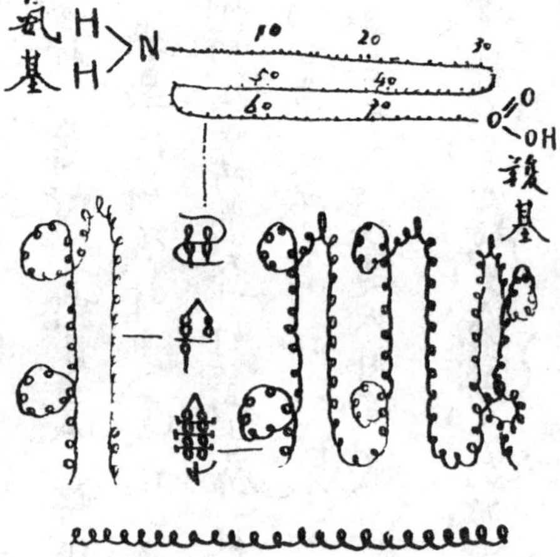

俄人氣象專家曾於本世紀八十年代發表專題論文，發現長夏季節即大氣層中有「膠原絲狀物質」存在。其說頗與我國《內經》：「在天為濕，在地為土」之論暗合。惜乎其只知其一，未知其二。故不能知「在地為土」之義。我們知道，宇宙間一切自然生物之蕃殖，先決條件有三。即：一、土壤；二、水分；三、適宜的氣溫。濕字从日，熱能之象也。从水，雲雨之態也。从𢆶，蛋白纖維組織結構之形也。良以長夏季節，雲雨時行，天地氤氳，大氣層中氣素能和，值雷震電作止，用蒸為

氣基蒼白，而成為菌類生物，應而興(運)的原因。此種絲狀菌類，不僅密佈於田野土壤之中，而且叢生於磚瓦、陶坯之內。此筆者之所目睹。段令剖而視之，則見絲狀纖維，黏連、絡繹不絕，形同藕絲蛛網。嘆為奇觀。蘇此觀之，古人造字取象，皆有目睹之事實、依據。……皆其直觀圖象也。此種自然生態現象出現於一歲週期的長夏季節《農曆小暑—處暑》。《五行學說》名之曰「濕運當令」。《內經》謂之「太陰濕土」。「太陰濕土」一辭，在《內經》中，是有在醫學領域中更為廣淵的內容，非本節所能備述。

陶坯絲菌剖視

寒 《說文》：「凍也。从人在宀下，从茻薦覆之，下有仌。仌，水也。」《玉篇》：寒，季詞：「冬時也。」《左傳·昭四年》：「黑牡秬黍以享司寒。」注：「司寒，玄冥，北神也。」《周語》：「火見而清風戒寒。」

謹案：所謂「司寒，北神」，事實絕非空洞渺茫的宗教意識觀念，而是冬季出現於北斗天空的「玄武七宿」列星。「玄武七宿」的出現，會給亞洲地區帶來北冰洋的寒流。古漢語名之「朔氣」。於「八風」中名之曰「廣漠風」。這種寒流是以北冰洋為起點，經過蒙古戈壁大沙漠，而吹向黃河流域「華夏」之地的。而「廣漠風」的名實取義於此。

附「玄武七宿」星圖如次：

〈北方玄武之象〉

北方成龜形兩首東尾
合斗牛女虛危室壁
七宿共八十度

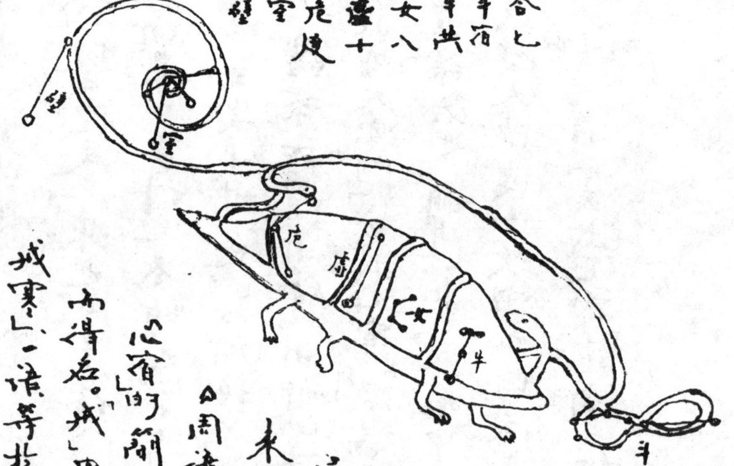

〈寒字造型及「六气」循環〉

寒字造型，似艸蓐埋伏之人卧於野廬之內，下有寒冰侵襲之像。此象形指事字也。古天文曆法以「霜降」——「冬至」為「太陽寒水」當令之期。《內經》之「六气循環圖表」位置列太陽寒水於西北方。揭示出這時赤道以北的華夏地區的唯一气象特徵，就是來自北冰洋的寒流侵襲。這在《周語》中已有詳明記述。

《周語》云：「火見而清風戒寒」。詳本書"火"字下。「火」是「大火」心宿的簡稱，亦為「東方蒼龍七宿」的主宿「大火」，以星光鮮紅似火而得名。「戒」字在古漢語有「消息」、「通知」二義。故所謂「火見而清風戒寒」一語等於說：當大火心宿早晨出現在天空中時，這便是嚴寒將臨的準確信號或消息。「大火」又名「大辰」，亦名「農祥」。《周書》云：「農祥晨正」。与「火見而清風戒寒」，屬於同位事節。為什麼「大火」又名「大辰」亦名「農祥」呢？這也是必須說明的。請允許我從「晨」、「辰」、「農」三字造型的共性上找出答案。農是農民，晨是早晨，辰是蚌殼。三字造型皆從辰。這究竟是為什麼？因為人類要吃飯，就必須種地。種地需使用工具。《淮南·氾論訓》云：「上古磨蜃而耨」。《甲骨文》[illegible]字即「海蛤」之直觀形象。《甲骨文》農字上[illegible]、[illegible]。[illegible]者禾稼林密之象。[illegible]居[illegible]下，[illegible]者蜃也。又者，示右手執蜃殼於禾根周圍鋤艸鬆土之態也。

人類原始時代尚無精巧農具，所謂「火畊刀種」就是用火燒光田野的陳根枯草，然後繼之以播種。當時從事翻土、鋤穢、收割等任務，唯「蜃壳」是賴。

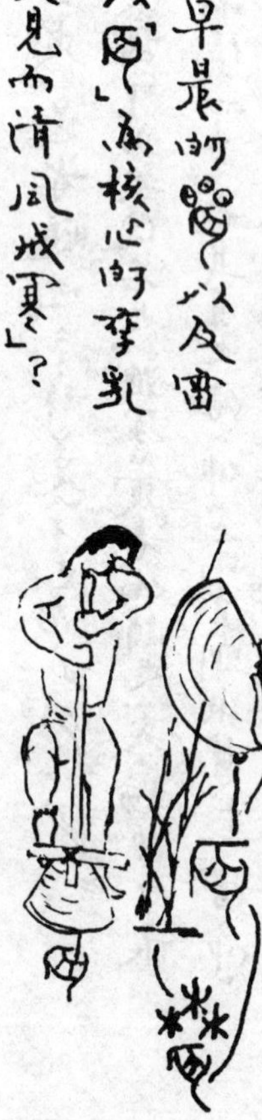

古文「辰」上𠨕，農業之農，「大辰」之辰，早晨的晨以及蜃蛋的蜃，這些有關農業的文字都是以「辰」為核心的孳乳字。現在應該把話題重新轉回，什麼是「火見而清風戒寒」？

所謂「火見」，也是「冬至」以後的天象，也是一年當中最冷季節的開始，（民間名之曰「交九」）。三國服虔將「火中寒暑乃退」解釋為：「季冬十二月」是極端精确的。那麼，讓我們追查一下「六氣循環規律」，為什麼當「太陽寒水」結束以後，時間進度已經進到一個新的自然週期之始（厥陰風木）之氣溫反而變本加厲更覺寒冷呢？其實這是一個「積熱、散熱」現象，並不奇怪。因為「冬至」以後，太陽雖然從南回歸綫向北邊移動，對亞洲的光射角度有所改變。但亞洲地區的晝夜比例只能出現相應的改變，而對於「晝夜平均」的時間（春分）還離距很遠。因而亞洲地區的晝夜比例仍然處在晝短夜長狀態。這就決定了北半球的氣溫還在繼續下降，此種狀態一直延長到春分纔有可能出現寒退暖進。這正和一歲週期中最熱的天氣不在「立夏」而在「夏至」以後的情況，其理相同。也和一晝夜中最熱時間不在中午，而在日昃；最冷的時間不在子夜，而在拂曉，其理相同。明乎此理，則「天文曆法」之「六氣循環」規定的「時限」和自然氣象的矛盾，可以思過半矣！

塞 塞 卜 塞 《廣韻》《正韻》：「塡也」、「隔也」。《禮月令》：「孟冬（十月）天地不通，閉塞成冬」。《詩豳風》：「十月蟋蟀，入我牀下，穹窒熏鼠，塞向墐戶」。《禮月令》：「孟冬之月，坏城郭，戒門閭，脩鍵閉，愼管籥，固封疆，備邊竟，完要塞，謹關梁……」所謂「塞向墐戶」、「完要塞……」這類土木修建工作，都被安排在孟冬十月。是具有科學意義的。這就可以避免與農業時間衝突，又能及時做好安全防護準備。塞字从宀，从玨，从廾，从土。宀是建築物形。玨从四工，有爲工匠材之象。廾是左右雙手操作之象。土者所以示大興土木之意。所謂「塞向墐戶」。塞是塡塞

向 向

之辭，向是北壁通風窗孔，古名曰「牖」。墐字从堇从土，是修建材料。戶即單扇門也。這些字型都是勞動人民冬季將來之時忙於防寒工作的生動寫照。故知塞塞二字乃同源字。我國勤海北岸廣大遼北地區的民間房屋建造方式仍保留着遠古遺風，其居室皆背北而面南。南壁滿墻開窗向陽迎光取暖。北壁簷下留一通風小孔，夏則洞開，冬則塞之。堤上塞字說明依據。其背上乃是

北 背

北土的自然產物。史籍稱長城以北曰「塞外」。其地朔風凜冽，寒氣逼人。故知塞塞二文，皆含北方義。北者背也。亦所以示華夏之民面南而居也。向字正是北壁開窗的室內景像。

〈北壁窗口〉

蹇 蹇 《說文》：「跛也」。《釋名》：「跛蹇也」。案跛字从足从皮。足者腿也。《卜辭》足字作……皆肢、脛、跗、趾相連之形，故知足字初意，當以謂下肢之總名也。跛字从「皮」者偏頗之義。物質中最易偏衰變態者，莫過於獸皮，故《周禮鮑人》云：「引而信（伸）之欲其直也，信（伸）之而直則取材正也。信（伸）之而枉（亦）則是一方緩，一方急也」。於以見跛字从「皮」，當源於皮革變形之意。故「頗」字从皮从頁，而有頗

偏之義，其与跛字从皮而訓「行不正」之義固同。「跛」字初文正「⿺尢皮」。从皮从尢。尢古柱字也。象一足長、一足短之人形。《說文》尢字訓：「跛曲脛也」。可知其義。竊以為「蹇」之訓「跛」、外象也，非致跛之內因也。何以知之？是曰「蹇」从寒，从足。寒者寒之省文也。足者腿也。此病民間名曰「寒腿」。与「蹇」字造型之特徵契符合。其發病機理，皆緣冷水寒風之襲擊。患者往往抽攣，知覺異常，行走困苦。《內經》謂「風寒濕合而為痹」。西醫呼之為「關節炎」，又名「痛風」者也。許君不察「蹇」字形意而訓義為「跛」，殊嫌籠統。以字意推之，「蹇」之為文，亦「㝢」之同根字也。此表以示義。

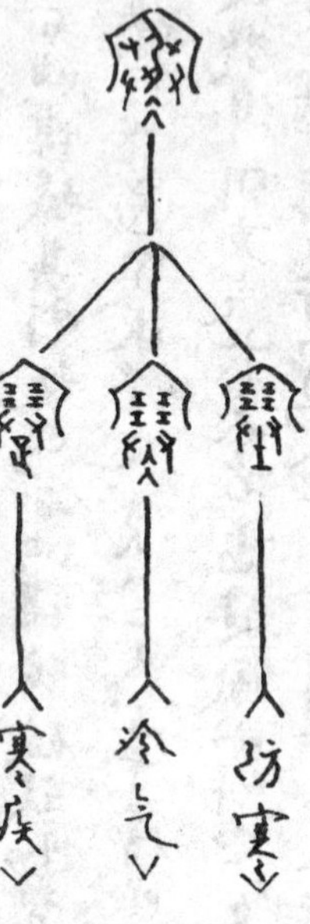

蹇，从尢，从蹇。《左列》：「蹇，跛也」。⿺尢皮，从尢从皮。皆有「一足長，一足短」之象。故「蹇」字訓義相「蹇」，其意同源于尢。此漢字義類相从之例。現代漢語名曰「連鎖反應」。《六書》所謂「建類一首，同意相授」，是為「轉注」者也。

熱 《說文》：「溫也」。《增韻》：「炎氣」。

火 《說文》：「火燬也。南方之行。炎而上」。

案：許君訓「火」為「燬」者，據燃燒止用之破壞力而言也。其訓為「炎而上」者，據物理情性而言也。語見《洪範》。《說文》「炎」字訓：「火光上也」。《玉篇》：「熱也，焚也」。《爾雅·釋訓》：「爞爞、炎炎，熏也」。

炎 而言也。《詩·大雅》：「赫赫炎炎」。《正韻》：「炎，熾也」。《呂氏春秋》：「南方曰炎天」。《書·洪範》：「火曰炎上」。

謹案：火，象形字也。燃燒之義也。物體焚化、蒸發，即物質燬滅過程。故許氏訓義為「燬」。

六二

「燹」者，物質原子「裂變」過程也，亦即「質變」運動也。許氏以炙、臼舂米之「舂」字以示火對物質的破壞力，可謂深得物理之妙。復案炎字古燹字，初文也。字从二火上下重疊，似火舌上升之象。〈火〉亦象形字也。《玉篇》：「燹，火行〈動〉貌」。可互義也。「熱」字从火从埶。「埶」古勢字也。《說文》「勢」字訓：「盛權力也」。《增韻》：「气勢也」。竊以為：熱之為物，物質燃燒過程中原子結構裂變之產物也。廿世紀的科學已經證明，宇宙間一切物質在「聚變」合成過程中必吸收大量的「熱能」，反之，在「裂變」被壞過程中必釋放出大量「熱能」。火之為物，有光有色可見；「熱」之為物無形。對生物雖具感觸作用功能，而目不不能見。雖視覺所不能見，聽覺所不能聞，絕不能否定其推動物質變化的威力。此「熱」字从火从埶之意。竊請現代物理知識可知古人造字深值吾人歎服焉。

宇宙間的最大能源，厥唯太陽乎？太陽熱能撥施到大地，孕毓出生物。生物潛入大地，化為燃料，石油、煤礦其例証也。石油、煤礦，礦族物質也。礦族物質又能化為「能源」。此自然界「能源轉化」之規律可从燹字求證之。燹从二火上下重疊，燃燒之象也。燃料本身「皆秉氣於天，賦形於地」，比及火化焚身，則秉氣於天者悉隨風而升空；其賦于地者悉隨波而歸海。上升者為「煙霧」，下沉者為灰燼。《易》所謂「本乎天者親上，本乎地者親下」，正揭示了物質在「還元」的過程中，走向「兩極分化」的「真相」。分化之後，又復成為「能量」，而推動物質的新生。這種「能量」與「物質」交替互化現象，「如環無端」，多有已時。古哲學諺語所謂「生生不息」。與現代科學「物量不變」的定義同樣具有「恆定規律」的屬性。是完全可以通過火、熱、燹三字的形義取得說明的。示意如下：

太陽熱能 → 物質 → 裂變 → 熱能 → 物質 → 裂變 → 熱能 → 物質……

考《說文》訓「火」為「南方之行」。《呂覽》訓「炎」為「南方曰炎天」。其義皆源於《河圖》、《洛書》。「八卦方位」、「五運六氣」公式。是非常明顯的。蓋東方哲學特點，在於推求萬物之「共性」，與「天人之合一」。悟視微觀的「原子」為宏觀宇宙結構的縮影，視宏觀宇宙為原子結構的引伸，因而得出了大自然一切物理變化的「既定規律」。「老子」視宇宙為「橐籥」，以天地為「爐」的想像，就是建基於物質與「能量」互化的規律反應。此可於火、熱、小火諸字得到啓示。

附物質、能量互化圖表示意

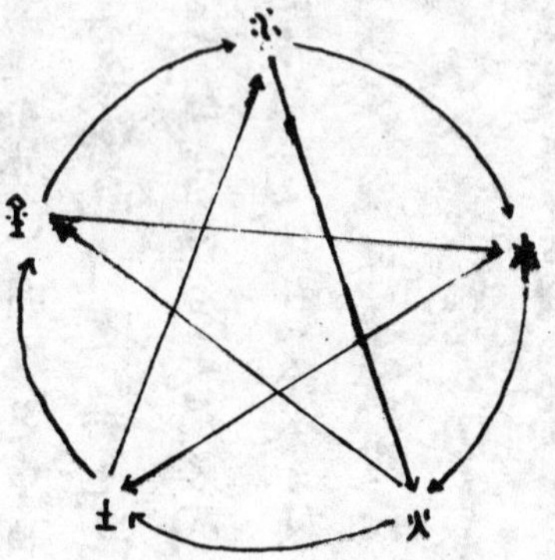

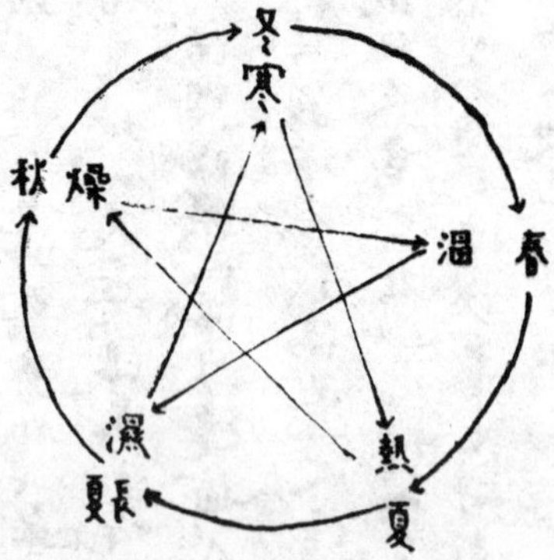

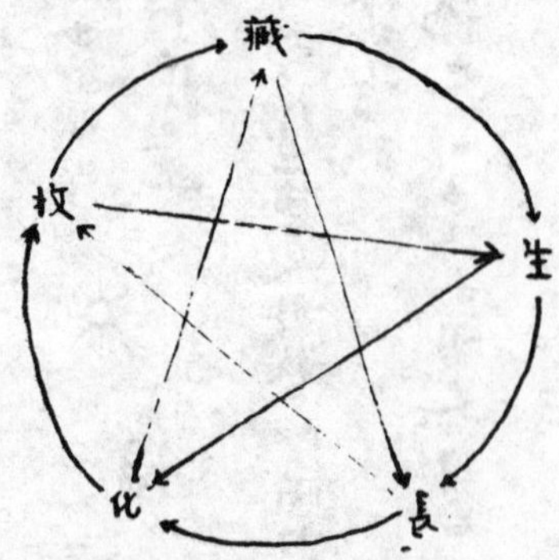

《圖例》→直線，示有関系。⌒弧線，從屬関系，所謂「五行生尅」，皆從自然生態演變，時空推移的迹象觀察而得出的科學知識。絕不容以迷信視之。

溫 𥁕 溫《說文》：「从皿从囚，以皿食〈飼〉囚也」。《玉篇》：「和也」。《通史》：「日煖〈暖〉也」。

六三

許氏將「昷」字引向了地理學領域，而《玉篇》、《通雅》則釋自然氣象之論，自較許氏之說爲優。愚嘗讀《潘岳西征賦》有「湯井溫谷」之句，是乃對自然環境之紀述。「湯」字於古義爲「熱水」。

湯 《說文》「湯」字訓：「熱水也」。案湯字从昜从水。昜，古陽字也，熱之義也。湯字从昜从水，與溫字从⊙从皿、从水同義，同是「熱水」之義。此意可於夏季日光曝曬之盆水見之。昔年筆者任教執鞭，每於講授物理「熱學」時，常用滿貯冷水之玻璃瓶，置諸襯托黑紙之木箱內，以上科學實驗觀察。約四十分鐘之久，可見瓶水漸沸騰。兒童拍手稱奇，以其無火自沸也。愚曰：此無他，乃太陽熱能效應之說明也。吾鄉臨沂地區有「湯頭」鎮者，其地以天然「溫泉」而得名。猶與《西征賦》中所言之「湯井溫谷」之得名同趣。臨沂「湯頭」溫泉之水溫可達攝氏六十度以上。外地療養患者，能浴而須和以冷水，方能入池。無怪古籍有「金城湯池」之語，以上軍事防禦工事之形勢堅固的誇張語了！「金城湯池」者，城堅池熱，無人敢犯之意也。於以見「溫」字造型之命意。

〈溫〉

由此可知，「溫」字从⊙者，李斯在秦篆時之傳抄筆誤而造成之形訛也。非古文初形也。許君將誤、訛誤，遂致千古錯繆相承，智者千慮之失歟！

《自由論述》：古天文曆法「五運六氣」學說，把「溫冷」規建爲春天氣候特徵的屬性，名之曰「厥陰風木」。「厥」者，停止之意也。中醫學病理術語對呼吸停止、脈波沉靜陷入「休克」現象的患者，名曰「氣厥」，對突然昏倒知覺喪失的病人名曰「昏厥」。此皆「厥」訓「停止」之義證。「陰」者「寒冷」之名也。《說詳陰字》「風」者空氣流動而生也。「木」者艸木之總稱，樹之總名也。故如「厥陰」者寒氣停止之意也。「風木」者，風動樹搖之象也。動搖者，「風向不定」之義也。此「三春」《孟春、仲春、季春》之自然氣象特徵也。緣此時海洋氣溫與大陸氣溫的差距，微乎其微，互相推動，互爲消長。當海洋氣溫低於大陸

之際，則出現「海洋風」而吹向大陸。反之，當大陸氣溫低於海洋時，則出現「大陸風」而吹向海洋。因為冷空氣較熱空氣的比重量高，所以冷空氣恆向熱空氣領域推進。這和鬧市環境中人煙稠密之處的人往常被擠擠向人稀之處的動向規律，其理相同。大陸的熱空氣，被來自海洋的冷空氣所推動，必然要上升到高空，流向海洋上空，以填補海洋冷空氣走後遺留的空間領域。這大陸空間全被海洋冷空氣取代之後，此時已形成了兩個氣溫領域互相對調的局面。則此時又出現了大陸空氣溫度低於海洋的勢頭。因而又產生了「大陸風」而吹向海洋。古人把這一現象名之曰「物極必反」。在這樣反復推動之下，必然要出現「風向」改變頻仍，忽東、忽西，忽冷、忽暖的氣象動態。「○○○厥陰風木」這一「風動木搖」的含義，就是根據三春季節的氣象特徵而來的。

《厥陰風木的醫學屬性觀》：「厥陰風木」這一科學術語，不僅應用於「歷法氣象」，同時也應用在醫理診斷與治療中。在《內經·陰陽應象大論》中，把肝臟病和「三焦」病，特別是春季流行的「瘟病」，都劃入了「厥陰風木」的醫理範疇。請讀者允許我不厭其詳的予以剖析：鑒於肝臟是人身儲藏能源的倉庫，也可儲備的有用物質，是「肝醣」，而「三焦」所儲備的有用物質是「脂肪」。肝醣與脂肪，同樣在生化系統中屬於碳族物質，不過「肝醣」屬於「流動燃料」，而脂肪則屬於「機動備用燃料」。因而《內經》把肝臟規定為「陰木」，把「三焦」規定為「陽木」。肝病和三焦病所表現的一致「證象」，是體溫不穩定。《仲景傷寒論》中名之曰「寒熱往來」。仲景對「少陽三焦」的證象，作了明晰敘述，對於和「少陽」相為表裏的厥陰病證象，則付闕如。近代醫學明星于雲岫氏秉筆直書補之曰：「厥陰之為病，寒熱錯也」。是極端正確的。此症象，西醫名之曰「弛張熱」，又名「間歇熱」。於此最值得深思遄繹者，即「溫」字的「中和」觀念同「厥陰風木」的「變化無常」存在的矛盾現象，應予如何認識？這是一個急需說明的課題。愚竊以為，可謂「溫和」、

即宇宙間全中全正，不寒不熱之氣，可謂「致中和，天地位焉，萬物育焉」。這個「中和」之氣，具體體現在現代科學領域中，即攝氏三十七度的氣溫。也就是「溫」字的含義實質。這個氣溫指標已被現代世界所公認，是為圍溫室最適於催化培育生物發展的標準溫度。不過事實上三十七度，僅能是一個相對平均溫度，而不是一個機械的絕對值。因為大自然是一個有機體，時時刻刻在變動，絕不會長期停留於固定狀態。「欣金風木」的反復無常性，正說明了這一點。古籍所謂「天命無常」是有真知卓見的。但是這個「天命無常」，也不是沒有規律的。總起來看，在一定季度內，每天氣溫的升降指數相加之和，除以全部日數的得數，還是不能同三十七度懸殊甚大，可斷言也。

因此，科學工作者們，當遇到氣象陡變引起「溫室」氣溫反常時，也要考慮適機應變的措施，此所謂盡人事而聽天命者歟！雖然，由此看來，中國古代科學的辯證邏輯法則的「統一律」和「五行八卦公式的絕對不可分性，是無可爭議的。這正是我國文化「天人合一論」的唯一特色。

光 之說文云：「明也。从火在人上，光明義」。案「火在人上」之語令人困惑。火之燃燒，在於地上，許氏以「火在人上」釋之，其故何也？竊以為火之用於照明之需，圍與煮茶煮酒有溫。以火之在於地，其光照範疇，全須翻張，以其周圍障礙遮蔽，重重光線受阻不能遠達也。故黑夜照明，欲其火光四射，燗照無遺者，必高舉火炬於頭上，否則無以成遠明之功。《卜辭》「樓」字上（窗）象人在洞穴手舉火把之形。《廣韻》：「窗，窻也」。可見其

窗 窻。古代人民「日出而作，日入而息」，所恃為照明之工具，唯有「日、月」。《詩》云：「日居月諸，照臨下土」「三星在天」……於以見「火在人上」之義，非燃燒之「火」也，乃日、月、星也。古人以「日、月、星」為宇宙之「三光」。此許氏「火在人上」之義也。

《窗》

《火在人上象形字》

《三光》

⿱气乀 ⿱气乀《說文》：「雲气也，象形。一曰息也。」
⿰日气 ⿰口气《玉篇》〈見顧野王玉篇，訓同氣〉
⿱气火 ⿱气火《玉篇》：「候也，息也。」
氣 ⿱三日 ⿱三並〈氣〉〈見卜辭〉
氣 氣《易繫辭》：「精氣為物」。
炁 ⿱旡火《關尹子六匕篇》：「以一炁生萬物」。
三《卜辭》 ⿺乚二《金文》

按：《徐官印史》云：「气，小篆作⿱气乀。气為天所化，其出必天上。故象天上之形。凡求乞者，必仰面對上。因借為求乞之字。

筆者竊以為：气字造形，演變雖多端，其原始字形，自應以《卜辭》之「三」字為初文。《金文》稍變其體而作「⿺乚二」，厥後日趨繁複，然亦各具衍變之形義，未容一筆抹煞。試條討說明如次：

考：卜辭三字，三橫平列，靜態之气也。金文⿺乚二字，首橫屈折向上，底部兩橫平列，水液閉始气化，表由水、騰，底部縮寒之象也。小篆⿱气乀字則水分濕度能和迴旋昇空之象也。至若⿱气火字則燃燒之象熱流沖空之形也。玉篇⿰口气字，太陽釋放之熱能也。關尹子⿱旡火字从旡从火，道家气功之⿱旡火，即經系統之衝擊電波也。卜辭⿱三日字，潤气也。⿱三並，从三，从㚘，渠藏之泰稷香味也。氣字从米，五穀種於內部含藏之營養物質也。

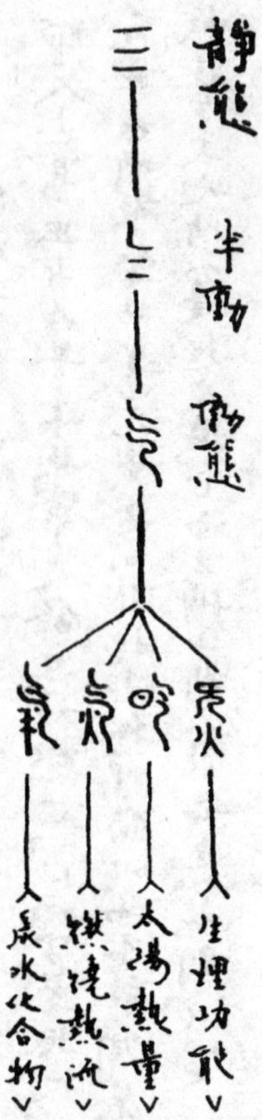

在東方思想體系中，文化之一字含義至深且廣。其槩念範疇幾乎與宇宙同體，與萬古同命。聖人之易画卦在筆墨技窮之餘，只好以「⚊」、「⚋」兩字槩括之。所謂一陰一陽之謂「道」，事實上絕非西方「化學元素表」所能槩括。蓋元素表只能標誌物理屬性，而不能闡見自然變化之規律，窮事物造化之本能。此漢字較拉丁文之所以優越之點，亦西方博士所不能知也。然則「文」之一字，豈易言哉？

皎

皎〈卜〉 皎〈篆〉 皦〈韻會補〉《說文》：「月之白也」。

案：皎从白从交。白者色象也，交聲符也。《字彙補》皦字从月形象也，从敫亦聲也。《卜辭》之皎字从D形符也，从交亦聲也。以意推之，應即《說文》之皎字。但《韻會小補》之「皎」字與《卜辭》皎字同形而訓義為「日月之交道也」。其義與「皎」字稍異。姑存之以見義，而俟異日之考證。

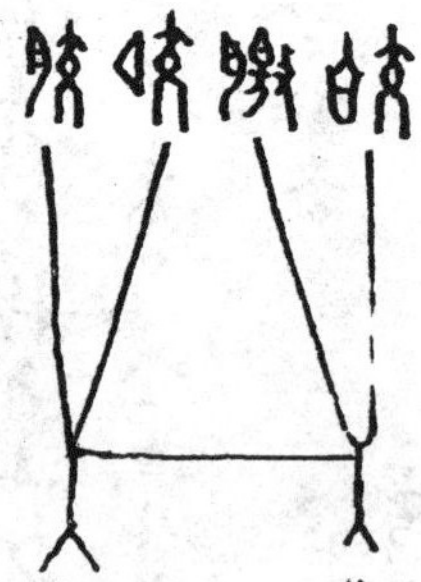

量 量 量 量 量 量 量〈說文〉：「稱輕重也」。案《說文》將「量」字編入「重」部，殊嫌不類。竊以為「量」字从⊙从二从一从里。日者光影之象也。一者地也。里者長度計標單位也。故知「量」字初義應是利用觀察光影以从事戡測地位距離遠近之義。何以知之？考《周禮夏官量人之職》：「量人掌建國之灋，分國為九州，營國城郭，營后宮，量市朝、道巷、門渠，造都邑亦如之」。用現代語言之，即「建築施工戡測規劃設計師」也。復考《周禮地官大司徒之職》云：「以土圭之法測土深，正日景（影，下同）。

以求地中。日南則景短，多暑。日北則景長，多寒。日東則景夕，多風。日西則景朝，多陰。」〈疏〉：「周公攝政四年，欲求土中而建王城〈尋找一個華夏中心地區，以建造都城〉，故以土圭度日景〈測量日影的儀器〉，置五表。於潁川陽城置一表，東千里又置一表，中表西又置一表，言「日南景短，多暑」者，據中表之南而言。亦於晝漏半，立八尺之表，表北得景尺四寸，景不滿尺五寸，知地於日為近。云「日北」者，據中表之北而言。云「日東」則景夕，亦據中表之東而言。……凡日景於地千里而差一寸。」

〈譯文〉：西周初期已經創造了利用「圭表」投影的差距，以確定不同緯度的兩個地區位置的距離。亦即甲乙兩地同一時間的圭表投影相減之差額，乘以一千里，就算於甲乙兩地距離之長。公式如下：甲乙二表投影為A、B，距離為X，則X=(A-B)×1000里。此外，西周時代還利用日出東方的春分季節規定為多風季節，將日落西方的秋分季節規定為防寒季節，這個季節的來臨也是通過圭表投影的傾斜角度而上為時間確定目標的。

按

綜此可知，量字造形从日从一从里之意，完全是奠基於通過觀察日影、天象、地點的科學意義字，是毫無疑問的。許君以物質重量释之，未見其有當也。

暴　㬥《說文》：「疾有所趣也。从日、出、夲，廾之。」段注：从廾者，拱手也。會意。

筆者竊以為㬥字从日从出，日出而上之義也。从廾，象左右兩手勤奮自持之態也。从夲者，示功力卓越效應超群之意也。依現代能之力學知識，物體兩道運動超過物體重量負荷卅之倍時，可使物體變平行為垂直而上升。故知㬥字从夲之義，即物理動能積量變為質變的數學定律也。《說文》訓「力兼十人為夲」。夲者高也。雖古人提供之數據未合於今，但係毫

莫過於夲字造型示義的貫通。蓋《易數》以「十」為數之盈。故知夲字从「大」，成年人形也。从「十」者所以示動量「飽和」、「極限」之意。故暴字訓義為「疾有所趨」，正揭示了一名睿德有為之士汲汲於事業的成就而走出個人身心勞動貢獻是非常切要義的。

暴字的科學展現

案《說文》訓「暴」為「疾有所趣」之義、趣字从走从取。古文「取」是  象以戈割耳之形。三代《王制》之禮，王者出師征討，凱旋歸來，在「泮」獻「馘」，計左耳以論功，進爵慶賞。晉爵受賞、三軍情緒之所寄也。故士卒之於疆場取耳也，常唯恐不夠。此「趣」字从走从取之指也。古漢語例「趣」「趨」義同而音似。《說文》「趨，走也」。故知趨之與趣同有奔走之義。奔走之功，下肢股脛之力也。但暴字取象於此。乃左右雙手之形。「鞅掌」煩勞之象也。非肢脛之義也。「鞅掌」二字久為世人所不知。

取 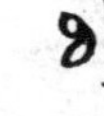

鞅 

「鞅」者，馬頸之皮項帶也。

「鞅掌」者，戎馬倥傯、兩手苦握兵柄，摩礪日久，繭膚隆起之象，所謂「手胼足胝」是其義也。夲者，戰功顯赫，勳業彪炳之象也。暴字造型示意，忠實地告訴我們，人類欲達尊崇顯貴之境，決非專恃下肢奔走所克有濟，而是有賴於兩手勤奮之功。以人之兩手乃原始天然工具，故緣先生倡「雙手萬能」之論，非偶然焉！以人類進化史觀點詳之，人類之所以優於高級動物「靈長類」、首、賴基於人類進化「手足分工」之年。名哉命之所冀，走獸之所歸，它們不能自我「革命」，首施手足分工，因而它們的前肢接觸的只是大地與天空。人類則不然，左右雙手十指，在複雜的勞動中，取得了技巧與智慧，出現了理論科學創造

豹

發明、創造了文字、音樂、車馬、宮室、服飾……誠如《周易革卦》象辭：「君子豹變，其文蔚也」。疏：「潤色鴻業，如豹文之蔚縟，故曰君子豹變也」。《易革卦》象辭語言已揭示了人類在不斷革新中取得了禮樂器物輝煌世界奇績。暴、豹同音而義通。有力的說明了人類社會進化文明昌盛和左右兩手勤奮之功是分不開的。造和暴之訓為「疾有所趣」的含義，是表裏一致的。也同廿世紀唯物論學派所揭的「人類在勞動中創造了自身，創造了世界」的論點是不謀而合的。 結語：㬥本字从日从出，日出而走之意也。从収者，兩手為能之象也。夲《高》者，象徵人類能爬行運動，變為直立行走之義也。故㬥（文字）本字造型即人類進化歷程之「縮影」。是可以推理認定的。於以見古代文字之內涵，遠非各族所能望塵焉。

㬥氏家族成員之探索

暴㬥 《說文》：「晞也」。从日从出从収从米。《方言》：「膊、曬、晞，暴也」。

曝㬥 此㬥之繁變文，与益之變溢、然之變燃、共之變拱同例。

爆㬥 《玉篇》：「爆落也，灼也，熱也」。

綜合說明

熱漲寒凝，物理之通性也。而尤以生物之反應敏感最強。因生物細胞內含之水分，決定了生物體積之盈縮與氣溫變化之密切關聯。筆者在此舉例說明。炎暑烈陽之下的大麻子，不假人力，皆能自動爆炸，種粉破殼飛出，發出聲響。上古人類獵獸而食之，用泥裹獸體，進火燒，獸腹內水分氣化，內壓超過，必然腹腔爆炸出響，故曰魚豹氏。魚

字從包，从火字也。包者泥封閉户也。後世簡化為「炮」。其義可知。大凡物體之爆炸之原理皆由內壓超於外圍制約，失控而成。氣球、輪胎、爆坑、爆破名為炸彈、地雷……無一非由此理而生。故《周易》震卦之文象為一陽居二陰之下——☳，其說明爆破之示義是非常科學的。

瀑

說文云：「疾雨也」。疾雨者，暴雨也。現代氣象學名「雷陣雨」。

疾雨的出現，在於盛夏。時當炎暑赤日高懸，直射大地熱量能和氣流帶動海水直達九霄雲漢。以熱流冲擊過於強烈，密雲不雨，追高空雨量超於淡順，盆而降，雷電交加，氣勢凶猛。其過於速，故古代有「驟雨不終日」之嘆。實際上這是降雨量与降雨過程成為反比的數理規律。瀑字所以从日，正說明了「疾雨」和高溫氣候的密切關係。後世又以「瀑布」為泉之名。

暴的同音共義遞形字。

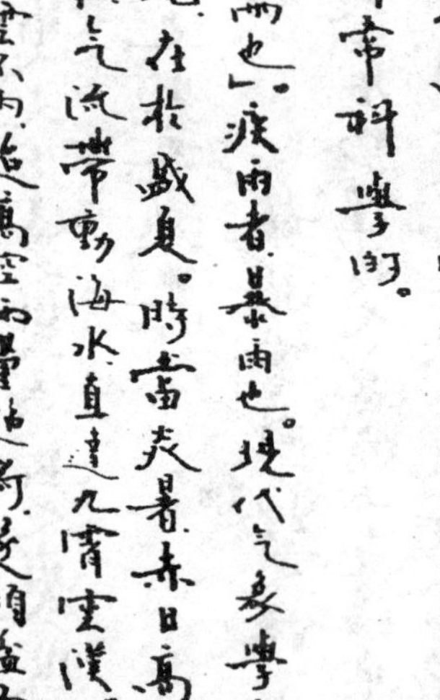

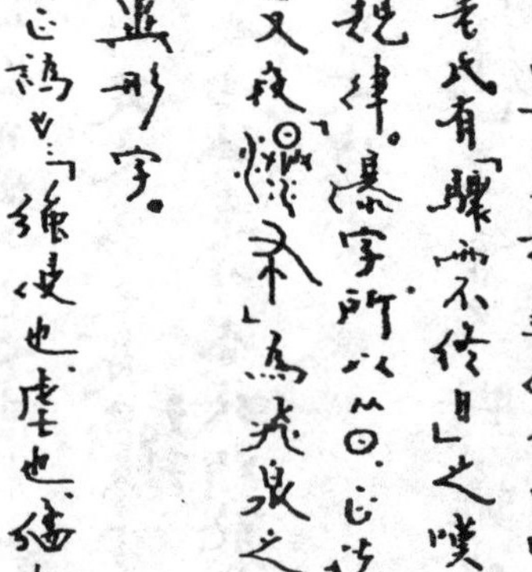

虣

卜 金 虣義。六書正譌曰：「縱使也，虐也，猛也」。又周禮地官司虣曰：「掌憲市之禁令，禁鬭囂者與其虣亂者，出入相陵犯者，以屬遊飲食於市者」。這類拉幫結夥，欺壓好人，騙吃騙喝，行凶滋事的流氓地痞，對社會的危害性是不言而喻的。國家為了維護市面安寧，對之必須施以嚴厲監督。所謂「司虣」即今日之「武警」。虣字从虎、从武。虎

者猶歟也，以喻詐法多徒。武者，「止戈為武」，以正義的武裝制止暴亂的武力。此「戲」字之形義也。「𧇊」才是真正絕戲字。今則暴行而戲晦。暴字本从日出廾米。今則暴出而止「暴」。

𩘚𩘚 此暴風之專用字。《毛詩·邶風》：「終風且𩘚」，可為義例。皆後世版本皆段暴為𩘚而正文已不可睹。𩘚从𣅀从谷。𣅀之為物，長足善行之獸也。造字者用為「風速」之形容義符。谷从火从日。火之与日，「日」推動氣流之動力也。大氣兩個「氣域」的「溫差」懸殊愈大則引起的氣流的對流速度就愈大。故台風多起於赤道之下。此𩘚字从谷之義也。𩘚風者，飆風也。《莊子》名曰「扶搖」。又曰「回風」。古回字作◎。象氣流旋轉之態。

回 ◎

民間所謂「龍捲柱」是也。此風所過之處，人畜飄浚，廬舍為墟。不愧「𩘚風」之名。現代氣象學術語名曰「台風」。

◎ 風

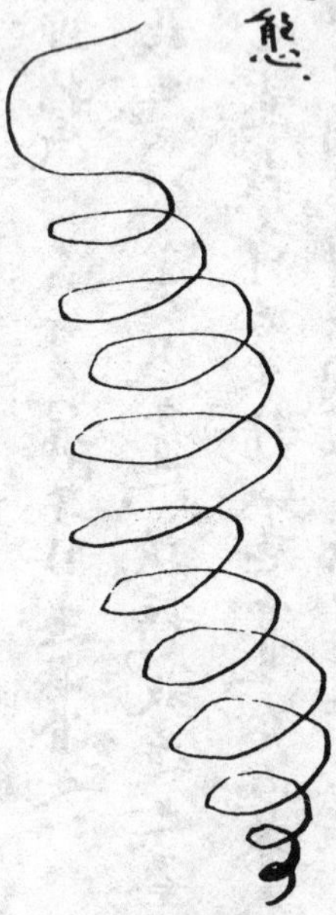

𩘚

猋 猋 猋 猋 《爾雅·釋天》：「扶搖謂之猋。」注：「暴風自下上。」《說文》猋字訓：「犬走貌」。

案許氏以羣犬狂奔之象示飆風疾速之勢，其取意義相与𩘚字从𣅀同。

同例。 尾語：◎ ◎ ◎ 「𧇊」之同文轉注字也。

𩘚 𩘚 猋 「𧇊」之同音轉注字也。諸字各有個性，個性之中有共性，不可不詳察焉。茲示意圖於後，以見義。

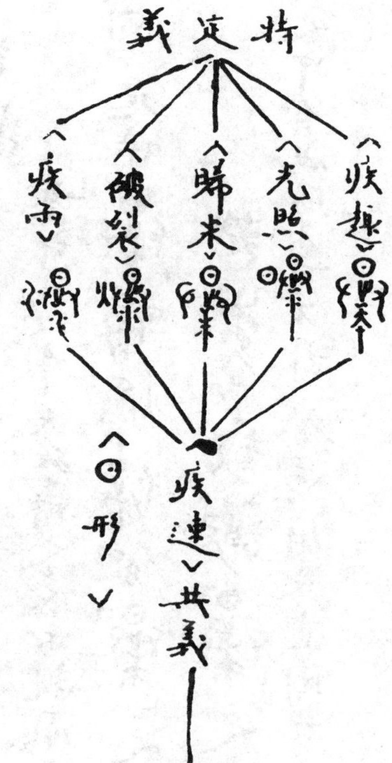

昊 昦 昦 皞 昦　《說文》云：「春為昦天，元氣昦昦也。」案此解與《爾雅》有異，鄭玄以《說文》為定，愚未見其可也。案劉熙「春蒼夏昊」之說，自有其自然物理特徵。此義可以「昦」字形意證之。

考昦之為文，从日从乔。日者太陽之象。《說文》云：「乔，放也。」注：「从大八。分也。」段注：「放，逐也。」各本从大而八分也。今正：「大八者大分之意也。」案此注最有啓蒙意義。許君未諳此意，而有「春為昦天」之訓。智者千慮之一失也。竊以為古文言簡而意奧，後人難于領悟，對祖國文字識而不化，非一世矣！筆者竊不自量，據現代科學觀點以求證之。

考昦之為文，从日从乔，此象形字也，亦聲義字也。大者，本之有文，有高義，亦有大義。八者分，派之字之「母文」也。造字者采用了日、乔、八之合文，以標志夏季自然氣象特徵，首有鑒於太陽在「週」期運動[illegible]的過程中對北半球的光照角度呈現直射，此時太陽對華夏之地的熱能施與量於一歲中為最高，因而出現夜短晝長，光熱熾烈的氣象。此即說文所謂「元氣昦昦」之義。元者大也，元氣者大氣也。昦昦諧「灝灝」，音同而義通，光明壯大之象也。昦字造型与讀音，充分表達了太陽光熱功能的威力。劉熙辞為「夏季」的特定之象辞，自較許、鄭所見為確。

旻 《說文》：「秋天也。从日，文聲。虞書曰：仁閔覆下，則稱旻天。」

筆者案：旻之為字从日，从文。日者天之象也，文者形義符也，非聲也。考《說文》：「文，錯畫也。」《玉篇》：「文，文章也。」《釋名》：「會集衆采以成錦繡。」《易繫辭》：「物相雜曰文。」《周禮·考工記》注：「畫繪之事青與赤謂之文。」故知旻字从日从文之義，正揭示了秋季天空雲彩五光十色，千奇百怪的瑰麗景象。我國民諺有「七月八月看巧雲」之語，正是對秋天空景象的良好說明。造字者以「旻天」為秋景特徵，是符合事實的。儒家哲學依據三秋草木凋零之象，把旻字賦予了悲傷意識，也出了儒家的「仁」道思想，自有高尚的政治意義。乃旻字的昇華義也。愍旻同聲，此音中之義也。

啟 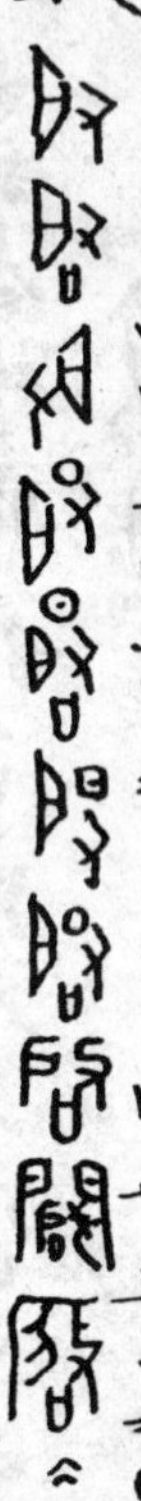 《說文》：「啟，開也。」

業古篆啟字造形不一而足，要之萬變不離其宗。文皆从戶从口从日从手之象，開門見日之形。孔門弟子漆雕啟亦名漆雕開，啟賢自識。微子啟史記或書微子開。凡開啟二字互通之例由來久矣！今教育學對兒童智力開發曰「啟蒙」。文明進步之推動，鼓勵曰「啟迪」。社會來往書信封面○○○先生啟，諸如此類之實用辭例，皆含「開發」之義的辭，皆取之延伸義也。「啟」之為音起也。啟、起音同而意通，故知 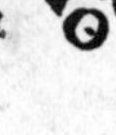 字从日从戶从又，从右手，从口，所以示「黎明即起」開門見日之象也。黎明而

起「日出而作」也就是一天的工作開端。故知晵字又有開始意。故一切建設事業的開創之始曰「肇基啓元」。故⿱旼亯字亦从旼（晵之省）从亯（古墉字）者，城郭之象。所以示建築工程之開始也。故知⿱旼亯亦晵之同根字。青銅器銘文中「⿱旼聿也」二字乃習見用語。（義等于「始也」）。故知晵字在古漢語之類辭性中，屬於「特定時空」、「特徵的動義辭」。

表示如下以見義：

西新春楹聯「龍（日）躍⿱旼聿成」句。即「太陽週期為（起點）一年」之始。

（舉例）

晵 → 闅（晨起開門，日出而出，一日之功在于晨義，故曰啟始）

→ 㫃⿱旼聿（貴族人物出行，走在列隊前頭的儀仗器）

→ ⿱旼亯（基本建設開始施工）

→ ⿱旼聿（一歲之始曰「肇歲」。初秋曰「肇秋」。創業之始曰「肇基」。開物成務曰「肇造」。）

→ 皆含開始、先行意（詳見拙著《春》啟、肇二字下）

有關十二支文字的探索（關於十二支文字的屬性）

應該首先說明在十二支全部文字中，無一不屬於假借字。因為十二支文字的本身都屬於紀時辭。而「時間」之為物，目不能見，手不能捉。造字者苦於無象可取，在窮於設計的情況下，只好異想天開地找出幾個具有時間特徵的物象，以濟其窮。正如《六書故》所云：「本無其字，以聲託物」者是也。

十二支文字的緣起

民以食為天，似乎是不需一提的事。緣於解決吃的問題，便有農業的創立。基於種植的需要，就不得不致力於天文曆法的探索。十二支的一套紀時符號，就是「斗柄定位知時」的產物。古代農民把宇宙太空看成是不動的表盤，把周天廿八宿的恆星座，視為計時的鐘表刻劃。把「斗柄」看成是指示時間的時針，把時針指標的恆星，當為季節到來的消息目標。並且選定了十二個文字，當為時間的語音聲標。因此可以肯定，十二支文字的歷史上限，必然是天文知識為農業服務的產物。

怎樣理解十二支每一單字的含義？

為了突出十二支每一單字所代表的時間空間特徵，造字者在每一單字的取象命音上都賦予了特定時空的屬性標志。如果能夠掌握住這一提綱，那將對了解十二支的字魂，是非常有利的。

子  子《說文》：「十一月，陽气動，萬物孳。」所謂「陽气動」，即二十四气中的「冬至」日。斯時太陽對地球的光射角度，開始改變。也即由平斜開始逐漸走向對北半球轉為直射。因此赤道也逐漸北移。北半球的光照面積也逐漸擴大。白晝也逐日延長。這就決定了北半球的气溫必然升高。古人名之曰「陽气動」。這種來自太陽的熱能刺激，使大地生物青春煥發。但是生物種族，奚止萬萬，簡直多得不可勝數。又如何能夠占到全部展現於有限的紙面之上呢？造字者也只能選取占為生物界的總代表，靈長類的胎兒形象，以標志「子」時萬物生機萌動的景象。《斗建子》

上邊列舉的一些「子」字全部屬于象形。嬰兒是人生一世之始、古天文學假借為斗對一歲之始字。《正北方》冬季。

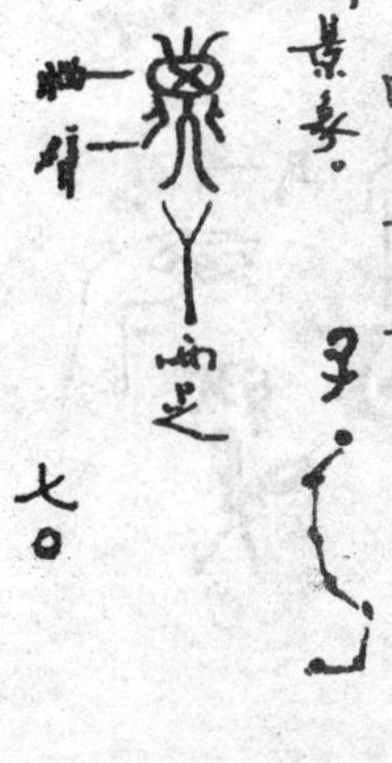

丑 丑卜 丑金 丑籀 丑篆

《說文》：「紐也。」紐是束縛之意。《博文》：「紐，束也。」《急就篇》注：「紐謂結之鬢。」《禮玉藻》疏：「紐謂帶之交結之處。」皆紐訓「結紮」之義例。

丑之為文，象形兼會意字也。形象於右手五指全部遭到線繩縻在一起之形。造字者用幾索結紮手指之象，以形容植物幼芽受到冷凍土壤封閉，難以伸展之情。手指代表幼芽，幾索代表土壤的閉固之用。這個人物互證的示意藝巧，是相當敏銳的。《文書》所謂「比類合誼，以見指撝」者是也。但是造字者的目的還不在乎刻劃植物形態，而是闡明「丑」時節之象特徵所出現的植物與環境的才有現象。也反映出漫長的冬夜儲存的積冷絕不是短期消除的。

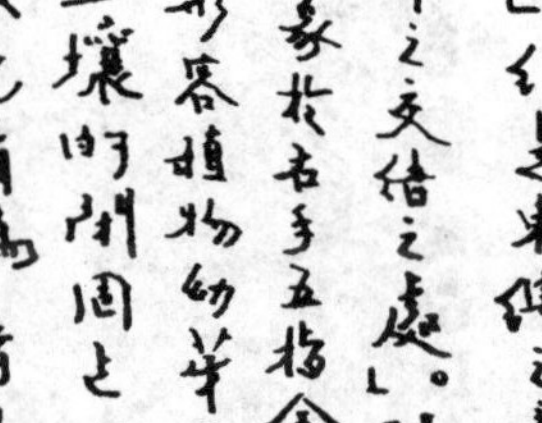

羞 羞 《說文》：「進獻也。」此右手牽羊向「尊者」獻禮的形義字。字从羊从丑，羊之為畜，古名「少牢」，致神獻禮之物也。丑者，右手牽縛之象也。許叔訓義為「進獻」，是有經籍依據的。許君將羞字隸于丑部之下，故不復重述羞字束縛之義。而只訓羞字之經籍應用義例。《說文》編例往往如此。

籀以為羞之訓義為「進獻」，不僅適用於宗廟獻享之禮，抑且適應於凱旋還園，報訊獲醜，在津獻馘之義。青銅器《不𡢁簋》銘文：「玁狁廣伐西俞，王命我羞追。」即其義例。古人把對敵作戰，看成是狩獵活動。把戰俘看作「獵獲品」。把「在津獻馘」看作是將軍對「社稷」的「獻禮」。故金文用「羞追」一辭作為「追擊逐北」的用語，已構示了將敵人「獸化」的「輕蔑」貶義感。此羞字轉注義例。所謂「建類一首，同義相授」者是也。對戰俘的心情來說，戰敗被俘自然也是難堪的遭遇，故羞字又延伸為「恥辱」義。

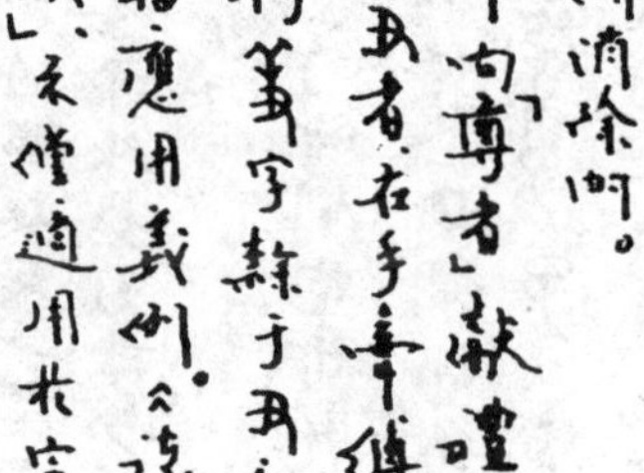

寅、《說文》：「寅，髕也。」段注：「髕，字之誤也。當作濥。……」從來文字學界對寅字的形義各執己見，莫衷一是。良以「時間」之為物，造象難表示，以「光陰」二字名之。然而「光」之與「陰」，是彼目而不可書於簡牘，造字者難于為力，而不得不假物象以明之。而造字者所擬之物像，繫于意態幽隱，後之學者見仁見智，各有不同，往往聚訟紛紜，令人陷入困惑。筆者學無根底，好學有心，智有未逮，謹陳管窺，以就教於海內賢達，唯高明察之。

1.寅字造型取象問題之爭議：A.動物學說：持此論者以現代派為主。若單論點，實基於《卜辭》文寅字略似燕形，考《禮月令》：「仲春之月，玄鳥至」。試以商代「建丑曆」的時序求之，則商之三月，當夏之二月也。依感覺認識，則寅字是為「仲春」的時令標志，似乎是符合自然季候特徵的。不過，是為十二支之一的寅字，是否有可能用「玄鳥」的形象來標志「仲春二月」，還要取決于是為十二支之首的「子位」，是否可以隨着曆法改革而遷徙？此為問題之關鍵。不可不詳加分析焉：

我們假設商代天文果真將十二支之首的子位，隨着曆法的改變而遷徙至丑位的話，則上述的論點是可以被認為是名符其實的。因為照這樣推算，則夏之寅，即商之丑，而商之寅，即夏之卯。如此則具有「玄鳥」形象的寅字與「仲春」的時空取得了一致。這樣，則上一論點是合乎自然科學的。反之，則商之寅，即夏之歲首，則上述論點顯然不符。因為夏曆正月，「玄鳥」尚不能到達中國北部，用燕形的寅字來標志孟春之月，是不符合自然氣象時空規律的。

我們應該知道，十二辰的創建，歷史年代必然是起源于農業時代的開端。因為「斗綱定位知時間二十四氣的消息，是分不開的。由於這一理由，則決定了曆法可改，歲首可變，而是為以北極星為研究天象的核心，則是歷代不變的。而「斗綱建時」的準則，正是以「北極」為天文核心的產物。也就是說「斗綱」定位知時的法則，事實上無法動搖。這樣就造成了燕形的寅字代表「仲春」的可疑性。因而認為寅字之說，尚有待更多資料的求證，方能落實。

濥 濥

B.地質學說：持此說者以段玉裁氏為主。《說文》：「寅，髕也。去黃泉欲上出，陰尚強也。象宀不達，髕寅於下也。」段注：「髕字之誤也。當作濥。《史記·淮南王書》作螾。《律書》曰：『螾，言萬物始生螾然也。』《天文訓》曰：『斗指寅，則萬物螾。』高誘注：『螾，動生貌。』《律曆志》曰：『引達於寅。』《釋名》曰：『寅，演也，演生物也。』《廣雅》曰：『寅，演也。』《晉書·樂志》曰：『正月之辰謂之寅，寅，津也，謂物之津塗。』按：《漢志》《廣志》『演』字皆濥之誤。水部曰：『濥，水脈行地中濥濥也。』濥，長流也。俗人不知二字之別，濥多誤為演。以濥釋寅者，正月陽氣欲上出，猶水泉欲上行也。螾之為物，詰詘（析屈）於黃泉，而能上出，故其字从寅。《律書》、《天文訓》以螾釋寅。杜注《左傳》曰：『地中之泉，故曰黃泉。』陰尚強，陽不能徑達，如宀之屋於上，故从宀。」

筆者案：在段氏註釋寅字的這篇文字中，最具有啓發力者，即「引達於寅」及「物之津塗」二語。所謂「物之津塗」，實際上即供應植物津液的通路。而「引達於寅（濥）」即是地下潛流吸引到土壤上層來。此種物理功能，在濱臨河岸的土地上表現得最為凸出而明顯，民間呼之為「夜潮地」。普通上即土壤毛細孔對水份的吸取，通過運輸功能。現代物理學術語名之曰「細管作用」。故《說文水部》濥字訓曰：「水脈行地中濥濥也」。竊以為所謂「水脈行地中」，即地下潛流也（俗名地下河）。所謂「濥濥也」，即川流不息之意。「濥」字从水，从夕，从寅。水者，河流之象。夕者，夜晚也。寅者上行之義也（見後）。夕陽既下，土壤已無日光曝曬，水份無耗損之虞。而土壤得以吸收地下潛流之滋潤，而禾苗獲興發之機矣！段氏在《說文》「寅」字的考證中所付出的努力，及取得之成果，是具有開發性的。

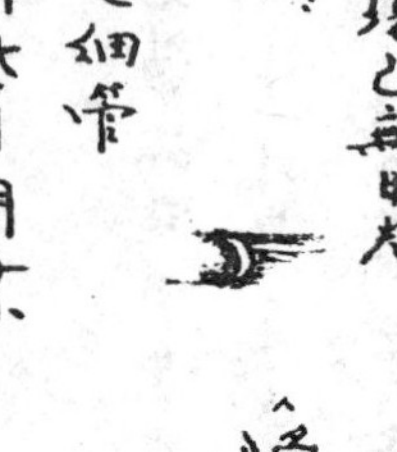

〈濥〉

䐺 䐺

C.人文學說：在段氏《說文》注解中，吾人對濥字的認識，只能局限于土壤的毛細管的吸水功能。尚不能了解寅字造形的另一來龍去脈。唯時賢張舜徽氏對此有剏意的闡發。張氏在其《說文約注》中云：「徐灝曰：寅字在金文中，諸體雖異，而未有不从𦥑者。《易·艮》『九三，裂其夤。』虞翻云：『夤，脊肉。』《釋文》引馬融云：『夾脊肉也。』蓋寅即古夤字。𦥑象脅肋，其中象脊，故為『夾脊肉』。借為辰名。夤當从肉，訛為夕。《釋文》云：『鄭本作䐺』是也。《阮氏款識》

《戴父丁鼎》文有乇𡖊者，其象形尤著矣！小篆从冖，由古文變。𡖊从土，乃大之譌。金文中寅、字下多从大，是其證。林義光曰：「寅與黃、泉上出之象。古乇𡖊，或乇𡖊。即胂之古文。夾脊肉也。胂古音如寅。故《易》之「艮其夤」，以夤為胂也。𡖊象肩、膊、脊、膂之形，ㄓㄓ，兩手自約於脚與𦡀字同意。」齊邀按：兩家皆論明白，寅之本義為夾脊肉。確然無疑。蓋寅之言引也。謂與脊骨相終始，其形長也。夾脊肉謂之寅，猶長流謂之演，長槍謂之戭，水脈行地中謂之濥，側行虫謂之螾，音義同源」。

筆者案：所謂「夾脊肉」，即現代《生理解剖學》之「橫紋肌」系之「背最長肌」也。古名曰寅，又曰胂，亦曰脢。此肌肉束，司於運動肌，具有強大伸縮力，可保證脊骨的直立體式。其上端各自附着於項椎之兩側，其下端則分別附着於左右足跟。《中醫內經經筋篇》名之曰「足太陽經筋」。古雕史治獄，凡將罪人之左右跟腱割斷之後，則罪人必俯首屈躬，再無仰面昂首挺胸之力。故知《周易．艮卦》之九三所云「艮其限，裂其夤」，即指此種酷刑而言。所以有下文說「厲心熏」。（心似火焚）

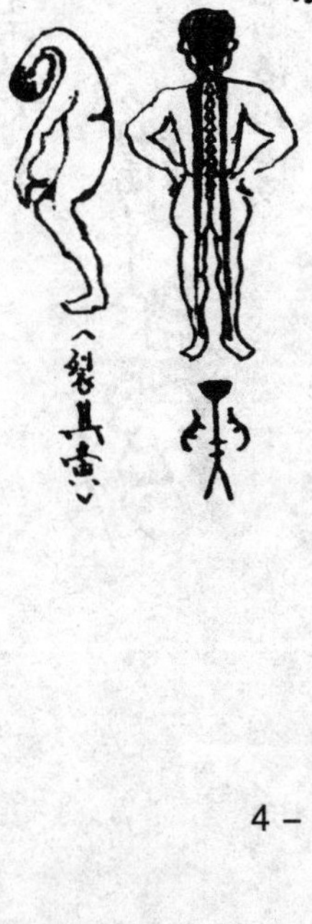

〈裂其夤〉

古從寅字者將這兩條長大肌肉束（夤）保證身軀直立的功能，同土壤「毛細管」可以引水保持直立的功能對了號。因而夤、濥之字形似音同而義通。尤其是《心字通》云：「膑，俗腸字」。這一訓義，殊堪令人震驚。雖自然氏似乎在當時對人體生理內部組織結構已有詳細的考證。因為腸管外圍的「腸系膜」中的數以億萬計的「纖毛管」，對腸腔的汲水作用，同土壤中「毛細管」引水上行的功能，有絕對相似之處。這已使吾人悟得寅、膑、濥諸字所以同源之故。其實皆會意字也。

卯

卯　卯　非　《說文》：冒也。二月，萬物冒地而出，象開門之形。故二月為天門。……」徐灝曰：「卯字象開門，闢之則成卯。其體猶如開門也」朱駿聲曰：「卯謂兩扉開也。象開闢之形，卯从二戶相向，卯从二戶相背。古文非

去崇門柴戶矣。　筆者案：古人日出而作，日入而息。蓋上古居民，穿無照明設備，故日出啟戶而出，日入歸家閉戶而息。古天文學之所以規定「立春」「立夏」為啟，「立秋」「立冬」為閉者，蓋緣於視一歲週期之春之變化為晝夜週期變化之引伸；視晝夜週期之暴變化為歲週期之象變化之縮影。故十二支文字既能用於紀日，亦能用於紀時；既能用於紀月，亦能用於紀年。這一借數學念的紀時法實質基于「有個定位知時」的原始推物。審此，卯、酉二文之造形示意之情已不待辨而自見矣！

長 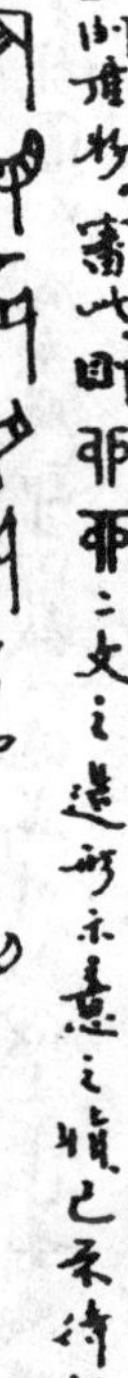〈卜〉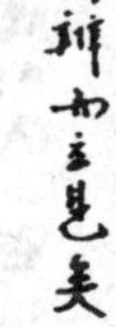〈金〉〈篆〉《說文》云：「三月，易氣動，靁電振，民農時也。物皆生。……辰，房星，天時也。」桂馥日：《史記·律書》云：「辰者，言萬物之蜄也。」桂馥謂：「蜄當是振。」《說文》云：「振，動也。」時賢張舜徽氏云：「《史記》以蜄訓辰，必有所受。不煩改字也。辰字在《甲骨文》《金文》中皆象蜃殼之形。初民始事耕種，即以蜃殼為除草、播種、翻土工具。……」

筆者案：張氏所言較確。原始農業所謂「火刪刀種」，曾即以磨過的蜃殼為刀，用為斬草、收割之利器。蜃亦見於屬與蛤同類。《禮記·月令》云：「雉入大水為蜃」，篆文蜃從辰蟲，故知《卜辭》中之辰字與《金文》中的辰字……離字形多變，皆未離蜃殼之形。尤其是法則之「則」字从貝从刀，有力地反映了「火耕刀種」是以蜃殼為播種、除草、收割……得力的工具確然無疑。《金文》辰字之從「又」，雙手扶蜃，治田手足之兼用之義也。辰星名曰「農祥」。其名曰農，《國語》云：「農祥晨正」，農忙時也。推而言之，薅訓「拔草」。陳草復生曰「蘖」，「耕種」曰農。失耕時于封疆受戮曰辱……凡與農攸關之字，造形之意命者咸以辰為基。故以辰為地支第五字，亦「物象時化」例。

〈農〉

〈蜃〉

〈薅〉

〈震〉

〈晨〉〈天蠍〉

是說，業，卯象門形，丣象雙扉，皆假借物像以標天時字。「厂」者屋宇之形，似由門之象；則古手握處之態。此「物象時代」之假借例也。卯丣二文同為門形，一開一闔，相對為義。假物象以示春秋也。「物像時代」之假借例也。示意如左：

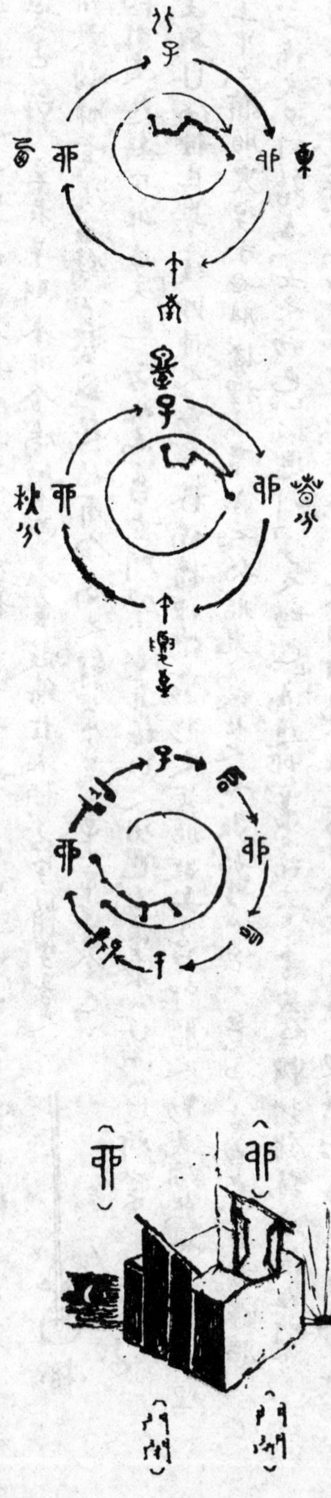

從「立春」至「立夏」，曰「啟」。日長夜短，陽升陰降。卯字開門之形義所由生也。從「立秋」至「立冬」，夜長晝短，陽退陰升，曰「閉」。丣字閉門之形義所由生也。何以不名立春曰卯？以立春之時，晝夜尚未平衡，餘寒未消。必至春分之日，方能陽進陰退。是字者以春分為「天門開」，有由來也。何以不名「立秋」曰丣？以「立秋」之時晝夜尚未平衡，餘熱未減。必待「秋分」已至，方能陽退陰進。是字者以「秋分」為「天門閉」，有由來焉！

淺案：日出日入曰「晝」，月升月落之謂「夜」。晝夜者一歲之縮影也。故「日出」曰卯，日入曰丣。「月落」曰「戌」，戌者滅也，火熄光滅之義也。月落曰「寅」，寅寓日出東方發白之義也。故日入曰丣。此古代勞動止息時間之標準。所謂「日出而作，日入而息」。故卯丣子午，小之可用于一日，大之可用于周天。此東方傳統文化之天人合一論之基石。從未能述以信日之為！〈附表字體遷示意表〉

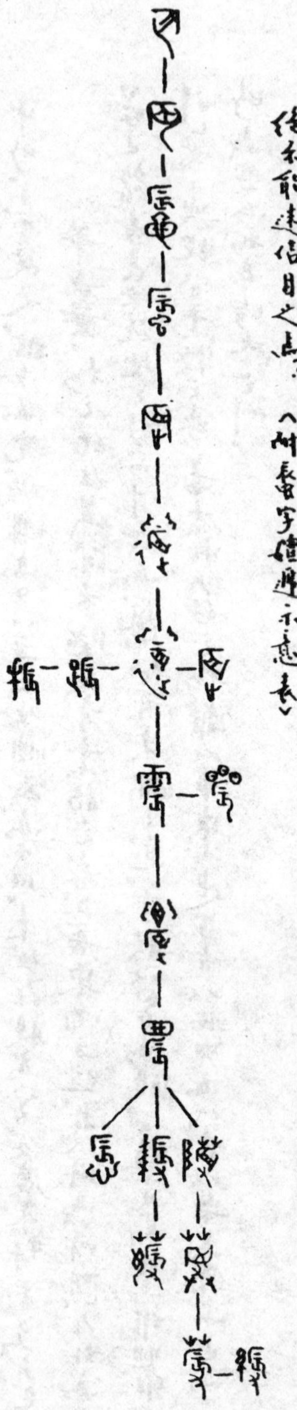

七五

巳 《說文》：「四月陽气已出，陰气已藏，萬物見，成文章，故巳為蛇，象形。」朱駿聲曰：「巳，似也，象子在包中形。包字從之。」孺子為兒，襁褓為子，方出生順出為𠫓，未生在腹為巳。《廣雅·釋言》：「子，巳，似也。」

筆者案：物之始生其質未堅，故有柔弱之象。巳居東南方位，於八風為「清明」，在卦為巽，巽古篆上从巳，象長女跪地之形，而訓義為「風」，皆有柔孺之意。十二獸以巳為蛇。《詩·小雅·斯干》：「維虺維蛇，女子之祥」，女之與蛇，皆柔媆之象。蓋柔軟少好之物，難以畢舉，造字者以胎兒為代表，以槩其餘，而巳為初夏之時，義字亦「物象時火」之例。

㠯（以） 《說文》：「用也。賈侍中說：已，意已（薏苡）實也。象形。」帝納鶼曰：「㠯即胎字。反巳為㠯，形少異而音讀同，猶丿與乀、亅與乚矣。胎得聲于㠯，古音㠯本如胎。《說文》言芣苡，令人宜子。蓋「芣苡」得名於「胚胎」。《緯書》說：「禹母吞「薏苡」生禹，姓姒氏。」薏苡亦得名於胎。賈侍中說㠯為薏苡實，蓋謂此也。子肖其父謂之似，从人，㠯聲，亦取胎義……」

用 用

筆者案：《說文》訓㠯為用，而不言用字之物質形態，今人有抽象玄虛之感。竊以為用之與㠯，皆器物也。用者，「版築之器」（說詳本書〈建築篇·庸字〉）。㠯者，梠字，初文也（說詳本書〈農業篇〉）。蓋梠為文，早期止㠯，由㠯而台，而再變止梠，更變止辝。㠯於早期本非金屬製品，以蚤殼縛於木柄，㠯字梠字象之。或用獸類脚骨。後冶鑄工藝興起，始有金屬之辝（从㠯，从辛。辛者，金也）。

〈薏苡〉

〈芣苡〉

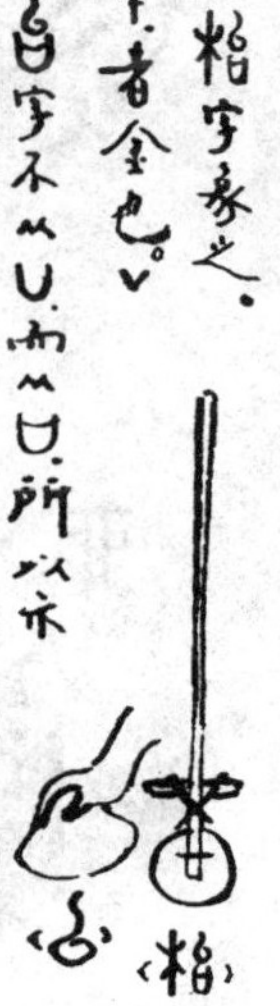
〈梠〉

台 台

胎 胎

始 始

耜則後起新字，非古文也。㠯化為台者，所以示㠯有極U之用也。台字不从U而从口，所以示極土成U，納種已畢，覆埋種之象也。稼穡播種，猶動物之定胎，故知台即胎之初文，嫡然無疑。種籽埋于土中，亦猶胎兒孕于母腹。播種為青苗之始，胎兒為人生之始。故「始」字从女，从台。女者母也，台者懷胎也。《說文》訓始為「女之初也」，似應訓「子之初也」為近理。蓋《說文》一書幾經轉抄，錯誤在所不免，非許公之舊。《尚書·湯誓》：「非台小子敢行稱亂」，此是引申義，非台字初義也。台（胎）者人生之

起點，我者，人際關係之起點，故台又與華為第一人稱義，觀念同也。章炳麟氏據之詩之芣苡及實竹中提出之薏苡二物為例，認定苡字來源於胎（台），並依據二物之物質成份含量，同其催產之之功。揭示出植物生殖系統與人類生殖系統生化屬性的統一特點與生態的親和規律，求證了台胎苡諸字所以同源之故。其真知卓見，堪稱一代文宗。尤其是「子肖其父之謂似」一語，更揭示了生物血緣的遺傳生理規律。已經接觸到了生化知識的最高層次。同時也證實了造字者對文字的造形定音命義，是通過對許多不同門綱、科目的生物、生態、生化屬性的比較、觀察、思維、邏輯後得出事物內在聯繫，而取得的知識成果。于此可見漢字的科學價值。

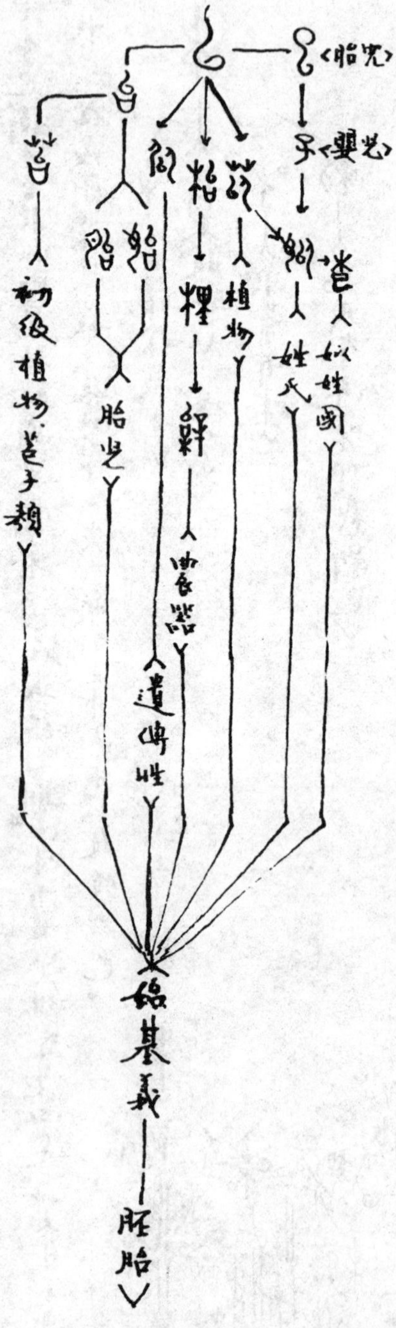

午 8、个（說文）：「牾也。五月陰氣午逆陽，冒地而出，此與矢同意。凡午之屬皆从午。」朱駿聲曰：「午象杵形。古以午為杵字。故舂（舂、秦）等字从此。」林義光曰：「午古8个不从一。則非象地。个象杵形，實杵之古文。舂篆上从午，象兩手持杵形……」

筆者案：古者所謂「杵臼」，即吾鄉民間所云之「碓頭、碓窩」也。古舂字从午，从臼，从廾，象雙手握碓頭搗臼之形。此象形字也。（舂）

造字者將「夏至」季節的氣象急遽變化（由

熱變涼現象造成是「金气从地冒出，與太陽抵觸對敵」。自有其合理的事實。例如用水潑熄火，必然引起水火互相對抗，而產生激動爆烈聲響。古人以這一物理象徵比擬气候變化而說「牿」。牿者抵觸之義。抵觸的方向本不只限於垂直方向。古人舉昨日為例，可舉一反三之例。尤其是「金气冒地而出」一語，是有誤會的。因地球本身乃礦、物質組合體。其實上屬於「良導體」，對吸熱與散熱常迅速。故空气之溫度與地殼之溫度往往較高，現代名之曰「大陸性气候」。所以古人認為「金气冒地而出」，是不宜過份吹毛求疵的。寒冷是礦物質、恆態。故名「地金」。實際上是太陽投射角度改變的結果。

未

未《說文》：「味也。六月滋味也。五行木老於未。象木重枝葉也。」𣎳之為文，木之枝葉繁榮之象也。樹木全於此時茁壯肥盛，果實累累，已值成熟之期。滋味由酸變甜，香氣四達。此六月之迹象也。枝葉繁茂則濃陰蔽日。故昧字从未。然則六月為未，亦假借義也。

未
昧 ——「濃陰蔽日」
未 ——「樹木枝葉繁茂形」
味 ——「果實有味」
制 ——「物成有滋味可裁斷也」

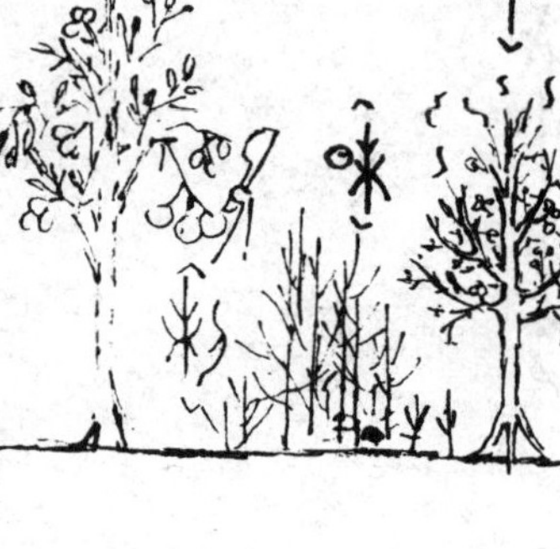

制

申

申《說文》：「神也。七月陰气成，體自申束。从臼，自持也。吏以餔時聽事，申旦政也。」

考《說文·示部》神字訓曰：「天神引出萬物者也。」這一具有啓發性的訓詞，充分揭示出「神」是造化萬物的動力。是非常明顯的。本條所提出的「申束」二字，與示部神

字畫形似,聲符而義通。固迹相可尋,義例堪稽。試畧言其要。

所謂「七月陰氣成,體自申束」,是有科學基石的,絕非徒託空言之觀念辭,是應予肯

束 □

定的。古申、伸、神義通。申者伸長之義。束古作□,遂齊立之態也。許君以「申束」二字揭示出禾稼矗立之象。此與出林字形為木多音義同例。可謂文簡而意賅矣!竊以為□之初文古電字也。《卜辭》作□。《金文》作□。籀以電折射之形。秦篆作申,已難窺其初迹矣!

雷 □ 靁

考《禮月令》:「仲春之月日夜分。雷乃發聲,始電。蟄蟲咸動,啟戶始出」。此所以許君有「天神引出萬物」之訓,非偶然矣!申本「神」之初文,亦古電字也。《古音》申、神、電三字同部,可為例證。《卜辭》雷字作□。《金文》作靁字,皆从□成□。光符也。从□。成□者,聲符也。皆所以示雷電交

電 □ □

雨交織之態。象形字也。春雷震動,大氣氮素,分解溶和,滋入大地。施之以甘雨,薰之以融風,萬物萌動。此自然造化之奇蹟,初民蒙昧,疑為神靈顯聖。因而造出□字。將宇宙自然現象,賦予了宗教色彩。是完全可以理解的。竊以為七月陰氣,禾稼申束,萬物堅成。固與雷電雲雨之功難分。其訓為「申束」不亦宜乎?附表右次,以見《說文》之義:

〈申束〉

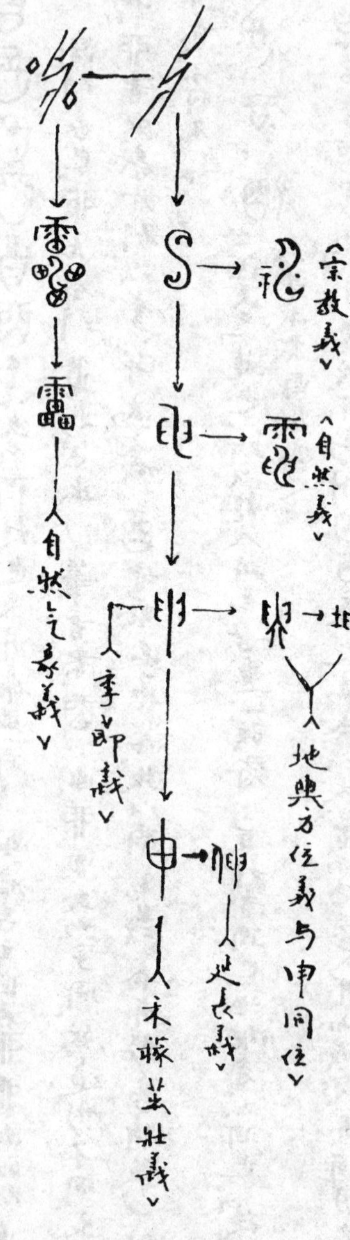

酉  説文云：「酉，就也。八月黍成，可為酎酒。古文酉丣。丣為秋門，萬物已入，一閉門象也。丣為春門，萬物已出。」筆者案：酉之與丣，異文而字同，然造形不同，取義亦異。竊以為：丣者，取象於門，以季節為義。酉者，取象於器，故以酒為義。各有形象特點，一則象形，一為會意，不可不知。

酒 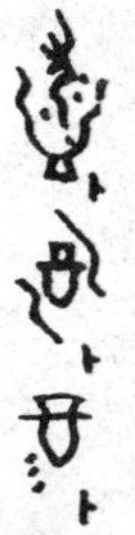 説文云：「就也。所以就人性之善惡。」注：賓主百拜者酒也。淫酗者亦酒也。「從水酉」注：以水泉於酉月為之。

筆者案：酉字注「八月黍成，可為酎酒」。考黍之為禾，以大暑而種，至八月而成。八月，酉月也。故酒字从酉从氺。段注所云：「水泉於酉月為之」，此字之義也。説文於氺部引孔子曰：「黍可以為酒，米入水也」。「禾入水為黍」。與酉部「八月黍成，可為酒」之注，互為表裏，使酒字形義益明。卜辭云：洒、酉之字从巛、氵从酉、酉，可知殷商時代造酒季節與周代無二。古無蒸餾釀酒之術，唯恃自然气温之催化及麴糵之發酵。故酒之成熟，期限甚長。禮月令云：「孟夏之月，天子飲酎」。酉部酎字訓「三重醇酒也」。

酎  酒也」。注引廣韻云：「三重釀酒，謂用酒為水，釀之，是再重之酒也。用再重之酒為水，釀之，是三重之酒也」。竊以為：自仲秋用黍為酒，至來年孟夏之月「天子飲酎」，為時已逾八月。史記文帝紀云：「注引張晏曰：正月旦作酒，八月成，名曰酎」。據上兩例，則「酎」之成熟期限之長，可見一斑矣。此與現代之「高度紅酒」似有近之。其原因在於多次增加釀料，故能使釀度一再升級。故人名之曰「醇酒」。醇者，釀厚之酒也。

醇  説文云：「醇，不澆酒也」。注：「澆，沃也。凡酒沃之以水（加水）則薄，不雜以水則曰醇」。案醇，即今之純字同義。今日名之為「酒精」。

厚  玉篇云：「不薄也，重也」。增韻云：「醲也」。案甲骨文𣊫字从米从亯，象以木注入酒罈之象，當是醲厚之厚字，初文也。古代釀酒技術，為了提高酒的釀度起見，將已經成熟的黍酒為

溶樹，再與新熟之黍（黏米稷子）混合，使新投入之米飯，與酒液同化，如此陸續反覆換新

米所結果，可使酒液醲度陸續升高。此意可參看前條酎、醇二條

自能悟其旨趣。後世㽞字从尸、从畀，《說文》訓為「山陵之厚者」，與醲厚之

義無涉。《譜》乃雖得其義而未得㽞字之形，嗚呼！文字形、義之脫離，非一

世矣！

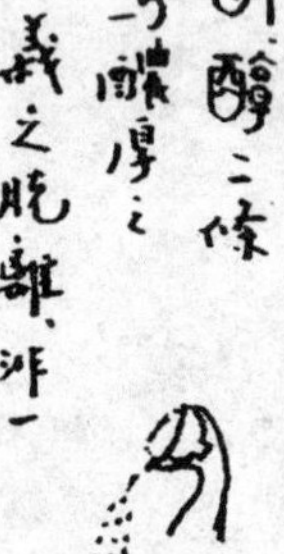

㽞

醙 醙 醙 醙 篆

《說文·酉部》醙字訓「列也」。段注謂「列」當從《玉篇》作「烈」。烈，火猛也。引伸為凡猛之偁。

醙謂酒之酷烈。《左傳》云「嘉栗旨酒」，栗讀為烈。……

筆者案：《甲骨文編》酉部有醙字，从酉、从叟、从㞢。酉者酒也。叟者叟之繁變也。

㞢者，狂之省文，所以示醙酒能使人發狂之義。故知醙即醙之初文。蓋承酉代㽞，取叟為聲，

增㞢（狂）以示義，此形聲兼會義字也。

聲｜叟　形｜酉　㞢｜義

醙｜形　｜聲兼義

酗 䣱 [illegible] 䣱 酗

《玉篇》云：「酗，同䣱。」《廣韻》云：「醉怒也。」《書·微子》云：「我用沈酗于酒。」釋文：「況具反，以酒為凶

曰酗。」又《說文》酉部䣱字訓：「醉醟也。」《玉篇》云：「恣酒曰醟。」《前漢·趙充國傳》云：「數醉䣱羌人。」注：

「䣱，即酗字。醉怒曰䣱。」考《金文大盂鼎》銘文中有告誡性辭語：「在[illegible]（雩）御事，[illegible]酒無敢[illegible]（酖），有紫（柴）烝祀無

敢[illegible]（酗）。」意思是：對于酒不可酣飲無度。紫是燎天祭名，烝祀泛指敬神之禮，義同于「眾」。意思是在敬神

的日子，不可肆酒行凶。籀以為[illegible]之為文，象形字也，从夒从酉。《說文》夒字訓：「貪獸也。」今魯南民間仍謂貪

吃好飲的人曰「夒種」。貴歷史文化語言也。夒亦是猱，猱猿類動物也。故許氏訓為「母猴」。據吾人所知，猩猩是好

酒的獸類。獵人恆以酒置山中，伺其醉飲傾倒，即擒而縛之。[illegible]字殆其象也。

戌 戌

《說文》云：「滅也。九月陽气微，萬物畢成，陽下入地也。五行，土生于戊，盛于戌。从戊含一。……」朱駿聲

七六

滅

曰：「當訓恤也。人被殺傷，可矜恤也。从戌，古文矛字。一，指事字，識其殺傷處，與刃同意。」林義光曰：「戌一之說不可曉，一亦非聲。古作戌，見頌鼎；或作戌，見頌敦。(人)即人之反文，以戈擊之。戌殺古同音，當即殺之古文。」時賢張舜徽氏云：「此乃生滅之滅的本字，加火為威，再加水為滅，皆後增體也。」

筆者案：戌之為文，古矛字也。造字者用為生物枝幹蕃茂的形容辭。古謂秦甘茂皆作「甘戌」，可為義例。朱氏以戌為斧義字，而取義于「殺」，並認「一」為物被刃傷之橫痕，意于秋金尅木之觀念而來。自有其想象藝景，遠容學非。然愚獨以為「一」者地平綫也。時當「寒露」「霜降」，此時紅日已從「北回歸綫」急轉南下，處於北半球的視平綫之下，對北半球光照面積日趨縮小，故晝短夜長，而氣溫隨降。古人將這一自然現象名之曰「陰進陽退」。此時地球北極地區處于晝夜不見太陽狀態。故《說文》云之「火居一下為灭之說」，自有其合理內容。古「十干」以壬月名「玄黓」，玄之與黓，皆黑色之象，與「五行」「北方壬癸水，其色黑，其味鹹，其氣寒」。這一系列的天文術語都揭示了「北冰洋」的如晝景象，是絕無神話色彩可言的。

關于時賢張舜徽氏「戌即滅字初文之說，亦非確論。考西周青銅器滅卣銘文之滅字作玟，或[illegible]。玟从一、从火、从戈。火者燃燒之象。一有掩覆象。戈古撲字，有撲滅之意。另一[illegible]字之形，从[illegible]从水从火。[illegible]者容器傾倒沙土之象。从水，从火者，所以示水、土兼施，滅火之術非一也。

無別。[illegible]、玟、威、滅，皆象形字。而戌字乃為深秋氣溫下降的季節名，乃會意字也。

〈玟〉

〈[illegible]〉

[illegible]玟—威—滅—〈動義辭，象形〉

戌—戌—〈季節時義辭，—會意字〉

亥　《彝族天文史》　《甲骨文編》　《金文》　《秦篆》　《說文》：「十月陽气微，接盛陰。从二。二，古文上字。一人男，一人女，从乙。……」案，《說文》所謂「十月陽气微，接盛陰，从二。二，古上字。」所以示天空气象寒冷之象也。所謂「一人男，一人女」，所以示雌雄兩性之義也。「从乙」者，玄鳥之形也（乙，楷書作鳦）。燕子來于仲春。《周禮·地官·媒氏》及《管子·幼官圖》皆有「仲春合男女」的文字紀述。證以《毛詩》「桃之夭夭，其葉蓁蓁，之子于歸，宜其家人」之意，可知仲春季節男女婚配的制度，歷史久矣。古亥、核、孩、荄諸字，形似，聲近而義通。艸之有荄（根），猶果之有核，人之有孩也。皆生物之傳代之基礎物質。故知亥字造形示義與荄、核、孩同例。又書所謂建類一首，同意受者是也。雖亥族文字有蕃殖之義，然而時當陰盛陽微，未能即時而生也。既以核之與荄，皆生物之「冬眠」形式，冰雪在地，未能得適當之气溫，只宜封閉潛藏，蟄居以待來春陽進陰退，天時已至，而後生。此亥字从乙之義也。

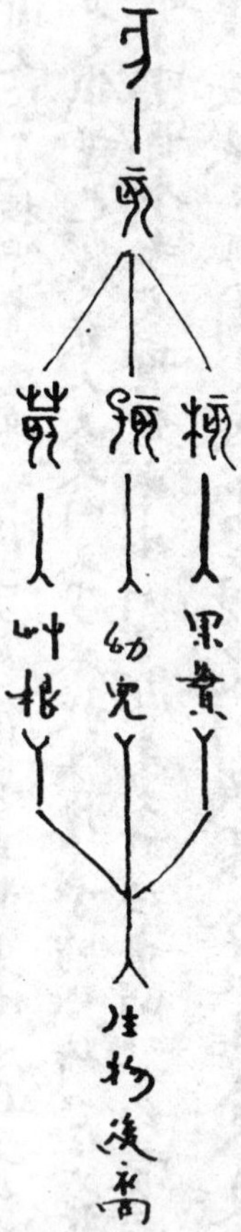

關于亥字的歷史考古觀：亥為天文曆法紀時辭，而字形取象于「豕」，還有其悠久之歷史來龍。其文化傳說，蓋遠溯于虙羲氏之「十月為一週歲，三十六日為一月」的《虎曆》。太昊都于成紀，其地望相當于青海。其初建之《虎曆》是以廿八宿之西方白虎參宿為週期起點（獵戶星座）的。其考證資料至今尚保留在彝族《天文學史》中。意即我國民間紀載生年的十二屬象。以十二屬是被虙羲氏《虎曆》當上《日譜》使用的。其文字形、聲如左（按形、音、義為順序排列）：

彝文：（音拉）虎。（音吐喋）兔。（音魯）龍。（音沙）蛇。（音木）馬。（音阿作）羊。

甲骨：——虎。——兔。——龍。——蛇。——馬。——羊。

金文：——虎。——兔。——龍。——蛇。——馬。——羊。

七七

⊕〈音孺〉猴。屮〈音安〉雞。⊎〈音阿怒〉狗。㇉〈音維〉豬。乂〈杭你〉鼠。毛〈音哄〉牛。

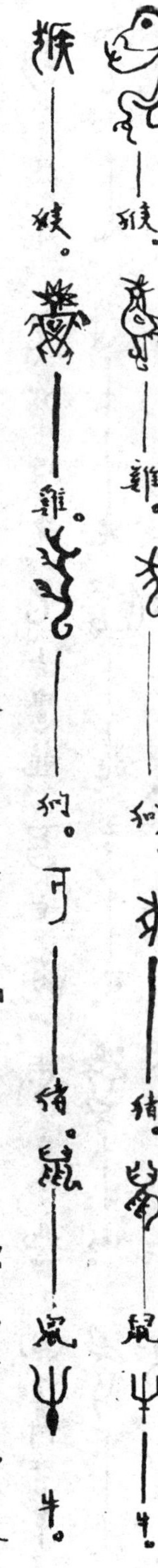

《虎曆》的每月三十天日數，除上已經超過了月行自然週期的「時值」，與其謂之為「月」，遠不如說成是360日/10，更覺接近事實。此與本篇釋彝條[illegible]計算得數基本原理完全可以取得一致的。這證余之《五運曆》的學說與推測，是有證驗可考的。在我所提定的《五運曆》的每一運期中，都含有《虎曆》的兩個月。因此每月當中都包括着《彝曆》日譜的圈。亦即（八×九）＝七二。十二獸的紀時單元同《管子幼官圖》中周歲十個月，分為三十節，是不謀而合的。也和余之每運包括天數等于七十二日，是完全一致的。商周文字（包括甲骨、金文）皆做可為旁證。是具有史前原始文化來龍的。《彝族天文史》中的㇉（亥）字，其有力之鐵證也。彝族天文史的文字，來龍于原始彝學時代，得以在少數兄弟民族中保留至今，對文字考古學者提供了寶貴參考依據，對學術的貢獻是不可估量的。《幼官圖》把以十二獸日譜為單元的三十個「節」，按照《河圖》《洛書》規定的數據分配為春八、夏七、秋九、冬之的比例分配到四季中去。使我初步認識到我所推測的「五運曆」的機械儀譜而無知。是非常使我非韻的。今後我還要勤求古訓，以開個人茅塞。不過按《幼官圖》的規定每年日數只能達三百六十日。則需補充五天。彝族每年有「發天節」五天，據此可知所謂「女媧煉石補天」絕非神話。而應視為古人在初創曆法中的季節推移的調整，是比較合理的。

關於地球繞日公轉一週為什麼不是三百六十日，而是三百六十五又1/4日？這個五又四分之一日的餘數究竟從何而來？是否可以懷疑到太陽本身也是一個「行星」？迄今為止，尚無答案。我們人類所未能知道的問題太多啦！

虙羲氏時代的《虙曆》較後夏的「建寅曆」的節令數目不同之故，正是緣于兩種曆法的「節氣」包含的日數不同。其時值之換算，完全可采用「雞兔同籠」數理公式求證之：

例一：在八三百六十日為一歲的前提下，將十五日為單元的廿四氣化為十二日為單元的「節」，需要增為若干節？可得公式如下：(15日×30−360日)÷(15日−12日)=450日−360日÷3=90÷3=30.

例二：在三百六十日為一歲的前提下，以十二日為單元的《虙曆》節來取代十五日為單元的廿四氣，必須增加幾個節？可得公式如下：(12日×24−360日)÷(4−15)=288−360÷(−12)=72÷12=6.

《河圖》與《虙羲曆》的方位一體的關係，讓我們套用馬克思的話：「思想的閃電一旦射入這塊沒有觸動過的園地，東方世界華夏之族就會脫離蒙昧的禽獸之鄉而進化為文明社會的人。」

照亮中華民族思想的閃電，體現在東方古老數理哲學已著的《易經》之中。《易經》起源於《河圖》《洛書》《八卦》成於虙羲。《易》有三種：一曰《連山》成於虙羲；二曰「歸藏」成於大禹；三曰《周易》成於文王。雖人經三聖，世歷三古，考其原始，皆導源於《河圖》《洛書》。河圖洛書已成神秘寶笈，千古之謎。遂使絕學永淪，成為不可理解之物。推像其故，良緣好高騖遠而文虛而鄙棄、捨棄唯物觀點之契。

應該如何理解《河圖》「數列」與「方位」的科學實質？這是本文所欲研討的中心課題。為了便于說明，繪圖示範如下：

《河圖》

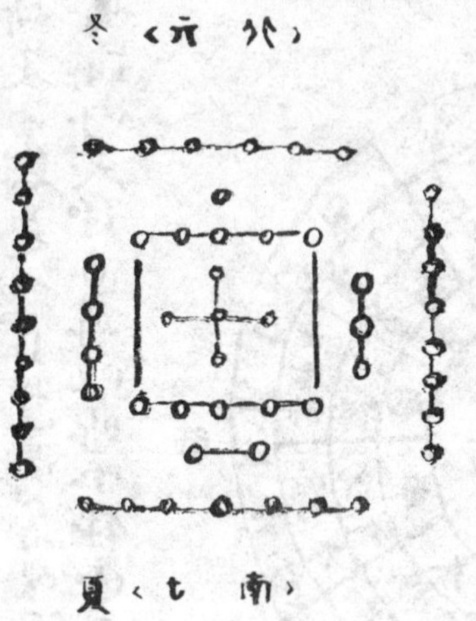

《論述》竊以為《河圖「數列」的方位特徵與數據「位置」，皆實質上標志了一副自然天文一歲週期中的四個不同氣象變化運動規律。這一運動方向是遵循「斗柄」斡旋順序（順時針方向）活動的（下文再提）。古人對天象四時觀測與記憶，是從「天球」周匝無限星群中找出以七個恒星座為一組的四個「星隊」，名之曰「二十八宿」。是為識別四季的特徵。並按其形象狀態予以摹擬動物的命名。謂之曰「東方蒼龍」、南方朱雀」「西方白虎」、「北方玄武（龜蛇）」，統稱「四象」。此種星名於希西天文

中亦頗不乏例。都屬於感官視覺豪擬想象的產物，未足為奇。應該提出的即「四象」所表的方位——東、南、西、北的確定，完全是以「北極」星（小熊座α）為座標核心的。因而古人有充分理由將《河圖》視為一部具有觀測運動、自然的天體運行的時空錄像表盤，是不為妄誕的。附星紀圖表於後以見意：

《天象圖》

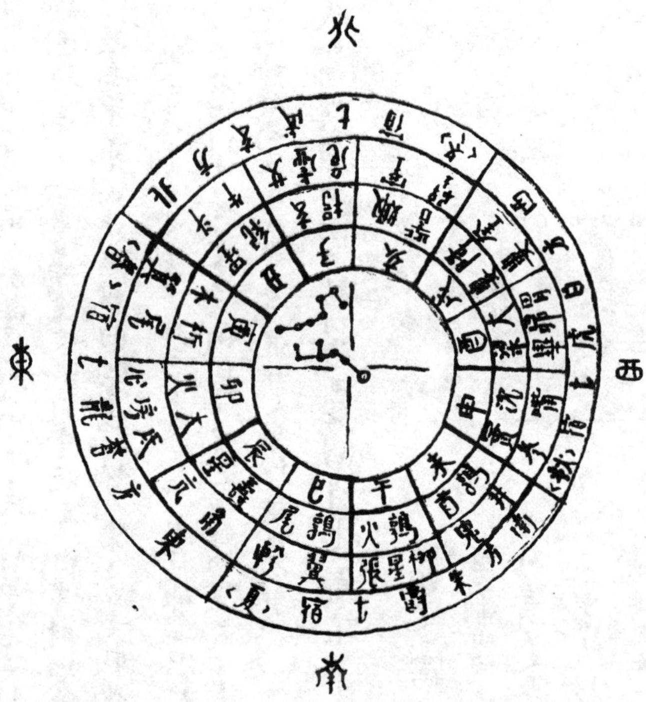

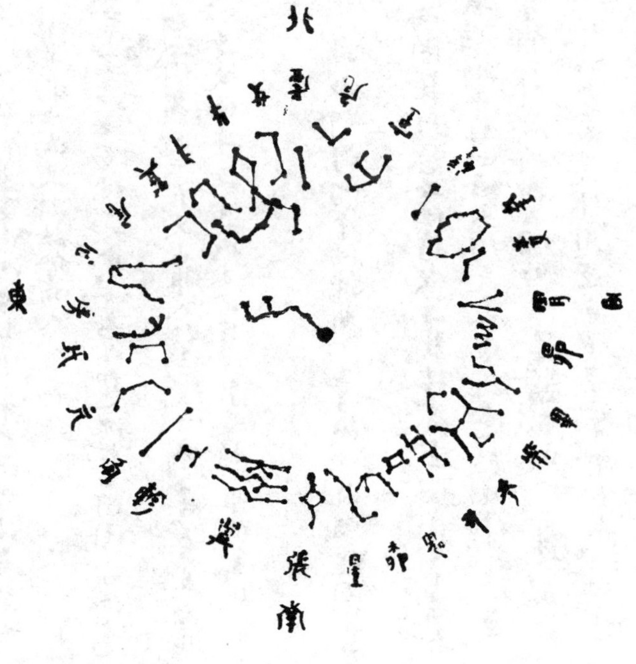

宣化遼天慶六年墓出土星象圖

例如《河圖》東方之數八。南方之數七。西方之數九。北方之數六。此見於《禮記·月令》、《淮南·時則》、《呂氏春秋》諸書，皆有相同記載。然而，這一系列數據究竟為何目的而設？則不免令人困惑。唯

《管子幼官圖》對此問題有很發性之紀述。扼要摘錄如左：

書《幼官篇》注：「幼，始也。陳從始輔官齊政之法。」東方文化萌芽於虞羲時代。《幼官篇》的性質等於《月令》。其紀時標準以「佛替」為作據。有來虞羲時代，東方世界已經初步具備了文明社會組織體系的雛型。證諸《竹書紀年》是可以認定的。「五行」「八卦」的意識信構胚胎萌芽具於斯。謹摘錄片段供說明之資：

「若因處虛守靜，人物則皇。五和時節，用五數。此居圖方中。」「春行冬政肅。行秋政雷。行夏政則閹。十二地氣發。戒春事。十二小卯。出耕。十二天氣下。賜與。十二義氣至。修門閭。十二清明發禁。十二始卯。合男女。十二中卯。十二下卯。三卯同事。八舉時節，用八數。右東方本圖。」

「夏行春政風。行冬政落。行秋政水。十二小郢。至德。十二絕氣下。下爵賞。十二中郢。賜與。十二中絕。收聚。十二大暑至，盡善。十二中暑。十二小暑終。三暑同事。七舉時節，用七數。此居於南方方外。」

「秋行夏政葉。行春政華。行冬政耗。十二期風至。戒秋事。十二小卯。薄百爵。十二白露下。收聚。十二復理。賜予。十二始前節。賦事。十二始卯。合男女。十二中卯。十二下卯。三卯同事。九和時節，用九數。……此居於圖西方方外。」

「冬行春政泄。十二始寒。十二中寒。收聚。十二中榆。大收。十二寒至靜。十二大寒之陰。十二大寒終。三寒同事。六行時節。用六數。此居於圖北方方外。」

《討論》在《幼官圖》中，詳明地紀錄了一歲週期中不同季度的自然氣象特點，並明确規定出不同季度的政治任務與適應氣候的行動措施。儼然是一部指導群體生活的「憲法大綱」。《管子》的成書年代不會早於春秋。《幼官圖》中的紀述也未必屬於是虞羲時代的遺古。但是不妨看到管子所奉行的曆法與《幼官篇》中的曆法體制，却與《河圖》的數列方位頗相當若合符契。

尤其是書中的「春季八舉時節，用八數。夏季七舉時節，用七數。秋季九和時節，用九數。冬季六行時節，用六數。」這帶有季度特色的節律分配比例原則，與《河圖》「數列」所處之「五行方位」排列時空順次規律不謀而合。尤爲明顯的迹象，即《幼官圖》中有關特定季度氣象紀述的每段文字的末尾，必附以「此居於『圖』之某（東、西、南、北）方」之證。《幼官圖》的書述格局，是和《河圖》的數列分佈形式是表裏呼應、一脈相承的。不過《幼官圖》是承虞羲曆的初期曆法，其推算技術尚未臻於精確完善。其所標偏的三百六十日，與太陽曆運行相差五又四分之一日。亦即「斗綱」尚不能返還其原位的起點。此所以「天缺西北」的傳言，後來「女媧煉五色石以補天」這一神話故事，正隱示了女媧對「虞羲曆」的調整措施。今我國內部江夏之地的彝族仍保留着年終的「星回節」。上泰族的「火把節」即上古天文曆法之遺迹。由此可見，以〇形圖樣組成之《河圖》「數練」，實質上即十二日的時間單元代碼。亦即虞羲曆以十二數爲一節的同位結構，可斷言也。試以數學公式求演之。

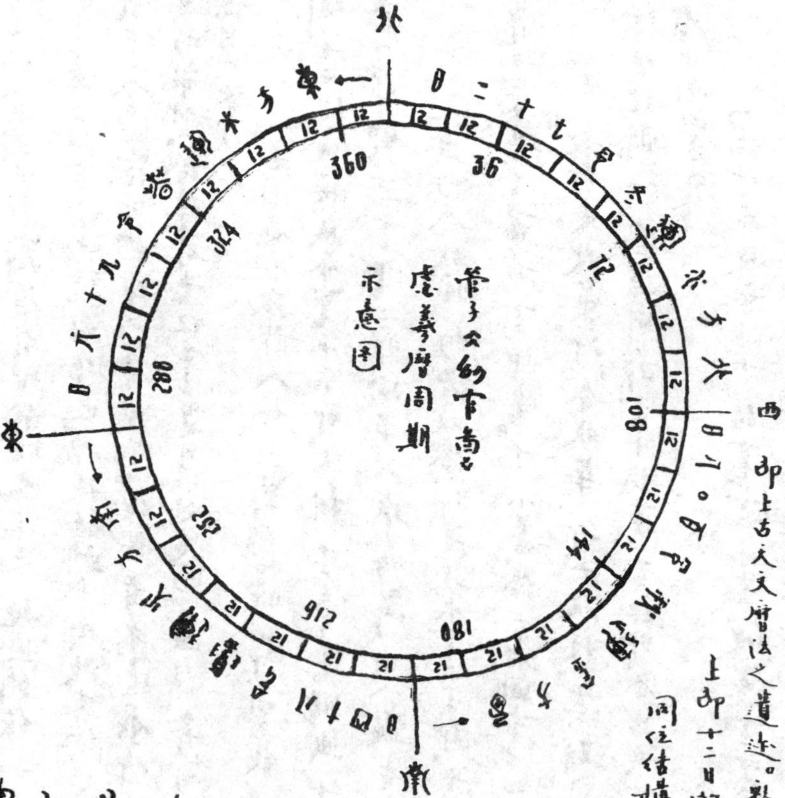

春＝12日×8＝96日。夏＝12日×7＝84日。
秋＝12×9＝108日。冬＝12日×6＝72日。
春8節＋夏7節＋秋9節＋冬6節＝30節。
年＝12日×30＝360日。
恆星年＝360日＋星回節＝365¼日。

筆者至此不禁拆筆喟然而嘆曰：《河圖》本來沒有什麼神秘。問題在於當時尚無文字記載紀錄工具。這曆書對複雜而有系統的天文知識苦於無法詳述。在計無可施的情況下，只好用數這數值十二的每個泛九，按照一年四季節目指數，依照「五行」方位概念上東、南、西北的分佈。這就是所謂《河圖》之產生之由來。關于春八、夏七、秋九、冬六的時數據，不僅見于《管子》，亦見于《禮・月令》及《內經》。

晝 𦘠 㫖 說文云「日之出入，與夜爲界。从畫省。」

案許氏所謂「與夜爲界」指日下一橫而言也。从日書。

日出、日沒，太陽之像也。古文旦上旦。昏上㫗。可上「日之出入」一語的直觀教材。值得推敲的，即「从畫省」一語，疑有增磨價值。考甲骨文晝字上从「𦘒」，象古手執規上圓之景。然則「一」者所以明晝夜分界綫也。依許君之訓，結合卜辭之字型參之，使吾輩清楚地認識到「晝」字的造型示意，是一副不折不扣的古代學者利用幾何製圖技巧以表天文知識的真相。

下面的插圖只能代表「二分」（春分、秋分）晝夜平均的說明，未是與言依歲各個時期的晝夜比例之變化。讀者諒之可也。

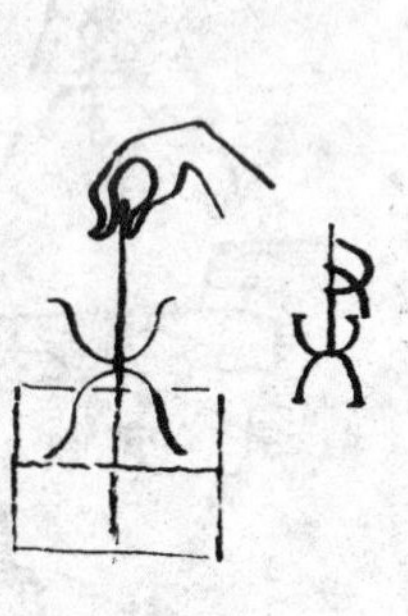

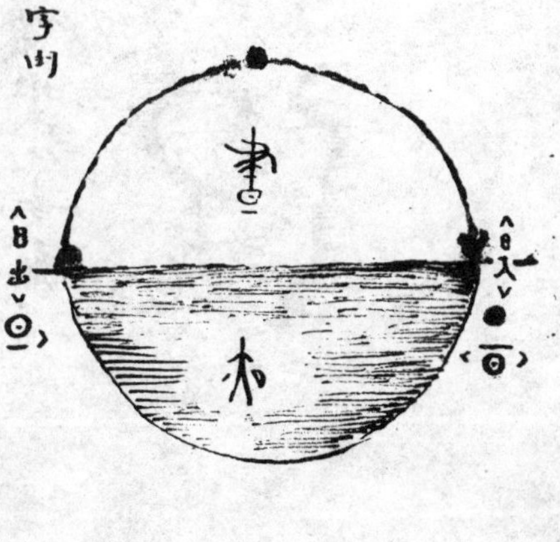

況 況 𣶒 仌く 𣶒 說文水部：況字訓「寒水也」。段文：「未得其詳」。此況字，初識千古于茲，已成難解之迷。愚也不敏，學無根柢，未敢妄逞臆說，自貽笑于高明。然情之所鍾，每有凝人之夢，竊謂千慮之得。不揣淺陋，類效封人獻芹，惟仁者憐而教之。

考況之爲文，从㕣从仌或从く。仌者固體也。く者液體也。其字或从仌或从く者，所以示介乎固體、液體之間也。此況字造形示意之旨一望可知也。是「水」之爲物，氫、氧化合物也。具「三態變化」之特異功能。對氣溫升降敏感，反應迅速。況字从仌或从く。正忠實地寫照出水的善變特徵。

二十世紀人類已發現水的體積，以攝氏四度氣溫中爲最小而密度與比重爲最高。四度以下則逐漸趨而膨脹，而比重遂漸下降。至0度則凝結成冰而浮于水面矣！此水之在「特定氣溫域限中之變

態也。這一變態顯然與一般其他物質的「熱脹冷縮」的普遍規律背道而馳。但假若處在攝氏四度以上之溫中，則與上不同。又回到「熱脹冷縮」的規律上來了。至攝氏百度，則汽化升空，不復能視其踪矣。故攝氏四度者，「水」的變態惰性「分歧點」，不可不知。此「水」的「三態變化」與氣溫升降之錯綜複雜關系，費理解。[illegible][illegible]二文是望·示意目的之關鍵。

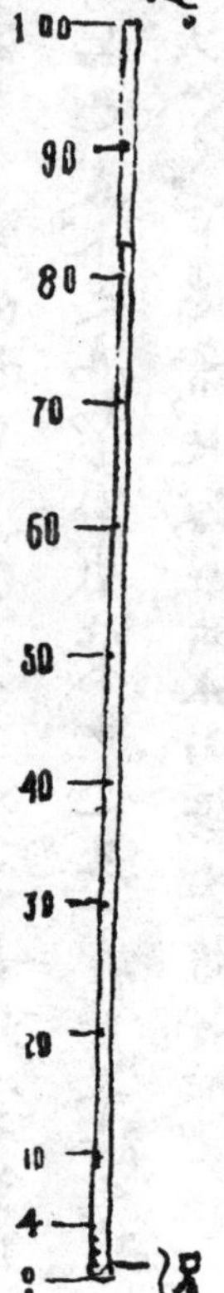

蓋許君所謂之「寒水」者，即攝氏一度之水也。至〇度以下，則水化為冰，而非液態物質，其之雖實已不適于「寒水」之名。于義推明。〇易曰：「履霜冰陰始凝也」。正是針對「水」在攝氏四度下降至〇度這一降程而言的。大概我們祖先于數千年前已經發覺的「水」的這一變態詭異現象。否則[illegible]字訓為「寒水」之解，就將成為不可理解的費語。即是鄰于無義語費甚地的。

關于「寒水」的自然科學背景之探索：筆者認為「寒水」一詞是有自然科學基石的。其真實，而且完全可表現在池水的立體垂直線不同層面的水溫差別上。因水之為物，接近乎半導體。此情況可求證于不同季節之野外潭水水溫變化為說明之資。這一物質變化景象，古人名之曰「[illegible]」，現代語謂之為「情形」。

故知[illegible]字从仌，所以示冬日之冰也。[illegible]字从〜，所以示夏日之水也。仌者，潭面水封之象。〜者，微波蕩漾之態。

野外潭水夏日上溫而下寒，冬日上寒而下溫。此常規也。

「霜降」之後，已值秋末冬初。所謂「潦水涸而寒潭清，煙光凝而暮山紫。」斯時水由飛罩于聶此○——一度溫域之中，呈現初步凝結狀態，其薄似紙（俗名雞毛餅）在這一「冰水交接點」之溫下，遂天朗氣半，微陽初照，則冰化為水。反之，遇陰霾橫空，朔風勁吹，則水結為冰。故知[illegible]、[illegible]二文或从仌或从水，亦標志着「水」對氣象變化時「敏感性」与動提傾向。

[illegible]

「[illegible]」字為什麼要从兄？因為人類對自然、知識之獲得，來源于生活經驗之積累。經驗之積累，依靠世代相傳之口授。兄者，先于弟而生者也。其年齡必長于弟。故《說文》訓：「兄，長也。」兄之與弟，見聞之廣，智力高下，自有區分。古代制度兄行在前，弟从于後。弟有不明之事，必求教于兄。《六書精蘊》：「兄从口从人。弟未有知而誨之。」案：兄之為文从口在人上，指事兼會意字也。口下之人，弟之象也。人上之口，兄之聲也。此兄字之形義也。所謂「有父則从父，無父則从兄」，這是古代倫理道德法則。《金文》況：[illegible]。从㞷从兄。㞷古往字。

《玉篇》：「㞷，往也。」《廣韻》：「㞷，昔也。」《易繫辭》：「夫易，彰往而察來。」《前漢武帝紀》：「稽諸往古，制宜于今。」可見作事不能放棄歷史經驗。兄年長于弟，智高識睿，對弟有保護之義務，代父施教之責。古文兄、[illegible]二字音同而義通。班固《白虎通·三綱六紀》：「兄者況也，況父法也。弟者悌也，心順行篤也。」古籍「父兄」并稱，「弟子」并言，于以見倫理社會秩序之延續關系。故[illegible]之為字，有自然之象義，亦有父兄義。有贈言施教義。「況」又与「[illegible]」通。《說文新附》：「貺，賜也。」貺从兄从[illegible]。有兄以財賜弟義，与以言賜弟曰況，為對應義。《家語》：「孔子適周，問禮于老子。老子送之曰：「吾聞富貴者贈人以財，仁人者贈人以言。吾不能富貴，而竊仁人之號，贈

八一

手以言。」于以見「況」、「貺」互通之義例。

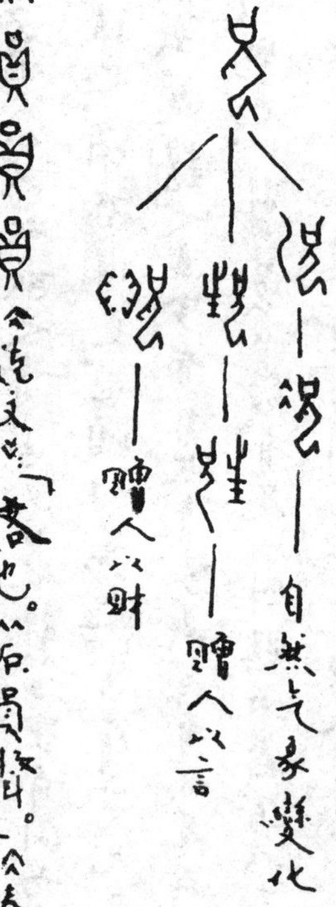

磒 霣 隕 隕 隕 隕 《說文》：「落也。从石員聲。」《春秋》僖十六年：「隕石于宋五。」《穀梁》之「霣」。

霣字初義為「雷石也」。延申為隕墜之義。《大雅·緜》：「肆不殄厥慍，亦不隕厥問。」是其例。

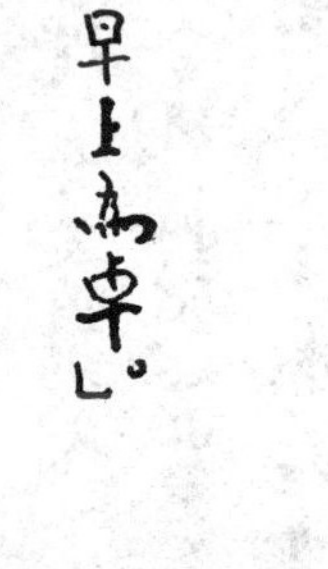

卓 卓 卜 𠦝 石鼓 卓 𣉻 𠦝 《說文》：「高也。早匕為卓。」

《釋名》：「超卓也。舉腳有所卓越也。」筆者按，卓字从卜从早。卜者上之省，站的高，看得遠也。从早者，所以示發現問題之及時也。現代語言名之「預見力」。人跑到時間前頭。《易·繫辭》：「大人者，與天地合其德，日月合其明……」儒家所謂「視於無形，聽於無聲」，皆「卓」之義也。

早 𣅀 𣊴 𣅀 《說文》：「晨也，又先也。」筆者按，上古編年歷史，皆用干支紀時。甲為十日之始，故造字以甲日為早。亦指事字也。古早皂通。皂為黑色，所以示天色猶黑，日光未見，故曰早。此聲中兼義，亦諧聲之例。《金文·中山王鼎》之文之「𣊴」，即其例。

晚 𠒆 晉 《說文》：「暮也。」按晚之為文，从日从免。免，古之冠字，後世之冕。冠冕之初文也。

古人把太陽下沉到地平線以後看作是太陽戴上了帽子。這種想象也表現在冥字上。

冥 [甲] 卜 [金] 篆 《說文》：「幽也。从日六，冖聲。日數十。十六日而月始虧。」

按，甲骨文[冥]字造型，從冖，從日，從廾。似雙手閉幕籠罩着太陽之象。此意想字也。古人看到太陽被烏雲遮蔽，天空變成黑暗，幻想為有人張起了黑幕把日光隔絕。此甲文[冥]字所造形示意之指也。許君據古文文十日為門之意，把冥晛為十六之合文，認定十六即月行週期超半的時間指數。因而把冥字判斷為月虧斷趁晦「晦昧」的會意字。《公羊傳·僖十五年》云：「晦者何？冥也。」其訓與許意相合。

瞑 [字形] 余 [字形] 篆 《說文》：「翕目也。」《廣韻》：「合目瞑瞑也。」《集韻》：「日不明也。」

按瞑之為字，從冥，從目。目者感光器官也。冖者蒙蔽之象也。造字者將為雲蔽日與眼瞼閉合蒙蔽眼睛等量齊觀，故知瞑亦冥之同源字。

嫇 [甲] 也 卜 [字形] 金 [字形] 篆 《說文》：「嫈嫇也。」《韻會》：「嫈嫇，幼婦也。一曰小人貌。」

筆者按：嫇字從女，從冥。許氏訓為嫈嫇。故知嫈者幼女也。冥者眼未開，智慧未開，意識蒙昧之態。此與[字形]字从[字形]从眾而訓為幽闇之指同義。

八二

冡－天光黑晦
矇－視覺黑暗——其義——〈幽暗〉
懞－意識不明

月 [甲骨文] 卜 [金文] 金 月 篆《說文》：「月，闕也。」按：[字形]字造型半圓之象也。所以示與日之形不同，形聲字也。

望 [字形] 卜 [字形] 金 [字形] 籀 [字形] 篆《說文》：「出亡在外，望其還也。」按：許氏此訓殊非望字初義。籀以為[字形]字造型從人、從目、從𡈼。𡈼、呈，皆「挺」之初文。故知[字形]字乃挺身而立舉目仰天望月時側面人形。《釋名》云：「月滿之名也。月大十六日，小十五日。日在東，月在西，遙相望也。」《易·小畜》：「月幾望。」《春秋·桓三年疏》：「月體無光，待日照而光生。半照即為弦，全照乃為望。」此解應較許氏說文為優。

雨 [字形] 卜 [字形] 籀 雨 篆《說文》：「水從雲下也。一象天，冂象雲，水霝其間也。」說文煩叨無小。嫌其語意不顯，愚補而出之。

跂 [字形]《說文·足部》跂字訓：「足多指也。」《莊子·駢拇》篇云：「……故合者不為駢，而枝者

不為跂」。故知「跂」字，初義即生態畸形之「駢指」也。

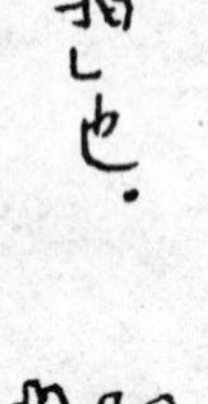

（跂）。

「跂」字在古漢語文言中，常被段借為三角形器物名。如《毛詩．小雅．大東》篇：「維天有漢（銀河），監上有光。跂彼織女，終日七襄。雖則七襄，不成報章」。

按「跂」之為器，筆者於壬戌之秋，參加全國性文物大普查中，曾於嶧北（今棗莊市）邊谷山西麓湖埠村從事野外考古，發現西晉瓷窯遺址一處，于遍地瓦礫中拾得三角形陶架數枚。其狀如下：

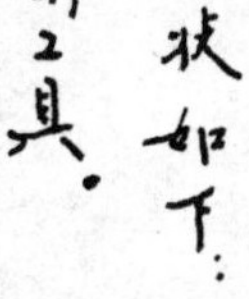

（跂）

其物上等邊三角形，空心三足。乃承載坯燒瓷器之設備工具。

按《大東篇》詩注云：「跂，隅貌」。《説文》：「跂然三隅之形者，彼織女也」。按即據此器為譬喻而無疑。《大東》詩篇的主旨，意在諷諫周室王朝的政治腐敗現象。把三角器具形容織女星的形態，並且予以人格化、神化，造成上帝的女兒，每天在為上帝織繡錦服衣料。但是用盡了每天日的七個勞動工時，終上連一朵錦繡花文也不曾織就。詩人通用這一巧妙寫作技巧，來揭露當時官吏階層的竊位素餐、是非顛倒的。

「織女」星位于銀河系中，天文東經十九度，北緯四十度之間。西方天文名曰「天琴」。南

八三

一顆一等明星同一顆小雙星、一顆四等星合組而成，成鼎足之方位。故詩人以「跂彼織女」稱之，是寓有周期的。但是我們未看這三顆星，遠遠感覺不出「織女」的象徵何在。必須把它們附屬星組的平行四邊形一并合觀，然後纔能發覺這是一個織布「梭朗」的形狀。（見圖）

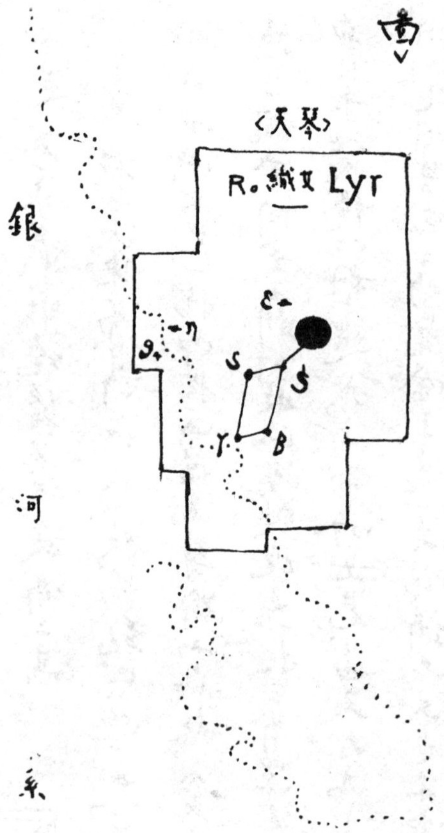

關於「織女」星同「牛郎」隔河相望，「每年七夕相逢」百雀為橋的民間神話，因與學術無關，在此從略。

山川風物

文字起源圖典

五

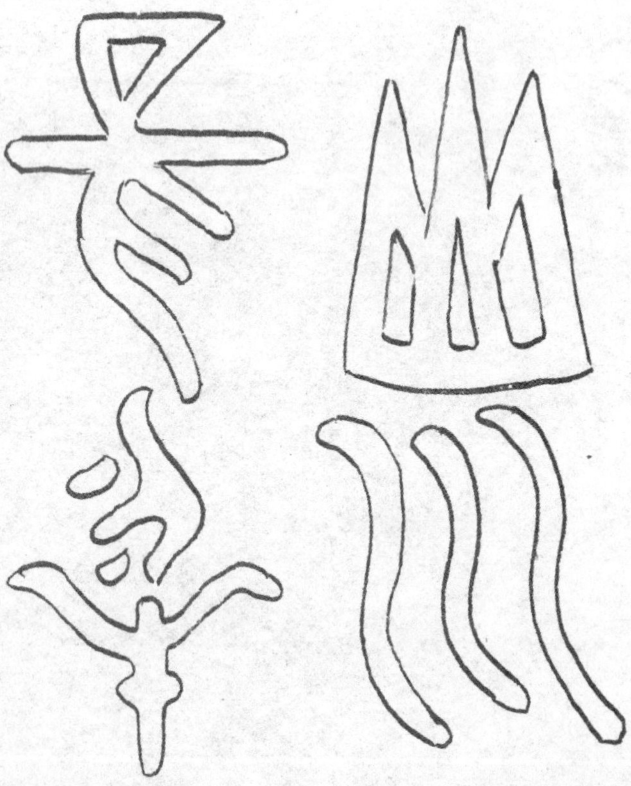

土地 一
坤丘虛墟 二
邊際 三
隰濕壘域 四
昔 五
呂沇滋 六
滿奧 七
隩 八
澳墺襖燠 九
粵滿 十
瀘沮河阿 十一
海洮 十二
洹淵涂 十三
油川澗 十四

洛濼 十五
淯鮪甾 十六
阻狙岨 十六
岱 十七
泉宗嵩 十八
山嶽 十九
灘洱 二〇
湓隋嶢嶢 二〇
陝陋夾峽鋏 二一
莢江雝 二二
靡廢饕歸 二二
壅慵呂 二二
邑郡野墅 二三
坰駉駫 二三

磯洋 二四
淯 二五
良川崗月邃 二六 七六

土 [illegible] 土《說文》：「地之吐生萬物者也。」《釋名》曰：「土，吐也。吐萬物也。」「二象地之上、地之中。丨，物出形也。」意蘊上所謂「物出之形」，絕非專指草木而是包羅一切生物而言。例如當春天雷雨之後，所有地下潛伏的卵、蛹、昆蟲都要蠢蠢而動。把土壤頂破在地平面上形成一個尖堆。其後就把這個尖堆碎裂為顆粒，生物於焉冒地而出。這一現象在遼闊大地的雷雨之後的早晨隨處可見。甲骨文的 [illegible] 字造型（[illegible]）是極端符合自然景象的。《禮月令》：「仲春之月，蟄蟲咸動，啟戶始出。」[illegible] 字其象形也。

地 [illegible] [illegible] [illegible] 墬籀 地 等《說文》：「元氣初分，重濁陰為地。萬物所敶列也。」

許氏把地字提高到地球最初形成的景象來說明問題，並且把地球看占為一片陳列萬物的廣闊市場，是富有風趣的。

《發明》：古文無地字，適以「墬」字代之。這一適殺規律也許是緣于看到人和動物從高山懸崖之墬之上落地的景象而生。是完全符合思維邏輯的。後起的「地」字，從土，從也。土是物質符。也字的內涵是富有想象意念的。

考《說文·乙部》云：「也，女陰也。」土部「地」字下段引《易·繫辭》云：「坤道成女」。並引《老子》云：「玄牝①之門，是為天下根，故地字從也。」

—

《討論》：東方古老哲學，把大地同母親劃了等號。把母性動物的生殖器官名之曰「玄牝之門」。又延伸為生物從地中破土而出的概念。因此造字者將土、也二文結刘，以表示大地生育萬物同母親生男育女的景象是了「等量齊觀」。這一哲學觀點，是具有高度「唯物辯證」科學基石的。這一哲學觀點，不僅存在于東方，也存在于西方。例如拉丁文中的 Terra 是（土地），引伸為女神名 Tirra（地母），Tellus（地母），則為「地神」。其意義，等於東方古代社會的「社」。（我國古代祭祀土神的神壇名曰社。故社字從土從示（神），說詳《禮祭法疏》在此從「器」）此神在拉丁語中有个別稱，名叫 Magna Mater，譯上「偉大的母親」。在這裏說明了東西兩半球的（都在利用了男女婚姻關系及動物交配的生殖觀點，來認識大地的生理功能，是非常明顯的。看來，古人造字，以土、也為地，實導源于《周易》而無疑。☷☷卦文：「至哉坤元，萬物資生，乃順承天，坤厚載物，德合無疆，含弘光大，品物咸亨，牝為地類，應地無疆」。經文在這裏，把大地同母性的生殖功能統一在坤卦之內。這就為吾輩研究地字造型示意，提示了科學依據。（見圖）

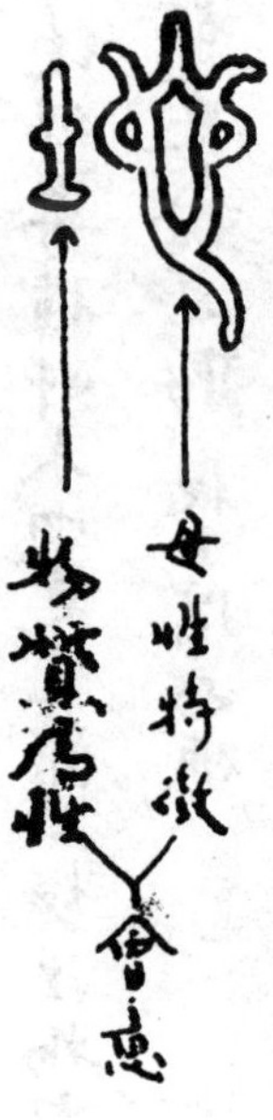

註①玄牝（黑色母牛）牝，甲骨文作"牝"是母牛生殖器官形，与"也"同義。

坤 巛 [illegible]籀 [illegible]篆 《說文》：「易之卦也。從土，從申。土位在申也。」

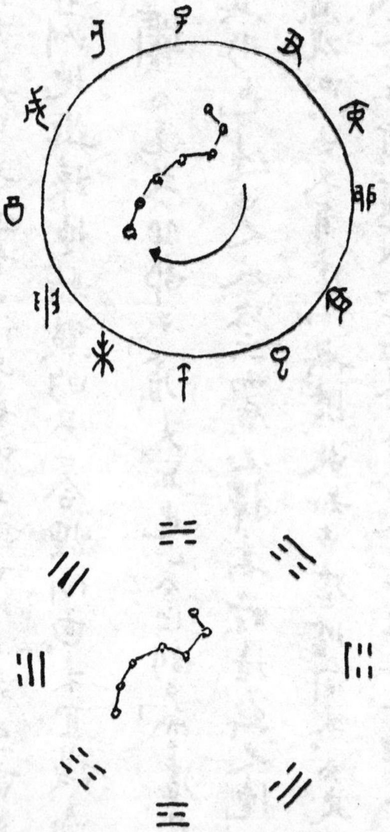

《說明》坤卦位於八卦的西南方。他不是盲目無據的規定，古代勞動人民經營農業，畊種斂收，必須掌握時令。當時沒有《日曆》。唯特觀察天象定時。他們把天空上懷錶，把周天二匝分佈的二十八個恒星座當作時間刻劃。

把「北斗」的杓柄當作「時針」。當斗柄指向坤方《申》之日，即長夏季節《農曆七月》到來之時。所以《易☷卦爻辭》說：「利西南得朋」。這就是坤卦位居西南的真正理由。

孟秋之月正是霪雨連綿濕度最高氣候。胃腸疾病暴發之機。中醫文獻把胃腸疾患屬于「太陰濕土」的範疇《見漢張機《傷寒論》》。《內經》把長夏氣候名之曰「土運當令」。《五行學說》把「坤」作「土」的代稱。《易說卦》以「坤為腹」，又是大地的「濃相」，又是母親的形象。正如《繫辭》所云：「易之為書也，廣大悉備，有天道焉，有人道焉，有地道焉。」現代學術界名之為《天人合一論》，可謂深得其旨。

二

關于巛、𢀖、坤三文的造型：𢀖是從𦥑從亣。𦥑古掬字，左右兩手捧持之形。亣是數碼，與巛、☰之象同例。兩手握持六根竹筴，正合「六」為老陰之數。這是最原始的古老占術的生動寫照。

〈𢀖〉

丘 𠀉卜 丠 丠 篆

《說文》：「土之高也。非人所為也。從北從一。一，地也。人居在丘南，故從北。中邦之居，在昆侖東南。一曰四方高中央下為丘。」按甲骨文丘作𠀉。造型與《說文》之說相合。考《幼學瓊林》云：「孔子之顛若圩。」釋文曰：「圩者，中低旁高也。」按司馬遷《史記》云：「顏氏禱于尼丘而生孔子。生而首上圩頂，故因名曰丘。」則孔子之顛與尼丘同，可與甲文造型、《說文》之訓互證。可以見矣。至許氏「人居丘南」之說，以釋丠，自亦有其亞洲地輿環境特點的另一合理側向，未宜議為迂闊也。

虛 虍丠 墟

《說文·丘部》：「虛，大丘也。」《正韻》：「空虛也。」按：虛字從虍從丘。虍者，聲也。丘其形也。遠古之民穴丘而居，必擇高燥墳與之境，向陽臨水。許氏訓為「大丘」，是符合實況的。古文有虛而無墟，故知古虛墟同文。《史記》云：「魯，少昊氏之虛，衛，顓頊之虛。陳，太皞之虛。鄭，祝融之虛。郯，無鳩

氏之虛」。後世謂繁華城市毀于戰火曰「化為廢墟」。誠如《呂氏春秋》所云：「使人之朝為草，而國為墟」。注：「墟，丘虛也」。又《春秋傳二十八年》：「晉侯登有莘之虛以觀師」。《文選·潘岳西征賦》：「窺秦墟于渭城，冀闕緬其堙盡」。注：《三輔黃圖》曰：「墟，故所居也」。洪則所謂「墟」，即前人所居之遺址也。彰彰明矣。《荀子·解蔽》：「此其所以喪九牧之地而墟宗廟也」。可見「墟」之為地即殘破沒落之建築遺址而無疑。筆者從事野外考古工作中所見之古代遺址多居高地之上。其址基斷層中亦夾雜磚瓦陶片古器故物之類。其即殘墟之地矣。

虛

虛《空虛》

墟《廢墟》

墟

邍

邍 《說文》：「高平曰邍，人所登」。《爾雅·釋地》：「大野曰平，廣平曰原」。《周禮·地官·大司徒之職》文：「辨其山林川澤丘陵墳衍原隰之名物」。《禮記·月令》：「孟夏之月，命野虞出行田原，為天子勞農」。在《周禮·大司徒之職》所使用的「原」字右側，特加着一個三角形黑色符號，目的讓讀者知道：「這是一個錯別字」。

《發明》：邍之為字，從彖《或上象》，又，象，象各類野生動物形》野

獸之象也。從文，文文安行之貌。從田，土地也。從夂，久行作止之態也。邊字造型的基本結構，揭示了這是各種天然生物自由活動的廣、闊土地。特別是𩕳字造型從爾，從自，從冖。更暴露了這箇「暢曠遼闊的動物天然樂園的大方向在于「日界」之處（西方）而有關𩕳字的文獻檔案資料中，並指出了這些土地的環境位置。《史記・匈奴列傳》載：「崔嶺之戎」，徐廣曰：「在天水。」《漢書・地理志》云：「天水郡有獂道。」應劭曰：獂，戎邑。獂與獂同。」按西戎、「匈奴」之境。即《尚書・禹貢》：「黑水西河惟雍《邕》州」之地也。其地氣寒而乾燥，牧草蔓生，最適於游牧之環境，荒漠遼闊，野獸蕃殖之鄉也。青、藏上這个拔海兩千公尺以上的廣、闊高邊，大約可以架構陝西、甘肅、內蒙西部、青海北部。因此可以肯定「邊」字的初義是指西北高邊而言，後來被用為一切高邊之名。但今世經籍版本皆以水源之「原」代之。蓋不知乱自何年矣！

《高邊》〈邊、邊〉（象人已出數形為特徵）

《水源》〈原、原〉（象人已出水流為特徵）

濕 隰 隰 《說文》：「阪下濕也。」《釋名》：「濕，蟄也。蟄濕意也。」《公羊傳．昭元年》：

「上平曰原，下平曰濕。」按濕之本字從𠂤從㬎。𠂤者地之形，㬎者濕之省也。古名曰「濕」，今名曰「澤洛地」。此類地理環境，水草相雜，菌蕈叢延，蜂蟲蟄集，蚊蛇叢居，則《釋名》訓之曰「蟄」，固其宜矣。

濕 濕 濕 濕 甘 卜 濕 金 濕 濕 籀 濕 篆 《說文》：「幽溼也。一，所以覆也，覆而有土，故溼也。」按許氏所云之「一」，正是捍鞦絲束的脫水杠桿。可從《卜辭》濕字造型察之《見圖》。此字實取象于曝絲工作景像而來，可從史記語例獲得其義。考《前漢．酷吏傳》：「急如束水」注：「言其急之甚也。」濕物則易束。「束」字在這裏顯然是動詞，有緊縮、壓榨之義。故知許氏所謂「幽溼」即「水」含藏于其他物體之內，目不能見之意。濕取形于絲，故知籀文濕字从日从絲从水。利用日光曝絲，達到脫水目的之意。濕絲音同而形似，可知造字之所依據矣！今吾人每日洗面必用左右兩手握持毛巾，作相對方向之紐轉。《敬氏??》濕字其形象矣。濕 一一

〈濕〉

四

疆 畕卜 畕籀 畺金 疆 《說文》畕部云：「比田也，從二田，凡畕之屬皆從畕，闕。」段注：「此謂其音闕也。」同部畺字訓：「界也。從畕，三，其介畫也。」大徐：「居良切。」《發明》：按許君畕、畺分為二字，難免有疊床架屋之嫌，蓋畕、畺、疆同屬一字，而大徐音「居良切」，似亦未能得造字命音的真諦。若衮曰畕之命音，「界壤」之合聲也。所以示二國各有壤基，不容侵越之義也。故知畕字亦聲中兼義矣。今疆行而畕廢。此漢字繁變之例，猶囧之化[illegible]，甾之化緇[illegible]也。

域 或 𩫖 或 域籀 域篆 《唐韻》：「邦也。」《集韻》、《韻會》、《正韻》同。文訓：「界域也。」《詩·商頌》：「肇域彼四海。」以四海為邊界。《周禮·地官·大司徒》：「以天下土地之圖周知九州之地域及廣輪之數。」以根據地圖推算領土面積及國境長度。又云：凡建邦國，以土圭土其地而制其域。凡造都鄙，制其域。」故知「域」字有「國界」義。

考域字造型，從或，從土或田。「或」古國字，土者地也，與田同義。故知域之為義，與畺字同。古文域作𨸏，從阜，從或。阜，《釋名》：「土山曰阜。」所以示原始氏族部落以自然之嶮為國界也。𩫖字從𩫏（郭），此後起文字。深溝高壘據嶮而守之

之態也。𩫖𩫖形從戈義通，所以示金城湯池之固也。《金文師袁𣪘》城也𢦏。從邑從戈。邑，古國也。戈，古兵字。武備之象也。人類早期聚族而居，恃天險以為界，守望相助，無從戍侵擾之患。古詩所謂「立國自有疆」者也。家天下王朝興起，裂土分封，各守邊疆城郭以為固。𩫖字其形訛矣。降及春秋戰國，列國爭食，干戈擾攘，攻城略地，邊患四起，而侵伐之師無寧日矣。𢦏字是其證矣。文字本身即人類歷史之留影，信不誣矣。

昔 㫺 㫺 㫺 㫺 㫺 《說文·日部》：「昔，乾肉也。從殘肉，日以晞之，與俎同意。」許氏顯然已經把㫺字上部的巛看成是肉的變文，將⊙理解為光度與熱能。但據筆者讀書經歷，㫺字上為「乾肉」的定義見於經史的應用例甚為罕覯。而上為已往時辭，則司空習見。舉例如下：

《易說卦》：「昔者聖人之作易也」疏：據今而稱上世謂之昔者也。

《詩商頌》：「自古在昔，先民有作」。

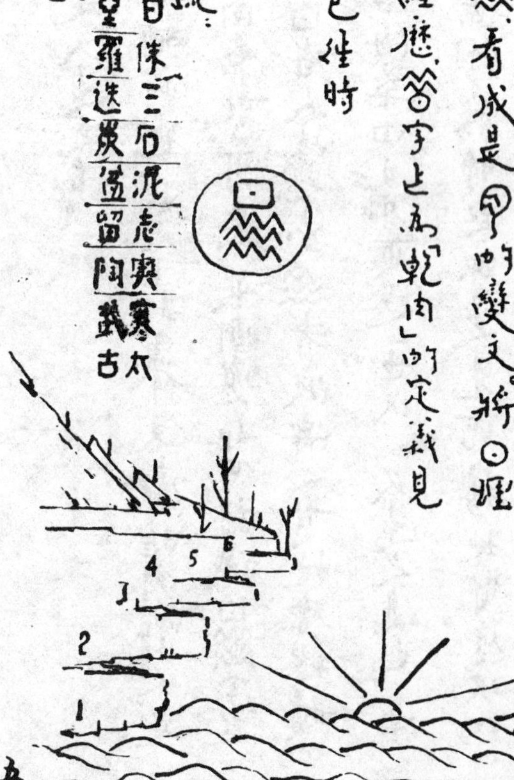

《禮·曲禮》：「必則古昔，稱先王」。

《詩·陳風》：「誰昔然矣」。疏：昔是久遠之事。

《禮·檀弓》：「予疇昔之夜」。注：昔，猶前也。然以上列舉文獻語例觀之，足證昔之為字，乃已往時義辭，而非乾肉名，彰彰明矣。然則應如何認識㫺字？竊以為：㫺之為文從日從巛。日者太陽之象，巛者波濤之形，地層褶積之態也。故日巛合文而成㫺。所以示「滄海桑田，日月更迭」世代久遠之遞也。西方的偉大學人達爾文氏從事地層考古，開《物種起源》之先河，據地質層次化石遺象以判斷生物起源的歷史上限。完全可從㫺字造型得到體會。現代田野考古學術視原始遺址址基斷層之排列位序而確定其時代之先後，大概殷商時代已有此種考古常識矣。可從㫺字證之。

時間本身屬于無形之物，是難於捕捉的。人類所處的地球年齡已達五六十億之久。人類在探索她的發展經過上，只能憑藉着她的組織結構遺象中尋找答案。㫺字的造型示意，充分表現了東方世界的老前輩在探索自然秘密中流露的智慧。於以見漢字的科學價值。

㕣 㕣 遄 卜 容 籀 沇 金 容 篆 《説文·口部》：「㕣，山澗陷泥地。从口，从水敗貌。讀若沇州之沇。九州之渥〈沃〉地也。容，古文㕣。」

《發明》：按許君所謂之「山澗陷泥地」，實，即現代地輿學術語之「泥潭」、「澤沼地」之類的自然環境。其唯一特點，是泥水交雜，顏色渗濁，气息腐臭。這个縣于地理環境特點而形成的四面環山中間低窪的澤沼中所淤蓄的毒質、液態物，是長期承受着高山森林腐草枯木、禽獸尸體，牛、羊溲溺種種：惡質，經受風雨侵蝕，山洪暴發，順流而下的產物。此渗泥穢濁，衆集之地，即毒蛇猛虫寄迹之鄉，蜂蠆蚊虻遨遊之所。對人來說雖無益有害，然而對新生的植物幼苗來說卻是寶貴、肥料。古諺所謂「地之穢者多生物，水之清者始無魚」者也。古代學者在缺乏「蛋白」「脂肪」「纖維」「醣類」這類辭彙情況下，只好以「山澗陷泥地」一語賅之，是完全可以理解的。

㕣字何以會與「沇」之沇相通？這是因為沇州地區的土壤素質，屬于來自西北高邊的沇水，沖積而成的「沃野」。因而這片土壤成份淤量，和沇水上游的「山澗

沿泥地」完全相同。這就是「㕣」「沿」二字互通的理由。緣于這條沇水是從西北高處順流而下的產物，因而上為「順流而下」的語義動辭的「沿」字也就和「㕣」「沿」、㕣、㕣、㕣諸文「同流合滲」了！

㕣字的最早初文，上㕣。見于《卜辭》。字從凵，《古坎字》凹陷地形也。從冃，冃之省文，殘骸沉没水中之態也。冖者枯木叶之遺也。此象形兼指事會意字矣。㕣字造形，從冖，亦冃之省文也。谷字山谷也。八象水從高山分流而下之形，口者示水注于凵中，上平，留滿之態也。澤沼之形也。亦指事字矣。

滋

滋 卜 滋 金 滋 沇州古名滋陽。蓋以位于滋水之北而得名。滋字從水，從兹。二玄為兹。《說文長箋》：「黑而有黄色者為玄。」故知「滋」字有黑色義，亦有滋養義。則滋水亦冷濁之水，與沇水同質，彰彰明矣。

附有關沇水、滋水文獻資料，以備參考：

《書禹貢》：「導沇水，東流為濟。」《正義》曰：「《地理志》曰：濟水出河東垣縣王屋山……」《水經注》：「濟水逕原城南，東合北水，亂流東南注，分為二水。一流東南流，俗謂之衍水，即沇水也。」《括地志》即「滋水」。与「滋陽」位于滋水之北之地與方位吻合。姑存以備考。

潙嬀涘娭《廣韻》：「水名。」《尚書》：「釐降二女于嬀汭。」《正義》曰：「嬀水在河東虞鄉縣歷山西。西流至蒲坂縣南入河。舜居其旁。」復考酈道元《水經注》云：「潙水出益陽馬頭山（按境屬湖南長沙）。」又云：「潙水出西北邵（昭）陵（湖南邵陽）縣界。」《水經二八》：「潙水在湖南寧鄉縣西。東北流，入湘江。」

《發明》：潙之為字，从水，从為。此字《說文》不見。考《尚書》但云嬀汭，而不言「潙」汭。杜預注《左傳》云：「水之隈曲曰汭」。故知「嬀」之為義，亦水名矣。蓋據文字求之，嬀字从為从女。義宜為人姓。而潙字从水。則應是水名。但《經典》嬀潙通段為用。蓋同源字也。按湖南之「潙水」，乃湘江上游，而《尚書》之「嬀汭」位于山西。二水地望各異。而字義通段，其故何也？考《文選》楚辭湘夫人《詩》：「帝子降兮北渚」。注云：「帝子，謂堯之二女，娥皇女英，隨帝不反，墮于湘水之渚」。古史相傳，舜南巡，崩于蒼梧，娥皇女英哭舜于蒼梧之野，泪彈斑竹，死後化為湘水之神。故知娭之為字，娥皇女英生人之地望名也。古以出生之地為姓。故嬀字即娥皇女英之姓。為西周陳氏之所祖。更可知湘江上游之「潙水」，因娥皇女英之葬身湘水而得名，蓋無疑矣。屬千百年史蹟于一个單字之內，乃漢字之實例。未足奇也。「文字癖」皆能言之。愚名之為「文字化驗」。

奥、[甲骨文]卜[甲骨文]等　按奥之為字，含義頗廣，或训為積聚（見《周語》）或训為秘密（東漢會記》）但非本義。唯《釋名》之解為切乎物情。《釋名》云：「藏肉于奥內，稍出用之。」注：稍，廪食也。」《说文》：「出物有渐也。」

《發明》：所谓「廪食」，就是将田间收获的粮食储之于仓廪，以供长期计划吃用。故《说文》训為「出物有渐」，是非常正确的。先秦社會已有按人給粮的分配制度。故如《释名》所谓「藏肉于奥内，稍出用之」。正揭示了「把肉类储藏在库内，按时定量供應」的物资管理制度。值得疑问的是，當時肉類的储藏方式问题。这就迫使我们不能不對「藏肉于奥内」一語作進一步的推敲。我们曾經讀過《禮記·大學》的人，都能憶起其中的这一語吧：「伐冰之家，不畜牛羊。」意思是：伐冰之家不需要自己飼養牲畜，也不會缺乏肉食的。什麼是「伐冰之家」？这在經文中也有明确交代。經注云：「卿大夫以上丧祭用冰。」《坊記》疏云：「從固陰之處，伐擊其冰，以供丧祭。故云伐冰也。」顯而易見：「伐冰之家」都是貴族階層。但經文却忽略了「不畜牛羊」的说明。但是我们却可以从「固陰之處，伐擊其冰，以供丧祭」这十二字的注解中，得到更深一層的考證线索。《禮月令》：「仲春之月，天子乃鲜羔開冰，先

薦于寢廟」。注：「古者日在北陸而藏冰。西陸朝覿而出之。其藏冰也，深山窮谷固陰
沍寒。」又《詩大疋·豳風》：「二之日〈月、夏十二月〉鑿冰沖沖。三之日〈月、夏正月〉納于凌陰。
四之日〈月、夏二月〉獻羔祭韭。」《周禮·天官·凌人》：「正歲十有二月，令斬冰。」又《月令、季
冬之月》：「是月也，水澤腹堅，命取冰。」這些紀載，都在說明古代貴族藏冰的時間
與場境。在此有必要附帶講述一下「北陸」、「西陸」之詞。古天文學將周天寰宇的「經
星座」劃分為東西南北四組。即「東方蒼龍，西方白虎，南方朱雀，北方玄武。」為了方
便說明，稱為「北陸」、「西陸」。所謂「北陸藏冰。」就是規定在太陽行經〈視運動〉北
方七宿〈包括斗、牛、女、虛、危、室、壁。即冬天〉的時間，從事藏冰。至次歲日行西陸
〈包括奎、婁、胃、昴、畢、觜、參。即春天〉時，就開窖〈奧〉取冰。從「天子鮮羔
開冰」結合《釋名》「藏肉而消出用之」的說明，我們可以知道這個位于
深山窮谷固陰沍寒」的藏冰之所，實際上就是「王者禦用的「冷藏庫」。
這裏面不獨是藏冰，而且還儲存大批的肉類、魚類〈鮮羔〉。否則「伐冰之
家不畜牛羊」將成無從求證的空話了。這個「冷藏庫」也就是《釋名》所說的窌。奧字從穴，
山洞之形也。從米割裂之「卯」的部份備寫也。卯者牲為四肢解剖之象也。另者宰割之器，
八

窌

[illegible]字，而手為羔之態也。此字形兼指事字也。當然這些「鮮羔」並非出于「王者」親手飼養，而是来自民間。所以說「伐冰之家，不畜牛羊」。雖于奧的處境位于「深山窮谷之地，人煙罕至之匯」，而奧字遂昇華為「奥秘」義。這伸義行而，初義遂晦。可徒下列例字見之。而奧的功能說在于收藏，則「積聚」之義自在其中矣。此《周語》「野無奥艸」語義所基矣。

隩 隩 墺 《書堯典》：「日短星昴，以正仲冬。厥民隩，鳥獸氄毛」。傳：「隩，室也。民改歲入此室，處以辟風寒。鳥獸皆生耎毳細毛，以自温焉」。

《發明》：一歲週期當中，最冷的氣候，在于「冬至」以後。這時一切禽獸都遇到低温气勞的刺戟感受，發揮，調動其自身内部的防害生理潛能，而表現為毛，羽增殖，用為自然保温設施。但人類被育羽毛，只有選擇和改變居住環境而取煖，這是必然之勢。所謂隩，就是早期人類的居住宿舍。可以包括「山峒」和居所「土穴」兩種。所以文字也是隩或是墺了。《說文》：「山無石曰阜」。《釋名》：「土山曰阜。言高厚也」。今陕北高原之地，民間仍在土厓剷面向陽之處鑿土為室，面南而居。此上古之遺跡也。《玉篇》：「隩，藏也」。蓋藏冰于奧，与藏人于隩之物理功能固同。故知隩亦奧之同源字。

澳 澳 《詩·衛風》：「瞻彼淇澳，綠竹猗猗……」傳：「澳，隈也。」

按：澳字從水從奧。河岸陡峭曲折縱橫可資隱蔽藏形遁跡之地也。《說文》已闕，今本《毛詩》已闕，以通假字。自宜以澳為正文。理有然也。山裡自然景象多出現于河床由積廣闊，水流和緩，兩岸高聳之處。其地多為堅實黏土，樹木林立，根深蒂固之鄉。故能土木相輔為固，而無坍塌之患。甘肅泰山西北靈巖古寺，山麓之下，有溪徑焉。有土橋一座，非磚非石，天然土梁也。兩岸相通，下可通流。千年古柏盤根于梁當之側，曲抱上升。左右互交于梁上而成樾，蔭覆行人。溝壑蜿蜒，犀岸土壁從身峙，隈然天成，無傾圮之患，風雨之憂。是真隈澳之跡矣。

燠 燠 燠 燠 烍 《說文》：「熱在中也。」《爾雅·釋言》：「燠，煖也。」《尚書·洪範》：「曰燠，曰寒。」《詩·唐風》：「豈曰無衣六兮，不如子之衣，安且燠兮。」《漢·王褒傳》：「襲服絺綌之涼者不苦盛暑之鬱燠。」按：說文所謂「熱在中」，即熱量已達飽和無處流散之象。故燠字從火，從奧。火者，燃燒之態。奧者，聚集之意。在人身表現為高熱無汗。在居室表現為氣壓降低，通風不良。在天空表現為酷暑不雨。皆「積熱在中」

九

之義，亦奧之同根字也。

襖奧《玉篇》：「袍襖也」。襖之為物，防寒保溫設施也。外表而內裏。空其中。故裕字從衣、從谷。所以示中空有物也。裕之為言燠也。熱在中也。古韻燠、墺、裕音同而義通。外表而內裏，寓之以絮，包裹之象也。故曰「襖奧」。納絮于表裏之間。故亦有儲藏義。指事兼會意字也。今之「麵包服」即利用絕緣空隙原理保護體溫，即古之綿襖也。

〈襖〉

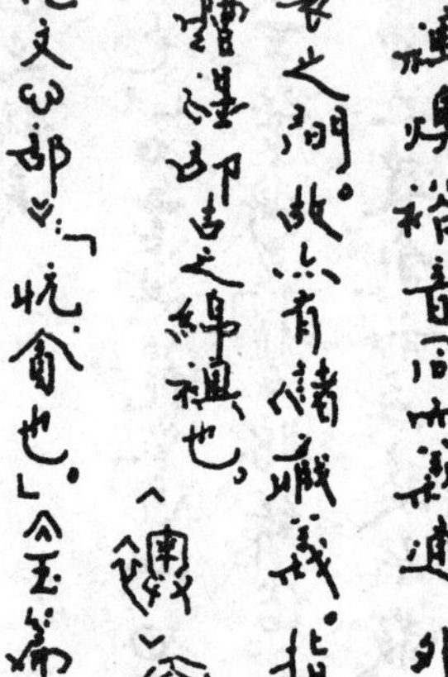

懊奧《廣韻》：「懊惱也」。《集韻》：「恨也」。《爾雅·釋言》：「忨也」。《說文·心部》：「忨，貪也」。《玉篇》：「忨，愛也」。郭璞注：「忨，愛也。人情因愛生惱，終為懊恨。」郭氏顯然是一位社會觀察家。也是一位「心理學」家。但非文字學家。

《發明》校：所謂「懊惱」，實質上就是一種「精神病態」。其病因或繫于階級壓迫，或出于慾望不遂。此種「社會病」往往會造成殺人犯罪行為，或導致自殺悲劇。詩讖

言「懊」字造型，示意之指：懊之為文，從心從奧。心者，神明之官也。奧者，積物之穴也。〈見前〉囟思積慮而成疾，則懊惱生。所以示大腦容量超荷，刺激神經官能變化也。尤其是𡿺字造型，從巛，毛髮聳立之象也。從⊗，外象顱骨，內象神經左右交叉之態。⊗古囟字。大腦門戶也。所以示腦腔積血，顱壓升高也。故不能「懊惱」二字互相連系，則無以窺察造字之之指。

粵 [篆形] [篆形] 篆《爾雅·釋詁》："粵，曰也。"注："語辭發端。"

《發明》：按"粵"字用為古漢語起語辭，假借例也，非初義也。粵字本義乃我國江南地區綜合地理名稱也。古史稱兩廣、江浙、閩、滇之地為百粵。因其地形山川崎嶇，部落眾多而得名。《前漢高帝紀》："徒《縱百粵之兵，以佐諸侯，誅暴秦》。"可知在推翻暴秦政權的革命戰爭中，百粵部落是起了"敢死隊"作用的。廣東、廣西古稱"東粵"、"西粵"。"十萬大山"位于其境。故粵字從宷從亏。宷者審之省，隱曲之境也。亏者，山川迂回之意，指事字也。

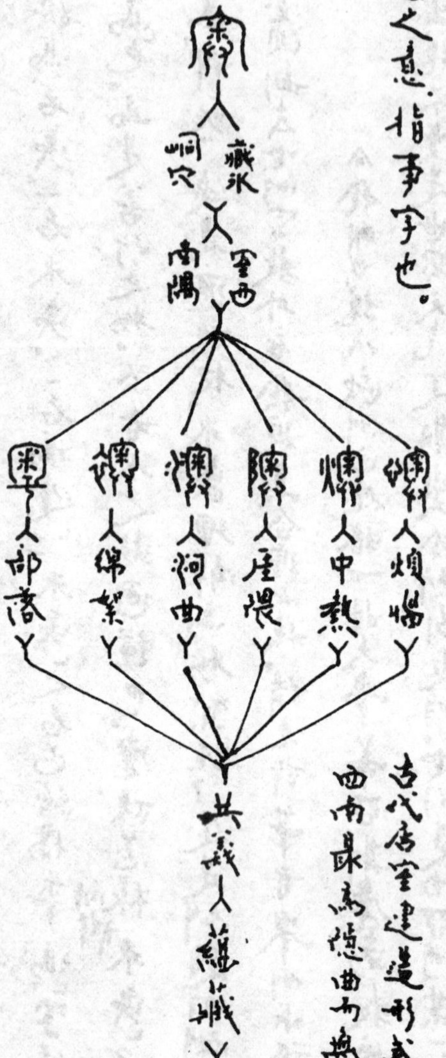

古代居室建造形式皆開戶於東南，而室之西南最為隱曲而無光，故室之西南曰奧。

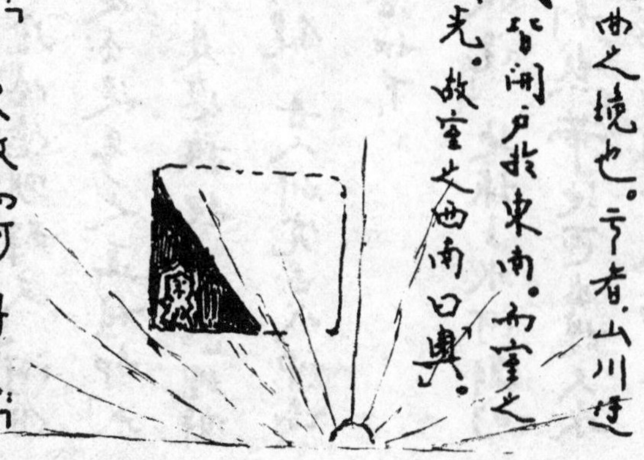

馮 [篆形] 篆 [篆形] 《說文·馬部》："馮，馬行疾也。"按《詩·小旻》之篇："……不敢馮河。"傳文："馮陵也。徒涉曰馮。"疏引李巡曰："無舟而渡水曰徒涉。則空涉水陵波而渡，故訓憑

為陵也」。按此乃設為行之態，以喻泅水渡河之術，其義必有歷史淵源。考《莊子·大宗師》云：「馮夷得之，以遊大川。」《釋文》：「司馬彪云：『《清泠傳》曰：「華陰潼鄉堤首人也，服八石，得水仙，是為河伯。」』」《莊子·秋水》：「於是焉河伯欣然自喜。……」唐陸德明釋文：「河伯姓馮，名夷，一名冰夷，一名馮遲。」「冰夷」之名已經揭示了「馮」字從冫從馬之真相，即「冰馬也」。馬是善行之物，冫者水之凝固體也。應該怎樣解釋「冰夷」？是應該把「冰夷」理解為「神」呢？還是應該把「冰夷」理解為物質呢？這是問題的關鍵。吾人研究古代神話，必須剔去它的宗教外衣，發現其合理內核。請允許筆者舉例求證如下。

《發明》：現代歐洲西德格丁根大學·蒂亞斯庫勒教授說：「地球上冰河期的出現，不僅是世界天氣定期變冷所引起的。它們是由亞洲某一副熱帶地區出現大冰凍所引起的。蒂庫勒在我國西藏喜馬拉雅山南伽峰腳下經過時，那裏的溫度高達三十餘度。在那裏以及西藏高原以北，以前曾是一千米厚的冰雪層。他說：論據就是山上有巨大的槽溝痕跡。冰川沖下來大堆大堆的石頭，遍及田野。冰融化了以後石頭就停在那裏了。」蒂亞斯庫勒氏在這段談話中所提出的千米以上的冰雪層僅只西藏高原以北的範圍，而不及其餘。顯然，是他的足跡尚未涉及我國西北。但是筆者以為

黃、除上在亞洲地區曾經出現冰河的地方絕不會如此何痕。這在歷史文獻中是有蛛絲馬迹可尋的。例如《史記、封禪書》所載：「水曰河，祠臨晉」。《索隱》引韋昭曰：「臨晉，馮翊縣」。《龍魚河圖》云：「河伯姓呂，公子，夫人姓馮，名夷。華陰潼鄉隄首人。水死，化為河伯。」應劭云：「馮夷，乃水仙也。」

也許是南人發現了馮翊這個自然環境的奇遇、罕狀，又不能了解這是遠古階段地球氣候突變而形成的天然冰河肆虐的遺跡。只、好以神語了之。因而就名之曰「馮翊」。（水神削平的土地）「馮翊」亦即「馮夷」。（翊、夷聲同意通）因為這裡靠于黃、河中游的陡折點、流勢會因挾帶泥沙出現阻滯，導致朔風一旦光臨，就會冰雪凍積，形成冰河。從陝北高原、沿河西之鄜，順流而下。這一南北方向的大土坡，有可能即冰河沖積的產物。

《詮字》：夷之為字從大從弓。所以示冰河沖力之強也。名曰夷者，削平之義也。《左傳成十六年》：「塞井夷竈」。《史記項羽紀》：「夷燒城郭宮室」。此訓為「平」之義例。依顧名思義之原則求證之，則可知「冰夷」二字，正生動的揭示了「冰河」沖擊、滌蕩黃土高邊的威勢。是不難想像的。《史記封禪書》的內容，是為了紀錄山川神靈地望的專集。則為遷氏將馮翊定為「河神冰夷」之鄉，不是偶然的。我們必須在神權偶像的影

手中找到所學內容，才稱是「採索」。《易》所謂「聖人有以見天下之賾」者歟?!（紅安）

澧沮潛 篆 [illegible] 卜 《說文》：「澧水出北地，直路西，東入洛。」《水經》同。《書禹貢》：「漆沮既從，澧水攸同。」澧水是西周文王定居之地。《尚書》與漆沮並言，可知其皆注西渭水支流。故應以潛為正字。復考《尚書禹貢》：「雷夏既澤，灉沮會同。」《元和郡縣志》云：「灉沮二水，今俱出雷澤縣西北，會同流入雷夏澤。」唐代雷夏澤在今山東濮縣（今魯西鄄城）

按其地與位置，當與殷都朝歌極近，故知甲骨文中[illegible]字，即其正文。

河 [illegible] 卜 [illegible] 金 河 篆 《說文》：「水出敦煌塞外昆侖山，發源東注海。」《前漢西域傳》：「河有兩源：一出蔥嶺，一出于闐。于闐在南山下，其河北流，與蔥嶺河合，東注蒲昌海，潛行地下，南出于積石，為中國河。」

《說明》巛字造型從巛從丁（古河字）。厓岸之象也。巛者流水之形。

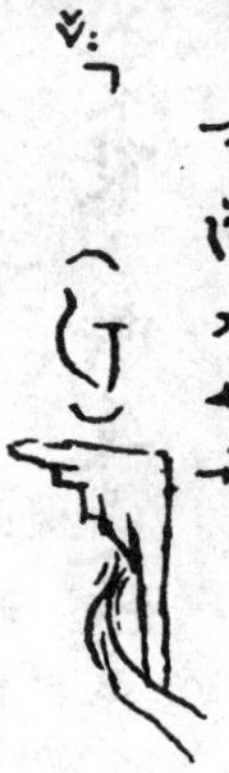

阿 阿 《爾雅·釋地》：「大陵曰阿。」《玉篇》：「水岸也。一曰偏高也。」《釋名》：「（丁）

可卜 阿，荷也。如人擔荷物，一邊偏高也。」

《發明》古文荷上[illegible]。從人肩擔物，前低後高

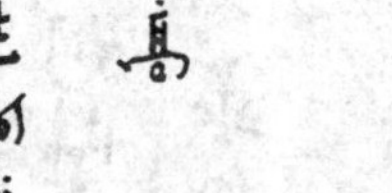

〈丘阿〉

之狀。此[illegible]形字也。造字者取[illegible]字增氵于[illegible]下而上移氵，[illegible]。此地形人化之例。

《文書》所謂「建類一首，同意相受」者也。坷阿可[illegible]同源，卜辭「可」即阿字初文

海 𣳟 《說文》：「天池也。以納百川者。」所謂「天池」非天上之池，乃天然形成之大水池。語意未容誤解也。所謂「海納百川，有容乃大。」所以言其含量之廣也。古名江、淮、河、漢曰「四瀆」。〈下水道〉以瀆者毒也。污濁之瀆也。所以明萬類生滅變化、歸於濁且順流而下之態也。《釋名》曰：「海，晦也。主承穢濁，其黑如晦也。」是真能知海字之義。所謂「比類合宜，以見指撝」是曰會意者矣。

洮 邶 巛 巛 巛 卜 𨚕 籀 𨚕 篆 洮之為字，見于《卜辭》，《說文》不載。字從〈從川。〈者河流之象也。川者邶之省文。以《邏輯學·排中律》推求之，《說文》有邶而無川；《卜辭》文字有川而無邶。故知《卜辭》之洮即《說文》之邶，而《說文》之邶亦即《卜辭》之川字。試推論之如下：

考川字從巛，從川，從〈。〈者河流之象也。川者邶字省文也。《說文·邑部》邶下云：「邶，故商邑〈商都附外圍商國〉。《詩·邶風·小序》：「鄭玄曰：邶、鄘、衛者，殷紂畿內地名。商古冀州。自紂城而北曰邶，南曰鄘，東曰衛。」知邶邑以位於商都之北而得名。故字從川，從邑。現在面臨的疑難問題即：夾于川字中間的「〈」究竟所標志的是哪一條河流？此為本文所欲討論的關鍵。討論如後：

《討論》：依常識而言，𡿧字既被初步認定即𨛜字的縮寫式，則𡿧字中間之「(」所標志的河流也必然，如鄴邑的地與位置不會無關。鄴邑的地望既在商都之北，則巛中之「(」所標志的河流也必然位于商都之北，是應該進一步肯定的。根據《甲骨文》的歷史時代背景及歷史文獻紀載的指示，則位乎商都之北的河流唯有「洹水」足以當之。《甲骨文彙編》𡿧字同部之「𣶒」字，即《說文.水部》之「洹」字也。段注引《水經》云「洹水出上黨泫氏縣（今山西省黎城），東過林慮縣北，鄴縣南，又東過內黃縣北。（今洹水自山西長子縣入林縣東北流，經安陽縣北（古鄴邑）又東流經內黃西北，入衛河」。然則安陽河（洹水）自山西省發源而東流入於𨛜邑，又從鄴邑領域通過而東，而南而入衛河，彰彰明矣。故如巛字從巛者，𨛜之省文也。巛字中間有水，所以示洹水穿境而過也。所謂「視而可識，察而可見，指事字也」。故𨛜字從巛從邑，與𡿧字從巛從水同例。附鄴字形變遷遺軌迹于下：𡿧 巛 ↓ 𨛜 ↓ 𨛜

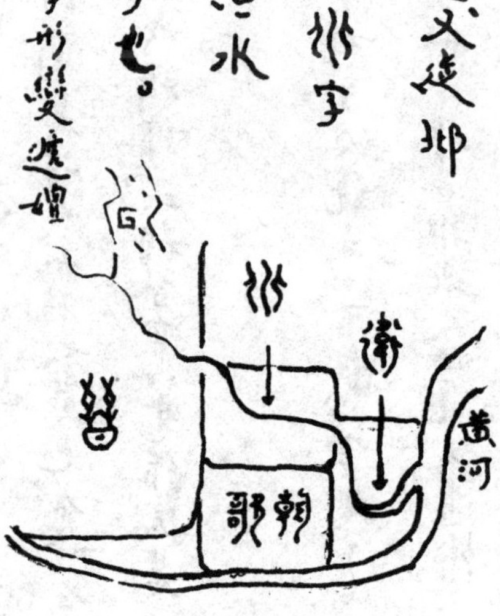

洹 卜 洹《輿地廣記》:「相州臨漳縣,本鄴縣,後周分東北界置洹水縣。」《水經》:「洹出上黨。」《說解》按洹之爲字,《水經》訓爲水名,《輿地記》訓爲地名,皆非造字之旨也。蓋洹之爲文,從二、從回,從水。二者,天地也。回者,旋轉之遊也。旋轉于天空者爲風,風遇阻而回旋。旋流于地者爲水,水遇阻而成淵,淵回古通。如門鼻之鋪首名回字淵,故知回之爲文,雙聲解義字也。蓋生於在天爲回,在地成淵之自然物象之動態而命音立義。此所以亘字從回,從二之旨歟!?亘之爲言圓也。故水流旋轉曰洹,建築之外囗曰𩫖,聲波之擴散曰宣。鄴亭四角建立之指路標曰桓「表」,皆有周币義。《博古文》:「洹洹流也。」故知洹水亦因其河流曲折宛轉而得名矣。

𣶒淵 金 卜 籀 卜 金 卜

淵 籀 淵 篆《說文》:「回水也。從水象形。左右岸也。中象水貌。」《管子·度

地篇》云：「水出地而不流者曰淵」。《周禮·冬官·考工記·匠人》云：「故為淵，則句于矩」。《傳》云：「曲則流轉，流轉成淵。所謂「句于矩」，即九十度角。經文在揭示了90×4=360°的圓週定律的數理公式的同時也反映了◎字型和讀音的由來。今則名曰「水渦」是矣。

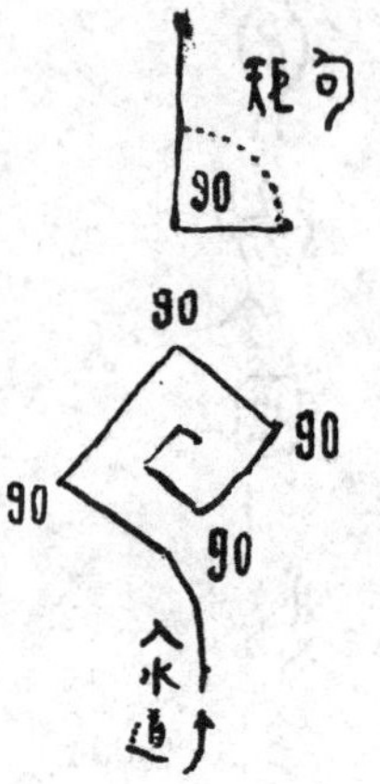

途 涂 余甲卜 途 涂篆《說文》云：「涂水出益州，牧靡山，西北入繩」。按許君訓涂字為特定河流名非涂字初意也。涂字初義應訓為道路。

考《玉篇》云：「涂，路也」。《廣韻》云：「道也」。《周禮·冬官·考工記·匠人》云：「經涂九軌，環涂七軌，野涂五軌」。皆「涂」訓「道路」之義例。又《論語》云：「陽貨欲見孔子……遇諸塗」。此涂、塗互通之例。復考《周禮·地官·遂人》云：「百夫有洫，洫上有涂」。《注》云：「涂容車一乘」。《冬官·匠人》云：「凡天下地勢，兩山之間，必有川焉。大川之上，必有涂焉」。可見古代水運交通體系和陸運交通體系的建構是並列統一的。故涂字之〜川流之象也。涂者飾也。飾良

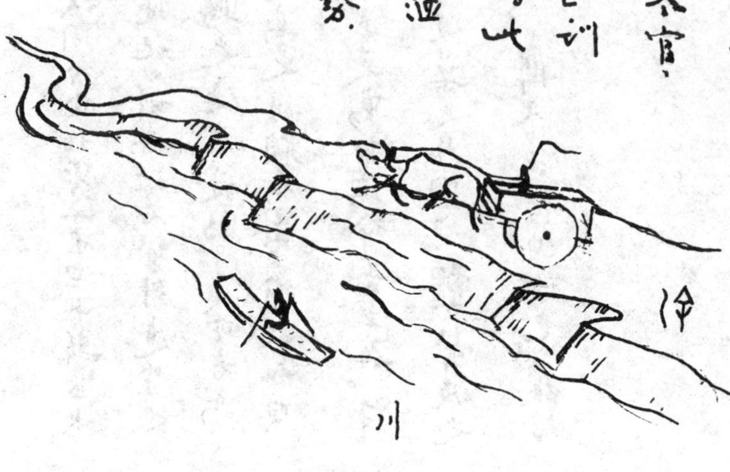

之義也。取後增土而足塗。土者地也。或增廾而足𣵀廾。以足着地也。又增彳而足涂廾。循道疾行之意。此涂字遞嬗之大略也。今途行而涂廢。

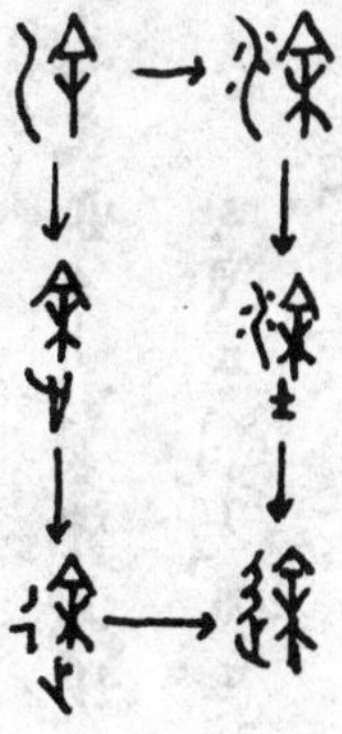

川 巛卜 巛篆 巛卜《說文》：「川，貫穿通流水也。」《釋名》：「川，穿也，穿地而流也。」按古文川作巛。巛象兩岸……象流水，讀音曰穿。形聲字也。

油 [illegible] [illegible]卜 油篆《說文水部》油字下段引《水經》曰：「油水出武陵孱陵縣西界，東過其縣北，又東北入於江。……」《博物志》：「積油滿萬石，自然生火。」《水經注》：「高奴縣有洧水，肥可燃。」《夢溪筆談》：「鄜延出石油。」《廣輿記》：「石油出肅州南山。」《昨夢錄》：「猛火油出高麗東，數千里。日初出之時，因盛夏日力烘石極熱，則出液。他物遇之即為火。」

《思考》以上許多有關石油的產地我們沒有條件從事實地考察。但是從甲骨文字造型上審查，可以看到這是一條長河的水面上浮動着一層油液的生動

景象，足以證實我们祖先對石油的發現歷史年代已經不是周秦時代以後的事了！

浿（貝）卜浿《說文》：「浿水出樂浪鏤方」

《考證》名著按，浿字之為河流之名，據筆者所知凡三處。一見于古版《百家姓》云：「貝氏系出姬姓。齊清河郡。周召康公支夫食采于鉅野之浿水，後為貝國，子孫支邑以為氏。」二《括地志》云：「青州臨淄縣西北有浿丘。」三《前漢地理志》云：「浿水出遼東塞外，西南至樂浪縣西入海。」此即許氏之所本。此說已在《說文段注》中遭到否定，而定為應在朝鮮平壤城北，即「大通江」。又引《隋書》曰：「平壤城南臨浿水」。按以上浿水共有二浿丘有一。則《卜辭》中之（貝）字，應該落實到三者之中的哪一個？試分辨如次：

一、依歷史時代推徵而言，武王克商之後始封箕子于朝鮮。此為中朝兩國文化溝通之始。《前此史籍不載》，而殷墟文字當在西周之前。而許氏《說文》之記載，出于前漢《地理志》。則《卜辭》中出現的（貝）字，能否肯定是平壤之浿水，尚不無可疑之處。此其一。

二、浿丘，關于「浿丘」見于史籍者唯《楚世家》中一見，云：「夕發浿丘」。《集解》引《括地志》云：「浿丘，丘名也。在青州臨淄縣西北二十五里」。此浿丘距離商都闢遠。

三、鉅野之浿水，在上述三個浿水中，以此鉅野之浿水距商都為最近。故宜以此水當之為近是。

《尾語》水之以貝為名者何以如此之多？此其中必有緣焉。按貝之為字從

水從貝，所以示水中有貝也。水產之物亦多矣，何以不以魚蝦為名？而必以貝名之，何也？

以貝之為物，可以供餐，可以為飾，可以為貨幣也。故古人寶之。今民間仍呼珍奇可愛

之物曰「寶貝」，古代語言也。故知貝字之因，其水盛產貝類而得名矣。古文山川河流往往

帶有本地特產物資，附系徵，固不限于貝字也。

洛

[illegible] [illegible] 卜 [illegible] 篆《說文》：「洛水出左馮翊歸德北夷界中。東南入渭。」

《思辨》：考《周禮・夏官・職方氏》云：「河南曰豫州。其川熒雒……」凡經文字之

左側附加▲形黑三角符號者，皆標志為其文乃錯別字。此常規也。熟於考古者類

能諳之。考《前漢地理志》注：「師古引魚豢云：漢行火德，忌水，故去洛之水而加

隹。如魚氏説，則光武以後已改為雒字矣。」

復考《三國志・魏文帝紀》：「黃初元年十二月，初營洛陽宮。戊午幸洛陽。」

《注》引《魏略》云：「魏於行次為土。土，水之牡也。水得土而乃流，土得水而柔。故除隹

加水而為洛」。照以上資料紀述，即「洛」字至漢而變雒。至曹魏而又正還元。猶

楊慎謂《左傳》：「凡洛皆作雒，非後漢始改」。按《殷墟文字》已有 [illegible]

字。《金文》有洛字，非漢魏始有洛字也明矣。蓋後世《左傳》之雒，乃據漢光武之後所改本而無疑。如《周禮》「熒雒」之「熒」，本應作「滎」，而經文亦從熒而不作滎。其例與將雒為洛同。足證楊慎之說不可信矣。

濼

濼 卜 濼 篆 《說文》：「齊魯間水也。」《春秋·桓十八年》：「公會齊侯于濼。」杜曰：「濼水在濟南歷城縣，西北入濟。」《水經注·濟水篇》：「濟水又經盧縣故城北，又經什城北，又東北，右會玉水，又東北，濼水入焉。水出歷城縣故城西南，俗謂之『娥英水』。以泉源有舜妃娥英廟而得名。又合大明湖，歷水北流注于濟。」《齊乘》曰：「小清河之在歷城者，即古濼水。……」按，「濼」之為字，「泊」之初文也。《唐·釋慧林一切經音義》玄應曰：「凡陂池，山東名為濼，音匹博切。鄴東有『鸕鶿濼』是也。幽州呼為『淀』。」由此可知「濼水」之名，蓋因其上游來源「大明湖」之義而得名矣。蓋大明湖，無問、冀上亦泊也。故以字義求之，「濼水」即「泊水」也。古濼、泊異文而同字。《大宋宣和遺事》云：「宋江為此只得帶領朱仝、雷橫并李逵、戴宗、李海等九人直奔『梁山濼』上，尋那哥哥晁蓋」。此「濼」、「泊」異文同字之例證。

洧 篆 《說文·水部》：「洧水出潁川陽城山，東南入潁。」

鮪 金 篆 《說文·魚部》：「鮪，鮥也。」《尔足釋魚》：「鮥，鮛鮪。」注：「鱣屬。」

《詩·衛風》：「鱣鮪發發。」釋文：「鮪似鱣，大者名鮔鮪，小者名鮛鮪。」《周禮·天官·𩵋人》：「春獻王鮪。」《禮·月令》：「薦鮪于寢廟。」陸璣疏：「鮪似鱣而青黑，以兜鍪。口在頷下，肉白，味不逮鱣。」

復考《類篇》云：「鮪，水名。在華縣西北，臨河有武周山。武王伐紂，紂使膠革禦之鮪水。蓋其處也。相傳山下有穴，通江。穴有黃魚，春則赴龍門，故曰「鮪岫」。

《發明》：「鮪岫」二字，頗得推敲。《說文·山部》云：「岫，山穴也。」或上 𥥍「䌷」。故知「鮪岫」即鮪魚出入地下潛流之门户而無疑。「龍门」是黃河中游之急流險灘。魚類逆流而上，殊非易易，所謂「春赴龍门」，是有季節規律的。蓋春天是生物發情孳乳之期。其所以不遠萬里之勞由大海起程，通過潛流，進入黃河，躍登龍门，又嶮力逆流上溯

的原因，正是基于鮪魚之為物，它的祖先原屬大陸淡水之鄉的產物。其後沿江河順流而東游大海，適生存環境而變化為鹹水魚類。但是繇于它的初生幼兒，仍保留着早期的原始生理素質、先天遺傳特點，不能適應鹹水環境。因而鮪魚不得不逆長江、大河而逆赴西北高原尋找理想的育兒場所。此生物本能也。要名之曰「偏旅生物」。

《爾雅》古文「鮪」「鱘」二字互通，揭示了華夏地望命名與該地自然特產的密切關系。如：荊、楚、蓟、薛此以植物而立名者也。曾、繒、鄫、酈此以動物而為地名者也。一個古老民族的文化，必然要有它地域環境特色。文字是自然事物的上層建築，絕非空談。

阻

阻、阻 篆 《說文·阜部》：「阻，險也。」《廣韻》：「隔也。」《詩·秦風·蒹葭》：「遡洄從之，道阻且長。」

沮

沮、沮 篆 《正韻》：「止也。」《詩·小雅·小旻》：「謀猶回遹，何日斯沮？」箋文：「猶道沮止也。」

岨

岨 《說文》：「石戴土也。」

《發明》：按：阻、沮、岨字皆從且。唯從阜、從水、從山各異。依大同小異之觀點律之，可知三字同有障礙不通義。故知沮字從水、從且者，所以示通行遇水阻止不前也；阻、岨字從阜、從山者，所以示高山阻路之意也。故知阜、水、山三字之各別形符也。且者三字共有之義符也。考「且」之為字，古文「祖」字也。人類社會起源于家庭，家庭制度，必聽命于家長。正如《易序卦》所云：「有天地然後有萬物，有萬物然後有男女，有男女然後有夫婦，有夫婦然後有父子，有父子然後有君臣，有君臣然後有上下，有上下然後禮義有所錯……」為什麼要這樣囉索？目的還是在于追究「且」字。先秦宗法社會，以倫理道德為治世之綱。上而天子，下至庶民，每一個人的說話作事，都必須統一在家族主義的約束之下。可從《孝經·卿大夫章》記載求證之：「非先王之法服不敢服；非先王之灋言不敢道；非先王之德行不敢行……」「先王」就是「王者」宗族的始祖。以西周社會為例。他們的始祖就是后稷。仲尼前在《孝經·聖治章》云：「昔者周公郊祀后稷以配天，宗祀文王于明堂，以配上帝」。足見「祖先」在當時社會的政治權威了；也就是說凡是不符合「祖先」思想的行為，都要受到限制。看來，造字者把高山、深水的阻力同「王者」始祖對

了等號。是不是為咒的。此于《六書》中名之曰「比類合誼，以見指撝」，是為「會意」。

岱山之《說文》：「泰山也。」《白虎通》：「東嶽為岱宗者，言萬物更相代於東方也。」《通志略》：「泰山高四十餘里。九十八盤。由南天門，歷東西二天門至絕頂。上有秦時無字碑。其祠曰青帝……」《述義》：岱之為字從代從山。代之為義，更也，替也。新陳代謝之意也。

「代」有時空二義。如：東、南、西、北四方，必以東為首。春夏秋冬四時，必以春為首。冬去春來，陰回陽升，萬物萌發，陳逝已除，這個四時順序的排列規律也就是東、南、西、北空間排列位序的起源。緣于上古天文歷法是服務于農業生產的產物，而農業生產活動必須掌握季節天象特徵。天象特徵，必須依靠「斗綱」運轉的指示，提供目標。故斗綱指寅之日，即春季到來之時。「斗綱」沿時針方向運動。自東而南，自南而西，自西而北，至寅，即是為一歲週期。古名「斗柄回寅」。斗綱循環本身就意味着時代的送往迎來。故「代」字有「世代交替」義。此漢字「時空互化」之義例。博通典籍者，皆能詳之。

上古社會政權新陳交替，必有隆重的宗教儀式，名曰「封禪」。此義可於《管子》求證之。〈元篇已亡，今以司馬遷《封禪書》所載《管子》言以補之〉

『桓公既霸，會諸侯於葵丘，而欲「封禪」。管仲曰：古者封泰山而禪梁父者七十二

家。而夷吾所記者十有二家。昔無懷氏封泰山，禪云云。虙羲氏封泰山，禪云云。神農氏封泰山，禪云云。炎帝封泰山，禪云云。黃帝封泰山，禪亭亭。顓頊封泰山，禪云云。堯封泰山，禪云云。舜封泰山，禪云云。禹封泰山，禪會稽。湯封泰山，禪云云。周成王封泰山，禪社首：皆受命然後得封禪。……」看來，從从山字從从，從山，不僅是標志着「自然生態旋律的「更始」義，而且標志着社會進化「王者定鼎，與民更始」義。一個新新的歷史開端。「會意」字也。

崇 崈 崇 宗山 稽《說文》：「嵬高也。」《爾雅》：「崇，重也。」皆未得造字之旨。考崇字造字從山，從宗。宗者氏族之主也。古文主字是宔。宔從主，從王。「王者」，天下之尊也。尊者

丶主 至高無上之權威。王上施丶而為主。《六書正譌》云：「丶，鐙中火也。故主字借為主宰字。所

宗 宗 以示「王者」之盛光被四表萬邦承命之義也。丶主，燈宀而上宔。《說文》宀部云：

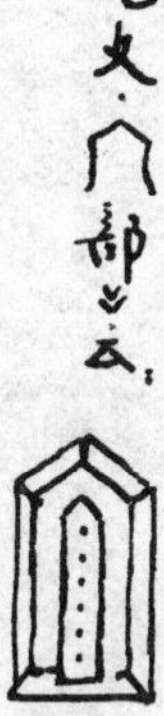

「宗，廟室祏也。」徐曰：「以石為藏主之櫝也。」宔字易主以示，以古神字也，所以示「王者」之法，要教為後世之規範也。《白虎通》云：「最尊者祖，次祖曰

宗，適禰曰「宗廟」。（說詳拙著宗、教、廟字下）班固云：「宗者何？宗有尊也。為先祖主也。宗人之所尊也。」故知崇字從山，從宗者，所以示群山之主峯，高于衆峯，猶「王者始祖

十八

政治地位高于諸世之祖，其義同例。愚則釋之曰：「宗者，尊山之主峯也。」許君訓崇曰「嵬高」固然很好。遺憾的是叔重大師未能示後學以宗字造型、命音、立義之旨，實源于宗法社會倫理道德而來。現代漢語中仍存有「宗拜」「宗敬」「尊宗」這些詞彙，猶有上古遺義。無疑上是宗法社會倫理觀念遷植于自然山川地象特徵的意識反映。此于《六書》為「轉注兼會意」字。

崮 崮 崓 堌 此字《說文》不見。見于《正字通》云：「崓，水島之稱。」

按崮字從山從固。山者形也。固者義也。《說文·囗部》云：「固，四塞也。從囗，古聲。」段注云：「四塞者，無罅漏之謂。」考《禮·禮運》云：「今大道既隱，天下為家，各親其親，各子其子，貨力為己。大人世及以為禮。城郭溝池以為固……」經文在這裏對人類從原始天下為公的社會進入家天下王朝的變化過程，上了本質上的比較。在私有制的競爭自由中必然會有貧、富兩極分化的傾向。走投無路者挺而走險。既得利益者設法以保護其生命財產之安全。築城郭溝池以為固，自然是必然之勢。復考《周禮·夏官·掌固之職》云：「掌固，掌修城郭溝池樹渠之固。」鄭：「樹謂枳、棘之屬有刺者也。」疏云：「……總城郭以下數事，皆是牢固之事。」可知「掌固」之職屬于負責建築軍事

防衛工事及生產環境保護設施的專職官員。故知固字從□（古圍字），外圍防衛之平面幾何圖形也。從古者所以示金城湯池銅牆鐵壁萬古不毀之意，此象形兼會意字也。

上古氏族部落地望，聚族而居。據自然天險以自守，其名曰固。故知固字乃崮字初文。後世崮行而固遂義變為堅固，而崮遂成為特定形態之山名。考《資治通鑑》云：「晉孝武帝太元十三年，逐屯黃中固。」註：「漢末黃巾保聚于其地，因以為地名。齊人謂壘堡為固。」此固字繫軍事設施義變為地名之例。復考《宋史·李全傳》：「全得守餘眾保東海。劉全分軍駐崮上。」此兼人者，出沒「島嶼」，窮餓山妾而不得食。按此即據自然。《說文通》云：「崮，水島之類」訓義之所本。後世凡山之四面陡削顛上較平者，皆名曰崮。如山東省長清縣東南有「崮山」；費城西南有「吳家崮」、「大崖崮」；蒙陰縣東南有「孟良崮」；今棗莊市東北有「抱犢崮」。其山四面陡峭，削壁天成。必賴鐵索攀援而升。此即當年孫美瑤劫持六國大使盤踞之地。「臨城大劫案」名震一時，已成歷史掌故。大凡此類天險地區，皆為軍家必爭之地。古代豪俠聚義

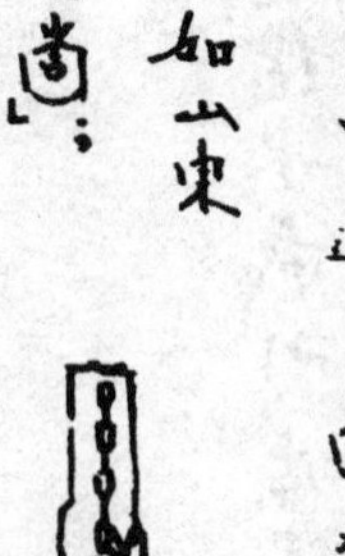

（抱犢崮）

之斷。名之曰固，固其官矣。

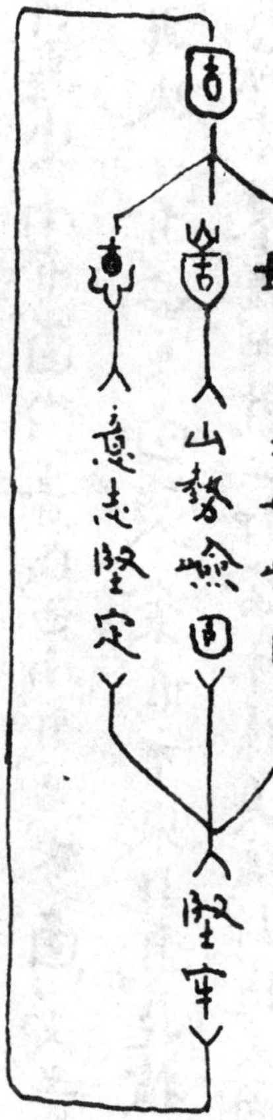

坎山 凵 埳《說文》：「張口也。象形。」魏校曰：「凵，受物之器。象地體承載形。虛中者，當其無有器之用也。（此老子語）」古文字造形命音，不惟不計物質之差別，但追求其物理功能之共性。雖諸家解說不同，其所以闡明物理功能之義固無二致也。

臽 人凵卜 猶臽 臽篆《說文》：「小阱也。從人在臼上。舂地坎坷陷人」

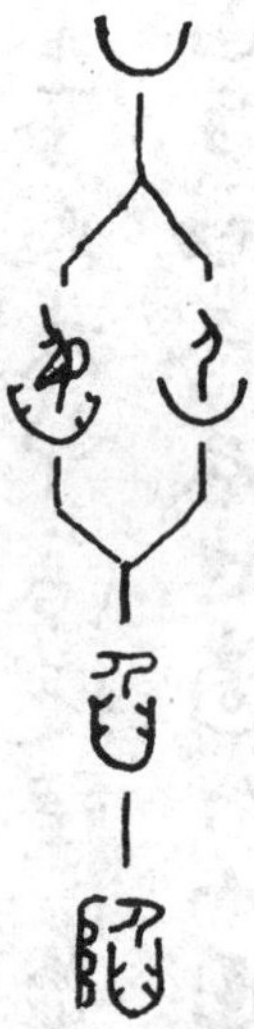

徐曰：「若今穿地穴以陷虎也。」

《玉篇》：「坑也。」同文備考：「凵，失足入坑也。

從杵臼之臼，象人在臼中。」《說文》：「坎，陷也。險也。又穴也。」《禮檀弓》：「穿穴以葬。其坎深不至于泉。」坎之為字從土，從欠。似張口人形。造字者用為土坑之名，亦地貌人化之例。

瀧 [古文]、[古文]《說文》云：「雨瀧瀧也。」按此解乃气象義，非山川義也。考《康熙字典》云：「瀧水在梁鄒縣。」《水經注》云：「瀧水，即古袁水也。」（地望無考。）

復考《讀史方輿紀要》云：「武水，又稱武溪。源出湖南臨武縣。流入廣東北江。」《水經注》三八．溱水云：「武溪水，又南入重山，山名藍豪，廣圓五百里。悉曲江縣界。崖峻險阻，巖嶺干天，交柯雲蔚，霾天晦景，謂之瀧中。懸湍迴注，崩浪震山，名之『瀧水』。」

但《甲骨文》中所[古文]字所代表者究爲何水？尚有待於進一步的考證。

洱 [古文]、[古文]等，按：洱字《說文》不見。《讀史方輿紀要》云：「洱海古名『葉榆澤』。在雲南大理縣東。因形似耳而得名。匯西洱河。及點蒼山麓諸水，後經漾濞江，入瀾滄江。」

復考《水經注》文：「洱水出弘農郡，盧氏縣，熊耳山」。

筆者按：洱水有二：一出雲南，一出弘農。甲骨文中之[古文]字所代表的究爲何者？依常識而論，洱海居滇中徼外之地。弘農居豫陝之間。地近商都朝歌。故知以後者爲近情。洱从水从[古文]。此象形字，地貌之化例也。

隘 [古文][古文][古文]《說文》云：「陋也。」同部陋字下云：「阨陝也。」《玉篇》云：「急也，陝也。」

[古文] [古文]《說文》云：「兩阜之間也。」按[古文]字音訓典籍不載。依形意特徵及古文形例推之。似

宜援「在左為阜，在右為邑」之原理而疑即𨛜字。《說文》𨛜字訓「鄰道也」。所謂「鄰道」即左右兩邑公用之通道。上古聚族而居，邑之邊緣多恃自然山河地輿結構而劃界。古文域字作或，或作⿰阝或。字从或，國之古文也。从阝者，佐險以為固也《說文》邑部訓：「邑，國也」。則𨺅字左右對峙，各自為國之義形，明矣。𨺅字

𨛭 𨛭同為鄰道，而有大小之不同。蓋𨛭者鄰里之分界，𨛜者方國之界也。字型近似而間中有異，不可不察也。

𨛜

𨺅

鄉

鄉《說文》：「阜突也」。注：「突，穿也。阜間空闕處也。」

按：⿲阝叏阝之為文从𨺅。削壁對峙之象。从叏者何義也？愚曰：「叏，从中，从又。又，右手之形。中者中之半，亦為二之態也。開山成路必賴兩手之力，从又而不从𠂇者，示古人以右手之力大于左手之故。漢碑《石門頌》、魏碑《石門銘》紀載以楊孟文開鑿褒城斜道于漢中，以通關中西蜀。可作⿲阝叏阝字良好註腳。

隘

⿲阝益阝 ⿲阝益阝 ⿲阝益阝《說文》：「陋也」。同書陋字訓：「陿也」。《玉篇》隘字訓：「陿也」。

按古文隘字从𨺅，兩岸削壁對峙之態，中間从益，所以示充實、盈滿之象也。故訓義為陿、為陋，固其宜矣。

陝陜《說文》：「隘也。」按陜之篆文从阝从夾。阝者阜之省，夾者二人挾肩之態，二人成衆，行人充塞則道路有陜窄之感矣。此又會烘托示意，文書可謂指事字也。

陋陋《說文》：「陋陜也」《論語》「在陋巷」疏：「隘陋之巷」。

按陋之从阝亦阜之省也。从丙者，南方之火也〈向光〉，乚者，□之半。所以示兩面得光，兩面背光之景也。巷之窄而陜者，兩牆壁一面得光一面背光，此勢之必然者也。故陋字从丙从乚，與日𠃊字从⊙从𠃊之造型同例。

〈附夾之同源字〉一覽表，以示意

陋

夾

陜—行人擁擠之巷道

莢—兩膜夾包之植物種籽

峽—長江兩山夾水之處

鋏—鉗持冶鍛器物之具

〈其有狹窄義〉

夾《廣韻》：「左右持也」

陜

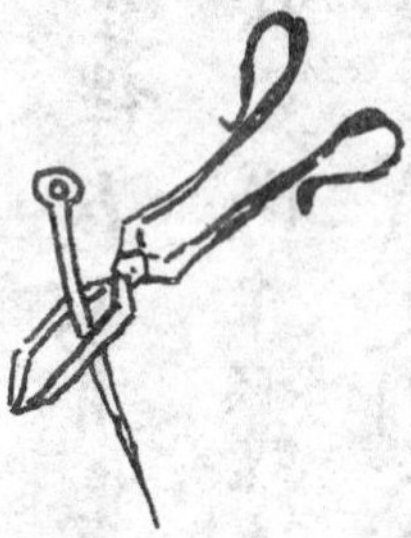

鋏

莢

峽

二一

江

江《說文》云：「江水出蜀湔氐徼外崏山，入海」。此非造字之意。考《唐韻》云：「江古雙切，音杠。水名」。按此解得江字造形命音之意。蓋江之為文，從水，從工。工之為文，古杠字也。杠桿有植物莖株義，亦有動物骨幹義。江為眾水之主幹，猶莖為植物之主幹，頸為骨骼之主幹，與織布以經為緯之主幹，其從屬關係則一也。故莖、頸、經字皆從「工」。此形聲字聲中兼義之例。《六書》所謂「舉事為名，取譬相成」者也。

工
- 頸——骨骼主幹〉
- 江——眾流主幹〉
- 莖——艸木主幹〉
- 經——緯綫主幹〉

以上頁、氵、艹、糸四文皆形符。工為聲兼義符。故曰「形聲」字。如以江為主幹，以支流曰派。猶木之以莖為本，以枝為末也；亦如人之以脊為梁，以股肱為肢也。

雝

雝 甲 卜 金 籀 雝 篆 《說文》隹部云：「雝，雝渠也。」《爾雅·釋鳥》云：「鶺鴒，雝渠。」《詩·小雅·棠棣》：「鶺鴒在原，兄弟急難。」傳云：「鶺鴒，雝渠也。」按渠字古文上 。以象邕城壕塹之象。邕字从巛、从邑。《說文》云：「邑，國也。」是邕字乃建都于水鄉之意。隹者短尾之鳥。《見說文》故知雝字，初義即水禽之名。此鳥恒居于水渠

中流州渚之上。故名「雝吕」。蓋因其生活環境而得名矣。甲骨文雝上隹吕，

其直觀形象也。隹吕，从隹，而居吕上。吕於〈甲骨彙編〉中與隹吕字分居兩部。其

義頗有區別。以隹吕字造形推察，可知隹吕是鳥名。吕是州渚重疊之形，故吕有

高陸之義。此隹吕字兼有「水禽」與「高陸」二義之證。隹吕之本義考生字頗有異同。

試析之如左：

吕卜 巛吕金 巛吕籀 隹巛 巛雝古文 以上五文，異體形而同字。吕象重疊州渚，巛吕字〈巛吕〉

壇巛而其象益顯。禹治洪水，導入東海，大陸上茫茫水域中，露出了九片高地。

其餘的八方尚在浸潤水中。所謂「八澤九丘」即九片高陸，八片水區。九丘後來命名曰

「九洲」。九洲之中，以西北高處為最。故名巛吕隹巛。巛吕从巛从吕，隹巛从隹从巛，巛雝从巛

从雝〈古邕字〉其義皆為高陸。引述仰為一切高大之義。

宀吕 (吕) 雝 㡏 以上四文，皆宜認定為「辟雝」之雝字。因字皆从宀或从(一)。宀者殿字

之象。(一)者環水之形。㡏古射字。與金文㡏〈序〉字同義。〈孟子〉云：「序者射也。」

「序」和「辟雝」異文而同義。古王者以射禦取士。中者封侯。故侯字从厂从矢。

〈侯〉

辟雝又名「澤宮」。澤者擇也。有餘取擇用意。亦有水恩象澤義。

「壅雝」是王者舉行「王射」大典之地，四周環水，「明堂」居焉。故於文上（8），殷。《畫見本書建築類》。

癰《廣韻》：「癰，瘫疽」。《說文》：「癰，腫也」。《釋名》：「癰，壅也。氣壅否結裹而潰也」。

筆者按：癰字从「疒」从雝。紅腫高大之形也。此種外科疾患，《癰》高熱痛楚。形似圜丘，亦是邑之孳乳字也。

饔 饔字[illegible]卜[illegible]金[illegible][illegible][illegible]。《孟子》：「饔飧而治」注：「饔飧，熟食也。朝曰饔夕曰飧」。竊以為古籍但云「朝食曰饔」，而不及朝食所以名饔之義。蓋之為言壅也。饔者早飯也。一日之餐始于晨，非飽食則無以堅持終日之勞。故知饔有腹滿臌脹之象，亦高大之義也。

昧 昧从日，邑字變文也。昧者宗廟祭享之禮服，故知昧即「禮樂雍穆」之雍字，初文所以示服飾之盛也。

壅 壅《廣韻》：「壅，塞也」。《詩·小雅》：「無將大車，祇自塵兮。維塵冥冥，維塵壅兮」。詩人後悔不該幫于推薦小人，搞壞了工作，等于自己揚土封蔽了个人的眼睛。字本是「雍」，或「擁」，壅是塵土，擁是車帘，皆有閉光效應。經文同假「雍」以代之矣。

意是邑之孳乳字也。

邑[古文字]卜[古文字]等《說文》云：「邑，國也。」《釋名．釋州國》曰：「邑，衆會之稱也。」《史記．五帝紀》：「舜一年所居而成聚，二年而成邑。」《周禮．小司徒之職》云：「乃經土地，而井牧其田野，四井為邑。」器衆聚[古文字]之為文多，義字也。其定義因歷史時代而異。字从口，从卩。《字彙》云：「口，古國字也。」《齊子．牧民篇》：「民的口禮。口禮民的。有適之口，實移在約文。古國字皆从口。」蓋倉頡所制也。按此即許氏邑訓為國之所本。

《宋程大昌備北邊對》：「漢西域諸國，有城郭國，有行國。城郭國，築城為守者。行國不立城，以馬上為國也。」據此可知，國之存在形式，不分古今東西，到處皆有。或游牧邊塞，馳騁沙漠，流連大漠，與豺狼為伍，逐水草，冒風沙，飲露吞氈，以求生。或高城深池，以為國。禮樂雍容而務安。雖形形色色之不同，推源及始，皆由人類氏族部落群體生活組織體系發展而來，初無二致。然則口字从口者，國境周匝之象也。从卩者，旗、幟之態也。泰西史學界名之曰「圖騰」。家天下王朝定鼎之後，六官分職，諸侯分封，從政分明。此時邑字定義的會質已經不是原始部落集體，而是子、男、大夫之職所分封食邑「采地」。此與西方古代「貴族莊園」為大同而小異。

關于「四井為邑」乃井田面積單元之辭，另有含義。本條討論的邑字實事

二三

氣上屬于先秦時代大夫的國都，又名曰「寀」。

郊 𨛫 《說文》：「距國百里爲郊」。《爾雅·釋地》：「邑外謂之郊。」《周禮·地官·載師》注：「五十里爲近郊，百里爲遠郊。」案：郊之爲言交也。謂其與邑相交也。故从交、从邑，指事字也。

野 埜 壄 野 《周禮·地官·遂人》注：「郊外曰野」。《毛氏韻增》：「野，古墅字。後人以其爲郊野字，復加土于下以別之。」《正字通》云：「毛說似是而非。野本郊野，朴野。古無墅地，墅之名。後人家廬外立別墅，因借郊野之野，加土，旁轉占墅。」《正韻》：「墅音署，上聲，田廬也。」

考《爾雅·釋地》云：「邑外謂之郊，郊外謂之牧，牧外謂之野，野外謂之林，林外謂之坰」。

埜—壄—壄—野
野—牧外地
墅—田廬名

坰 坰 駉 𩣡 《說文》：「牧馬苑也」。《詩·魯頌》：「駉駉牧馬，在坰之野」。案：坰駉駫三字同源而異派。坰者特定地區之名，駉者牧馬之地，駫者馬肥之貌。此冋中之實也。

娥

[甲骨文]卜辭考義

稱《玉篇》：「娥娥，山高貌」。娥之為字見於卜骨。

「[甲骨文]」

《釋文》「癸巳卜殼，貞：旬無咎。王占曰：乃茲亦有祟。若稱甲午，往逐犀。臣由車馬娥。俾犧王車震。子央亦墜」

按：文中[甲骨文]字乃以形代寫車二字。娥即高石。

洋

[甲骨文]《卜》[甲骨文]《爾雅·釋詁》「洋，多也」《唐顏師古匡謬正俗》云：「今山東俗謂眾為洋。」果此解含渾而不着實。考[甲骨文]之為文，從[甲骨文]從[甲骨文]。儼然一羊群渡河之態，屬形指事字也。愚嘗于田野河畔目睹羊群渡河之景，紛紛芸芸，前行後繼，游泳盪漾，瀟灑若羊之為畫，本屬群居動物。《爾雅》訓義為多，固然未錯，然未能道出「洋洋自得」「洋洋灑灑」之意。今魯南民諺仍有「飄洋過海」之語。此種直貴文化，吾輩不知而收棄，如能正我輩良師。可慨也夫！

湄與[眉]卜辭[湄]，今湄猶[瀰]古文

《說文》水部》云：「水艸交為湄。」案《爾雅釋水》云：「水艸交曰湄。」是為許氏之所本。復考《詩秦風·蒹葭》云：「所謂伊人，在水之湄。」《傳》曰：「湄，水隒也。」《正義》曰：「隒，是山岸，湄是水岸，故曰水隒」。更考《詩小雅·巧言》云：「彼何人斯，居水之麋、湄」。特別是《春秋傳二十八年》：「……賜汝孟諸之麋」。疏引李巡曰：「水中有艸木相會曰湄。古文麋、湄得通。故用「麋」作「湄」耳」。此古文「麋」「湄」二字互通之例，堪延上舉諸資料，獲得驗證。圖示如下

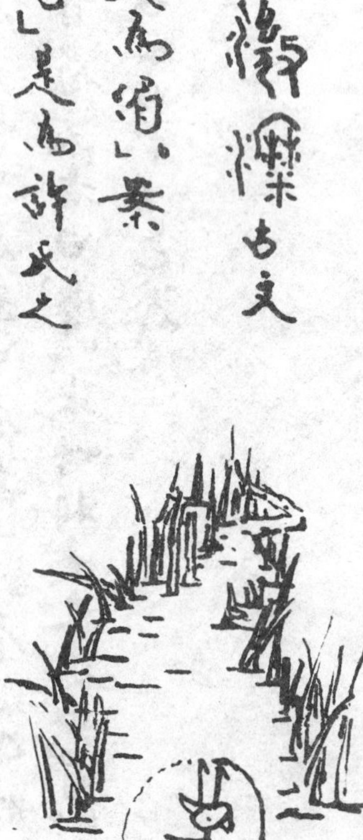

「湄」字形、音溯源：考麋之為獸，鹿科動物也。故字从鹿，米聲。甲骨文作[麋]，从目、[眉]聲。目是「[鹿]動物之形。[眉]，古「眉」字。象形文也，亦聲符也。」

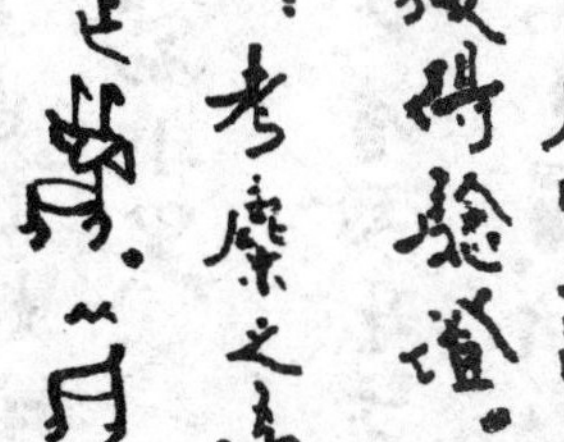

《[麋]》〈麋〉

□字从米同趣。□甲骨文眉字。从□，从□。□直观画像字也。《说文》云："眉，目上毛也。"堪称一针见血。金文《散氏盘》眉字作□。秦篆作□。皆大同而小异。

《思悟》：窃以为，人之眉毛，生于目上额下，所以防止额汗流入眼内之天然保护细织也。故眉字增水而为湄。所以示河岸浅草丛生，可以防水流涤荡泥肆，以成巩固堤岸之功也。故"眉"之与"湄"，景、罥，异物而同功，所以阻止水力侵蚀之义则一也。故如□□之为欤，景因目上生有眉文而得名矣。甲骨文□字从□从水。则这字之喻将水边之草与人类目上之毛"等量齐观"而无疑矣。是证□文之□即《卜辞》所□。景、罥文而同字，皆当读"湄"。□二字至□之所由来欤!? 推而言之。人之年高者曰"眉寿"。以眉目传情取宠于权贵者曰"谄媚"。欤之目有眉文者曰"□"。水草相交之处曰"湄"。诸字悉从眉。皆眉之同源字也。表示如下以见斑：

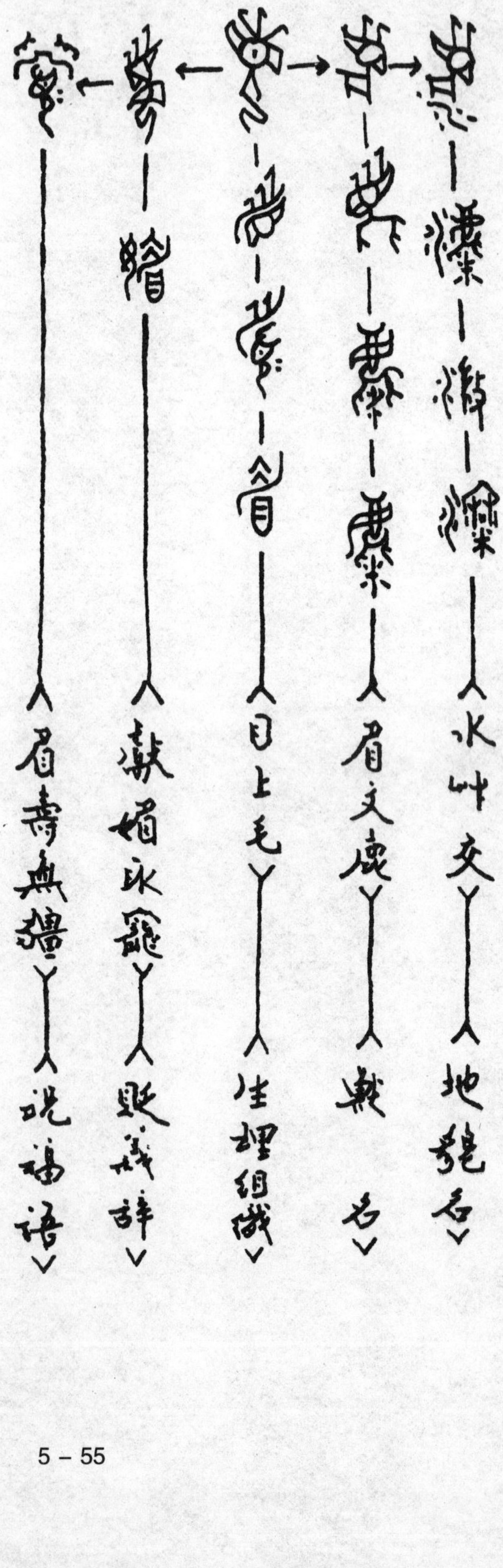
〈水艸交〉〈地貌名〉
〈眉文處〉〈獸名〉
〈目上毛〉〈生理組織〉
〈獻媚取寵〉〈貶義辭〉
〈眉壽無疆〉〈祝福語〉

《釋⿱自內》〈邊〉

《甲骨文彙編》自部有⿱自內字，此字造型：从自、从內。自，古臬字，內者居室之象。丙字初文也。〈郭沫若認爲魚尾，大誤〉。自者臬之省，門之中間木也。後世之闑、《論語》之「立不中門，行不履閾」。故知「⿱自內」有正中之義。蓋⿱自內之位置，居人面之中心。左右兩耳二目位于旁。古「相術家」皆以鼻喻五岳之中岳。古人對一切事物所觀察，皆偏于「視微觀物爲宏觀宇宙結構之縮影；視宏觀宇宙爲微觀物體之引伸。這一邏輯法蓋導源于《易經》「天人合一論」的運用。誠如大學所云：「放之彌于六合，卷之則退藏于密」。廿世紀人類已經發

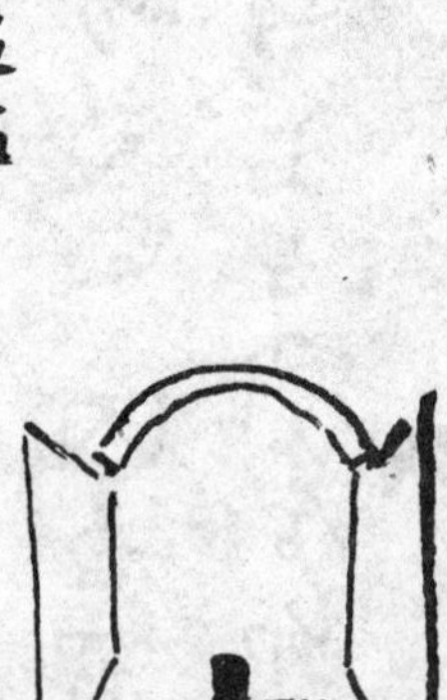

規了原子物質結構與星球·主星·衛星的排列形式同一規律的共性，有力證實了東方文化的價值，現在應該把語顛倒過正常。

為什麼真字下部从内？《說文》上真。這簡難題使段玉裁氏陷于困境。只好以「从目下闕」了之。許叔重訓為「不見也」。其義極确。然亦未能道出真字所以从冂之真諦。惜哉！此智者千慮之一失歟？！

夫《卜辭》真字，《說文》真之初文也。内与冂文雖罔而義適。蓋内之為文，居室之象也。上古穴居而處，以避風雨。今陝北黃土高原之人仍以土窯為室宇、

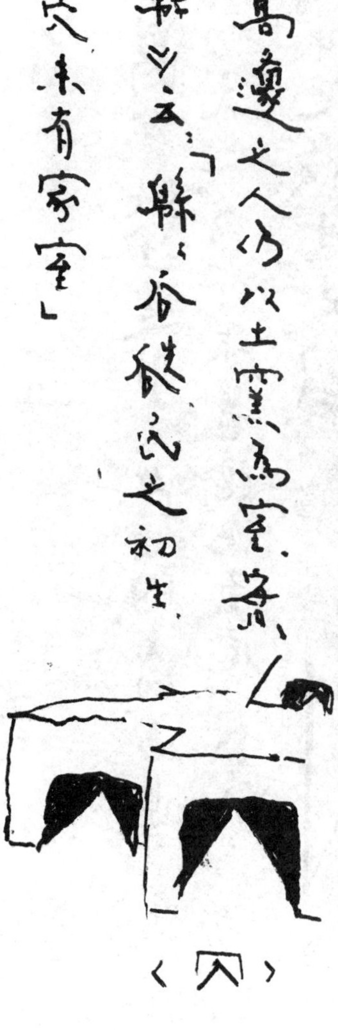

〈内〉

考古化石也。《詩·大雅·緜》云：「緜緜瓜瓞，民之初生，……陶〈窯〉復陶〈窯〉穴，未有家室」

【旁】霝门、自者霝门中间之意。囗象窗牖之中阳光投射室内。门象左右窗牖。所以示位置有实有主也。后世囗下增方。方古邦字也。今尚书·汤誓：「……其尔万方有罪，在予一人；予一人有罪，无以尔万方。」古代天子居华夏中土，天子所定都之地名曰「王畿」，周匝之封国统称「万方」。故知方〈旗〉有旁边义。旁字从[illegible]从方，或从[illegible]从方，所以示与「王畿」之中土地[illegible]邻远也。故东夷、西狄、南蛮、北貊皆曰边陲之地。此旁之金文、字从方之义也。

平面示意

垂直示意

丙、

丙古文文曆法，以丙為「十干」之第三字，于時為午，于方位為南，于季為夏，于氣為熱，于色為赤，嚴後之孳乳為昺、炳、昞、諸文，而初義不變。

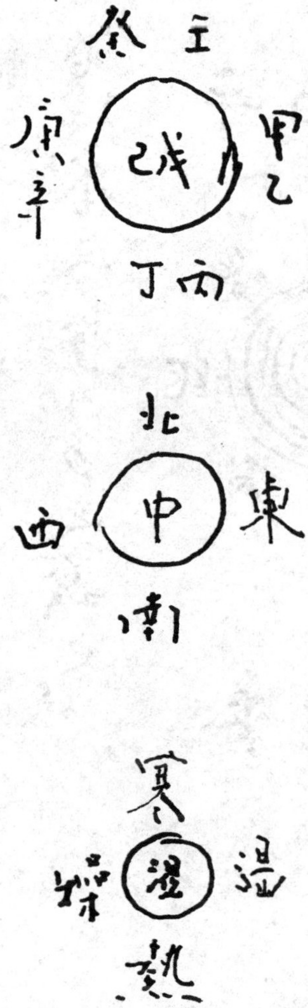

《說文》云：「炳，明也」。《玉篇》云：「明著也」。蓋丙之為文，為「穴室之象」。我神洲位于亞洲中心，正當赤道之北，吾祖先居黄河流域，今陝北黄土高原邊有軒轅陵墓在焉。其土人皆穴土鄉向陽而居，此丙字之形義人待辯而卓然可見矣。

四、亞形罩而義適，何也？亞者六室左右兩庫之形，亞者境界重疊之象。昔黃帝巡遊九野，「四達自中」，依幾何數理推論，可以古文⧖字獲得印證。如下：

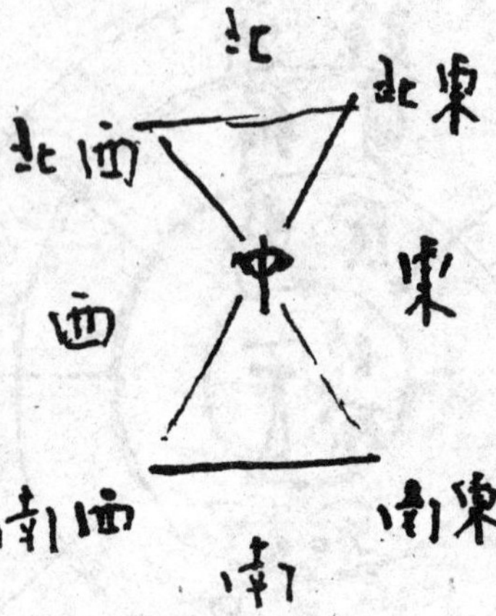

于以見「四適八達」這一成語与「五行」「八卦」之非派關系。

上古「王者」定點中土，名曰「王畿」。王畿外圍，歸近及遠，每五百里為區劃，名曰「五服」。《侯服、甸服、綏服、要服、荒服》五服之義務，各有等差。《易》、《尚書》、《禹貢》謹采用幾何圖例為說明于後，以《易》與亞字造型求義之旨。

三己

自冂。讀者綿，有「曠遠綿邈」（見千字文）。嘉則中岳崧山

之顯含高境，視必愈遠而所見愈小。

終于不可見。故許氏《說文》訓曰：

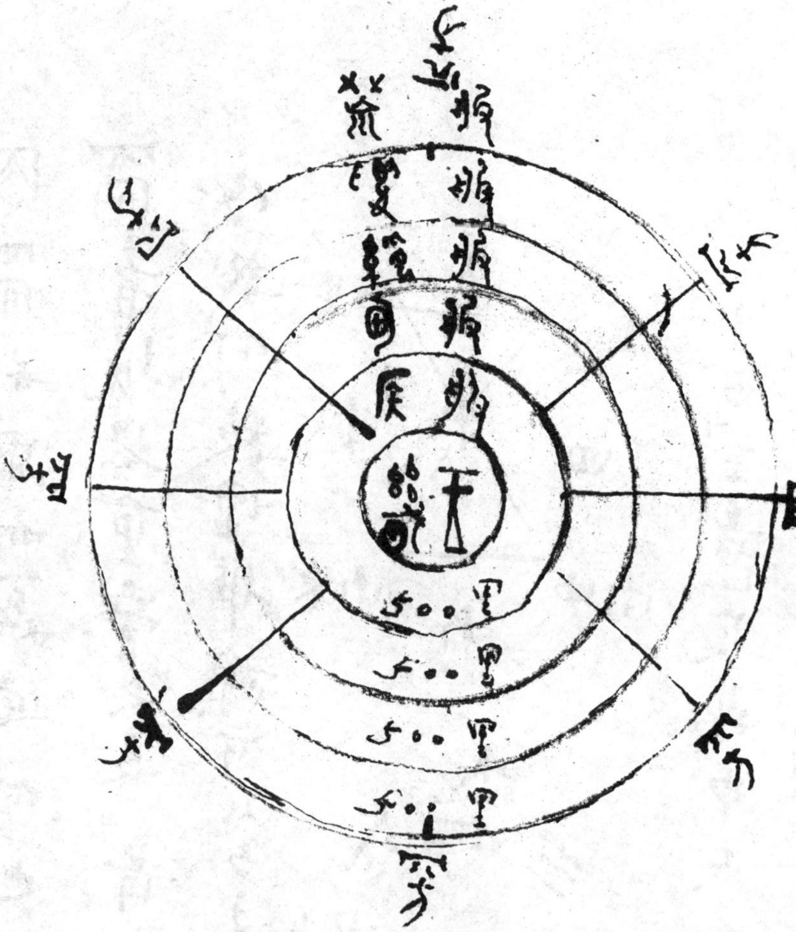

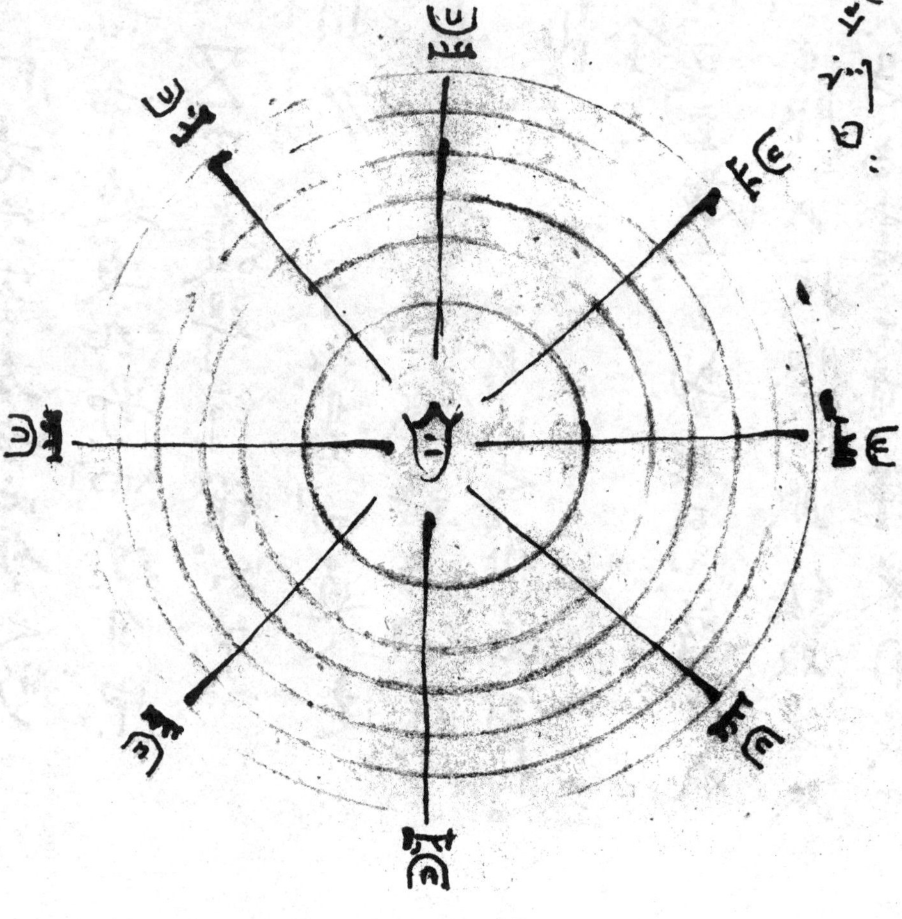

「不乏也」。今或，言乎，故知「𩔷邊鼻」从邊省字。

殷君膺，古此義，而以「自、鼻」。義取之國其宜矣。

《王制》之「諸侯朝天子曰述職」《述職，述所職也》，天子朝

諸侯曰「巡狩」《巡狩者，巡所守也》。反映了天子与諸侯之間

遹遹週週等經來往互相［走］附活動進相。故後世

鼻而左旋从辵而上𨘢。或鼻旁从辵。《說文·言部·謗》之「……」

循遁，疾行也」。義从𦣻方、奠方之意也。

𦣻 —— 𦣻丙 乂 鼻丙 乂 𨘢 —— 猵 —— 𩥿

𦣻方 —— 鼻方 —— 𨘫 —— 𨘢

建築

文字起源圖典

六

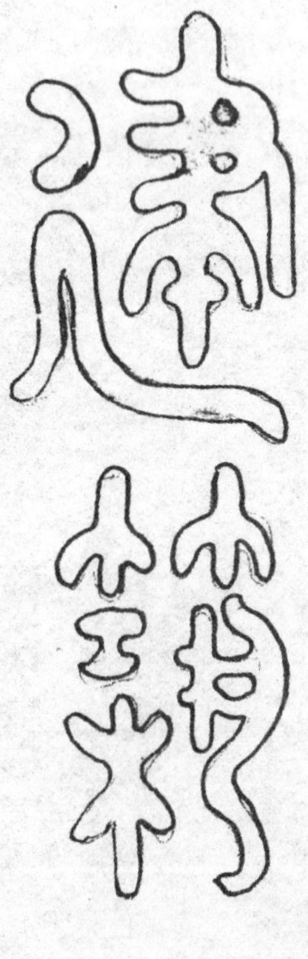

庲宋　三二　嵩蒿縞　三九

寞寤寐　三三　篙毫膏　三九

处空　三三　豪　三九

夢寱　三四　宕呆　四〇

窮穹竄突　三四　建　四一

猝窣究窟　三四　竊壯廣穿鼠埭　四二

宇宙寓　三五　闕圯　四三

虛墟　三六　圯醉竅　四四

丘束縛六　三六

盧　三七

階陛喬高　三八

㢗鐈　三八

驕橋趫嬌　三九

嶠蹻轎輿　三九

宷 審《說文》：「悉也。」徐鉉曰：「宀，覆也；釆，別也。能包覆而深別之也。」

案《說文》之訓，過於抽象，不足以說明審字真相。謹摘錄經文，並附加譯文以明之，如次：

考《周禮·冬官考工記》：「匠人建國，水地以縣，置槷以縣。」

《譯文》：在古來建築施工之前，首先利用「水」（水平儀）從事地面測平工作。並且在建築施工的場境四角立起木柱——槷。同時利用「地心儀」——縣（懸）對四根「等高」的木柱進行檢查，以保證其垂直。然後把各個木柱的高度進行比較，以發現不同位置地基水平的差別。『為規，識日出與日入之景（影）。』

《譯文》：利用「滴鼓」早晚相對的標準時間（即「酉」）「晷」的投影，在地面上劃出一條東西方向的平行線。

『晝參諸「日中」之景，夜參諸「北極」，以正朝夕。』

《譯文》：利用白天滴鼓中午的「晷表」投射的南北方向投影，結合「滴鼓」夜半子時「北極星」的位置視線與東西方向的「施工線」互相比較觀測，以檢驗其是否合乎「四九十度」標準。

『為規，測景兩端之內規之。規之交，乃「審」也。』

《譯文》「用東西方向線的兩端為「圓心」，用大於東西線全長1/2以上的長度為「半徑」，分別劃出兩個弧形。則弧線的交點，便是「審」。把「審」同東西線的中點相連接，使能得出一條從齊南北的垂直線，而成為建築施工的基本依據。

〈水地以縣〉

由此可見，遠在西周初期時代，我們的前人就已經掌握了在一條平行線上找出一條和平行線相垂直的線段的幾何上圖方法，是非常明顯的。

關于審字造型說明：審从宀从釆从田。宀者，建築物形也。田者，施工與線之平面圖形也。釆者，古辨字，觀察、識別之義也。

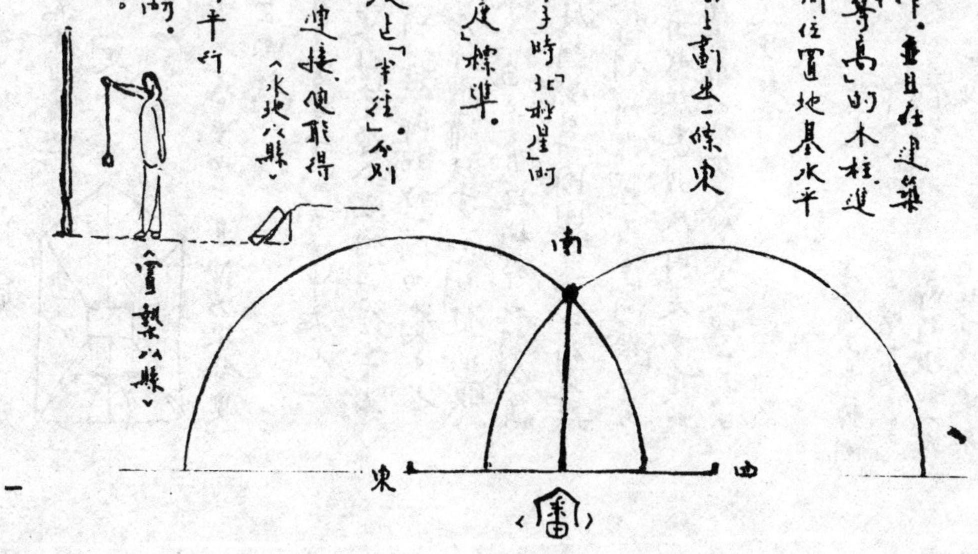

〈審〉

定

□卜□《說文》：「安也」。《増韻》：「静也」。殊非□字初義。案□之為定星名也。字从宀从正。有建築物形具端正方向義。《毛詩・鄘風》：「定之方中，乍於楚宮。揆之以日，乍於楚室。」注：「定，營室也。方中，昏正四方。楚宮，楚丘之宮也。揆，度也。定星昏中而正，於是可以營制宮室矣。昏中而正，其體與東壁連。謂正當「小雪」時。揆之日出日入，以正東西。南視定，北準「極」，以正南北。」

考《爾雅・釋天》：「營室謂之定。」郭璞云：「定，正也。天下作宮室，皆以『營室』中為正也。」

筆者考，所謂「□」者，即古天文二十八宿中之「營室」與「東壁」之綜合名稱。也往常出現在每年冬季「小雪」時節的晚。西方天文名之曰「飛馬星座」。所謂「極」，即「北極」星。西方天文名之曰「小熊星座」。此時農事已畢，正是利用農餘之暇，興工建築房屋，准備防寒的關鍵時機。《詩・豳風》：「十月蟋蟀入我牀下，穹窒熏鼠，塞向墐戶。」《禮記・月令》：「孟冬之月，坏城郭，戒門閭，慎管籥，固封疆，備邊境，完要塞，謹關梁，塞徯徑。」「仲冬之月，塗闕庭門閭，築囹圄」。這一系列大興土木的任務，都必須選擇冬季完成。原因是此季地利用農暇時間。所謂「揆之以日」的「揆」字與古曆法「壬癸」在冬季即上是同出一源的。《說文》癸字訓：「冬時水土平，可揆度也。」「揆度」即是步量施工。上古長度計量單元，皆以手足為標準。度近則用足，度遠則用夫。斯以代步，故「癸」字从"艸"从夫。示圖如下：古代建築施工，測定方向，依靠夜晚星象提供依據，可从文字知之。

此□字示意圖如下：

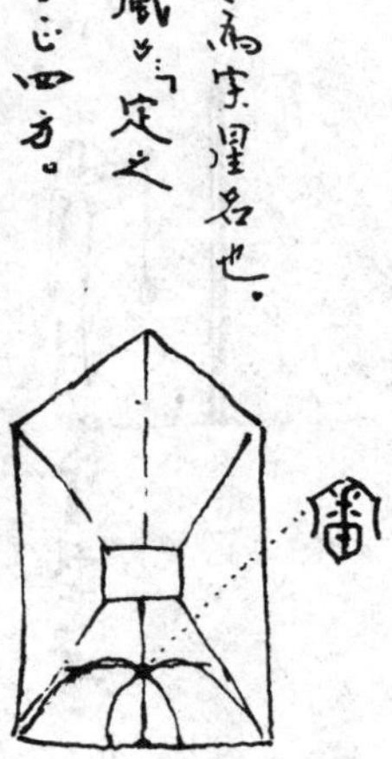

這個天象佈圖反映出小雪季節即將徵和人民北方修築房屋的景象。

堂亯卜辭

《禮明堂位》疏引《大戴禮盛德記》曰：「明堂者，自古有之。以茅蓋屋，上圓下方，所以朝諸侯。其外有水，名曰『辟雍』。」《古周禮孝經》說：「明堂，文王之廟。夏后氏曰『世室』，殷人曰『重屋』，周人曰『明堂』。」

《殷契》、《甲骨文彙編》有「亯」字，象「重屋」之形。上從亯，古享字也，示意為祭享之所。下從帝，似四阿建築之態。尤其是帝字底部三豎，上連於一橫之下，其文字結構特點，與陝西扶風召陳遺址出土之「四阿建築復原圖」，周匝簷楹排列之象，堪稱妙肖而酷似。此種上圓下方的「神社」造型原則，皆導源於古易「天圓地方」之義理的產物，而具有上古文化歷史背景特徵。竊以為卜辭中之亯字，應釋為「明堂」之堂字。理由是亯字造型取象，不僅與扶風出土之「四阿建築復原圖」酷似，而且同經籍的文字記載完全一致。

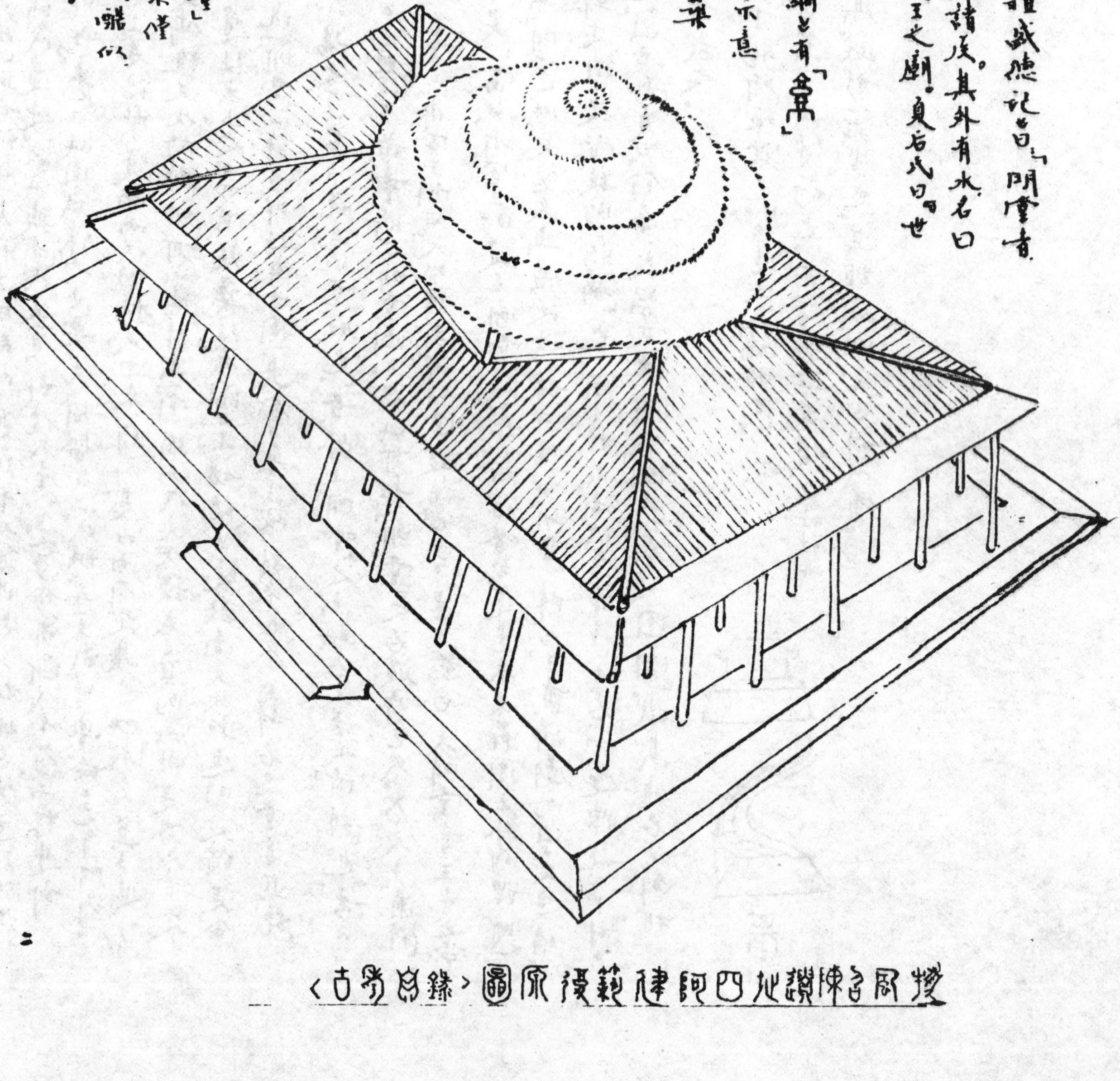

扶風召陳遺址四阿建築復原圖〈古學[illegible]錄〉

這就決定了⿱亼高字應釋為「堂」的合理性。是極為明顯的。也許有人會懷疑，《扶風名陳遺址四例建築復原圖》屬於西周時代遺迹。以此與商代文字「對號入座」，是否會有斷代不符，而株連到⿱亼高字應釋為「堂」的可靠性？愚曰：此固無懷疑之必要。夫「周監於二代，郁郁乎文哉！」《論語》已有明訓。西周禮樂典章制度基本上是沿襲夏商兩代的模式而來。特別是在西周定鼎之初，武王以箕子遺作《洪範》這一層次探討歷史傳統文化的精神，可以意味出商、周兩代文化模式必然的共性，是可以肯定的。因此將陝西扶風名陳遺址出土之《四例建築復原圖》，不妨認定是殷商文化軌迹的延續，是合乎歷史發展規律的。何況「明堂」一辭並非始自西周，其肇基上限，緣來已久。《釋名》：「堂，高顯貌」。《廣義》：「堂，當也。謂當正向陽之字也」。《說文》：「堂，殿也」。貴緣上「明堂」之為物，乃天子之「清廟」也。考《兩漢郊祀志》云：「濟南人公玉帶上黃帝時《明堂圖》。」據此可知，「明堂」之名殷時已久。乃天子「清廟」之歷代通稱，而無疑焉！《孟子》：「齊宣王問曰：『人皆謂我毀明堂，毀諸？已乎？』孟子對曰：『夫明堂者，王者之堂也，王欲行王政，則勿毀之矣！』」當然，齊宣王的建立「明堂」，屬於越禮僭分。這是本文範圍之外的課題。但孟子的答問，卻反映出「明堂」歷史悠久與廣泛性。據此可知「明堂」一辭，乃「王者」清廟的歷史通稱。而「世室」、「重屋」，則是特定歷史階段的「特稱」也。固不嫌於商代有「重屋」之名，而害遽懷疑《卜辭》中之⿱亼高字之為「堂」也。此正如夏曰「鈞臺」，殷曰「羑里」，周曰「圄土」，秦曰「囹圄」，職其通名之例相類。聊抒管見，讀者教之。

基 ⿱𠀠土

《揚子方言》：「基，據也。在下物所依據也」。《說文》：「牆始也」。基，⿱𠀠土字从𠀠从土。𠀠古箕字。土，質符也。一切建築基礎，必上狹而底廣，形似倒立之畚箕。此形義字也。其理簡明，而古訓不備。

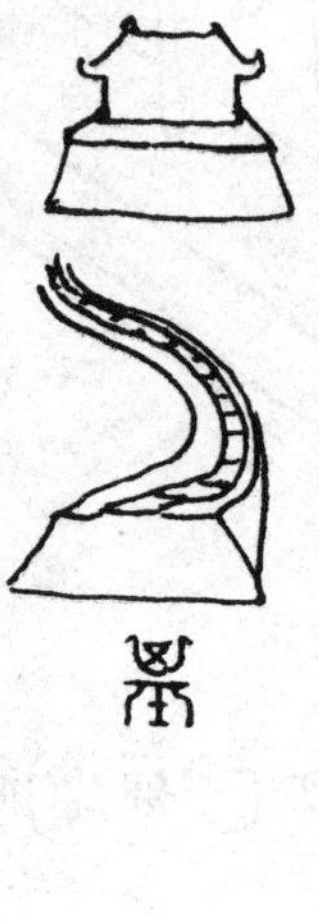

城 𩫖（金）城（說文）：「以盛民也」。案城字从土从成。古代城墻皆用夯土築成。字亦作𩫖，从𩫖从成。𩫖者，堡壘之形，所以示防敵自衛也。《墨子·七患》：「城者所以自守也」。古代王朝、領城、鄉大夫采邑、都有城垣，以止政治中心。《詩·大雅》：「哲婦傾城，哲夫成城」。註：城猶國也。筆者書《禮·禮運篇》云：「大道之行也，天下為公。……今大道既隱，天下為家。各親其親，各子其子。貨利為己，大人世及以為禮，城郭溝池以為固。……」觀此看來，城垣之派上為戰鬥防守之事，乃是人類進入家天下王權階級分化的產物。因為人類早期，只有自然災害，和人與獸的戰爭。並無人類內部矛盾。只有在階級分化之後，城鄉對係，纔會出現對立。於是貧賤富貴、田境、物質財富高度集中。貴族集聚城內，閉關自守。……故《禮·禮運》云：「禮義以為紀，以正君臣，以篤父子，以篤父子，以和夫婦，以設制度，以立田里，以賢智勇，以功為己。故謀用是作，而兵由此起。」仲尼前在這裏把社會進化的階階由上了詳盡分析。不愧千古至聖，他對于「城」的政治意義，自然遠較墨翟的理解要明晰得多。是可以肯定的。

壇 𡒊《周禮·秋官·司儀》：「將合諸侯，則令為壇三成」。註：「天子春帥諸侯拜日于東郊，則為壇于國東；夏禮日于南郊，則為壇于國南；秋禮山川于西郊，則為壇于國西；冬禮月四瀆于北郊，則為壇于國北」。《覲禮》文：「諸侯覲于天子，為宮三百步，四門。壇十有二尋，深四尺是也」。《說文》：「壇，祭場也」。壇之言坦也。一曰封土為壇」。 筆者考：壇之為用極廣，古代祭祀用壇，天子朝會亦用壇，故天子拜日亦用壇。如「燔柴于泰壇」。國君朝會亦用壇。《左傳·襄廿八年》：「鄭伯如楚，祭不為壇」。即使軍帥亦設壇，如「燕昭王拜樂毅為帥」。而壇之建築形式，亦因用途而異。如祭天用「圜丘」，祭地用「方丘」。壇之名亦形形色色而不一。如：山境曰「墠壇」。孔子設教于「杏壇」。今之「藝壇」、「文壇」，皆「壇」之孳乳義。《古易》悲學有「天圜地方」。

三

之說。故祭天之壇从圓，而祭地之壇从方。案壇字亦象形字也。土者，皆符也。亶者形也。似三成之象。鄭司農云：「三成，三重也。」《爾雅》：「丘一成為敦丘，二成曰陶丘，三成曰昆侖丘。」謂之「三重」。

戶、戶、戶、戶 《說文》：「護也。」《釋名》：「所以謹護閉塞也。」《六書精蘊》：「室之口也。凡室之口曰戶，堂之口曰門。內曰戶，外曰門。」

門、門、門、門 《說文》：「聞也。」所謂「聞」，即聞有扣門之聲則啟，無事則閉之義。案門戶二文，皆象形兼聲義字。戶象單扇之門，門象雙扇之門。

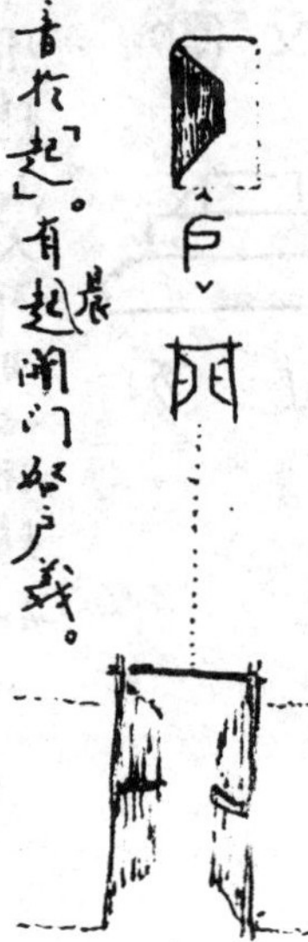

啟、啟、啟、啟、啟、啟、闢 《說文》：「開也。」案啟之為文，象形兼會意字也。字取音於「起」，有起晨開門啟戶義。象日出啟戶之形。古文獻「啟開」二字互通。殷微子啟，經籍之微子開，儒門七十子之漆雕開，《家語》之漆雕啟。可為例證。太陽系行星「金星」見於早晨，故曰「啟明」。金星公轉週期約八十八日，速度大于地球。故在地球觀測，恆一日兩見，故有「朝曰啟明，暮曰長庚」之稱。

建、建 《說文》：「立朝律也。」段注云：「立朝律（此為古義，後有考證見四十一頁）」

案建之為文，从聿从廴。聿者右手持竿之象，應視為「杙」字，未可拘泥于《說文》「所以書之器」之訓。蓋聿、杙音同而義通。《玉篇》：「建，立也。」其義模糊。惜語焉而未詳，愚補而出之。竊以為建字从聿从廴。聿者立竿測影之意也。廴，引義，通延，長之義也。《說文》訓「廴，長行也。」堪為義證。立竿測影之術，不僅見於《考工記》「匠人建國置槷測影」，而往文紀述，此建之古術「勾股定律」數理之運用，恆施之於望山測高，臨水測遠。試圖示如次：

$$A \times B^2 = B \times A^2$$

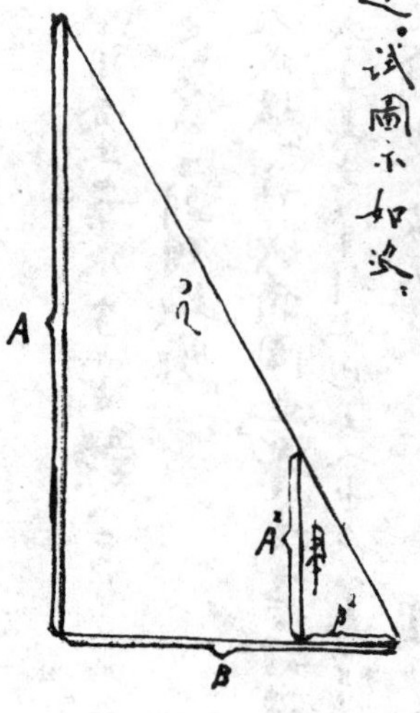

肇 [illegible]

日肁 屖 肁 肇者案：今俗本《說文》有「肇」字，而訓義為「擊也」。其義不知所據。段玉裁謂：「古有肁而無肇。從戈之肇，漢碑或从殳。俗乃从攵止肁，而淺人以竄入許書攴部中。」

肇者按：段注《說文》有肁而無肇，但云上諱（和帝名）而不訓其義，時闕依避徽。氏謂：「肇字从戈，應以「擊」為本義。《漢書》或从聿上肁，與从戈意同。肇字訓「擊」，蓋與肇為一字。」惜其未能舉出當例上證。故其說尚有待於考證。《韻會》訓肇為「戟」，亦只限於指文生義耳。存疑者：古文中之與肇字形似而義近者，唯有「棨」之一字。《玉篇》有棨字，訓云「兵欄也」。《後漢書·匈奴傳》：「有衣之戟曰棨。」師古曰：「以赤黑繒為之。」《崔豹古今注》：「棨戟，殳之遺象也。前驅之器，以木為之，後世以赤油韜之，謂之油戟，亦謂之棨戟。」俊者：《唐王勃滕王閣序》：「……都督閻公之雅望，棨戟遙臨。」則棨之為物，亦儀仗禮器之類耳，非殺傷兵刃也明矣。故崔豹《古今注》謂為「殳」之遺象，良有以也。《詩·衛風》：「伯也執殳，為王前驅。」傳：「殳長丈二而無刃。」俊者：《周禮·夏官·司兵》掌五兵，注：「五兵者，戈、殳、戟、酋矛、夷矛。」《釋名》：「殳，殊也，長一丈二尺，無刃，有所撞挃于車上，使殊離也。」綜此可證，肁、肇二文皆「棨戟」之儀，固與肁字無涉，諱明甚也。蓋肁字訓義為「始」，自應與肇同源。當須分清，勿令魚目混珠焉。夫肁字从戶从聿。戶者启之省文也，古啟字亦止从启，可為形例。肇之所以訓義為始者，蓋取象於置槷測影之形。字从启从聿。启者啓之省也。聿者右手執竿之象。聿、栽音同而義通，未宜拘泥于「書器」之義也。古代建築施工之先，必於晨起啟戶日出之際置槷測影，以正東西。方向既定，然後土木方興。《考工·匠人》紀述極詳。故知肇字訓義為始，蓋取義於土木未興，必先置槷測影定向之意。卜辭啟作晵，从⊙，从日，从攴。晨起開門見日之象也。故肇字从启而訓義為始，固其宜矣。青銅器銘文肇字語例咸具「開始」之義。《書·舜典》：「肇十有二州」，注云：「肇，始也。」尤其是金文《𠫑盤》：「肇」上「[illegible]」字从启从𩫖。𩫖古「墉」

四

字。墉，城也。牆，垣也。𩫖、𩫨等字皆从𩫖。尤足為「曓」訓為土木方興之始取象於置槷測影之有力佐證。由此則㬥曓𣋡三字之義判然可見矣！然則土木興工之始，暴字初義也。訓為一切事物之始，延伸義也。

㬥〈曓 㬥〉〈儀仗、鹵簿、禮器義〉

𣋡〈𣋡 曓〉曓〈土木興工之始義〉

附注：按古文暴或上㬥。从日从廾从米。㬥者，右手執槷測晛日影之象。日者，日出啟戶之時也。此與《墉𩫖》𩫖字从𩫖从𩫖造型命意之皆，若合符契。前者取執槷見影為形，後者以既成墉郭示義。此既成之墉郭，皆遵循測影測地之施工圖樣而成，故曰「暴基」。暴基二字，充分反映出建築施工藍圖測畫過程。暴者照也，建造也。則吾中國有義矣！

漢碑暴字上㬥，或上曓，而訓義為「戟𠊱」，字从戈从文而訓義為「𢧀」。與《說文》訓「戈為𢧀𢧀」之義相符。與「㬥𢧀」之用途及《古今注》之訓，皆校鼓相應，與㬥字皆建類一首，同意相受之轉注字。考古音暴與衛、維同屬第二音部。故知㬥暴皆與𣋡背詞同字。則「㬥、曓」同源可知矣。尤其暴字从戈，與《詩．衛風》「伯也執殳為王前驅」之注義相合。則「暴、曓、㬥、𣋡」形似音通而義通，確有歷史淵源可稽，已昭然若揭矣。𣋡於《說文》中訓為「傳信合符」，乃通段義，非本義也。其本義宜為「鹵簿、儀仗、禮器」為合情。附此以存考證。

向囘𥨹 《說文》：「北出牖也。从宀从口。」注：「牖所以通人氣，故从口。」《玉篇》：「窗也」。《詩．豳風》：「塞向墐戶」。《士虞禮》注：「向，向牖一名也。」北為寒之備。《集韻》曰：「向，北出牖」。《集韻》曰：「鄉與向通」。

筆者曾山種南窗向陽，北壁有小窗通風，則古老建築形式，今山東半島與苗東遂寧地區，仍然普遍存在。按向為之文象形兼會意字也。有方向義，亦有音響義、氣味義。

向

〈北窗義〉向→向→鄉

〈方向義〉𨙵→𨙵→𨛜→𨛜

〈聲音義〉響→𨞵→𨞵→響

〈氣味義〉𨞵→𨞵→𨞵〈从艸香〉—𨞵〈从日音〉

郭

卜　金　篆　籀：《廣韻》：「內曰城，外曰郭」。案古喪葬之制內曰棺，外曰槨」故知郭、槨、廓諸文皆形聲字。郭者括也，包括之義也。故城之外圍曰郭，棺之外圍曰槨，地球之外圍曰寥廓。皆具空虛包容之義。《說文》訓為「齊之郭氏墟」，乃據史地氏族地望考古角度而立說。非郭之造字形義也。

案《左傳·莊廿四年》云：「赤歸于曹」。《公羊傳》以為曹無赤，即郭公。而足備考。又武王伐紂之後，封王季父于虢，仲于東虢，虢叔于西虢，後改號郭。子孫以國為氏，故號、郭二字古通。然此乃姬姓之後，非復我境之郭氏矣！《卜辭》字則建築形式殷商時代之建築物也。

與我國境存之漢唐古城大體無殊。尤其是東西南北即「闉闍」。

與筆者幼年所見之兗州「甕城」極似。堙，塞也。堵，阻堵也，故堵門上禦寇物。

闉闍　闉闍《說文》：「城內重門也。」《正韻》：「城內曲重門也。」《詩·鄭風》：「出其闉闍，有女如荼。」注：「闉，曲城也。闍，城臺也。」箋云：「闉闍讀如「彼都人士」之都。謂國外曲城之中市里也。」

筆者猶憶當年遊兗州舊景，彼時曾在兗州甕城內藥肆購買「紙大黃」而歸。其內商販雲集，宛如鬧市，出入來往之人不絕如縷。此景如昨，而滄桑幾度矣！

則信乎毛詩鄭箋所述，確係信而有據。今筆者近日，賓細考往籍，精究古代文字。始悟文字之學即考古之「活化石」之謂，乃千真萬確之事實也。聊書數語以誌感。實質上所謂「闉闍」即城垣的外圍甬道防禦工事。其門乃與內城門之對外方向成九十度直角。故往注釋為「曲城」，以行人須曲折而行也。

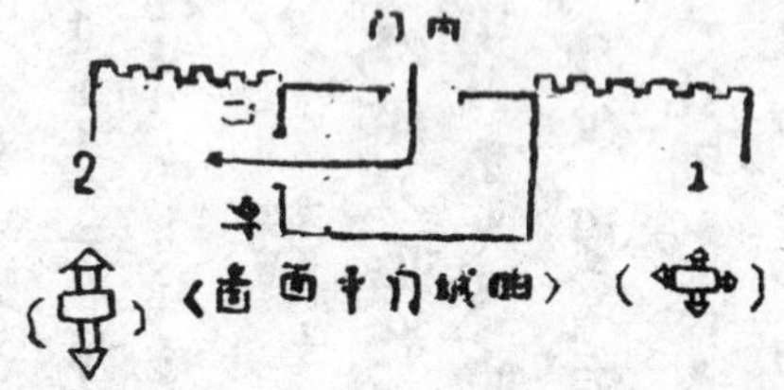

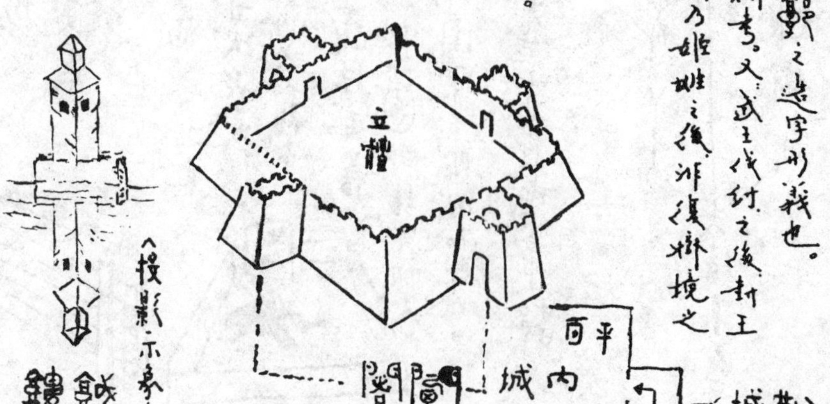

堵

〔古文〕 貫際上「郭」之與「闍」，皆內城之外衛也，所以堵塞敵寇之所衛也，故皆有堵塞之義。

《說文》：「垣也。一丈為版，五版為堵。」《詩小雅》：「百堵皆作。」《韓詩外傳》：「原憲居環堵之室，茨以蓬蒿」。所謂「環堵之室」，就是室的四壁周圍總長，不過一丈，屋牆的高与簷齊，不過五版相加之和。屋頂是用蓬蒿覆蓋起來的。則其室之狹窄而矮小簡陋已可想而知。

案堵字本義應為「堵塞」。由於牆垣是完成堵塞任務的基礎物，因而遂成了「垣」的名稱。這是不足為怪的。同時，雖于築牆工上是以五版寬、一丈長為施工單元的緣故，于是「堵」字就化為牆壁面積計量單位辭。亦有堵塞義。

堵字造形从土从者。說明了什麼？案堵字古作〔古文〕，或〔古文〕〔古文〕。土者牆之質料也。〔古文〕者城堡之象也。者字古作〔古文〕，古豬字也。豬之為獸，本為野生動物。自「伏羲氏」時，人類已經拋棄了原始漁獵生活方式，正是基于當時野生動物逐漸減少，人類不能謀求新的生產方法。于是將野豬捕獲帶回家中，經過馴服，使之變成「家畜」。培育蕃殖。乃為生活物資。因而〔古文〕就開始被納入圈內。〔古文〕字其說明物證也。故知〔古文〕即堵之初文也。

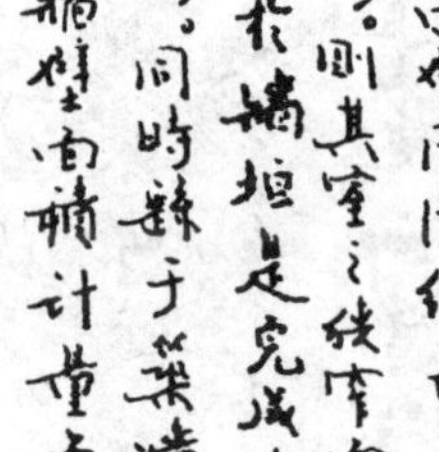

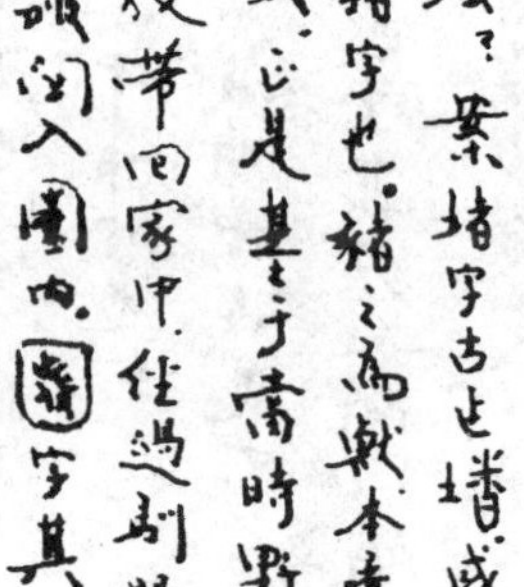

進入後來社會之後，人們逐漸把限制家畜的〔古文〕字移用于保衛首都的外圍軍事據點，而名之曰「三輔皇圖」。故〔古文〕〔古文〕二字互通。此其字遞嬗演化之軌迹也。嗣後〔古文〕字加邑而作首都字——「𨛫」。亦〔古文〕之孳乳字也。示意如下表：

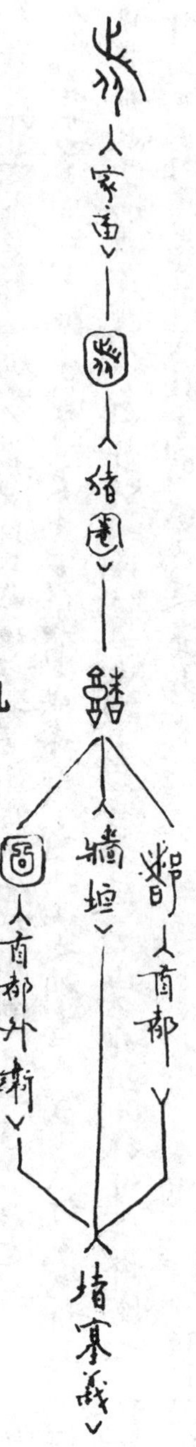

以上各字皆以豬為聲。皆豬族也，像字無疑也。其孳乳字有闍、〔古文〕、堵，而同有堵塞之用。

附註：闉从門从垔，垔洪水字。〔古文〕者〔古文〕之省。故闍闉二字皆有堵塞義。

用 用 用 用 用 用 用〈卜〉 用〈金〉 用〈古文〉《說文》：「可施行也，从卜、中。〈衛宏說〉」段注：「卜中則可施行，故取以會義。」衛宏將用字賦予了神祕的宗教色彩，許公賜之於前，段氏和之於後，遂使「用」字真義淪為千古之謎。對之困于此字者，蓋有年矣！昨于翻閱《康熙字典》偶有會心。用敢不揣固陋，筆之於書，如或罪我，尚祈讀者有以教之。

考《甲骨文》「用」字造型不下五十，合于「卜中」之形者極寡，而不合于「卜中」之形者極多。則衛氏之說令人不無可疑。惜此字於字書中尚乏令人愜意之說明，故欲求「用」字之初義吾人只能求助于與「用」字聲義互通之「庸」，以之搜索借鑑。聊舉例如下：

庸

《書堯典》：「疇咨若時登庸。」注：「將登用之。」

《晉語》：「無功庸者不敢居高位。」

《莊子齊物論注》：「庸也者用也。」

《禮中庸疏》：「其記中和之為用也。」

以上四例只能初步提示「庸」、「用」二字互通之義，殊無助於「用」字初義之說明。更無以找到「用」字骨骼所真相。尤其是《說文》庸字訓：「用也，从用庚。」並引《周易巽卦九五》：「先庚三日」之說。將庸字引入了會意範疇，更費人困惑。試剖析如次：

竊以為庸、用二文非會意字也，乃象形兼指事字也。夫庸从廾，雙手把干之象也。其造字形例固與𦥑同。有舂擣之象。而庸字下部之「用」，自宜與𦥑下之臼同視，視為容器之形。然則「用」字究為何物？吾人不妨援引墉、鏞二文為旁證以明之。

墉 鏞

愚以為庸字乃鏞字初文也。《康熙字典广部八畫》：「𩁹古文庸。」何為形例。《詩大雅皇矣》：「以爾鉤援，與爾臨衝，以伐崇墉。」傳：「墉，城也。」《詩召南行露》：「何以穿我墉。」注：「墉，牆也。」《易同

文

人》云：「乘其墉」。同書《解》卦：「公用射隼于高墉之上」。疏：「墉，牆也」。可知古牗墉一字。後世却分化為二。
然則訓義為城為墉者，初義也。其訓義為用者，庸、墉分化以後之義也。表示如次：

𩫖〈牗人用義〉〈𩫖人城義〉 牗、𩫖二字，皆从用从片。然則「用」之為文，究屬何物？「卜中乎？抑容器乎？」

這是本文所要研究的中心課題。從眾多古籍提供的資料而觀，可以看到牗、用二字在形義上的密切關係。尤其在文字結構上使我們清晰地看到「用」字乃是「牗」字結構整體中的一個組成部份而無疑。牗墉二字同源。用字處于片下。這就鮮明的意味用、片二文在表現為城牆的示意功能上的「密不可分的一體性」。然則「用」之為文，它有其若干觀現為之物體，而非空間之抽象觀念，可斷言也。謹簡介如下：

版

考古篆用字或上版。《見康熙字典用部》其字从片从ㄅ。《說文》片字訓「判木也」。从半木。《廣韻》云：「片，析木也」。《玉篇》云：「片，半也。判也。開析也」。《𣎳 𣎴》。復考《說文》版字訓：「判也。从片，反聲」。《爾雅·釋器》云：「大版謂之業」。注：「築牆版也」。由此可見片、版二文，形聲音似而義通。皆「木版」之名。木版是古代建築城郭的基本施工設備。綜此可觀牗字从片从用。它是古代建築城郭使用的兩大施工設備—「版」與「𥮾」的具體物像生動寫真。〈圖詳後墉字條下〉。

古代土木工程之興建施工，咸采用「版築」方法。《孟子》云：「傅說舉於版築之間」。傅說是商代賢臣。足證「版築」技術歷史之久。此在窮鄉僻壤今仍可見。俗名「踩牆」。其具體工序：植柱以作版。版槽既就，填以濕土，施之以夯舂。牆成之後，遂將版槽脫去。繼之以切削。以求牆面光潔，而湯嚴整。《詩·大雅·緜》云：「其繩則直，縮版以載。捄之陾陾，度之薨薨。」

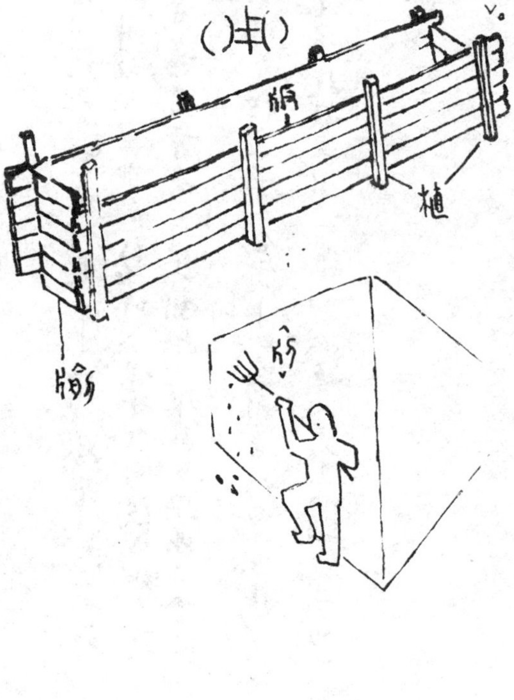

築之登登，削屢馮馮。」記述了「𤖨」字从片从丂的造型，示意真相。《左傳昭十二年三月》：「鄭簡公卒，將為葬除，及游氏之廟，將毀焉。子太叔使其除徒執用以立。」傳：「用毀廟具。」疏引《正義》曰：「用謂毀廟之具。若今鑁之類也。」《集韻》：「鍬與鍫同。」《玉篇》：「鍫，臿也。」《揚子方言》：「鍫臿鍫也。江淮南楚之間謂之臿。《說文》鑁字列：「大鉏也。」《埤蒼》：「𨱆謂之鑁。」復書《管子·度地》：「以冬無事之時，籠、臿、版、築各什六。」綜合以上資料考證之，可知𤖨之為字乃建築工具之總稱。字从片从丂，固其宜矣！甲骨文用字之[illegible]、[illegible]、[illegible]、[illegible]等形，當「版築」之形象。使我們透視到[illegible]、串二文的物質形態，更由這一概念的實定與確立，為吾人理解《卜辭》中「[illegible]」字提供了有力線索。

[illegible] 卜

[illegible]，从[illegible]从串从土。人[illegible]，古掬字。與上[illegible]。《說文》：「在手曰掬。」《玉篇》：「滿手也。手中也。物在手也。」2.串，說已詳前。从土。3.土，古文土字。值得吾人疑難者，即此串字中間貫通上下之一豎「—」，乃是用上建築工具夯土的

築

「築」。這是不容忽視的。築从竹、从工、从木。竹，聲符也。工，意義符也。木者夯土之器也。《說文》：「築，擣也。」[illegible]這個雙手抱木舂土之側式人形，與雙手抱杵擣米之[illegible]，以及雙手抱丫夯土之[illegible]字〈[illegible]〉，三者造形示意技巧如出一轍。惟築字偏于側面投影，而[illegible]、[illegible]則偏正面投影，是其異也。

由此可見，卜辭的[illegible]字即雙手抱築夯土的簡影，而後起之[illegible]，不過是[illegible]下之土（土）變態左移之易位式。其後「墉」左或从亯或从片。於是「墉」「庸」分庭抗禮。一訓為牆。一訓為「用」矣！

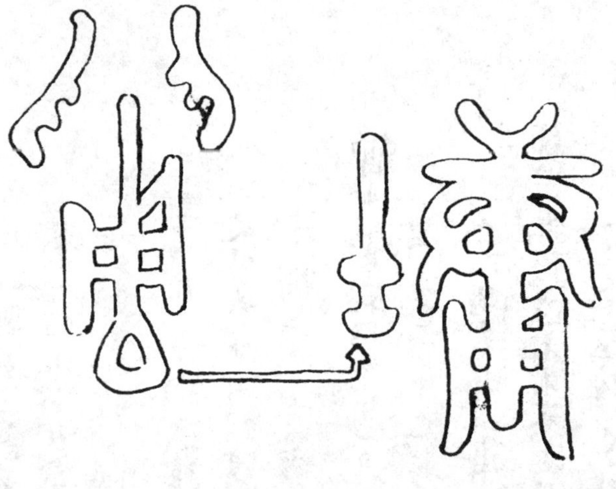

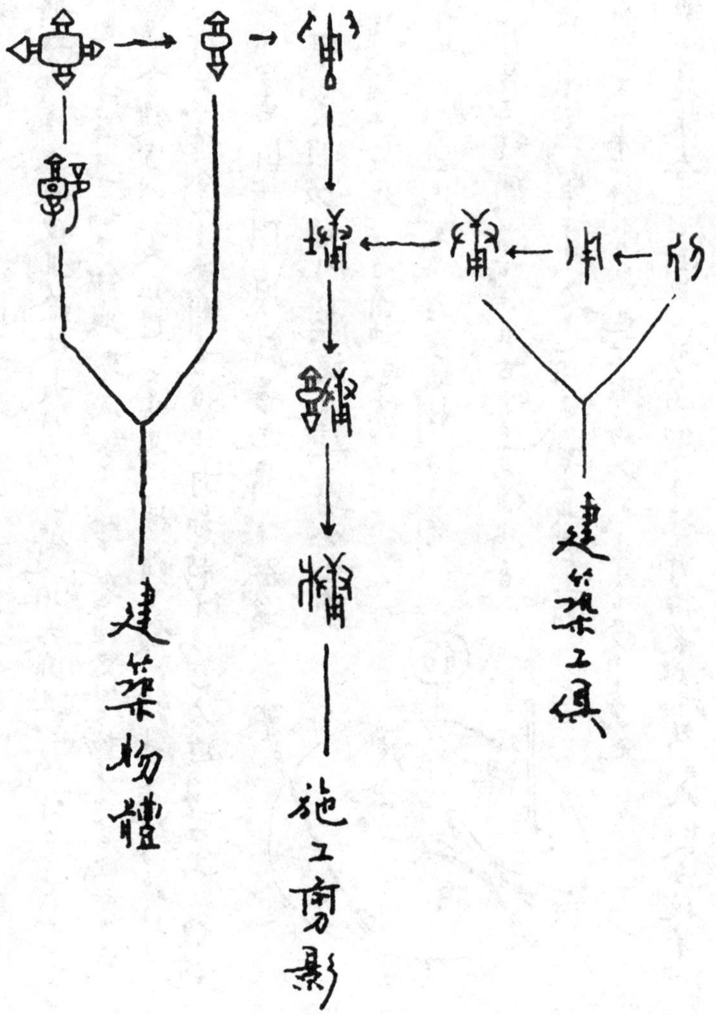

結語：墉字訓為城牆名辭——物質義也，本義也。
庸字訓為官員選用之動義辭——社會義也，延伸義也。

「甬」字縱橫古今觀

甬　甬：《淮南子·本經訓》："修為垣牆，甬道相連。"《史記·秦始皇紀》："築甬道。"注："應劭曰謂馳道外築牆，天子于中，外人不得見也。"《史記·項羽紀》注："恐敵鈔輜重，故築牆垣如街，曰甬道。"

考：甬之為字，就為版築木槽之象。依照物體形態結構特點而言，是等于一個四面封閉顯兩端敞的立方形中空容器。亂戰時防險安全路，和楚漢交爭時代的軍需安全運輸線，這些封閉形式的交通線，史籍名之曰「甬道」。其形式本與版築木槽之中空立體象徵無二。同樣屬於左右封閉，顯即開放。其建造方法也同樣屬於版築技術的產物。因此「甬道」的「甬」字和「甬」字形似音近而義通。自不是偶然的，而是有客觀事實根據。但是如此龐大的工程，絕非一人之力所能勝任，必須調動千百萬群衆方克有濟於成。因而人民對國家這種大型土木工程所形成的義務勞動就叫作「庸」。庸者用也。「庸」字本身就標志着一個土木工程的字形。揭示了人民義務勞動被用於國家大興土木的「專用名辭」。

桶　桶：《說文》："木方器，受六升。"《博雅》："桶，斛也。方斛謂之桶。"《史記·商君傳》："平斗桶。"字亦作甬。《禮·月令》："仲春，平斗甬。"案：桶之為物，亦立方形中空體，與版築木槽同象，故其字从甬。

亦甬之孳乳字也。

鏞　鏞：《爾雅·釋樂》："大鐘謂之鏞。"郭沫若曰："「甬」古鏞字，鐘也。"（見《康熙字典》用部）古《商鐘款識》《宣和博古鐘》字皆作用。考之《六書通》，鐘字古文作「甬」，《宣和博古鐘》字作「甬」。字形與甬用相似，周鐘之甬器亦中空之物，與版築木槽相類之故耳。在樓泉臣先生之《考古學與科技史》之《周鐘與周錄》之於次，並附「木方器」圖，兹供參證。

〈甬字縱橫延伸轉注之路線示意之圖〉

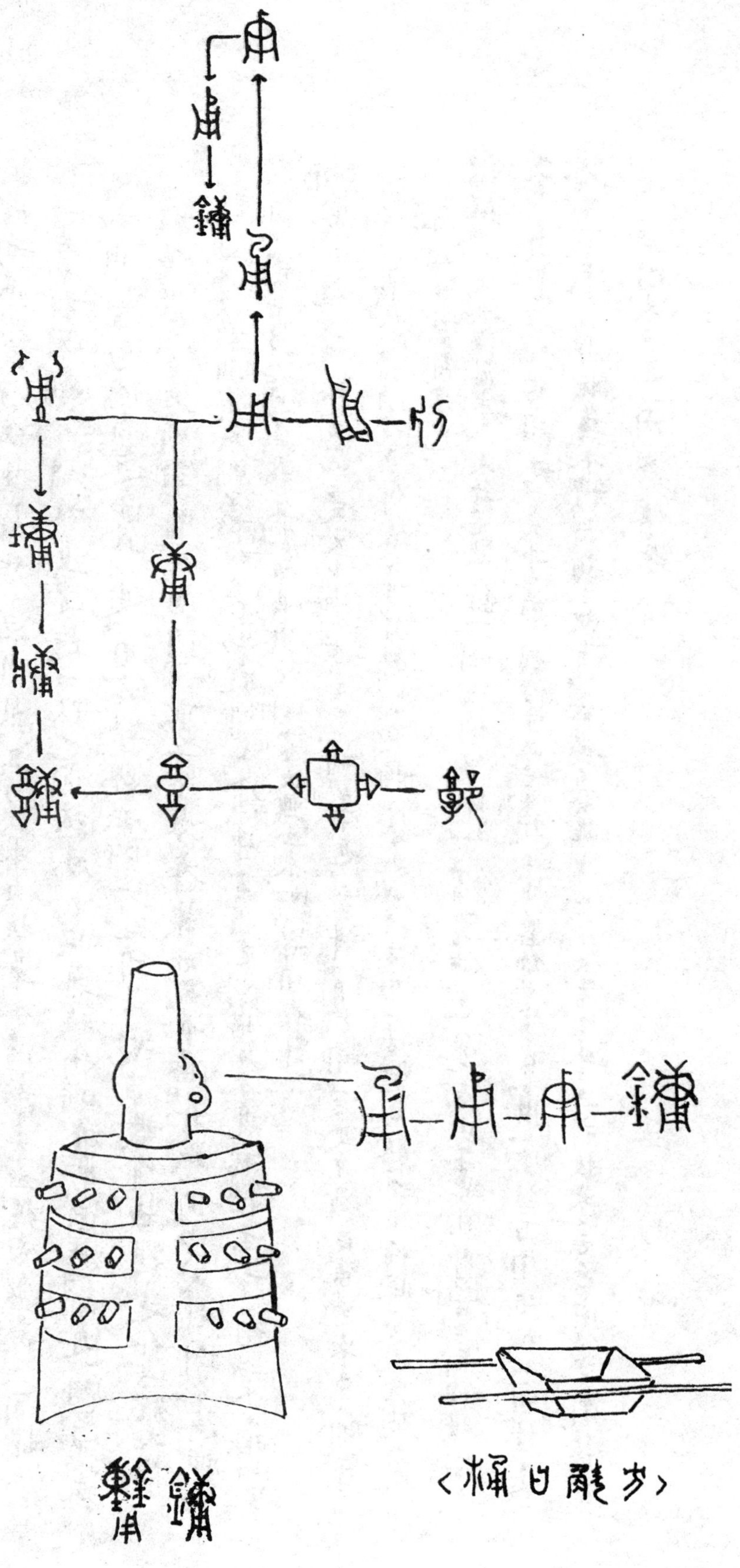

穴〔穴〕《說文》「土室也」。《易·繫辭》：「上古穴居而野處。」案〔穴〕之為文，象形字也。〔冂〕象穴口，八象木質支架。所以防塌坍之患也。其結構同於煤礦坑洞之支架，工人名之曰「棚子」。今我國陝北地區仍有之。古代人民穴居，必擇向陽面南之地，所以避胡風之襲，而對日向照明取暖也。故五行南方丙火之丙字乃〔丙〕或〔丙〕。其字形皆取象於〔穴〕而無疑。是曰〔穴〕之讀當「宿我」之合音也。故音中亦有我音焉。

𥨣〔𥨣〕《說文》：「地室也。」考《詩·大雅·緜》：「古公亶父，陶復陶穴，未有家室。」箋云：「復者，復於土上，鑿地曰穴，皆如陶然。」《釋文》云：「復謂地上累土為之，穴則穿地也。」鄭謂：「𥨣於地者謂穿穿之，則地於上。穴則從穿之上為中霤。」

筆者案：對於「穴」、「𥨣」二字之定義，看法不一，人各為說。竊則由于未明西北黃土高原之自然環境所顯結構故耳，故從注無定論。學者於之久矣。竊以為〔𥨣〕字从〔穴〕，从復，有「復蓋」之意，亦有「重復」之意。蓋古公所居之岐山地望，適當延安之境。其地形亦疊宛似陶丘之狀。陶，古窯字也。今亦之〔窯〕，甲文之〔窯〕，皆像燒瓦器之建築設施也。遠古〔𥨣〕之民，冬居山洞以防寒，夏則巢木以避蟲害。彼時未有金屬鍬鋤之用，不能自掘陶穴而居，厥後以鹿角樹枝獸骨以土石穴而禦冬。故知「陶𥨣」之為物，即重疊層次之穴也。至《說文》注云：「近穿之上為『中霤』」者，當即通風之天窗也。圖六「〔𥨣〕」無涵也。今我國江南居民建築仍有「天井」設施，蓋上古「中霤」之遺跡也。附於此，注圖示于下見意。

更〔更〕上丙下攴。案〔丙〕〔攴〕之謂也。全《說文》「改也」。《詩·小雅·正月》傳曰：「更，償也。」案更之訓償，訓改，其義甚確，無可非難。要而言之，皆屬聲意合案，未見其有當於造字取象之意也。竊以為〔更〕之為文从〔丙〕从〔攴〕。〔冂〕者洞穴之象也，八者洞穴支柱之形也。柱久必朽，朽則必折，此必然之勢也。筆者身為礦工，親目所常睹焉。此種木質支架，共由三木合成，上有橫梁，梁之兩端著於左右支柱之頂面，頂或榫口為結構，而得以牢固，所以防止洞頂之坍塌，保護工人之安全也。一旦支柱腐朽摧折，則有危及

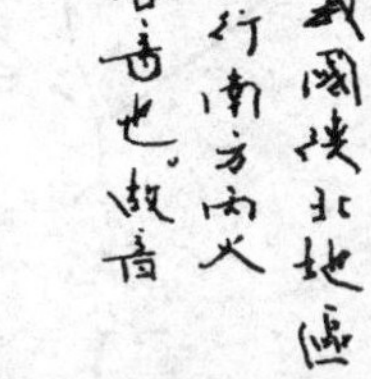

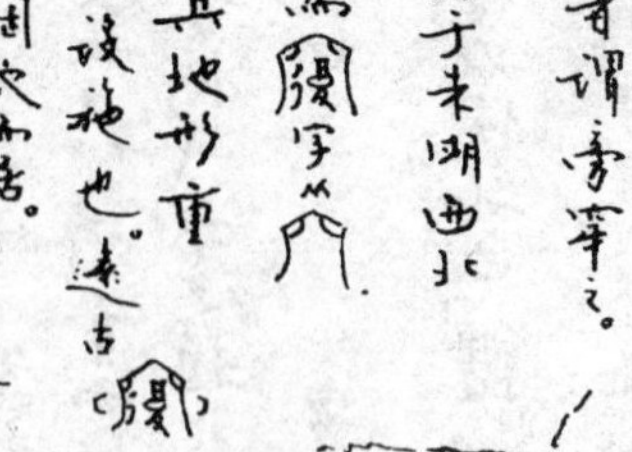

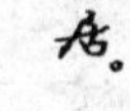

〈中霤〉

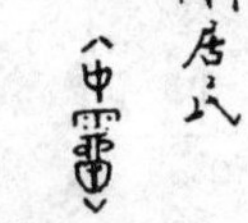

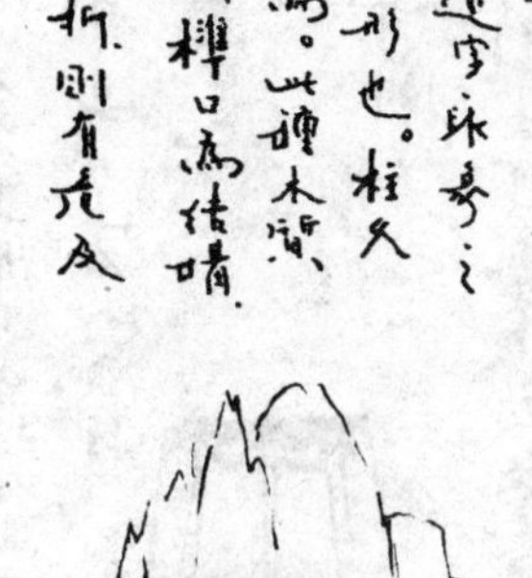

九

安全之虞矣。過此時況檢修木工之設計更易其既構之支柱（俗名撐棚腿）。又恐其樑成傾塌之勢也。更須以支柱牢其橫梁，以便從架施工操作而保向內之穩定。此冂丮字造形，若木工手扶支木之象（土名打點柱）。只有採取此種技巧措施，俾能使已斷之木條（修削）重更新。故知冂之為文，非有椅形視察，無以造出此字也。其義曰「改」，曰「續」，固其宜也。

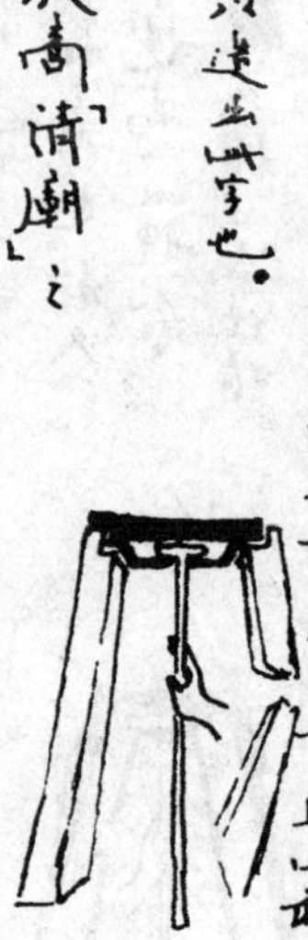

冂丮

樓 𩫖 卜 𩫖 𩫖 樓

《說文》：「重屋也。」案此解應與殷商淸廟之「重屋」有異，而本條引舉之𩫖字，亦與《卜辭》𩫖字有嚴格區別。未可魯魚亥豕，涇渭不分焉。蓋𩫖之為文，上為華屋之形，下為四阿建築週市楹柱之象。核諸殷商名陳遺址出土建築物復原圖形，若合符契，班班可考。理應釋為「堂」字。而本條引舉之𩫖，則儼然上下當同。當「重樓」之象也。自應釋為「𩫖」之初文也。未可因形近而淆義也。

𩫖以為樓字从木从婁。木者大興土木也。婁字从毌从口从女。口者中空之象，孔洞之形也。毌者穿通之意也。女者，所以示雖有千斤之力，雄偉之軀，一旦要害被控，婦女子們得牽而制之也。故知婁字之義，肯于牛鼻穿孔「為牛維婁」義見於《春秋昭廿五年》。故造字者，將此義逸植於樓觀重疊上下貫通之象。故漢字从婁者，咸具中空之義。如：漏斗墻墉之隙曰

〈婁〉

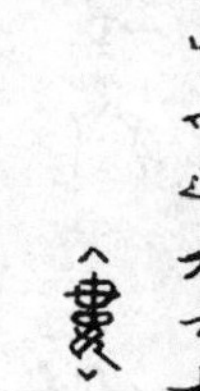

「樓車」。破敝穿孔之衣曰「襤褸」。瘰癧潰爛穿空曰「𦈡瘻」。《金石穿孔曰「鏤」。（義見荀子）此指事字也。

〈牽牛鼻〉婁—𩫖—〈建築物〉
𩫖—𩫖
〈建築物〉—褸—〈衣具〉
〈建築物〉—瘻—〈病名〉
〈建築物〉—褸—〈破衣〉
〈建築物〉—鏤—〈鑽金〉
〈衣具〉〈病名〉〈破衣〉〈鑽金〉—〈說詳卷八．74頁〉

寬 宀 𡨄 《說文》：「屋寬大也。」案此訓極確，惜乎語焉未詳，莫能見造字之情。

考《康熙字典》宀部十二劃云：「𡨄古文寬」。此解甚合造字深意。何則？按𡨄字从宀从𡿭。宀者室之象也。𡿭者人首也。元，古上●字。从大頭人形。《說文》冠字下徐曰：「冠，取其在首，故从元。」古謂冠為元服。今國家領導人尚有「元首」之稱。古《易》裡有「天圓地方」之說。相人者以人首為天，兩足法地。故知𡨄字从宀从●。有圓室之象，義無疑也。然則室之圓者，何以為寬？此則有待於數理以求證之。

依數學幾何定律考求之，「同一長度之綫段所圍繞之輪廓，其封閉範疇以內之面積，以圓形佔有之面積為最大。」此不變之法則也。茲舉三例，如次以說明之：

第1式：設綫長為24尺。設24尺之綫圍成之正圓形，其面積為 X^1。

第2式：設24尺之綫圍成之等邊三角形，其面積為 X^2。

第3式：設24尺之綫圍成之正方形，其面積為 X^3。

試分別演算如下：

① 正圓形， 外圍共長24尺。 $\left(\frac{\frac{24}{\pi}}{2}\right)^2 \times \pi = 48$ 平方尺。 X^1約數值 $= 48$.

② 等邊三角形， $8^2 - 4^2 = 48$. $\sqrt{48} = 7$（約數）（依勾股定律求之） $7 \times 4 = 28$. X^2約數值 $= 28$.

③ 正方形，$\left(\frac{24}{4}\right)^2 = 36$ 平方尺 □ X^3約數值 $= 36$.

比例式 $\begin{cases} 12（X^1）○ \\ 7（X^2）△ \\ 9（X^3）□ \end{cases}$

總上觀之，可證古文字之科學價值，非外族文字所能想象焉。然此可與知者道，難為不知者言也。

窗 囧 㓹 《說文》：「在牆曰牖，在屋曰囱。」案許君以在牆、在屋別牖之與窗，此古義耳。今則

俗名曰窗矣。惟今「天窗」「壁窗」之分耳，然則今之「窗」即古之「牖」。古之囟，乃今之天窗也。此象形字。《釋名》云：「窗，聰也。」有通音聽聲義。窗，則窗之為用，既能通風，又可透明，且以傳音。囧 囟 此均窗今蒙都尚所在多有。囧之同源字頗多，聊舉數例以見義。

聰

聰 《說文》云：「察也。」察者覈也。案：聰之為文从耳从囟从心。心者君主之官，神明出焉；《黃帝內經·靈蘭秘典》囟者「鼓膜」也。聲波入于耳，震動鼓膜，聽骨成音，而通過聽神經傳而傳入大腦，所謂「心者君主之官」即此之謂也。《洪武正韻》云：「聽曰聰」。故知聰以聽為訓，以囟為聲，有中空通音義。

曾甑

曾 甑 《說文》云：「甗也。」《廣韻》引《古史考》云：「黃帝始作甑。」《釋名》云：「甑，蒸也，……之言倚也。」（甑）

曾者，甑以為曾即甑之初文也。字从⊙从囧从八。⊙者熱氣也；囧者箄箄之象。箄上置米，箄下有水，底有火炊之，八象蒸氣。其理宛如蒸籠。字亦作甑，瓦器也。《周禮·考工記·陶人》云：「甑實二鬴，厚半寸，脣寸，七穿」。故取形於囧。

蔥

蔥 《說文》云：「菜也」。案：蔥字从艸从囱，亦中空之象也，故取形于囟。

黑

黑 《說文》云：「北方色，火所熏之色也。」案：炊爨之事必用火，煙出于囱，久而屋壁皆黑。

熏

熏 《說文》云：「熏，火煙上出也。从屮从黑，屮黑，熏象也。」《詩·豳風》云：「穹窒熏鼠」。《周禮·秋官·翦氏》云：「掌除蠹物，以莽草熏之」。看來我國利用藥物熏劑以毒氣滅除害蟲，歷史久矣，可从文字見之。然則「熏」亦囧之同源字也。

層

層 《說文》云：「重屋也。」《玉篇》云：「重也，累也。凡物之重者曰層」。案：層从尸从曾，尸者人之變文也，曾者高下重疊之意也。《增韻》云：「層，級也。」故知層亦曾之孳乳字，其訓為「等級」，指層者物象人之延伸義也。

僧

僧 《正韻》云：「僧，沙門也。」《禪宗記》云：「禪僧衣褐，講僧衣紅，瑜伽僧衣蔥白」。則僧人之身份亦有明確之等級而無疑矣。故知僧亦曾之同源字。

二文字之變化示意一覽

〈說明〉，其父雖同子。母與另一母雖同子文，配而成為新字之後，則此「子字」必帶來母雖遺傳，並離于其間。而產生「義變」，此必然之事也。

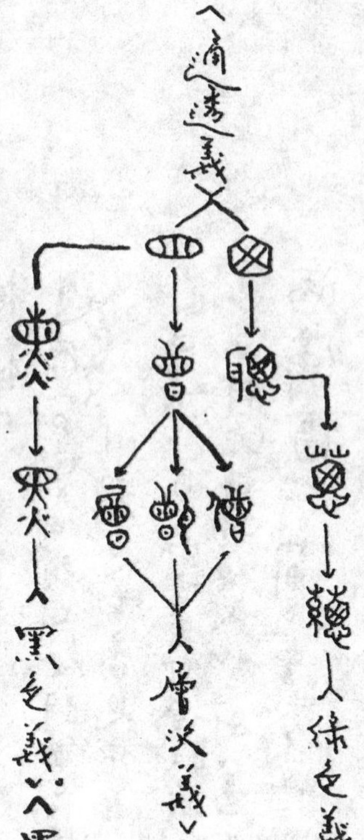

〈黑之義〉〈黑族文字概多。變之不外乎。〉

櫨《說文》：「柱也。」徐鍇曰：「櫨者，盧：對立之貌。」愚曰：櫨从盧从木。盧者滿也。合抱之木也。殿堂巨廈，非大木不能勝其任，故字从盧、木，會義字也。

欂《說文》：「柱上枅也。」案《說文》訓「枅」為「屋欂」，則知「欂」之為義，應訓為「柱上枅」，為確。按《一切經音義》云：「柱上枅曰欂。」又《漢書·王莽傳》：「為銅薄欂。」師古曰：「柱上枅也。」可為佐證。然，柱上之方木，何以命名曰「欂」？則從來乏人道及。謹按欂之為物，柱頭承托棟梁之方木也。故知欂字从木、从薄，取意。乃薄之省文也。木柱顛端的薄之義也。與「枅」之从木、从幵，取意正同。枅者「笄」之省文，亦與笄之「係冠不墜」之功相同。以枅之承梁與笄之承冠，其功相同。審此，則知造字者之想象，視柱顛之方木為柱之的薄，昭然可見矣！治文字之學者，不知推求造字者之初意，雖旁徵博引，汗牛充棟，徒無助於造字者之匠心也。

礎《正韻》：「柱下石也。」筆者按：柱下之石曰楚，音、義字也。楚、処同音。《說文》：「処，止也。从夂、几。」夂得几而止也。処與處同。《玉篇》：「處，居也。」故知礎、處音同而義通，有靜止義、固定不移義。

扂《集韻》：「音磹。戶牡也。所以止動也。」筆者案：扂从戶从占，而音磹。訓義為「戶牡」。戶者，門扇也。

戶音詁之省。《集韵》：詁字訓「人立也」。所以示門扇常立不傾之義也。牀音牀之反，雖非生殖器官之形也。甲文牀牀之文直觀明透視出凹凸造型結構意象。《六書故》：「碑石楔也」。是從戶字取音于碑，亦「木楔」之義也。戶與楔相對而偶，居形凸，椳形似凹，一雌一雄之象也。

椳 楔 《爾雅·釋木》：「樞謂之椳」。按：椳字从米从畏。隈字析阝易木之實按式也。《爾雅·釋地》疏：「屋內深隩之處曰隩」。外為「隈」。故如物體內容空虛之處曰隩，外圍之壁牆曰隈。此義极與門樞之象相合。故如楔之為文，隈之明証字也。所謂建類一首同意相受者也。復考《爾雅》樞字訓：「樞謂之椳」。又「樞動之主曰樞」。復考《說文》云：「樞，从木从區。木音聲也。區者藏匿也」。故知《爾雅》「樞謂之椳」之訓，皆所以示椳內容居之指，彰彰明矣！

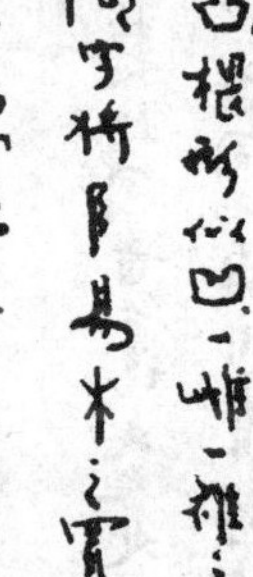

椽 椽 《說文》：「椽，榱也」。按椽與桷同物而異名，惟方圓之不同耳！

桷 桷 《說文》：「榱也」。（說詳後）

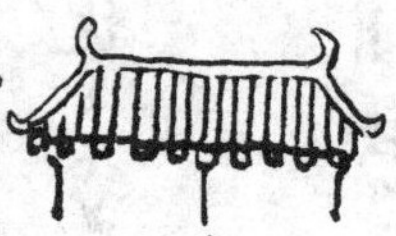

題 題 《說文》：「頟也」。《辭會》：「椽頭玉飾曰琁題，玉題，亦名璧璫」。按題之訓義為額，《額》當為本義。引而為璧璫，當屬延伸義。何則？考《卜辭》：頁字作[glyph]。《說文》頁字訓「頭也。从𦣻从儿」。《六書故》：「頁即首字」可證其義。以額之為地，居高位正面之境，而璧璫之為物，居房屋上部當位置。故同意而相受。此物像人化之例（圖示於下）。

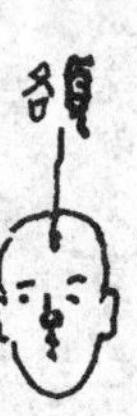

湢 湢、湢 《禮·內則》：「男女不共湢浴」。即今之「澡塘」或「浴池」。古名「湢」。

《釋榱》

榱《說文》云：「秦名為屋椽，周謂之榱，齊魯謂之桷。」按：榱之為字，含義深廣，非片言隻字所得而能明也。爰縷析如次：

考榱之為文，从木从《衰》。木者，質需，植物也。衰者，義也。故詮釋榱字之初義，含胡衰而莫由也。謹陳管窺，以見衰字之義。

一、槩論：《易》以為大凡宇宙間一切物質之「衰變」，亦即分化裂變解之演化過程。故草木之衍化，必先有枝葉衰頹、疏密之不均；禽獸之衍毀，必先有毛脫毳墜之迹；殷商之彝鼎，必先睹文破棘折之形。器皿之衍毀，必先現罅璺裂痕之徵。此於東方古代哲學名曰「朕兆」。朕兆者，事物變化之前奏也。近世之辯證法則名之曰「漸變」。此事物變遷不易之法則也。這一定律，可以古篆《衰》字體現之。《衰》字之造型，寓取象於衣服。

二、《衰》字形義始基：古文衰作《衰》或合乖。《衰》，《衰》从人从乖。敝衣襤褸之象也。合乖从合从乖。老翁戴笠披蓑之形也。古《衰》、《衰》、《衰》三文，形似而義通。《詩·小雅·無羊》云：「何蓑何笠。」傳云：「蓑所以備雨，笠所以御暑。」然此不過揭示蓑衰二字同源。《說文》訓《衰》字為「艸雨衣」。可為力證。但此種通段規律，殊不以發明《衰》字之科學景、質，可斷言也。復考《韻會》衰字訓云：「衰，弱也；耗也。」《集韻》云：「衰，小也；減也；殺也。」《類篇》云：「衰，浸微也。」雖各書用語不同，其所以示「衰變」之規律則一也。

三、怎樣認識《衰》字與含義：考古文，《衰》與縗通。《荀子·大略》云：「父母之喪，斬縗，三年不事。齊縗大功三月不事。」所謂「斬縗」，即截邊之衣。所謂「齊縗」，即緝緣《鑲邊》之衣。此古

十二

代喪服制度，不獨表現了服式不同，而「丁憂」時限亦異。當取決于血緣關係之親疏。故知《衰》《縗》二字之概念即「差別」之體現，是可以肯定的。

四、《衰》字差別概念表現于經濟領域之應用：考《玉篇》衰字訓：「等衰也。」古稱係《數學九章》有「衰分法」，又名「貴賤差分」。簡言之即「從大漸差而小之」「降冪數理」規則。現代數理名之為「等差級值」。又如《齊語》「相地而衰征，則民不移」。也就是根據土地之優劣規定農產稅率。此衰字「等差概念」見于經籍語義之例一也。

衰字「等差概念」表現為國家政權組織體系之應用。如《左傳·桓二年》：「師服曰：吾聞國家之立也，本大而末小，是以能固。故天子建國，諸侯立家，卿置側室，大夫有貳宗，士有隸子弟，庶人工商各有分親，皆有『等衰』……」此衰字「等差概念」之見于經籍之語例二也。

五、衰字「等差概念」應用於歷史人物品德高下之評定。如《唐劉知幾《史通·品藻》》：「昔孔門達者，顏稱殆庶。至于他者，難為等衰」。此衰字「等差概念」之應用語例三也。

《衰》字差別概念之來龍：古《衰》《蓑》同文。《說文》衣部《衰》字訓：「艸衣也。」尤其顯例。蓑之為衣，非係帛織叢之品，其參差不齊固勢所必然。故知蓑縗榱皆淵源于《衰》，同其「差別概念」無疑也。唯形音有別耳。略陳如次：一、《衰》表現為盛衰義則讀如摔。二、表現為等級義則讀如推。表現為喪服義亦讀推。表現為榱椽義亦讀推。表現為艸衣義則讀如梭。此大較也。

《衰》字形變過程示意一覽。

〈会〉
森 懸 合森 衰落義
⺌森心 叫衣義
繇心 衣服義
樬心 桷椽義
等差義

關於「𣝋」字，初義之探討，《說文》訓榱為椽，為椽之說，諸家注述，互有異同。今人莫衷一是。

獨段氏甚明獨到，謂「榱之言差次也，自高而下，層次排列，如有等衰也」。此解補齊事實。惜其語焉未詳，恐表而出之。

考建築之形式，所以脊棟獨高，四簷成下之故，以房屋之為用，所以防雨也。屋之脊高，簷低為排水而設也。故瓦瓏有「瓴甋」之名。瓴者，領也。滴者水從簷邊直下墜地之意也。蓋非此無以導水下流而防止水積屋頂，而免滲漏之災。此理甚明，盡人知之。故欲「建瓴」之功，則不得不使屋頂之橫檁自上而下，成等級之排列。而橫檁之兩端，必更基于屋山之上。屋山者，斜面之牆也。將何法以承擔橫檁？工師不勞心設計，以三角方木，依照等距間隔，固定于屋山斜架之上，而上承托檁木之基。此物吾鄉民間名之為「爬山虎」，此即「榱」之為物也。故段氏訓為有「等衰」之義。固其宜矣。段君未言其物，是表而出之，如右。附圖於左以見意。

結語：

「𣝋」字上訓應為「承檁方木也。从木，从𢘓者，高下有序也」。故知前人訓椽、訓桷者，皆誤而不察之論，未足與言文字之學焉！

扃 日 冂 卜 扃 《玉篇》：「戶耳也」。

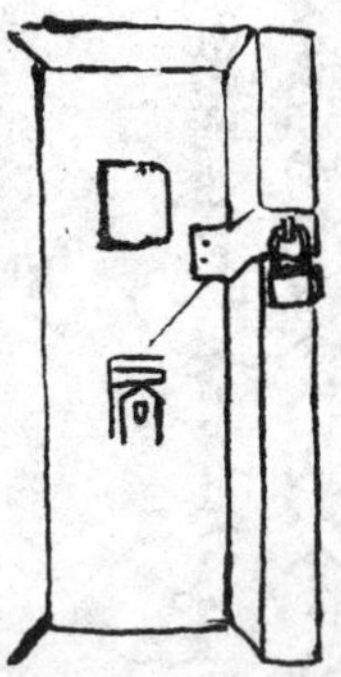

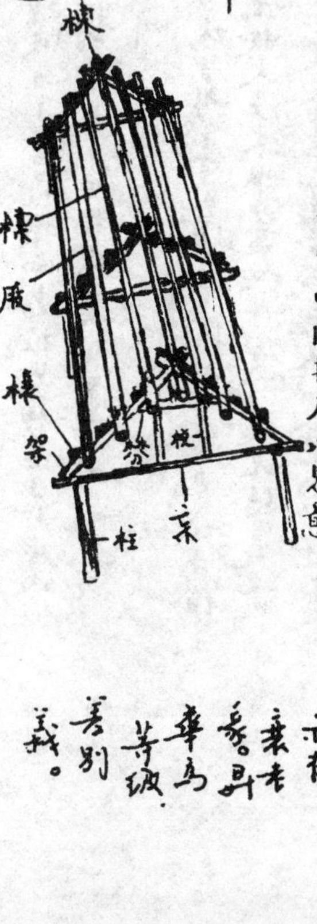

〈𢘓〉从森，从心，森者須毛下垂之象。故知有長短參差之象，亦有衰之象。亦有衰老衰弱，引申為等級差別義。

十三

屋 [古文] 屋《說文》：「居也。从尸，尸所主也。从至，至所止也。」若屋之為文，从尸从至。尸是人卧之形。至者，戎鳥自空降地之象。所以示「倦飛知返」之意。此「物象人化」字，以人之休憩，方之鶯燕，東西動極思靜，止於屋內以求安息。此屋字造形示意之旨也。獨惜許君之意，詳于義而略于物，遂致千古莫知屋之形制異似。是之困于屋字取象者久矣。茲往反思，重獲其義，謹不揣冒昧以明之。

竊以為，屋之為形與「房」為對。房从方而屋从至。故知房者，方形之室也，屋者，圓形之室也。試以證之，考《說文》注：「屋者，室之覆也。引伸之，凡覆於上者，皆曰屋。」故天子之車蓋曰「黃屋」。《史記·始皇紀》：「子嬰度次得嗣，冠玉冠，佩華紱，車黃屋，謁七廟。」「黃屋」者，天子之蓋也。其狀如傘。《周禮·考工記》云：「輪人為蓋，以象天。蓋弓廿有八，以象經星廿八宿……」可知「黃屋」之為器之形制，無源於《易》理「天圓地方」之義。故知屋之為形，乃室之圓者而無疑也。復考古文屋上[古文]字，从木从屮，从至。木者火旗之象也。屮者帷幄週圍分張之勢也。至者人之所止也。「[古文]」之字

亂字：曰[古文]曰[古文]，皆取象法天而形圓。舉述如下以是義：

垤 [古文] 篆，作[古文]。《說文》：「蟻封也。」《詩·豳風·東山》：「鸛鳴于垤。」傳：「垤，蟻塚也。」案，垤字从土从至。至者，屋之省文。蟻塚之為形，上銳而底圓。从屋之省為義，反映了屋形的一個側面示意。

絰 [古文]《說文》：「喪首戴也。」案絰之為物，喪服之首所戴之環狀麻布中帶也。字从糸从至。亦屋之省文也。古相術以「頭圓象天，足方法地」，故絰字取至為義，亦屋形的間接示意。

庚語：屋者圓形之室也。而古籍無明文。愚也不才，不惜旁敲側擊以尋其迹。此乎入乎，非敢知也。知我罪我，唯海內高明有以教之。

幄 幄《小尔疋》：「覆帳謂之幄。」《釋名》：「幄，屋也。以帛衣板施之，形如屋。」

屋
絰 首戴。
垤 蟻（蛭）塚。
幄（[古文]）幬帳。

《前漢·張良傳》：「運籌策帷幄中。」知「幄」即軍帳。《說文》：幬下云：幬帳之象。中部曰：「幬，禪帳也。」此幄為圓形之證。

〈車黃屋〉

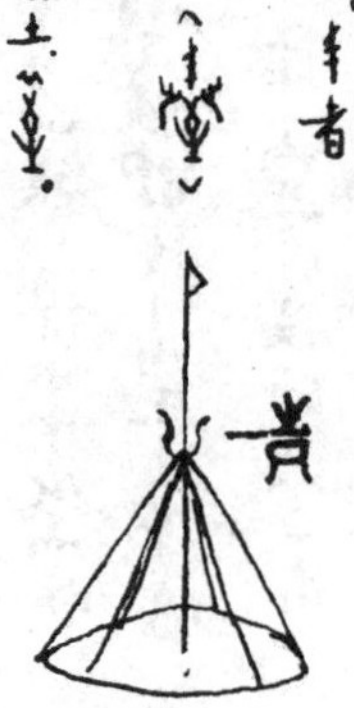
〈[古文]〉
〈幄幃〉
幬帳

〈[古文]〉

〈[古文]〉

〈[古文]〉
〈蟻垤〉

階 《說文》：「陛也。」《玉篇》：「登堂道也。」

戺 《尚書顧命》：「四人綦弁執戈夾兩階戺。」《張衡西京賦》：「金戺玉階」。

甍 《說文》：「屋棟也。」案：甍字與其訓為「屋棟」，莫如訓為「屋脊」。蓋棟為木質而處下，甍為延埴陶物而處上。甍从瓦有屑字義，屑居頭面之上。甍居廟堂正面頂上。其位同。又有「脊」義也。俗名「屋脊瓦」是也。取有在高，有覆蓋義。

梁 《說文》：「水橋也。」案：梁字从水从刅从木。水者河也，刅者，斧斤之義也。故知「橋梁之木，斧刃削製旁木也。所謂架木為橋之義也。雖此可見梁字用於「棟梁」者，通段義也。用為「橋梁」者本義也。俗名獨木橋是矣！

亭 《釋名》：「亭，停也，道路所舍，人所集也。」《風俗通》：「亭，留也。行里有舍之所館也。」案：亭之為文，象形字也。似建築物形。从丁，適路之意也。考諸秦漢制度，十里一亭，十亭一鄉。《漢書百官公卿表上》：「十里一亭，亭有長，十亭一鄉。鄉有三老，有秩、嗇夫、遊徼……」考《甲骨文編》有「亭」字。或殷商時代已有「亭長」之制，也未可知。然史籍無考證耳，或另有別義，容後遇，日詳考之。

京 《爾雅釋丘》：「丘絕高曰京。」《詩公劉》：「乃陟南岡，乃覯於京」。古人觀測地勢，必來取登高望遠之法。故曰「乃覯于京」。案京之為文，象建築物之形也。古籍以京為「高丘」之代號，亦段借義也。

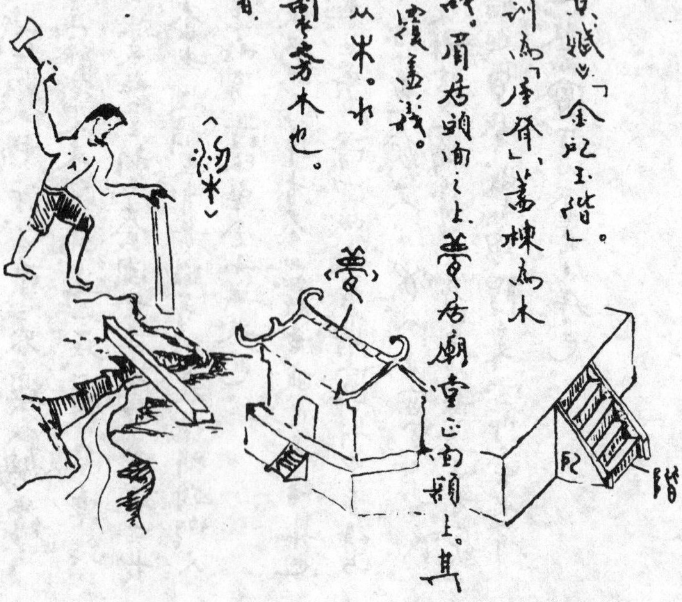

十四

序（㡯、埤、陴、庳）

《爾雅·釋宮》曰：「東西牆謂之序。」《禮記·王制》曰：「養國老於東序，養庶老于西序。」注：「東序太學，在國中王宮之東。西序小學，在王宮之西。」《詩·大雅》曰：「序賓以賢。」箋云：「謂以射中多少為次第。」案：序字古文上㡯，或上埤、陴、庳。造形不同，各具含義。茲分述如下：

〈討論〉

一、怎樣認識序字的音讀含義？竊以為「序」之為言，次序之意也，等級之義也。古以射取士，所以為國選拔賢才也。故有「鄉射」之禮，有「大射」，有「賓射」，有「燕射」。雖「射義」不同，所以重「禮節」，講「次序」，尚「等級」，其旨一也。故有「射以觀德」之稱。《周禮》有「射人」之職，專司射儀之事。射禮之制，等級觀念極嚴。《周禮·夏官·射人》云：「以射法治射儀。王以六耦，三侯，三獲，三容，樂以「騶虞」，九節五正。諸侯以四耦，射二侯，二獲，二容，樂用「貍首」，七節三正。孤卿大夫以三耦，射一侯，一獲一容，樂以「采蘋」，五節二正。士以三耦，射豻侯，一獲一容，樂以「采蘩」，五節二正。」又如《王制》曰：「養國老于東序，養庶老於西序」。所謂「國老」，即貴族人物，「庶老」則屬于平民身份。這些養老機構，亦有貴賤等級，是很明顯的。又如《燕禮》之射，「序賓以賢」，以射中多少為次第。故知「序」字之義，有等級觀念而無疑也。

二、怎樣理解上列「序」字的四個性？①㡯：《孟子》云：「設為庠序學校以教之。庠者養也，校者教也，序者射也。」《禮記·射義》曰：「古天子將祭，必先習射於「澤」。澤者，所以擇士也。已射于澤，而後射於「射宮」。射中者得與祭，不中者不得與祭。」故知金文「㡯」字即《孟子》曰「序者射也」之序字也。㡯从亼，从攴。亼者宮室之象，攴古射字也。故知之。今佳籍上「㡯」，蓋序行而榭廢也久矣。《爾雅·釋宮》曰：「榭亦謂之序」。《唐韻》曰：「古者序、榭同」。可為㡯榭、序榭三字互通之佐證。②埤从土从卑。土者牆也。卑，脅。故知埤、陴之文，當即《爾雅·釋宮》所云「東西牆謂之序」之埤字。③庳从亼从卑。卑者倍也。从亼者室也。故知庳字乃養老之序也。

宫 《說文》：「室也。」《釋名》：「宫，穹也。屋見垣上穹窿然也。」

案《說文》訓宫爲室，通義也。《釋名》訓宫爲穹，脊中之義也。殊未言形中之義。竊以爲宫字从宀从吕。宀者交覆深屋也。吕者前後宫門也。與閭閻之閭从門吕同意。

室 《說文》：「室，實也。从宀从至。至，所止也。」案至之爲文，狀鳥落地之象也，示人之有室猶鳥之有巢也。所謂日出而作，日入而息，亦如勞燕東西，倦而知還也。許君所釋，實釋室示室能容物之義，乃音中求義之例也。

房 《說文》：「室在旁也。」案，房从户从方。方者，旁之省。所以示門户旁開，異於正堂也。古建築形式，堂居中而房居東西兩側。我國北方名曰「厢房」。魯地則呼正房曰「堂屋」，皆古義也。

所 《說文》：「伐木聲也。」段氏據《詩·小雅·伐木》篇云：「伐木許許」之音，而訓「丁丁」爲斧聲，「許許」爲鋸聲。認「所」即「許」之正字。信如所言，則「所」字形義應爲象聲詞無疑矣。漢字之以延伸義見行於世，而本義已晦而不見者，甚多，固不獨「所」字也。古音所、户同聲。今則「所」化房屋單元詞矣。

宿 （下）金 《說文》：「止也。」《玉篇》：「夜止也，住也。」此形聲字也。字从宀从㐁从人。宀象室形，㐁古席字。人卧席上于室内，夜寢之象也。讀音如肅，肅靜之義也。

家 《說文》：「居也。」案此訓推論，皆未及造字之形。竊以爲人類進入牧畜飼養時代，始於伏羲。是爲文字產生之始。家，養猪勢所必然。故人與猪同宅而居。上列象形文字必有其歷史背景，可斷言也。此景堪以篆書家

圂 溷 等文及我國渤海南北兩岸地區民宅建築形制説明之。

考山東半島、河北冀東以及廣大松遼平原，民宅建造形制，院中厠所咸與猪圈相連。圂字其象徵也。《說文》圂字訓「厠也。从豕在囗中。」《說文》溷字訓「亂也。一曰水濁。又厠也。」（圖示如下）則家字从宀从豕之形象可以見矣！

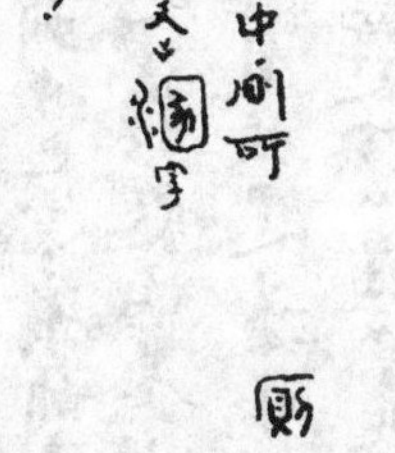

庭 [古文字形]〈卜〉 [古文字形] [古文字形]〈金〉 庭〈說文〉：「庭，宮中也。」〈玉篇〉：「庭，堂階前也。」〈易節卦〉：「不出戶庭，無咎。」

廷 〈周禮天官閽人〉：「掌埽門之庭」。又考〈說文〉：廷字訓「朝中也」。〈廣韻〉：「朝廷也」。

〈論語〉：「其在宗廟朝廷」。疏：「朝廷布政之所」。筆者竊以爲庭之與廷，其於文也，咸以廷爲基，唯宀之有無爲異耳。古籍文獻之訓詁，咸以「廷」爲「朝廷」字，而以「庭」爲庭堂字。則「庭」之爲文，自然建築物也。廷之爲文，朝廷聽政之所也。其義甚明，無待辨而立見也。然筆者竊以爲，廷字从𡈼从乚。𡈼者直立之象也。乚者延長之義也。王者臨朝聽政，群臣立于朝，王者端拱于上，故作政務議事，既畢未容退食也。此廷字从𡈼从乚之義歟。復考甲骨[古文字形]字，从宀从[古文字形]。宀与广通。宀下从[古文字形]，古聽字也。依結構變形規律，[古文字形]應詳上庭。則庭之爲字，未必非臨朝聽政之所也明矣！然則庭字音，廣氏之宅居也。而音与庭同。父之訓子，兄之教弟，何莫而非政耶？〈魯論〉不云乎：「唯孝友於兄弟，是亦爲政，奚其爲爲政」。故知「訓詁」之學，來源於經典。其立義固不敢越過政治雷池之一步。若文字之學，則體天而應地，儼然自然科學也。明乎形，察乎義，通乎天，應乎人，則文字之學可以槩乎訓詁，而訓詁之學未必能槩乎文字也，彰彰明矣！故知廷之与庭，析而言之，則有社會与自然之分立，約而言之，圖畫脈而同源焉！

涂

除 〈說文〉：「殿陛也」。段注：「殿陛謂之除。因之凡去舊更新皆曰除。取除舊更新之義也」。

竊以爲除之爲文，从阜从余。阜者象階等級之形，余者餘之省文也。堂途之象也。〈詩陳風防有鵲巢〉：「中唐有甓」。傳：「中，中庭也。唐，堂途也」。孫炎云：「堂途，堂全門之徑也」。復考〈朱相盧治家格言〉有「黎明即起，灑埽庭除」之句。故知「庭除」，即堂前門內之地，乃古義也。「庭除」与「中庭」同義。「中庭」一詞爲青銅器銘文所習見。〈鄁敦〉：「隹二年正月丁亥，王各于宣射。毛伯入門立中庭，王呼內史冊命鄁……」〈師酉敦〉：「隹王元年，王各吳大廟，公族鳴釐入佑，師酉立中廷。王呼史利冊命師酉……」

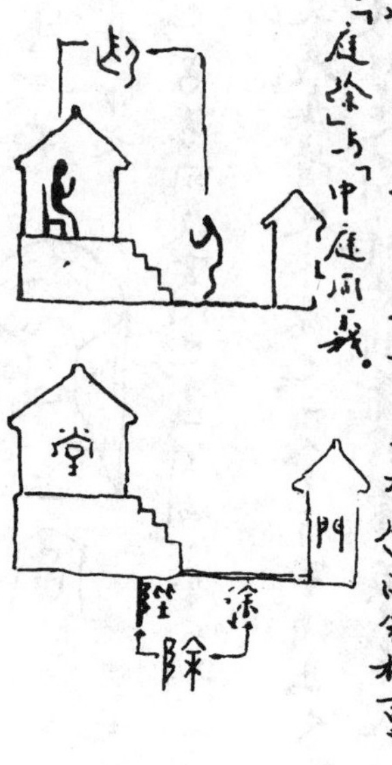

古廷字之形。𠃊象王者坐于堂上，㇆象臣子北向而立。

《郊敦》：「隹王十有一月丁亥，史入佑，立中廷……」此皆臣子受命拜官必立于廟堂之前，見於考古之義例。除及秦漢之後，咸用「除」字為拜官封爵之辭。其辭義實導源於先秦王朝「中廷冊命」之義而來。《前漢稷武傳》：「扶輦下除」，注：「除謂門屏之間。」《史記·平準書》：「諸買武功爵官首者試補吏先除。」注：「先除用也。」《前漢田蚡傳》：「君除吏盡未？吾亦欲除吏。」注：「凡言除者，除去舊官就新官」《後漢楊秉傳》：「桓帝之年，南巡園陵，特詔秉從。南至南陽，左右並通奸吏，詔書多所除拜。」《唐李匡義資暇錄》：「案漢書凡言除其官，以除舊官就新官。晉宋以或以拜授為除。」筆者考：秦漢以後之「詔令」，曰「除書」。除舊官授新官曰「除授」。其所以采用「除」字，其義皆源于先秦「中廷冊命」之遺義而無疑。此歷史發展之軌跡，可見於文字辭義之變化成蹟之。堂下乃必須經常洒埽之地，故延伸為除舊佈新義。

垸 院《說文》：「堅也。」《玉篇》：「周垣也。」

垣 垣《韻會》：「高曰墉，卑曰垣，皆牆也。」《說文》同。案古垣之𩫏，有城郭之象。

桓 桓《說文》：「郵亭表也。」徐曰：「表雙立為桓。漢法亭四角建大木，貫以方板，名曰桓表。縣所治兩邊各一。」案「郵亭」即古代傳遞信件之機構也。所謂「桓表」，類等于今之「路標」。四合距離地名皆書於其上。郵亭是傳信的機構，「桓表」為「信差」提供的「路標」。

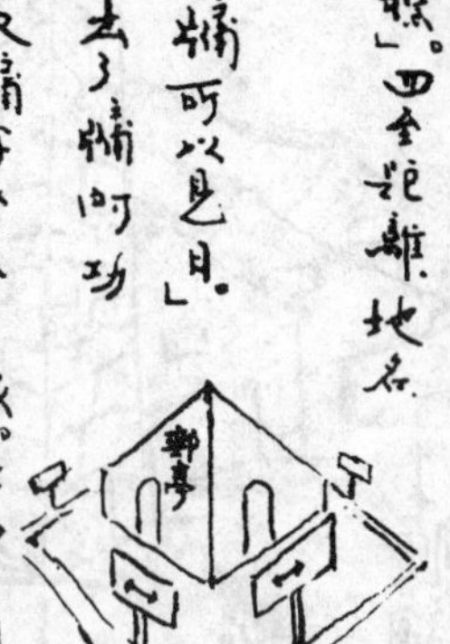

〈桓〉

牖 牖《說文》：「穿壁以木為窗也。从片、戶、甫。譚長以為甫上日也，非戶也。牖所以見日。」

案：許君在牖字造形上，對習慣勢力上了大膽批判。強指出了牖的功能在于透明。可謂堅持真理，這治學態度，值得欽敬。但許君未及牖字从片之義，良由未睹牖之為物，乃有門之窗也。圖示如下：

〈牖〉

牖从日，从片，从甫。日者，天光直射之義。片者，版也，所以蔽風雨也。甫者，視野遼闊之義也。牖的建立位置，在于室之北壁。（見明堂位）

候 堠

《說文》曰：「伺望也。」《詩．曹風．候人》傳：「候人，道路送賓客者。」《周禮．地官．遺人》云：「五十里有市，市有候館。」注：「候，迎賓客之處。」古諸侯互相聘問，道遠，夜宿於候館，以待備之迎接。其必有保衛設施可知矣。故《遺人》注曰：「候館樓」可以觀望者也。」其性質當等於瞭望臺。《墨子．備城門》云：「三十步置坐候樓。」復考《通典．守拒法》云：「卻敵上建堠樓，以板跳出為櫓。與四外烽戍晝夜瞻。」案：候字从人，从侯。堠，从土从侯。侯，矦古字。射布也。故知「候人」之職，諸侯聘問接宿之處，護衛侍從之職也。堠从土，从侯，斥堠也。《傳．襄十一年》云：「納斥候，禁侵掠。」《漢書．賈誼陳政事疏》：「斥堠望烽燧，不得臥。」《三國吳孫韶傳》曰：「常以警疆埸，遠斥堠為務。」堠、候二字皆从侯，皆侯之同源字。自應以《周禮》候人、候館之文為初義。厥後延伸等候之候義。

案：射之有侯，所以候中否，明工拙也。古代以射選賢。射中者獲封爵，故周謂之諸侯。侯之為物，本屬「射布」，繇射侯而延伸為侯爵職稱，更繇迎送諸侯事務而延伸為「候人」之職稱。再繇接待諸侯之所而延伸為「候館」、「候樓」、「斥候」等義。試表亦如下：

矦 —〈射的布幕〉→ 侯 —〈諸侯職稱〉→

- 候樓 —〈瞭望臺〉
- 候人 —〈迎送諸侯之官〉
- 候館 —〈接待諸侯之所〉

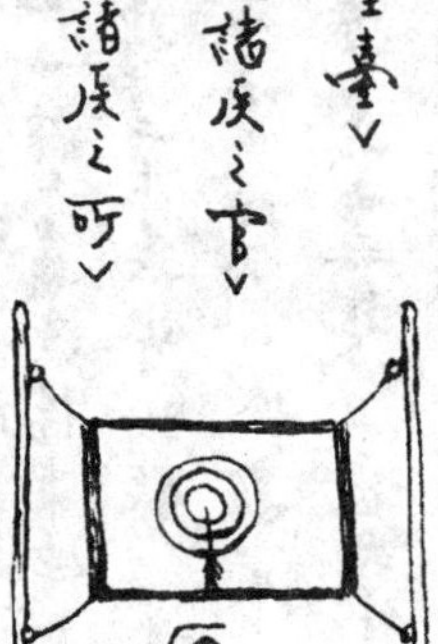

侯

積

穧亯㐭卜穡字《說文》："聚也。"《增韻》："累也。"《易升卦》："積小以高大。"《禮月令》："仲秋命有司趣民積聚。"《詩大雅公劉》："迺積迺倉。"《周禮小宰》："掌賓牢禮、委積。"注："委積，牢米薪芻，供賓客者也。"

筆者案：卜辭之積與穧字與穡（積）形義皆似。其不同之處，㐭之有戶，而亯無戶。有戶之㐭，示義爲倉內貯存外流。而無戶之亯，示義爲內儲，有貯藏意。此字前人不識，以形義推之，應釋爲穧字。《周禮地官遺人》："掌道路之委積。凡國野之道，十里有廬，廬有飲食。三十里有宿，宿中「路室」（車庫）有委。（茶葉）五十里有市。市有「候館」（招待所）。候館有「積」（茶葉、粟米、芻禾以給賓客也。）"候人之職，是由國家設立的來賓接待站。是要供國際貴賓、從事外交訪問人員留宿之處。其性質等于旅館之家。其中儲備的物資是應有盡有的。它們供應來使是《天官少宰》《周禮》有明文規定：『少宰掌其「牢（牛、羊、豕）」、「禮（貨幣）」、「委積（米、禾、薪、芻）」供賓客也』。案：穧、亯㐭之文，咸从亯，是築物之象也。从音禾稭穡聚之形也。㐭者倉字也。收藏貯藏之義也。這些生活必需品，實際上都是通過國家徵課機構蒐集的農產物品。因而訓義爲「聚、累」。穡从禾从米的。正反映了國家對物資的佔有，是作諸向農民收債而來。穧古備字。故知「積」之爲字，象爲包括多種生活物資之綜合名稱。

享

亯卜《說文》："獻也。"段注："按《周禮》用字之例，凡「祭亯」用亯字。凡「饗燕」用饗字。如《大宗伯》：吉禮下言「亯先王」。《禮經十七篇》用字之例：《聘禮》內臣享君字作亯。《小戴記》用字例，凡祭亯、饗燕字皆作饗，無作亯者。《左傳》皆作亯，無作饗者。《毛詩》之例，則獻于神曰亯，神食其所亯曰饗。……"案：段君廣博經義，舉例發凡，堪稱無微不全。獨惜其未能觸及造字之情。愚表而出之如次：

憶昔農幼時曾誦《孝經喪親章》："卜其宅兆而安厝之，爲之宗廟以鬼亯之……"。經文中的爲吾人研究亯字提供了良好說明資料。亯之爲文，宗廟之象也。故知亯字造形，取象與[illegible][illegible][illegible][illegible]同

例。皆建築之形也。宗廟者祭神之所也，子孫祭祖之地也。其訓義為獻者，以下敬上之意也。經籍多亯、饗互用者，通段例也。夫鄉、饗之為文，二人對面就食之象也。其字从亯从卿。与亯之祭享之義本有「神」「人」之分，未容混淆焉！值得注意者，即亯之為文，非象於建築物，与亯、亯、亯、亯之取象於食器者各有專職體系。未宜魯魚亥豕因形害義也。

亯 祭

臺

饗

臺 臺 臺 㙜 《說文》：「觀四方而高者。」《釋名》：「臺，持也。築土堅高，能自勝持也。」《爾雅·釋宮》：「闍謂之臺。」注：「積土四方也。」《禮記·月令》：「仲夏之月，可以處臺榭。」疏：「積土為之，所以觀望。」《五經要義》：「天子三臺：靈臺以觀天文，時臺以觀四時，囿臺以觀鳥獸。」此象形字也。从高省，乃高建築之象，臺榭之形也。从土者，積土而成之義也。

高 高 《說文》：「崇也。象臺觀高之形。从冂、口，与倉、舍同意。」案高之為字，尖端之義也。故屋之顯居住曰高，肉之表層曰脂膏，皮膚之表曰毫毛，禾芒曰秋毫。豕之鬣之長者曰豪豬。同有尖端之義，故字皆从高。

稾

豪

亨 亯 亯 《唐韻》《集韻》《韻會》並許庚切，訓：「通也。」此字《說文》不見。後世之「亨」。

古文段亯、亯為「亨」，此字本無正文，只好以亯字代之。蓋通之為義，本當神祇祭禽之諱。造字者苦于智窮技窮，而以亯字當之。此六書所謂「本無其字，依聲託物」者焉。此段借之例也。竊以為亯之今文乃亨字，从亯从子。亯者高之省也。城樓高大壯闊之象也。子者幼小之軀也。以幼小之體行經廣大城門之下，其能通達暢行無礙之態也明矣。故訓義「亨通」。後世亦合亨、享形之稿也。後來亨之讀音如「哼」，鼻孔呼息之音也。呼吸之聲，鼻孔者呼吸之通路也。故聲中亦有義焉！

子 亨

向 《說文》：「北出牖也。从宀，从口。」注：「牖所以通人气，故从口。」《玉篇》：「窗也。」

宣 〈卜〉 〈金〉 《說文》：「天子宣室也。从宀，亘聲。」徐鉉曰：「从亘風，回轉，所以宣陰陽也。」

筆者案：宣之為文，从宀，从二，从回。

宀者室形，天子發號施令之所也。二者天與地之分界線也。回者古回字，所以示音波旋轉擴散，自近而遠，由點及面，周聞乎天下也。古天子之「宣室」猶今日國家之廣播電臺也。電臺之功能在乎播音宣傳，達「聲學」原理，可從古文形義證之。

宛 《說文》：「屈艸自覆也。」案：宛字造形示意，略與寒同。惟寒字乃出之於，故字从宀，从茻，从人，从仌。此宛字則已出室宇後牆，故字从夕，从㔾，从宀。蘊以為宛字从宀，室之象也。从夕，月夜之象也。从㔾，骨節折疊蜷臥之象也。古所謂「容膝之地」，有只能屈膝而臥，不能伸足展步之意，可以古文知之。宛、彎同聲，委曲之意也。後世增女而為婉，而其義未變。

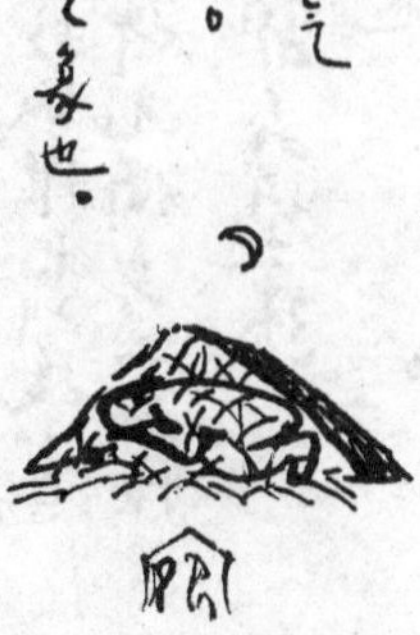

寒 〈卜〉 〈金〉 〈篆〉 《說文》：「凍也。从人，在宀下，以茻薦覆之，下有仌。……」案：寒之為文，指事字也。宀者室也，下有冰凍，仌古冰字。茻者上覆下薦，人臥艸中，此古人冬眠防寒之具體寫真也。今農村仍用之。

塞 〈卜〉 〈金〉 《六書正譌》：「窒也。」《說文》：「隔也。」案：塞之為文，象形字也。《詩．邶風》

十月蟋蟀，入我牀下，穹窒熏鼠，塞向墐戶」。向者北出牖也。古人每逢十月，便要上好防寒准備。𡫸字从宀，从𠭥，从廾，从土。𡫸与𡨄同義而異文。有雙手握艸之意。𠭥者飾物之義。土者，以水調土而成泥。以成堵塞之功也。所謂「徹彼桑土，綢繆牖戶」。牖者，室之北窗也。与「塞向墐戶」同義。良以冬季將臨，朔气方張，甚，緊上即來自北冰洋之「寒流」。故如𡫸𡨄二字，皆具有北方含義，是非常明顯的。因而我国長城以外西北地區古名「塞外」，又名「朔方」。只有古代文字，纔能表現華夏地區自然環境特色。外族文字則不能也。

窔 窔（說文云：「室之東南隅也。」（玉篇云：「戶樞聲也。」（廣雅云：「窔，隱暗處」。案古代建築房屋，皆面南而居。取其向陽照明而取暖也。故門之東者曰「窔」，以其處無光。故（廣韻）訓為「隱暗處」。（玉篇）訓「窔」為「戶樞聲」，更揭示了古代房屋開戶於室之東南，而室之戶樞緊靠東南。（喪禮云）所云「埽室聚諸窔」，即垃圾堆於門後之意。

宧 宧（說文云：「室之東北隅曰宧」。此古義也。古代居室，開戶於室之東南，故室內東北隅得光獨多，而溫暖宜人。宧从宀，从𦣞。𦣞者，養也。取音於宜，有宜人義，亦有安逸義。會意字也。金文之宧、宧、𡪦義同于「床」。

奧 奧𡨄（音奧）案古制，室之西南隅曰「奧」。（禮記·禮運云：「老婦之祭曰奧」。奧當作「爨」。爨者炊具也。故如「老婦」即最早發明炊事之人。後世念其功而以神祭之。今民間名曰「灶君」。古代居室設灶于室之西南，故室之西南曰「奧」。其處黑暗，有奧秘意。考奧字初義，字形从宀，从米，从廾。宀即古宅字。宀內有米，象內中有物也。廾者雙手捧持之象也。未知宀內之爲何物也。故訓義曰「奧秘」，此造字之意也。（劉熙·釋名云：「藏肉于奧內，稍出用之。」案，篆上「奧」是處在深山之陰極端隱避之處時，文字懷用時「內食冷藏庫」也，即常人所不到時一個封閉型的山洞。（詳本書地輿集）後假為室之西南的單音詞。

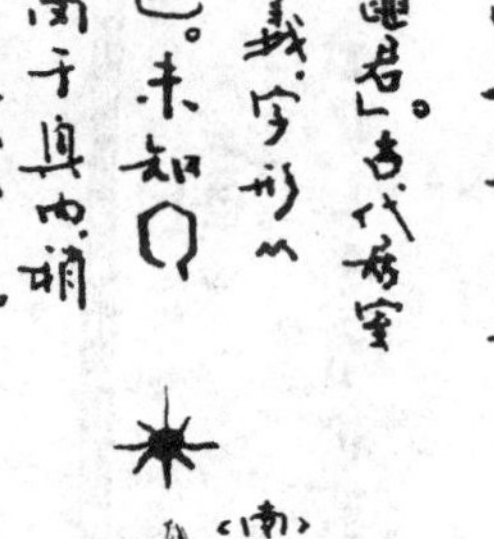

·43·

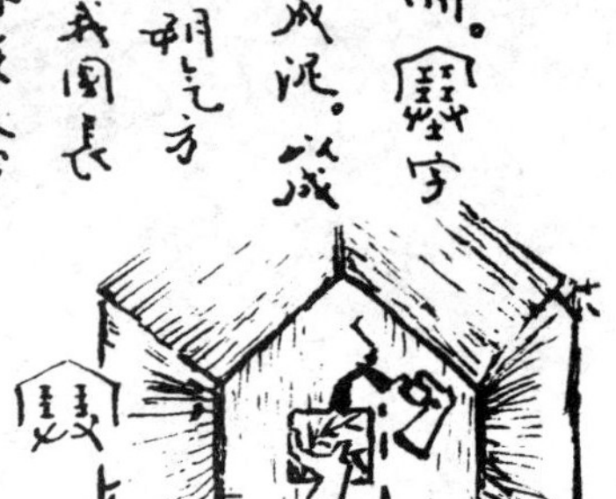

滴 □□□（卜）霝漏案《甲骨文》滴字上□。象屋顯透水滴在人頭之上。此直觀象形字也。《說文》訓滴為「銅壺滴漏字」，其義可通，而非滴字造形取象之初意也。古義以室之西北隅曰「滴」，其取義殆隙於「天缺西北」之槩念而來。因而有「女媧煉石補天」的神話傳奇。〈其實，女媧煉石補天，並非神話，而是有它的合理科學內涵。說詳拙著《文象集解》「宇」字注〉由于大自然環境的氣候方向特點，帶來了共性，因而人就有意無意地，將室內的小環境同室外大環境，上了等量齊觀。這是東方古代文化所習用的「宏觀、微觀互化」的邏輯規律。換句話說：就是把微觀的東西說為宏觀宇宙的縮影；把宏觀的宇宙看上是微觀物象的引伸。在這一觀念指引下，就產生了「室之西北曰滴」的科學術語。是不是為怪的。「滴」字上為室內西北隅之名，正是「天缺西北」觀念的產物。是非常明顯的。這當然是屋的西北漏洞，對室內的氣溫影響最為令人敏感的結果。於此見文字知識与「五行、八卦」公式的不可分割性。捨此不求而妄圖另闢蹊徑，是無路可適的。

寧 □□□□□□□□□□□□《說文》云：「願詞也。从丂寧聲。」《易乾卦》云：「首出庶物萬國咸寧。」《書洪範》云：「五福：三曰康寧。」《書大禹謨》云：「与其殺不辜，寧失不經。」考經籍有關「寧」字的義例甚不勝枚舉。總歸其義，約有二端：一曰願詞，二曰安定。引懸以安定為正義，願詞則再生義也。竊以為□之為文，从宀、从皿、从心、从丂。宀，居室也；皿，食具也；心者，思維感受器官也。大凡人之心卻不寧，總不出于生存大計之考慮。有室則可以蔽風雨，有食則可免饑餓之憂，而心情穩定矣。此□字从宀、从皿、从心、从丂之義哉！

六 宀《說文》云：「交覆深屋也。」所謂「交覆」者，即室之顯部左右各分以四十五度之傾斜而上交于脊也。竊以為此解只能說明人類已有建築之後，而不能見原始之居住形式也。因《繫辭》曰：「古者穴居野處，未有宮室。」先有宀而後有冂。宀當象上阜高凸，其下有∩可藏身之形。誠如同君所論，則宀之為文，即「天然石窟」而無疑也。此觀場景，果于野外

交覆

穴

十九 宀

考古中往往見之，名曰「原始遺址」。上古既無宮室，只有選擇天然石窟為棲息之所。其居住環境多背丘而向陽，面臨大河，登高可以棲息，下臨可以汲飲，使用工具乃石斧陶器之屬。木弓石矢，漁獵為生。⌒字之形，其山嶼洞文化時代背景歟！⌒字取音于「眠」（休息之地）其意中之義乎！

宀 ⌒（說文：「土室也」）這是人工住若的樸素居室已較石窟屋進了一步。當時使用之挖土工具只有樹枝、鹿角之類。而⌒字造形已在蔚地反映了人類利用木質支架防止洞門坍塌的技巧。今陝北黃土高原，即公劉建國之岐山文化領域延安的「土窯」即《詩》所謂之「陶復陶穴」其物也。（說已見前）。

广 ⌒（說文：「因广為屋」注，厂者山石之崖巖，因之為屋，是曰⌒。」要「青」「崖」之初文也 ⌒⌒

㗊 巖 嵒 嵒（說文：「多言也」。《增韻》：「石窟曰巖，深通曰洞」。

筆者考：㗊者，巖之初文也。後世繁化而為巖 巖 巖而與巖相混，而訓義「教命急」。則㗊嵒巖形誤而義亂，非一代矣！查考《卜辭》中有㗊字，與《說文》山部嵒字同。其訓云：「山巖也」。故知應以㗊為正字。後考《說文》山部巖字訓云：「巖，岸也」。注依《太平御覽》引正。「厂部曰：岸者，山邊也。岸亦謂之巖。故「下曰：「山石之巖岸人可居者。……山部之巖，主謂山岸石部之礹，主謂積石，準此而推，則㗊字亦為積石之義也明矣。然《金文》甲骨則有巖而無巖。甚哉治學之無止境也。

竊以為巖之為字，必為可供棲身藏匿之所，可斷言也。其異於洞穴之處，即有頂有底而一面有壁。此巖之特徵也。此景曾見之于岱嶽之「靈巖寺」，由孫山小路盤旋曲折，拾級而上。其山面南，東西綿亘數里。半山橫腰有平臺一處，上有石板之題，雨中而晚，一日千里，下臨深壑，青松橫于崖壁，仰瞻石板，米芾楷書「巖名」二字，然間遠雲氣，象萬千，此東晉高僧可以參禪悟道之地也。每逢夏雨山下濛濛，黑雲遮日而巖崖高居雲層之上，紅日當空，數為奇觀。此嵒巖字之意乎？

密 密《鼎壺》密《易鼎》密《金文編》密《趙鼎》密《秦篆》

《說文》密字訓「安也」。《玉篇》：「止也，靜也，默也」。《埤蒼》：「祕密也」。《孟康後漢書古文注》：「密，今伏字」。《增韻》：「密，稠也，疏之對也（此訓最倚）」。皇甫謐云：「伏羲或謂之宓羲。」考經史緯候無宓羲之號。必後世傳寫之誤，以虙為宓。孔子弟子虙不齊，後人云即子賤之後。是知虙乃伏古字通用，後誤以為宓也。竊以為伏虙古文通用，非書寫借例也。蓋語音同源之故也。古代服伏同聲，宓柲紀柲韵同。故《說文》古音服伏柲同居第一音部。此其證也。

㊀ 考「密」之為字，見于商銅器銘文中，頗不乏例。如《鼎壺》之「密」、《易鼎》之「密」、《趙鼎》之「密」、《金文編》之「密」。其字皆从戈，从山（火）或無。宀者家室之象也。戈者所以示武裝戒備森嚴也。山者照明之物也。其訓義為嚴密乃初義也。

案《左傳昭元年》：「三月甲辰，楚公子圍設服離衛」。傳云：「設君服，執戈陳於衛，以自衛。離，陳也。」疏云：「唯識執戈，其言君服，二戈是也。」服虔云：「二人執戈在前，在國居君離宮，陳衛在門。然則執戈在前，君行時之衛，非在家之衛也。」服虔氏之解，為吾輩理解密字所造型示義提供了寶貴參考。惜其未能凸破「服」字之讀音問題，遂使「服離衛」三字的詁義陷入神祕之境，不能正出物的解釋。此其不足之處也。愚補其空白如次：

案服之為字音與伏同。依照「伏羲」即「虙羲」之雙聲規律，自應讀正「密離衛」。此徵諸經籍文義，準諸音韵原則，固有義理可稽，聲律堪考而無疑也。然則可謂「密離衛」者即嚴密陳列武裝以自衛之意也。

㊁ 密字形義之探索：考《爾雅·釋山》之密字訓曰：「山如堂者密」。郭璞注：「山如堂者曰密。」《爾雅》之失之於前，郭氏徒之於後。號稱一代文宗如郭公者猶不能免于慮之一失，而況于愚蒙乎？信矣哉亞聖之言：「盡信書則不如無書」也。竊以為密字从宀者形符也，从山者燭之象也。古文「山」「火」

形以而難推。此所以「山如堂者宀也」之誤解，非偶然焉！不賴廿世紀出土之金文以證之，誰復能悟寮寮二文之迹相牟？或曰：「子之訓火為燭之象，亦有說乎？」愚則曰：「有則有之。惜乎非片言可以折獄焉！望吾子之不憚煩，聊為君陳之：

春秋左傳昭廿年：「衛齊豹、北宮喜、褚師圃、公子朝作亂。齊侯使公孫青聘于衛……賓將掫。主人辭曰：『亡人之憂，不可以及吾子。草莽之中，不足以辱從者。敢辭。』賓曰：『寡君之下臣，君之牧圉也。若不獲扞外役，是不有寡君也。臣懼不免于戾，請以除死。』親執鐸。終夕于燎」。注：設火燎以備守。

復考說文掫字訓：「夜戒守，有所擊也」。故知掫字之義，不僅攜有器，而且有「燎」音為警備信號矣。復考周禮天官閽人疏：「燎，地燭也。燭在地曰燎。若天子百，公五十，侯伯子男皆三十。所上之狀，蓋有根葦。皆以布纏之，以蜜塗其上，若今蠟燭矣！」由此可知寮字造形之取象於「寮燎」無疑焉。圖示如下：

〈說明〉

宀者，離宮之象也。燎者二人執戈戍守之象也。火者燎也，照明地燭也。

宅度

度

燎宅宅 說文：「法制也」。徐曰：「又，手也。布指知尺，舒肱知尋，故从手。」徐氏之解反映了最早的度量長度標準來源于人身的四肢。是固常明朗的。但此解無以見度宅二字互通之義。竊以為長度計量之應用在于建築施工。今人之建築施工劃綫，皆習慣於以木樁兩根，邊斜對而楔入地中，用為確定劃綫之基點，然後再由二木樁各引出十字綫，而得出正方形之施工綫，俗名謂「向」，古名「度」。度〈音奪〉量〈音亮〉。故知度之為，亦象形指事字也。宀者室之象，廿者直綫之迹也。示意如下：度宅二字互通，實源於斯。

〈度〉

不不卜不金不《說文》不字訓「鳥飛上翔不下來也。从一，一猶天也。凡不之屬皆从此。」同

書否字訓「不也」。《說文》乃主否訓「不適」之說為延伸義，而非本義。愚竊有疑焉！

竊以為不、否二字同源。其訓為「不適」者，實初義也。非延伸義也。不字取象非飛鳥之形也。乃植物初生倒栽始文而難伸之象也。不字于《甲骨》中作不。∨者，雙子葉也。丨者，莖也。𠂆者須根也。其取象之目標，与《說文》之「屯」字同。不過屯字之示意雖有「倒栽始文之義，尚非絶對無緣可適。因屯字一劃之上猶有幾并萌動之跡可覩。此論諸金文之實如卜辭屯字可得而知者。故知屯之「難生」乃暫時之難，而非永久無望之義。故《易》有「雷雨之動滿盈，天造草昧，宜建侯而不寧」之語。繇此可知屯字之義，不過是生長過程中遇到的側面阻力，尚非顯明正面的壓力。此於不、屯二文造形上可以識別之。屯劃一上出頭，不劃一上無頭，此其區別也。「」若不字之形義，一望而知其為封閉形式，全體埋沒地下，其為絶對無法適遂之障礙，其命運固不卜可知。其訓義為「不適」，是具有科學基礎的。此種生態，愚常的見象，筆者于生活經歷中，數見不尠。原因是陳年的宿根，沉埋在土壤深層，不幸天旱經久不雨，地上行人車馬踐踏，遂致土層彌化變實，堅如鑄石，水不能浸，氣不能適。雖然嚴冬已過，東風吹蕩，然而積重難反之勢既成，終不能使已死之枯根再造回生之機。造字者復于不字之下再增一橫，以昭天地閉塞之義。上上不適之象。有由來矣！此徵諸物埋而有據，求諸科學而無背，驗諸字造而可知，非謊言也。而《說文》以「鳥飛上而不下」釋之。吾未見其可也。此殆非許氏之言，齊東野人之語耳！吾見美玉之雜有礫也。吾是魚目之混珠也。可慨也夫！謹舉不門例字，試逐一推求之，以見義：

丕

丕字訓義曰「大」。物之體積与空間成反比。故物之絶大者，有壅常之患。故言大，而「不適」之義已在其中矣！此相對義也。

不、丕、紑、否、坏、培、棓、郶、抔、抔

二一

不「丕顯」二字常見於青銅器銘文，亦見於《尚書·太甲》。此段丕為丕之例，亦不丕同源之證。古人用為歌頌政壇偉人事業輝煌發祥的褒義語。始取義于生物由地下萌動發芽衝斷全突破封閉而獲得壯大的美程。愚以為丕者塞也，顯者適也。始塞而終適，此「不顯」之義也。「不」之同義字曰否。

否咅《廣韻》：「否，塞也。」《易·否卦》：「天地不交而萬物不通也……」《詩·豳風》：「穹窒熏鼠，塞向墐戶」。《禮記·月令》：「仲秋蟄蟲培戶」。

坏 鄭文上「坏戶」。坏，从土从不，故知「坏戶」即將土塞戶之意。《易·否卦》注：「否者否塞之義。」《玉篇·否字》訓：「閉不行也。」獨恨古人不能將自然生態與文字融於一爐，竊以為否字造形从一、从个、从口。一者地也，个者生物地下之根也。口者蟲之穴也。土居穴上，蟻垤、螳塚之象也。此坏戶之坏作坏之意也。甲骨文之𠆢口字从𠆢从口〈土〉，蟦蟻塞穴之象形，愚以為即「垤」字也。

垤 𠆢口 此堪足坏蟲坏戶之「坏」字良好寫生說明。不、否、丕、咅、𠆢口古音同唐一部，而與閉同聲。則否字之形義堪知矣。

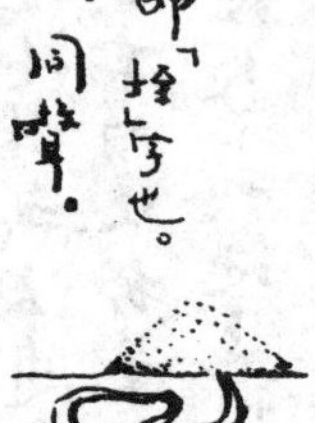

培

培《說文》：「培，敷土田山川也。」案許君所謂「敷土田山川」者，敷上即高山臨河之境，農夫出於保護河岸坍塌，防止土壤流失的「保土措施」。俗名謂屋先，亦名「邑地邊」。故《說文》：「一曰益也，養也。」《中庸》云：「栽者培之」。我鄉農民植樹皆慣之于掘坎之前之餘，徒之以培土，施之以夯舂。所以期根基之穩固，而防風力之動搖也。故栽植之培字及擣舂之木棓字一从土，而一从木，字皆从咅為義。咸備封閉固塞之意。其母義皆源于否，乃至于不。故知培、棓二文之義同遠祖於不，是極為明顯的。

杯抔

抔《唐韻》《正韻》《集韻》《韻會》：「音裒，手掬物也。」《前漢·張釋之傳》：「愚民取長陵一杯土。」注：「杯，謂手掬之」。《唐駱賓王討武氏檄》：「……一杯之土未乾，六尺之孤何託？」是知「杯」之為字从手从不。亦捧土封塚之義。亦培之同義字也。今民間所謂兒孫祭掃祖塋曰「上墳培土」。給老墳添把土」。亦培、杯同義之語例也。

𩫏不

𩫏坏《姚鼎》 坏《號叔鼎》 坏《壽公簋》 坏《秦簋》 案《禮月令》：「仲秋之月，蟄蟲坏戶。孟冬之月，坏城郭」。字皆字皆从「坏」。故知坏者培之初文，培者後起字也。故知所謂「坏城郭」修補城牆之義。其意當與「閉塞」同。《號叔鼎》坏从「坏」，字从「不」从「土」。土古女字也。《壽公簋》坏从「坏」，字从「不」从「厂」。「厂」者屋岸也。十亦女之省文也。《姚鼎》坏从𩫏，字从𩫏从「不」。𩫏古郭字，亦段為「墉」。故知𩫏坏、坏、坏之文雖異，文而同義。即《禮月令》經文中之「坏城郭」之「坏」字也。字皆从「不」者，以其有封閉之義也。復考《說文》坏字訓「丘一成者也。一曰瓦未燒」。案《爾雅釋山》：「山一成伾」。然則《說文》訓坏為「丘一成」與《爾雅》訓伾為「山一成」（案應是岯）皆「封塚」之象。《易繫辭下》：「古之葬者不封不樹」。故知坏字有封閉之義也明矣。又《說文》云：「坏，一曰瓦未燒」者，瓦之為物，模製之陶器也。泥封閉於模內而後成坯。則坏有封閉之意亦明矣。然則訓為「蟄蟲坏戶」、「一成之丘」、「坏城郭」、「一成之山」，皆但判義也。其訓為「閉塞」，綜合義也。緊括義也。

痞

㾦《增韻》：「氣隔不通也」。（此訓太好）《說文》：「痛也」。（此訓未能盡達字之情）。

考《越人扁鵲難經》：「脾之積名曰痞」。案㾦字从「疒」从「否」。「疒」者病之象也。否者，閉塞不通之義也。此症民間名曰「大肚子痞」。患者常熱不退，腹部膨隆，面黃，肌瘦，飲食不下，二便失調。現代醫學認為黑熱病原蟲寄生於脾臟之類。使患者脾腺腫脹，門脈系統阻塞。紅血球大量破壞，膽紅素沉積，周而膚色增深面目黧黑。後期腹水瀦存，危象叢生，終至不救。此痞積之為病，真相也。故知㾦亦否之孳乳字。

邳

邳《史記》：「湯車正奚仲封于薛，後遷于邳。」同

而此只記載了奚氏家族的封疆地望，絕未涉及邳字之形義與邳地之自然環境特徵之關係。何以知之？夫邳之為字从邑从否。邑者封國也。否者閉塞之意也。

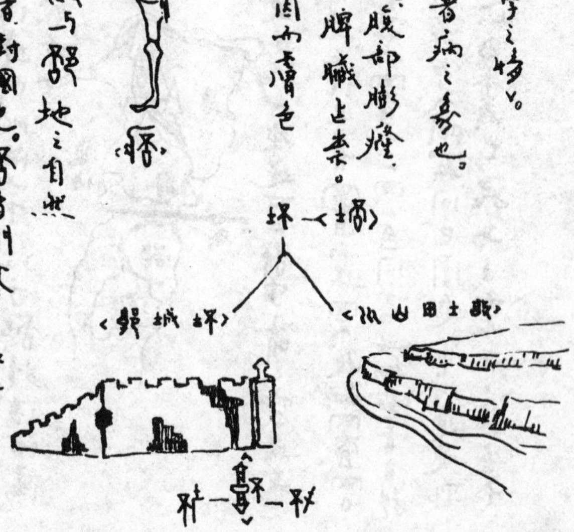

五二

誰開之？誰塞之？曰水開之，水塞之。夫邳之為地，位於魯之南，蘇之北，處境卑下。北與「蒙羽」遙遙相望。每當盛暑蓄而勃興，沂蒙山區，洚水滔滔，沿運河順流而下，注于邳境，浩浩蕩蕩，積於「洪澤」湖。澤湖者天然內陸湖也，下無通海之路，難成宣瀉之功。此所以數千年來有「澤國之鄉」之稱。每當洪湖泛濫，田園廬舍淹浸於一望無際之水中，交通梗阻，商旅斷絕，謂之邳塞不亦宜乎？是謂邳者，阻之省也。積水為患，形同痞疾腹水澎癃之象也。故施邑而曰邳。此漢字「取象地也」之例也。此歷史之陳述可以邳字說明之而今無矣！

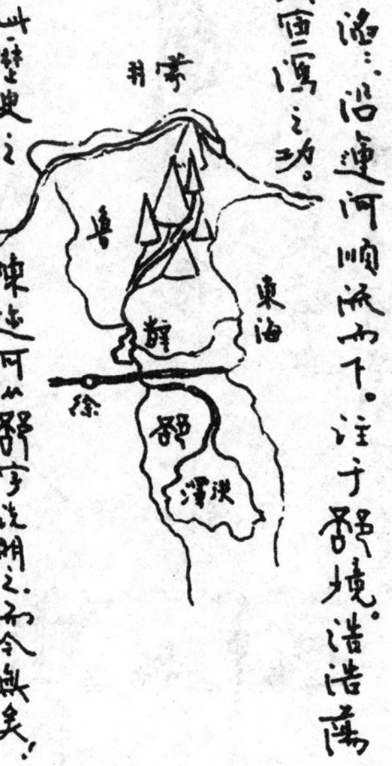

罘罘，《集韻》：「兔罟曰罘」。案《詩·周南》：「肅肅兔罝，椓之丁丁」。注：「兔罟曰罝」。《說文》有罝而無罘，故知罝、罟、罘異文而同義。案罘字从网从不，网者數緣之具也。不者阻塞不通之義。与罝字从网从目同意。此物是曾目睹。其製特徵，以綠色麻結網（經），長可數十丈，橫張于麥田之畔。田之三面，密佈人網，其同色圍進軍，以迫使野兔自投羅網而就擒。故罘亦「不」之孳乳字也。由此證之，不之訓為「不通」，乃本義也。飛鳥上而不下之說吾不信也。表示如下以見意：

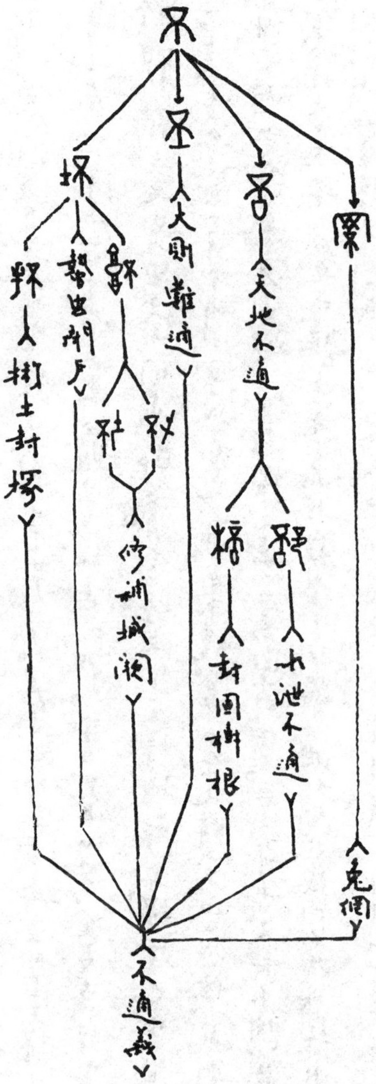

宁（古文字形）《爾雅・釋宮》：「門屏之間謂之宁。」《禮・曲禮》：「天子當宁而立。」注：「門內屏外，人君視朝所宁立也。」《詩・齊風》云：「俟我于宁乎而。」今作著。案：宁字从冂从丁。冂者，建築物象也。丁者，停頓之意，靜止之態。故讀音如貯。故讀中亦有義。古老建築居室大門皆有「門樓」。上有脊頂，形似居室，四周無壁。猶後面有活葉屏門之扇。門當大門。客从外來，必宁立於門樓之下。遣通从「小介」前趨入內，稟告主人。主人便當出而迎之。門樓左右可供出入。依照當時社會規範，入必从右，出必从左。此常規也。若宮內中堝之屏門，非有婚喪大典莫啟。平時則避開，所以隔絕臨街視線，與南壁同功也。《論語》所云「邦君樹塞門」即其物也。

扆（古文字形）《唐韻》：「戶牖之間畫斧屏風也。」《說文》：「戶牖之間謂之扆。」《禮・明堂位》：「天子斧扆，南鄉而立。」注：「扆狀如屏風，以絳為質，東西當戶牖之間，繡為斧文，故曰『斧扆』。天子見諸侯，則依然而立。」

〈扆〉

〈牖〉

〈戶〉

貯（古文字形）《說文》：「積也。」《玉篇》：「藏也。」《廣韻》：「居也。」《公羊傳・宣三年》：「無貯粟。」《前漢・食志》：「夫積貯者，天下之大命也。」《周禮・地官・廛人》：「謂貨物貯藏於市中。」《史記・貨殖列傳》：「積著之理。」《釋文》：「積，本亦作貯，又同著。」

筆者以為宁之為文，象形字也。《金文編》中許多貯形圖案文字，或藏貝于貯中，或藏戈矢，或藏珏（工具），或藏貝。形形色色，不一而足。其所以示貯藏之義則初無二致也。總此貯藏倉庫之修建設計，必有其科學價值。因其容積極廣，高度超常。而尤以左右屋山為最險而易傾。彼時既乏今日之水泥鋼骨之「防震」之助，建築設計者自不能不於庫房左右兩端，施加斜面「安全柱」，以保建築之牢固。此貯字造型之所以从貯之象徵也。金文貯字，最富歷史文物考證價值。從來罕有人注意及之。謹表示於後，以見一斑。

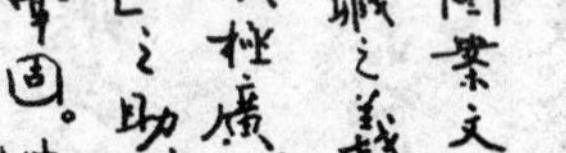

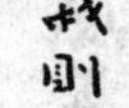

〈平面〉

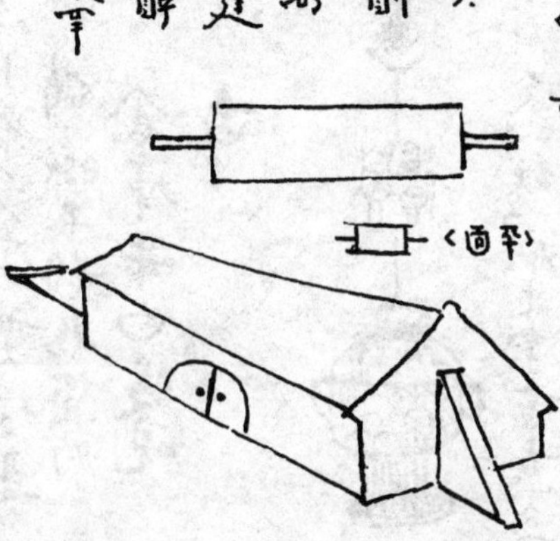

〈立體〉

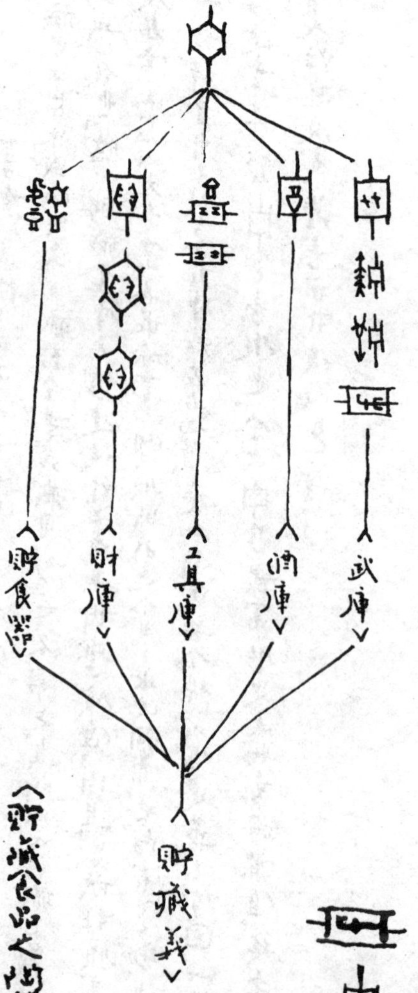

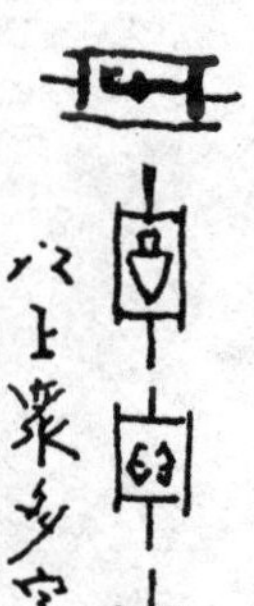

以上眾多字型，皆是儲藏各類物資的倉庫平面透視圖。

〈貯藏食品之器〉

府 〈說文〉：「文書藏也。」〈周禮天官〉：「府六人。」注：「藏史掌書者。」〈宰夫〉八職：五曰府。掌官契以治藏。」注：「治藏，藏文書，若今起文書草也。」案照上述訓義而觀，則「府」的業務當雖普等於今之「檔案資料保管室」。復考〈玉篇〉訓：「府，聚也。藏貨也。〈書大禹謨〉：「六府三事允治萬世永賴。」疏：「水、火、木、金、土五材，兼以穀，為之府。」照此，則府字之義，又有物資儲藏機構之義。又案〈禮曲禮〉：「在府言府，在庫言庫。」注：「府謂寶藏財賄之地處也。」又〈周禮天官〉：「大府、玉府、內府、外府。」又〈地官泉府〉〈春官天府〉。〈前漢食貨志〉：「太公為周立九府圜法。」注：「掌財幣之官，故云九府。」〈百官公卿表〉：「少府掌山海、池澤之稅，以給供養。」綜此觀之，可知「府」之為義，非建築之名也，乃物資財富出納機構也。「府」从广从付。〈唐韻〉付字訓：「畀也，授也。」〈說文〉：「付，从寸，對人。」徐曰：「寸，手也。」尤足說明「府」的造形結構有出納物資之義。此指事字也。

陛 〈說文〉：「升高階也。」〈玉篇〉：「天子階也。」案陛从阜，从坒从土。阜古阜字，有升高義。从坒者有次第義。土者地也。故陛字自有升高義。天子陛堂之有近臣執兵陳于陛側，以備不虞。群臣與天子言，不敢指斥天子，故呼在陛下者而告之。故曰陛下。

〈陛〉

寑　[古文字形]　[古文字形]　[古文字形]　[古文字形]金　[古文字形]　[古文字形]卜　[古文字形]　[古文字形]籀　寑《說文》：「卧也」。李善引《論語》鄭注：寑，卧息也。

卧必於室，故其字从宀。引伸為宫室之稱。

寢　寢　寢《說文》：「病卧也」。段注：「今字皆作寢」。案段氏此解，猶有卓見。不愧許氏功臣。謹摭拾《經》《史》之義以明之。夫寢之為文，「寢廟」、「寢殿」、「寢園」之寢字也。寑之為文，「卧息」之寑字也。試臚列分述以見義：

一曰「寢殿」：古帝王陵墓皆建「寢殿」，為祭祀之所。考漢代陵墓，皆有「園寢」，殿中放置死者生前衣物（見《漢書·祭祀志》）。

二曰「寢園」：《漢書·韋玄成傳》：「……昭陵后、武哀王……各有寢園，與諸帝合凡三十所」。《唐王維右丞集·敕賜百官櫻桃詩》：「總是寢園新薦後，非關御苑鳥銜殘」。後考《禮月令》仲夏之月，天子以含（櫻）桃先薦寢廟。其紀述與韋詩略同。

三曰「寢廟」：《詩·小雅·巧言》：「奕奕寢廟，君子作之」。《禮月令》：「仲春之月，寢廟畢備」。注：「凡廟，前曰廟，後曰寢」。疏：「廟是接神之處，其處尊，故在前；寢是衣冠所藏之處，其對廟為卑，故在後。但廟制有東西廂，有序牆，寢則惟室而已。故《爾雅·釋宮》文云：『室有東西廂曰廟，無東西廂有室曰寢』」。《左傳·襄四年》：「虞人之箴曰：民有寢廟，獸有茂草，各有攸處，德用不擾」。（見清俞樾《茶香室經說》）。

《寢廟立體復原示意》

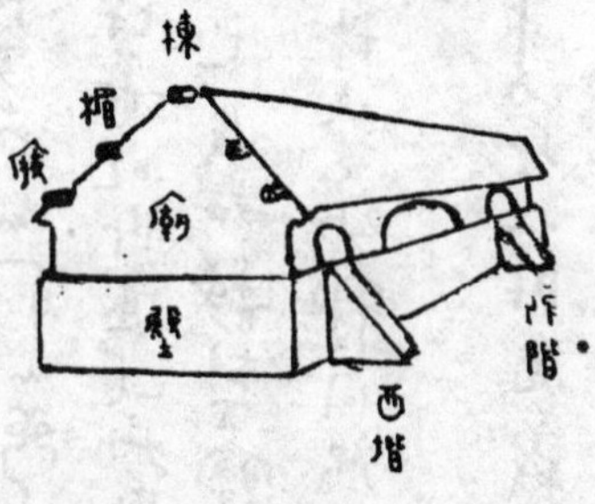

《寢廟平面圖》

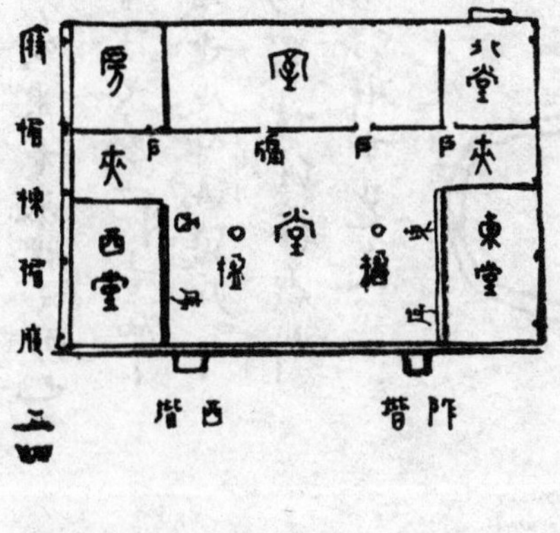

二四

尾語：考金文𡩜、寐、寤諸或从米从夕从臼，或从爿。字或从宀。宀者室之象，米者黍稷之形也。臼者[?]盛之義也。夕者昏也，衣服之意也。寢字从宀从爿从夢从帚。宀者室之象，爿者病之義，夢者夢之省也，有神遊意；帚者埽之省，有潔著絕斷意。此病斷之義也。後世延伸為「寢疾」之義，而再延伸為亡人「陵寢」字。此寢字義變之軌迹也。故如𡩜、寐、寤諸文之形，實較諸經籍義例自宜與寢字同源而共義。而疒、[?]、[?]、[?]、[?]諸文之與侵同源而共義，已不待辨而見矣！

寢—疒—[?]—[?]—[?]—[?]—人〈生人臥息義〉

寢—[?]—𡩜—寐—寤—[?]—人〈亡人「寢」斷義〉

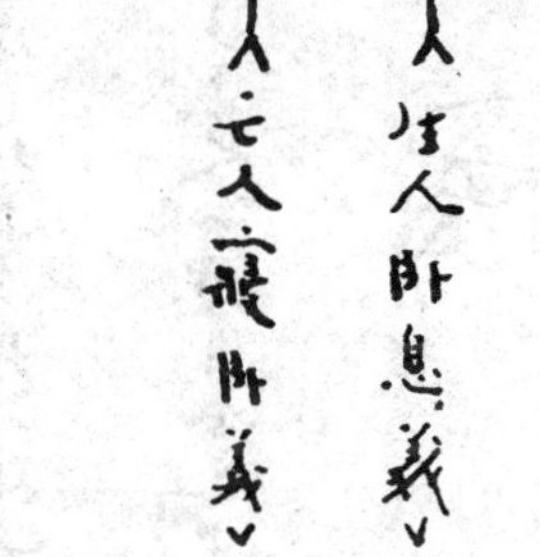

寘院 [?] 院〈說文〉：「堅也。」〈玉篇〉：「周垣也，亦作寘」。

垣 [?] [?] 垣〈說文〉：「牆也。」段注：「垣自其大者言之，牆自其高者言之。」愚則曰：垣者圍也，周帀之義也，向積之意也。牆者墻也，墻直之義也，主體之意也。無向積則無以容物，無主體則無以禦外，此其義也。

園 [?]〈說文〉：「所以樹果也。」〈初學記〉：「有藩曰園。」〈詩鄭風〉：「將仲子兮，無踰我園。」注：「園者圃之樊，其內可以樹木也。」案垣、[?]、[?]諸字同取音於園，皆屬形於聲之字也。推而言之，旋、轉、丸、丸、捲、卵、橼……同有圓體之象，此漢字偕聲見形之例，不可不注意及之也。竊以為院、園、垣之眾多建築形式之所以同取圓形之理，蓋基於「在同一邊長之原則下，以圓形佔有之面積為獨多，而容量最大，故能收省工節料，既益宏偉，既守易便，事半功倍之益。」此古人之所深知而今人所不解也。

辟雍(吕)《白虎通》曰：「天子立辟雍何？所以行禮樂宣德化也。辟者璧也，象璧圓，又以法天於雍水側，象教化流行也。辟之為言積也，積天下之道德也。雍之為言壅也，壅天下之殘賊，故謂之「辟雍」也。《王制》曰：「天子辟雍，諸侯泮宮。外圓者，欲使觀者平均也。又欲言「外圓內方，明德當圓，行當方也。」

案古代國家最高教育機構及上為宗法社會政治核心的天帝神社皆設於「辟雍」。故「辟雍」又名「太學」，亦名「清廟」。從一系列的高尚名稱中，完全可以令人想像「辟雍」的內涵是何等富麗堂皇而尊嚴了。（詳見周禮天官，在此從略）。

作為古代王朝的國家政治軍事科學文化藝術活動最高中樞來講，它的建造結構形式與命名取義，自必有其悠久歷史上限及廣闊而豐秀的宏觀宇宙藝境，以及施工藍圖的取材對象，是必然而無疑的。試點滴如次：

一、有關「辟雍」形制的史籍記載：考《漢書祭祀志》：「……武帝欲治「明堂」，為考未明。三代王制厥名不一，夏曰「太室」，殷曰「重屋」，周曰「明堂」。」「辟雍」乃因其形象而得名也。其治濟南人公玉帶上黃帝時明堂圖也。上圓法天，下方法地。中有一殿，四面無壁。以茅蓋通水，水圜宮垣，為「複道」，上有樓（有覆蓋檢數的水上架空天橋）從西南入，名曰「崑崙」。以拜禮上帝。於是上「明堂」汶水上。」

二、從文字造形上，看「辟雍」命名，取義之來龍：笔者竊以為：辟之為文，璧之省也。璧之為物，是古代人君專用的玉制禮器。是中心有孔的圓形玉片。《說文》：「璧，瑞玉圜器也。」《周禮冬官考工記玉人注》：「享君以璧」。《詩大雅》：「蕩蕩上帝，下民之辟」。古人把玉璧上為上帝和天子的政治形像。其哲學概念著，產生於《古易》之「天圓地方」之說。古哲學把宗教中的上

璧

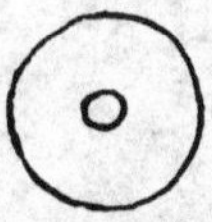

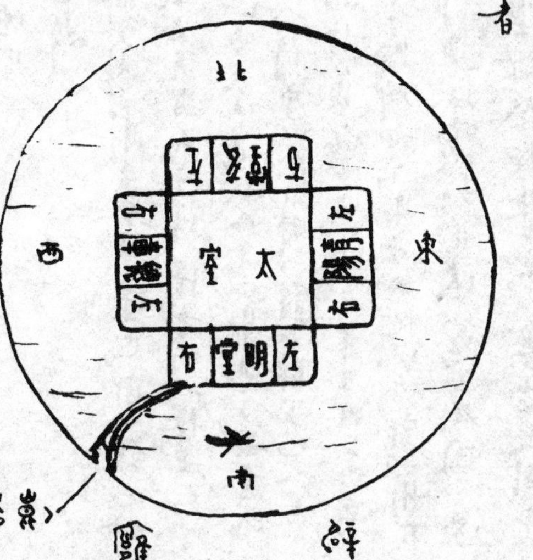

〔本書應與第四七頁閱注字參照〕

〔注意〕

二五

帝」、「人間的『天子』」和大自然的「天」三者畫了數學公式的「等號」。因而就在《禮記》（社會活動規範、制度）中將玉璧規定為諸侯覲見天子的法定物質儀式。在青銅器銘文中常用的「獻瓃玉珠」（對天子的褒義辭）語的中之「瓃」字，从玉，从𤔲。𤔲古執字，象是揚手高舉玉璧之態。也是為「享君以璧」的書面文藝考古之依據。而也為王者宣教佈政的中心的「辟雍」的建造形式，也正然應于這一古老哲學文藝意識形態的表現，是可以肯定的。

《獻瓃玉珠》

三、雍字的形義探索：雍之為文，从宀，从雝。宀者，宮室之象。雝者，水鳥也，古名「鶅鷞」。渠者水道也。我國西北廣大高邊地帶古名雝州（見書禹貢）。雝，水之鳥，以棲處於水域高阜之地而居，以得名。甲骨文雝上𠆢，象鳥處於河流中間沙渚之形。

《毛詩·小雅·常棣》云：「鶺鴒在原，兄弟急難。」作「鶺鴒」，鶅鷞也。古造字者取「辟雍之周匝環水，宛如平面玉璧。同時鑒於辟雍形式特徵與鶅鷞處于環水而居的藝境共性，因而取名「辟雝」。是之寓有連鎖想像的。

四、「辟雍」的特定歷史時代的政治、軍事、哲學、文化之重要意義：

「辟雍」亦名「澤宮」。《禮記·射義》云：「……古者，天子以射選諸侯、卿、大夫、士。射者，男子之事也。因而飾之以禮樂也。故事之盡禮樂而後可數為，以立德行者，莫若射。天子將祭，必先習射于澤。澤者，所以擇士也。已射于澤而后射于射宮。射中者得與于祭。不中者不得與于祭。」古天子選拔人才，以射為主要考試課目，所謂射於「澤」。澤者水也。故知澤即辟雍也。古雍字上宀發。字从宀，从發。發古射字也。宀古宮室之象。故知所謂「射宮」，必在辟雍之內，可以字形證之。《青銅器靜簋銘文》云：「唯六年王在莽京，丁卯，王命靜嗣射學宮。庚寅……射于大池。」池是積水之處，所謂「射于大池」，亦即「射於澤」之義，然則「大池」亦「辟雍」也。考《周禮·春官·大司樂》云：「大司樂掌成均之法，以治建國之學政，而合國之子弟焉。凡有道者、有德者，使教焉。死則為樂祖，祭於瞽宗。以『樂德教國子』。

中和、祇庸、孝友。以樂語教國子興、道、諷、誦、言、語。以樂舞教國子：雲門、大卷、大咸、大濩、大磬、大武。」所謂「國子」，都是王朝貴族子弟。而「樂德」、「樂語」、「樂舞」則屬于教學內容。而大司樂則是教育主任性質的職務。這是《周禮·樂師》的「樂師掌國子之政，教國子以舞。教樂儀，行以肆夏，趨以采薺……凡射，王以「騶虞」為節。諸侯以「貍首」為節。大夫「采蘋」為節。士「采蘩」為節。」這一系列的為國統治的工上以及王者舉行祭祀的隆高典禮……活動，照例都是選擇「辟雝」這一特定環境進行的。則「辟雍」的特定時代背景下的政、經、文、理各科學術研究上的廣泛意義也就可見一般了！

泮 泮 頖 泮 《說文》：「諸侯鄉射之宮，西南為水，東北為牆。」《詩·魯頌》：「思樂泮水。」箋：「泮之言半也。泮水者，蓋東西門以南通水，北無也。」《白虎通》云：「諸侯曰『泮宮』者，半於天子宮也。明尊卑有差，所化少也。半者象『璜』也。獨南面禮儀之方有水耳。」

（泮）

案：泮宮亦通過射術比試選拔人才之場境也。諸侯之與天子等級分明。其政治尊卑，身份之高下，其表現方式固無處不在，固不限於建築耳。建築乃其一端也。竊以為南面通水者，所以阻凝眾之越界干擾秩序也。北面設垣者所以防流矢之傷行人也。《白虎通》云「如璜」者，取「半璧」之義也

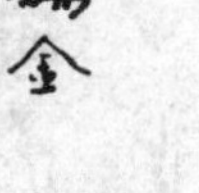

（璧）

（璜）

廡（廡）《說文》訓：「堂下周屋也。」《前漢書·竇嬰傳》：「陳賜金廊廡下」。筆者案：「周屋」之訓，頗覺晦澀。「廊下」二字，頗具啟發之力。緣（廡）之為文，从广，从（橆）。此艸木蕃橆，比肩森立之象形字。《爾雅·釋艸》：「蕃、橆，茂」。《書·洪範》：「庶艸蕃廡」。古籍無、廡互通者，良以橆之為字，橆之初文也。其表艸，从广，而訓義為「周屋」

青叢，取象於廊檐之下周市柵欄比列之形。宛似艸木蕃橆，比肩森嚴之態。此所謂建類一首，同意相受之叚借例也。附圖如下以見形，列表如右以見衍化之序：

亡《刀失刃》
无《天缺曲北》
→ 橆
　→ 蕪 ——《艸木蕃橆義》
　→ 廡 ——《周屋義》

《說明》：橆字，初文本為艸木蕃橆之形義字。後一孳為二。一則頭上增艸而為蕪，以取代母義。一則頭上增广而轉注為「周屋」義。而無、廡二文之母——「橆」，更取代「亡」、「无」之義，而繼承了亡、无「有亡」或「有无」之用。至此則亡、无、橆三文之初義，遂不見於世俗所應用矣；今則亡字已化為死亡之義。唯无字於《周易》經文中尚有殘係而略堪尋耳！

《橆》

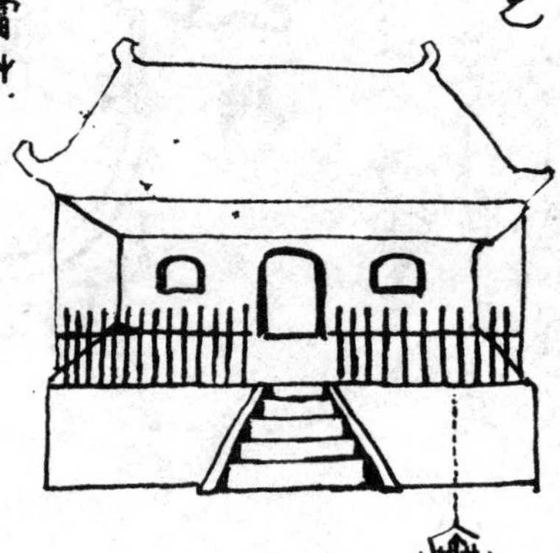

《廡》

囿

籀

《說文》：「囿，有垣也。一曰禽獸有囿。」《詩大雅》：「王在靈囿」疏：「囿者，築牆為界域，而禽獸在其中也。」案《周禮地官》有囿人之職，掌囿游之獸禁」注：「古謂之囿，漢謂之苑。」《孟子》：「文王之囿」注：「古者，四時之田（春蒐、夏苗、秋獮、冬狩），皆於農隙，以講武事。不敢馳騖於稼穡場圃之中，故度閒曠之地以為囿也。」《初學記》：「囿猶有也。有籓曰園，有牆曰囿。」案囿之為義，當係上古劃定某一自然環境，止為定期從事狩獵活動的場所。非必有牆也。此種環境之選定，多屬于山林原野之地，人跡罕至之處。其中生物，也非人工飼養，皆自然蕃殖之產物，與今世之都市設立之「動物園」不同。我國熱河內蒙之處，有東西「圍場」，面積皆數百平方公里，即其例也。

庶　說文曰：「屋下眾也」。屋下則有之，而何以訓義曰「眾」，則深值思考之事。庶即炊爨之象。炊煮、舂米、析薪，皆賤役之事，非顯貴人物分內所當務。（造字者用炊事景象以示意。這種生活環境是庶人經常出入之境。

廛　說文曰：「二畝半也，一家之居」。

考公羊傳宣十五年：「古者三百步為里，名曰井。井田者，九百畝，公田居一。」注：「出除公田八十畝，餘八百廿畝。故井田之法，八家共一井，八百畝。餘二十畝，家各二畝半為廬舍……」

案：廛之為文，从广，从里，从八，从土。广者廬舍之象，里者井田也。从八、土者，$\frac{20}{8}$ [illegible] 合一家宅基之面也。故如許君訓廛為「二畝半，一家之居」，确有歷史依據而無疑。信乎「文字乃考古活化石」之說之不謬矣！列式如下：

$$廛=\frac{(900畝-880畝)}{8}=2.5畝。8廛=20畝。$$

以語法辭性而言，則廛的辭應該說成是特定使用性質的土地面積單位計量辭。

（方里為井，井900畝）

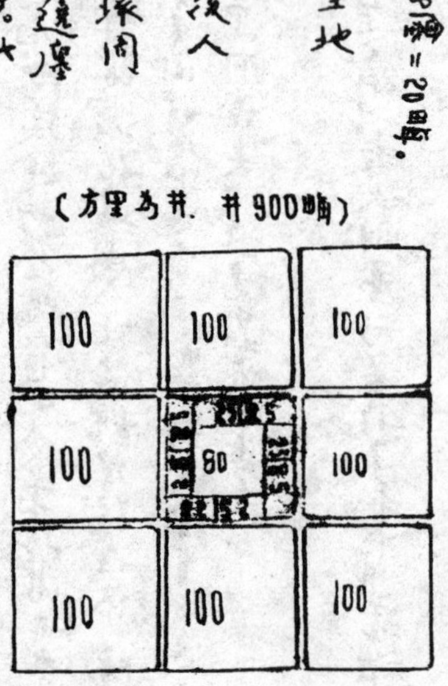

纏　纏。緣于井田制度業已住定，場外而居，形同圍墉基地之象。後人於廛旁增糸，以示纏繞之「纏」。此證陝西古遺址「半坡村」之場周內向而居的特點可以理解之。蓋當時出于守望相助，八家聯防，這廛迴還以自保，由于此一動態遂從糸繞物景象而轉注為纏字。此一想像擬態之再現，非從文字造形特點，無以推求之。此纏之从廛从糸之所由取義也。

躔　廛的同源字——躔。从足从廛。遵行之義也。此躔字造形示意，益足以證愚說之可信而不謬。

蓋字，初義本應是遠廛必防之意。啟後延申為天空星球週期循環之義，可從《說文》許君之訓得之。案《說文》：「躔字訓：「踐也」。故知躔字本當步履進行之意。其用為星次週期運動者，延申義也。《廣雅》：「躔，進也」。《方言》：「躔，循也」。此躔字由「遠廛必防」延為「一切週遊運動」之義證。

躔于古人把寰宇太空劃為三百六十度，以標志日、月、星辰之運轉進度。因而「躔度」就成了古天文學應用術語。《漢劉歆西京雜記》載公孫乘月賦：「月出皦兮，君子之光。躔度運行，陰陽以正。」又《宋陸游老學庵記》：「熙寧中長星出，推步躔度，長七十二萬里。」又《漢書王莽傳》：「以始建國八年歲躔星紀，在洛陽之都。」緜此可證：廛、纏、躔諸文形相背同而義通，彰明矣！考《周禮地官遂人》：「……凡治野，夫間有遂，遂上有徑……」同於佛於井田「阡陌」之上。則農夫往常循遶於廛的週下，可證矣，「遂」是水利灌溉渠道。

纏——循索環繞義

廛——環列而居住宅也。

躔——星球週期運動

→ 循環義（此漢字名化動之例。於文則象形兼指事也〈詳農業二頁〉）

見〈

廨〈廨〉《玉篇》：「公廨也」。此訓過於籠統，莫能〈廨〉字之形義。考廨之為文，从广，从解。解者分散之義。〈广〉是屋室之象。竊以為古今之國家政體機構，一府之內，必有衆多下屬分系之分設。實際上即為了分工合作而設之衆多平列關系的業務辦公室。其性質似現代某一單位內部之「股」、「組」之類。用今日語言講，即某一事業單位組織體系中的一個組成部份。

〈廨〉

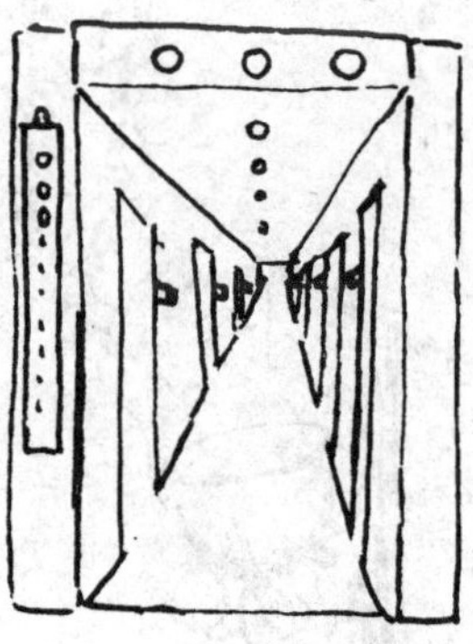

躔、躔：《說文》：「踐也。从足，廛聲」。躔次「踐」字，訓：「履也」。踐次躔字，訓「追也」。案追〈追〉之為文，从𠂤从辵。𠂤者古「堆」字初文也。辵辵者，「循道疾行」也。此二人按照同一方向，一前一後，互相追逐之態。正標誌着一个循環運動軌迹。

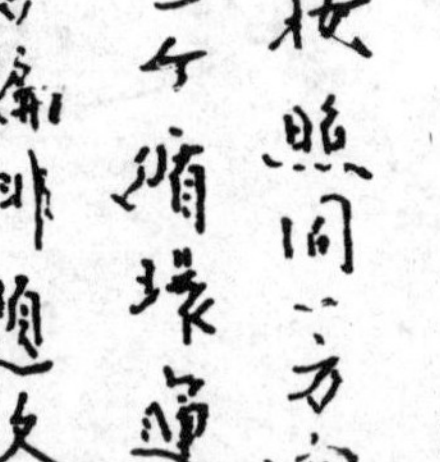

〈討論〉從許氏說文之編排題次察之，則：樓躔以辭躔、樓躔以辭踐。踐者以足踏地也。躔者足之踐跡也。追者，後人循前人之躔而追之態也。故以見今許氏說文之「躔」、「踐」、「躔」三字依次排列之命意，是明躔、踐、躔三字的定義是依次一脈相承的。其義皆「謂於足跡環繞之踪而生。故來鄭云：

纏、纏：「繞也。从糸，廛聲」。許氏說文多以聲示意，以形具文字之旋系，故知「纏」，即一夫所居之廛的本字矣。糸者繩索之象，廛者環繞之象也。盤、旋、繞、植、廛、環、還、圜、團，即凡諸文成雙聲而疊韵，其意同。

知纏字亦指中萬義矣！

〈結論〉東方古之天文學之術語，謂「月繞地球公轉軌迹曰月躔」。

二七八

太陽經天一週(「視運動」之軌迹)曰「日躔」。故躔字从足、廛。故知躔之初文亦井田八夫環繞「公田」而居之「廛」的象形字也。古天文曆法視「日行」之週天之計度、方位，以定農時。以三百天的一日之太陽行程曰「步」。「」「」古步字也。以二足踏過張行之態，蓋鑒於「象何出」。度時節定律而來。此「足象人化」之造字技藝，自有其科學基石。未可以唯心主義目之也。圖示如左：

〈太陽循行十二行宮圖〉

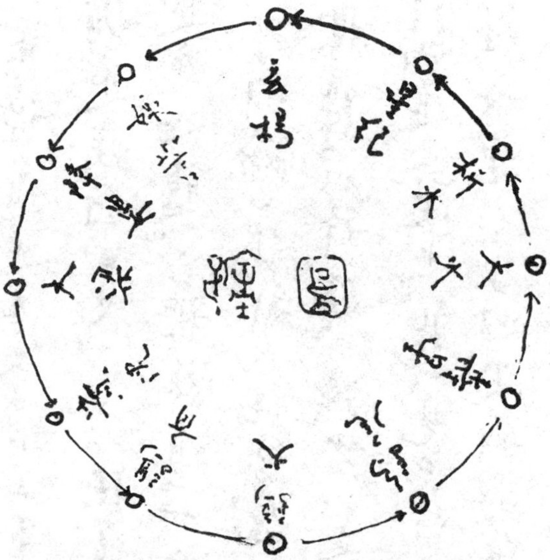

古天文術語以日月週(視)運動之軌迹曰「躔」。

〈月球繞地圖〉

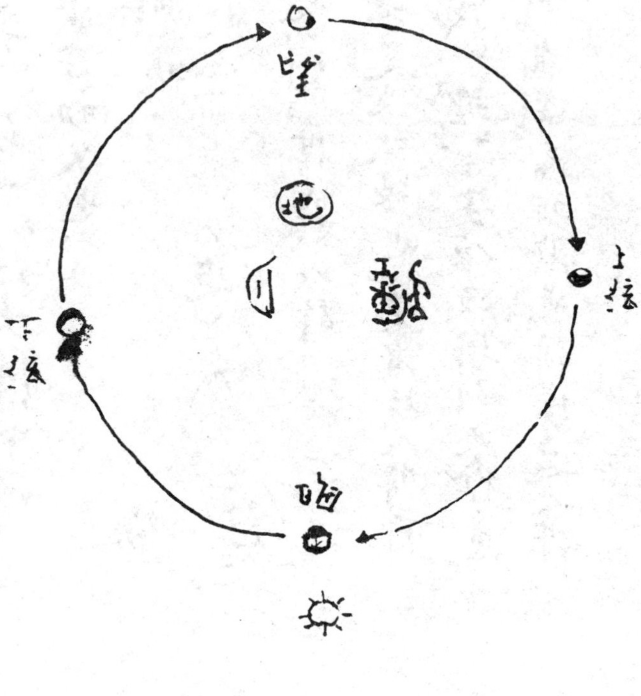

構

構冓《說文》:「交積材也。」栔《卜辭》冓上[glyph]。象兩魚相遇之形。有邂逅之義。後世語變而上冓而訓義為「交積材」。形雖誤而音未改,同有「交」義,其旨一也。

二人交會為「覯」。等價交換曰「購」,兩性相交曰「媾」,水流交通之道曰「溝」,意見交換曰「講」。木材相交曰「構」。試表示以見義。

購 購《說文》:「以財有所求也。」

媾 媾《說文》:「重婚也。」

覯 覯《說文》:「遇見也。」

溝 溝《說文》:「水瀆,廣四尺深四尺。」

講 講[glyph]《說文》:「和解也。」

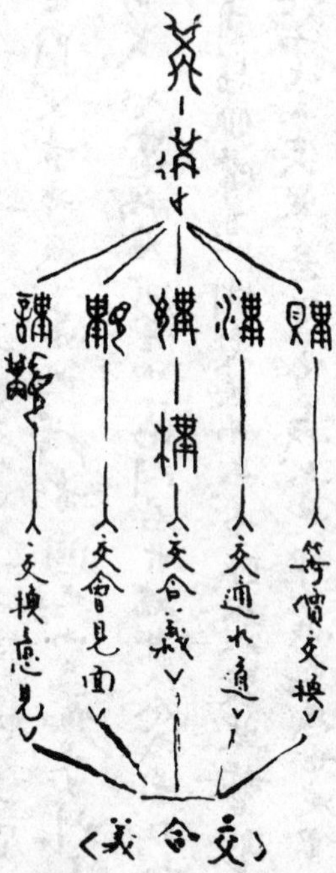

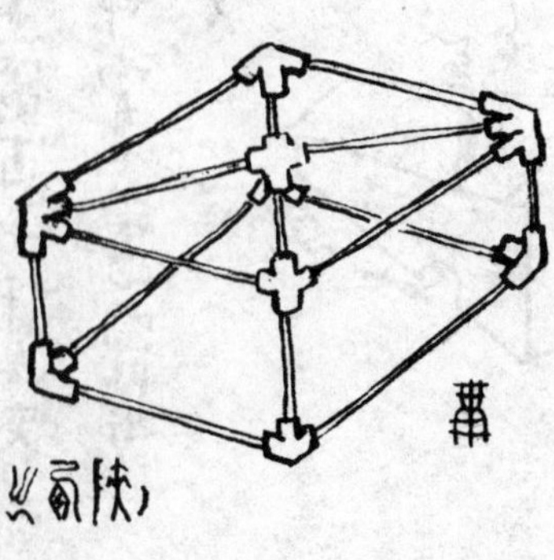

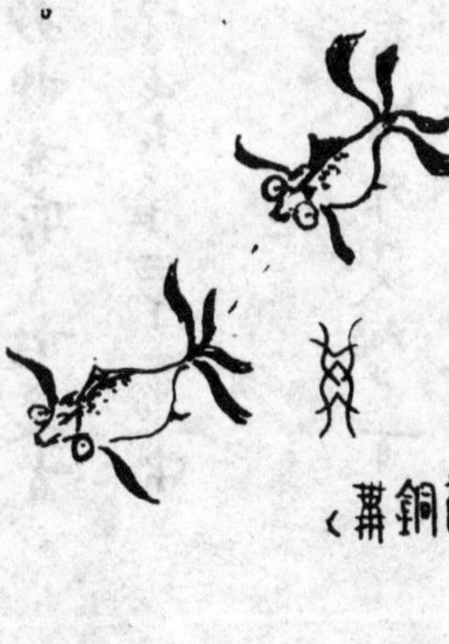

(陝西出土漢代銅冓)

廬

廬[glyph]《說文》:「寄也。秋冬去,春夏居。」《詩·小雅·信南山》:「中田有廬。」箋:「中田,田中也。農人作廬焉,以便田事。」《玉篇》:「屋舍也。」《集韻》:「粗屋總名。」

栔[glyph]字从宀从[glyph]。宀者居室之簡陋者也。[glyph]者飯器也。(見說文)

《周禮·地官·遺人》:「十里有廬,廬有飲食。」栔此十里之廬,應即[glyph]之初義也。古廬、旅同聲。廬者旅人所止之地(客舍也)。[glyph]者飯器也。有舍有食之意也。此与《周禮》所載相同。是其義也。案即田野之臨時宿舍也。

客[glyph][glyph]卜[glyph]金[glyph]篆《說文》:「寄也。」栔[glyph]之為文,从宀从各,宀是居室之象,各者自外入而

之意。《卜辭》各上𠙵口。象足趾向口之形。口者，室之平面圖形。故知𠙵口字有自外入內之意。又如青銅器銘文之習見語「王各于太室」皆古文𠙵口訓為「入」之義例。故如客字從𠙵口從宀，乃「入幕之賓」義。《易需卦》上爻「入于穴，有不速之客三人來……」又如《漢書嚴光傳》「……客星犯帝座甚急」，皆從外來之義。然則從外入內者，客之定義特徵也。字從各從宀，固其宜焉！

安 《說文》「靜也」。《爾雅釋詁》「安，定也，止也。」案安之為文，從女從宀。而訓義為靜，靜者動之對；定者遷之反；止者行之對。從女者，坤之象也，地之義也。《易坤卦》「安貞之吉，應地無疆」，與《屯卦》上☵下震：「雷雨之動滿盈……宜建侯而不寧」為相對之義。

突 卜 《說文》「犬從穴中暫出也」。詩：「犬善於穴中伺人。人不意之。突然而出也。」《淮南人間訓》：「百尋之屋，以突隙之煙焚」。案《廣雅釋室》上「堗」云：「竈謂之竈，其居謂之埏。其窗謂之堗。」

筆者案𥦒字從犬從宀。犬者守夜之畜也。宀者，洞也。而《廣雅》訓為「竈窗」，而辭為突然之義何也？以古代民宅建造形式，皆竈鍋居於室內，竈門居於牆外（今我國北部尚有之）。竈門臨街，夜則犬臥竈堗之內，以備有小偷有盜賊聲息，則突然而出。予賊人以突然襲擊。故𥦒字原義本為竈堗臥犬之地，而化為突然、急猝之義，亦延之為義也。後世延伸義行巾，切義遂晦。𥦒字又引義為「穿」（見左傳襄廿五年注）。又引義為「陵觸」者（見荀子王霸篇）。以野犬之為物，嗜食死人之肉。故新葬之塚，時遭炎暑薰蒸，尸氣宣洩，野犬逐臭而至。破墳穿之餘，棺木暴露，斯時野犬奮其凶威，往往不惜退身數十步之外，然後猛力前奔，以頭觸棺，聲如巨雷，雖至頭破血流，在所不惜，直至破棺食肉而後已。其凶猛如此。此𥦒字引為「穿破」、「陵觸」之所繇來乎？

《𥦒圖》

開 闓 《說文》：「張也。」《廣韻》：「解也。」《韻會》：「啓也。」《爾雅·釋言》：「闓也。」《五音集韻》：「通也。」
案：開字从門，从一，从廾。門者保護住宅設施也。一者門閂之象，廾者雙手移門閂之態也。開之讀音為「客來」之合音，有迎客入門之意，故啓中亦有義。

〈閑〉

〈闓〉

閑 閑 《說文》：「闌門也。从門，木。木所以距門也。」案古閑、闌二字互通。一从米，而二从木。木、林之初文也。故如同義。故古文閑、閑皆異文而同義。故許君謂「木所以距門也」。今民間名之曰「頂門杠」。故閑、閑二文同具「杜門絕客」之意。門無客來，則主人清閑自若矣。後閑字又與閒通，不知閒字初義乃「空間」意也。故从月在門中。後世閑義分為二，閑讀如藏，而閑讀如閒矣！殷後淺人又創間字以代閒。於是

〈閒〉

閒 閑、閒、間遂成鼎足抗禮之勢矣！此古今文字分化衍變之情，史籍比比皆是。固不僅閑、閒、間三字為然焉！

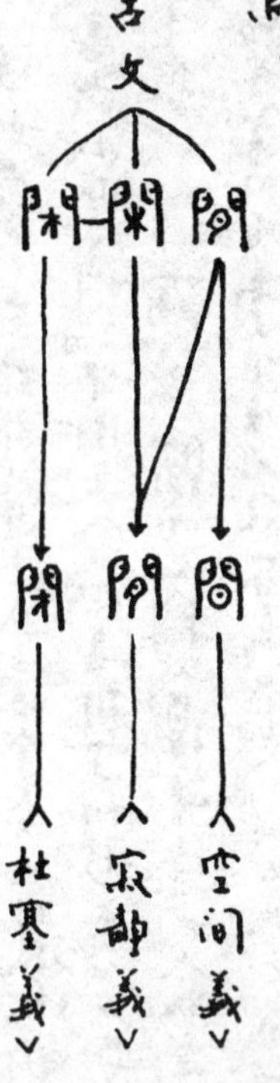

術 術 《說文》：「邑中道也。」案：術之為文，从行，从术。行者道路之形。术者高幹植物也。造字者援术之直立形態，以示公路幹線之徑直，是其義也。三國袁術字公路，可知術之取字實本諸《說文》之義。後延伸為「道術」、「藝術」、「法術」、「武術」……現代政治哲學名之曰「路線」。

二九

廈 𡕛 廈 《說文》：「屋也」。太籠統。《玉篇》：「廡也」。此廈之建造形制特徵之說明，非「廈」之造字意態也。唯《集韻》訓廈為「大屋」，為能得其正解。惜語焉而不詳，未能盡其義，愚補而出之。

案廈之為文，從广，從廈。广者，屋之象也。廈者，華夏之名也，非春夏之夏也。華夏九州之境為之積也。「有夏」者，東方世界第一歷史王朝也，神州之建造華夏之定名，蓋自禹始。甲骨文字夏上𡕛，儼然一手執斧鉞魁梧雄偉之武士。《金文》上廈從後。稍易其形，猶有初意。秦篆形變為廈，已頗難識。善哉《數重》之訓：「中國之人也」。其辨字析形云：「從頁從臼從夊。臼兩手也，夊兩足也」。不愧我國文字宗師之名。

竊以為廈字從广從廈者，偉大人物之於高屋之下的直觀圖像也。蓋非有高大之屋不能容高大之人。此亦無之勢也。

《楚辭·屈原大招》曰：「夏屋廣大，沙堂秀只」。此廈訓為大之義例一也。

復考《詩·秦風·權輿》曰：「於我乎夏屋渠渠」。此廈訓為大之義例二也。

復考《周禮·春官·大司樂》：「舞大夏以祭山川」。此廈訓為大之義例三也。

然則諸經籍語例，訓廈為「大者」，皆延伸義，非廈字初義也。廈字本義乃偉大的「中國人」也。廈字從广從廈而訓為「大屋」之造形示意，與龐字從广從龍而訓為「高屋」同例。龍者宇宙之大物也，龍之所居其屋必高也明矣。龐字訓為高屋，蓋由於對龐然大物之容量而來。此種象何比例，擊念示意之藝巧，完全堪以文字造形特點窺知之。

龐 龐

龍的偉大形象，於《周易·乾卦》被選為卦象題材。在《禮記·禮運篇》中與麟、鳳、龜合為「四靈」。造字者，用統一號碼的「放大鏡」把「龍」和「中國人」在文字形義上劃了等號。這不僅標誌東方古代文化藝術特色，同時也反映出儒家文藝思想領域中的民族自豪感的意識光芒。

曲阜孔廟大殿檐柱，皆有蟠龍雕飾。其訓義為「高屋」，固其宜矣。

〈龐〉

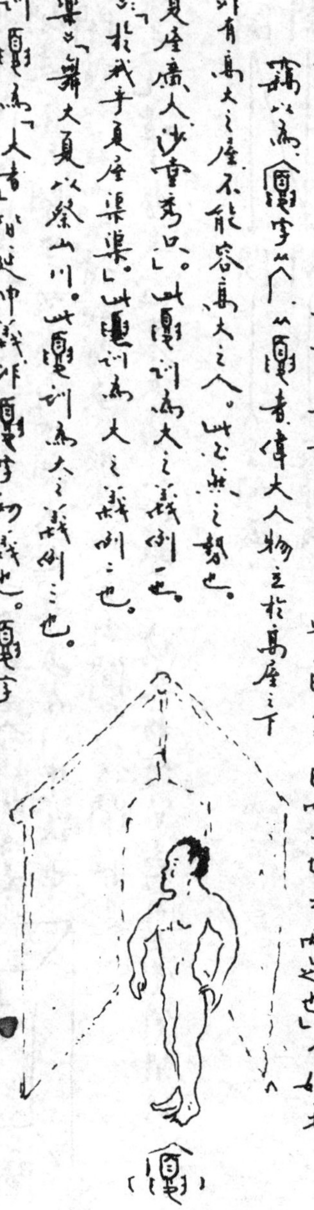

〈廈〉

䲹字而會物觀察感憶：公元一九八〇年春，歲在壬戌，筆者曾游浙南市「博物館」（清山東廣智院）。館內展室，標高之未青蛾古瓦，盤與大瓷，儼然一宮殿式建築也。大廈中陳列着一架恐龍化石，其形象特點是：小頭，巨腹，長尾，可達十餘米。前肢短小，輔鉤擊以柱地，後肢奇大。此龍骨化石，佈滿了三間大廈。這一景物長易不忘，爲殷墟甲骨文䲹字，繪出了復原寫生標本。

竊以爲古代象形文字必有取象目標。當時造字者，是否完全出於幻想，擬造了，尚非今日所能判斷。

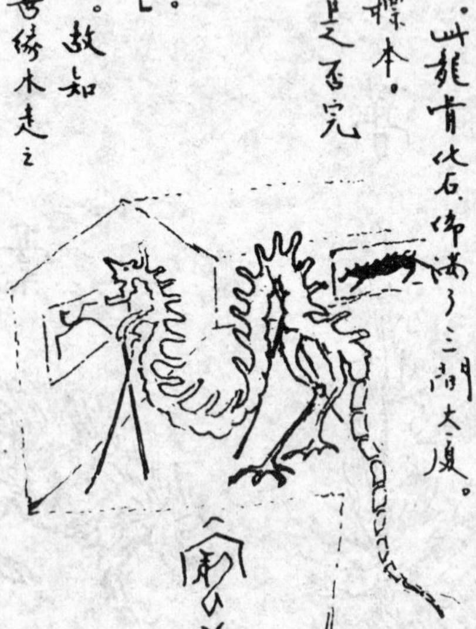

䲹

嶠 [illegible]（卜）嶠《玉篇》：「高屋也」。

案：嶠字从𠆢，从喬。喬者，木之高者也。𠆢者，屋之象也。故知樹之高者曰喬木，屋之高者曰嶠，馬之高者曰驕，水梁曰橋，善緣木走之才曰趫。皆喬之同源字也。又如囱之上層者曰𪾢，艸之高者曰蕎，豕之鬣高者曰豪。亦高之同源字也。嶠字《說文》不見。惟據《玉篇》之訓而釋卜辭 [illegible]……八文爲嶠字於此。從各個嶠字造型，可以窺察東方世界古代建築雄偉姿態。

喬
- 豪——豕之鬣高者
- 橋——架木於河上
- 驕——馬之高大者
- 喬木——樹之高者——轎——車之高者
- 嶠——屋之高遠者
- 蕎——艸之高大者

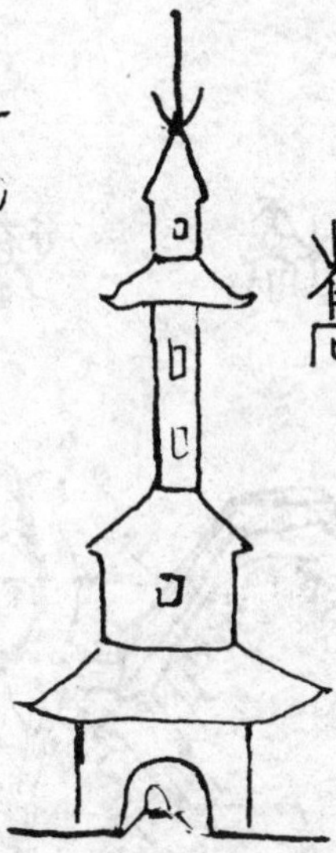

嶠

三〇

喬木

高、僑、橋、喬、豪、蒿、轎各字皆形从而釐訓。故同有高聳之象。皆高聲同源字。六文書所謂「建類一首，同意相授，是爲轉注」者也。

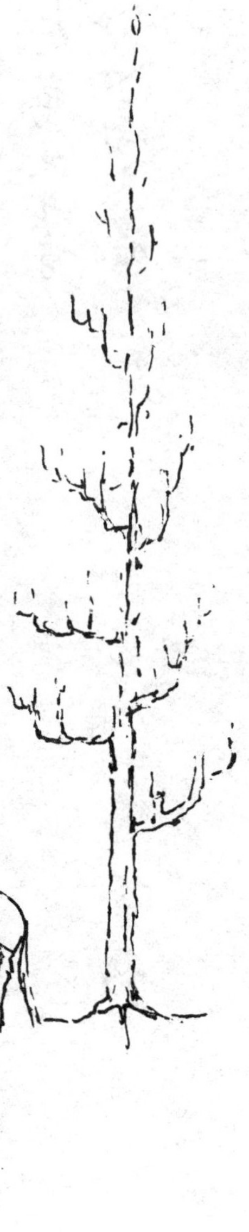

隅 ⿰亯禺 隈

考《說文》隅字訓:「陬也」。段注:「謂坎之角也」。《玉篇》:「隅角也」。

案:《詩·邶風·靜女》:「俟我於城隅。」乃通段字,非初文也。自應以⿰亯禺為正字。⿰亯禺古墉字,象城郭堡壘之形。古⿰亯禺、⿰亯禺、⿰亯禺等字,皆从亯。可資形例說明。故知⿰亯禺者城角也。⿰亯禺今本已不見,唯金文中尚有之。蓋先秦字也。⿰亯禺之同根字較夥。同具「方角」之義。如:禺字从土,坺角字也。从水,海角字也。从山,山角字也。从耒,二人合耕之義也。从人,配偶之義也。从心,知行義而不知用智之義也。然諸字皆从禺者,何也?請先言隅字〈⿰亯禺〉下,皆段隅与⿰亯禺〉,而次及于禺。

《考工記·匠人》:「宮隅之制七雉。城隅之制九雉。」注:「宮隅、城隅,謂角浮思〈樓窗〉也」。古代建築制度,用「雉」的多少來規定不同時質建築物的體積大小尺度。應該指出,這裏提到的「雉」的含義,絕不是「野雞」,而是城牆面積計量基本單元。《左傳·隱元年》:「都城過百雉,國之害也」。注:「方丈曰堵。三堵曰雉」。故知所謂「七雉」即(3平方丈×7)=21平方丈。所謂「九雉」即(3平方丈×9)=27平方丈。古人用平方丈的定額來作為限制建築物體積指標,是非常明顯的。這種使用數值來表示物體的大小,同現代的百貨包裝紙箱所紀錄的容積指標公式:長×寬×高=體積,其理相同。

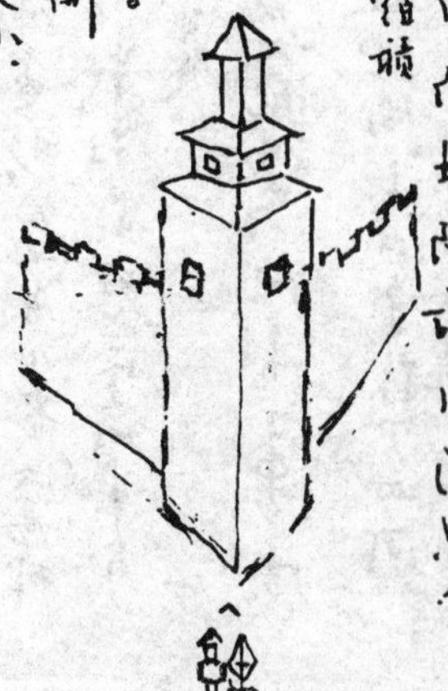

〈⿰亯禺〉

然而以上的說明,並不等於能夠認識⿰亯禺字的造型意識來龍。究竟⿰亯禺字何以要從禺?又何以能示義為城角?

考禺之為文,象形字也。《韻會》:「禺,猴屬」。《正字通》:「禺似獮猴而大,赤目,長尾。」《爾雅·釋獸》:「寓屬曰嗛」。〈腮頰有囊,可容食物〉。《六書故》:「禺即《說文》之禺」。

寄（寄）
寓（寓）

案《六書故》謂「寓、巤即禺」，其說确有依據。遺憾的是《說文》對寓字，未能作出科學性的闡述。而含混其辭以釋之曰：「寄也」。同書「寄」字訓：「不耦也」，竊以為寄訓「不耦」，确屬未誤。而「寓」訓為「寄」，則近涉模棱兩可，令人難于置信矣！夫寄、寓二文，同居宀部。宀者宮室之象，人之所居也。寄从奇，而寓从禺。奇者單數也，禺者偶之省，雙數也。故如寄字从奇，一人獨居之義也。寓字从禺，而雄雌同居之義也。《爾雅》郭註，謂「寓巤，寄寓木上」，已明示出巤之為獸，屬於牝牡同居之動物。此點已被現代動物學界所證實，固無爭論必要。蓋不知數千年前古人對此久已洞悉，而表現於文字中矣！東方文字起源於遠古劃卦。古文字絕不能不表現出《易理》哲學色彩，乃必然之勢。《易理》爻象以一劃為陽，一劃為陰。實來源於對動物生殖器官之觀察。甲骨文字之牝、牡〈牝、牡〉二字，以丨、ㄑ之性別符號。故知某些「學者」倡中國文字與《周易》無關之邪說，可以不攻自破。

巤字之《易》象昇華：●是牝牡同居之獸。造字者施之于禺字，而定男女配偶字。施兼于禺字，而定男女共耕字。《詩·周頌》：「千耦其耘」。疏：「千耦，謂二人相對者有千耦之人」。故如「配耦」之義，皆兼男女同耕而來。依《易理》乾男、坤女之義，引伸為宏觀宇宙概念。乾者天之象也。坤者地之象也。古者天圓而地方之論。故《易·坤卦》文：「直方大，不習無不利。」象曰：「天二之動，直以方也。」此《易》學「法相」特徵，可從文字現律求證之。漢字之从禺者，皆有方形之義。物體之方者必有角楞。故城之角曰隅，山之角曰隅，海之角曰湡。墉之角曰堣。人之執方而不知圓通者曰愚。屋之角曰髃。此隅訓為城角之所繇來也。

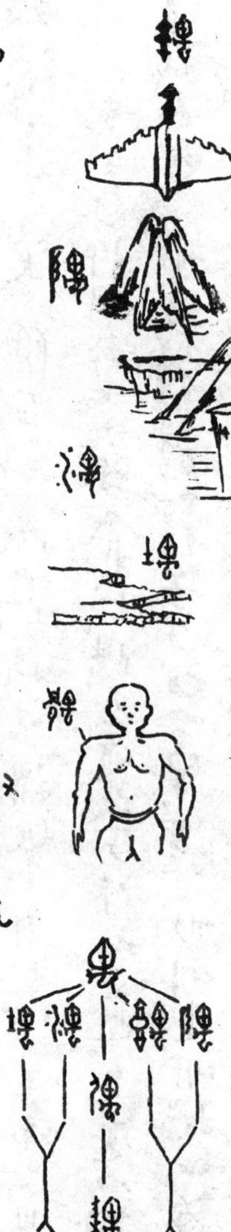

〈注意〉：本圖可與本書《叢業》第十三頁丱字說聯系參考，以收相得益彰之效。

廉 廉《說文》:「仄也」。段注:「堂之邊曰廉。天子之堂九尺。諸侯之堂七尺。大夫五尺。士三尺。堂皆如其高」。曾子曰:「廉遠地則堂高。廉近地則堂卑。堂邊有隅有棱。故曰廉。廉隅也。又曰棱也。引伸為清也。儉也。嚴利也」。

《說明》:讓我們用立體幾何常識舉例說明之。大凡正方形三角形、乃至棱多面形……一切立體物形,必然皆有邊、棱、面、角。譬如說,正方形立體,必然要有四個角,又個平面。十二條邊線。三角形立體就必然要有四個平面,四個角。六條邊線。作為建築物來說自然也不會例外。所以段氏說「堂邊曰廉」。許君名之曰仄。黃、賀上所謂「廉」或「仄」,都是針對立方體的「邊」線而言的。所謂「隅」則相當於幾何學的「角」。是非常明朗的。縣於「廉」和「隅」同樣是處於各個平面交集的尖端。它好象屋脊。又好象塔尖。它具有分水嶺的功能。其面積小得幾乎要等于0。任何外來的物體,多年在這裏都找不到立足之場。因而也就決定了它的「抗污染」性。所以人們就把「砥礪廉隅」之士作為敢煳清官的褒義語。

廉字造型的初探:廉字从广、从兼。广者堂室之象。兼者雙手秉禾之形。造字者利用兼字表示這個邊緣線處在左右平面的交接之點。故取其連、有連接之義。古《數學九章》術語,把二元一次方程式中居於A^2外緣之二A×B叫之廉。把B^2叫之「隅」。正是基於建築平面圖,取義而來的。隅有穿刺之力。廉有切割之能。故又延伸為嚴利義。後世延伸義行,而廉字初義遂晦。

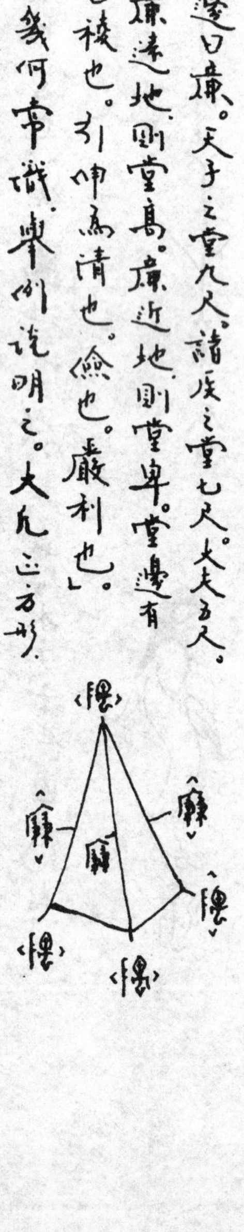

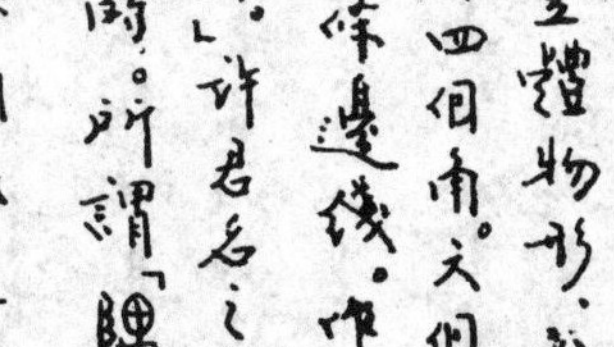

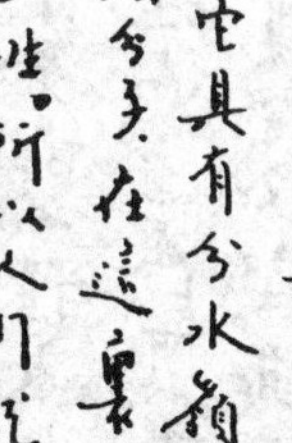

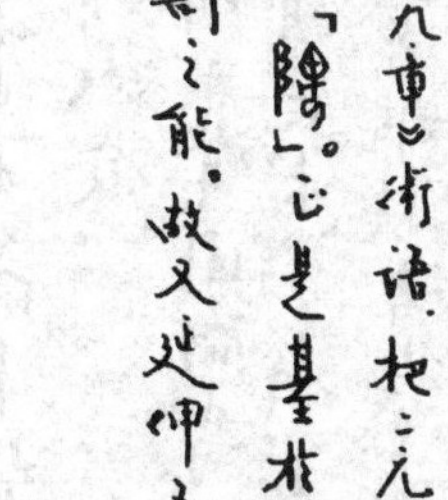

五二

寂（篆）（篆）（篆）《說文》：「無人聲也。本作宋。从宀，尗聲。」徐曰：「此宋寞字。今文作寂。」《廣韻》：「靜也，安也。」《集韻》作「誅、諔、㝿」。

筆者案：宋字訓靜、訓安、訓無聲。固當不可動搖之義。然究其所以為靜之由，則古無明訓，而未易知也。故求宋字之音旨，必須溯律於「尗」字之門。夫宋字从宀从尗。宀者，室之象也。然則尗為何物？此為本題之關鍵，有不能不予認真之推敲者在焉！

考尗之為文，甲骨作（篆），金文作（篆）。似蛇繞人身之形。此象形會意字也。秦篆作尗，乃形訛而義晦，不復能窺尗字初意造象矣！

案：蛇之為物，水虫也。以脊椎多節而體長，故能攫擊擒纏繞之術。故知古文（篆）（篆）二字，初意應為「柔弱」。可以形意見之。試以物理求證之：大凡物之剛者，其體必直，其質必堅，其力必強。故重（重）剛相遇，則擊撞而成聲。金石之類是也。反之，物之柔者，其體必屈，其質必軟，其力必弱。故其行徑蜿蜒迂迴而屈折，唯其與物無忤，故能行動而無聲。故知尗字訓義為「幼小」者，良以物之幼小者皆柔未堅，其體多液而少質，柔弱之象也。故草木之柔而小者曰尗，人之幼而小者曰「叔」。女之少小而沉默寡言者曰「淑女」。人居室內靜默無言曰「寂寞」。其義皆本於「尗」。固無疑也。然則宋字訓義為靜，再生義也。非初義也。初義晦而「再生義」顯。會意例之隱與者歟？！然則尗字之說文訓為「叔」、「拾」者，亦再生義也。收古之作，由長之象也。拾从合手，應指取物之象也。（叔）（拾）其義皆本于「柔弱」，固無疑焉。

〈甲〉（篆）〈形〉（篆）—（篆）—尗〈小篆〉
- 叔—〈少男〉
- 宋—〈靜默〉
- 淑—〈少女〉

→〈柔弱〉

〈淑〉

寞 寞 莫 嗼 《說文》：「宋寞無聲也。」

筆者案：寞字从宀从茻。宀者室之象，茻者暮之初文也。古代農夫日出而作，日入而息。夕陽下來，以筋疲力竭，則入室就寢而寞無聲矣。考《說文》茻字訓：「日且冥也。从日，在茻中。」注：「平野中望日將落，如在艸茻中也。」竊以為暮之為音，取於沒，隱沒之意也。暮、沒聲同而義通。故知暮之為字亦形聲字也。所謂「以事為名，取譬相成」者是也。茻字初義本為日光冥沒，後延伸為一切事物冥沒之義。故知寞字訓義為「無聲」者，「光聲互比」之例也。故知「廣闊無人」之處曰「沙漠」。新附《說文》以泥塑陶型曰「模」。葬埋亡人之土堆曰墓。孝子思親之心曰「慕」。諸字皆取義於茻，同具「冥沒」之義。皆茻之孳乳字也。示例如下：

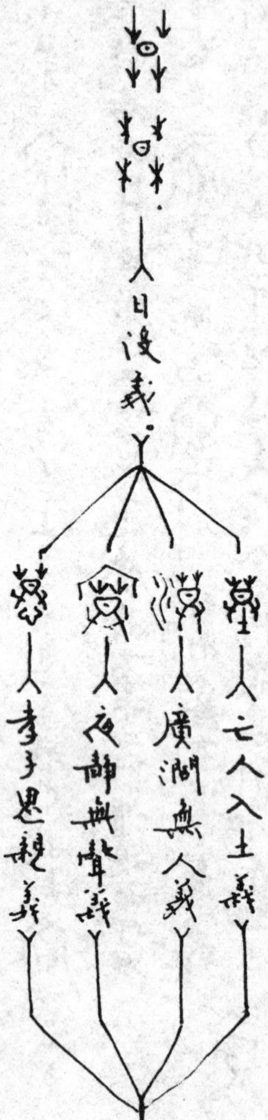

寤 寤 《說文》：「寐覺而有言曰寤。从㝱省，吾聲。」《周禮·秋官·司寤氏》注：「寤，覺也。主夜覺者。」《春官·太卜》疏：「精神寤悟是覺而占之。」《左傳·隱元年》：「莊公寤生，驚姜氏。」注：「杜預曰：寤寐而莊公生。」

筆者案：寤之為文，从宀从爿从吾。宀者室之象，爿者牀之形，㝱寢之義也。吾者晤之省也。《說文》：「晤，明也。」故知寤字之意，乃臥牀入睡，意識由闇趨明，覺醒之態也。

寐 寐 ト 寐 ト 寐 ト 寐 篆。《說文》：「臥也。」徐曰：「寐之言迷也。不明之意。」《廣韻》：「寢也，息也。」《增韻》：「昧也，目閉神藏。」

筆者案：寐之爲文，从宀，从爿，从未。宀者室之象也，爿者牀之省也，未者昧之省也。《說文》昧字訓云：「昧爽，旦明也。一曰闇也。」《博雅》云：「冥也。」竊以爲，昧字从未从日。日者太陽也。《易·屯卦》云：「天造艸昧」，故知昧字有艸木遮林，遮蔽陽光意。故《說文》訓昧爲「闇」，《博雅》訓昧爲「冥」，故知昧亦象形兼指事字，所謂「視而可識，察而可見」者是也。然則寐字从宀，从牀者，所以示寢夢卧牀之際，意識由明趨昏，進入夢鄉之義也。俗名「入睡」。

处 〈处〉〈处〉 処 卜 処 篆 《說文》：「止也。得几而止也。」段注：「人得几而止。」考《殷墟文字》处上处或屮。文从宀，从夂，从几。宀者室之象，夂，古止字，止息之義也。故知处字从夂，从几，从宀。乃人止室中之意，此「居处」字也。於《文書》應屬指事字，所謂視而可識察而可見者是也。处字造形與居同例，皆所以假人居室中之象，以示靜止之意。許君誤以爲几乎處之一失也。今人將處止处大誤也。不知「處」字乃刑罰字，固與「居处」之義無關焉。《說詳拙著《刑罰篇》》猶《玉篇》訓「居也」爲可信。

空 〈空〉〈空〉《說文》：「竅也。从穴，工聲。」段注：「空，今俗所謂孔也。天地之間，亦一孔耳。古者司空主土。《尚書大傳》曰：城郭不繕，溝池不修，水泉不修，水爲民害，責於地公。」司馬彪曰：「司空公一人，掌水土事。凡營城起邑，浚溝洫，修墳防之事，則議其利，建其功。」是則司空以治水土爲職，禹之「司空」治水而後晉「百揆」。治水者必通其瀆，故曰「司空猶司孔也。」

案段氏援宇宙空間槩念而立說，據孔空同聲之義而訓穴爲孔。自有其宏觀偉見，未容厚非。惜其對空字从「工」之義，獨付闕如。愚補而出之：

考空之爲文，从穴，从工。穴者，室之象也。工之爲字，《殷契》作工，象冶金鍛工砧形。《卜辭》攻（攻）

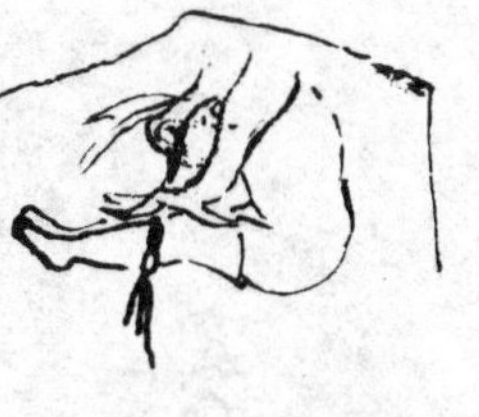

空字造型与休字从宀同例。以表示操工具在室内之意。

字，从石从攴。石為砧床，攴以右手擧鎚，小點鐵屑飛濺隨地之形。此生動鍛工操具之寫生，与今世所見相同。《說文》訓「攻擊也」，其義狹偏。蓋金工為土木、石工之首，以百工匠藝時為操具之利器，唯工具耳！無金屬工匠以提供工具，則百工莫能施其技而成其功。此空字从工之義也。或曰：空字从穴，何謂也？愚曰：穴者室也。《詩·豳風》：「晝爾于茅，宵爾索綯」。古代農民農事既畢，白天蒐集植物纖維，夜晚室內紡織繩索，以備來春之需。又云：「亟其乘屋，其始播百穀」。農民抓緊時間修繕房屋，完成防寒任務，以便迎接不久即將到來的春耕。古代「王者」的制度，照例是將土木興建工程放在農民業餘時間的冬天。故《周禮》名「司空」之職是「官」。也就是基于「民以食為天」這一最高原則的措施。商周出土銅器銘文中的「司工」，即經籍中的「司空」，「司」是管理義。空字既有空間義，亦有時間義。而尤以後者為貼切可靠。《詩·鄘風》：「定之方中，作于楚宮。揆之以日，作于楚室」。箋云：「定星昏中而正，謂『小雪』時……」（詳本書天象篇之「營」字。此處从「宮」）。繇此可見「司空」的職責兼務，是選擇農民業餘空暇時間開展活動的。故知空字有空間義，亦有時間義。

夢（下）《說文》：「寐而覺者也」。段注：「宀者覆也。爿者倚著也。夢者不明也」。愚易之曰：「宀者室也，爿者牀也，夢者蔑之省也，昏目無精之象也。宀者寢也。夕者，夜也。昔從上，夢之為景乃是大腦神經中樞的半意識活動，絕無神秘之處。古代設有占夢之職，以預言吉凶，既譌也是事實。

寱 寱 衛 囈（《集韻》作囈）《說文》：「瞑言也」。要所謂「瞑言」，即民間所謂「說夢話」，吾鄉名之曰「發囈憚」。古醫典《張機傷寒論》名之曰「神昏譫語」。大凡這種現象，往往與腸胃中的變質食毒（有關胃腸）隨血行傳播，使大腦中毒而出現的刺激反應。不僅有語言，有時還有動作，俗名「打夜鎚」。中醫學名曰「陽明證」，往往伴有高熱，神經錯亂，運動機能亢奮，甚者登牆上屋，形同瘋人。

窮 《說文》：「極也。从穴，躳聲。」要窮之為文，亦指事兼會意字。从穴从躳。穴者室之狹者也，躳，从身从弓。所以示居室狹隘，（身屈如弓）不堪容體，進退不能自由，行動困難之意。引伸為一切處境維艱之義。

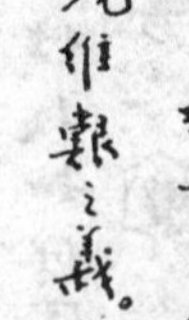

三四

穹 穹 《說文》云：「窮也」。段注：「窮者極也」。案《說文》穹、窮二字互訓。同訓為「極也」。殊覺令人困惑。

蓋極之為義，有正負之分，宏微之別。如磁石之有正極負極。天文之有南極北極。故知極字之義與治亂同文，祥兼吉凶同例。故知穹之訓極訓窮，極高無窮之義也。穹者九天之象也。窮之訓極訓窮者卑微偏從，屈伸莫展，困窮穴中之象也。邃字者以有身無身為辨，其意深矣。窮以為：穹字从穴从弓。穴者深邃之象也。弓者所以示屈體蹐身之形也。

竄 竄 《說文》云：「逃也」。考竄之為文，从穴从鼠，而訓義為逃。逃者潛藏隱避之意也。故知竄字初義有鼠入穴內之意。蓋鼠之遇敵，危機當前，敵來遁難之地，捨入洞而莫由。故知竄字从穴从鼠，潛身入穴之象也。

窣 窣 《說文》云：「穴中卒出」。考窣字从穴从卒。穴者洞也。卒者猝之省文也。倉猝急迫之象也。卒、猝、突三字音同而意通。故知突訓「犬从穴中暫出也」，與窣訓「穴中卒出」，猝訓「犬从艸暴出逐人」，其義一也。

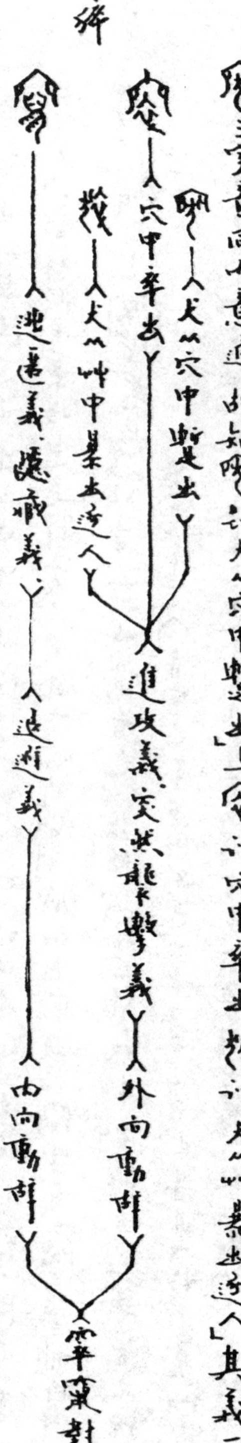

究 究 《說文》云：「窮也」。《詩·小疋·棠棣》云：「究，深也」。考究之為文，从穴从九。會義字也。九者數之極也。穴者孔洞也。天之最上層曰「九天」，地之最深處曰「九泉」，壽命最長之數曰「九九齡」。皆具最大限度之意。故知究字从穴从九，所以示孔洞極深而屈折最多之義也。故許君訓曰「窮也」。窮之與極二字互訓於《說文》中，例不勝舉。極者屋之棟也。至高之義也。九者數之極也。以此推之則究是九屈之穴也明矣。其造形示[illegible] [illegible]，意與究字从穴从[illegible]同意。後世謂追查到底曰「窮究」，精覈細審曰「研究」。皆有「窮極」之義。

宇 《說文》：「屋邊也。从宀，于聲。」陸德明曰：「屋四垂為宇。引韓詩：宇，屋霤也。」高誘注《淮南》曰：「宇，屋檐也。」引伸之凡邊謂之宇，如《考工記》：「輪人為蓋，上欲尊而宇欲卑。」宇者言其邊。引伸之義為大（天）。《三蒼》云：「上下四方謂之宇。往古來今謂之宙。」上下者大（天）之所際也。《莊子·庚桑楚》云：「有實而無乎處者，宇也。有長而無本剽者，宙也。」有實而無處，謂四方上下實有所際而所際之處不可得到。《易》：「上棟下宇。」《經典釋文》：「宇謂屋邊也。」

案：宇之為文，从宀，从于。宀者屋之象也。于者紆之省，回邊之義也。造字者取宀以示屋顛之高，取于以示屋邊周帀之長。此宇字初義也。古人善于將微觀事物視為宏觀天體之縮影，同時更善于將宏觀天體視為微觀物象之引伸。在這一意識導引下，遂把上為屋檐周圍的宇字昇華為太空外圍的「法相」。因而產生了「四方上下之謂宇」的定義。後世「六合同春」的對聯用語，實基於「四方上下」之意而來。用現代語言講，即「空間」也。空間具有的客觀位置雖然存在，但是終於它並非具體的有形物質。因而不能被人用眼睛看到或用手觸摸。所以莊子說：「有實而無乎處者宇也」。這絕不是偶然的。

怎樣理解古篆中的 諸字的形義？也是有必要附帶一談的。以上三字皆宇的異體。宇皆从禹。从宀或土。禹是上古時代洪水滅世，大難臨頭，他為了治水拯救人類，跋涉萬里，三過家門而不入，終于將洪水从大陸上排入大海，為人民開闢了廣闊生活環境。《千字文》所說的「九州禹迹」一語，已經說明了：「沒有大禹，就沒有中國」。後人追念他的勞苦功績，創造出標有紀念意的文字，也為歷史鑑證。宀者，環境空間也。土禹，大禹之名也。特別是 字，从禹从土，這一字形的示義，和《尚書·禹貢》：「禹別九州，隨山濬川，任土作貢，禹敷土，隨山刊木」的記載相一致的。

宙 《說文》：「舟輿所極覆也。」段注：「覆者反也。與復同。往來也。舟輿所極覆者，謂舟車自此至彼而復還此，如循環然，故其字从由。」如軸字从由也。訓詁家皆言上下四方曰宇，往古來

今曰宙。由今溯古，復由古沿今，此正如舟車自此至彼，復自彼至此，皆如循環然。《莊周書》云：「有實而無乎處者宇也，有長而無本剽者宙也。」本剽即本末。莊子說正與上下四方曰宇，往古來今曰宙同。亦謂其大無極，其長如循環也。許言其本義，他書言其引伸義。其字从宀者，宙不出乎宇也。韋昭曰：「天宇所受曰宙。」《淮南覽冥訓》：「燕雀以為鳳皇不能與爭於宇宙之間。」高注：「宇，屋簷也。宙，棟梁也。引《易》曰：『上棟下宇』」。然則宙之本義謂棟。一演之為舟輿所極覆，再演之為往古來今，則从宀為天地矣！

筆者綜述古人把車和船一往一來的運動軌迹，同太空日月星辰循環運動迹象，劃了等號的原因，所以許公采用了「舟輿所極覆」一語，來闡發宇宙的含義。宇宙本身就是「時空論」的哲學標志。正是由于「恆速循環運動」的出現，是備着特定標準時間計示單元的實質。因而古人對天文曆法的推示，總是離不開對行星運轉週期的觀測與探索。這就決定了古代曆法主要內容的廿四氣的劃分與確定，必然是奠基於探索行星運轉規律的應驗。是不容懷疑的。拿我們今天時為計時的唯一工具表盤指針的旋轉來說，實質上就是古天文「斗柄定位知時」的「異質同功」物。這和《說文》的宙字的訓義相衡量，在闡述「時空規律」的統一性上，是具有互證作用的。不過「時間」之為物，屬於無聲無臭無形無色的無體，事實上不易捕捉與掌握。天文家只好選定某些固定不變的恆星座，占為行星運轉的里程碑，從而得到計時的消息。因此我們認為《說文》的解釋，是有科學意義的。高誘在《淮南覽冥訓》中，據《周易》經文，認定宙字，初義是屋棟，宇字，初義是屋簷。也是富有邏輯性的。何則？因屋棟居屋之中心高位，而屋簷處屋棟之下的周市。棟之與簷，分明屬於「主從」關係。前邊已經說過，古人善于將宏觀的天體，視為微觀物體的放大，而對微觀的物體，恆視為宏觀天體之縮影。高氏把屋棟引為主星的投影，將屋簷想象為衛星環繞的擬態。在這一意識導引下，使宇統出行星運動週期同時間單元的「統一概念」是有証可舉的。宙字从宀从由。宀者穹蒼之象。由者軸之省文。造字者把「時間」形容為一根貫穿歷史的無限長軸。這條長軸在不斷旋轉推動歷史車輪前進。但循環運動絕不意味着舊物的重復或再現。只能被認是螺式的前進。它具有永恆不息

性，是一個永遠除不盡數。它沒有起點，和終點。《莊子》說：「有實而無處者宇也，有長而無本剽者宙也。」真可謂古今卓絕的認識論了。故宇宙二字上為屋蓋，屋棟的含義來說，則屬於象形指事字，若上為時空含義來說，就是象形兼會意字矣！此於漢字中名之為「義變」。

虛

《說文》：「虛，大丘也。昆侖丘謂之昆侖虛……」

案虛之為文，从虍从丘。虍者盧之省也。盧含燬而凶，丘無，示人亡室壞瓦礫堆積如丘之象，故以丘易皿。而亡廢虛字。此指事兼會意字也。今田野考古所見「原始氏族遺址，即史籍所云魯少昊之虛，衛顓頊之虛，陳太昊之虛，鄭祝融之虛，齊與燕之虛……」是也。其地皆本帝都，考古學者往於此類遺址地下土層中，複得上古出土遺物，以其人已亡而廬已燬，故訓為空虛之義。後世創墟字以代虛。而原有之虛代為虛無，棄舍辭矣。故知虛字造型，乃虛字以「丘」代「皿」的「置換式」，此造字之法也。（說詳〈會意字〉）

虛——墟——〈廢墟義〉——物象——〈高地〉
虛——虛——〈實之對〉——棄舍——〈空無〉

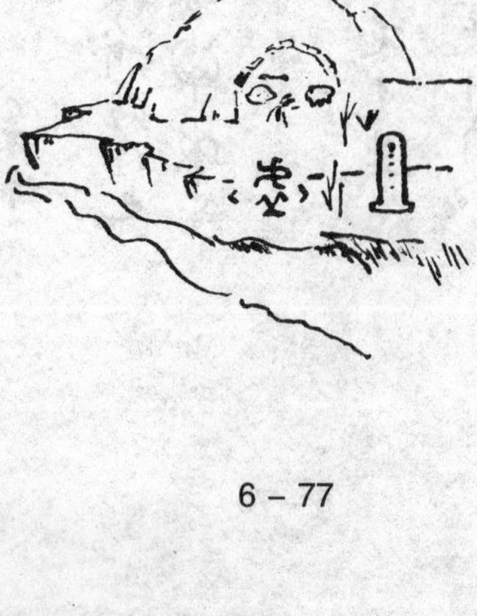

丘

《說文》：「土之高也。非人所為也。」《廣韻》：「聚也，高也。四方高，中央下曰丘。」《博雅》：「小陵曰丘。」

案《集韻》訓「四方高中央下曰丘」，與古文丘字造型極似。儒門鼻祖取丘為名，實與其頭象丘山有關。《幼學瓊林》：「孔子之頂若圩」。皆足証明丘之為文，實象形字也。

《周禮·春官·大司樂疏》：「土之高者曰丘。」又案古籍中許多地名，如「帝丘」乃顓頊之墟，「營丘」齊都，古爽鳩氏之墟，「商丘」「靈丘」「咸丘」「虎丘」……皆古帝王之都也。皆高阜之地也，故同以「丘」名。竊以為丘讀，音同「秋」。《管子·輕重乙篇》：「歲有四秋，而分有四時……」故知「丘」亦皆義字，有萬古千秋，歷史悠久義。現代地與考古學已証實，凡上古原始遺址位置，皆發現於負山面水之向陽的高地之上。這一普遍規律說明了古代人類選擇定居環境，必擇高燥防水，向光取暖之處，其理甚明而易知。故許君訓「人居丘南，故丠，从北，从一。一，地也。」其說確鑿信而有徵。

束 □□□（卜）□□（金）□（篆）《說文》：「縛也」。考《儀禮·士昏禮》：「納徵（定婚財禮）
玄纁束帛」《易·賁卦》：「束帛戔戔」。復考《周禮·大宗伯》：「嫁執返帛」唐賈公彥疏：「束帛十端，每端丈八尺。
兩端合卷，總為五匹，故又「束帛」。」

復考《論語·述而篇》云：「自行『束脩』以上，吾未嘗無誨焉。」古人拜師入學
以乾肉脯，緊縛成把為禮（敬師學費）。又如《論語·公冶長篇》：「赤也何如？」曰：「束帶
立於朝，可使與賓客言也。」 以上諸例，語義雖合，但非□字造象初意也。

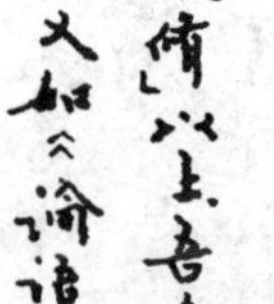
（束帛）

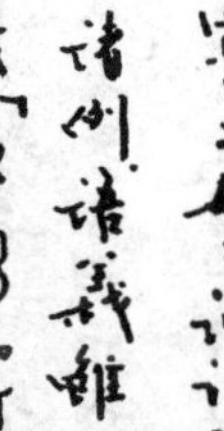
（束帶）

筆者竊以為□字造形旨，取象於「束□」。何以知之？考《毛詩·唐風·綢繆》云：「
綢繆束薪，三星在天」。次章「綢繆束芻，三星在隅」。其末章「綢繆束楚，三星在戶」。傳：「綢繆，猶纏綿也」。
案所謂「綢繆」即緊縛之意。所謂束薪、束芻、束楚，皆植物也。由此可知古篆□□等
字，皆繩索緊縛之象。故知束字，應以緊束為初義，象形字也。厥後延伸為一切約束之義。

縛 □ 纏《說文》：「束也」。 案《說文》束、纏互訓。故知二字義同。皆導源於「綢繆束芻」之意。尤其
是《卜辭》□字，象左右以手緊縛草之態。此景恒見於農郡修繕茅屋，鄉人名之曰「迓艸箇子」。

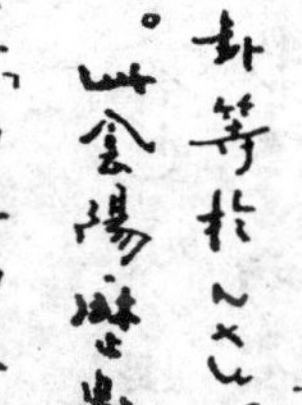

六 □《說文》：「易之數，陰變於六，正於八」。《玉篇》云：「數也」。《增韻》云：「三兩為
六，老陰之數也」。案《周易》爻象，☷卦等於六六。故古坤字亦作巛。
《易經》以為大地之象，與乾九為對。此陰陽變數之學，非造字取象所由來也。

竊以為□之為文，亦象形字，「廬」之初文也。（象廬）八
象兩棟。其所以與「六」的「數辭」相合之故，以廬之建造形式亦有

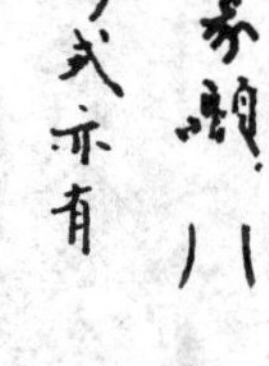

上下左右前後與「六合」同體。古造字者視宏觀宇宙為微觀事物之引伸，視微觀事物為宏觀宇宙之縮影。所謂「仰視浸於天，俯察浸於地，中觀萬物與人，以通神明之德，以類萬物之情」。此體現了文明時期建立於對自然界探索的產物。六廬二字音同而形似，其義可知。

廬 ⿸广⿱⿱虍田凵：《說文》：「寄也。秋冬去，春夏居」。《玉篇》：「屋舍也」。《集韻》：「粗屋總名」。

考《周禮地官遺人》云：「凡國野之道（公路），十里有廬。廬有飲食」。鄭玄：「廬若今日野候（田間小舍），徒有庌也」。《玉篇》：「庌，舍也」。《說文》广部曰：「庌，廡也」。案：庌之為文，从广，从牙。上古農民田間勞動之有飲食休憩之所。牙有咀嚼之意，今江南民間仍謂改善生活曰「打牙祭」。故知庌之為義當與廬同物而異名。所謂「徒有庌」，徒者，遷移也。農民於秋收冬藏，宿食於家。及至去春來，不得不遷居田廬，為了節約時光，避免往返家園之於田間就近而炊。此「徒有庌」之義也。然則廬之為物，所以供飲食休憩之用也明矣。案《周禮地官遺人》之廬，乃西周時代國道佈國境公路之關，為接待國際貴賓來訪而設之食息供應點也。非《說文》所云「冬秋去，春夏居」田間之廬也。雖二者處境不同，所以供飲食休憩之用則一。故同名曰廬。

廬字造型示意：⿸广⿱⿱虍田凵之為文，从广，从⿱虍田，从凵。广者屋宇也。⿱虍田者，說文訓為「飯器」，以是而當非也。

考《漢書司馬相如傳》：「乃令文君當盧」。顏師古注引郭璞曰：「盧，酒器」。《漢書食貨志下》：「率開一盧以賣」。師古注引臣瓚云：「盧，酒氣也」。《玉篇》甶部盧字訓：「盧，飲器也」。《急就篇》：「甑瓽甂甌瓨甖盧」。師古注：「盧，小甖」。筆者案盧字造型推斷。《卜辭》上「[illegible]、[illegible]」，《金文》上「[illegible]、[illegible]、[illegible]」，《播文》上「[illegible]、[illegible]……」字皆从甶（古盧字），象器也。从虍者器蓋飾紐也。冂者器足也。甾，酒器也。非飲器也。凵者飲食之器也。故如廬字从⿱虍田，从凵者，广者屋舍也，⿱虍田者酒器也，凵者飲食之器也。不如此，則無以明「廬有飲食」之義矣。（說詳工藝甶字）

五七

序（𢈔）：《說文》广部𢈔字訓「廡也」。同部廡字訓「堂下周屋」。《釋名》曰「大屋曰廡」。然則序、廡互訓，據屋之名而言也。「廬有飲食」者，據屋之用而言也。廬者旅也，廬旅同聲，寓羈旅之義也。序字从予从广者，示所以示可息可食之所也。復考《周禮·秋官》訝士之職注：「訝，迎也。士官之吏迎四方賓客者。」《說文》：「訝，相迎也。」徐曰：「按《周禮》，使訝

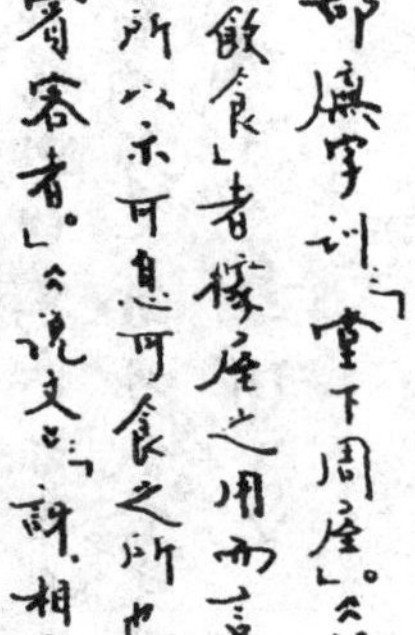

訝：「秦使卿訝，謂以言辭迎而勞之也。」繇此而推，則古為國際貴賓招待服務機構之「𢈔」，不僅有房舍飲食，而且是奉命迎接貴賓之活動場合矣！在廬字形義既明的基礎上，使吾人對虛字含義，獲得了有力啓示。

虛（𡒄）：《說文》：「大丘也。」段注：「虛本謂大丘，大則空曠，故引伸為空虛。如魯少皞之虛、衛顓頊之虛、陳太皞之虛、鄭祝融之虛……皆本帝都。」繇此可見，所謂「廢墟」，皆遠古繁盛帝都遺址也。當時廬舍飲食，歌舞嬉響，徹人間樂境，以及戰爭則衰，滄海桑田，物換星移，則渙然一空矣。故虛字从虍無广、無由無丘而从丘，所以示廬舍已沒，由丘破碎，空餘高地之象也。所謂丘墟，即今人野外考古往往于高阜之地發現之原始遺址也。其地恒有古磚、舊瓦、陶片堆積。此景啓示出古人造字之旨，示意如左：

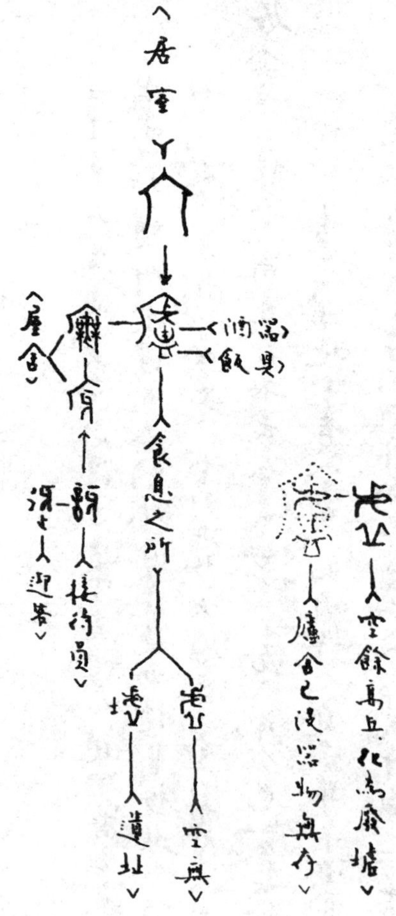

階陔階隕𨸹堦《說文》阜部階字訓：「陛也。」同部陔字訓：「階次也。」《玉篇》：「登堂道也。」《釋名》：「階，梯也。如梯之有等差也。」《漢書·東方朔傳》：「願陳泰階。」注：「泰階，三台也。」

陛𨸟𨺅陛𨻰𨼗《說文》：「升高階也。」《玉篇》：「天子階也。」《王莽傳》：「朱戶納陛。」注：「孟康曰：納，內也。謂鑿殿基為陛，不使露也。」

《唐韓愈曹成王碑》辭曰：「蹶蹶陛陛。」注：「陛陛猶比比也。言衆多層次也。」

篆陛之為文，从阜、从比、从土。阜者層疊之象。《釋名》：「土山曰阜。言高厚也。」故知陛字从阜，所以示升高之義。与階字从阜同例。比者層疊之象也。土者地也。亦象形指事字。金文从亯、从从。亯古城郭字，所以示建築物之義也。𨻰字从木，知古代之陛亦有木製者矣。《千字文》云：「陞階納陛。」故知「階」之與陛音、同物而異名。可从字形窺之。

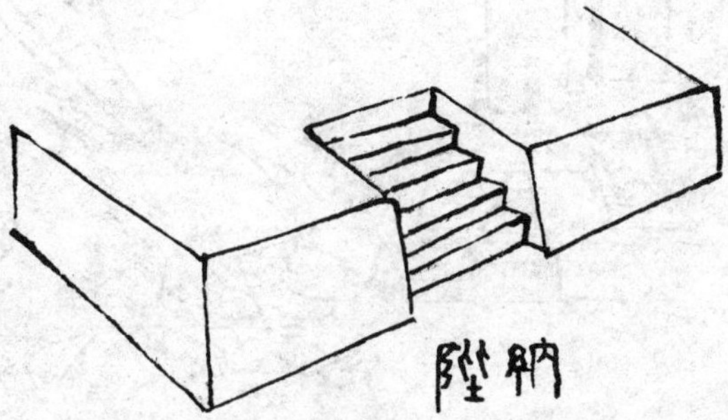
納陛

喬𡵉𠷎𡾏𣎳《說文》：「高而曲也。」《釋名》曰：「上句曰喬，下句曰朻，音究。」《詩·漢廣》傳：「喬，上竦也。」《爾雅·釋木》：「句如羽喬。」注：「樹枝曲卷似鳥羽，下句曰朻，上句曰喬。」《詩·南有喬木》傳：「喬，上竦也。」

考𠷎之為文，从夭、从高。高者，「高」之省文。夭是人頸屈折之形。《說文》高部訓：「崇也。」崇从山从宗。有羣山之主、宗主之義，象臺觀高遠之形。口、冂与高、高同義。」

三八

〈討論〉造字者以高喻喬者，所以示其高也。以夭喻喬者，所以其曲折之象也。值得注意者即此「夭」字乃上行曲折之象，非下向之曲折也。《爾雅》注：「樹枝曲卷似鳥羽」生動地寫照出喬木的形象。筆者案：喬之為言翹也。翹楚之義也。高聳喬木直立達天，枝幹仰揚之義也。其莖极高，故字从高。此木象屋化之示意也。此木象屋化義也。

喬 《玉篇》：「高屋」。案：喬之為文，从宀从高。宀者屋宇之形，高者高達之象。此字見于《卜辭文字》，造型非一，甚大同而小異。略舉大觀，並圖以見義：

以上列《卜辭》字形中足見殷商時代宮闕建築之宏偉，祈及先秦之建築技巧。將來田野考古在發掘遺址中必能證實。此類可斷言也。然則喬之為言翹也，所謂以事為名，取譬相成，是曰形聲是也。

鐈 鐈 《說文》：「似鼎而長足」。案：木之高者曰喬，屋之高者曰喬，鼎之高足者曰鐈。則鐈字造形从金从喬之義可見其物象矣。

驕 驕〈卜〉 驕〈金〉 驕〈篆〉《說文》：「馬高六尺為驕」《玉篇》：「壯貌」。

《正字通》：「恣也，自矜也。」案：驕之為字本義為特定類型之馬名。馬之體大而肥健者，其力必強。強則猛而難馭。故延伸為驕矜義。後世延伸義行而初義遂晦。今民諺有「馬大有人騎，人大沒人喜」之語，仍含古義。

橋 橋《說文》：「水梁也。从木，喬聲。高而曲也。」橋之為言，蹻也。

案：橋之為物，水上架空之建築物也。从木，从喬。木者，材也。喬者，高也。木懸于河上之意也。

趫 趫《說文》：「善緣木走之才也。」案：趫之為言蹻也。而足輕健，善能登高之義也。趫从走从喬。喬者，高木也。走者，下肢動義辭也。

嬌 嬌《六書故》：「女怙恃驕慢也」。這是女性特有的自我尊貴的表現，故字从女，从喬。

嶠 嶠《尔疋·釋山》：「山銳而高曰嶠」

蹻 蹻《說文》：「舉足行高也」《前漢高帝紀》：「……可蹻足待也。」《類篇》：「蹻，山行所乘。

以鐵如錐，施之履下。」案：蹻之為文从足从喬。喬者木之高者也。造字者以蹻為舉足行高之狀語。亦人足上行動態辭。亦「高」之孳乳字。吾鄉土民間春節文娛表演，以兩木柱縛于左右腿背舞蹈，名「踩高蹺」

驕

橋

趫

嶠

〈蹻 高〉

蹻

三九

轎　轎　《韻會》云：「竹輿也」。《前漢嚴助傳》云：「輿轎而踰領」。注：「隘路車也，今竹輿」。《史記河渠書》云：「山行即橋」。《近字通》云：「橋即轎也」。蓋今之肩輿。轎之爲文，从車从喬。車者，有輪之交通工具也。輿者無輪之交通工具，假二人四手扶持而載重。故輿字从車从𦥑。𦥑古舁字。《說文》：「舁，共舉也」。即二人之手也。此物用竹叢成，由二人之四手扶持輪桿，桿端繫以攀帶，掛于輿人肩項之上，乃專供登山乘客之需。而名之曰「轎」。字从車从喬。喬者升高之義。車者交通工具也。

轎

結語：樹之高者曰喬木。屋之高者曰⿸广喬。鼎之高足者曰鐈。木橫于水上曰橋。馬之高者曰驕。而足攀登高木曰趫捷。山之高而銳者曰嶠。女子驕態曰嬌姿。推而言之，歎之罰長氣者曰豪。脂居肉上曰膏。毛生于膚上曰毫。皆有高象，故諸字皆从高。故知皆高之孳乳字。《說文》云：「高，崇也」。象臺觀高之形。表示如次，以見意：

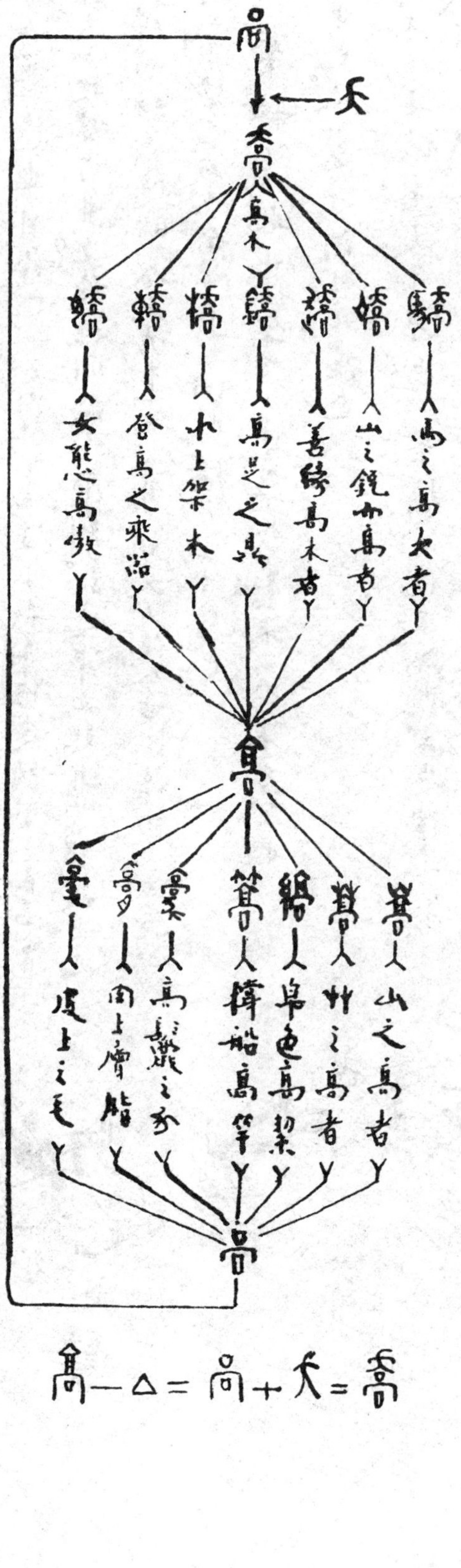

高－△＝冋＋夭＝喬

宕（篆形）《說文》：「過也。一曰洞屋。从宀，碭省聲。」朱駿聲曰：「此字从宀，洞屋當為本訓，洞屋者四圍無（篆形）嶂蔽之謂。」張舜徽氏謂：「山谷中有石洞如屋也。石洞多前後穿通，故引申為通過義。」

宋（篆形）（篆形）（篆形）篆《說文》：「居也。从宀，木。讀若送。」段注云：「此義經傳未見。」徐鍇曰：「木所以成室，以居人也。」時賢張舜徽氏云：「按宀部所收七十一文，唯宕宋二篆同訓居。則其本義固謂人所居之室也。大徐之言，必有所受矣。此篆次宕後者，以宕為天然石洞，宋乃人造木屋，事類相近，故比敘焉。」張氏之解吾謂中之皆發雄大。試論之：

竊以為許君訓為洞屋者，據人類早期「山頂洞」文化之義而立說也。古史所謂「穴居野處」是矣。其於宋字則訓為「居也」。大徐云：「木所以成室，以居人也。」則宋字宀處木上，木者樹也。則古史紀載「有巢氏架木為巢」是其義矣。《禮·禮運》云：「先王未有宮室，冬則居營窟，夏則居橧巢。」《古史考》云：「許由夏常居巢之。」故知宋字之肇來久矣。許君文字編排序列將宕宋二字鄰比，深有古義。《後書》《說文》尸部尻字訓：「尻，処也。从尸几。尸得几而止也。」

案：尻之為文，从尸从几。尸者仰卧之人形也。几者木器，牀榻之類。故知《說文》訓宋為尻，有居高臨下據險而處之意，此初民居處方式，所以防虎豹之患也。然則讀若「送」之義，何由而生？實亦有考證價值。時賢陸君宗達於《說文通論》中對宋字的論述引錢坫云：「宋字从宀从木。木，社木也。宀，居也。《白虎通》義曰：『社無屋，以通天氣。勝（亡）國之社則居之，示與天地絕。屋者，居也。』此制字之義。」筆者考《禮·郊特牲》云：「天子大社，必受霜露風雨，以達天地

之氣也。是故喪國之社屋之。不受天陽也。」按此即錢氏引證資料之所由出。鑽覈上部勝利者對後落的貴族一種政治監督形式。不要看《尚書·微子篇》和《毛詩·有客篇》中說得那樣和氣。人們本來如此，何足怪乎？陸公文云：「考宋字自周武以商與之。特為此而起。亦與地剖可求。《釋名》云：「宋，送也。地接淮漢而東南傾。以封殷後。若云滓濊所生，送遺流東入海也。」夫子于黃帝、堯、舜、禹，皆曰封。獨殷後曰投。鄭康成曰：「投，舉徙之辭。」錢與「投諸四裔」、「投畀有北」正同。當時武庚叛亡。徙殷者有不殊遠之勢。如箕子尚置于朝鮮。朝鮮在海之東北，宋在海之東南。其方不同，其例則一。凡許君之讀若者，皆聲義相兼。劉熙特述其學，故在在與許君合。」

按筆者劉鶚所惠《殷墟文字》中已有「宋」字。在《甲骨彙編》內先後凡十見。並明炯注辭為「方國」名。如甲二〇七號其文云：「乞以宋家。」又續六二四五號其文云：「獲夫于宋」。《餘》《零》繇是觀之，則陸君謂「周武以商與「宋字」之說已屬可疑。蓋以為殷代去上古未遠。其「方國」中有「宋」。或因其地之民仍有上古構木為室而居之遺風而得名乎？但此義經籍不見。嗚呼！事之有無，而不見聞於世者有之矣，有聞而無譽、者亦有之矣。此所以考古之難也。《論語》云：「夏禮吾能言之，杞不足徵也；殷禮吾能言之，宋不足徵也。文獻不足故也。」由此可見《說文》訓「宋」為「居」者，「宋」字原始義也。其訓義曰「送」者，西周王朝賦予之新義也，非初義也。良以「封閉式」的木質、神社與上古構木為巢之居室，其形態酷似而徵肖。此文字造形之轉注例、亦漢字造形之常法。但上古之「宋」乃原始人類之鳥巢明與之居室也。其音固當讀若「宀」、「居」。微子祖社之「宋」為「幽靈」之禁閉牢房也。周家是新興的革命政權，把商朽的殘渣餘孽看成是歷史的「垃圾堆」而付諸東流，送入汪洋大海，以示棄擲之意。其讀為「送」，不亦宜乎？聊志於斯，以明「宋」字誕生之悠久。且證「西周之前無「宋字」之非。知我罪我，唯海內學者究之。

建（建之建之建）《說文》：「立朝律也」段註：「此必有古義。今未考出。」

筆者案：許氏所謂「立朝律」之義，當由《周禮秋官小司寇朝士之職》而來。段氏未能考出，愚補而述之如後：

考《周禮朝士之職》云：「朝士掌建邦外朝之灋。「左九棘」，孤卿大夫位焉，羣士在其後。「右九棘」，公侯伯子男位焉，羣吏在其後。「面三槐」，三公位焉，州長、羣庶在其後。左嘉石，平罷（疲）民焉。右肺石，達窮民焉。」

《嘉石是教育改造遊手好閒、不事生產的懶漢的機關。在嘉石上，刻有教養、賞罰條文。蓋即現代之勞教所之長。肺石、紅石，位于外朝，專門接待鰥、寡、孤、獨、貧、苦無告的小民訪問機構》。

《討論》一、往意簡介之：「外朝」之義，對「內朝」之義而立名也。前者屬于「王者內部聽政機構」，後者即先秦時代「王者」為司法機構而設的公開議事的廣場。「外朝」的環境在「路門」以外。外朝的議事形式是極隆盛的。与會人員包括上至天子，下至庶民，中至各級官吏、各國諸侯……這樣龐大的集會，當然要求會場秩序井井有條。人員的席位，必然要有明確規定。是毫無疑義的。所謂「左九棘」、「右九棘」、「面三槐」、「左嘉石」、「右肺石」。這些木本植物、嶬石標本的建立於廣場，都是為了一个「標位」目的而設的。同時排列次序也是有規律而原則的。這一工作任務，屬於「朝士」的職司範疇。此即許氏訓「建」為「立朝律」其義矣！也就是「建」立外朝的秩序規律。

所謂「立朝律」的目的，就是說到會人員都必須在規定的地方就位。這同《禮明堂位》同樣是屬於為了維護朝廷環境秩序服務的。

建字為什麼訓義為「立朝律」？因為「外朝」廣場的佈置公測工作，是離不開地形勘測計量、勘測之上，自然不會排除科學技巧之

〈立朝律〉示意圖

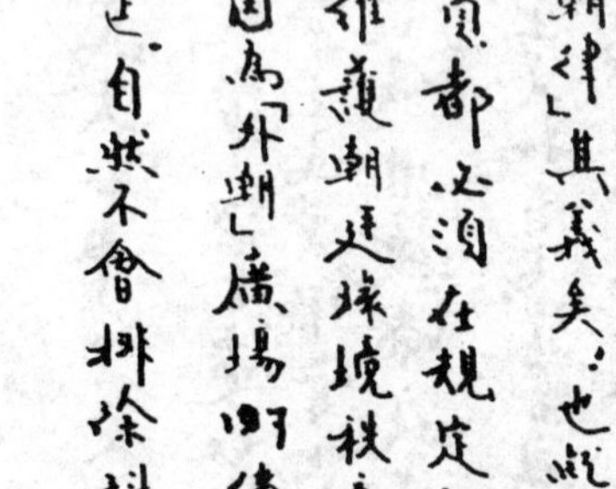

逮用。

逮字造型析義之管窺：考逮之為文，从聿从廴，試分別求証之。

聿 《唐韻》云：「余律切。」《集韻》云：「允律切。」《正韻》云：「以律切，音遹切。」《說文》云：「所以書之器也。楚謂之聿，吳謂之不律，燕謂之弗，秦謂之筆。」案聿之為字，甲骨文作聿，从又从木。又，右手也。木似竹叢下端分歧，像成毫之象。此先秦書寫工具，用蘸漆液施於竹木卷，名曰「帛書」，諸侯明晢用之。古名「策書」（經文上「簡書」）湖南馬王堆出土文物有之。上古無毛筆，至秦蒙恬始有毛筆。故知逮字从聿，書手執竹叢就地畫線之意也。此種古老畫線器於現代木工仍用之。此亦考古化石矣！

廴 《說文》辵部訓：「丑略切。乍行乍止也。」《六書故》云：「循道急行也。」考古文逮字皆从辵。辵，古之走字。故知逮有行進義，小篆逮字从廴。《說文》廴部訓：「長行也。从彳引之。」《玉篇》云：「廴，今作引。」故知逮字从廴，亦有延長、引伸義。今「幾何」製圖，仍常用延長某線段之法以求證「角度值」之例。此逮字造型示意反映了建築施工「繪製圖」之景象。聿者畫線之器也。廴者引伸延長之義矣！

《發明》建築施工，離不開勘測工作。勘測計度，不能排除「儀器」之應用。故吾人對聿字的理解，決不宜局限於執筆畫線之狹義的認識，而是應理解為勘測丈量、計度、施工的象形指事字。

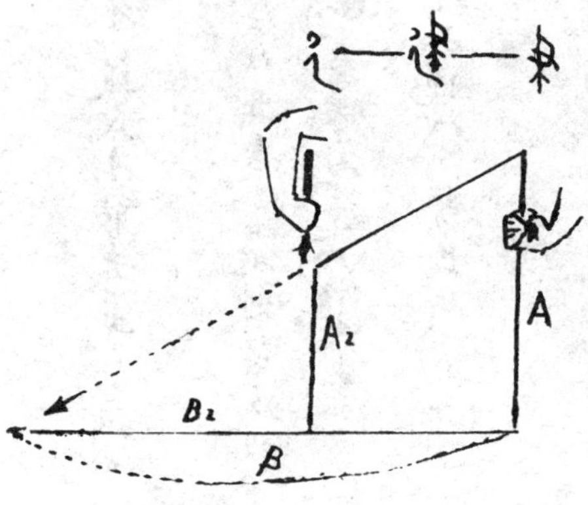

高 $= B \times A_2 \div B_2$

竊 竊 竊《說文》：「盜自中出曰竊。从穴米，禼廿皆聲也。」篆竊之為文，从穴，所以示穿穴而入之意也。从釆者，古辨字（上未詳）。所以示審察測度之精也。从禼，古狒字，狒之為物，身輕步健，所以示晝伏夜行、走壁飛簷、手足之敏捷也。从廿，古疾字，所以示行動之速，如電掣風疾也。竊之為言契也，契機之謂也。時逢其會，地得其利，人得其助，是曰契機。捨此三者，鮮不為戮矣。

壯 壯 壯 壯 壯 表現為用箕盛土傾入板內以築牆。《孟子》：「傅說舉于版築之間」，呻諮傳說其精神託於「箕」「尾」。箕《人為星座》是廿八宿之一，亦有一星名曰傅說。傅說出身於奴隸，被殷高宗拔為宰輔，死後在天上仍然伴隨著生前使用的築牆盛土的工具。這一些歷史佳話中，都閃爍著古代建築工程的「施工技影」。

廣 廣 廣〈卜〉廣〈金〉廣〈篆〉《說文》：「殿之大屋也。」《玉篇》：「廣，大也。」《廣雅》：「廣，闊也。」《易·繫辭》：「廣大配天地」。疏：「大以配天，廣以配地。」《周禮·地官·大司徒》：「周知九州之地域，廣輪之數。」馬融云：「東西曰廣，南北為輪。」筆者按：廣之為文，从广，从黄。广者屋之形，天之象也。黄者土之色，地之象也。古人造字示意，意旨，將微觀事物視為宏觀宇宙之縮影，視宏觀宇宙為微觀事物之引伸。可以造字示意中見之。故知主張拋棄《易》理而探索古代文化者，猶緣木而求魚矣。

四二

穿□〈金〉□〈篆〉《說文》：「通也。穴也」。《詩·召南·行露》：「誰謂鼠無牙，何以穿我墉。」傳：「墉，牆也。」視牆之穿，推其類，可謂鼠有牙。」

筆者按：□之為文，从牙，从穴。穴者，孔洞之象，牙者鼠牙也。鼠之為鼠（□）物，嚙齒類動也。以破壞牆壁是其專長。其牙齒骨質，再生力極強，故能不懼磨損毀傷。古篆鼠字上□。从□（齒），从□（尾爪），象形字也。故知□字从牙，从穴，所以示老鼠打洞之意。所謂「視而可識，察而可見」，指事字也。本通過《經》文語例，又怎能知□字造型取象於鼠牙？此例即示象例也。

——□——□——

埭埭□《広韻》：「以土堨水也。音代。往來舟船泊堆之所。兩岸樹轉軸，遇舟過，以繩繫舟尾。或以人，或以牛，推軸輓之而渡。」又《晉中興書》：「以牛牽埭，取其視。謝元遏呂梁埭，通漕。」

按：埭之為物，實即用石或土築成的「攔水壩」。

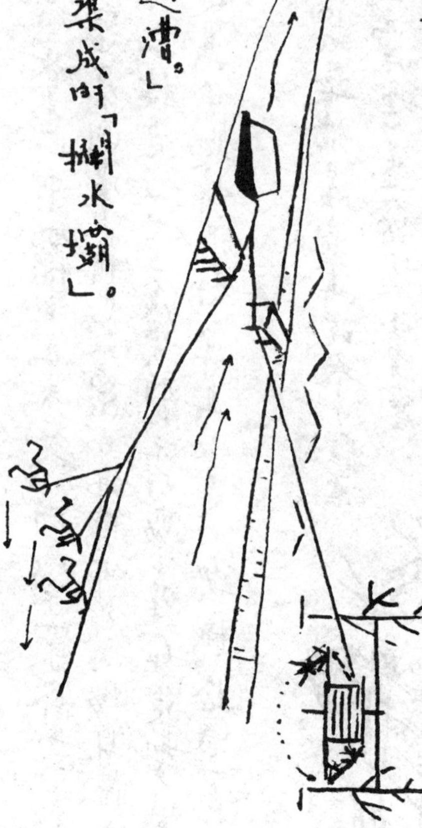

〈縴拉〉

其功用在于便利貨船漕運，又能增加國家稅收。此物土名「閘口」。縣于船自下游逆流而上，與埭上的水位懸殊，以致貨船無法通過堰口直達上游。故必須依靠非繩索牽引之力而渡過難關。其動力或用人（縴夫）或用牛力「絞盤」（土名磨車），現代科技術語名繩索牽引器。古時在江河水流湍急船路艱阻之處，設埭以收稅，南北朝謂之「牛埭稅」。至唐代改稱「埭程」。

闞 闞《說文》：「門榍也。」木部曰：「榍，門限也。」按《論語》云：「立不中門，行不履闞。」此聖賢教人之生活行動規範，所以防足跟不穩導致前傾後仰之患，且示人以不敬之態也。許氏釋闞為門限，難免有視野狹隘之嫌，其未能識闞字之造形之真諦乎？夫闞之為文，从戍，从門。戍者，國之循寫武也。門者出入之口也。故知闞字初義「國门」也。蓋门限之為物，所以攔阻门扇，非單固一室之安全也。國门者邊疆之要隘，所以禦寇備敵保衛國土也。萬民安居樂業，資利賴之。夫室不固而國门能固者，則有之矣，未有國门不固而室門可保者也。故知闞字訓為國门，其本義也。其訓為「门榍」者，乃通假義也。賢如叔重大師者猶未免千慮之一疏，而況吾儕

末學後進之士乎？甚矣哉，文字隱蹟亦宗廟難關也。

圯

圯，《說文·土部》云：「圯，東楚謂橋」。

筆者案：《漢書·張良傳》云：「……良嘗學禮淮陽，東見倉海君，得力士，為鐵椎重百二十斤。秦皇帝東游，至博浪沙中，良與客狙擊秦皇帝，誤中副車。秦皇帝大怒，大索天下，求賊急甚。良乃更名姓，亡匿下邳。良嘗閒從容步游下邳圯上……」《注》引服虔曰：「圯音頤，楚人謂橋曰圯」。

筆者考：圯之為字，楚國「方言」也。戰國末期，荊楚勢力北漸，延及徐淮東海之境（包括今魯南蘇北地帶），故服氏與許君同謂「東海謂橋曰圯」，良有以也。

圯的字形析義：竊以為圯字造型从土，从巳。土者地之質也。巳者橋之態也。巳字，初文見於《甲骨》。造字者取像於胎兒，乃十二地支之第六字，而義與子通。唯子具上肢而巳則已朝無臂而身微，此其異耳！此體天然土墩，真立於淺流之邊緣，仍可以現代「公園」造景中求證之。古人「像物化」之古文造字藝巧。為示如後，以見之意：

擬態

㠯〈胎兒〉

子〈嬰兒〉

圮醻　圮　醻〈說文〉

「毀也。从土，己聲。」

或从手，配省，非聲」

又漢書曰：「方命醻族」。

筆者案：古文圮字从土、从己。土者，土木建築物。从己者，所以示物之成敗有數，數之必順也。此會義字矣。〈說文〉對舉，醻字从酉，酒之省，从手，舞之態也。所以示經散離異之意。非者「四非」俱備，驕奢無忌也。離散不順，其可得乎？故知圮之為文，自然義也。醻之為文，社會義也。故知圮字訓「毀」者，物理也。醻字訓「毀」者，道德也。

寵 𡨦（金） 𡫯（籀） 䆋（篆）

說文云：「尊居也」。

案：寵造形之從宀、從龍。宀，古皃一竹架之形，殿堂之象。龍者，王者之徵，天子之象也。故知許君所謂「尊居」，實即帝王朝會諸侯之「金鑾殿」。此其義矣！後延伸為「恩寵」「寵榮」等辭，延伸義行而本義遂晦。

环境教育

HUANJING JIAOYU

环境教育（三年级）

072026 举报电话：12358

ISBN 978-7-5331-5304-5

9 787533 153045 >

定价：3.11 元

环境教育

HUANJING JIAOYU

三年级

总主编 赵彦修

主　编 成杰民 王

副主编 张可柱 王

山东科学技术出版社

www.lkj.com.cn

们在交流手抄党章心得。

党章党规，学系列讲话，做合格党员”学习教
“两学一做”主题教育学习，掀起了“人人抄

德州减河牡丹芍药：

仙子雍容 华美大雅

□ 图/文 秋水

她们从 1500 多年前南北朝的田野走来，端妍雍容、富丽华美；她们从唐朝诗人刘禹锡深沉的注视下走来，花开时节动京城；她们从北宋诗人杜安世激情的笔下走来，三月牡丹呈艳态，壮观人间春世界；她们从明代沈石田、近代吴昌硕大师的画卷中走来……

她们自牡丹之乡菏泽来，仙子下凡，飘落在了德州减河岸。

阳光下，国色天香、艳冠群芳。她们以绽放满满幸福的笑脸，诠释着对这片土地的爱，映衬着这个城市的幸福！

花海 秋水 摄

■深学笃行 求实求效

■陈勇在全市“两学一做”学习教育工作

■全市道德模范宣讲“六进”活动启动

■刘欣：刀凿声声夺天工